LAROUSSE

MINI
DICTIONNAIRE

D1623086

ANGLAIS
FRANÇAIS

LAROUSSE

© Larousse/VUEF, 2002

ISBN 2-03-540093-7
Larousse, Paris
Distributeur exclusif au Québec : Messageries ADP, 1751 Richardson, Montréal (Québec)

ISBN 2-03-542033-4
Diffusion/Sales : Houghton Mifflin Company, Boston.
Library of Congress CIP Data
has been applied for

LAROUSSE

MINI
DICTIONARY

FRENCH
ENGLISH

ENGLISH
FRENCH

LAROUSSE

NOTES CULTURELLES

baccalauréat	collège	14-Juillet	quartier Latin
Beaubourg	composter	le Louvre	régions
Césars	DOM-TOM	lycée	La Sorbonne
calendrier scolaire	école	métro	tabac
cantine	l'Élysée	Matignon	téléphone
canton	fête de la musique	muguet	Tour Eiffel
carnet	bonne fête	Noël	tour de France
carte bleue	festival d'Avignon	péage	Toussaint
champagne	festival de Cannes	pain	Versailles
classes prépara-	fromage	pardon	vin
toires	galette des rois	PMU	vous
la cohabitation	gendarmerie	pourboire	

CULTURAL NOTES

Bed & Breakfast	Fourth of July	Mount Rushmore	Thanksgiving
Beer	Garage Sale	Native American	Tipping
Best Man	Graduate School	National Park	Tower Bridge/
Boxing Day	Great Britain	Open University	Tower of London
Broadsheet/	Green Card	Pantomime	VAT
Broadside	Greyhound Bus	Pub	Wall Street
Buckingham	Guy Fawkes Night	Saint Patrick's Day	Westminster/
Palace	Halloween	SAT	Westminster Abbey
Cajun	Houses of	Scouts	The White House
Devolution	Parliament	Silicon Valley	World Series
Downing Street	Ivy League	Stars & Stripes	Yankee
Education System	Mall	Statue of Liberty	Yellow Lines
Election	Manhattan	Super Bowl	
Fish & Chips	Medicaid/Medicare	Tabloid	

Ce dictionnaire MINI a été conçue pour répondre aux besoins du voyageur et du débutant.

Avec plus de 30 000 mots et expressions, et plus de 40 000 traductions, ce dictionnaire présente non seulement le vocabulaire général mais aussi les mots de la vie quotidienne.

De nombreux exemples et des indicateurs de sens précis éclairent le vocabulaire essentiel. Les termes dont l'emploi nécessite une plus grande précision sont mis en relief par une présentation étudiée.

Des informations culturelles et des renseignements pratiques ouvrant des aperçus sur un autre pays sont à découvrir au fil du dictionnaire.

Nous espérons que vous apprécierez cet ouvrage et nous vous invitons à nous envoyer vos suggestions.

L'ÉDITEUR

This MINI dictionary was developed to meet the needs of both the traveller and the beginner.

With over 30,000 words and phrases and 40,000 translations, this dictionary provides not only general vocabulary but also the language used in everyday life.

Clear sense markers are provided to guide the reader to the correct translation, while special emphasis has been placed on many basic words, with helpful examples of usage and a particularly user-friendly layout.

Cultural notes and practical information can be found throughout which allow an interesting insight into life in another country.

We hope you enjoy using this dictionary, and don't hesitate to send us your comments.

THE PUBLISHER

ABBREVIATIONS

ABRÉVIATIONS

abbreviation	*abbr/abr*	abréviation
adjective	*adj*	adjectif
adverb	*adv*	adverbe
American English	*Am*	anglais américain
anatomy	*ANAT*	anatomie
article	*art*	article
automobile, cars	*AUT*	automobile
auxiliary	*aux*	auxiliaire
before noun	*avant n*	avant le nom
Belgian French	*Belg*	belgicisme
British English	*Br*	anglais britannique
Canadian French	*Can*	canadianisme
commerce, business	*COMM*	commerce
comparative	*compar*	comparatif
computers	*COMPUT*	informatique
conjunction	*conj*	conjonction
continuous	*cont*	progressif
culinary, cooking	*CULIN*	cuisine, art culinaire
exclamation	*excl*	interjection
feminine	*f*	féminin
informal	*fam*	familier
figurative	*fig*	figuré
finance, financial	*FIN*	finances
formal	*fml*	soutenu
inseparable	*fus*	non séparable
generally	*gen/gén*	généralement
grammar	*GRAM(M)*	grammaire
Swiss French	*Helv*	helvétisme
informal	*inf*	familier
computers	*INFORM*	informatique
interrogative	*interr*	interrogatif
invariable	*inv*	invariable
juridical, legal	*JUR*	juridique
masculine	*m*	masculin

VII

mathematics	*MATH*	mathématiques
medicine	*MED/MÉD*	médecine
military	*MIL*	domaine militaire
music	*MUS*	musique
noun	*n*	nom
nautical, maritime	*NAVIG*	navigation
numeral	*num*	numéral
oneself	*o.s.*	
pejorative	*pej/péj*	péjoratif
plural	*pl*	pluriel
politics	*POL*	politique
past participle	*pp*	participe passé
present participle	*ppr*	participe présent
preposition	*prep/prép*	préposition
pronoun	*pron*	pronom
past tense	*pt*	passé
	qqch	quelque chose
	qqn	quelqu'un
registered trademark	®	nom déposé
religion	*RELIG*	religion
someone, somebody	*sb*	
school	*SCH/SCOL*	scolarité
Scottish English	*Scot*	anglais écossais
separable	*sep*	séparable
singular	*sg*	singulier
formal	*sout*	soutenu
something	*sthg*	
subject	*subj/suj*	sujet
superlative	*superl*	superlatif
technology	*TECH*	domaine technique
transport	*TRANSP*	transport
television	*TV*	télévision
verb	*v, vb*	verbe
intransitive verb	*vi*	verbe intransitif

TRADEMARKS

Words considered to be trademarks have been designated in this dictionary by the symbol ®. However, neither the presence nor the absence of such designation should be regarded as affecting the legal status of any trademark.

ENGLISH COMPOUNDS

A compound is a word or expression which has a single meaning but is made up of more than one word, e.g. **point of view, kiss of life, virtual reality** and **West Indies**. It is a feature of this dictionary that English compounds appear in the A–Z list in strict alphabetical order. The compound **blood test** will therefore come after **bloodshot** which itself follows **blood pressure**.

NOMS DE MARQUE

Les noms de marque sont désignés dans ce dictionnaire par le symbole ®. Néanmoins, ni ce symbole ni son absence éventuelle ne peuvent être considérés comme susceptibles d'avoir une incidence quelconque sur le statut légal d'une marque.

MOTS COMPOSÉS ANGLAIS

On désigne par composés des entités lexicales ayant un sens autonome mais qui sont composées de plus d'un mot, par exemple **point of view, kiss of life, virtual reality** et **West Indies**. Nous avons pris le parti de faire figurer les composés anglais dans l'ordre alphabétique général. Le composé **blood test** est ainsi présenté après **bloodshot** qui suit **blood pressure**.

IX

PHONETIC TRANSCRIPTION

TRANSCRIPTION PHONÉTIQUE

English vowels

[ɪ]	pit, big, rid
[e]	pet, tend
[æ]	pat, bag, mad
[ʌ]	run, cut
[ɒ]	pot, log
[ʊ]	put, full
[ə]	mother, suppose
[iː]	bean, weed
[ɑː]	barn, car, laugh
[ɔː]	born, lawn
[uː]	loop, loose
[ɜː]	burn, learn, bird

Voyelles françaises

[i]	fille, île
[e]	pays, année
[ɛ]	bec, aime
[a]	lac, papillon
[ɑ]	tas, âme
[o]	drôle, aube
[ɔ]	botte, automne
[u]	outil, goût
[y]	usage, lune
[ø]	aveu, jeu
[œ]	peuple, bœuf
[ə]	le, je

English diphthongs

[eɪ]	bay, late, great
[aɪ]	buy, light, aisle
[ɔɪ]	boy, foil
[əʊ]	no, road, blow
[aʊ]	now, shout, town
[ɪə]	peer, fierce, idea
[eə]	pair, bear, share
[ʊə]	poor, sure, tour

Nasales françaises

[ɛ̃]	timbre, main
[ɑ̃]	champ, ennui
[ɔ̃]	ongle, mon
[œ̃]	parfum, brun

Semi-vowels

you, spaniel	[j]
wet, why, twin	[w]
	[ɥ]

Semi-voyelles

yeux, lieu
ouest, oui
lui, nuit

Consonants

pop, people	[p]
bottle, bib	[b]
train, tip	[t]
dog, did	[d]
come, kitchen	[k]
gag, great	[g]
chain, wretched	[tʃ]

Consonnes

prendre, grippe
bateau, rosbif
théâtre, temps
dalle, ronde
coq, quatre
garder, épilogue

jet, fridge	[dʒ]	
fib, physical	[f]	physique, fort
vine, livid	[v]	voir, rive
think, fifth	[θ]	
this, with	[ð]	
seal, peace	[s]	cela, savant
zip, his	[z]	fraise, zéro
sheep, machine	[ʃ]	charrue, schéma
usual, measure	[ʒ]	rouge, jeune
how, perhaps	[h]	
metal, comb	[m]	mât, drame
night, dinner	[n]	nager, trône
sung, parking	[ŋ]	
	[ɲ]	agneau, peigner
little, help	[l]	halle, lit
right, carry	[r]	arracher, sabre

The symbol [ʼ] has been used to represent the French "h aspiré", e.g. hachis [ʼaʃi].

Le symbole [ʼ] représente le «h aspiré» français, par exemple hachis [ʼaʃi].

The symbol [ˈ] indicates that the following syllable carries primary stress and the symbol [ˌ] that the following syllable carries secondary stress.

Les symboles [ˈ] et [ˌ] indiquent respectivement un accent primaire et un accent secondaire sur la syllabe suivante.

The symbol [ʳ] in English phonetics indicates that the final "r" is pronounced only when followed by a word beginning with a vowel. Note that it is nearly always pronounced in American English.

Le symbole [ʳ] indique que le «r» final d'un mot anglais ne se prononce que lorsqu'il forme une liaison avec la voyelle du mot suivant; le «r» final est presque toujours prononcé en anglais américain.

A

A *abr* = autoroute.

a [a] → avoir.

à [a] *prép* - **1.** *(introduit un complément d'objet indirect)* to ; **penser à** to think about ; **donner qqch à qqn** to give sb sthg.
- **2.** *(indique le lieu où l'on est)* at ; **à la campagne** in the country ; **rester à la maison** to stay home ; **il y a une piscine à deux kilomètres du village** there is a swimming pool two kilometres from the village.
- **3.** *(indique le lieu où l'on va)* to ; **il est parti à la pêche** he went fishing.
- **4.** *(introduit un complément de temps)* at ; **au mois d'août** in August ; **le musée est à cinq minutes d'ici** the museum is five minutes from here ; **à jeudi !** see you Thursday!
- **5.** *(indique la manière, le moyen)* : **à deux** together ; **à pied** on foot ; **écrire au crayon** to write in pencil ; **à la française** in the French style ; **fait à la main** handmade, made by hand.
- **6.** *(indique l'appartenance)* : **cet argent est à moi/à lui/à Isabelle** this money is mine/his/Isabelle's ; **à qui sont ces lunettes?** whose are these glasses? ; **une amie à moi** a friend of mine.
- **7.** *(indique un prix)* : **une place à 15 euros** a 15-euro seat.
- **8.** *(indique une caractéristique)* with ; **du tissu à rayures** a striped fabric ; **un bateau à vapeur** a steamboat.
- **9.** *(indique un rapport)* by ; **100 km à l'heure** 100 km an hour.
- **10.** *(indique le but)* : **maison à vendre** house for sale ; **le courrier à poster** the letters to be posted.

AB *(abr de assez bien)* fair *(assessment of schoolwork)*.

abaisser [abese] *vt (manette)* to lower.

abandon [abɑ̃dɔ̃] *nm* : **à l'~** neglected ; **laisser qqch à l'~** to neglect sthg.

abandonné, e [abɑ̃dɔne] *adj* abandoned ; *(village)* deserted.

abandonner [abɑ̃dɔne] *vt* to abandon. ◆ *vi* to give up.

abat-jour [abaʒur] *nm inv* lampshade.

abats [aba] *nmpl (de bœuf, de porc)* offal *(sg)* ; *(de volaille)* giblets.

abattoir [abatwar] *nm* abattoir.

abattre [abatr] *vt (arbre)* to chop down ; *(mur)* to knock down ; *(tuer)* to kill.

abattu, e [abaty] *adj (découragé)* dejected.

abbaye [abei] *nf* abbey.

abcès [apsɛ] *nm* abscess.

abeille [abɛj] *nf* bee.

aberrant, e [abɛrɑ̃, ɑ̃t] *adj* absurd.

abîmer [abime] *vt* to damage. ❏ **s'abîmer** *vp (fruit)* to spoil ; *(livre)* to get damaged ; **s'~ les yeux** to ruin one's eyesight.

aboiements [abwamɑ̃] *nmpl* barking *(sg)*.

abolir [abɔlir] *vt* to abolish.

abominable [abɔminabl] *adj* awful.

abondant, e [abɔdɑ̃, ɑ̃t] *adj* plentiful ; *(pluie)* heavy.

abonné, e [abɔne] *nm, f (à un magazine)* subscriber ; *(au théâtre)* season ticket holder. ◆ *adj* : **être ~ à un journal** to subscribe to a newspaper.

abonnement [abɔnmɑ̃] *nm (à un magazine)* subscription ; *(de théâtre, de métro)* season ticket.

abonner [abɔne] : **s'abonner à** *vp + prép (journal)* to subscribe to.

abord [abɔr] : **d'abord** *adv* first.

abordable [abɔrdabl] *adj* affordable.

aborder [abɔrde] *vt (personne)* to approach ; *(sujet)* to touch on. ◆ *vi* NAVIG to reach land.

aboutir [abutir] *vi (réussir)* to be successful ; **~ à** *(rue)* to lead to ; *(avoir pour résultat)* to result in.

aboyer [abwaje] *vi* to bark.

abrégé [abreʒe] *nm* : **en ~ in** short.

abréger [abreʒe] *vt* to cut short.

abreuvoir [abrœvwar] *nm* trough.

abréviation [abrevjasjɔ̃] *nf* abbreviation.

abri [abri] *nm* shelter ; **être à l'~ (de)** to be sheltered (from).

abricot [abriko] *nm* apricot.

abriter [abrite] : **s'abriter (de)** *vp (+ prép)* to shelter (from).

abrupt, e [abrypt] *adj (escarpé)* steep.

abruti, e [abryti] *adj fam (bête)* thick ; *(assommé)* dazed. ◆ *nm, f (fam)* idiot.

abrutissant, e [abrytisɑ̃, ɑ̃t] *adj* mind-numbing.

absence [apsɑ̃s] *nf* absence ; *(manque)* lack.

absent, e [apsɑ̃, ɑ̃t] *adj (personne)* absent. ◆ *nm, f* absentee.

absenter [apsɑ̃te] : **s'absenter** *vp* to leave.

absolu, e [apsɔly] *adj* absolute.

absolument [apsɔlymɑ̃] *adv* absolutely.

absorbant, e [apsɔrbɑ̃, ɑ̃t] *adj (papier, tissu)* absorbent.

absorber [apsɔrbe] *vt* to absorb ; *(nourriture)* to take.

abstenir [apstənir] : **s'abstenir** *vp (de voter)* to abstain ; **s'~ de faire qqch** to refrain from doing sthg.

abstention [apstɑ̃sjɔ̃] *nf* abstention.

abstenu, e [apstəny] *pp* → **abstenir.**

abstrait, e [apstrɛ, ɛt] *adj* abstract.

absurde [apsyrd] *adj* absurd.

abus [aby] *nm* : **évitez les ~** don't drink or eat too much.

abuser [abyze] *vi (exagérer)* to go too far ; **~ de** *(force, autorité)* to abuse.

académie [akademi] *nf (zone administrative)* local education authority ; **l'Académie française**

French Academy *(learned society of leading men and women of letters).*

acajou [akaʒu] *nm (bois)* mahogany.

accabler [akable] *vt :* ~ **qqn (de)** to overwhelm sb (with).

accéder [aksede] : **accéder à** *v + prép (lieu)* to reach.

accélérateur [akseleratœr] *nm* accelerator.

accélération [akselerasjɔ̃] *nf* acceleration.

accélérer [akselere] *vi AUT* to accelerate ; *(se dépêcher)* to hurry.

accent [aksɑ̃] *nm* accent ; **mettre l'~ sur** to stress ; ~ **aigu** acute (accent) ; ~ **circonflexe** circumflex (accent) ; ~ **grave** grave (accent).

accentuer [aksɑ̃tɥe] *vt (mot)* to stress. ❑ **s'accentuer** *vp (augmenter)* to become more pronounced.

acceptable [akseptabl] *adj* acceptable.

accepter [aksepte] *vt* to accept ; *(supporter)* to put up with ; ~ **de faire qqch** to agree to do sth.

accès [aksɛ] *nm (entrée)* access ; *(crise)* attack ; '~ **interdit** 'no entry' ; '~ **aux trains** 'to the trains'.

accessible [aksesibl] *adj* accessible.

accessoire [akseswar] *nm* accessory.

accident [aksidɑ̃] *nm* accident ; ~ **de la route** road accident ; ~ **du travail** industrial accident ; ~ **de voiture** car crash.

accidenté, e [aksidɑ̃te] *adj (voiture)* damaged ; *(terrain)* bumpy.

accidentel, elle [aksidɑ̃tɛl] *adj (mort)* accidental ; *(rencontre, découverte)* chance.

accolade [akɔlad] *nf (signe graphique)* curly bracket.

accompagnateur, trice [akɔ̃panatœr, tris] *nm, f (de voyages)* guide ; *MUS* accompanist.

accompagnement [akɔ̃paɲmɑ̃] *nm MUS* accompaniment.

accompagner [akɔ̃paɲe] *vt* to accompany.

accomplir [akɔ̃plir] *vt* to carry out.

accord [akɔr] *nm* agreement ; *MUS* chord ; **d'~!** OK!, all right! ; **se mettre d'~** to reach an agreement ; **être d'~ pour faire qqch** to agree to doing sth.

accordéon [akɔrdeɔ̃] *nm* accordion.

accorder [akɔrde] *vt MUS* to tune ; ~ **qqch à qqn** to grant sb sth. ❑ **s'accorder** *vp* to agree ; **s'~ bien** *(couleurs, vêtements)* to go together well.

accoster [akɔste] *vt (personne)* to go up to. ◆ *vi NAVIG* to moor.

accotement [akɔtmɑ̃] *nm* shoulder ; '~**s non stabilisés** 'soft verges'.

accouchement [akuʃmɑ̃] *nm* childbirth.

accoucher [akuʃe] *vi :* ~ **(de)** to give birth (to).

accouder [akude] : **s'accouder** *vp* to lean.

accoudoir [akudwar] *nm* armrest.

accourir [akurir] *vi* to rush.

accouru, e [akury] *pp* → **accourir.**

accoutumer [akutyme] : **s'accoutumer à** *vp + prép* to get used to.

accroc [akro] *nm* rip, tear.

accrochage [akrɔʃaʒ] nm *(accident)* collision ; *fam (dispute)* quarrel.

accrocher [akrɔʃe] vt *(tableau)* to hang (up) ; *(caravane)* to hook up ; *(heurter)* to hit. ❑ **s'accrocher** *fam (persévérer)* to stick to it ; **s'~ à** *(se tenir à)* to cling to.

accroupir [akrupir] : **s'accroupir** vp to squat (down).

accu [aky] nm *fam* battery.

accueil [akœj] nm *(bienvenue)* welcome ; *(bureau)* reception.

accueillant, e [akœjã, ãt] adj welcoming.

accueillir [akœjir] vt *(personne)* to welcome ; *(nouvelle)* to receive.

accumuler [akymyle] vt to accumulate. ❑ **s'accumuler** vp to build up.

accusation [akyzasjɔ̃] nf *(reproche)* accusation ; *JUR* charge.

accusé, e [akyze] nm, f accused. ◆ nm : **~ de réception** acknowledgment slip.

accuser [akyze] vt to accuse ; **~ qqn de qqch** to accuse sb of sthg.

acéré, e [asere] adj sharp.

acharnement [aʃarnəmã] nm relentlessness.

acharner [aʃarne] : **s'acharner** vp : **s'~ à faire qqch** to strive to do sthg ; **s'~ sur qqn** to persecute sb.

achat [aʃa] nm *(acquisition)* buying ; *(objet)* purchase ; **faire des ~s** to go shopping.

acheter [aʃte] vt to buy ; **~ qqch à qqn** *(pour soi)* to buy sthg from sb ; *(en cadeau)* to buy sthg for sb.

acheteur, euse [aʃtœr, øz] nm, f buyer.

achever [aʃve] vt *(terminer)* to

finish ; *(tuer)* to finish off. ❑ **s'achever** vp to end.

acide [asid] adj *(aigre)* sour ; *(corrosif)* acid. ◆ nm acid.

acidulé [asidyle] adj m → **bonbon**.

acier [asje] nm steel ; **~ inoxydable** stainless steel.

acné [akne] nf acne.

acompte [akɔ̃t] nm deposit.

à-coup, s [aku] nm jerk ; **par ~s** in fits and starts.

acoustique [akustik] nf *(d'une salle)* acoustics *(sg).*

acquérir [akerir] vt *(acheter)* to buy ; *(réputation, expérience)* to acquire.

acquis, e [aki, iz] pp → **acquérir**.

acquisition [akizisjɔ̃] nf *(action)* acquisition ; *(objet)* purchase ; **faire l'~ de** to buy.

acquitter [akite] vt *JUR* to acquit. ❑ **s'acquitter de** vp + prép *(dette)* to pay off.

âcre [akr] adj *(odeur)* acrid.

acrobate [akrɔbat] nmf acrobat.

acrobatie [akrɔbasi] nf acrobatics *(sg).*

acrylique [akrilik] nm acrylic.

acte [akt] nm *(action)* act, action ; *(document)* certificate ; *(d'une pièce de théâtre)* act.

acteur, trice [aktœr, tris] nm, f *(comédien)* actor *(f* actress).

actif, ive [aktif, iv] adj active.

action [aksjɔ̃] nf *(acte)* action ; *(effet)* effect ; *FIN* share.

actionnaire [aksjɔner] nmf shareholder.

actionner [aksjɔne] vt to activate.

active → **actif**.

activer [aktive] vt *(feu)* to stoke.

s'activer *vp (se dépêcher)* to get a move on.

activité [aktivite] *nf* activity.

actrice → **acteur**.

actualité [aktyalite] *nf*: **l'~** current events ; **d'~** topical. ❑ **actualités** *nfpl* news *(sg)*.

actuel, elle [aktɥɛl] *adj* current, present.

actuellement [aktɥɛlmɑ̃] *adv* currently, at present.

acupuncture [akypɔ̃ktyr] *nf* acupuncture.

adaptateur [adaptatœr] *nm (pour prise de courant)* adaptor.

adapter [adapte] *vt (pour le cinéma, la télévision)* to adapt ; ~ **qqch à** *(ajuster)* to fit sthg to. ❑ **s'adapter** *vp* to adapt ; **s'~ à** to adapt to.

additif [aditif] *nm* additive ; **'sans ~'** 'additive-free'.

addition [adisjɔ̃] *nf (calcul)* addition ; *(note)* bill *(Br)*, check *(Am)* ; **faire une ~** to do a sum ; **l'~, s'il vous plaît!** can I have the bill please!

additionner [adisjɔne] *vt* to add (up). ❑ **s'additionner** *vp (s'accumuler)* to build up.

adepte [adɛpt] *nmf (d'une théorie)* supporter ; *(du ski, du jazz)* fan.

adéquat, e [adekwa, at] *adj* suitable.

adhérent, e [aderɑ̃, ɑ̃t] *nm, f* member.

adhérer [adere] *vi* : ~ **à** *(coller)* to stick to ; *(participer)* to join.

adhésif, ive [adezif, iv] *adj (pansement, ruban)* adhesive.

adieu, x [adjø] *nm* goodbye ; **adieu!** goodbye!

adjectif [adʒɛktif] *nm* adjective.

adjoint, e [adʒwɛ̃, ɛ̃t] *nm, f* assistant.

admettre [admɛtr] *vt (reconnaître)* to admit ; *(tolérer)* to allow ; *(laisser entrer)* to allow in ; **être admis (à un examen)** to pass (an exam).

administration [administrasjɔ̃] *nf (gestion)* administration.

admirable [admirabl] *adj* admirable.

admirateur, trice [admiratœr, tris] *nm, f* admirer.

admiration [admirasjɔ̃] *nf* admiration.

admirer [admire] *vt* to admire.

admis, e [admi, iz] *pp* → **admettre**.

admissible [admisibl] *adj* SCOL eligible to take the second part of an *exam.*

adolescence [adolesɑ̃s] *nf* adolescence.

adolescent, e [adolesɑ̃, ɑ̃t] *nm, f* teenager.

adopter [adopte] *vt* to adopt.

adoptif, ive [adoptif, iv] *adj (enfant, pays)* adopted ; *(famille)* adoptive.

adoption [adopsjɔ̃] *nf (d'un enfant)* adoption.

adorable [adorabl] *adj* delightful.

adorer [adore] *vt* to adore.

s'adosser [adose] : **s'adosser** *vp* : **s'~à** OU **contre** to lean against.

adoucir [adusir] *vt* to soften.

adresse [adrɛs] *nf (domicile)* address ; *(habileté)* skill ; **~ électronique** e-mail address.

adresser [adrese] *vt.* ❑ **s'adresser à** *vp + prép (parler à)* to speak to ; *(concerner)* to be aimed at.

adroit, e [adrwa, at] *adj* skilful.

adulte [adylt] *nmf* adult.

adverbe [adverb] *nm* adverb.

adversaire [adverser] *nmf* opponent.

adverse [advers] *adj* opposing.

aération [aerasjɔ̃] *nf* ventilation.

aérer [aere] *vt* to air.

aérien, enne [aerjɛ̃, ɛn] *adj (transport, base)* air.

aérodrome [aerodrom] *nm* aerodrome.

aérodynamique [aerodinamik] *adj* aerodynamic.

aérogare [aerogar] *nf* (air) terminal.

aéroglisseur [aeroglisœr] *nm* hovercraft.

aérophagie [aerofaʒi] *nf* wind.

aéroport [aeropor] *nm* airport.

aérosol [aerosol] *nm* aerosol.

affaiblir [afeblir] *vt* to weaken. ❏ **s'affaiblir** *(personne)* to weaken ; *(lumière, son)* to fade.

affaire [afer] *nf (entreprise)* business ; *(question)* matter ; *(marché)* deal ; *(scandale)* affair ; **avoir ~ à qqn** to deal with sb ; **faire l'~** to do (the trick). ❏ **affaires** *nfpl (objets)* belongings ; **les ~s** FIN business *(sg)*.

affaisser [afese] : **s'affaisser** *vp (personne)* to collapse ; *(sol)* to sag.

affamé, e [afame] *adj* starving.

affecter [afekte] *vt (toucher)* to affect ; *(destiner)* to allocate.

affection [afeksjɔ̃] *nf* affection.

affectueusement [afektɥøzmɑ̃] *adv* affectionately ; *(dans une lettre)* best wishes.

affectueux, euse [afektɥø, øz] *adj* affectionate.

affichage [afiʃaʒ] *nm* INFORM display ; **'~ interdit'** 'stick no bills'.

affiche [afiʃ] *nf* poster.

afficher [afiʃe] *vt (placarder)* to post.

affilée [afile] : **d'affilée** *adv* : **il a mangé quatre hamburgers d'~** he ate four hamburgers one after the other ; **j'ai travaillé huit heures d'~** I worked eight hours without a break.

affirmation [afirmasjɔ̃] *nf* assertion.

affirmer [afirme] *vt* to assert. ❏ **s'affirmer** *vp (personnalité)* to express itself.

affligeant, e [afliʒɑ̃, ɑ̃t] *adj* appalling.

affluence [aflyɑ̃s] *nf* crowd.

affluent [aflyɑ̃] *nm* tributary.

affoler [afɔle] *vt* : **~ qqn** to throw sb into a panic. ❏ **s'affoler** *vp* to panic.

affranchir [afrɑ̃ʃir] *vt (timbrer)* to put a stamp on.

affranchissement [afrɑ̃ʃismɑ̃] *nm (timbre)* stamp.

affreusement [afrøzmɑ̃] *adv* awfully.

affreux, euse [afrø, øz] *adj (laid)* hideous ; *(terrible)* awful.

affront [afrɔ̃] *nm* affront.

affronter [afrɔ̃te] *vt* to confront ; SPORT to meet. ❏ **s'affronter** *vp* to clash ; SPORT to meet.

affût [afy] *nm* : **être à l'~ (de)** to be on the lookout (for).

affûter [afyte] *vt* to sharpen.

afin [afɛ̃] : **afin de** *prép* in order to. ❏ **afin que** *conj* so that.

7 **aider**

africain, e [afrikɛ̃, ɛn] *adj* Africain. ◻ **Africain, e** *nm, f* African.

Afrique [afrik] *nf* : **l'~** Africa ; **l'~ du Sud** South Africa.

agaçant, e [agasɑ̃, ɑ̃t] *adj* annoying.

agacer [agase] *vt* to annoy.

âge [aʒ] *nm* age ; **quel ~ as-tu ?** how old are you ?

âgé, e [aʒe] *adj* old ; **il est ~ de 12 ans** he's 12 years old.

agence [aʒɑ̃s] *nf (de publicité)* agency ; *(de banque)* branch ; **~ de voyages** travel agent's.

agenda [aʒɛ̃da] *nm* diary ; **~ électronique** electronic pocket diary.

agenouiller [aʒnuje] : **s'agenouiller** *vp* to kneel (down).

agent [aʒɑ̃] *nm* : **~ (de police)** policeman *(f* policewoman*)* ; **~ de change** stockbroker.

agglomération [aglɔmerasjɔ̃] *nf* town ; **l'~ parisienne** Paris and its suburbs.

aggraver [agrave] *vt* to aggravate. ◻ **s'aggraver** *vp* to get worse.

agile [aʒil] *adj* agile.

agilité [aʒilite] *nf* agility.

agir [aʒir] *vi* to act. ◻ **s'agir** *v impers* : **dans ce livre il s'agit de ...** this book is about ...

agitation [aʒitasjɔ̃] *nf* restlessness.

agité, e [aʒite] *adj* restless ; *(mer)* rough.

agiter [aʒite] *vt (bouteille)* to shake ; *(main)* to wave. ◻ **s'agiter** *vp* to fidget.

agneau, x [aɲo] *nm* lamb.

agonie [agɔni] *nf* death throes *(pl)*.

agrafe [agraf] *nf (de bureau)* staple ; *(de vêtement)* hook.

agrafer [agrafe] *vt* to staple (together).

agrafeuse [agraføz] *nf* stapler.

agrandir [agrɑ̃dir] *vt (trou, maison)* to enlarge ; *(photo)* to enlarge. ◻ **s'agrandir** *vp* to grow.

agrandissement [agrɑ̃dismɑ̃] *nm (photo)* enlargement.

agréable [agreabl] *adj* pleasant.

agrès [agrɛ] *nmpl* SPORT apparatus *(sg)*.

agresser [agrese] *vt* to attack.

agresseur [agresœr] *nm* attacker.

agressif, ive [agresif, iv] *adj* aggressive.

agression [agresjɔ̃] *nf* attack.

agricole [agrikɔl] *adj* agricultural.

agriculteur, trice [agrikyltœr, tris] *nm, f* farmer.

agriculture [agrikyltyr] *nf* agriculture.

agripper [agripe] *vt* to grab. ◻ **s'agripper à** *vp + prép* to cling to.

agroalimentaire [agroalimɑ̃ter] *adj* : **industrie ~** food-processing industry.

agrumes [agrym] *nmpl* citrus fruit *(sg)*.

ahuri, e [ayri] *adj* stunned.

ahurissant, e [ayrisɑ̃, ɑ̃t] *adj* stunning.

ai [ɛ] → **avoir**.

aide [ɛd] *nf* help ; **appeler à l'~** to call for help ; **à l'~ !** help! ; **à l'~ de** *(avec)* with the aid of.

aider [ede] *vt* to help ; **~ qqn à fai-**

re **qqch** to help sb (to) do sthg.
❑ **s'aider de** *vp + prép* to use.

aie [ɛ] → **avoir**.

aïe [aj] *excl* ouch!

aigle [ɛgl] *nm* eagle.

aigre [ɛgr] *adj (goût)* sour ; *(ton)* cutting.

aigre-doux, douce [ɛgrədu, dus] *(mpl* aigres-doux, *fpl* aigres-douces*) adj (sauce, porc)* sweet-and-sour.

aigri, e [ɛgri] *adj* bitter.

aigu, uë [egy] *adj (perçant)* high-pitched ; *(pointu)* sharp ; *(douleur, maladie)* acute.

aiguillage [eguija3] *nm (manœuvre)* switching ; *(appareil)* points *(pl)*.

aiguille [eguij] *nf (de couture, de seringue)* needle ; *(de montre)* hand.

aiguillette [eguijɛt] *nf :* **~s de canard** strips of duck breast.

aiguiser [egize] *vt* to sharpen.

ail [aj] *nm* garlic.

aile [ɛl] *nf* wing.

ailier [elje] *nm (au foot)* winger ; *(au rugby)* wing.

aille [aj] → **aller**.

ailleurs [ajœr] *adv* somewhere else ; **d'~** *(du reste)* moreover ; *(à propos)* by the way.

aimable [ɛmabl] *adj* kind.

aimant [ɛmɑ̃] *nm* magnet.

aimer [eme] *vt (d'amour)* to love ; *(apprécier)* to like ; **~ faire qqch** to like doing sthg ; **j'aimerais** I would like ; **~ mieux** to prefer.

aine [ɛn] *nf* groin.

aîné, e [ene] *adj (frère, sœur)* older, elder ; *(fils, fille)* oldest, eldest. ◆ *nm, f (frère)* older brother ; *(sœur)* older sister ; *(fils, fille)* oldest (child), eldest (child).

ainsi [ɛ̃si] *adv (de cette manière)* in this way ; *(par conséquent)* so ; **~ que** and ; **et ~ de suite** and so on.

aïoli [ajɔli] *nm* garlic mayonnaise.

air [ɛr] *nm*

Airbag® [ɛrbag] *nm* airbag®.

aire [ɛr] *nf* area ; **~ de jeu** playground ; **~ de repos** rest area, lay-by (Br) ; **~ de stationnement** parking area.

airelle [ɛrɛl] *nf* cranberry.

aisance [ɛzɑ̃s] *nf (assurance)* ease ; *(richesse)* wealth.

aise [ɛz] *nf :* **à l'~** comfortable ; **mal à l'~** uncomfortable.

aisé, e [eze] *adj (riche)* well-off.

aisselle [ɛsɛl] *nf* armpit.

ajouter [aʒute] *vt :* **~ qqch (à)** to add sthg (to) ; **~ que** to add that.

ajuster [aʒyste] *vt* to fit ; *(vêtement)* to alter.

alarmant, e [alarmɑ̃, ɑ̃t] *adj* alarming.

alarme [alarm] *nf* alarm ; **donner l'~** to raise the alarm.

album [albɔm] *nm* album ; **~ (de) photos** photograph album.

alcool [alkɔl] *nm* alcohol ; **sans ~** alcohol-free ; **~ à 90°** surgical spirit ; **~ à brûler** methylated spirits *(pl)*.

alcoolique [alkɔlik] *nmf* alcoholic.

alcoolisé, e [alkɔlize] *adj* alcoholic ; **non ~** nonalcoholic.

Alcootest® [alkɔtɛst] *nm* ≃ Breathalyser®.

aléatoire [aleatwar] *adj* risky.

alentours [alɑ̃tur] *nmpl* surroundings ; aux ~ nearby ; aux ~ de *(environ)* around.

alerte [alɛrt] *adj & nf* alert ; donner l'~ to raise the alarm.

alerter [alɛrte] *vt (d'un danger)* to alert ; *(informer)* to notify.

algèbre [alʒɛbr] *nf* algebra.

Algérie [alʒeri] *nf* : l'~ Algeria.

algérien, enne *adj* Algerian.

algues [alg] *nfpl* seaweed *(sg)*.

alibi [alibi] *nm* alibi.

alignement [aliɲmɑ̃] *nm* line.

aligner [aliɲe] *vt* to line up. ❏ **s'aligner** *vp* to line up.

aliment [alimɑ̃] *nm* food.

alimentation [alimɑ̃tasjɔ̃] *nf (nourriture)* diet ; *(épicerie)* grocer's.

alimenter [alimɑ̃te] *vt* to feed ; *(approvisionner)* to supply.

allaiter [alete] *vt* to breast-feed.

alléchant, e [aleʃɑ̃, ɑ̃t] *adj* mouth-watering.

allée [ale] *nf* path ; ~s et venues comings and goings.

allégé, e [aleʒe] *adj (aliment)* low-fat.

Allemagne [almaɲ] *nf* : l'~ Germany.

allemand, e [almɑ̃, ɑ̃d] *adj* German. ◆ *nm (langue)* German. ❏ **Allemand, e** *nm, f* German.

☞

aller [ale] *nm* - **1.** *(parcours)* outward journey ; à l'~ on the way. - **2.** *(billet)* ~ *(simple)* single *(Br)*, one-way ticket *(Am)* ; ~ et retour return ticket. ◆ *vi* - **1.** *(se déplacer)* to go ; ~ au Portugal to go to Portugal ; ~ en vacances to go on holiday *(Br)*, to go on vacation *(Am)*.

- **2.** *(suj : route)* to go. - **3.** *(exprime un état)* : comment allez-vous? how are you? ; *(comment)* ça va ? ça va how are things? - fine ; ~ bien/mal *(personne)* to be well/unwell ; *(situation)* to go well/badly. - **4.** *(convenir)* : ça ne va pas *(outil)* it's not any good ; *(situation)* ça ne va pas du tout it's not working out at all. - **5.** *(suivi d'un infinitif, exprime le but)* : ~ voir to go and see. - **6.** *(suivi d'un infinitif, exprime le futur proche)* : ~ faire qqch to be going to do sthg. - **7.** *(dans des expressions)* : allez! come on! ; allons! come on! ; y *(partir)* to set off ; vas-y! go on! ❏ **s'en aller** *vp (partir)* to go away ; *(suj : tache, couleur)* to disappear.

- **2.** *(convenir)* : ça ne va pas *(outil)* it's not any good ; ~ à qqn *(couleur)* to suit sb ; *(en taille)* to fit sb ; ~ avec qqch to go with sthg.

---

allergie [alɛrʒi] *nf* allergy.

allergique [alɛrʒik] *adj* : être ~ à to be allergic to.

aller-retour [aler(ə)tur] *(pl* allers-retours) *nm (billet)* return (ticket).

alliage [aljaʒ] *nm* alloy.

alliance [aljɑ̃s] *nf (bague)* wedding ring ; *(union)* alliance.

allié, e [alje] *nm, f* ally.

allô [alo] *excl* hello!

allocation [alɔkasjɔ̃] *nf* allocation ; ~s familiales family allowance *(sg)*.

allonger [alɔ̃ʒe] *vt (vêtement)* to lengthen ; *(bras, jambe)* to stretch out. ❏ **s'allonger** *vp (augmenter)* to get longer ; *(s'étendre)* to lie down.

allumage [alymaʒ] *nm* AUT ignition.

allumer [alyme] *vt (feu)* to light ;

(lumière, radio) to turn on. ❑ **s'allumer** *vp (s'éclairer)* to light up.

allumette [alymet] *nf* match.

allure [alyr] *nf (apparence)* appearance ; *(vitesse)* speed ; **à toute ~** at full speed.

allusion [alyzjɔ̃] *nf* allusion ; **faire ~ à** to refer ou allude to.

alors [alɔr] *adv (par conséquent)* so, then ; **ça ~!** my goodness! ; **et ~?** *(et ensuite)* and then what? ; *(pour défier)* so what? ; **~ que** *(bien que)* even though ; *(tandis que)* whereas, while.

alourdir [alurdir] *vt* to weigh down.

aloyau, x [alwajo] *nm* sirloin.

Alpes [alp] *nfpl* : **les ~** the Alps.

alphabet [alfabɛ] *nm* alphabet.

alphabétique [alfabetik] *adj* alphabetical ; **par ordre ~** in alphabetical order.

alpin [alpɛ̃] *adj m* → **ski**.

alpinisme [alpinism] *nm* mountaineering.

alpiniste [alpinist] *nmf* mountaineer.

Alsace [alzas] *nf* : **l'~** Alsace.

alternatif [alternatif] *adj m* → **courant**.

alternativement [alternativmã] *adv* alternately.

alterner [alterne] *vi* to alternate.

altitude [altityd] *nf* altitude.

alu [aly] *fam adj* : **papier ~** aluminium *Br* ou aluminum *Am* foil.

aluminium [alyminjɔm] *nm* aluminium.

amabilité [amabilite] *nf* kindness.

amadouer [amadwe] *vt (attirer)* to coax ; *(calmer)* to mollify.

amaigrissant, e [amegrisã, ãt] *adj* slimming *(Br)*, reducing *(Am)*.

amande [amãd] *nf* almond.

amant [amã] *nm* lover.

amarrer [amare] *vt (bateau)* to moor.

amas [ama] *nm* pile.

amasser [amase] *vt* to pile up ; *(argent)* to amass.

amateur [amatœr] *adj & nm* amateur ; **être ~ de** to be keen on.

ambassade [ãbasad] *nf* embassy.

ambassadeur, drice [ãbasadœr, dris] *nm, f* ambassador.

ambiance [ãbjãs] *nf* atmosphere ; **d'~** *(musique, éclairage)* atmospheric.

ambigu, uë [ãbigy] *adj (mot)* ambiguous ; *(personnage)* dubious.

ambitieux, euse [ãbisjø, øz] *adj* ambitious.

ambition [ãbisjɔ̃] *nf* ambition.

ambulance [ãbylãs] *nf* ambulance.

ambulant [ãbylã] *adj m* → **marchand**.

âme [am] *nf* soul.

amélioration [ameljɔrasjɔ̃] *nf* improvement.

améliorer [ameljɔre] *vt* to improve. ❑ **s'améliorer** *vp* to improve.

aménagé, e [amenaʒe] *adj (cuisine, camping)* fully-equipped.

aménager [amenaʒe] *vt (pièce, appartement)* to fit out.

amende [amãd] *nf* fine.

amener [amne] *vt* to bring ; *(causer)* to cause.

amer, ère [amer] *adj* bitter.

américain, e [amerikɛ̃, ɛn] *adj* American. □ **Américain, e** *nm, f* American.

Amérique [amerik] *nf* : l'~ America ; l'~ centrale Central America ; l'~ latine Latin America ; l'~ du Sud South America.

amertume [amɛrtym] *nf* bitterness.

ameublement [amœbləmɑ̃] *nm* furniture.

ami, e [ami] *nm, f* friend ; *(amant)* boyfriend (*f* girlfriend).

amiable [amjabl] *adj* amicable ; à l'~ out of court.

amiante [amjɑ̃t] *nm* asbestos.

amical, e, aux [amikal, o] *adj* friendly.

amicalement [amikalmɑ̃] *adv* in a friendly way ; *(dans une lettre)* kind regards.

amincir [amɛ̃sir] *vt (suj : régime)* to make thinner ; **cette veste t'amincit** that jacket makes you look slimmer.

amitié [amitje] *nf* friendship ; **~s** *(dans une lettre)* best wishes.

amnésique [amnezik] *adj* amnesic.

amonceler [amɔ̃sle] : **s'amonceler** *vp* to accumulate.

amont [amɔ̃] *nm* : en ~ (de) upstream (from).

amorcer [amɔrse] *vt (commencer)* to begin.

amortir [amɔrtir] *vt (choc)* to absorb ; *(son)* to muffle.

amortisseur [amɔrtisœr] *nm* shock absorber.

amour [amur] *nm* love ; **faire l'~** to make love.

amoureux, euse [amurø, øz]

adj in love. ◆ *nmpl* lovers ; **être ~ de qqn** to be in love with sb.

amour-propre [amurprɔpr] *nm* pride.

amovible [amɔvibl] *adj* removable.

amphithéâtre [ɑ̃fiteatr] *nm* amphitheatre ; *(salle de cours)* lecture hall.

ample [ɑ̃pl] *adj (jupe)* full ; *(geste)* sweeping.

amplement [ɑ̃pləmɑ̃] *adv* fully ; **c'est ~ suffisant** that's ample.

ampli [ɑ̃pli] *nm fam* amp.

amplificateur [ɑ̃plifikatœr] *nm (de chaîne hi-fi)* amplifier.

amplifier [ɑ̃plifje] *vt (son)* to amplify ; *(phénomène)* to increase.

ampoule [ɑ̃pul] *nf (de lampe)* bulb ; *(de médicament)* phial ; *(cloque)* blister.

amputer [ɑ̃pyte] *vt* to amputate ; *(texte)* to cut.

amusant, e [amyzɑ̃, ɑ̃t] *adj (distrayant)* amusing ; *(comique)* funny.

amuse-gueule [amyzgœl] *nm inv* appetizer.

amuser [amyze] *vt (faire rire)* : **~ qqn** to make sb laugh. ◆ **s'amuser** *vp (se distraire)* to enjoy o.s. ; *(jouer)* to play ; **s'~ à faire qqch** to amuse o.s. doing sthg.

amygdales [amidal] *nfpl* tonsils.

an [ɑ̃] *nm* year ; **il a neuf ~s** he's nine (years old) ; **en l'~ 2000** in the year 2000.

anachronique [anakrɔnik] *adj* anachronistic.

analogue [analɔg] *adj* similar.

analphabète [analfabet] *adj* illiterate.

analyse [analiz] *nf* analysis ; ~ de sang blood test.

analyser [analize] *vt (texte, données)* to analyse.

ananas [anana(s)] *nm* pineapple.

anarchie [anarʃi] *nf* anarchy.

anatomie [anatɔmi] *nf* anatomy.

ancêtre [ɑ̃sɛtr] *nmf* ancestor ; *(version précédente)* forerunner.

anchois [ɑ̃ʃwa] *nm* anchovy.

ancien, enne [ɑ̃sjɛ̃, ɛn] *adj (du passé)* ancient ; *(vieux)* old ; *(ex-)* former.

ancienneté [ɑ̃sjɛnte] *nf (dans une entreprise)* seniority.

ancre [ɑ̃kr] *nf* anchor ; jeter l'~ to drop anchor ; lever l'~ to weigh anchor.

Andorre [ɑ̃dɔr] *nf* : l'~ Andorra.

andouille [ɑ̃duj] *nf* CULIN type of sausage made of pig's intestines, eaten cold ; *fam (imbécile)* twit.

andouillette [ɑ̃dujɛt] *nf* type of sausage made of pig's intestines, eaten grilled.

âne [ɑn] *nm* donkey ; *(imbécile)* fool.

anéantir [aneɑ̃tir] *vt* to crush.

anecdote [anɛkdɔt] *nf* anecdote.

anémie [anemi] *nf* anaemia.

ânerie [ɑnri] *nf (parole)* stupid remark ; faire des ~s to do stupid things.

anesthésie [anɛstezi] *nf* anaesthetic ; ~ générale general anaesthetic ; ~ locale local anaesthetic.

ange [ɑ̃ʒ] *nm* angel.

angine [ɑ̃ʒin] *nf (des amygdales)* tonsillitis ; *(du pharynx)* pharyngitis ; ~ de poitrine angina.

anglais, e [ɑ̃glɛ, ɛz] *adj* English.
◆ *nm (langue)* English ; je ne parle

pas ~ I don't speak English. ❑ **Anglais, e** *nm, f* Englishman (f Englishwoman).

angle [ɑ̃gl] *nm (coin)* corner ; *(géométrique)* angle ; ~ droit right angle.

Angleterre [ɑ̃glətɛr] *nf* : l'~ England.

Anglo-Normandes *adj fpl →* île.

angoisse [ɑ̃gwas] *nf* anguish.

angoissé, e [ɑ̃gwase] *adj* anxious.

angora [ɑ̃gɔra] *nm* angora.

anguille [ɑ̃gij] *nf* eel.

animal, aux [animal, o] *nm* animal.

animateur, trice [animatœr, tris] *nm, f (de club, de groupe)* coordinator ; *(à la radio, la télévision)* presenter.

animation [animasjɔ̃] *nf (vivacité)* liveliness ; *(dans la rue)* activity. ❑ **animations** *nfpl (culturelles)* activities.

animé, e [anime] *adj* lively.

animer [anime] *vt (jeu, émission)* to present. ❑ **s'animer** *vp (visage)* to light up ; *(rue)* to come to life.

anis [ani(s)] *nm* aniseed.

ankyloser [ɑ̃kiloze] : **s'ankyloser** *vp (s'engourdir)* to go numb.

anneau, x [ano] *nm* ring.

année [ane] *nf* year ; ~ bissextile leap year ; ~ scolaire school year.

annexe [anɛks] *nf (document)* appendix ; *(bâtiment)* annex.

anniversaire [aniverser] *nm* birthday ; ~ de mariage wedding anniversary.

annonce [anɔ̃s] *nf* announcement ; *(dans un journal)* advertisement ; (petites) ~s classified advertisements.

annoncer [anɔ̃se] vt to announce ; (être signe de) to be a sign of. ❑ **s'annoncer** vp : **s'~ bien** to look promising.

annuaire [anɥɛr] nm (recueil) yearbook ; **~ (téléphonique)** telephone directory.

annuel, elle [anɥɛl] adj annual.

annulaire [anɥlɛr] nm ring finger.

annulation [anylasjɔ̃] nf cancellation.

annuler [anyle] vt to cancel.

anomalie [anɔmali] nf anomaly.

anonyme [anɔnim] adj anonymous.

anorak [anɔrak] nm anorak.

anormal, e, aux [anɔrmal, o] adj abnormal ; péj (handicapé) mentally retarded.

ANPE nf (abr de Agence nationale pour l'emploi) French national employment agency.

anse [ɑ̃s] nf (poignée) handle ; (crique) cove.

Antarctique [ɑ̃tarktik] nm : **l'(océan) ~** the Antarctic (Ocean).

antenne [ɑ̃tɛn] nf (de radio, de télévision) aerial ; (d'animal) antenna ; ~ **parabolique** dish aerial.

antérieur, e [ɑ̃terjœr] adj (précédent) previous ; (de devant) front.

anthrax® [ɑ̃traks] nm fam MED anthrax.

antibiotique [ɑ̃tibjɔtik] nm antibiotic.

antibrouillard [ɑ̃tibrujar] nm fog lamp (Br), foglight (Am).

anticiper [ɑ̃tisipe] vt to anticipate.

antidopage [ɑ̃tidɔpaʒ], **anti-doping** [ɑ̃tidɔpiŋ] adj inv : **contrôle ~** drugs test.

antidote [ɑ̃tidɔt] nm antidote.

antigel [ɑ̃tiʒɛl] nm antifreeze.

antillais, e [ɑ̃tije, ɛz] adj West Indian. ❑ **Antillais, e** nm, f West Indian.

Antilles [ɑ̃tij] nfpl : **les ~** the West Indies.

antimite [ɑ̃timit] nm mothballs (pl).

antipathique [ɑ̃tipatik] adj unpleasant.

antiquaire [ɑ̃tikɛr] nmf antiques dealer.

antique [ɑ̃tik] adj ancient.

antiquité [ɑ̃tikite] nf (objet) antique ; **l'Antiquité** Antiquity.

antiseptique [ɑ̃tisɛptik] adj antiseptic.

antivol [ɑ̃tivɔl] nm anti-theft device.

anxiété [ɑ̃ksjete] nf anxiety.

anxieux, euse [ɑ̃ksjø, øz] adj anxious.

AOC (abr de appellation d'origine contrôlée) label guaranteeing the quality of a French wine.

août [u(t)] nm August → septembre.

apaiser [apeze] vt (personne, colère) to calm ; (douleur) to soothe.

apathique [apatik] adj apathetic.

apercevoir [apersəvwar] vt to see. ❑ **s'apercevoir** vp : **s'~ que** (remarquer) to notice that ; (comprendre) to realize that.

aperçu, e [apersy] pp → apercevoir. ◆ nm general idea.

apéritif [aperitif] nm aperitif.

aphone [afɔn] *adj* : il était ~ he'd lost his voice.

aphte [aft] *nm* mouth ulcer.

apitoyer [apitwaje] : **s'apitoyer sur** *vp* + *prép* (personne) to feel sorry for.

ap. J-C (abr de après Jésus-Christ) AD.

aplanir [aplanir] *vt* to level (off) ; (difficultés) to smooth over.

aplatir [aplatir] *vt* to flatten.

aplomb [aplɔ̃] *nm* (culot) nerve ; d'~ (vertical) straight.

apostrophe [apɔstrɔf] *nf* apostrophe ; s → 's' apostrophe.

apôtre [apotr] *nm* apostle.

apparaître [aparɛtr] *vi* to appear.

appareil [aparɛj] *nm* device ; (poste téléphonique) telephone ; qui est à l'~? who's speaking? ; ~ ménager household appliance ; ~ photo camera ; ~ photo numérique digital camera.

apparemment [aparamɑ̃] *adv* apparently.

apparence [aparɑ̃s] *nf* appearance.

apparent, e [aparɑ̃, ɑ̃t] *adj* (visible) visible ; (superficiel) apparent.

apparition [aparisjɔ̃] *nf* (arrivée) appearance ; (fantôme) apparition.

appartement [apartəmɑ̃] *nm* flat (Br), apartment (Am).

appartenir [apartənir] *vi* : ~ à to belong to.

appartenu [apartəny] *pp* → appartenir.

apparu, e [apary] *pp* → apparaître.

appât [apa] *nm* bait.

appel [apɛl] *nm* call ; faire l'~ SCOL

to call the register (Br), to call (the) roll (Am) ; faire ~ à to appeal to ; faire un ~ de phares to flash one's headlights.

appeler [aple] *vt* to call ; (interpeller) to call out to ; ~ à l'aide to call for help. ❑ **s'appeler** *vp* (se nommer) to be called ; (se téléphoner) to talk on the phone ; comment t'appelles-tu? what's your name?

appendicite [apɛ̃disit] *nf* appendicitis.

appesantir [apəzɑ̃tir] : **s'appesantir sur** *vp* + *prép* to dwell on.

appétissant, e [apetisɑ̃, ɑ̃t] *adj* appetizing.

appétit [apeti] *nm* appetite ; bon ~! enjoy your meal!

applaudir [aplodir] *vt* & *vi* to applaud.

applaudissements [aplodismɑ̃] *nmpl* applause (sg).

application [aplikasjɔ̃] *nf* (soin) application ; (d'une loi, d'un tarif) enforcement.

applique [aplik] *nf* wall lamp.

appliqué, e [aplike] *adj* (élève) hardworking ; (écriture) careful.

appliquer [aplike] *vt* (loi, tarif) to enforce ; (peinture) to apply. ❑ **s'appliquer** *vp* (élève) to apply o.s.

appoint [apwɛ̃] *nm* : faire l'~ to give the exact money ; d'~ (chauffage, lit) extra.

apporter [apɔrte] *vt* to bring ; fig (soin) to exercise.

appréciation [apresjasjɔ̃] *nf* (jugement) judgment ; (évaluation) estimate ; SCOL assessment.

apprécier [apresje] *vt* (aimer) to

appreciate, to like ; *(évaluer)* to estimate.

appréhension [apreɑ̃sjɔ̃] *nf* apprehension.

apprendre [aprɑ̃dr] *vt (étudier)* to learn ; *(nouvelle)* to learn of ; ~ qqch à qqn *(discipline)* to teach sb sthg ; *(nouvelle)* to tell sb sthg.

apprenti, e [aprɑ̃ti] *nm, f* apprentice.

apprentissage [aprɑ̃tisaʒ] *nm (d'un métier manuel)* apprenticeship ; *(d'une langue, d'un art)* learning.

apprêter [aprete] : **s'apprêter à** *vp + prép* : s'~ à faire qqch to be about to do sthg.

appris, e [apri, iz] *pp* → **apprendre**.

apprivoiser [aprivwaze] *vt* to tame.

approcher [aproʃe] *vt* to move nearer. ◆ *vi (dans l'espace)* to get nearer ; *(dans le temps)* to approach ; ~ de to approach. ❏ **s'approcher** *vp* to approach ; s'~ de to approach.

approfondir [aprofɔ̃dir] *vt (à l'écrit)* to write in more detail about ; *(à l'oral)* to talk in more detail about.

approprié, e [aproprije] *adj* appropriate.

approuver [apruve] *vt* to approve of.

approvisionner [aprovizjone] : **s'approvisionner** *vp (faire ses courses)* to shop ; s'~ en to stock up on.

approximatif, ive [aproksimatif, iv] *adj* approximate.

appui-tête [apɥitet] *(pl* appuis-tête) *nm* headrest.

appuyer [apɥije] *vt* to lean. ◆ *vi* : ~ sur to press. ❏ **s'appuyer** *vp* : s'~ à to lean against.

après [apre] *prép* after. ◆ *adv* afterwards ; ~ tout after all ; l'année d'~ the following year ; d'~ moi in my opinion.

après-demain [apredəmɛ̃] *adv* the day after tomorrow.

après-midi [apremidi] *nm inv ou nf inv* afternoon ; l'~ *(tous les jours)* in the afternoon.

après-rasage, s [aprerazaʒ] *nm* aftershave.

après-shampooing [apreʃɑ̃pwɛ̃] *nm inv* conditioner.

a priori [aprijɔri] *adv* in principle. ◆ *nm inv* preconception.

apte [apt] *adj* : ~ à qqch fit for sthg ; ~ à faire qqch fit to do sthg.

aptitudes [aptityd] *nfpl* ability *(sg)*.

aquarelle [akwarel] *nf* watercolour.

aquarium [akwarjɔm] *nm* aquarium.

aquatique [akwatik] *adj* aquatic.

aqueduc [akdyk] *nm* aqueduct.

Aquitaine [akiten] *nf* : l'~ Aquitaine *(region in southwest of France)*.

AR *abr* = accusé de réception, aller-retour.

arabe [arab] *adj* Arab. ◆ *nm (langue)* Arabic. ❏ **Arabe** *nmf* Arab.

arachide [araʃid] *nf* groundnut.

araignée [areɲe] *nf* spider.

arbitraire [arbitrer] *adj* arbitrary.

arbitre [arbitr] *nm* referee ; *(au tennis, cricket)* umpire.

arbitrer [arbitre] *vt* to referee ; *(au tennis, cricket)* to umpire.

arbre [arbr] nm tree.

arbuste [arbyst] nm shrub.

arc [ark] nm (arme) bow ; (géométrique) arc ; (voûte) arch.

arcade [arkad] nf arch.

arc-bouter [arkbute] : s'arc-bouter vp to brace o.s.

arc-en-ciel [arkɑ̃sjɛl] (pl arcs-en-ciel) nm rainbow.

archaïque [arkaik] adj archaic.

arche [arʃ] nf arch.

archéologie [arkeɔlɔʒi] nf archaeology.

archéologue [arkeɔlɔg] nmf archaeologist.

archet [arʃɛ] nm bow.

archipel [arʃipɛl] nm archipelago.

architecte [arʃitɛkt] nmf architect.

architecture [arʃitɛktyr] nf architecture.

archives [arʃiv] nfpl records.

Arctique [arktik] nm : l'(océan) ~ the Arctic (Ocean).

ardent, e [ardɑ̃, ɑ̃t] adj fig (défenseur, désir) fervent.

ardeur [ardœr] nf fervour.

ardoise [ardwaz] nf slate.

ardu, e [ardy] adj difficult.

arènes [arɛn] nfpl (romaines) amphitheatre (sg) ; (pour corridas) bullring (sg).

arête [arɛt] nf (de poisson) bone ; (angle) corner.

argent [arʒɑ̃] nm (métal) silver ; (monnaie) money ; ~ liquide cash.

argenté, e [arʒɑ̃te] adj silver.

argenterie [arʒɑ̃tri] nf silverware.

argile [arʒil] nf clay.

argot [argo] nm slang.

argument [argymɑ̃] nm argument.

aride [arid] adj arid.

aristocratie [aristɔkrasi] nf aristocracy.

arithmétique [aritmetik] nf arithmetic.

armature [armatyr] nf framework ; (d'un soutien-gorge) underwiring.

arme [arm] nf weapon ; ~ à feu firearm.

armé, e [arme, arme] adj armed.

armée [arme, arme] nf army.

armement [armɑ̃mɑ̃] nm arms (pl).

armer [arme] vt to arm ; (appareil photo) to wind on.

armistice [armistis] nm armistice.

armoire [armwar] nf cupboard (Br), closet (Am) ; ~ à pharmacie medicine cabinet.

armoiries [armwari] nfpl coat of arms (sg).

armure [armyr] nf armour.

aromate [arɔmat] nm (épice) spice ; (fine herbe) herb.

aromatique [arɔmatik] adj aromatic.

aromatisé, e [arɔmatize] adj flavoured.

arôme [arom] nm (odeur) aroma ; (goût) flavour.

arqué, e [arke] adj arched.

arracher [araʃe] vt (feuille) to tear out ; (mauvaises herbes, dent) to pull out ; ~ qqch à qqn to snatch sthg from sb.

arrangement [arɑ̃ʒmɑ̃] nm arrangement ; (accord) agreement.

arranger [arɑ̃ʒe] vt (organiser) to

arrange ; *(résoudre)* to settle ; *(réparer)* to fix ; cela m'arrange that suits me. ❏ s'arranger *vp (se mettre d'accord)* to come to an agreement ; *(s'améliorer)* to get better ; s'~ pour faire qqch to arrange to do sthg.

arrestation [arɛstasjɔ̃] *nf* arrest.

arrêt [arɛ] *nm (interruption)* interruption ; *(station)* stop ; '~ interdit' 'no stopping' ; ~ d'autobus bus stop ; ~ de travail stoppage ; sans ~ *(parler, travailler)* nonstop.

arrêter [arete] *vt* to stop ; *(suspect)* to arrest. ◆ *vi* to stop ; ~ de faire qqch to stop doing sthg. ❏ s'arrêter *vp* to stop ; s'~ de faire qqch to stop doing sthg.

arrhes [ar] *nfpl* deposit *(sg)*.

arrière [arjɛr] *adj inv & nm* back ; à l'~ de at the back of ; en ~ *(rester, regarder)* behind ; *(tomber)* backwards.

arriéré, e [arjere] *adj* backward.

arrière-boutique, s [arjɛrbutik] *nf* back of the shop.

arrière-grands-parents [arjɛrgrɑ̃parɑ̃] *nmpl* great-grand-parents.

arrière-pensée, s [arjɛrpɑ̃se] *nf* ulterior motive.

arrière-plan, s [arjɛrplɑ̃] *nm* : à l'~ in the background.

arrière-saison, s [arjɛrsezɔ̃] *nf* late autumn.

arrivée [arive] *nf* arrival ; *(d'une course)* finish ; '~ s' 'arrivals'.

arriver [arive] *vi* to arrive ; *(se produire)* to happen. ◆ *v impers* : il arrive qu'il soit en retard he is sometimes late ; que t'est-il arrivé? what happened to you? ; ~ à qqch to reach sthg ; ~ à faire qqch to suc-

ceed in doing sthg, to manage to do sthg.

arriviste [arivist] *nmf* social climber.

arrobas, arobas [arɔbas] *nf (dans une adresse électronique)* at.

arrogant, e [arɔgɑ̃, ɑ̃t] *adj* arrogant.

arrondir [arɔ̃dir] *vt (au chiffre supérieur)* to round up ; *(au chiffre inférieur)* to round down.

arrondissement [arɔ̃dismɑ̃] *nm* district.

arrosage [arozaʒ] *nm* watering.

arroser [aroze] *vt* to water.

arrosoir [arozwar] *nm* watering can.

Arrt *abr* = arrondissement.

art [ar] *nm* : l'~ art ; ~ s plastiques *SCOL* art.

artère [artɛr] *nf* artery.

artichaut [artiʃo] *nm* artichoke.

article [artikl] *nm* article.

articulation [artikylasjɔ̃] *nf ANAT* joint.

articulé, e [artikyle] *adj (pantin)* jointed ; *(lampe)* hinged.

articuler [artikyle] *vt (prononcer)* to articulate. ◆ *vi* to speak clearly.

artifice [artifis] *nm* → feu.

artificiel, elle [artifisjɛl] *adj* artificial.

artisan [artizɑ̃] *nm* craftsman *m*, craftswoman *f*.

artisanal, e, aux [artizanal, o] *adj* traditional.

artiste [artist] *nmf* artist.

artistique [artistik] *adj* artistic.

as[1] [a] → avoir.

as[2] [as] *nm (carte)* ace ; *fam (champion)* ace.

ascendant [asɑ̃dɑ̃] *nm (astrologi-que)* ascendant.

ascenseur [asɑ̃sœr] *nm* lift *(Br)*, elevator *(Am)*.

ascension [asɑ̃sjɔ̃] *nf* ascent ; *fig (progression)* progress.

asiatique [azjatik] *adj* Asian. ❑ **Asiatique** *nmf* Asian.

Asie [azi] *nf* : l'~ Asia.

asile [azil] *nm (psychiatrique)* asylum ; *(refuge)* refuge.

aspect [aspɛ] *nm* appearance ; *(point de vue)* aspect.

asperge [aspɛrʒ] *nf* asparagus.

asperger [aspɛrʒe] *vt* to spray.

aspérités [asperite] *nfpl* bumps.

asphyxier [asfiksje] *vt* to suffocate. ❑ **s'asphyxier** *vp* to suffocate.

aspirante [aspirɑ̃t] *adj f* → hotte.

aspirateur [aspiratœr] *nm* vacuum cleaner.

aspirer [aspire] *vt (air)* to draw in ; *(poussière)* to suck up.

aspirine [aspirin] *nf* aspirin.

assaillant, e [asajɑ̃, ɑ̃t] *nm, f* attacker.

assaillir [asajir] *vt* to attack ; ~ **qqn de questions** to bombard sb with questions.

assaisonnement [asɛzɔnmɑ̃] *nm (sel et poivre)* seasoning ; *(sauce)* dressing.

assassin [asasɛ̃] *nm* murderer.

assassiner [asasine] *vt* to murder.

assaut [aso] *nm* assault.

assemblage [asɑ̃blaʒ] *nm* assembly.

assemblée [asɑ̃ble] *nf* meeting ; l'**Assemblée (nationale)** the (French) National Assembly.

assembler [asɑ̃ble] *vt* to assemble.

asseoir [aswar] : **s'asseoir** *vp* to sit down.

assez [ase] *adv (suffisamment)* enough ; *(plutôt)* quite ; ~ **de** enough ; **en avoir ~ (de)** to be fed up (with).

assidu, e [asidy] *adj* diligent.

assiéger [asjeʒe] *vt* to besiege.

assiette [asjɛt] *nf* plate ; ~ **de crudités** *raw vegetables served as a starter* ; ~ **creuse** soup dish ; ~ **à dessert** dessert plate ; ~ **plate** dinner plate.

assimiler [asimile] *vt (comprendre)* to assimilate ; *(comparer)* : ~ **qqn/qqch à** to compare sb/sthg with.

assis, e [asi, iz] *pp* → **asseoir**. ◆ *adj* : **être ~** to be seated OU sitting.

assises [asiz] *nfpl* : **(cour d')~** ≃ crown court *(Br)*, circuit court *(Am)*.

assistance [asistɑ̃s] *nf (public)* audience ; *(aide)* assistance.

assistant, e [asistɑ̃, ɑ̃t] *nm, f* assistant ; *(en langues étrangères)* (foreign language) assistant ; ~ **e sociale** social worker.

assister [asiste] *vt (aider)* to assist ; ~ **à** *(concert)* to attend ; *(meurtre)* to witness.

association [asɔsjasjɔ̃] *nf* association.

associer [asɔsje] *vt* to associate. ❑ **s'associer** *vp* : **s'~ (à** OU **avec)** to join forces (with).

assombrir [asɔ̃brir] *vt* to darken. ❑ **s'assombrir** *vp* to darken.

assommer [asɔme] *vt* to knock out.

assorti, e [asɔrti] *(en harmonie)* matching ; *(varié)* assorted.

assortiment [asɔrtimɑ̃] *nm* assortment.

assoupir [asupir] : **s'assoupir** *vp* to doze off.

assouplir [asuplir] *vt (muscles)* to loosen up.

assouplissant [asuplisɑ̃] *nm* fabric softener.

assouplissement [asuplismɑ̃] *nm (exercices)* limbering up.

assouplisseur [asuplisœr] = **assouplissant**.

assourdissant, e [asurdisɑ̃, ɑ̃t] *adj* deafening.

assumer [asyme] *vt (conséquences, responsabilité)* to accept ; *(fonction, rôle)* to carry out.

assurance [asyrɑ̃s] *nf (aisance)* self-confidence ; *(contrat)* insurance ; ~ **automobile** car insurance ; ~ **tous risques** comprehensive insurance.

assuré, e [asyre] *adj (certain)* certain ; *(résolu)* assured.

assurer [asyre] *vt (maison, voiture)* to insure ; *(fonction, tâche)* to carry out ; **je t'assure que** I assure you (that). ❑ **s'assurer** *vp (pour un contrat)* to take out insurance ; **s'~ contre** to insure o.s. against theft ; **s'~ de** to make sure of.

astérisque [asterisk] *nm* asterisk.

asthmatique [asmatik] *adj* asthmatic.

asthme [asm] *nm* asthma.

asticot [astiko] *nm* maggot.

astiquer [astike] *vt* to polish.

astre [astr] *nm* star.

astreignant, e [astreɲɑ̃, ɑ̃t] *adj* demanding.

astrologie [astrɔlɔʒi] *nf* astrology.

astronaute [astrɔnot] *nm* astronaut.

astronomie [astrɔnɔmi] *nf* astronomy.

astuce [astys] *nf (ingéniosité)* shrewdness ; *(truc)* trick.

astucieux, euse [astysjø, øz] *adj* clever.

atelier [atəlje] *nm* workshop ; *(de peintre)* studio.

athée [ate] *adj* atheist.

athénée [atene] *nm Belg* secondary school *(Br)*, high school *(Am)*.

athlète [atlɛt] *nmf* athlete.

athlétisme [atletism] *nm* athletics *(sg)*.

Atlantique [atlɑ̃tik] *nm* : **l'(océan)** ~ the Atlantic (Ocean).

atlas [atlas] *nm* atlas.

atmosphère [atmɔsfɛr] *nf* atmosphere ; *(air)* air.

atome [atom] *nm* atom.

atomique [atɔmik] *adj* atomic.

atomiseur [atɔmizœr] *nm* spray.

atout [atu] *nm* trump ; *(avantage)* asset.

atroce [atrɔs] *adj* terrible.

atrocité [atrɔsite] *nf* atrocity.

attachant, e [ataʃɑ̃, ɑ̃t] *adj* lovable.

attaché-case [ataʃekez] *(pl* **attachés-cases)** *nm* attaché case.

attachement [ataʃmɑ̃] *nm* attachment.

attacher [ataʃe] *vt* to tie (up). ◆ *vi* to stick ; **attachez vos ceintu** fasten your seat belts. ❑ **s'att**

cher *vp (se nouer)* to fasten ; s'~ à qqn to become attached to sb.

attaquant [atakã] *nm* attacker ; *SPORT* striker.

attaque [atak] *nf* attack.

attaquer [atake] *vt* to attack ; □ s'attaquer à *vp + prép (personne)* to attack ; *(problème, tâche)* to tackle.

attarder [atarde] : s'attarder *vp* to stay (late).

atteindre [atɛ̃dʀ] *vt* to reach ; *(émouvoir)* to affect ; *(suj : balle)* to hit ; être atteint de to suffer from.

atteint, e [atɛ̃, ɛ̃t] *pp* → atteindre.

atteinte [atɛ̃t] *nf* → hors.

atteler [atle] *vt (chevaux)* to harness ; *(remorque)* to hitch (up).

attelle [atɛl] *nf* splint.

attendre [atɑ̃dʀ] *vt* to wait for ; *(espérer)* to expect. ◆ *vi* to wait ; ~ un enfant to be expecting a baby. □ s'attendre à *vp + prép* to expect.

attendrir [atɑ̃dʀiʀ] *vt* to move.

attentat [atɑ̃ta] *nm* attack ; ~ à la bombe bombing.

attente [atɑ̃t] *nf* wait ; en ~ pending.

attentif, ive [atɑ̃tif, iv] *adj* attentive.

attention [atɑ̃sjɔ̃] *nf* attention ; attention! watch out! ; faire ~ (à) *(se concentrer)* to pay attention (to) ; *(être prudent)* to be careful (of).

atténuer [atenɥe] *vt (son)* to cut down ; *(douleur)* to ease.

atterrir [ateʀiʀ] *vi* to land.

atterrissage [ateʀisaʒ] *nm* landing ; à l'~ on landing.

attestation [atɛstasjɔ̃] *nf* certificate.

attirant, e [atiʀɑ̃, ɑ̃t] *adj* attractive.

attirer [atiʀe] *vt* to attract. □ s'attirer *vp* : s'~ des ennuis to get (o.s.) into trouble.

attiser [atize] *vt* to poke.

attitude [atityd] *nf (comportement)* attitude.

attraction [atʀaksjɔ̃] *nf* attraction.

attrait [atʀɛ] *nm (charme)* charm.

attraper [atʀape] *vt* to catch ; *(gronder)* to tell off ; ~ un coup de soleil to get sunburned.

attrayant, e [atʀejɑ̃, ɑ̃t] *adj* attractive.

attribuer [atʀibɥe] *vt* : ~ qqch à qqn to award sthg to sb.

attroupement [atʀupmɑ̃] *nm* crowd.

au [o] = à + le, à.

aube [ob] *nf* dawn ; à l'~ at dawn.

auberge [obɛʀʒ] *nf* inn ; ~ de jeunesse youth hostel.

aubergine [obɛʀʒin] *nf* aubergine *(Br)*, eggplant *(Am)*.

aucun, e [okœ̃, yn] *adj* no. ◆ *pron* none ; nous n'avons ~ dépliant we haven't any leaflets ; sans ~ doute without doubt ; ~ idée! I've no idea! ; ~ des deux neither (of them) ; ~ d'entre nous none of us.

audace [odas] *nf* boldness.

audacieux, euse [odasjø, øz] *adj* bold.

au-delà [odəla] *adv* beyond ; ~ de beyond.

au-dessous [odsu] *adv* below ; *(à l'étage inférieur)* downstairs ; ~ de below ; *(à l'étage inférieur)* downstairs from ; **les enfants ~ de 16 ans** children under (the age of) 16.

au-dessus [odəsy] *adv* above ; *(à l'étage supérieur)* upstairs ; **~ de** over ; *(à l'étage supérieur)* upstairs from ; **~ de 1 000 euros** over 1,000 euros.

audience [odjɑ̃s] *nf* audience.

audiovisuel, elle [odjɔvizɥɛl] *adj* audio-visual.

auditeur, trice [oditœr, tris] *nm, f* listener.

audition [odisjɔ̃] *nf (examen)* audition ; *(sens)* hearing.

auditoire [oditwar] *nm* audience.

auditorium [oditɔrjɔm] *nm* auditorium.

augmentation [ogmɑ̃tasjɔ̃] *nf* increase ; **~ (de salaire)** (pay) rise *(Br)*, raise *(Am)*.

augmenter [ogmɑ̃te] *vt* to raise, to increase. ◆ *vi* to increase ; *(devenir plus cher)* to go up.

aujourd'hui [oʒurdɥi] *adv* today ; *(à notre époque)* nowadays ; **d'~** *(de notre époque)* of today.

auparavant [oparavɑ̃] *adv (d'abord)* first ; *(avant)* before.

auprès [oprɛ] : **auprès de** *prép* near ; *(déposer une plainte, une demande)* to.

auquel [okɛl] = **à + lequel.** lequel.

aura, *etc* → **avoir.**

auréole [oreɔl] *nf (tache)* ring.

aurore [orɔr] *nf* dawn.

ausculter [oskylte] *vt* : **~ qqn** to listen to sb's chest.

aussi [osi] *adv* - 1. *(également)*

also, too ; **j'ai faim - moi ~!** I'm hungry - so am I!
- **2.** *(introduit une comparaison)* : **~ ... que as ... as.** so.
- **3.** *(à ce point)* so.
◆ *conj (par conséquent)* so.
◆ *adv* immediately ; **~ que** as soon as.

austère [ostɛr] *adj* austere.

Australie [ostrali] *nf* : **l'~** Australia.

australien, enne [ostraljɛ̃, ɛn] *adj* Australian.

autant [otɑ̃] *adv* - 1. *(exprime la comparaison)* : **~ que** as much as ; **~ de ... que** *(argent, patience)* as much ... as ; *(amis, valises)* as many ... as.
- **2.** *(exprime l'intensité)* so much ; **~ de** *(argent, patience)* so much ; *(amis, valises)* so many.
- **3.** *(il vaut mieux)* : **~ partir demain** I/we may as well leave tomorrow.
- **4.** *(dans des expressions)* : **j'aime ~ ...** I'd rather ... ; **d'~ que** especially since ; **d'~ plus que** all the more so because ; **pour ~ que je sache** as far as I know.

autel [otɛl] *nm* altar.

auteur [otœr] *nm (d'une chanson)* composer ; *(d'un livre)* author ; *(d'un crime)* person responsible.

authentique [otɑ̃tik] *adj* genuine.

auto [oto] *nf* car ; **~ s tamponneuses** dodgems.

autobiographie [otobjɔgrafi] *nf* autobiography.

autobus [otobys] *nm* bus ; **~ à impériale** double-decker (bus).

autocar [otokar] *nm* coach.

autocollant [otokolã] *nm* sticker.

autocouchette(s) [otokuʃet] *adj inv* : train ~ ≃ Motorail® train.

autocuiseur [otokɥizœr] *nm* pressure cooker.

auto-école, s [otoekol] *nf* driving school.

autographe [otograf] *nm* autograph.

automate [otomat] *nm (jouet)* mechanical toy.

automatique [otomatik] *adj (système)* automatic ; *(geste, réaction)* instinctive.

automne [oton] *nm* autumn *(Br)*, fall *(Am)* ; en ~ in autumn *(Br)*, in the fall *(Am)*.

automobile [otomobil] *adj* car.

automobiliste [otomobilist] *nmf* motorist.

autonome [otonom] *adj* autonomous.

autonomie [otonomi] *nf* autonomy.

autopsie [otopsi] *nf* postmortem (examination).

autoradio [otoradjo] *nm* car radio.

autorisation [otorizasjɔ̃] *nf* permission ; *(document)* permit.

autoriser [otorize] *vt* to authorize ; ~ qqn à faire qqch to allow sb to do sthg.

autoritaire [otoriter] *adj* authoritarian.

autorité [otorite] *nf (fermeté)* authority ; les ~ s the authorities.

autoroute [otorut] *nf* motorway *(Br)*, freeway *(Am)* ; ~ à péage toll motorway *(Br)*, turnpike *(Am)*.

auto-stop [otostop] *nm* hitchhiking ; faire de l'~ to hitch(hike).

autour [otur] *adv* around ; tout ~ all around ; ~ de around.

☞

autre [otr] *adj* - **1.** *(différent)* other ; j'aimerais essayer une ~ couleur I'd like to try a different colour. - **2.** *(supplémentaire)* : une ~ bouteille d'eau minérale, s'il vous plaît another bottle of mineral water, please ; il n'y a rien d'~ à voir ici there's nothing else to see here. - **3.** *(restant)* other ; tous les ~ s passagers sont maintenant priés d'embarquer could all remaining passengers now come forward for boarding. - **4.** *(dans des expressions)* : ~ part somewhere else ; d'~ part besides. ◆ *pron* other ; l'~ the other (one) ; un ~ another ; d'une minute à l'~ any minute now ; entre ~ s among others.

autrefois [otrəfwa] *adv* formerly.

autrement [otrəmã] *adv (différemment)* differently ; *(sinon)* otherwise ; ~ dit in other words.

Autriche [otriʃ] *nf* : l'~ Austria.

autrichien, enne [otriʃjɛ̃, ɛn] *adj* Austrian. ❑ **Autrichien, enne** *nm, f* Austrian.

autruche [otryʃ] *nf* ostrich.

auvent [ovã] *nm* awning.

Auvergne [overɲ] *nf* → **bleu.**

aux [o] = à + les, à.

auxiliaire [oksiljer] *nmf (assistant)* assistant. ◆ *nm GRAMM* auxiliary.

auxquelles [okɛl] = à + lesquelles, lequel.

auxquels [okɛl] = à + lesquels, lequel.

av. (abr de avenue) Ave.

avachi, e [avaʃi] adj (canapé, chaussures) misshapen ; (personne) lethargic.

aval [aval] nm : aller vers l'~ to go downstream ; en ~ (de) downstream (from).

avalanche [avalɑ̃ʃ] nf avalanche.

avaler [avale] vt to swallow.

avance [avɑ̃s] nf advance ; à l'~, d'~ in advance ; en ~ early.

avancer [avɑ̃se] vt to move forward ; (main, assiette) to hold out ; (anticiper) to bring forward ; (prêter) to advance. ◆ vi to move forward ; (progresser) to make progress ; (montre, pendule) to be fast. ❏ **s'avancer** vp to move forward ; (partir devant) to go ahead.

avant [avɑ̃] prép before. ◆ adv earlier ; (autrefois) formerly ; (d'abord) first ; (dans un placement) ahead. ◆ nm front ; SPORT forward. ◆ adj inv front ; ~ de faire qqch before doing sthg ; ~ tout (surtout) above all ; (d'abord) first of all ; en ~ (tomber) forward ; forwards ; partir en ~ to go on ahead.

avantage [avɑ̃taʒ] nm advantage.

avantager [avɑ̃taʒe] vt to favour.

avantageux, euse [avɑ̃taʒø, øz] adj (prix, offre) good.

avant-bras [avɑ̃bra] nm inv forearm.

avant-dernier, ière, s [avɑ̃dɛrnje, ɛr] adj penultimate. ◆ nm, f last but one.

avant-hier [avɑ̃tjɛr] adv the day before yesterday.

avant-propos [avɑ̃prɔpo] nm inv foreword.

avare [avar] adj mean. ◆ nmf miser.

avarice [avaris] nf avarice.

avarié, e [avarje] adj bad.

avec [avɛk] prép with ; ~ élégance elegantly ; et ~ ça? anything else?

avenir [avnir] nm future ; à l'~ in future ; d'~ (technique) promising ; (métier) with a future.

aventure [avɑ̃tyr] nf (événement imprévu) incident ; (entreprise risquée) adventure ; (amoureuse) affair.

aventurier, ière [avɑ̃tyrje, ɛr] nm, f adventurer.

avenue [avny] nf avenue.

avérer [avere] : **s'avérer** vp (se révéler) to turn out to be.

averse [avɛrs] nf downpour.

avertir [avɛrtir] vt to inform ; ~ qqn de qqch to warn sb of sthg.

avertissement [avɛrtismɑ̃] nm warning.

aveu, x [avø] nm confession.

aveugle [avœgl] adj blind. ◆ nmf blind person.

aveugler [avœgle] vt to blind.

aveuglette [avœglɛt] : à l'aveuglette adv : avancer à l'~ to grope one's way.

aviateur [avjatœr] nm pilot.

aviation [avjasjɔ̃] nf MIL airforce.

avide [avid] adj greedy ; ~ de greedy for.

avion [avjɔ̃] nm (aero)plane ; à ~ réaction jet (plane) ; 'par ~' 'airmail'.

aviron [avirɔ̃] *nm* (*rame*) oar ; (*sport*) rowing.

avis [avi] *nm* (*opinion*) opinion ; (*information*) notice ; **changer d'~** to change one's mind ; **~ de réception** acknowledgment of receipt.

avisé, e [avize] *adj* sensible.

av. J-C (*abr de avant Jésus-Christ*) B.C.

avocat [avɔka] *nm* (*homme de loi*) lawyer ; (*fruit*) avocado (pear).

avoine [avwan] *nf* oats (*pl*).

☞

avoir [avwar] *vt* - **1.** (*posséder*) to have (got) ; **j'ai deux frères et une sœur** I've got two brothers and a sister.
- **2.** (*comme caractéristique*) to have ; **~ de l'ambition** to be ambitious.
- **3.** (*être âgé de*) : **quel âge as-tu?** how old are you? ; **j'ai 13 ans** I'm 13 (years old).
- **4.** (*obtenir*) to get.
- **5.** (*au téléphone*) to get hold of.
- **6.** (*éprouver*) to feel ; **~ du chagrin** to be sad.
- **7.** *fam* (*duper*) : **je t'ai bien eu!** I really had you going! ; **se faire ~** (*se faire escroquer*) to be conned ; (*tomber dans le piège*) to be caught out.
- **8.** (*exprime l'obligation*) : **vous n'avez qu'à remplir ce formulaire** you just need to fill in this form.
- **9.** (*dans des expressions*) : **vous en avez encore pour longtemps?** will it take much longer? ; **nous en avons eu pour 30 euros** it cost us 30 euros.
◆ *v aux* to have ; **j'ai terminé** I have finished.
❑ **il y a** *v impers* - **1.** (*il existe*) there is/are ; **y a-t-il des toilettes dans les**

environs? are there any toilets nearby? ; **qu'est-ce qu'il y a?** what is it? ; **il n'y a qu'à revenir demain** we'll just have to come back tomorrow.
- **2.** (*temporel*) : **il y a trois ans** three years ago.

avortement [avɔrtəmɑ̃] *nm* abortion.

avorter [avɔrte] *vi* MÉD to have an abortion ; *fig* (*projet*) to miscarry.

avouer [avwe] *vt* to admit.

avril [avril] *nm* April ; **le premier ~** April Fools' Day → **septembre**.

axe [aks] *nm* axis ; (*routier*) major road ; (*ferroviaire*) main line ; **~ rouge** section of Paris road system where parking is prohibited to avoid congestion.

ayant [ejɑ̃] *ppr* → **avoir**.

ayons [ejɔ̃] → **avoir**.

azote [azɔt] *nm* nitrogen.

Azur [azyr] *n* → **côte**.

B

B (*abr de bien*) G.

baba [baba] *nm* : **~ au rhum** rum baba.

babines [babin] *nfpl* chops.

babiole [babjɔl] *nf* trinket.

bâbord [babɔr] *nm* port ; **à ~** to port.

baby-foot [babifut] *nm inv* table football.

baby-sitter, s [bebisitœr] *nmf* baby-sitter.

bac [bak] *nm (récipient)* container ; *(bateau)* ferry ; *fam* = **baccalauréat**.

baccalauréat [bakalɔrea] *nm* ≃ A levels *(Br)*, ≃ SATs *(Am)*.

ⓘ **BACCALAURÉAT**

In France the *baccalauréat* is the exam taken by students in their final year at *lycée* who want to go on to further education. It covers a wide range of subjects but students may select one major subject area relevant to their chosen career, eg arts, science, engineering or fine art.

bâche [baʃ] *nf* tarpaulin.

bâcler [bakle] *vt fam* to botch.

bacon [bekɔn] *nm* bacon.

bactérie [bakteri] *nf* bacterium.

badge [badʒ] *nm* badge.

badigeonner [badiʒɔne] *vt (mur)* to whitewash.

badminton [badmintɔn] *nm* badminton.

baffe [baf] *nf fam* clip on the ear.

baffle [bafl] *nm* speaker.

bafouiller [bafuje] *vi* to mumble.

bagage [bagaʒ] *nm* piece of luggage OU luggage ; *(connaissances)* knowledge ; **~s** luggage *(sg)*, baggage *(sg)*.

bagarre [bagar] *nf* fight.

bagarrer [bagare] : **se bagarrer** *vp* to fight.

bagarreur, euse [bagarœr, øz] *adj* violent.

bagnes [baɲ] *nm* hard strong Swiss cheese made from cow's milk.

bagnole [baɲɔl] *nf fam* car.

bague [bag] *nf* ring.

baguette [bagɛt] *nf (tige)* stick ;

(de chef d'orchestre) baton ; *(chinoise)* chopstick ; *(pain)* French stick ; **~ magique** magic wand.

baie [bɛ] *nf (fruit)* berry ; *(golfe)* bay ; *(fenêtre)* bay window ; **~ vitrée** picture window.

baignade [beɲad] *nf* swim ; **'~ interdite'** 'no swimming'.

baigner [beɲe] *vt* to bath ; *(suj : sueur, larmes)* to bathe. ◆ *vi* : **~ dans** to be swimming in. ❑ **se baigner** *vp (dans la mer)* to go for a swim.

baignoire [beɲwar] *nf* bath.

bail [baj] *(pl* baux [bo]*) nm* lease.

bâiller [baje] *vi* to yawn ; *(être ouvert)* to gape.

bâillonner [bajɔne] *vt* to gag.

bain [bɛ̃] *nm* bath ; **prendre un ~** to have a bath ; **prendre un ~ de soleil** to sunbathe ; **grand ~** main pool ; **petit ~** children's pool.

bain-marie [bɛ̃mari] *nm* cooking method in which a pan is placed inside a larger pan containing boiling water.

baïonnette [bajɔnɛt] *nf (arme)* bayonet ; *(d'ampoule)* bayonet fitting.

baiser [beze] *nm* kiss.

baisse [bɛs] *nf* drop ; **en ~** falling.

baisser [bese] *vt* to lower ; *(son)* to turn down. ◆ *vi (descendre)* to go down ; *(diminuer)* to drop. ❑ **se baisser** *vp* to bend down.

bal [bal] *nm* ball.

balade [balad] *nf (à pied)* walk ; *(en voiture)* drive ; *(en vélo)* ride.

balader [balade] : **se balader** *vp (à pied)* to go for a walk ; *(en voiture)* to go for a drive ; *(en vélo)* to go for a ride.

baladeur [baladœr] nm Walkman®.

balafre [balafr] nf gash.

balai [balɛ] nm broom, brush ; (d'essuie-glace) blade.

balance [balɑ̃s] nf scales (pl). ❑ Balance nf Libra.

balancer [balɑ̃se] vt to swing ; fam (jeter) to throw away. ❑ se balancer vp (sur une chaise) to rock ; (sur une balançoire) to swing.

balancier [balɑ̃sje] nm (de pendule) pendulum.

balançoire [balɑ̃swar] nf (bascule) seesaw ; (suspendue) swing.

balayer [baleje] vt to sweep.

balayeur [balejœr] nm roadsweeper.

balbutier [balbysje] vi to stammer.

balcon [balkɔ̃] nm balcony ; (au théâtre) circle.

baleine [balɛn] nf (animal) whale ; (de parapluie) rib.

balise [baliz] nf NAVIG marker (buoy) ; (de randonnée) marker.

balle [bal] nf SPORT ball ; (d'arme à feu) bullet ; fam (franc) franc ; ~ à blanc blank.

ballerine [balrin] nf (chaussure) ballet shoe ; (danseuse) ballerina.

ballet [balɛ] nm ballet.

ballon [balɔ̃] nm SPORT ball ; (pour fête, montgolfière) balloon ; (verre) round wineglass.

ballonné, e [balɔne] adj swollen.

ballotter [balɔte] vi to roll around.

balnéaire [balneer] adj → station.

balustrade [balystrad] nf balustrade.

bambin [bɑ̃bɛ̃] nm toddler.

bambou [bɑ̃bu] nm bamboo.

banal, e [banal] adj banal.

banane [banan] nf banana ; (porte-monnaie) bumbag (Br), fanny pack (Am).

banc [bɑ̃] nm bench ; (de poissons) shoal ; ~ public park bench ; ~ de sable sandbank.

bancaire [bɑ̃ker] adj bank, banking.

bancal, e [bɑ̃kal] adj wobbly.

bandage [bɑ̃daʒ] nm bandage.

bande [bɑ̃d] nf (de tissu, de papier) strip ; (groupe) band ; ~ d'arrêt d'urgence hard shoulder ; ~ blanche (sur route) white line ; ~ dessinée comic strip ; ~ magnétique tape ; ~ originale original soundtrack.

bandeau, x [bɑ̃do] nm (dans les cheveux) headband ; (sur les yeux) blindfold.

bander [bɑ̃de] vt (yeux) to blindfold ; (blessure) to bandage.

banderole [bɑ̃drɔl] nf streamer.

bandit [bɑ̃di] nm bandit.

bandoulière [bɑ̃duljer] nf shoulder strap ; en ~ across the shoulder.

banjo [bɑ̃dʒo] nm banjo.

banlieue [bɑ̃ljø] nf suburbs (pl).

banlieusard, e [bɑ̃ljøzar, ard] nm, f person living in the suburbs.

banque [bɑ̃k] nf bank ; Banque centrale européenne European Central Bank.

banquet [bɑ̃kɛ] nm banquet.

banquette [bɑ̃kɛt] nf seat.

banquier [bɑ̃kje] nm banker.

banquise [bɑ̃kiz] nf ice floe.

baptême [batɛm] *nm* baptism ; ~ de l'air maiden flight.

bar [bar] *nm* bar ; ~ à café *Helv* café.

baraque [barak] *nf* (de jardin) shed ; (de fête foraine) stall ; *fam* (maison) house.

baratin [baratɛ̃] *nm fam* smooth talk.

barbare [barbar] *adj* barbaric.

Barbarie [barbari] *n* → orgue.

barbe [barb] *nf* beard ; ~ à papa candyfloss (*Br*), cotton candy (*Am*).

barbecue [barbəkju] *nm* barbecue.

barbelé, e [barbəle] *nm* : (fil de fer) ~ barbed wire.

barboter [barbɔte] *vi* to splash about.

barbouillé, e [barbuje] *adj* (malade) : être ~ to feel sick.

barbouiller [barbuje] *vt* (écrire, peindre sur) to daub ; (salir) to smear.

barbu [barby] *adj m* bearded.

barème [barɛm] *nm* (de prix) list ; (de notes) scale.

baril [baril] *nm* barrel.

bariolé, e [barjɔle] *adj* multicoloured.

barman [barman] *nm* barman.

baromètre [barɔmɛtr] *nm* barometer.

baron, onne [barɔ̃, ɔn] *nm, f* baron (*f* baroness).

barque [bark] *nf* small boat.

barrage [baraʒ] *nm* (sur une rivière) dam ; ~ de police police roadblock.

barre [bar] *nf* (de fer, de chocolat)

bar ; (trait) stroke ; *INFORM* : ~ d'outils tool bar ; *NAVIG* tiller.

barreau, x [baro] *nm* bar.

barrer [bare] *vt* (rue, route) to block ; (mot, phrase) to cross out ; *NAVIG* to steer.

barrette [barɛt] *nf* (à cheveux) hair slide.

barricade [barikad] *nf* barricade.

barricader [barikade] *vt* to barricade. □ **se barricader** *vp* to barricade o.s.

barrière [barjɛr] *nf* barrier.

bar-tabac [bartaba] (*pl* **bars-tabacs**) *nm* bar also selling cigarettes and tobacco.

bas, basse [ba, bas] *adj* low. ◆ *nm* bottom ; (vêtement) stocking. ◆ *adv* (dans l'espace) low ; (parler) softly ; **en** ~ at the bottom ; (à l'étage inférieur) downstairs.

bas-côté, s [bakote] *nm* (de la route) verge.

bascule [baskyl] *nf* (pour peser) weighing machine ; (jeu) seesaw.

basculer [baskyle] *vt* to tip up. ◆ *vi* to overbalance.

base [baz] *nf* (partie inférieure) base ; (origine, principe) basis ; **de** ~ basic ; ~ **de données** database.

baser [baze] *vt* : ~ qqch sur to base sthg on. □ **se baser sur** *vp* + *prép* to base one's argument on.

basilic [bazilik] *nm* basil.

basilique [bazilik] *nf* basilica.

basket [baskɛt] *nm ou nf* (chaussure) trainer.

basket(-ball) [baskɛt(bol)] *nm* basketball.

basquaise [baskɛz] *adj* → **poulet**.

basque [bask] *adj* Basque. ◆ *nm*

(langue) Basque. ❑ **Basque** *nmf*
Basque.

basse [ba, bas] → **bas**.

basse-cour [baskur] *(pl basses-cours) nf* farmyard.

bassin [basɛ̃] *nm (plan d'eau)*
pond ; ANAT pelvis ; **le Bassin parisien** the Paris Basin ; **grand ~** *(de piscine)* main pool ; **petit ~** *(de piscine)* children's pool.

bassine [basin] *nf* bowl.

Bastille [bastij] *nf* : **l'opéra ~** Paris
opera house on the site of the former
Bastille prison.

bataille [bataj] *nf* battle.

batailleur, euse [batajœr, øz]
adj aggressive.

bâtard, e [batar, ard] *nm, f (chien)*
mongrel.

bateau, x [bato] *nm* boat ;
(grand) ship ; (sur le trottoir) driveway entrance ; **~ de pêche** fishing
boat ; **~ à voiles** sailing boat.

bateau-mouche [batomuʃ] *(pl bateaux-mouches) nm* pleasure boat
on the Seine.

bâtiment [batimɑ̃] *nm* building ;
le ~ *(activité)* the building trade.

bâtir [batir] *vt* to build.

bâton [batɔ̃] *nm* stick ; **~ de rouge
à lèvres** lipstick.

bâtonnet [batɔnɛ] *nm* stick.

battant [batɑ̃] *nm (d'une porte)*
door *(of double doors)*.

battement [batmɑ̃] *nm (coup)*
beat, beating ; *(intervalle)* break.

batterie [batri] *nf* AUT battery ;
MUS drums *(pl)* ; **~ de cuisine** kitchen utensils *(pl)*.

batteur, euse [batœr, øz] *nm, f*
MUS drummer. ◆ *nm (mélangeur)*
whisk.

battre [batr] *vt* to beat. ◆ *vi*

(cœur) to beat ; *(porte, volet)* to
bang ; **~ la mesure** to beat time ;
~ des mains to clap (one's hands).
❑ **se battre** *vp* : **se ~ (avec qqn)** to
fight (with sb).

baume [bom] *nm* balm.

baux [bo] → **bail**.

bavard, e [bavar, ard] *adj* talkative. ◆ *nm, f* chatterbox.

bavardage [bavardaʒ] *nm* chattering.

bavarder [bavarde] *vi* to chat.

bave [bav] *nf* dribble ; *(d'un animal)* slaver.

baver [bave] *vi* to dribble ; *(animal)* to slaver ; **en ~** *fam* to have a
rough time (of it).

bavette [bavɛt] *nf* CULIN lower
part of sirloin.

baveux, euse [bavø, øz] *adj
(omelette)* runny.

bavoir [bavwar] *nm* bib.

bavure [bavyr] *nf (tache)*
smudge ; *(erreur)* mistake.

bazar [bazar] *nm (magasin)* general store ; *fam (désordre)* shambles *(sg)*.

BCBG *adj (abr de bon chic bon
genre)* term used to describe an
upper-class lifestyle reflected especially in expensive and conservative
clothes.

BCE *(abr de Banque centrale
européenne) nf* ECB.

Bd *abr* = boulevard.

BD *nf fam* = bande dessinée.

beau, belle *(m bef, bel)* *(m bel* [bel],
mpl **beaux** [bo]) *adj* beautiful ; *(personne)* good-looking ; *(agréable)*
lovely. ◆ *adv* : **il fait ~** the weather
is good ; **j'ai ~ essayer ...** try as I
may ... ; **~ travail!** *iron* well done! ;
un ~ jour one fine day.

bénin

Beaubourg [bobur] *n name commonly used to refer to the Pompidou centre.*

BEAUBOURG

Parisians use the word *Beaubourg* not only for the *Centre Pompidou* (or *Centre national d'art et de culture*), but also for the neighbourhood of pedestrian streets surrounding it. During its construction in 1977, the Centre's architectural style sparked controversy, but today it is one of the most visited attractions in France. In addition to hosting many exhibitions, the Centre is home to the Museum of Modern Art, the Centre for Industrial Creation, a *cinémathèque* (film library), and a large public library.

beaucoup [boku] *adv* a lot ; ~ de a lot of ; ~ plus cher much more expensive ; il y a ~ plus de choses à voir ici there are many more things to see here.

beau-fils [bofis] (*pl* **beaux-fils**) *nm* (*fils du conjoint*) stepson ; (*gendre*) son-in-law.

beau-frère [bofrɛr] (*pl* **beaux-frères**) *nm* brother-in-law.

beau-père [bopɛr] (*pl* **beaux-pères**) *nm* (*père du conjoint*) father-in-law ; (*conjoint de la mère*) stepfather.

beauté [bote] *nf* beauty.

beaux-parents [boparã] *nmpl* in-laws.

bébé [bebe] *nm* baby.

bec [bɛk] *nm* beak ; ~ verseur spout.

béchamel [beʃamɛl] *nf* : (sauce) ~ béchamel sauce.

bêche [bɛʃ] *nf* spade.

bêcher [beʃe] *vt* to dig.

bée [be] *adj f* : bouche ~ open-mouthed.

bégayer [begeje] *vi* to stammer.

bégonia [begɔnja] *nm* begonia.

beige [bɛʒ] *adj* & *nm* beige.

beigne [bɛɲ] *nf Can* ring doughnut.

beignet [bɛɲe] *nm* fritter.

bel → **beau**.

bêler [bele] *vi* to bleat.

belge [bɛlʒ] *adj* Belgian. ❑ **Belge** *nmf* Belgian.

Belgique [bɛlʒik] *nf* : la ~ Belgium.

bélier [belje] *nm* ram. ❑ **Bélier** *nm* Aries.

belle-fille [bɛlfij] (*pl* **belles-filles**) *nf* (*fille du conjoint*) stepdaughter ; (*conjointe du fils*) daughter-in-law.

belle-mère [bɛlmɛr] (*pl* **belles-mères**) *nf* (*mère du conjoint*) mother-in-law ; (*conjointe du père*) stepmother.

belle-sœur [bɛlsœr] (*pl* **belles-sœurs**) *nf* sister-in-law.

belote [bɔlɔt] *nf* French card game.

bénéfice [benefis] *nm* FIN profit ; (*avantage*) benefit.

bénéficier [benefisje] : **bénéficier de** *v + prép* to benefit from.

bénéfique [benefik] *adj* beneficial.

bénévole [benevɔl] *adj* voluntary.

bénin, igne [benɛ̃, iɲ] *adj* benign.

bénir [benir] *vt* to bless.

bénite [benit] *adj f →* eau.

bénitier [benitje] *nm* font.

benne [ben] *nf* skip.

BEP *nm* vocational school-leaver's diploma (taken at age 18).

béquille [bekij] *nf* crutch ; (de vélo, de moto) stand.

berceau, x [bɛrso] *nm* cradle.

bercer [bɛrse] *vt* to rock.

berceuse [bɛrsøz] *nf* lullaby.

Bercy [bɛrsi] *n* : (le palais omnisports de Paris-)~ large sports and concert hall in Paris.

béret [bere] *nm* beret.

berge [bɛrʒ] *nf* (d'un cours d'eau) bank.

berger, ère [bɛrʒe, ɛr] *nm, f* shepherd (f shepherdess) ; ~ allemand Alsatian.

bergerie [bɛrʒəri] *nf* sheepfold.

berlingot [bɛrlɛ̃go] *nm* (bonbon) boiled sweet ; (de lait, de Javel).

bermuda [bɛrmyda] *nm* Bermuda shorts (pl).

besogne [bəzɔɲ] *nf* job.

besoin [bəzwɛ̃] *nm* need ; avoir ~ de qqch to need sthg ; faire ses ~ s to relieve o.s.

bestiole [bɛstjɔl] *nf* creepy-crawly.

best-seller, s [bɛstselœr] *nm* best-seller.

bétail [betaj] *nm* cattle (pl).

bête [bɛt] *adj* stupid. ◆ *nf* animal.

bêtement [bɛtmã] *adv* stupidly.

bêtise [betiz] *nf* (acte, parole) stupid thing ; (stupidité) stupidity.

béton [betɔ̃] *nm* concrete.

bette [bɛt] *nf* (Swiss) chard.

betterave [bɛtrav] *nf* beetroot.

beurre [bœr] *nm* butter.

beurrer [bœre] *vt* to butter.

biais [bjɛ] *nm* (moyen) way ; en ~ (couper) diagonally.

bibelot [biblo] *nm* knick-knack.

biberon [bibrɔ̃] *nm* baby's bottle ; donner le ~ à to bottle-feed.

Bible [bibl] *nf* : la ~ the Bible.

bibliothécaire [biblijɔtekɛr] *nmf* librarian.

bibliothèque [biblijɔtɛk] *nf* library ; (meuble) bookcase.

biceps [bisɛps] *nm* biceps.

biche [biʃ] *nf* doe.

bicyclette [bisiklɛt] *nf* bicycle.

bidet [bidɛ] *nm* bidet.

bidon [bidɔ̃] *nm* can. ◆ *adj inv fam* fake.

bidonville [bidɔ̃vil] *nm* shantytown.

☞

bien [bjɛ̃] (compar & superl **mieux** [mjø]) *adv* - 1. (de façon satisfaisante) well ; tu as ~ fait you did the right thing.
- 2. (très) very ; ~ mieux much better ; j'espère ~ que ... I do hope that ...
- 3. (au moins) at least.
- 4. (effectivement) : c'est ~ ce qu'il me semblait that's (exactly) what I thought ; c'est ~ lui it really is him.
- 5. (dans des expressions) : il a ~ de la chance he's really lucky ; c'est ~ fait pour toi! (it) serves you right! ; nous ferions ~ de réserver à l'avance we would be wise to book in advance.
◆ *adj inv* - 1. (de bonne qualité) good.
- 2. (moralement) decent, respectable.

- **3.** *(en bonne santé)* well ; être/se sentir ~ to be/feel well.
- **4.** *(à l'aise)* comfortable.
- **5.** *(joli)* nice ; *(physiquement)* good-looking.
◆ *excl* right!
♦ *nm* - **1.** *(intérêt)* interest ; c'est pour ton ~ it's for your own good.
- **2.** *(sens moral)* good.
- **3.** *(dans des expressions)* : dire du ~ de to praise ; faire du ~ à qqn to do sb good.
❑ **biens** *nmpl (richesse)* property *(sg)*.

bien-être [bjɛ̃nɛtr] *nm* well-being.

bienfaisant, e [bjɛ̃fəzɑ̃, ɑ̃t] *adj* beneficial.

bientôt [bjɛ̃to] *adv* soon ; à ~! see you soon!

bienveillant, e [bjɛ̃vejɑ̃, ɑ̃t] *adj* kind.

bienvenu, e [bjɛ̃v(ə)ny] *adj* welcome.

bienvenue [bjɛ̃v(ə)ny] *nf* : bienvenue! welcome! ; souhaiter la ~ à qqn to welcome sb.

bière [bjɛr] *nf* beer.

bifteck [biftɛk] *nm* steak.

bifurquer [bifyrke] *vi (route)* to fork ; *(voiture)* to turn off.

bigorneau, x [bigɔrno] *nm* winkle.

bigoudi [bigudi] *nm* roller.

bijou, x [biʒu] *nm* jewel.

bijouterie [biʒutri] *nf* jeweller's (shop).

Bikini® [bikini] *nm* bikini.

bilan [bilɑ̃] *nm (en comptabilité)* balance sheet ; *(résultat)* result ; faire le ~ (de) to take stock (of).

bilingue [bilɛ̃g] *adj* bilingual.

billard [bijar] *nm (jeu)* billiards *(sg)* ; *(table)* billiard table ; ~ américain pool.

bille [bij] *nf* ball ; *(pour jouer)* marble.

billet [bijɛ] *nm (de transport, de spectacle)* ticket ; ~ *(de banque)* (bank) note ; ~ aller et retour return (ticket) ; ~ simple single (ticket).

billetterie [bijɛtri] *nf* ticket office ; ~ automatique *(de billets de train)* ticket machine ; *(de banque)* cash dispenser.

bimensuel, elle [bimɑ̃sɥɛl] *adj* fortnightly.

biographie [bjɔgrafi] *nf* biography.

biologie [bjɔlɔʒi] *nf* biology.

biologique [bjɔlɔʒik] *adj* biological ; *(culture, produit)* organic.

bis [bis] *excl* encore! ◆ *adv* : 6 ~ 6a.

biscornu, e [biskɔrny] *adj (objet)* misshapen ; *(idée)* weird.

biscotte [biskɔt] *nf* toasted bread sold in packets.

biscuit [biskɥi] *nm* biscuit *(Br)*, cookie *(Am)* ; ~ salé cracker.

bise [biz] *nf (baiser)* kiss ; *(vent)* north wind ; faire une ~ à qqn to kiss sb on the cheek ; grosses ~ *(dans une lettre)* lots of love.

bison [bizɔ̃] *nm* bison ; Bison Futé *French road traffic information organization.*

bisou [bizu] *nm fam* kiss.

bisque [bisk] *nf* thick soup made with shellfish and cream.

bissextile [bisɛkstil] *adj* → année.

bistro(t) [bistro] *nm* bar.

bitume [bitym] *nm* asphalt.

bizarre [bizar] *adj* strange.

blafard, e [blafar, ard] *adj* pale.

blague [blag] *nf (histoire drôle)* joke ; *(mensonge)* wind-up ; *(farce)* trick ; **sans ~ !** no kidding!

blaguer [blage] *vi* to joke.

blâmer [blame] *vt* to blame.

blanc, blanche [blā, blāʃ] *adj* white ; *(vierge)* blank. ◆ *nm (couleur)* white ; *(vin)* white wine ; *(espace)* blank ; **~ d'œuf** egg white ; **~ de poulet** chicken breast *(Br)*, white meat *(Am)*. ❏ **Blanc, Blanche** *nm, f* white (man) / *f* white (woman).

blancheur [blāʃœr] *nf* whiteness.

blanchir [blāʃir] *vt (à l'eau de Javel)* to bleach ; *(linge)* to launder. ◆ *vi* to go white.

blanchisserie [blāʃisri] *nf* laundry.

blanquette [blāket] *nf (plat)* stew made with white wine ; *(vin)* sparkling white wine from the south of France ; **~ de veau** veal stew made with white wine.

blasé, e [blaze] *adj* blasé.

blazer [blazer] *nm* blazer.

blé [ble] *nm* wheat ; **~ d'Inde** *Can* corn.

blême [blɛm] *adj* pale.

blessant, e [blɛsā, āt] *adj* hurtful.

blessé [blese] *nm* injured person.

blesser [blese] *vt* to injure ; *(vexer)* to hurt. ❏ **se blesser** *vp* to injure o.s. ; **se ~ à la main** to injure one's hand.

blessure [blesyr] *nf* injury.

blette [blɛt] = **bette**.

bleu, e [blø] *adj* blue ; *(steak)* rare. ◆ *nm (couleur)* blue ; *(hématome)* bruise ; **~ (d'Auvergne)** blue cheese from the Auvergne ; **~ marine** navy blue ; **~ de travail** overalls *(pl) (Br)*, overall *(Am)*.

bleuet [blœɛ] *nm (fleur)* cornflower ; *Can (fruit)* blueberry.

blindé, e [blɛ̃de] *adj (porte)* reinforced.

blizzard [blizar] *nm* blizzard.

bloc [blɔk] *nm* block ; *(de papier)* pad ; **à ~** *(visser, serrer)* tight ; **en ~** as a whole.

blocage [blɔkaʒ] *nm (des prix, des salaires)* freeze ; *(psychologique)* block.

bloc-notes [blɔknɔt] *(pl* blocs-notes) *nm* notepad.

blocus [blɔkys] *nm* blockade.

blond, e [blɔ̃, blɔ̃d] *adj* blond. ◆ **blonde** *nf (cigarette)* Virginia cigarette ; *(bière)* ~ lager.

bloquer [blɔke] *vt (route, passage)* to block ; *(mécanisme)* to jam ; *(prix, salaires)* to freeze.

blottir [blɔtir] : **se blottir** *vp* to snuggle up.

blouse [bluz] *nf (d'élève)* coat worn by schoolchildren ; *(de médecin)* white coat ; *(chemisier)* blouse.

blouson [bluzɔ̃] *nm* bomber jacket.

blues [bluz] *nm* blues.

bob [bɔb] *nm* sun hat.

bobine [bɔbin] *nf* reel.

bobsleigh [bɔbsleg] *nm* bobsleigh.

bocal, aux [bɔkal, o] *nm* jar ; *(à poissons)* bowl.

body [bɔdi] *nm* body.

body-building [bɔdibildiŋ] *nm*
body-building.

bœuf [bœf, *pl* bø] *nm* ox ; *CULIN*
beef ; ~ **bourguignon** *beef cooked in
red wine sauce with bacon and
onions*.

bof [bɔf] *excl* term expressing lack
of interest or enthusiasm.

bohémien, enne [bɔemjɛ̃, ɛn]
nm, f gipsy.

boire [bwar] *vt* to drink ; *(absorber)* to soak up. ◆ *vi* to drink ; ~ **un
coup** to have a drink.

bois [bwa] *nm* wood. ◆ *nmpl*
(d'un cerf) antlers.

boisé, e [bwaze] *adj* wooded.

boiseries [bwazri] *nfpl* panelling
(sg).

boisson [bwasɔ̃] *nf* drink.

boîte [bwat] *nf* box ; ~ **d'allumettes** box of matches ; ~ **de conserve**
tin *(Br)*, can ; ~ **aux lettres** *(pour
l'envoi)* postbox *(Br)*, mailbox
(Am) ; *(pour la réception)* letterbox
(Br), mailbox *(Am)* ; *INFORM* ~ **aux
lettres électronique** electronic mailbox ; ~ **(de nuit)** (night)club ; ~ **à
outils** toolbox ; ~ **de vitesses** gearbox ; *TEL* : ~ **vocale** voice mail.

boiter [bwate] *vi* to limp.

boiteux, euse [bwatø, øz] *adj*
lame.

boîtier [bwatje] *nm (de montre, de
cassette)* case ; *(d'appareil photo)*
camera body.

bol [bɔl] *nm* bowl.

bolide [bɔlid] *nm* racing car.

bombardement [bɔ̃bardəmɑ̃]
nm bombing.

bombarder [bɔ̃barde] *vt* to
bomb ; ~ **qqn de questions** to bombard sb with questions.

bombe [bɔ̃b] *nf (arme)* bomb ;

(vaporisateur) spraycan ; ~ **atomique** nuclear bomb.

☞

bon, bonne [bɔ̃, bɔn] *(compar &
superl* **meilleur** [mɛjœr]) *adj*
- **1.** *(gén)* good ; **être ~ en qqch** to be
good at sthg.
- **2.** *(correct)* right.
- **3.** *(utile)* : **il n'est ~ à rien** he's useless ; **c'est ~ à savoir** that's worth
knowing.
- **4.** *(passeport, carte)* valid.
- **5.** *(en intensif)* : **ça fait une bonne
heure que j'attends** I've been waiting for a good hour.
- **6.** *(dans l'expression des souhaits)* :
bonne année! Happy New Year! ;
bonnes vacances! have a nice holiday!
- **7.** *(dans des expressions)* : **bon!**
right! ; **ah ~?** really? ; **pour de ~** for
good.
◆ *adv* : **il fait ~** it's lovely ; **sentir
~** to smell nice ; **tenir ~** to hold
out.
◆ *nm (formulaire)* form ; *(en cadeau)* voucher.

bonbon [bɔ̃bɔ̃] *nm* sweet *(Br)*,
candy *(Am)*.

bond [bɔ̃] *nm* leap.

bondé, e [bɔ̃de] *adj* packed.

bondir [bɔ̃dir] *vi* to leap ; **ça va le
faire ~** he'll hit the roof.

bonheur [bɔnœr] *nm* happiness ;
(chance, plaisir) (good) luck.

bonhomme [bɔnɔm] *(pl* **bons-
hommes** [bɔ̃zɔm]) *nm fam (homme)*
fellow ; *(silhouette)* man ; ~ **de neige** snowman.

bonjour [bɔ̃ʒur] *excl* hello!

bonne [bɔn] *nf* maid.

bonnet [bɔnɛ] *nm* hat ; ~ **de bain** swimming cap.

bonsoir [bɔ̃swar] *excl (en arrivant)* good evening! ; *(en partant)* good night!

bonté [bɔ̃te] *nf* kindness.

bord [bɔr] *nm* edge ; **à** ~ **(de)** on board ; **monter à** ~ **(de)** to board ; **au** ~ **de la mer** at the seaside ; **au** ~ **de la route** at the roadside.

bordelaise [bɔrdəlɛz] *adj* → **entrecôte**.

border [bɔrde] *vt (entourer)* to line ; *(enfant)* to tuck in ; **bordé de** lined with.

bordure [bɔrdyr] *nf* edge ; *(liseré)* border ; **en** ~ **de** on the edge of.

borgne [bɔrɲ] *adj* one-eyed.

borne [bɔrn] *nf (sur la route)* ≃ milestone ; **dépasser les** ~ **s** *fig* to go too far.

borné, e [bɔrne] *adj* narrow-minded.

bosquet [bɔskɛ] *nm* copse.

bosse [bɔs] *nf* bump.

bossu, e [bɔsy] *adj* hunch-backed.

botanique [bɔtanik] *adj* botanical. ◆ *nf* botany.

botte [bɔt] *nf* boot ; *(de légumes)* bunch ; *(de foin)* bundle.

Bottin® [bɔtɛ̃] *nm* phone book.

bottine [bɔtin] *nf* ankle boot.

bouc [buk] *nm (animal)* (billy) goat ; *(barbe)* goatee (beard).

bouche [buʃ] *nf* mouth ; ~ **d'égout** manhole ; ~ **de métro** metro entrance.

bouchée [buʃe] *nf* mouthful ; *(au chocolat)* filled chocolate ; ~ **à la reine** chicken vol-au-vent.

boucher[1] [buʃe] *vt (remplir)* to fill

up ; *(bouteille)* to cork ; *(oreilles, passage)* to block.

boucher[2]**, ère** [buʃe, ɛr] *nm, f* butcher.

boucherie [buʃri] *nf* butcher's (shop).

bouchon [buʃɔ̃] *nm (à vis)* top ; *(en liège)* cork ; *(embouteillage)* traffic jam ; *(de pêche)* float.

boucle [bukl] *nf* loop ; *(de cheveux)* curl ; *(de ceinture)* buckle ; ~ **d'oreille** earring.

bouclé, e [bukle] *adj* curly.

boucler [bukle] *vt (valise, ceinture)* to buckle ; *fam (enfermer)* to lock up. ◆ *vi (cheveux)* to curl.

bouclier [buklije] *nm* shield.

bouddhiste [budist] *adj* & *nmf* Buddhist.

bouder [bude] *vi* to sulk.

boudin [budɛ̃] *nm (cylindre)* roll ; ~ **blanc** white pudding *(Br)*, white sausage *(Am)* ; ~ **noir** black pudding *(Br)*, blood sausage *(Am)*.

boue [bu] *nf* mud.

bouée [bwe] *nf (pour nager)* rubber ring ; *(balise)* buoy ; ~ **de sauvetage** life belt.

boueux, euse [buø, øz] *adj* muddy.

bouffant, e [bufɑ̃, ɑ̃t] *adj (pantalon)* baggy ; **manches** ~ **es** puff sleeves.

bouffée [bufe] *nf* puff ; *(de colère, d'angoisse)* fit ; **une** ~ **d'air frais** a breath of fresh air.

bouffi, e [bufi] *adj* puffy.

bouger [buʒe] *vt* to move. ◆ *vi* to move ; *(changer)* to change ; **j'ai une dent qui bouge** I've got a loose tooth.

bougie [buʒi] *nf* candle ; TECH spark plug.

bouillabaisse [bujabɛs] nf fish soup, a speciality of Provence.

bouillant, e [bujɑ̃, ɑ̃t] adj boiling (hot).

bouillie [buji] nf puree ; (pour bébé) baby food.

bouillir [bujir] vi to boil.

bouilloire [bujwar] nf kettle.

bouillon [bujɔ̃] nm stock.

bouillonner [bujɔne] vi to bubble.

bouillotte [bujɔt] nf hot-water bottle.

boulanger, ère [bulɑ̃ʒe, ɛr] nm, f baker.

boulangerie [bulɑ̃ʒri] nf baker's (shop), bakery.

boule [bul] nf ball ; (de pétanque) bowl ; **jouer aux ~ s** to play boules ; **~ de Bâle** Helv large sausage served with a vinaigrette.

bouledogue [buldɔg] nm bulldog.

boulet [bulɛ] nm cannonball.

boulette [bulɛt] nf pellet ; **~ de viande** meatball.

boulevard [bulvar] nm boulevard ; **les grands ~ s** (à Paris) the main boulevards between the Madeleine and République.

bouleversement [bulvɛrsəmɑ̃] nm upheaval.

bouleverser [bulvɛrse] vt (émouvoir) to move deeply ; (modifier) to disrupt.

boulon [bulɔ̃] nm bolt.

boulot [bulo] nm fam (travail, lieu) work ; (emploi) job.

boum [bum] nf fam party.

bouquet [bukɛ] nm bunch ; (crevette) prawn ; (d'un vin) bouquet.

bouquin [bukɛ̃] nm fam book.

bourdon [burdɔ̃] nm bumblebee.

bourdonner [burdɔne] vi to buzz.

bourgeois, e [burʒwa, az] adj (quartier, intérieur) middle-class ; péj bourgeois.

bourgeoisie [burʒwazi] nf bourgeoisie.

bourgeon [burʒɔ̃] nm bud.

bourgeonner [burʒɔne] vi to bud.

Bourgogne [burgɔɲ] nf : **la ~ Burgundy**.

bourguignon, onne [burgiɲɔ̃, ɔn] adj → **bœuf, fondue**.

bourrasque [burask] nf gust of wind.

bourratif, ive [buratif, iv] adj stodgy.

bourré, e [bure] adj (plein) packed ; vulg (ivre) pissed (Br), bombed (Am) ; **~ de** packed with.

bourreau, x [buro] nm executioner.

bourrelet [burlɛ] nm (isolant) draught excluder ; (de graisse) roll of fat.

bourru, e [bury] adj surly.

bourse [burs] nf (d'études) grant ; (porte-monnaie) purse ; **la Bourse** the Stock Exchange.

boursier, ière [bursje, ɛr] adj (étudiant) on a grant ; (transaction) stock-market.

boursouflé, e [bursufle] adj swollen.

bousculade [buskylad] nf scuffle.

bousculer [buskyle] vt to jostle ; fig (presser) to rush.

boussole [busɔl] nf compass.

bout [bu] nm (extrémité) end ;

(morceau) piece ; au ~ de *(après)* after ; arriver au ~ de to reach the end of ; être à ~ to be at the end of one's tether.

bouteille [butɛj] *nf* bottle ; ~ de gaz gas cylinder ; ~ d'oxygène oxygen cylinder.

boutique [butik] *nf* shop.

bouton [butɔ̃] *nm (de vêtement)* button ; *(sur la peau)* spot ; *(de réglage)* knob ; *(de fleur)* bud.

bouton-d'or [butɔ̃dɔr] *(pl* boutons-d'or) *nm* buttercup.

boutonner [butɔne] *vt* to button (up).

boutonnière [butɔnjɛr] *nf* buttonhole.

bowling [bulin] *nm (jeu)* ten-pin bowling ; *(salle)* bowling alley.

box [bɔks] *nm inv (garage)* lock-up garage ; *(d'écurie)* stall.

boxe [bɔks] *nf* boxing.

boxer [bɔksɛr] *nm (chien)* boxer.

boxeur [bɔksœr] *nm* boxer.

boyau, x [bwajo] *nm (de roue)* inner tube. ❑ boyaux *nmpl* ANAT guts.

boycotter [bɔjkɔte] *vt* to boycott.

BP *(abr de boîte postale)* P.O. Box.

bracelet [braslɛ] *nm* bracelet ; *(de montre)* strap.

bracelet-montre [braslɛmɔ̃tr] *(pl* bracelets-montres) *nm* wristwatch.

braconnier [brakɔnje] *nm* poacher.

brader [brade] *vt* to sell off ; 'on brade' 'clearance sale'.

braderie [bradri] *nf* clearance sale.

braguette [bragɛt] *nf* flies *(pl)*.

braille [braj] *nm* braille.

brailler [braje] *vi fam* to bawl.

braise [brɛz] *nf* embers *(pl)*.

brancard [brɑ̃kar] *nm* stretcher.

branchages [brɑ̃ʃaʒ] *nmpl* branches.

branche [brɑ̃ʃ] *nf* branch ; *(de lunettes)* arm.

branchement [brɑ̃ʃmɑ̃] *nm* connection.

brancher [brɑ̃ʃe] *vt (appareil)* to plug in ; *(prise)* to put in.

brandade [brɑ̃dad] *nf* : ~ (de morue) salt cod puree.

brandir [brɑ̃dir] *vt* to brandish.

branlant, e [brɑ̃lɑ̃, ɑ̃t] *adj* wobbly.

braquer [brake] *vi (automobiliste)* to turn (the wheel). ◆ *vt* : ~ qqch sur to aim sthg at.

bras [bra] *nm* arm.

brassard [brasar] *nm* armband.

brasse [bras] *nf (nage)* breaststroke.

brasser [brase] *vt (remuer)* to stir ; *(bière)* to brew ; *fig (manipuler)* to handle.

brasserie [brasri] *nf (café)* large café serving light meals ; *(usine)* brewery.

brassière [brasjɛr] *nf (pour bébé)* baby's vest *(Br)*, baby's undershirt *(Am)* ; Can *(soutien-gorge)* bra.

brave [brav] *adj (courageux)* brave ; *(gentil)* decent.

bravo [bravo] *excl* bravo!

bravoure [bravur] *nf* bravery.

break [brɛk] *nm (voiture)* estate (car) *(Br)*, station wagon *(Am)*.

brebis [brəbi] *nf* ewe.

brèche [brɛʃ] nf gap.

bref, brève [brɛf, brɛv] adj brief. ◆ adv in short.

Brésil [brezil] nm : le ~ Brazil.

Bretagne [brətaɲ] nf: la ~ Brittany.

bretelle [brətɛl] nf (de vêtement) shoulder strap ; (d'autoroute) slip road (Br), access road. ❏ **bretelles** nfpl braces (Br), suspenders (Am).

breton, onne [brətɔ̃, ɔn] adj Breton. ◆ nm (langue) Breton. ❏ Breton, onne nm, f Breton.

brève → **bref**.

brevet [brəvɛ] nm diploma ; (d'invention) patent ; ~ (des collèges) exam taken at the age of 15.

bribes [brib] nfpl snatches.

bricolage [brikɔlaʒ] nm do-it-yourself, DIY (Br).

bricole [brikɔl] nf trinket.

bricoler [brikɔle] vt to fix up. ◆ vi to do odd jobs.

bricoleur, euse [brikɔlœr, øz] nm, f DIY enthusiast.

bride [brid] nf bridle.

bridé, e [bride] adj : avoir les yeux ~ s to have slanting eyes.

bridge [bridʒ] nm bridge.

brie [bri] nm Brie.

brièvement [brijɛvmɑ̃] adv briefly.

brigade [brigad] nf brigade.

brigand [brigɑ̃] nm bandit.

brillamment [brijamɑ̃] adv brilliantly.

brillant, e [brijɑ̃, ɑ̃t] adj shiny ; (remarquable) brilliant. ◆ nm brilliant.

briller [brije] vi to shine ; faire ~ (meuble) to shine.

brimer [brime] vt to bully.

brin [brɛ̃] nm (de laine) strand ; ~ d'herbe blade of grass.

brindille [brɛ̃dij] nf twig.

brioche [brijɔʃ] nf round, sweet bread roll eaten for breakfast.

brique [brik] nf brick ; (de lait, de jus de fruit) carton.

briquer [brike] vt to scrub.

briquet [brikɛ] nm (cigarette) lighter.

brise [briz] nf breeze.

briser [brize] vt to break.

britannique [britanik] adj British. ❏ Britannique nmf British person ; les Britanniques the British.

brocante [brɔkɑ̃t] nf (magasin) second-hand shop.

brocanteur, euse [brɔkɑ̃tœr] nm, f dealer in second-hand goods.

broche [brɔʃ] nf (bijou) brooch ; CULIN spit.

brochet [brɔʃɛ] nm pike.

brochette [brɔʃɛt] nf (plat) kebab.

brochure [brɔʃyr] nf brochure.

brocoli [brɔkɔli] nm broccoli.

broder [brɔde] vt to embroider.

broderie [brɔdri] nf embroidery.

bronches [brɔ̃ʃ] nfpl bronchial tubes.

bronchite [brɔ̃ʃit] nf bronchitis.

bronzage [brɔ̃zaʒ] nm suntan.

bronze [brɔ̃z] nm bronze.

bronzer [brɔ̃ze] vi to tan ; se faire ~ to get a tan.

brosse [brɔs] nf brush ; ~ à cheveux hairbrush ; ~ à dents toothbrush.

brosser [brɔse] vt to brush. ❏ se **brosser** vp to brush o.s. (down) ; se ~ les dents to brush one's teeth.

brouette

brouette [bʀuɛt] nf wheelbar-row.

brouhaha [bʀuaa] nm hubbub.

brouillard [bʀujaʀ] nm fog.

brouillé [bʀuje] adj m → œuf.

brouiller [bʀuje] vt (idées) to muddle (up); (liquide, vue) to cloud. ☐ se brouiller vp (se fâcher) to quarrel; (vue) to become blur-red.

brouillon [bʀujɔ̃] nm (rough) draft.

broussailles [bʀusaj] nfpl under-growth (sg).

brousse [bʀus] nf (zone) : la ~ the bush.

brouter [bʀute] vt to graze on.

broyer [bʀwaje] vt to grind, to crush.

brucelles [bʀysɛl] nfpl Helv (pair of) tweezers.

brugnon [bʀyɲɔ̃] nm nectarine.

bruine [bʀɥin] nf drizzle.

bruit [bʀɥi] nm (son) noise, sound; (vacarme) noise.

brûlant, e [bʀylɑ̃, ɑ̃t] adj boiling (hot).

brûlé [bʀyle] nm : ça sent le ~ there's a smell of burning.

brûler [bʀyle] vt to burn. ◆ vi (flamber) to burn ; (chauffer) to be burning (hot) ; ~ un feu rouge to jump a red light. ☐ se brûler vp to burn o.s. ; se ~ la main to burn one's hand.

brûlure [bʀylyʀ] nf burn ; (sensation) burning sensation ; ~ s d'esto-mac heartburn.

brume [bʀym] nf mist.

brumeux, euse [bʀymø, øz] adj misty.

brun, e [bʀœ̃, bʀyn] adj dark.

38

brune [bʀyn] nf (cigarette) cigarette made with dark tobacco ; (bière) ~ brown ale.

Brushing® [bʀœʃiŋ] nm blow-dry.

brusque [bʀysk] adj (personne, geste) brusque ; (changement, arrêt) sudden.

brut, e [bʀyt] adj (matière) raw ; (pétrole) crude ; (poids, salaire) gross ; (champagne) dry.

brutal, e, aux [bʀytal, o] adj (personne, geste) violent ; (change-ment, arrêt) sudden.

brutaliser [bʀytalize] vt to mis-treat.

brute [bʀyt] nf bully.

Bruxelles [bʀy(k)sɛl] n Brussels.

bruyant, e [bʀɥijɑ̃, ɑ̃t] adj noisy.

bruyère [bʀyjɛʀ] nf heather.

BTS nm (abr de brevet de techni-cien supérieur) advanced vocation-al training certificate.

bu, e [by] pp → boire.

buanderie [bɥɑ̃dʀi] nf Can (blan-chisserie) laundry.

bûche [byʃ] nf log ; ~ de Noël Yule log.

bûcheron [byʃʀɔ̃] nm lumber-jack.

budget [bydʒɛ] nm budget.

buée [bɥe] nf condensation.

buffet [byfɛ] nm (meuble) side-board ; (repas, restaurant) buffet ; ~ froid cold buffet.

building [bildiŋ] nm skyscraper.

buisson [bɥisɔ̃] nm bush.

buissonnière [bɥisɔnjɛʀ] adj f → école.

Bulgarie [bylgaʀi] nf : la ~ Bul-garia.

bulldozer [byldozɛʀ] nm bull-dozer.

bulle [byl] *nf* bubble ; faire des ~ s *(avec un chewing-gum)* to blow bubbles ; *(savon)* to lather.

bulletin [byltɛ̃] *nm (papier)* form ; *(d'informations)* news bulletin ; *SCOL* report ; ~ **météorologique** weather forecast ; ~ **de salaire** pay slip ; ~ **de vote** ballot paper.

bungalow [bœ̃galo] *nm* chalet.

bureau [byro] *nm* office ; *(meuble)* desk ; ~ **de change** bureau de change ; ~ **de poste** post office ; ~ **de tabac** tobacconist's (Br), tobacco shop (Am).

burlesque [byrlɛsk] *adj* funny.

bus [bys] *nm* bus.

buste [byst] *nm* chest ; *(statue)* bust.

but [byt] *nm (intention)* aim ; *(destination)* destination ; *SPORT (point)* goal ; **les ~ s** *SPORT (zone)* the goal ; **dans le ~ de** with the intention of.

butane [bytan] *nm* Calor® gas.

buté, e [byte] *adj* stubborn.

buter [byte] *vi* : ~ **sur** OU **contre** *(objet)* to trip over ; *(difficulté)* to come up against.

butin [bytɛ̃] *nm* booty.

butte [byt] *nf* hillock.

buvard [byvar] *nm* blotting paper.

buvette [byvɛt] *nf* refreshment stall.

C

c' → ce.

ça [sa] *pron* that ; ~ **n'est pas facile** it's not easy ; **comment ~?** what? ; **c'est ~** *(c'est exact)* that's right.

cabane [kaban] *nf* hut.

cabaret [kabarɛ] *nm* nightclub.

cabillaud [kabijo] *nm* cod.

cabine [kabin] *nf (de bateau)* cabin ; *(de téléphérique)* cable car ; *(sur la plage)* hut ; ~ **de douche** shower cubicle ; ~ **d'essayage** fitting room ; ~ **(de pilotage)** cockpit ; ~ **(téléphonique)** phone box.

cabinet [kabinɛ] *nm (de médecin)* surgery (Br), office (Am) ; *(d'avocat)* office ; ~ **de toilette** bathroom. ❑ **cabinets** *nmpl* toilet *(sg)*.

câble [kabl] *nm* cable ; *(télévision par)* ~ cable (television).

cabosser [kabɔse] *vt* to dent.

caca [kaka] *nm* : **faire** ~ *fam* to do a poo.

cacah(o)uète [kakawɛt] *nf* peanut.

cacao [kakao] *nm* cocoa.

cache-cache [kaʃkaʃ] *nm inv* : **jouer à** ~ to play hide-and-seek.

cachemire [kaʃmir] *nm* cashmere.

cache-nez [kaʃne] *nm inv* scarf.

cacher [kaʃe] *vt* to hide ; *(vue, soleil)* to block.

cachet [kaʃe] *nm (comprimé)* tablet ; *(tampon)* stamp ; *(allure)* style.

cachette [kaʃɛt] *nf* hiding place ; **en** ~ secretly.

cachot [kaʃo] *nm* dungeon.

cactus [kaktys] *nm* cactus.

cadavre [kadavr] *nm* corpse.

Caddie® [kadi] *nm (supermarket)* trolley (Br), (grocery) cart (Am).

cadeau, x [kado] *nm* present ; **faire un** ~ **à qqn** to give sb a present ;

faire ~ de qqch à qqn to give sb sthg.

cadenas [kadna] *nm* padlock.

cadence [kadɑ̃s] *nf* rhythm ; **en ~** in time.

cadet, ette [kadɛ, ɛt] *adj & nm, f (de deux)* younger ; *(de plusieurs)* youngest.

cadran [kadrɑ̃] *nm* dial ; **~ solaire** sundial.

cadre [kadr] *nm* frame ; *(tableau)* painting ; *(décor)* surroundings *(pl)* ; **dans le ~ de** as part of. ◆ *nmf (d'une entreprise)* executive.

cafard [kafar] *nm (insecte)* cockroach ; **avoir le ~** to feel down.

café [kafe] *nm (établissement)* café ; *(boisson, grains)* coffee ; **~ crème** OU **au lait** white coffee ; **~ épicé** *Helv* black coffee flavoured with cinnamon and cloves ; **~ noir** black coffee.

ⓘ CAFÉ

French cafés serve a wide range of drinks and sometimes sandwiches or light meals. They often have pavement seating areas or large plate-glass windows looking directly onto the street. Paris cafés have also traditionally played an important role in French political, cultural and literary life.
Coffee served in French cafés comes in various forms such as *café crème* (served with frothy hot milk), *grand crème* (a large *café crème*), *café noisette* (with just a tiny amount of milk) and *express* or *expresso* (strong black coffee served in small cups). The expression *café au lait*

---

is used at home to mean the same as a *grand crème*.

---

cafétéria [kafeterja] *nf* cafeteria.

café-théâtre [kafeteatr] *(pl cafés-théâtres) nm* café where theatre performances take place.

cafetière [kaftjɛr] *nf (récipient)* coffeepot ; *(électrique)* coffeemaker ; *(à piston)* cafetière.

cage [kaʒ] *nf* cage ; *SPORT* goal ; **~ d'escalier** stairwell.

cagoule [kagul] *nf* balaclava.

cahier [kaje] *nm* exercise book ; **~ de brouillon** rough book ; **~ de textes** homework book.

caille [kaj] *nf* quail.

cailler [kaje] *vi (lait)* to curdle ; *(sang)* to coagulate.

caillot [kajo] *nm* clot.

caillou, x [kaju] *nm* stone.

caisse [kɛs] *nf (boîte)* box ; *(de magasin, de cinéma)* cash desk ; *(de supermarché)* checkout ; *(de banque)* cashier's desk ; **~ (enregistreuse)** cash register ; **~ d'épargne** savings bank.

caissier, ière [kesje, ɛr] *nm, f* cashier.

cajou [kaʒu] *nm → noix.*

cake [kɛk] *nm* fruit cake.

calamars [kalamar] *nmpl* squid *(sg).*

calcaire [kalkɛr] *nm* limestone. ◆ *adj (eau)* hard ; *(terrain)* chalky.

calciné, e [kalsine] *adj* charred.

calcium [kalsjɔm] *nm* calcium.

calcul [kalkyl] *nm* calculation ; *(arithmétique)* arithmetic ; *MÉD* stone.

calculatrice [kalkylatris] *nf* calculator.

calculer [kalkyle] *vt* to calculate ; *(prévoir)* to plan.

cale [kal] *nf (pour stabiliser)* wedge.

calé, e [kale] *adj fam (doué)* clever.

caleçon [kalsɔ̃] *nm (sous-vêtement)* boxer shorts *(pl)* ; *(pantalon)* leggings *(pl)*.

calembour [kalɑ̃bur] *nm* pun.

calendrier [kalɑ̃drije] *nm* calendar.

CALENDRIER SCOLAIRE

The French national academic calendar's influence extends well beyond the school system. During the two months summer holidays, corporate activity and national politics slow down as well. During the school year, children have one week's holiday at All Saints' Day, two weeks at Christmas, two weeks in February or March, and two weeks in April or May. The All Saints' Day and Christmas holidays are the same throughout France, while the dates of the other two-week holidays differ in three geographical zones in an effort to spread holiday road traffic over several weeks.

cale-pied, s [kalpje] *nm* toe clip.

caler [kale] *vt* to wedge. ◆ *vi (voiture, moteur)* to stall ; *fam (à table)* to be full up.

califourchon [kalifurʃɔ̃] : **à califourchon** *sur prép* astride.

câlin [kalɛ̃] *nm* cuddle.

calmant [kalmɑ̃] *nm* painkiller.

calmars [kalmar] = **calamars**.

calme [kalm] *adj* & *nm* calm.

calmer [kalme] *vt (douleur)* to soothe ; *(personne)* to calm down. ❑ **se calmer** *vp (personne)* to calm down ; *(tempête, douleur)* to die down.

calorie [kalɔri] *nf* calorie.

calque [kalk] *nm* : **(papier-)~** tracing paper.

calvados [kalvados] *nm* calvados, apple brandy.

camarade [kamarad] *nmf* friend ; **~ de classe** classmate.

cambouis [kɑ̃bwi] *nm* dirty grease.

cambré, e [kɑ̃bre] *adj (dos)* arched ; *(personne)* with an arched back.

cambriolage [kɑ̃brijɔlaʒ] *nm* burglary.

cambrioler [kɑ̃brijɔle] *vt* to burgle *(Br)*, to burglarize *(Am)*.

cambrioleur [kɑ̃brijɔlœr] *nm* burglar.

camembert [kamɑ̃ber] *nm* Camembert (cheese).

caméra [kamera] *nf* camera.

Caméscope® [kameskɔp] *nm* camcorder.

camion [kamjɔ̃] *nm* lorry *(Br)*, truck *(Am)*.

camion-citerne [kamjɔ̃sitern] *(pl* **camions-citernes)** *nm* tanker *(Br)*, tank truck *(Am)*.

camionnette [kamjɔnet] *nf* van.

camionneur [kamjɔnœr] *nm (chauffeur)* lorry driver *(Br)*, truck driver *(Am)*.

camp [kɑ̃] *nm* camp ; *(de joueurs, de sportifs)* side, team ; **faire un ~ to** go camping.

campagne [kɑ̃paɲ] *nf* country(side) ; *(électorale, publicitaire)* campaign.

camper [kɑ̃pe] *vi* to camp.

campeur, euse [kɑ̃pœr, øz] *nm, f* camper.

camping [kɑ̃piŋ] *nm (terrain)* campsite ; *(activité)* camping ; faire du ~ to go camping ; ~ sauvage *camping not on a campsite.*

camping-car, s [kɑ̃piŋkar] *nm* camper-van *(Br)*, RV *(Am)*.

Camping-Gaz® [kɑ̃piŋgaz] *nm inv* camping stove.

Canada [kanada] *nm* : le ~ Canada.

canadien, enne [kanadjɛ̃, ɛn] *adj* Canadian. ❑ **Canadien, enne** *nm, f* Canadian.

canadienne [kanadjɛn] *nf (veste)* fur-lined jacket ; *(tente)* (ridge) tent.

canal, aux [kanal, o] *nm* canal ; Canal + *French TV pay channel.*

canalisation [kanalizasjɔ̃] *nf* pipe.

canapé [kanape] *nm (siège)* sofa ; *(toast)* canapé ; ~ **convertible** sofa bed.

canapé-lit [kanapeli] *(pl* canapés-lits) *nm* sofa bed.

canard [kanar] *nm* duck ; *(sucre)* sugar lump *(dipped in coffee or spirits)* ; ~ **laqué** Peking duck.

canari [kanari] *nm* canary.

cancer [kɑ̃ser] *nm* cancer.

Cancer [kɑ̃ser] *nm* Cancer.

cancéreux, euse [kɑ̃serø, øz] *adj (tumeur)* malignant.

candidat, e [kɑ̃dida, at] *nm, f* candidate.

candidature [kɑ̃didatyr] *nf* application.

caneton [kantɔ̃] *nm* duckling.

canette [kanet] *nf (bouteille)* bottle.

caniche [kaniʃ] *nm* poodle.

canicule [kanikyl] *nf* heatwave.

canif [kanif] *nm* penknife.

canine [kanin] *nf* canine (tooth).

caniveau [kanivo] *nm* gutter.

canne [kan] *nf* walking stick ; ~ **à pêche** fishing rod.

cannelle [kanel] *nf* cinnamon.

cannelloni(s) [kaneloni] *nmpl* cannelloni *(sg).*

cannette [kanet] = **canette.**

canoë [kanoe] *nm* canoe ; faire du ~ to go canoeing.

canoë-kayak [kanoekajak] *(pl* canoës-kayaks) *nm* kayak ; faire du ~ to go canoeing.

canon [kanɔ̃] *nm (ancien)* cannon ; *(d'une arme à feu)* barrel.

canot [kano] *nm* dinghy ; ~ **pneumatique** inflatable dinghy ; ~ **de sauvetage** lifeboat.

cantal [kɑ̃tal] *nm* mild cheese from the Auvergne, similar to cheddar.

cantatrice [kɑ̃tatris] *nf* (opera) singer.

cantine [kɑ̃tin] *nf (restaurant)* canteen.

cantique [kɑ̃tik] *nm* hymn.

canton [kɑ̃tɔ̃] *nm (en France)* division of an 'arrondissement' ; *(en Suisse)* canton.

CANTON

Switzerland is a confederation of 23 districts known as *cantons*, three of which are themselves divided into *demi-cantons*. Although they are to a large extent self-governing, the federal government reserves control over certain areas such as foreign policy, the treasury, customs and the postal service.

cantonais [kɑ̃tɔnɛ] *adj m* → **riz**.

caoutchouc [kautʃu] *nm* rubber.

cap [kap] *nm (pointe de terre)* cape ; NAVIG course ; **mettre le ~ sur** to head for.

CAP *nm* vocational school-leaver's diploma (taken at age 16).

capable [kapabl] *adj* capable.

capacités [kapasite] *nfpl* ability *(sg)*.

cape [kap] *nf* cloak.

capitaine [kapitɛn] *nm* captain.

capital, e, aux [kapital, o] *adj* essential. ◆ *nm* capital.

capitale [kapital] *nf* capital.

capot [kapo] *nm* AUT bonnet *(Br)*, hood *(Am)*.

capote [kapɔt] *nf* AUT hood *(Br)*, top *(Am)*.

capoter [kapɔte] *vi* Can fam *(perdre la tête)* to lose one's head.

câpre [kapr] *nf* caper.

caprice [kapris] *nm (colère)* tantrum ; *(envie)* whim ; **faire un ~** to throw a tantrum.

capricieux, euse [kaprisjø, øz] *adj (personne)* temperamental.

Capricorne [kaprikɔrn] *nm* Capricorn.

capsule [kapsyl] *nf (de bouteille)* top, cap ; **~ spatiale** space capsule.

capter [kapte] *vt (station de radio)* to pick up.

captivité [kaptivite] *nf* captivity ; **en ~** *(animal)* in captivity.

capturer [kaptyre] *vt* to catch.

capuche [kapyʃ] *nf* hood.

capuchon [kapyʃɔ̃] *nm (d'une veste)* hood ; *(d'un stylo)* top.

caquelon [kaklɔ̃] *nm* Helv fondue pot.

car¹ [kar] *conj* because.

car² [kar] *nm* coach *(Br)*, bus *(Am)*.

carabine [karabin] *nf* rifle.

caractère [karakter] *nm* character ; *(spécificité)* characteristic ; **avoir du ~** *(personne)* to have personality ; *(maison)* to have character ; **avoir bon ~** to be good-natured ; **avoir mauvais ~** to be bad-tempered.

caractéristique [karakteristik] *nf* characteristic. ◆ *adj* : **~ de** characteristic of.

carafe [karaf] *nf* carafe.

Caraïbes [karaib] *nfpl* : **les ~** the Caribbean, the West Indies.

carambolage [karɑ̃bɔlaʒ] *nm* fam pile-up.

caramel [karamel] *nm (sucre brûlé)* caramel ; *(bonbon dur)* toffee ; *(bonbon mou)* fudge.

carapace [karapas] *nf* shell.

caravane [karavan] *nf* caravan.

carbone [karbɔn] *nm* carbon ; **(papier) ~** carbon paper.

carburant [karbyrɑ̃] *nm* fuel.

carburateur [karbyratœr] *nm* carburettor.

carcasse [karkas] *nf (d'animal)* carcass ; *(de voiture)* body.

cardiaque [kardjak] *adj (maladie)* heart ; **être ~** to have a heart condition.

cardigan [kardigɑ̃] *nm* cardigan.

cardinaux [kardino] *adj mpl* → **point**.

cardiologue [kardjɔlɔg] *nmf* cardiologist.

caresse [kaʀɛs] *nf* caress.

caresser [kaʀese] *vt* to stroke.

cargaison [kaʀgɛzɔ̃] *nf* cargo.

cargo [kaʀgo] *nm* freighter.

caricature [kaʀikatyʀ] *nf* caricature.

carie [kaʀi] *nf* caries.

carillon [kaʀijɔ̃] *nm* chime.

carnage [kaʀnaʒ] *nm* slaughter.

carnaval [kaʀnaval] *nm* carnival.

carnet [kaʀnɛ] *nm* notebook ; *(de tickets, de timbres)* book ; **~ d'adresses** address book ; **~ de chèques** chequebook.

CARNET

In France, it is possible to buy tickets with a discount, if you buy them as a carnet. The amount of the discount depends on the type of tickets purchased. In Paris, it is possible to buy a pack of 10 identical tickets called a *carnet* for the public transport system. These tickets may be used independently. The price of a *carnet* is significantly less than the price of 10 tickets bought individually.

---

carotte [kaʀɔt] *nf* carrot.

carpe [kaʀp] *nf* carp.

carpette [kaʀpɛt] *nf* rug.

carré, e [kaʀe] *adj* square. ◆ *nm* square ; *(d'agneau)* rack ; **deux mètres ~ s** two metres squared ; **deux au ~** two squared.

carreau, x [kaʀo] *nm (vitre)* window pane ; *(sur le sol, les murs)* tile ; *(carré)* square ; *(aux cartes)* diamonds *(pl)* ; **à ~ x** checked.

carrefour [kaʀfuʀ] *nm* crossroads *(sg)*.

carrelage [kaʀlaʒ] *nm* tiles *(pl)*.

carrément [kaʀemã] *adv (franchement)* bluntly ; *(très)* completely.

carrière [kaʀjɛʀ] *nf (de pierre)* quarry ; *(profession)* career.

carrossable [kaʀɔsabl] *adj* suitable for motor vehicles.

carrosse [kaʀɔs] *nm* coach.

carrosserie [kaʀɔsʀi] *nf* body.

carrure [kaʀyʀ] *nm* build.

cartable [kaʀtabl] *nm* schoolbag.

carte [kaʀt] *nf* card ; *(plan)* map ; *(de restaurant)* menu ; **à la ~** à la carte ; **~ bancaire** bank card for withdrawing cash and making purchases ; **Carte Bleue®** ≃ Visa® card ; **~ de crédit** credit card ; **~ d'embarquement** boarding card ; **~ grise** vehicle registration document ; **~ (nationale) d'identité** identity card ; **Carte Orange** season ticket for use on public transport in Paris ; **~ postale** postcard ; **~ son** sound card ; **~ téléphonique** OU **téléphonne** phonecard ; **~ des vins** wine list.

CARTE (NATIONALE) D'IDENTITÉ

Official documents giving personal details (name, address, age, height etc) and a photograph of the holder, identity cards must be carried by all French citizens and presented to the police on request (at checks in the street or on public transport, for example). They can also be used instead of a passport for travel within the European Union and may be asked for as proof of identity when paying by cheque.

CARTE BLEUE

Credit cards are accepted by most businesses in France, though a 15-euro minimum purchase is often required. In most situations, bearers of *cartes bleues* issued by French banks must use their PIN code, while bearers of foreign cards must provide a signature. In some rare cases, such as motorway tolls, neither a code nor a signature is necessary.

cartilage [kartila3] *nm* cartilage.

carton [kartɔ̃] *nm (matière)* cardboard ; *(boîte)* cardboard box ; *(feuille)* card.

cartouche [kartuʃ] *nf* cartridge ; *(de cigarettes)* carton.

cas [ka] *nm* case ; **au ~ où** in case ; **dans ce ~** in that case ; **en ~ d'accident** in the event of an accident ; **en tout ~** in any case.

cascade [kaskad] *nf (chute d'eau)* waterfall ; *(au cinéma)* stunt.

cascadeur, euse [kaskadœr, øz] *nm, f* stuntman *f* stuntwoman.

case [kaz] *nf (de damier, de mots croisés)* square ; *(compartiment)* compartment ; *(hutte)* hut.

caserne [kazɛrn] *nf* barracks *(sg ou pl)* ; **~ des pompiers** fire station.

casier [kazje] *nm (compartiment)* pigeonhole ; **~ à bouteilles** bottle rack ; **~ judiciaire** criminal record.

casino [kazino] *nm* casino.

casque [kask] *nm* helmet ; *(d'ouvrier)* hard hat ; *(écouteurs)* headphones *(pl)*.

casquette [kaskɛt] *nf* cap.

casse-cou [kasku] *nmf inv* daredevil.

casse-croûte [kaskrut] *nm inv* snack.

casse-noix [kasnwa] *nm inv* nutcrackers *(pl)*.

casser [kase] *vt* to break. ❑ **se casser** *vp* to break ; **se ~ le bras** to break one's arm.

casserole [kasrɔl] *nf* saucepan.

casse-tête [kastɛt] *nm inv* puzzle ; *fig (problème)* headache.

cassette [kasɛt] *nf (de musique)* cassette, tape ; **~ vidéo** video cassette.

cassis [kasis] *nm* blackcurrant.

cassoulet [kasule] *nm* haricot bean stew with pork, lamb or duck.

catalogue [katalɔg] *nm* catalogue.

catastrophe [katastrɔf] *nf* disaster.

catastrophique [katastrɔfik] *adj* disastrous.

catch [katʃ] *nm* wrestling.

catéchisme [kateʃism] *nm* ≃ Sunday school.

catégorie [kategɔri] *nf* category.

catégorique [kategɔrik] *adj* categorical.

cathédrale [katedral] *nf* cathedral.

catholique [katɔlik] *adj & nmf* Catholic.

cauchemar [koʃmar] *nm* nightmare.

cause [koz] *nf* cause, reason ; **à ~ de** because of.

causer [koze] *vt* to cause. ◆ *vi* to chat.

caution [kosjɔ̃] *nf (pour une location)* deposit ; *(personne)* guarantor.

cavalier, ière [kavalje, ɛr] *nm, f*

cave   46

(à cheval) rider ; *(partenaire)* partner. ◆ *nm (aux échecs)* knight.

cave [kav] *nf* cellar.

caverne [kavern] *nf* cave.

caviar [kavjar] *nm* caviar.

CB *abr* = **CarteBleue®**.

CD *nm (abr de Compact Disc ®)* CD.

CDI *nm (abr de centre de documentation et d'information)* school library.

CD-I *nm (abr de Compact Disc ® interactif)* CDI.

CD-ROM [sederɔm] *nm* CD-ROM.

🕮

ce, cette [sə, set] *(m cet* [set]*, mpl ces* [se]*) adj* - 1. *(proche dans l'espace ou dans le temps)* this, these *(pl)* : **cette nuit** *(passée)* last night ; *(prochaine)* tonight.
- 2. *(éloigné dans l'espace ou dans le temps)* that, those *(pl)*.
◆ *pron* - 1. *(pour mettre en valeur)* : **c'est** it is, this is ; **~ sont** they are, these are ; **c'est votre collègue qui m'a renseigné** it was your colleague who told me.
- 2. *(dans les interrogations)* : **est-~ bien là?** is it the right place? ; **qui est-~?** who is it?
- 3. *(avec un relatif)* : **~ que tu voudras** whatever you want ; **~ qui nous intéresse, ce sont les musées** the museums are what we're interested in.
- 4. *(en intensif)* : **~ qu'il fait chaud!** it's so hot!

CE *nm (abr de cours élémentaire)* : **~ 1** second year of primary school ; **~ 2** third year of primary school.

ceci [səsi] *pron* this.

céder [sede] *vt (laisser)* to give up. ◆ *vi (ne pas résister)* to give in ; *(casser)* to give way ; **'cédez le passage'** 'give way' *(Br)*, 'yield' *(Am)* ; **~ à** to give in to.

CEDEX [sedeks] *nm* code written after large companies' addresses, ensuring rapid delivery.

cédille [sedij] *nf* cedilla.

CEI *nf (abr de Communauté d'États indépendants)* CIS.

ceinture [sɛ̃tyr] *nf* belt ; *(d'un vêtement)* waist ; **~ de sécurité** seat belt.

cela [səla] *pron* that ; **~ ne fait rien** it doesn't matter ; **comment ~?** what? ; **c'est ~** *(c'est exact)* that's right.

célèbre [selɛbr] *adj* famous.

célébrer [selebre] *vt* to celebrate.

célébrité [selebrite] *nf (gloire)* fame ; *(star)* celebrity.

céleri [sɛlri] *nm* celery ; **~ rémoulade** grated celeriac, mixed with mustard mayonnaise, served cold.

célibataire [selibater] *adj* single.
◆ *nmf* single man *(f* single woman).

celle → **celui**.

celle-ci → **celui-ci**.

celle-là → **celui-là**.

cellule [selyl] *nf* cell.

cellulite [selylit] *nf* cellulite.

celui [səlɥi] *(f* **celle** [sɛl]*, mpl* **ceux** [sø]*) pron* the one ; **~ de devant** the one in front ; **~ de Pierre** Pierre's (one).

celui-ci [səlɥisi] *(f* **celle-ci** [sɛlsi]*, mpl* **ceux-ci** [søsi]*) pron* this one ; *(dont on vient de parler)* the latter.

celui-là [səlɥila] *(f* **celle-là** [sɛlla]*,*

mpl **ceux-là** [søla]) *pron* that one ; *(dont on a parlé)* the former.

cendre [sɑ̃dr] *nf* ash.

cendrier [sɑ̃drije] *nm* ashtray.

censurer [sɑ̃syre] *vt* to censor.

cent [sɑ̃] *num* a hundred ; **pour ~** per cent → **six**.

centaine [sɑ̃tɛn] *nf* : **une ~ (de)** about a hundred.

centième [sɑ̃tjɛm] *num* hundredth → **sixième**.

centime [sɑ̃tim] *nm* centime.

centimètre [sɑ̃timetr] *nm* centimetre.

central, e, aux [sɑ̃tral, o] *adj* central.

centrale [sɑ̃tral] *nf (électrique)* power station ; **~ nucléaire** nuclear power station.

centre [sɑ̃tr] *nm* centre ; *(point essentiel)* heart ; **~ aéré** holiday activity centre for children ; **~ commercial** shopping centre.

centre-ville [sɑ̃travil] (*pl* **centres-villes**) *nm* town centre.

cèpe [sep] *nm* type of dark mushroom with a rich flavour.

cependant [səpɑ̃dɑ̃] *conj* however.

céramique [seramik] *nf (matière)* ceramic ; *(objet)* piece of pottery.

cercle [serkl] *nm* circle.

cercueil [serkœj] *nm* coffin *(Br)*, casket *(Am)*.

céréale [sereal] *nf* cereal ; **des ~s** *(de petit déjeuner)* (breakfast) cereal.

cérémonie [seremɔni] *nf* ceremony.

cerf [ser] *nm* stag.

cerf-volant [servɔlɑ̃] (*pl* **cerfs-volants**) *nm* kite.

cerise [səriz] *nf* cherry.

cerisier [sərizje] *nm* cherry tree.

cerner [serne] *vt* to surround ; *fig (problème)* to define.

cernes [sern] *nmpl* shadows.

certain, e [sertɛ̃, ɛn] *adj* certain ; **être ~ de qqch** to be certain of sthg ; **un ~ temps** a while. ❑ **certains, certaines** *adj* some. ◆ *pron* some (people).

certainement [sertenmɑ̃] *adv (probablement)* probably ; *(bien sûr)* certainly.

certes [sert] *adv* of course.

certificat [sertifika] *nm* certificate ; **~ médical** doctor's certificate ; **~ de scolarité** school attendance certificate.

certifier [sertifje] *vt* to certify ; **certifié conforme** certified.

certitude [sertityd] *nf* certainty.

cerveau, x [servo] *nm* brain.

cervelas [servəla] *nm* ≃ saveloy *(sausage)*.

cervelle [servel] *nf* brains *(sg)*.

ces → **ce**.

CES *nm* (abr de **collège d'enseignement secondaire**) secondary school.

césars [cezar] *nmpl* french cinema awards.

CÉSARS

The *César* awards are the French version of the Oscars. Since 1976, every March, the professionals of the film industry have honoured the Best French Film, the Best Foreign Film, the Best Director, Actor, Supporting Actor, the Best soundtrack, etc. The name *César* comes from the name of the artist who designed the trophies given to the winners.

---

cesse [sɛs] : **sans cesse** *adv* continually.

cesser [sese] *vi* to stop ; ~ **de faire qqch** to stop doing sthg.

c'est-à-dire [setadir] *adv* in other words.

cet [sɛt] → **ce.**

cette → **ce.**

ceux → **celui.**

ceux-ci → **celui-ci.**

ceux-là → **celui-là.**

cf. (*abr de* **confer**) cf.

chacun, e [ʃakœ̃, yn] *pron* (*chaque personne*) each (one) ; (*tout le monde*) everyone ; ~ **à son tour** each person in turn.

chagrin [ʃagrɛ̃] *nm* grief ; **avoir du** ~ to be very upset.

chahut [ʃay] *nm* rumpus ; **faire du** ~ to make a racket.

chahuter [ʃayte] *vt* to bait.

chaîne [ʃɛn] *nf* chain ; (*suite*) series ; (*de télévision*) channel ; ~ **(hi-fi)** hi-fi (system) ; ~ **laser** CD system ; ~ **de montagnes** mountain range ; ~ **à péage** pay TV channel. ❏ **chaînes** *nfpl* (*de voiture*) (snow) chains.

chair [ʃɛr] *nf & adj inv* flesh ; ~ **à saucisse** sausage meat ; **en** ~ **et en os** in the flesh ; **avoir la** ~ **de poule** to have goose pimples.

chaise [ʃɛz] *nf* chair ; ~ **longue** deckchair.

châle [ʃal] *nm* shawl.

chalet [ʃalɛ] *nm* chalet ; *Can* (*maison de campagne*) (holiday) cottage.

chaleur [ʃalœr] *nf* heat ; *fig* (*enthousiasme*) warmth.

chaleureux, euse [ʃalœrø, øz] *adj* warm.

chaloupe [ʃalup] *nf Can* (*barque*) rowing boat (*Br*), rowboat (*Am*).

chalumeau, x [ʃalymo] *nm* blowlamp (*Br*), blowtorch (*Am*).

chalutier [ʃalytje] *nm* trawler.

chamailler [ʃamaje] : **se chamailler** *vp* to squabble.

chambre [ʃɑ̃br] *nf* : ~ **(à coucher)** bedroom ; ~ **à air** inner tube ; **Chambre des députés** ≃ House of Commons (*Br*), House of Representatives (*Am*) ; ~ **double** double room ; ~ **à une personne** single room.

chameau, x [ʃamo] *nm* camel.

chamois [ʃamwa] *nm* → **peau.**

champ [ʃɑ̃] *nm* field ; ~ **de bataille** battlefield ; ~ **de courses** racecourse.

champagne [ʃɑ̃paɲ] *nm* champagne.

ⓘ **CHAMPAGNE**

The famous sparkling wine can properly speaking only be called champagne if it is made from grapes grown in the Champagne region in northeast France. It can be combined with blackcurrant liqueur to make the cocktail *kir royal*.

---

champignon [ʃɑ̃piɲɔ̃] *nm* mushroom ; ~ **s à la grecque** *mushrooms served cold in a sauce of olive oil, lemon and herbs* ; ~ **de Paris** button mushroom.

champion, ionne [ʃɑ̃pjɔ̃, ɔn] *nm, f* champion.

championnat [ʃɑ̃pjɔna] *nm* championship.

chance [ʃɑ̃s] *nf (sort favorable)* luck ; *(probabilité)* chance ; **avoir de la ~** to be lucky ; **bonne ~!** good luck!

chanceler [ʃɑ̃sle] *vi* to wobble.

chandail [ʃɑ̃daj] *nm* sweater.

Chandeleur [ʃɑ̃dlœr] *nf* : **la ~** Candlemas.

chandelier [ʃɑ̃dəlje] *nm* candlestick ; *(à plusieurs branches)* candelabra.

chandelle [ʃɑ̃dɛl] *nf* candle.

change [ʃɑ̃ʒ] *nm (taux)* exchange rate.

changement [ʃɑ̃ʒmɑ̃] *nm* change ; **~ de vitesse** gear lever (Br), gear shift (Am).

changer [ʃɑ̃ʒe] *vt & vi* to change ; **~ des euros en dollars** to change euros into dollars ; **~ de train/vitesse** to change trains/gear. ❑ **se changer** *vp (s'habiller)* to get changed.

chanson [ʃɑ̃sɔ̃] *nf* song.

chant [ʃɑ̃] *nm* song ; *(art)* singing.

chantage [ʃɑ̃taʒ] *nm* blackmail.

chanter [ʃɑ̃te] *vt & vi* to sing.

chanteur, euse [ʃɑ̃tœr, øz] *nm, f* singer.

chantier [ʃɑ̃tje] *nm* (building) site.

chantilly [ʃɑ̃tiji] *nf* : **(crème) ~** whipped cream.

chantonner [ʃɑ̃tɔne] *vi* to hum.

chapeau, x [ʃapo] *nm* hat.

chapelet [ʃaplɛ] *nm* rosary beads ; *(succession)* string.

chapelle [ʃapɛl] *nf* chapel.

chapelure [ʃaplyr] *nf* (dried) breadcrumbs *(pl)*.

chapiteau, x [ʃapito] *nm (de cirque)* big top.

chapitre [ʃapitr] *nm* chapter.

chapon [ʃapɔ̃] *nm* capon.

chaque [ʃak] *adj (un)* each ; *(tout)* every.

char [ʃar] *nm (de carnaval)* float ; *Can (voiture)* car ; **~ (d'assaut)** tank ; **~ à voile** sand yacht.

charabia [ʃarabja] *nm fam* gibberish.

charade [ʃarad] *nf* charade.

charbon [ʃarbɔ̃] *nm* coal.

charcuterie [ʃarkytri] *nf (aliments)* cooked meats *(pl)* ; *(magasin)* delicatessen.

chardon [ʃardɔ̃] *nm* thistle.

charge [ʃarʒ] *nf (cargaison)* load ; *fig (gêne)* burden ; *(responsabilité)* responsibility ; **prendre qqch en ~** to take responsibility for sthg. ❑ **charges** *nfpl (d'un appartement)* service charge *(sg)*.

chargement [ʃarʒəmɑ̃] *nm* load.

charger [ʃarʒe] *vt* to load ; **~ qqn de faire qqch** to put sb in charge of doing sthg. ❑ **se charger de** *vp + prép* to take care of.

chariot [ʃarjo] *nm (charrette)* wagon ; *(au supermarché)* trolley (Br), cart (Am).

charité [ʃarite] *nf* charity ; **demander la ~** to beg.

charlotte [ʃarlɔt] *nf (cuite)* charlotte ; *(froide)* cold dessert of chocolate or fruit mousse encased in sponge fingers.

charmant, e [ʃarmɑ̃, ɑ̃t] *adj* charming.

charme [ʃarm] *nm* charm.

charmer [ʃarme] *vt* to charm.

charnière [ʃarnjɛr] *nf* hinge.

charpente [ʃarpɑ̃t] *nf* framework.

charpentier [ʃarpɑ̃tje] nm carpenter.

charrette [ʃaret] nf cart.

charrue [ʃary] nf plough.

charter [ʃarter] nm : (vol) ~ charter flight.

chas [ʃa] nm eye (of a needle).

chasse [ʃas] nf hunting ; tirer la ~ (d'eau) to flush the toilet.

chasselas [ʃasla] nm (vin) variety of Swiss white wine.

chasse-neige [ʃasnɛʒ] nm inv snowplough.

chasser [ʃase] vt (animal) to hunt ; (personne) to drive away. ◆ vi to hunt ; ~ qqn de to throw sb out of.

chasseur [ʃasœr] nm hunter.

châssis [ʃasi] nm (de voiture) chassis ; (de fenêtre) frame.

chat, chatte [ʃa, ʃat] nm, f cat.

châtaigne [ʃatɛɲ] nf chestnut.

châtaignier [ʃatɛɲe] nm chestnut (tree).

châtain [ʃatɛ̃] adj brown ; être ~ to have brown hair.

château, x [ʃato] nm castle ; ~ d'eau water tower ; ~ fort (fortified) castle.

chaton [ʃatɔ̃] nm (chat) kitten.

chatouiller [ʃatuje] vt to tickle.

chatouilleux, euse [ʃatujø, øz] adj ticklish.

chatte → **chat**.

chaud, e [ʃo, ʃod] adj hot ; (vêtement) warm. ◆ nm : rester au ~ to stay in the warm ; il fait ~ it's hot ; avoir ~ to be hot.

chaudière [ʃodjer] nf boiler.

chaudronnée [ʃodrone] nf Can various types of seafish cooked with onion in stock.

chauffage [ʃofaʒ] nm heating ; ~ central central heating.

chauffante [ʃofɑ̃t] adj f → **plaque**.

chauffard [ʃofar] nm reckless driver.

chauffe-eau [ʃofo] nm inv water heater.

chauffer [ʃofe] vt to heat (up). ◆ vi (eau, aliment) to heat up ; (radiateur) to give out heat ; (soleil) to be hot ; (surchauffer) to overheat.

chauffeur [ʃofœr] nm driver ; ~ de taxi taxi driver.

chaumière [ʃomjer] nf thatched cottage.

chaussée [ʃose] nf road ; '~ déformée' 'uneven road surface'.

chausse-pied, s [ʃospje] nm shoehorn.

chausser [ʃose] vi : ~ du 38 to take a size 38 (shoe). ❑ se chausser vp to put one's shoes on.

chaussette [ʃoset] nf sock.

chausson [ʃosɔ̃] nm slipper ; ~ aux pommes apple turnover ; ~ s de danse ballet shoes.

chaussure [ʃosyr] nf shoe ; ~ s de marche walking boots.

chauve [ʃov] adj bald.

chauve-souris [ʃovsuri] (pl chauves-souris) nf bat.

chauvin, e [ʃovɛ̃, in] adj chauvinistic.

chavirer [ʃavire] vi to capsize.

chef [ʃef] nm head ; (cuisinier) chef ; ~ d'entreprise company manager ; ~ d'État head of state ; ~ de gare station master ; ~ d'orchestre conductor.

chef-d'œuvre [ʃefdœvr] (pl chefs-d'œuvre) nm masterpiece.

chef-lieu [ʃɛfljø] (pl chefs-lieux) nm administrative centre of a region or district.

chemin [ʃəmɛ̃] nm path ; (parcours) way ; en ~ on the way.

chemin de fer [ʃəmɛ̃dəfɛr] (pl chemins de fer) nm railway (Br), railroad (Am).

cheminée [ʃəmine] nf chimney ; (dans un salon) mantelpiece.

chemise [ʃəmiz] nf shirt ; (en carton) folder ; ~ de nuit nightdress.

chemisier [ʃəmizje] nm blouse.

chêne [ʃɛn] nm (arbre) oak (tree) ; (bois) oak.

chenil [ʃənil] nm kennels (sg) ; Helv (objets sans valeur) junk.

chenille [ʃənij] nf caterpillar.

chèque [ʃɛk] nm cheque (Br), check (Am) ; ~ barré crossed cheque ; ~ en blanc blank cheque ; ~ de voyage traveller's cheque.

Chèque-Restaurant® [ʃɛkrɛstɔrɑ̃] (pl Chèques-Restaurant) nm ≃ luncheon voucher.

chéquier [ʃekje] nm chequebook (Br), checkbook (Am).

cher, chère [ʃɛr] adj expensive. ◆ adv : coûter ~ to be expensive ; ~ Monsieur/Laurent Dear Sir/Laurent.

chercher [ʃɛrʃe] vt to look for ; aller ~ to fetch. ❏ chercher à v + prép : ~ à faire qqch to try to do sthg.

chercheur, euse [ʃɛrʃœr, øz] nm, f researcher.

chéri, e [ʃeri] adj darling. ◆ nm, f : mon ~ my darling.

cheval, aux [ʃəval, o] nm horse ; monter à ~ to ride (a horse) ; faire du ~ to go riding.

chevalier [ʃəvalje] nm knight.

chevelure [ʃəvlyr] nf hair.

chevet [ʃəvɛ] nm → lampe, table.

cheveu, x [ʃəvø] nm hair. ❏ cheveux nmpl hair (sg).

cheville [ʃəvij] nf ANAT ankle ; (en plastique) Rawlplug®.

chèvre [ʃɛvr] nf goat.

chevreuil [ʃəvrœj] nm (animal) roe deer ; CULIN venison.

chewing-gum, s [ʃwiŋgɔm] nm chewing gum.

chez [ʃe] prép (sur une adresse) c/o ; allons ~ les Marceau let's go to the Marceaus' (place) ; je reste ~ moi I'm staying (at) home ; je rentre ~ moi I'm going home ; ~ le dentiste at/to the dentist's.

chic [ʃik] adj smart.

chiche [ʃiʃ] adj m → pois.

chicon [ʃikɔ̃] nm Belg chicory.

chicorée [ʃikɔre] nf chicory.

chien, chienne [ʃjɛ̃, ʃjɛn] nm, f dog (f bitch).

chiffon [ʃifɔ̃] nm cloth ; ~ (à poussière) duster.

chiffonner [ʃifɔne] vt to crumple.

chiffre [ʃifr] nm MATH figure ; (montant) sum.

chignon [ʃiɲɔ̃] nm bun (in hair).

chimie [ʃimi] nf chemistry.

chimique [ʃimik] adj chemical.

Chine [ʃin] nf : la ~ China.

chinois, e [ʃinwa, az] adj Chinese. ◆ nm (langue) Chinese. ❏ Chinois, e nm, f Chinese person.

chiot [ʃjo] nm puppy.

chipolata [ʃipolata] nf chipolata.

chips [ʃips] nfpl crisps (Br), chips (Am).

chirurgie [ʃiryrʒi] nf surgery ; ~ esthétique cosmetic surgery.

chirurgien, enne [ʃiryrʒjɛ̃, ɛn] nm, f surgeon.

chlore [klɔr] nm chlorine.

choc [ʃɔk] nm (physique) impact ; (émotion) shock.

chocolat [ʃɔkɔla] nm chocolate ; ~ blanc white chocolate ; ~ au lait milk chocolate ; ~ noir plain chocolate.

chocolatier [ʃɔkɔlatje] nm confectioner's (selling chocolates).

choesels [tʃuzœl] nmpl Belg meat, liver and heart stew, cooked with beer.

chœur [kœr] nm (chorale) choir ; en ~ all together.

choisir [ʃwazir] vt to choose.

choix [ʃwa] nm choice ; avoir le ~ to be able to choose ; de premier ~ top-quality ; articles de second ~ seconds.

cholestérol [kɔlesterɔl] nm cholesterol.

chômage [ʃomaʒ] nm unemployment ; être au ~ to be unemployed.

chômeur, euse [ʃomœr, øz] nm, f unemployed person.

choquant, e [ʃɔkɑ̃, ɑ̃t] adj shocking.

choquer [ʃɔke] vt to shock.

chorale [kɔral] nf choir.

chose [ʃoz] nf thing.

chou, x [ʃu] nm cabbage ; ~ de Bruxelles Brussels sprout ; ~ à la crème cream puff ; ~ rouge red cabbage.

chouchou, oute [ʃuʃu, ut] nm, f fam favourite. ◆ nm scrunchy.

choucroute [ʃukrut] nf : ~ (garnie) sauerkraut (with pork and sausage).

chouette [ʃwɛt] nf owl. ◆ adj fam great.

chou-fleur [ʃuflœr] (pl choux-fleurs) nm cauliflower.

chrétien, enne [kretjɛ̃, ɛn] adj & nm, f Christian.

chromé, e [krome] adj chrome-plated.

chromes [krom] nmpl (d'une voiture) chrome (sg).

chronique [krɔnik] adj chronic. ◆ nf (de journal) column.

chronologique [krɔnɔlɔʒik] adj chronological.

chronomètre [krɔnɔmetr] nm stopwatch.

chronométrer [krɔnɔmetre] vt to time.

CHU nm teaching hospital.

chuchotement [ʃyʃɔtmɑ̃] nm whisper.

chuchoter [ʃyʃɔte] vt & vi to whisper.

chut [ʃyt] excl sh!

chute [ʃyt] nf (fait de tomber) fall ; ~ d'eau waterfall.

ci [si] adv : ce livre-~ this book ; ces jours-~ these days.

cible [sibl] nf target.

ciboulette [sibulɛt] nf chives pl.

cicatrice [sikatris] nf scar.

cicatriser [sikatrize] vt to heal.

cidre [sidr] nm cider (Br), hard cider (Am).

Cie (abr de compagnie) Co.

ciel [sjɛl] nm sky ; (paradis : pl cieux) heaven.

cierge [sjɛrʒ] nm candle (in church).

cieux [sjø] → ciel.

cigale [sigal] nf cicada.

cigare [sigar] nm cigar.

cigarette [sigaret] *nf* cigarette ;
~ russe *cylindrical wafer.*

cigogne [sigɔɲ] *nf* stork.

ci-joint, e [siʒwɛ̃, ɛ̃t] *adj & adv*
enclosed.

cil [sil] *nm* eyelash.

cime [sim] *nf* top.

ciment [simɑ̃] *nm* cement.

cimetière [simtjɛr] *nm* cemetery.

cinéaste [sineast] *nmf* film-
maker.

ciné-club, s [sineklœb] *nm* film
club.

cinéma [sinema] *nm* cinema.

cinémathèque [sinematɛk] *nf*
art cinema *(showing old films).*

cinéphile [sinefil] *nmf* film lover.

cinq [sɛ̃k] *num* five → **six.**

cinquantaine [sɛ̃kɑ̃tɛn] *nf*: une
~ (de) about fifty ; avoir la ~ to be
middle-aged.

cinquante [sɛ̃kɑ̃t] *num* fifty →
six.

cinquantième [sɛ̃kɑ̃tjɛm] *num*
fiftieth → **sixième.**

cinquième [sɛ̃kjɛm] *num* fifth.
◆ *nf* SCOL second year *(Br)*, seventh grade *(Am)* ; *(vitesse)* fifth
(gear) → **sixième.**

cintre [sɛ̃tr] *nm* coat hanger.

cintré, e [sɛ̃tre] *adj (vêtement)*
waisted.

cipâte [sipat] *nm* Can *savoury tart
consisting of many alternating layers
of diced potato and meat (usually
beef and pork).*

cirage [siraʒ] *nm* shoe polish.

circonflexe [sirkɔ̃flɛks] *adj* → accent.

circonstances [sirkɔ̃stɑ̃s] *nfpl*
circumstances.

circuit [sirkɥi] *nm* circuit ; *(trajet)*
tour ; ~ touristique organized tour.

circulaire [sirkyler] *adj & nf* circular.

circulation [sirkylasjɔ̃] *nf (routière)* traffic ; *(du sang)* circulation.

circuler [sirkyle] *vi (piéton)* to
move ; *(voiture)* to drive ; *(sang,
électricité)* to circulate.

cire [sir] *nf (pour meubles)* (wax)
polish.

ciré [sire] *nm* oilskin.

cirer [sire] *vt* to polish.

cirque [sirk] *nm* circus.

ciseaux [sizo] *nmpl* : (une paire de)
~ (a pair of) scissors.

citadin, e [sitadɛ̃, in] *nm, f* city-
dweller.

citation [sitasjɔ̃] *nf* quotation.

cité [site] *nf (ville)* city ; *(groupe
d'immeubles)* housing estate.

citer [site] *vt (phrase, auteur)* to
quote ; *(nommer)* to mention.

citerne [sitɛrn] *nf* tank.

citoyen, enne [sitwajɛ̃, ɛn] *nm, f*
citizen.

citron [sitrɔ̃] *nm* lemon ; ~ vert
lime.

citronnade [sitrɔnad] *nf* lemon
squash.

citrouille [sitruj] *nf* pumpkin.

civet [sive] *nm rabbit or hare stew
made with red wine, shallots and
onion.*

civière [sivjɛr] *nf* stretcher.

civil, e [sivil] *adj (non militaire)* civilian ; *(non religieux)* civil. ◆ *nm
(personne)* civilian ; en ~ in plain
clothes.

civilisation [sivilizasjɔ̃] *nf* civil-
ization.

cl *(abr de centilitre)* cl.

clafoutis

clafoutis [klafuti] *nm flan made with cherries or other fruit.*

clair, e [kler] *adj (lumineux)* bright ; *(couleur)* light ; *(teint)* fair ; *(pur)* clear ; *(compréhensible)* clear. ◆ *adv* clearly. ◆ *nm* : ~ **de lune** moonlight.

clairement [klɛrmɑ̃] *adv* clearly.

clairière [klɛrjɛr] *nf* clearing.

clairon [klɛrɔ̃] *nm* bugle.

clairsemé, e [klɛrsəme] *adj* sparse.

clandestin, e [klɑ̃dɛstɛ̃, in] *adj* clandestine.

claque [klak] *nf* slap.

claquement [klakmɑ̃] *nm* banging.

claquer [klake] *vt (porte)* to slam. ◆ *vi (volet, porte)* to bang ; **des doigts** to click one's fingers. ❑ **se claquer** *vp* : **se ~ un muscle** to pull a muscle.

claquettes [klakɛt] *nfpl (chaussures)* flip-flops ; *(danse)* tap dancing *(sg).*

clarifier [klarifje] *vt* to clarify.

clarinette [klarinɛt] *nf* clarinet.

clarté [klarte] *nf* light ; *(d'un raisonnement)* clarity.

classe [klas] *nf* class ; *(salle)* classroom ; **aller en ~** to go to school ; **affaires business class** ; **~ de neige** skiing trip *(with school)* ; **~ préparatoires** *school preparing students for Grandes Écoles entrance exams* ; **~ touriste** economy class.

ⓘ **CLASSES PRÉPARATOIRES**

After the *baccalauréat*, very successful students may choose to attend the classes préparatoires, two-year preparatory schools with strict academic standards and a much heavier workload than in universities. The programmes of study are specialized in different domains. The best known programmes are the scientific curriculum (*maths sup* and *maths spé*) and the literary curriculum (*hypokhâgne* and *khâgne*). Afterwards, the students take extremely difficult exams in the hope of entering one the prestigious *grandes écoles*, such as the École Normale Supérieure and the École Polytechnique.

classement [klasmɑ̃] *nm (rangement)* classification.

classer [klase] *vt (dossiers)* to file ; *(grouper)* to classify. ❑ **se classer** *vp* : **se ~ premier** *(élève, sportif)* to come first.

classeur [klasœr] *nm* folder.

classique [klasik] *adj (traditionnel)* classic ; *(musique, auteur)* classical.

clavicule [klavikyl] *nf* collarbone.

clavier [klavje] *nm* keyboard.

clé [kle] *nf* key ; *(outil)* spanner *(Br)*, wrench *(Am)* ; **fermer qqch à ~** to lock sthg ; **~ à molette** adjustable spanner.

clef [kle] = **clé.**

clémentine [klemɑ̃tin] *nf* clementine.

cliché [klife] *nm (photo)* photo ; *(idée banale)* cliché.

client, e [klijɑ̃, ɑ̃t] *nm, f (d'une boutique)* customer ; *(d'un médecin)* patient.

clientèle [klijɑ̃tɛl] *nf (d'une boutique)* customers *(pl)* ; *(de médecin)* patients *(pl).*

cligner [kliɲe] *vi* : ~ des yeux to blink.

clignotant [kliɲɔtɑ̃] *nm* indicator *(Br)*, turn signal *(Am)*.

clignoter [kliɲɔte] *vi* to blink.

climat [klima] *nm* climate.

climatisation [klimatizasjɔ̃] *nf* air-conditioning.

climatisé, e [klimatize] *adj* air-conditioned.

clin d'œil [klɛ̃dœj] *nm* : faire un ~ à qqn to wink at sb ; en un ~ in a flash.

clinique [klinik] *nf* (private) clinic.

clip [klip] *nm* (boucle d'oreille) clip-on earring ; (film) video.

clochard, e [klɔʃar, ard] *nm, f* tramp *(Br)*, bum *(Am)*.

cloche [klɔʃ] *nf* bell ; ~ à fromage cheese dish *(with cover)*.

cloche-pied [klɔʃpje] : à cloche-pied *adv* : sauter à ~ to hop.

clocher [klɔʃe] *nm* church tower.

clochette [klɔʃɛt] *nf* small bell.

cloison [klwazɔ̃] *nf* wall (inside building).

cloître [klwatr] *nm* cloister.

cloque [klɔk] *nf* blister.

clôture [klotyr] *nf* (barrière) fence.

clôturer [klotyre] *vt* (champ, jardin) to enclose.

clou [klu] *nm* nail ; ~ de girofle clove.

clouer [klue] *vt* to nail.

clouté, e [klute] *adj m → passage.*

clown [klun] *nm* clown.

club [klœb] *nm* club.

cm (abr de centimètre) cm.

CM *nm* (abr de cours moyen) :

~ 1 *fourth year of primary school* ; ~ 2 *fifth year of primary school.*

coaguler [kɔagyle] *vi* to clot.

cobaye [kɔbaj] *nm* guinea pig.

Coca(-Cola)® [kɔka(kɔla)] *nm inv* Coke®, Coca-Cola®.

coccinelle [kɔksinɛl] *nf* ladybird *(Br)*, ladybug *(Am)*.

cocher [kɔʃe] *vt* to tick (off) *(Br)*, to check (off) *(Am)*.

cochon, onne [kɔʃɔ̃, ɔn] *nm, f* fam (personne sale) pig. ◆ *nm* pig ; ~ d'Inde guinea pig.

cocktail [kɔktɛl] *nm* (boisson) cocktail ; (réception) cocktail party.

coco [kɔko] *nm → noix.*

cocotier [kɔkɔtje] *nm* coconut tree.

cocotte [kɔkɔt] *nf* (casserole) casserole dish.

Cocotte-Minute® [kɔkɔtminyt] *(pl Cocottes-Minute)* *nf* pressure cooker.

code [kɔd] *nm* code ; ~ confidentiel PIN number ; ~ postal postcode *(Br)*, zip code *(Am)* ; ~ de la route highway code. ❑ **codes** *nmpl* AUT dipped headlights.

codé, e [kɔde] *adj* coded.

code-barres [kɔdbar] *(pl codes-barres)* *nm* bar code.

cœur [kœr] *nm* heart ; avoir bon ~ to be kind-hearted ; de bon ~ willingly ; par ~ by heart ; ~ d'artichaut artichoke heart.

coffre [kɔfr] *nm* (de voiture) boot ; (malle) chest.

coffre-fort [kɔfrəfɔr] *(pl coffres-forts)* *nm* safe.

coffret [kɔfrɛ] *nm* casket ; COMM (de parfums, de savons) boxed set.

cognac [kɔɲak] *nm* cognac.

cogner [kɔɲe] *vi (frapper)* to hit ; *(faire du bruit)* to bang. ❑ **se cogner** *vp* to knock o.s. ; **se ~ la tête** to bang one's head.

cohabiter [kɔabite] *vi* to live together ; *(idées)* to coexist.

cohabitation [kɔabitasjɔ̃] *nf (vie commune)* cohabitation ; *POL coexistence of an elected head of state and an opposition parliamentary majority.*

LA COHABITATION

This political term is used to describe periods when the Prime Minister, supported by the majority in the *Assemblée Nationale*, comes from a party at odds with the party of the President. This term was first used from 1986 to 1988 after President François Mitterrand, a Socialist, was forced to accept a rightwing Prime Minister, Jacques Chirac, whose party, the RPR, had won the legislative elections. Another period of *cohabitation* began after the 1997 legislative elections. This time, the right-wing President Jacques Chirac had to share power with a left-wing Prime Minister, Lionel Jospin.

cohérent, e [kɔerɑ̃, ɑ̃t] *adj* coherent.

cohue [kɔy] *nf* crowd.

coiffer [kwafe] *vt* : **~ qqn** to do sb's hair. ❑ **se coiffer** *vp* to do one's hair.

coiffeur, euse [kwafœr, øz] *nm, f* hairdresser.

coiffure [kwafyr] *nf* hairstyle.

coin [kwɛ̃] *nm* corner ; *fig (endroit)* spot ; **dans le ~** *(dans les environs)* in the area.

coincer [kwɛse] *vt (mécanisme, porte)* to jam. ❑ **se coincer** *vp* to jam ; **se ~ le doigt** to catch one's finger.

coïncidence [kɔɛsidɑ̃s] *nf* coincidence.

coïncider [kɔɛside] *vi* to coincide.

col [kɔl] *nm (de vêtement)* collar ; *(en montagne)* pass ; **~ roulé** polo neck ; **~ en pointe** OU en V V-neck.

colère [kɔlɛr] *nf* anger ; **être en ~ (contre qqn)** to be angry (with sb) ; **se mettre en ~** to get angry.

colin [kɔlɛ̃] *nm* hake.

colique [kɔlik] *nf* diarrhoea.

colis [kɔli] *nm* : **~ (postal)** parcel.

collaborer [kɔlabɔre] *vi* to collaborate ; **~ à qqch** to take part in sthg.

collant, e [kɔlɑ̃, ɑ̃t] *adj (adhésif)* sticky ; *(étroit)* skin-tight. ◆ *nm* tights *(pl)* (Br), panty hose (Am).

colle [kɔl] *nf* glue ; *(devinette)* tricky question ; *SCOL (retenue)* detention.

collecte [kɔlɛkt] *nf* collection.

collectif, ive [kɔlɛktif, iv] *adj* collective.

collection [kɔlɛksjɔ̃] *nf* collection ; **faire la ~ de** to collect.

collectionner [kɔlɛksjɔne] *vt* to collect.

collège [kɔlɛʒ] *nm* school.

collégien, enne [kɔleʒjɛ̃, ɛn] *nm, f* schoolboy (f schoolgirl).

collègue [kɔlɛg] *nmf* colleague.

coller [kɔle] *vt* to stick ; *fam (donner)* to give ; SCOL *(punir)* to keep in.

collier [kɔlje] *nm* necklace ; *(de chien)* collar.

colline [kɔlin] *nf* hill.

collision [kɔlizjɔ̃] *nf* crash.

colombe [kɔlɔ̃b] *nf* dove.

colonie [kɔlɔni] *nf (territoire)* colony ; ~ **de vacances** holiday camp.

colonne [kɔlɔn] *nf* column ; ~ **vertébrale** spine.

colorant [kɔlɔrɑ̃] *nm (alimentaire)* (food) colouring.

colorier [kɔlɔrje] *vt* to colour in.

coloris [kɔlɔri] *nm* shade.

coma [kɔma] *nm* coma ; **être dans le ~** to be in a coma.

combat [kɔ̃ba] *nm* fight.

combattant [kɔ̃batɑ̃] *nm* fighter ; **ancien ~** veteran.

combattre [kɔ̃batr] *vt* to fight (against). ◆ *vi* to fight.

combien [kɔ̃bjɛ̃] *adv (quantité)* how much ; *(nombre)* how many ; ~ **d'argent te reste-t-il?** how much money have you got left? ; ~ **de bagages désirez-vous enregistrer?** how many bags would you like to check in? ; ~ **de temps?** how long? ; ~ **ça coûte?** how much is it?

combinaison [kɔ̃binɛzɔ̃] *nf (code)* combination ; *(sous-vêtement)* slip ; *(de skieur)* suit ; *(de motard)* leathers *(pl)* ; ~ **de plongée** wet suit.

combiné [kɔ̃bine] *nm* : ~ **(téléphonique)** receiver.

combiner [kɔ̃bine] *vt* to combine ; *fam (préparer)* to plan.

comble [kɔ̃bl] *nm* : **c'est un ~!** that's the limit! ; **le ~ de** the height of.

combler [kɔ̃ble] *vt (boucher)* to fill in ; *(satisfaire)* to fulfil.

combustible [kɔ̃bystibl] *nm* fuel.

comédie [kɔmedi] *nf* comedy ; *fam (caprice)* act ; **jouer la ~** *(faire semblant)* to put on an act ; ~ **musicale** musical.

comédien, enne [kɔmedjɛ̃, ɛn] *nm, f (acteur)* actor (f actress).

comestible [kɔmestibl] *adj* edible.

comique [kɔmik] *adj (genre, acteur)* comic ; *(drôle)* comical.

comité [kɔmite] *nm* committee ; ~ **d'entreprise** works council.

commandant [kɔmɑ̃dɑ̃] *nm* MIL *(gradé)* ≃ major ; *(d'un bateau, d'un avion)* captain.

commande [kɔmɑ̃d] *nf* COMM order ; TECH control mechanism ; INFORM command ; **les ~ s** *(d'un avion)* the controls.

commander [kɔmɑ̃de] *vt (diri-*

ger) to command ; *(dans un bar, par correspondance)* to order ; *TECH* to control ; **~ à qqn de faire qqch** to order sb to do sthg.

☞

comme [kɔm] *conj* - **1.** *(introduit une comparaison)* like ; **~ si rien ne s'était passé** as if nothing had happened.
- **2.** *(de la manière que)* as ; **~ vous voudrez** as you like ; **~ il faut** *(correctement)* properly ; *(convenable)* respectable.
- **3.** *(par exemple)* like, such as.
- **4.** *(en tant que)* as ; **qu'est-ce que vous avez ~ desserts?** what do you have in the way of dessert?
- **5.** *(étant donné que)* as, since.
- **6.** *(dans des expressions)* : **~ ça** *(de cette façon)* like that ; *(par conséquent)* that way ; **~ ci ~ ça** fam so-so ; **~ tout** fam *(très)* really.
◆ *adv* (marque l'intensité) : **~ c'est grand!** it's so big! ; **vous savez ~ il est difficile de se loger ici** you know how hard it is to find accommodation here.

commencement [kɔmɑ̃smɑ̃] *nm* beginning.

commencer [kɔmɑ̃se] *vt* to start. ◆ *vi* to start, to begin ; **~ à faire qqch** to start OU begin to do sthg ; **~ par qqch** to start with sthg ; **~ par faire qqch** to start by doing sthg.

comment [kɔmɑ̃] *adv* how ; **~ tu t'appelles?** what's your name? ; **~ allez-vous?** how are you? ; **~?** *(pour faire répéter)* sorry?

commentaire [kɔmɑ̃ter] *nm* *(d'un documentaire, d'un match)* commentary ; *(remarque)* comment.

commerçant, e [kɔmɛrsɑ̃, ɑ̃t] *adj (quartier, rue)* shopping. ◆ *nm, f* shopkeeper.

commerce [kɔmɛrs] *nm (activité)* trade ; *(boutique)* business ; **dans le ~** in the shops.

commercial, e, aux [kɔmɛrsjal, o] *adj* commercial.

commettre [kɔmetr] *vt* to commit.

commis, e [kɔmi, iz] *pp* → commettre.

commissaire [kɔmiser] *nmf* : **~ (de police)** (police) superintendent *(Br)*, (police) captain *(Am)*.

commissariat [kɔmisarja] *nm* : **~ (de police)** police station.

commission [kɔmisjɔ̃] *nf* commission ; *(message)* message. ❏ **commissions** *nfpl (courses)* shopping *(sg)* ; **faire les ~ s** to do the shopping.

commode [kɔmɔd] *adj (facile)* convenient ; *(pratique)* handy. ◆ *nf* chest of drawers.

commun, e [kɔmœ̃, yn] *adj* common ; *(salle de bains, cuisine)* shared ; **mettre qqch en ~** to share sthg.

communauté [kɔmynote] *nf* community.

commune [kɔmyn] *nf* town.

communication [kɔmynikasjɔ̃] *nf (message)* message ; *(contact)* communication ; **~ (téléphonique)** (phone) call.

communion [kɔmynjɔ̃] *nf* Communion.

communiqué [kɔmynike] *nm* communiqué.

communiquer [kɔmynike] *vt* to communicate. ◆ *vi (dialoguer)* to communicate ; *(pièces)* to inter-connect.

communisme [kɔmynism] *nm* communism.

communiste [kɔmynist] *adj* & *nmf* communist.

compact, e [kɔ̃pakt] *adj (dense)* dense ; *(petit)* compact. ◆ *nm* : *(disque)* ~ compact disc, CD.

Compact Disc®, s [kɔ̃paktdisk] *nm* compact disc, CD.

compagne [kɔ̃paɲ] *nf (camara-de)* companion ; *(dans un couple)* partner.

compagnie [kɔ̃paɲi] *nf* company ; ~ **aérienne** airline.

compagnon [kɔ̃paɲɔ̃] *nm (cama-rade)* companion ; *(dans un couple)* partner.

comparable [kɔ̃parabl] *adj* com-parable ; ~ **à** comparable with.

comparaison [kɔ̃parezɔ̃] *nf* comparison.

comparer [kɔ̃pare] *vt* to com-pare ; ~ **qqch à** OU **avec** to compare sthg to OU with.

compartiment [kɔ̃partimɑ̃] *nm* compartment.

compas [kɔ̃pa] *nm* MATH pair of compasses ; *(boussole)* compass.

compatible [kɔ̃patibl] *adj* com-patible.

compatriote [kɔ̃patrijɔt] *nmf* compatriot.

compensation [kɔ̃pɑ̃sasjɔ̃] *nf* compensation.

compenser [kɔ̃pɑ̃se] *vt* to com-pensate for.

compétence [kɔ̃petɑ̃s] *nf* skill.

compétent, e [kɔ̃petɑ̃, ɑ̃t] *adj* competent.

compétitif, ive [kɔ̃petitif, iv] *adj* competitive.

compétition [kɔ̃petisjɔ̃] *nf* com-petition.

complément [kɔ̃plemɑ̃] *nm (supplément)* supplement ; *(diffé-rence)* rest ; GRAMM complement ; ~ **d'objet** object.

complémentaire [kɔ̃plemɑ̃ter] *adj (supplémentaire)* additional.

complet, ète [kɔ̃ple, ɛt] *adj (en-tier)* complete ; *(plein)* full ; *(pain, farine)* wholemeal ; **riz** ~ brown rice ; '**complet**' *(hôtel)* 'no vacan-cies' ; *(parking)* 'full'.

complètement [kɔ̃plɛtmɑ̃] *adv* completely.

compléter [kɔ̃plete] *vt* to com-plete. ❑ **se compléter** *vp* to com-plement one another.

complexe [kɔ̃pleks] *adj* & *nm* complex.

complice [kɔ̃plis] *adj* knowing. ◆ *nmf* accomplice.

compliment [kɔ̃plimɑ̃] *nm* com-pliment ; **faire un** ~ **à qqn** to pay sb a compliment.

compliqué, e [kɔ̃plike] *adj* com-plicated.

compliquer [kɔ̃plike] *vt* to com-plicate. ❑ **se compliquer** *vp* to get complicated.

complot [kɔ̃plo] *nm* plot.

comportement [kɔ̃pɔrtəmɑ̃] *nm* behaviour.

comporter [kɔ̃pɔrte] *vt* to con-sist of. ❑ **se comporter** *vp* to be-have.

composer [kɔ̃poze] *vt (faire par-tie de)* to make up ; *(assembler)* to put together ; MUS to compose ; *(code, numéro)* to dial ; **composé de** composed of. ❑ **se composer de** *vp + prép* to be made up of.

compositeur, trice [kɔ̃pozitœr, tris] *nm, f* composer.

composition [kɔ̃pozisjɔ̃] *nf* composition ; *SCOL* essay.

composter [kɔ̃poste] *vt* to datestamp ; **'compostez votre billet'** 'stamp your ticket here'.

(i) COMPOSTER

In French transportation networks (trains, trams, buses, etc.), tickets must be inserted into a stamping machine (le *composteur*) in order to be valid. In stations, these machines can be found under the departure information boards as well as on each platform. When using a bus or a tram, the ticket must be validated by a small *composteur* inside the vehicle. Passengers who do not validate their tickets before departure risk paying a fine.

---

compote [kɔ̃pɔt] *nf* compote ; **~ de pommes** stewed apple.

compréhensible [kɔ̃preɑ̃sibl] *adj* comprehensible.

compréhensif, ive [kɔ̃preɑ̃sif, iv] *adj* understanding.

comprendre [kɔ̃prɑ̃dr] *vt* to understand ; *(comporter)* to consist of. ❑ **se comprendre** *vp* to understand each other.

compresse [kɔ̃prɛs] *nf* compress.

comprimé [kɔ̃prime] *nm* tablet.

comprimer [kɔ̃prime] *vt* to compress.

compris, e [kɔ̃pri, iz] *pp* → **comprendre.** ◆ *adj (inclus)* included ; **non ~** not included ; **tout ~** all inclusive ; **y ~** including.

compromettre [kɔ̃prɔmɛtr] *vt* to compromise.

compromis, e [kɔ̃prɔmi, iz] *pp* → **compromettre.** ◆ *nm* compromise.

comptabilité [kɔ̃tabilite] *nf (science)* accountancy ; *(département, calculs)* accounts *(pl)*.

comptable [kɔ̃tabl] *nmf* accountant.

comptant [kɔ̃tɑ̃] *adv* : **payer ~** to pay cash.

compte [kɔ̃t] *nm (bancaire)* account ; *(calcul)* calculation ; **faire le ~ de** to count ; **se rendre ~ que** to realize that ; **~ postal** post office account ; **en fin de ~, tout ~ fait** all things considered. ❑ **comptes** *nmpl* accounts.

compte-gouttes [kɔ̃tgut] *nm inv* dropper.

compter [kɔ̃te] *vt & vi* to count ; **~ faire qqch** *(avoir l'intention de)* to intend to do sthg ; *(s'attendre à)* to expect to do sthg. ❑ **compter sur** *v + prép* to count on.

compte-rendu [kɔ̃trɑ̃dy] *(pl* **comptes-rendus)** *nm* report.

compteur [kɔ̃tœr] *nm* meter ; **~ (kilométrique)** ≃ mileometer ; **~ (de vitesse)** speedometer.

comptoir [kɔ̃twar] *nm (de bar)* bar ; *(de magasin)* counter.

comte, esse [kɔ̃t, kɔ̃tɛs] *nm, f* count *(f* countess).

con, conne [kɔ̃, kɔn] *adj vulg* bloody stupid.

concentration [kɔ̃sɑ̃trasjɔ̃] *nf* concentration.

concentré, e [kɔ̃sɑ̃tre] *adj (jus d'orange)* concentrated. ◆ *nm* : **~ de tomate** tomato puree ; **être ~** to concentrate (hard).

concentrer [kɔ̃sɑ̃tre] vt (efforts, attention) to concentrate.

conception [kɔ̃sɛpsjɔ̃] nf design ; (notion) idea.

concerner [kɔ̃sɛrne] vt to concern.

concert [kɔ̃sɛr] nm concert.

concessionnaire [kɔ̃sesjɔner] nm (automobile) dealer.

concevoir [kɔ̃səvwar] vt (objet) to design ; (projet, idée) to conceive.

concierge [kɔ̃sjɛrʒ] nmf caretaker, janitor (Am).

concis, e [kɔ̃si, iz] adj concise.

conclure [kɔ̃klyr] vt to conclude.

conclusion [kɔ̃klyzjɔ̃] nf conclusion.

concombre [kɔ̃kɔ̃br] nm cucumber.

concorder [kɔ̃kɔrde] vi to agree.

concours [kɔ̃kur] nm (examen) competitive examination ; (jeu) competition.

concret, ète [kɔ̃krɛ, ɛt] adj concrete.

concrétiser [kɔ̃kretize] : se concrétiser vp to materialize.

concurrence [kɔ̃kyrɑ̃s] nf competition.

concurrent, e [kɔ̃kyrɑ̃, ɑ̃t] nm, f competitor.

condamnation [kɔ̃danasjɔ̃] nf sentence.

condamner [kɔ̃dane] vt (accusé) to convict ; (porte, fenêtre) to board up ; ~ qqn à to sentence sb to.

condensation [kɔ̃dɑ̃sasjɔ̃] nf condensation.

condensé, e [kɔ̃dɑ̃se] adj (lait) condensed.

condiment [kɔ̃dimɑ̃] nm condiment.

condition [kɔ̃disjɔ̃] nf condition ; à ~ qu'il fasse beau providing (that) it's fine, provided (that) it's fine.

conditionné [kɔ̃disjɔne] adj m → air.

conditionnel [kɔ̃disjɔnɛl] nm conditional.

condoléances [kɔ̃dɔleɑ̃s] nfpl : présenter ses ~ à qqn to offer one's condolences to sb.

conducteur, trice [kɔ̃dyktœr, tris] nm, f driver.

conduire [kɔ̃dɥir] vt (véhicule) to drive ; (accompagner) to take ; (guider) to lead. ◆ vi to drive ; ~ à (chemin, couloir) to lead to. ❑ se conduire vp to behave.

conduit, e [kɔ̃dɥi, it] pp → conduire.

conduite [kɔ̃dɥit] nf (attitude) behaviour ; (tuyau) pipe ; ~ à gauche left-hand drive.

cône [kon] nm cone.

confection [kɔ̃fɛksjɔ̃] nf (couture) clothing industry.

confectionner [kɔ̃fɛksjɔne] vt to make.

conférence [kɔ̃ferɑ̃s] nf (réunion) conference ; (discours) lecture.

confesser [kɔ̃fese] : se confesser vp to go to confession.

confession [kɔ̃fesjɔ̃] nf confession.

confettis [kɔ̃feti] nmpl confetti (sg).

confiance [kɔ̃fjɑ̃s] nf confidence ; avoir ~ en to trust ; faire ~ à to trust.

confiant, e [kɔ̃fjɑ̃, ɑ̃t] adj trusting.

confidence [kɔ̃fidɑ̃s] *nf* confidence ; faire des ~ s à qqn to confide in sb.

confidentiel, elle [kɔ̃fidɑ̃sjel] *adj* confidential.

confier [kɔ̃fje] *vt* : ~ qqch à qqn to entrust sb with sthg. ❑ **se confier (à)** *vp (+ prép)* to confide (in).

confirmation [kɔ̃firmasjɔ̃] *nf* confirmation.

confirmer [kɔ̃firme] *vt* to confirm. ❑ **se confirmer** *vp* to be confirmed.

confiserie [kɔ̃fizri] *nf (sucreries)* sweets *pl (Br)*, candy *(Am)* ; *(magasin)* sweetshop *(Br)*, candy store *(Am)*.

confisquer [kɔ̃fiske] *vt* to confiscate.

confit [kɔ̃fi] *adj m → fruit*. ◆ *nm* : ~ de canard/d'oie potted duck or goose.

confiture [kɔ̃fityr] *nf* jam.

conflit [kɔ̃fli] *nm* conflict.

confondre [kɔ̃fɔ̃dr] *vt (mélanger)* to confuse.

conforme [kɔ̃fɔrm] *adj* : ~ à in accordance with.

conformément [kɔ̃fɔrmemɑ̃] : **conformément à** *prép* in accordance with.

confort [kɔ̃fɔr] *nm* comfort ; 'tout ~' 'all mod cons'.

confortable [kɔ̃fɔrtabl] *adj* comfortable.

confrère [kɔ̃frɛr] *nm* colleague.

confronter [kɔ̃frɔ̃te] *vt* to compare.

confus, e [kɔ̃fy, yz] *adj (compliqué)* confused ; *(embarrassé)* embarrassed.

confusion [kɔ̃fyzjɔ̃] *nf* confusion ; *(honte)* embarrassment.

congé [kɔ̃ʒe] *nm* holiday *(Br)*, vacation *(Am)* ; ~ (de) maladie sick leave.

congélateur [kɔ̃ʒelatœr] *nm* freezer.

congeler [kɔ̃ʒle] *vt* to freeze.

congestion [kɔ̃ʒestjɔ̃] *nf* MÉD congestion ; ~ cérébrale stroke.

congolais [kɔ̃gɔlɛ] *nm* coconut cake.

congrès [kɔ̃grɛ] *nm* congress.

conjoint [kɔ̃ʒwɛ̃] *nm* spouse.

conjonction [kɔ̃ʒɔ̃ksjɔ̃] *nf* conjunction.

conjonctivite [kɔ̃ʒɔ̃ktivit] *nf* conjunctivitis.

conjoncture [kɔ̃ʒɔ̃ktyr] *nf* situation.

conjugaison [kɔ̃ʒygɛzɔ̃] *nf* conjugation.

conjuguer [kɔ̃ʒyge] *vt (verbe)* to conjugate.

connaissance [kɔnɛsɑ̃s] *nf* knowledge ; *(relation)* acquaintance ; faire la ~ de qqn to meet sb ; perdre ~ to lose consciousness.

connaisseur, euse [kɔnɛsœr, øz] *nm, f* connoisseur.

connaître [kɔnɛtr] *vt* to know ; *(rencontrer)* to meet. ❑ **s'y connaître en** *vp + prép* to know about.

conne → **con**.

connecter [kɔnɛkte] *vt* to connect.

connu, e [kɔny] *pp* → **connaître**. ◆ *adj* well-known.

conquérir [kɔ̃kerir] *vt* to conquer.

conquête [kɔ̃kɛt] *nf* conquest.

conquis, e [kɔ̃ki, iz] *pp* → conquérir.

consacrer [kɔ̃sakre] *vt* : ~ qqch à to devote sth to. ❑ **se consacrer à** *vp* + *prép* to devote o.s. to.

consciemment [kɔ̃sjamɑ̃] *adv* knowingly.

conscience [kɔ̃sjɑ̃s] *nf* (*connaissance*) consciousness ; (*moralité*) conscience ; **avoir ~ de qqch** to be aware of sth ; **prendre ~ de qqch** to become aware of sth.

consciencieux, euse [kɔ̃sjɑ̃sjø, øz] *adj* conscientious.

conscient, e [kɔ̃sjɑ̃, ɑ̃t] *adj* (*éveillé*) conscious ; **être ~ de** to be aware of.

consécutif, ive [kɔ̃sekytif, iv] *adj* consecutive ; ~ **à** resulting from.

conseil [kɔ̃sɛj] *nm* (*avis*) piece of advice ; (*assemblée*) council ; **demander ~ à qqn** to ask sb's advice ; **des ~s** advice (*sg*).

conseiller[1] [kɔ̃seje] *vt* (*personne*) to advise ; ~ **qqch à qqn** to recommend sth to sb.

conseiller[2]**, ère** [kɔ̃seje, ɛr] *nm, f* adviser ; ~ **d'orientation** careers adviser.

conséquence [kɔ̃sekɑ̃s] *nf* consequence.

conséquent [kɔ̃sekɑ̃] : **par conséquent** *adv* consequently.

conservateur, trice [kɔ̃sɛrvatœr] *nm* (*alimentaire*) preservative.

conservatoire [kɔ̃sɛrvatwar] *nm* (*de musique*) academy.

conserve [kɔ̃sɛrv] *nf* (*boîte*) tin (of food) ; **des ~s** tinned food.

conserver [kɔ̃sɛrve] *vt* to keep ; (*aliments*) to preserve.

considérable [kɔ̃siderabl] *adj* considerable.

considération [kɔ̃siderasjɔ̃] *nf* : **prendre qqn/qqch en ~** to take sb/ sth into consideration.

considérer [kɔ̃sidere] *vt* : ~ **que** to consider that ; ~ **qqn/qqch comme** to look on sb/sth as.

consigne [kɔ̃siɲ] *nf* (*de gare*) left-luggage office ; (*instructions*) instructions (*pl*) ; ~ **automatique** left-luggage lockers (*pl*).

consistance [kɔ̃sistɑ̃s] *nf* consistency.

consistant, e [kɔ̃sistɑ̃, ɑ̃t] *adj* (*épais*) thick ; (*nourrissant*) substantial.

consister [kɔ̃siste] *vi* : ~ **à faire qqch** to consist in doing sth.

consœur [kɔ̃sœr] *nf* (*female*) colleague.

consolation [kɔ̃sɔlasjɔ̃] *nf* consolation.

console [kɔ̃sɔl] *nf* INFORM console ; ~ **de jeux** video game console.

consoler [kɔ̃sɔle] *vt* to comfort.

consommateur, trice [kɔ̃sɔmatœr, tris] *nm, f* consumer ; (*dans un bar*) customer.

consommation [kɔ̃sɔmasjɔ̃] *nf* consumption ; (*boisson*) drink.

consommé [kɔ̃sɔme] *nm* clear soup.

consommer [kɔ̃sɔme] *vt* to consume ; **'à ~ avant le ...'** 'use before ...'.

consonne [kɔ̃sɔn] *nf* consonant.

constamment [kɔ̃stamɑ̃] *adv* constantly.

constant, e [kɔ̃stɑ̃, ɑ̃t] *adj* constant.

constat [kɔ̃sta] *nm (d'accident)* report.

constater [kɔ̃state] *vt* to notice.

consterné, e [kɔ̃stɛrne] *adj* dismayed.

constipé, e [kɔ̃stipe] *adj* constipated.

constituer [kɔ̃stitɥe] *vt (former)* to make up ; **être constitué de** to consist of.

construction [kɔ̃stryksjɔ̃] *nf* building.

construire [kɔ̃strɥir] *vt* to build.

construit, e [kɔ̃strɥi, it] *pp* → **construire**.

consulat [kɔ̃syla] *nm* consulate.

consultation [kɔ̃syltasjɔ̃] *nf* consultation.

consulter [kɔ̃sylte] *vt* to consult.

contact [kɔ̃takt] *nm (toucher)* feel ; *(d'un moteur)* ignition ; *(relation)* contact ; **couper le ~** to switch off the ignition ; **mettre le ~** to switch on the ignition.

contacter [kɔ̃takte] *vt* to contact.

contagieux, euse [kɔ̃taʒjø, øz] *adj* infectious.

contaminer [kɔ̃tamine] *vt (rivière, air)* to contaminate ; *(personne)* to infect.

conte [kɔ̃t] *nm* story ; **~ de fées** fairy tale.

contempler [kɔ̃tɑ̃ple] *vt* to contemplate.

contemporain, e [kɔ̃tɑ̃pɔrɛ̃, ɛn] *adj* contemporary.

contenir [kɔ̃tnir] *vt* to contain ; *(un litre, deux cassettes, etc)* to hold.

content, e [kɔ̃tɑ̃, ɑ̃t] *adj* happy.

contenter [kɔ̃tɑ̃te] *vt* to satisfy.

☐ **se contenter de** *vp* + *prép* to be happy with ; **se ~ de faire qqch** to content o.s. with doing sthg.

contenu, e [kɔ̃tny] *pp* → **contenir**. ◆ *nm* contents *(pl)*.

contester [kɔ̃tɛste] *vt* to dispute.

contexte [kɔ̃tɛkst] *nm* context.

continent [kɔ̃tinɑ̃] *nm* continent.

continu, e [kɔ̃tiny] *adj* continuous.

continuel, elle [kɔ̃tinɥɛl] *adj* constant.

continuellement [kɔ̃tinɥɛlmɑ̃] *adv* constantly.

continuer [kɔ̃tinɥe] *vt* & *vi* to continue ; **~ à** OU **de faire qqch** to continue doing OU to do sthg.

contour [kɔ̃tur] *nm* outline.

contourner [kɔ̃turne] *vt* to go round ; *(ville, montagne)* to bypass.

contraceptif, ive [kɔ̃trasɛptif, iv] *adj* & *nm* contraceptive.

contraception [kɔ̃trasɛpsjɔ̃] *nf* contraception.

contracter [kɔ̃trakte] *vt* to contract ; *(assurance)* to take out.

contradictoire [kɔ̃tradiktwar] *adj* contradictory.

contraindre [kɔ̃trɛ̃dr] *vt* to force.

contraire [kɔ̃trɛr] *adj* & *nm* opposite ; **~ à** contrary to ; **au ~ on** the contrary.

contrairement [kɔ̃trɛrmɑ̃] : **contrairement à** *prép* contrary to.

contrarier [kɔ̃trarje] *vt (ennuyer)* to annoy.

contraste [kɔ̃trast] *nm* contrast.

contrat [kɔ̃tra] *nm* contract.

contravention [kɔ̃travɑ̃sjɔ̃] *nf*

fine ; *(pour stationnement interdit)* parking ticket.

contre [kɔ̃tr] *prép* against ; *(en échange de)* (in exchange) for ; **par ~** on the other hand.

contre-attaque, s [kɔ̃tratak] *nf* counterattack.

contrebande [kɔ̃trəbɑ̃d] *nf* smuggling ; **passer qqch en ~** to smuggle sthg.

contrebasse [kɔ̃trəbas] *nf* (double) bass.

contrecœur [kɔ̃trəkœr] : **à contrecœur** *adv* reluctantly.

contrecoup [kɔ̃trəku] *nm* consequence.

contredire [kɔ̃trədir] *vt* to contradict.

contre-indication, s [kɔ̃trɛ̃dikasjɔ̃] *nf* contraindication.

contre-jour [kɔ̃trəʒur] : **à contre-jour** *adv* against the light.

contrepartie [kɔ̃trəparti] *nf* compensation ; **en ~** in return.

contreplaqué [kɔ̃trəplake] *nm* plywood.

contrepoison [kɔ̃trəpwazɔ̃] *nm* antidote.

contresens [kɔ̃trəsɑ̃s] *nm (dans une traduction)* mistranslation ; **à ~** the wrong way.

contretemps [kɔ̃trətɑ̃] *nm* delay.

contribuer [kɔ̃tribɥe] : **contribuer à** *v + prép* to contribute to.

contrôle [kɔ̃trol] *nm (technique)* check ; *(des billets, des papiers)* inspection ; *SCOL* test ; **~ aérien** air traffic control.

contrôler [kɔ̃trole] *vt (vérifier)* to check ; *(billets, papiers)* to inspect.

contrôleur [kɔ̃trolœr] *nm*

les trains) ticket inspector ; *(dans les bus)* conductor *(f* conductress*)*.

contrordre [kɔ̃trɔrdr] *nm* countermand.

convaincre [kɔ̃vɛ̃kr] *vt* to convince ; **~ qqn de faire qqch** to persuade sb to do sthg.

convalescence [kɔ̃valesɑ̃s] *nf* convalescence.

convenable [kɔ̃vnabl] *adj (adapté)* suitable ; *(décent)* proper.

convenir [kɔ̃vnir] : **convenir à** *v + prép (satisfaire)* to suit ; *(être adapté à)* to be suitable for.

convenu, e [kɔ̃vny] *pp* → convenir.

conversation [kɔ̃vɛrsasjɔ̃] *nf* conversation.

convertible [kɔ̃vɛrtibl] *adj* → canapé.

convocation [kɔ̃vɔkasjɔ̃] *nf* notification to attend.

convoi [kɔ̃vwa] *nm* convoy.

convoiter [kɔ̃vwate] *vt* to covet.

convoquer [kɔ̃vɔke] *vt (salarié, suspect)* to summon.

coopération [kɔɔperasjɔ̃] *nf* cooperation.

coopérer [kɔɔpere] *vi* to cooperate.

coordonné, e [kɔɔrdɔne] *adj (assorti)* matching.

coordonnées [kɔɔrdɔne] *nfpl (adresse)* address and telephone number.

coordonner [kɔɔrdɔne] *vt* to coordinate.

copain, copine [kɔpɛ̃, kɔpin] *nm, f fam (ami)* friend ; *(petit ami)* boyfriend *(f* girlfriend*)*.

copie [kɔpi] *nf* copy ; *(devoir)* paper ; *(feuille)* sheet (of paper).

copier [kɔpje] vt to copy.

copieux, euse [kɔpjø, øz] adj large.

copilote [kɔpilɔt] nm copilot.

copine → copain.

coq [kɔk] nm cock, rooster ; ~ au vin chicken cooked with red wine, bacon, mushrooms and shallots.

coque [kɔk] nf (de bateau) hull ; (coquillage) shell.

coquelet [kɔklɛ] nm cockerel.

coquelicot [kɔkliko] nm poppy.

coqueluche [kɔklyʃ] nf MÉD whooping cough.

coquet, ette [kɔkɛ, ɛt] adj (qui aime s'habiller) smart.

coquetier [kɔktje] nm eggcup.

coquillage [kɔkijaʒ] nm (mollusque) shellfish ; (coquille) shell.

coquille [kɔkij] nf shell ; ~ Saint-Jacques scallop.

coquillettes [kɔkijɛt] nfpl short macaroni.

coquin, e [kɔkɛ̃, in] adj (enfant) mischievous.

cor [kɔr] nm (instrument) horn ; MÉD corn.

corail, aux [kɔraj, o] nm coral ; (train) Corail ≃ express train.

Coran [kɔrɑ̃] nm Koran.

corbeau, x [kɔrbo] nm crow.

corbeille [kɔrbɛj] nf basket ; ~ à papiers wastepaper basket.

corbillard [kɔrbijar] nm hearse.

corde [kɔrd] nf rope ; (d'instrument de musique) string ; ~ à linge clothesline ; ~ s vocales vocal cords.

cordon [kɔrdɔ̃] nm string ; (électrique) lead.

cordonnerie [kɔrdɔnri] nf shoe repair shop.

cordonnier [kɔrdɔnje] nm shoe repairer.

coriandre [kɔrjɑ̃dr] nf coriander.

corne [kɔrn] nf horn.

cornet [kɔrnɛ] nm (de glace) cornet ; (de frites) bag.

cornettes [kɔrnɛt] nfpl Helv short macaroni.

cornichon [kɔrniʃɔ̃] nm gherkin.

corps [kɔr] nm body ; le ~ enseignant the teachers ; ~ gras fat.

correct, e [kɔrɛkt] adj (juste) correct ; (poli) proper.

correction [kɔrɛksjɔ̃] nf SCOL marking ; (rectification) correction ; (punition) beating.

correspondance [kɔrɛspɔ̃dɑ̃s] nf (courrier) correspondence ; TRANSP connection.

correspondant, e [kɔrɛspɔ̃dɑ̃, ɑ̃t] adj corresponding. ◆ nm, f (à qui on écrit) correspondent ; (au téléphone) person making or receiving a call.

correspondre [kɔrɛspɔ̃dr] vi to correspond ; ~ à to correspond to.

corrida [kɔrida] nf bullfight.

corridor [kɔridɔr] nm corridor.

corriger [kɔriʒe] vt to correct ; (examen) to mark. ❑ se corriger vp to improve.

corrosif, ive [kɔrozif, iv] adj corrosive.

corsage [kɔrsaʒ] nm blouse. ❑ Corse

corse [kɔrs] adj Corsican. ❑ Corse nmf Corsican. ◆ nf : la Corse Corsica.

cortège [kɔrtɛʒ] nm procession.

corvée [kɔrve] nf chore.

costaud [kɔsto] adj fam (musclé) beefy ; (solide) sturdy.

costume [kɔstym] nm (d'homme)

suit ; (de théâtre, de déguisement) costume.

côte [kot] nf (pente) hill, slope ; (ANAT) rib ; (d'agneau, de porc, etc) chop ; (bord de mer) coast ; ~ à ~ side by side ; la Côte d'Azur the French Riviera.

côté [kote] nm side ; de quel ~ dois-je aller? which way should I go? ; à ~ nearby ; (dans la maison voisine) next door ; à ~ de next to ; (comparé à) compared with ; de ~ (de travers) sideways.

côtelé [kotle] adj m → velours.

côtelette [kotlɛt] nf (de veau) cutlet ; (d'agneau, de porc) chop.

cotisation [kɔtizasjɔ̃] nf (à un club) subscription. ❑ **cotisations** nfpl (sociales) contributions.

coton [kɔtɔ̃] nm cotton ; ~ (hydrophile) cotton wool.

Coton-Tige® [kɔtɔ̃tiʒ] (pl Cotons-Tiges) nm cotton bud.

cou [ku] nm neck.

couchage [kuʃaʒ] nm → sac.

couchant [kuʃɑ̃] adj m → soleil.

couche [kuʃ] nf (épaisseur) layer ; (de peinture) coat ; (de bébé) nappy (Br), diaper (Am).

couche-culotte [kuʃkylɔt] (pl couches-culottes) nf disposable nappy (Br), disposable diaper (Am).

coucher [kuʃe] vt (mettre au lit) to put to bed ; (étendre) to lay down. ◆ vi (dormir) to sleep ; être couché (être étendu) to be lying down ; (être au lit) to be in bed ; ~ avec qqn fam to sleep with sb. ❑ **se coucher** vp (personne) to go to bed ; (soleil) to set.

couchette [kuʃɛt] nf (de train) couchette ; (de bateau) berth.

coucou [kuku] nm (oiseau) cuckoo ; (horloge) cuckoo clock. ◆ excl peekaboo!

coude [kud] nm ANAT elbow ; (courbe) bend.

coudre [kudr] vt (bouton) to sew on ; (réparer) to sew up. ◆ vi to sew.

couette [kwɛt] nf (édredon) duvet. ❑ **couettes** nfpl bunches.

cougnou [kuɲu] nm Belg large flat brioche' eaten on St Nicholas' Day, 6 December, and shaped like the infant Jesus.

couler [kule] vi to flow ; (bateau) to sink. ◆ vt (bateau) to sink.

couleur [kulœr] nf colour ; (de cartes) suit ; de quelle ~ est ...? what colour is ...?

couleuvre [kulœvr] nf grass snake.

coulis [kuli] nm liquid puree of fruit, vegetables or shellfish.

coulisser [kulise] vi to slide.

coulisses [kulis] nfpl wings.

couloir [kulwar] nm corridor ; (de bus) lane.

☞

coup [ku] nm - 1. (choc physique) blow ; donner un ~ à qqn to hit sb ; ~ de feu (gun)shot ; donner un ~ de pied à qqn/dans qqch to kick sb/ sthg ; donner un ~ de poing à qqn to punch sb.
- 2. (avec un instrument) : passer un ~ de balai to give the floor a sweep.
- 3. (choc moral) blow ; il m'est arrivé un ~ dur fam something bad happened to me.
- 4. (bruit) : ~ de sifflet whistle.
- 5. (à la porte) knock.

- **6.** *(aux échecs)* move ; *(au tennis)* stroke ; *(au foot)* kick ; ~ franc free kick.
- **7.** *(action malhonnête)* trick ; faire un ~ à qqn to play a trick on sb.
- **8.** *fam (fois)* time ; du premier ~ first time ; d'un (seul) ~ *(en une fois)* in one go ; *(soudainement)* all of a sudden.
- **9.** *(dans des expressions)* : ~ de chance stroke of luck ; ~ de fil OU de téléphone telephone call ; donner un ~ de main à qqn to give sb a hand ; jeter un ~ d'œil (à) to have a look (at) ; prendre un ~ de soleil to get sunburnt ; tenir le ~ to hold out.

coupable [kupabl] *adj* guilty.
◆ *nmf* culprit ; ~ de guilty of.

coupe [kup] *nf (récipient)* bowl ; SPORT cup ; *(de vêtements)* cut ; à la ~ *(fromage, etc)* cut from a larger piece and sold by weight at a delicatessen counter ; ~ à champagne champagne glass ; ~ (de cheveux) haircut.

coupe-papier [kuppapje] *nm inv* paper knife.

couper [kupe] *vt* to cut ; *(gâteau, viande)* to cut (up) ; *(gaz, électricité)* to cut off. ◆ *vi (être tranchant)* to cut ; *(prendre un raccourci)* to take a short cut ; ~ la route à qqn to cut across in front of sb. □ **se couper** *vp* to cut o.s. ; se ~ le doigt to cut one's finger.

couper-coller *nm inv* INFORM : faire un ~ to cut and paste.

couple [kupl] *nm* couple ; *(d'animaux)* pair.

couplet [kuple] *nm* verse.

coupure [kupyr] *nf (arrêt)*

break ; ~ de courant power cut ; ~ de journal (newspaper) cutting.

couque [kuk] *nf Belg (biscuit)* biscuit *(Br)*, cookie *(Am)* ; *(pain d'épices)* gingerbread ; *(brioche)* sweet bread roll.

cour [kur] *nf (d'immeuble)* courtyard ; *(de ferme)* farmyard ; *(tribunal, d'un roi)* court ; ~ (de récréation) playground.

courage [kura3] *nm* courage ; bon ~! good luck!

courageux, euse [kura3ø, øz] *adj* brave.

couramment [kuramã] *adv (fréquemment)* commonly ; *(parler)* fluently.

courant, e [kurã, ãt] *adj (fréquent)* common. ◆ *nm* current ; être au ~ (de) to know (about) ; tenir qqn au ~ (de) to keep sb informed (of) ; ~ d'air draught ; ~ continu.

courbatures [kurbatyr] *nfpl* aches and pains.

courbe [kurb] *adj* curved. ◆ *nf* curve.

courber [kurbe] *vt* to bend.

coureur, euse [kurœr, øz] *nm, f* : ~ automobile racing driver ; ~ cycliste racing cyclist ; ~ à pied runner.

courgette [kur3et] *nf* courgette *(Br)*, zucchini *(Am)*.

courir [kurir] *vi* to run ; *(cycliste, coureur automobile)* to race. ◆ *vt (épreuve sportive)* to run (in) ; *(risque, danger)* to run.

couronne [kurɔn] *nf* crown ; *(de fleurs)* wreath.

courrier [kurje] *nm* letters *(pl)*, post *(Br)*, mail *(Am)*.

courroie [kurwa] *nf* strap.

cours [kur] *nm (leçon)* lesson ; *(d'une marchandise)* price ; *(d'une monnaie)* rate ; **au ~ de** during ; **~ d'eau** waterway.

course [kurs] *nf (épreuve sportive)* race ; *(démarche)* errand ; *(en taxi)* journey. ❏ **courses** *nfpl* shopping *(sg)* ; **faire les ~ s** to go shopping.

court, e [kur, kurt] *adj* short. ◆ *nm (de tennis)* court. ◆ *adv* short ; **être à ~ de** to be short of.

court-bouillon [kurbujɔ̃] *(pl* courts-bouillons) *nm* highly flavoured stock used especially for cooking fish.

court-circuit [kursirkɥi] *(pl* courts-circuits) *nm* short circuit.

court-métrage [kurmetraʒ] *(pl* courts-métrages) *nm* short (film).

couru, e [kury] *pp → courir.*

couscous [kuskus] *nm* couscous, *traditional North African dish of semolina served with a spicy stew of meat and vegetables.*

cousin, e [kuzɛ̃, in] *nm, f* cousin ; **~ germain** first cousin.

coussin [kusɛ̃] *nm* cushion.

cousu, e [kuzy] *pp → coudre.*

coût [ku] *nm* cost.

couteau, x [kuto] *nm* knife.

coûter [kute] *vi & vt* to cost ; **combien ça coûte?** how much is it?

coutume [kutym] *nf* custom.

couture [kutyr] *nf (sur un vêtement)* seam ; *(activité)* sewing.

couturier, ière [kutyrje, ɛr] *nm, f* tailor ; **grand ~** fashion designer.

couvent [kuvã] *nm* convent.

couver [kuve] *vt (œufs)* to sit on. ◆ *vi (poule)* to brood.

couvercle [kuvɛrkl] *nm (de casserole, de poubelle)* lid ; *(d'un bocal)*

couvert, e [kuver, ɛrt] *pp → couvrir.* ◆ *nm (couteau, fourchette)* place (setting). ◆ *adj (ciel)* overcast ; *(marché, parking)* covered ; *(vêtu)* : **bien ~** well wrapped up ; **~ de** covered in OU with ; **mettre le ~** to set OU lay the table.

couverture [kuvɛrtyr] *nf* blanket ; *(de livre)* cover.

couvrir [kuvrir] *vt* to cover ; **~ qqch de** to cover sthg with. ❏ **se couvrir** *vp (ciel)* to cloud over ; *(s'habiller)* to wrap up.

cow-boy, s [kɔboj] *nm* cowboy.

CP *nm (abr de cours préparatoire)* first year of primary school.

crabe [krab] *nm* crab.

cracher [kraʃe] *vi* to spit. ◆ *vt* to spit out.

craie [krɛ] *nf* chalk.

craindre [krɛ̃dr] *vt* to fear, to be afraid of ; *(être sensible à)* to be sensitive to.

craint, e [krɛ̃, ɛ̃t] *pp → craindre.*

crainte [krɛ̃t] *nf* fear ; **de ~ que** for fear that.

craintif, ive [krɛ̃tif, iv] *adj* timid.

cramique [kramik] *nm* Belg *'brioche' with raisins.*

crampe [krãp] *nf* cramp.

cramponner [krãpɔne] : **se cramponner (à)** *vp (+ prép)* to hang on (to).

crampons [krãpɔ̃] *nmpl (de foot, de rugby)* studs.

cran [krã] *nm (de ceinture)* hole ; *(entaille)* notch ; *(courage)* guts *(pl)* ; *(couteau à) ~* **d'arrêt** flick knife.

crâne [kran] *nm* skull.

crapaud [krapo] *nm* toad.

craquer [krake] vi (faire un bruit) to crack ; (casser) to split ; (nerveusement) to crack up. ◆ vt (allumette) to strike.

crasse [kras] nf filth.

cravate [kravat] nf tie.

crawl [krol] nm crawl.

crayon [krejɔ̃] nm pencil ; ~ de couleur crayon.

création [kreasjɔ̃] nf creation.

crèche [krɛʃ] nf (garderie) playgroup ; RELIG crib.

crédit [kredi] nm (argent emprunté) loan ; acheter qqch à ~ to buy sthg on credit.

créditer [kredite] vt (compte) to credit.

créer [kree] vt to create ; (fonder) to found.

crémaillère [kremajer] nf : pendre la ~ to have a housewarming party.

crème [krɛm] nf (dessert) cream dessert ; (pour la peau) cream ; ~ anglaise custard ; ~ fraîche fresh cream ; ~ glacée ice cream.

crémerie [kremri] nf dairy.

crémeux, euse [kremø, øz] adj creamy.

créneau, x [kreno] nm : faire un ~ to reverse into a parking space. ❏ créneaux nmpl (de château) battlements.

crêpe [krep] nf pancake ; ~ bretonne sweet or savoury pancake, often made with buckwheat, a speciality of Brittany.

crêperie [krepri] nf pancake restaurant.

crépi [krepi] nm roughcast.

crépu, e [krepy] adj frizzy.

cresson [kresɔ̃] nm watercress.

crête [kret] nf (de montagne) ridge ; (de coq) crest.

cretons [krətɔ̃] nmpl Can potted pork.

creuser [krøze] vt to dig ; ça creuse! it gives you an appetite! ❏ se creuser vp : se ~ la tête OU la cervelle to rack one's brains.

creux, creuse [krø, krøz] adj hollow. ◆ nm (de la main) hollow ; (sur la route) dip.

crevaison [krəvezɔ̃] nf puncture.

crevant, e [krəvɑ̃, ɑ̃t] adj fam (fatigant) knackering.

crevasse [krəvas] nf (en montagne) crevasse.

crevé, e [krəve] adj fam (fatigué) knackered.

crever [krəve] vt (percer) to burst ; fam (fatiguer) to wear out. ◆ vi (exploser) to burst ; (avoir une crevaison) to have a puncture ; fam (mourir) to kick the bucket.

crevette [krəvet] nf prawn ; ~ grise shrimp ; ~ rose prawn.

cri [kri] nm shout ; (de joie, de douleur) cry ; (d'animal) call ; pousser un ~ to cry (out).

cric [krik] nm jack.

cricket [kriket] nm cricket.

crier [krije] vi to shout ; (de douleur) to cry (out). ◆ vt to shout (out).

crime [krim] nm (meurtre) murder ; (faute grave) crime.

criminel, elle [kriminel] nm, f criminal.

crinière [krinjer] nf mane.

crise [kriz] nf (économique) crisis ; (de rire, de larmes) fit ; ~ cardiaque heart attack ; ~ de foie bilious attack ; ~ de nerfs attack of nerves.

crispé, e [krispe] adj (personne, sourire) tense ; (poing) clenched.

cristal, aux [kristal, o] nm crystal.

critère [kriter] nm criterion.

critique [kritik] adj critical. ◆ nmf critic. ◆ nf (reproche) criticism ; (article de presse) review.

critiquer [kritike] vt to criticize.

croc [kro] nm (canine) fang.

croche-pied, s [krɔʃpje] nm : faire un ~ à qqn to trip sb (up).

crochet [krɔʃɛ] nm hook ; (tricot) crochet ; fig (détour) detour.

crocodile [krɔkɔdil] nm crocodile.

croire [krwar] vt to believe ; (penser) to think. ◆ vi : ~ à to believe in ; ~ en to believe in. □ **se croire** vp : il se croit intelligent he thinks he's clever.

croisement [krwazmɑ̃] nm (carrefour) junction ; (de races) cross-breeding.

croiser [krwaze] vt to cross ; (personne) to pass ; (regard) to meet. □ **se croiser** vp (voitures, personnes) to pass each other ; (lettres) to cross (in the post).

croisière [krwazjer] nf cruise.

croissance [krwasɑ̃s] nf growth.

croissant [krwasɑ̃] nm (pâtisserie) croissant ; (de lune) crescent.

croix [krwa] nf cross ; en ~ in the shape of a cross ; **les bras en** ~ arms out.

Croix-Rouge [krwaruʒ] nf : **la** ~ the Red Cross.

croque-madame [krɔkmadam] nm inv croque-monsieur with a fried egg.

croque-monsieur [krɔkməsjø]

nm inv toasted cheese and ham sandwich.

croquer [krɔke] vt to crunch. ◆ vi to be crunchy.

croquette [krɔkɛt] nf croquette ; ~ s pour chiens dog meal (sg).

cross [krɔs] nm (in course) cross-country race ; (sport) cross-country racing.

crotte [krɔt] nf dropping.

crottin [krɔtɛ̃] nm dung ; (fromage) small round goat's cheese.

croustillant, e [krustijɑ̃, ɑ̃t] adj crunchy.

croûte [krut] nf (de pain) crust ; (de fromage) rind ; MÉD scab ; ~ **au fromage** Helv melted cheese with wine, served on toast.

croûton [krutɔ̃] nm (pain frit) crouton ; (extrémité du pain) crust.

croyant, e [krwajɑ̃, ɑ̃t] adj : **être** ~ to be a believer.

CRS nmpl French riot police.

cru, e [kry] pp → croire. ◆ adj raw ; (choquant) crude. ◆ nm (vin) vintage.

crudités [krydite] nfpl raw vegetables.

crue [kry] nf flood ; **être en** ~ to be in spate.

cruel, elle [kryɛl] adj cruel.

crustacés [krystase] nmpl shellfish.

crypter [kripte] vt to encrypt.

cube [kyb] nm cube ; **mètre** ~ cubic metre.

cueillir [kœjir] vt to pick.

cuiller [kɥijɛr] = cuillère.

cuillère [kɥijɛr] nf spoon ; ~ **à café, petite** ~ teaspoon.

cuillerée [kɥijere] nf spoonful.

cuir [kɥir] nm (matériau) leather.

cuire [kɥir] vt & vi to cook ; (pain, gâteau) to bake ; faire ~ to cook.

cuisine [kɥizin] nf kitchen ; (art) cooking ; faire la ~ to cook.

cuisiner [kɥizine] vt & vi to cook.

cuisinier, ère [kɥizinje, ɛr] nm, f cook.

cuisinière [kɥizinjer] nf (fourneau) cooker → cuisinier.

cuisse [kɥis] nf thigh ; (de volaille) leg ; ~ de grenouille frog's legs.

cuisson [kɥisɔ̃] nf cooking.

cuit, e [kɥi, kɥit] adj cooked ; bien ~ well-done.

cuivre [kɥivr] nm copper.

cul nm vulg (fesses) arse (Br), ass (Am).

culasse [kylas] nf → joint.

culotte [kylɔt] nf (slip) knickers (pl) ; ~ de cheval (vêtement) jodhpurs (pl).

culte [kylt] nm (adoration) worship ; (religion) religion.

cultivateur, trice [kyltivatœr, tris] nm, f farmer.

cultiver [kyltive] vt (terre, champ) to cultivate ; (blé, maïs, etc) to grow. ❑ **se cultiver** vp to improve one's mind.

culture [kyltyr] nf (plante) crop ; (connaissances) knowledge ; (civilisation) culture. ❑ **cultures** nfpl cultivated land.

culturel, elle [kyltyrel] adj cultural.

cumin [kymɛ̃] nm cumin.

curé [kyre] nm parish priest.

cure-dents [kyrdɑ̃] nm inv toothpick.

curieux, euse [kyrjø, øz] adj (indiscret) inquisitive ; (étrange) curious. ◆ nmpl onlookers.

curiosité [kyrjozite] nf curiosity. ❑ **curiosités** nfpl (touristiques) unusual things to see.

curry [kyri] nm (épice) curry powder ; (plat) curry.

cuvette [kyvet] nf basin ; (des WC) bowl.

CV nm (abr de curriculum vitae) CV ; AUT (abr de cheval) hp.

cybercafé [siberkafe] nm cybercafé, internet café.

cybercommerce [siberkɔmers] nm e-commerce.

cyclable [siklabl] adj → piste.

cycle [sikl] nm cycle ; (de films) season.

cyclisme [siklism] nm cycling.

cycliste [siklist] nmf cyclist. ◆ nm (short) cycling shorts (pl)). ◆ adj : course ~ (épreuve) cycle race ; (activité) cycling.

cyclone [siklon] nm cyclone.

cygne [siɲ] nm swan.

cylindre [silɛ̃dr] nm cylinder.

cynique [sinik] adj cynical.

cyprès [sipre] nm cypress.

D

DAB [dab] nm (abr de distributeur automatique de billets) ATM.

dactylo [daktilo] nf (secrétaire) typist.

daim [dɛ̃] nm (animal) (fallow) deer ; (peau) suede.

dalle [dal] nf slab.

dame [dam] nf lady ; (aux cartes) queen. ❑ **dames** nfpl (jeu) draughts (Br), checkers (Am).

de

damier [damje] *nm (de dames)* draughtboard *(Br)*, checkerboard *(Am)*.

Danemark [danmark] *nm* : le ~ Denmark.

danger [dɑ̃ʒe] *nm* danger ; être en ~ to be in danger.

dangereux, euse [dɑ̃ʒrø, øz] *adj* dangerous.

danois, e [danwa, az] *adj* Danish. ◆ *nm (langue)* Danish. ❑ **Danois, e** *nm, f* Dane.

☞

dans [dɑ̃] *prép* - **1.** *(indique la situation)* in.
- **2.** *(indique la direction)* into ; vous allez ~ la mauvaise direction you're going in the wrong direction.
- **3.** *(indique la provenance)* from ; choisissez un dessert ~ le menu choose a dessert from the menu.
- **4.** *(indique le moment)* in ; ~ combien de temps arrivons-nous? how long before we get there?
- **5.** *(indique une approximation)* : ça doit coûter ~ les 200 F that must cost around 200 francs.

danse [dɑ̃s] *nf* : la ~ dancing ; une ~ a dance ; ~ classique ballet dancing ; ~ moderne modern dancing.

danser [dɑ̃se] *vt & vi* to dance.

danseur, euse [dɑ̃sœr, øz] *nm, f (de salon)* dancer ; *(classique)* ballet dancer.

darne [darn] *nf* steak *(of fish)*.

date [dat] *nf* date ; ~ limite deadline ; '~ limite de consommation' 'use-by date' ; ~ de naissance date of birth.

dater [date] *vt* to date. ◆ *vi (être*

vieux) to be dated ; ~ de *(remonter à)* to date from.

datte [dat] *nf* date.

daube [dob] *nf* : *(bœuf en)* ~ beef stew cooked with wine.

dauphin [dofɛ̃] *nm (animal)* dolphin.

dauphine [dofin] *nf* → **pomme**.

dauphinois [dofinwa] *adj m* → **gratin**.

daurade [dɔrad] *nf* sea bream.

davantage [davɑ̃taʒ] *adv* more ; ~ de temps more time.

☞

de [də] *prép* - **1.** *(indique l'appartenance)* of ; la porte du salon the living room door ; le frère ~ Pierre Pierre's brother.
- **2.** *(indique la provenance)* from.
- **3.** *(avec "à")* : Paris à Tokyo from Paris to Tokyo.
- **4.** *(indique une caractéristique)* : une statue ~ pierre a stone statue ; des billets ~ 100 euros 100-euro notes ; l'avion ~ 7 h 20 the seven twenty plane ; un jeune homme ~ 25 ans a young man of 25.
- **5.** *(introduit un complément)* : parler ~ qqch to talk about sthg ; arrêter ~ faire qqch to stop doing sthg.
- **6.** *(désigne le contenu)* of.
- **7.** *(parmi)* of ; certaines ~ ces plages sont polluées some of these beaches are polluted.
- **8.** *(indique le moyen)* with ; saluer qqn d'un mouvement de tête to greet sb with a nod.
- **9.** *(indique la manière)* : d'un air distrait absent-mindedly.
- **10.** *(indique la cause)* : hurler ~ douleur to scream with pain.

◆ *art* some ; je voudrais du vin/du lait I'd like some wine/some milk ; ils n'ont pas d'enfants they don't have any children.

dé [de] *nm* (à jouer) dice ; ~ (à coudre) thimble.

déballer [debale] *vt* (affaires) to unpack ; (cadeau) to unwrap.

débarbouiller [debarbuje]: se débarbouiller *vp* to wash one's face.

débardeur [debardœr] *nm* (T-shirt) vest top.

débarquer [debarke] *vt* to unload. ◆ *vi* to disembark.

débarras [debara] *nm* junk room ; bon ~ ! good riddance!

débarrasser [debarase] *vt* to clear up ; (table) to clear ; ~ qqn de (vêtement, paquets) to relieve sb of. □ se débarrasser de *vp + prép* (vêtement) to take off ; (paquets) to put down ; (personne) to get rid of.

débat [deba] *nm* debate.

débattre [debatr] *vt* to discuss. ◆ *vi* to debate ; ~ (de) qqch to debate sthg. □ se débattre *vp* to struggle.

débit [debi] *nm* (d'eau) flow ; (bancaire) debit.

débiter [debite] *vt* (compte) to debit ; (couper) to cut up ; péj (dire) to spout.

déblayer [debleje] *vt* to clear.

débloquer [deblɔke] *vt* to unjam ; (crédits) to unfreeze.

déboîter [debwate] *vt* (objet) to dislodge ; (os) to dislocate. ◆ *vi* (voiture) to pull out. □ se déboîter *vp* : se ~ l'épaule to dislocate one's shoulder.

débordé, e [deborde] *adj* : être

~ (de travail) to be snowed under (with work).

déborder [deborde] *vi* to overflow.

débouché [debuʃe] *nm* (de vente) outlet ; (de travail) opening.

déboucher [debuʃe] *vt* (bouteille) to open ; (nez, tuyau) to unblock. □ déboucher sur *v + prép* to lead to.

débourser [deburse] *vt* to pay out.

debout [dəbu] *adv* (sur ses pieds) standing (up) ; (verticalement) upright ; être ~ (réveillé) to be up ; se mettre ~ to stand up.

déboutonner [debutɔne] *vt* to unbutton.

débraillé, e [debraje] *adj* dishevelled.

débrancher [debrɑ̃ʃe] *vt* (appareil) to unplug ; (prise) to remove.

débrayer [debreje] *vi* to declutch.

débris [debri] *nmpl* pieces.

débrouiller [debruje]: se débrouiller *vp* to get by ; se ~ pour faire qqch to manage to do sthg.

début [deby] *nm* start ; au ~ (de) at the start (of).

débutant, e [debytɑ̃, ɑ̃t] *nm, f* beginner.

débuter [debyte] *vi* to start ; (dans une carrière) to start out.

décaféiné, e [dekafeine] *adj* decaffeinated.

décalage [dekalaʒ] *nm* gap ; ~ horaire time difference.

décalcomanie [dekalkɔmani] *nf* transfer.

décaler [dekale] *vt* (déplacer) to move ; (avancer dans le temps) to bring forward ; (retarder) to push back.

décolorer

décalquer [dekalke] *vt* to trace.

décapant [dekapɑ̃] *nm* stripper.

décaper [dekape] *vt* to strip.

décapiter [dekapite] *vt* to be-head.

décapotable [dekapɔtabl] *nf* : (voiture) ~ convertible.

décapsuler [dekapsyle] *vt* to open.

décapsuleur [dekapsylœr] *nm* bottle opener.

décéder [desede] *vi sout* to pass away.

décembre [desɑ̃br] *nm* December → **septembre**.

décent, e [desɑ̃, ɑ̃t] *adj* decent.

déception [desɛpsjɔ̃] *nf* disappointment.

décerner [deserne] *vt* (prix) to award.

décès [desɛ] *nm* death.

décevant, e [desvɑ̃, ɑ̃t] *adj* disappointing.

décevoir [desvwar] *vt* to disappoint.

déchaîner [deʃene] *vt* (colère, rires) to spark off. ❑ **se déchaîner** (personne) to fly into a rage ; (tempête) to break.

décharge [deʃarʒ] *nf* (d'ordures) rubbish dump (Br), garbage dump (Am) ; (électrique) electric shock.

décharger [deʃarʒe] *vt* to unload ; (tirer avec) to fire.

déchausser [deʃose] : **se déchausser** *vp* to take one's shoes off.

déchets [deʃɛ] *nmpl* waste (sg).

déchiffrer [deʃifre] *vt* (lire) to decipher ; (décoder) to decode.

déchiqueter [deʃikte] *vt* to shred.

déchirer [deʃire] *vt* (lettre, page) to tear up ; (vêtement, nappe) to tear. ❑ **se déchirer** *vp* to tear.

déchirure [deʃiryr] *nf* tear ; ~ musculaire torn muscle.

déci [desi] *nm Helv* small glass of wine.

décidé, e [deside] *adj* determined ; c'est ~ it's settled.

décidément [desidemɑ̃] *adv* really.

décider [deside] *vt* to decide ; ~ qqn (à faire qqch) to persuade sb (to do sthg). ❑ **se décider** *vp* : se ~ (à faire qqch) to make up one's mind (to do sthg).

décimal, e, aux [desimal, o] *adj* decimal.

décisif, ive [desizif, iv] *adj* decisive.

décision [desizjɔ̃] *nf* decision ; (fermeté) decisiveness.

déclaration [deklarasjɔ̃] *nf* announcement ; faire une ~ de vol to report a theft.

déclarer [deklare] *vt* to declare ; (vol) to report ; rien à ~ nothing to declare. ❑ **se déclarer** *vp* (épidémie, incendie) to break out.

déclencher [deklɑ̃ʃe] *vt* (mécanisme) to set off ; (guerre) to trigger off.

déclic [deklik] *nm* click.

décoiffer [dekwafe] *vt* : ~ qqn to mess up sb's hair.

décollage [dekɔlaʒ] *nm* take-off.

décoller [dekɔle] *vt* to unstick ; (papier peint) to strip. ◆ *vi* (avion) to take off. ❑ **se décoller** *vp* to come unstuck.

décolleté, e [dekɔlte] *adj* low-cut. ◆ *nm* neckline.

décolorer [dekɔlɔre] *vt* to bleach.

décombres [dekɔ̃br] *nmpl* debris (sg).

décommander [dekɔmɑ̃de] *vt* to cancel. ❏ **se décommander** *vp* to cancel.

décomposer [dekɔ̃poze] *vt* : ~ qqch en to break sthg down into. ❏ **se décomposer** *vp (pourrir)* to decompose.

déconcentrer [dekɔ̃sɑ̃tre] : **se déconcentrer** *vp* to lose one's concentration.

déconcerter [dekɔ̃sɛrte] *vt* to disconcert.

déconseiller [dekɔ̃seje] *vt* : ~ qqch à qqn to advise sb against sthg ; ~ à qqn de faire qqch to advise sb against doing sthg.

décontracté, e [dekɔ̃trakte] *adj* relaxed.

décor [dekɔr] *nm* scenery ; *(d'une pièce)* décor.

décorateur, trice [dekɔratœr, tris] *nm, f (d'intérieurs)* (interior) decorator ; *(de théâtre)* designer.

décoration [dekɔrasjɔ̃] *nf* decoration.

décorer [dekɔre] *vt* to decorate.

décortiquer [dekɔrtike] *vt* to shell ; *fig (texte)* to dissect.

découdre [dekudr] *vt* to unpick. ❏ **se découdre** *vp* to come unstitched.

découler [dekule] : **découler de** *v* + *prép* to follow from.

découper [dekupe] *vt (gâteau)* to cut (up) ; *(viande)* to carve ; *(images, photos)* to cut out.

découragé, e [dekuraʒe] *adj* dismayed.

décourager [dekuraʒe] *vt* to dis-

courage. ❏ **se décourager** *vp* to lose heart.

décousu, e [dekuzy] *adj* undone.

découvert, e [dekuver, ert] *pp* → **découvrir**. ◆ *nm (bancaire)* overdraft.

découverte [dekuvert] *nf* discovery.

découvrir [dekuvrir] *vt* to discover ; *(ôter ce qui couvre)* to uncover.

décrire [dekrir] *vt* to describe.

décrocher [dekrɔʃe] *vt (tableau)* to take down ; ~ *(le téléphone) (pour répondre)* to pick up the phone. ❏ **se décrocher** *vp* to fall down.

déçu, e [desy] *pp* → **décevoir**. ◆ *adj* disappointed.

dédaigner [dedene] *vt* to despise.

dédaigneux, euse [dedɛɲø, øz] *adj* disdainful.

dédain [dedɛ̃] *nm* disdain.

dedans [dədɑ̃] *adv & nm* inside ; en ~ inside.

dédicacer [dedikase] *vt* : ~ qqch à qqn to autograph sthg for sb.

dédier [dedje] *vt* : ~ qqch à qqn to dedicate sthg to sb.

dédommager [dedɔmaʒe] *vt* to compensate.

déduction [dedyksjɔ̃] *nf* deduction.

déduire [deduir] *vt* : ~ qqch (de) *(soustraire)* to deduct sthg (from) ; *(conclure)* to deduce sthg (from).

déduit, e [dedui, it] *pp* → **déduire**.

déesse [dees] *nf* goddess.

défaillant, e [defajɑ̃, ɑ̃t] *adj (vue)* failing.

défaire [defer] *vt (nœud)* to undo ; *(valise)* to unpack ; *(lit)* to strip. ❏ **se défaire** *vp (nœud, coiffure)* to come undone.

défait, e [defɛ, ɛt] *pp* → défaire.

défaite [defɛt] *nf* defeat.

défaut [defo] *nm (de caractère)* fault ; *(imperfection)* flaw ; **à ~ de** for lack of.

défavorable [defavɔrabl] *adj* unfavourable.

défavoriser [defavɔrize] *vt* to penalize.

défectueux, euse [defɛktɥø, øz] *adj* defective.

défendre [defɑ̃dr] *vt* to defend ; **~ qqch à qqn** to forbid sb sthg ; **~ à qqn de faire qqch** to forbid sb to do sthg. ❏ **se défendre** *vp* to defend o.s.

défense [defɑ̃s] *nf* defence ; *(d'éléphant)* tusk ; **prendre la ~ de qqn** to stand up for sb ; **'~ de déposer des ordures'** 'no dumping' ; **'~ d'entrer'** 'no entry'.

défi [defi] *nm* challenge ; **lancer un ~ à qqn** to challenge sb.

déficit [defisit] *nm* deficit.

déficitaire [defisitɛr] *adj* in deficit.

défier [defje] *vt* to challenge ; **~ qqn de faire qqch** to challenge sb to do sthg.

défigurer [defigyre] *vt* to disfigure.

défilé [defile] *nm (militaire)* parade ; *(gorges)* defile ; **~ de mode** fashion show.

défiler [defile] *vi (manifestants, soldats)* to march past.

définir [definir] *vt* to define.

définitif, ive [definitif, iv] *adj* definitive ; **en définitive** when all is said and done.

définition [definisjɔ̃] *nf* definition.

définitivement [definitivmɑ̃] *adv* permanently.

défoncer [defɔ̃se] *vt (porte, voiture)* to smash in ; *(terrain, route)* to break up.

déformé, e [defɔrme] *adj (vêtement)* shapeless ; *(route)* uneven.

déformer [defɔrme] *vt* to deform ; *fig (réalité)* to distort.

défouler [defule] : **se défouler** *vp* to unwind.

défricher [defrife] *vt* to clear.

dégager [degaʒe] *vt (déblayer)* to clear ; *(fumée, odeur)* to give off ; **~ qqn/qqch de** to free sb/sthg from. ❏ **se dégager** *vp* to free o.s. ; *(ciel)* to clear.

dégainer [degene] *vt & vi* to draw.

dégarni, e [degarni] *adj (crâne, personne)* balding.

dégâts [dega] *nmpl* damage ; **faire des ~** to cause damage.

dégel [deʒɛl] *nm* thaw.

dégeler [deʒle] *vt* to de-ice ; *(atmosphère)* to warm up. ◆ *vi* to thaw.

dégénérer [deʒenere] *vi* to degenerate.

dégivrage [deʒivraʒ] *nm* AUT de-icing.

dégivrer [deʒivre] *vt (pare-brise)* to de-ice ; *(réfrigérateur)* to defrost.

dégonfler [degɔ̃fle] *vt* to let down. ❏ **se dégonfler** *vp* to go down ; *fam (renoncer)* to chicken out.

dégouliner [deguline] *vi* to trickle.

dégourdi

dégourdi, e [degurdi] *adj* smart.

dégourdir [degurdir] : **se dégourdir** *vp* : se ~ **les jambes** to stretch one's legs.

dégoût [degu] *nm* disgust.

dégoûtant, e [degutã, ãt] *adj* disgusting.

dégoûter [degute] *vt* to disgust ; ~ **qqn de qqch** to put sb off sthg.

dégrafer [degrafe] *vt* (*papiers*) to unstaple ; (*vêtement*) to undo.

degré [dəgre] *nm* degree ; **du vin à 12 ~ s** 12% proof wine.

dégressif, ive [degresif, iv] *adj* decreasing.

dégringoler [degrɛ̃gɔle] *vi* to tumble.

déguisement [degizmã] *nm* (*pour bal masqué*) fancy dress.

déguiser [degize] *vt* to disguise. □ **se déguiser** *vp* : se ~ **(en)** (*à un bal masqué*) to dress up (as).

dégustation [degystasjɔ̃] *nf* tasting.

déguster [degyste] *vt* (*goûter*) to taste.

dehors [dəɔr] *adv & nm* outside ; **jeter** OU **mettre qqn ~** to throw sb out ; **se pencher en ~** to lean out ; **en ~ de** outside ; (*sauf*) apart from.

déjà [deʒa] *adv* already ; **es-tu ~ allé à Bordeaux?** have you ever been to Bordeaux?

déjeuner [deʒœne] *nm* lunch ; (*petit déjeuner*) breakfast. ◆ *vi* to have lunch ; (*le matin*) to have breakfast.

délabré, e [delabre] *adj* ruined.

délacer [delase] *vt* to undo.

délai [dele] *nm* (*durée*) deadline ; (*temps supplémentaire*) extension ;

dans un ~ de trois jours within three days.

délavé, e [delave] *adj* faded.

délayer [deleje] *vt* to mix.

Delco® [dɛlko] *nm* distributor.

délégué, e [delege] *nm, f* delegate.

délibérément [deliberemã] *adv* deliberately.

délicat, e [delika, at] *adj* delicate ; (*plein de tact*) sensitive ; (*exigeant*) fussy.

délicatement [delikatmã] *adv* delicately.

délicieux, euse [delisjø, øz] *adj* delicious.

délimiter [delimite] *vt* (*terrain*) to demarcate.

délinquant, e [delɛ̃kã, ãt] *nm, f* delinquent.

délirer [delire] *vi* to be delirious.

délit [deli] *nm* offence (*Br*), misdemeanor (*Am*).

délivrer [delivre] *vt* (*prisonnier*) to release ; (*autorisation, reçu*) to issue.

delta [dɛlta] *nm* delta.

deltaplane [dɛltaplan] *nm* hang-glider.

déluge [delyʒ] *nm* (*pluie*) downpour.

demain [dəmɛ̃] *adv* tomorrow ; **à ~!** see you tomorrow!

demande [dəmãd] *nf* (*réclamation*) application ; (*formulaire*) application form ; '~ **s d'emploi**' 'situations wanted'.

demander [dəmãde] *vt* to ask for ; (*heure*) to ask ; (*nécessiter*) to require ; ~ **qqch à qqn** (*interroger*) to ask sb sthg ; (*exiger*) to ask sb for sthg. ❏ **se demander** *vp* to wonder.

demandeur, euse [dəmɑ̃dœr,øz] *nm, f*: ~ **d'emploi** job-seeker.

démangeaison [demɑ̃ʒɛzɔ̃] *nf* itch ; **avoir des** ~ **s** to itch.

démanger [demɑ̃ʒe] *vt*: **mon bras me démange** my arm is itchy.

démaquillant [demakijɑ̃] *nm* cleanser.

démarche [demarʃ] *nf* (*allure*) bearing ; (*administrative*) step.

démarrage [demaraʒ] *nm* start.

démarrer [demare] *vi* to start.

démarreur [demarœr] *nm* starter.

démasquer [demaske] *vt* (*identifier*) to expose.

démêler [demele] *vt* to untangle.

déménagement [demenaʒmɑ̃] *nm* removal.

déménager [demenaʒe] *vi* to move (house). ◆ *vt* to move.

démener [demne] : **se démener** *vp* (*bouger*) to struggle ; (*faire des efforts*) to exert o.s.

dément, e [demɑ̃, ɑ̃t] *adj* demented ; (*fam*) (*incroyable*) crazy.

démentir [demɑ̃tir] *vt* to deny.

démesuré, e [demezyre] *adj* enormous.

démettre [demetr] : **se démettre** *vp*: ~ **l'épaule** to dislocate one's shoulder.

demeure [dəmœr] *nf* (*manoir*) mansion.

demeurer [dəmœre] *vi* (*sout*) (*habiter*) to live ; (*rester*) to remain.

demi, e [dəmi] *adj* half. ◆ *nm* (*bière*) ≃ half-pint ; **cinq heures et** ~ **e** half past five ; **un** ~ **-kilo de** half a kilo of.

demi-finale, s [dəmifinal] *nf* semifinal.

demi-frère, s [dəmifrɛr] *nm* half-brother.

demi-heure, s [dəmijœr] *nf*: **une** ~ half an hour ; **toutes les** ~ **s** every half hour.

demi-pension, s [dəmipɑ̃sjɔ̃] *nf* (*à l'hôtel*) half board ; (*à l'école*): **être en** ~ to have school dinners.

demi-pensionnaire, s [dəmipɑ̃sjɔnɛr] *nmf* child who has school dinners.

démis, e [demi, iz] *pp* → **démettre**.

demi-saison, s [dəmisɛzɔ̃] *nf*: **de** ~ (*vêtement*) mid-season.

demi-sœur, s *nf* half-sister.

démission [demisjɔ̃] *nf* resignation ; **donner sa** ~ to hand in one's notice.

démissionner [demisjɔne] *vi* to resign.

demi-tarif, s [dəmitarif] *nm* half price.

demi-tour, s [dəmitur] *nm* (*à pied*) about-turn ; (*en voiture*) U-turn ; **faire** ~ to turn back.

démocratie [demɔkrasi] *nf* democracy.

démocratique [demɔkratik] *adj* democratic.

démodé, e [demɔde] *adj* old-fashioned.

demoiselle [dəmwazɛl] *nf* young lady ; ~ **d'honneur** (*à un mariage*) bridesmaid.

démolir [demɔlir] *vt* to demolish.

démon [demɔ̃] *nm* devil.

démonstratif, ive [demɔ̃stra-tif, iv] *adj* demonstrative.

démonstration [demɔ̃strasjɔ̃] *nf* demonstration.

démonter [demɔ̃te] *vt* to take apart.

démontrer [demɔ̃tre] *vt* to demonstrate.

démoraliser [demɔralize] *vt* to demoralize.

démouler [demule] *vt (gâteau)* to turn out of a mould.

démuni, e [demyni] *adj (pauvre)* destitute.

dénicher [deniʃe] *vt (trouver)* to unearth.

dénivellation [denivelasjɔ̃] *nf* dip.

dénoncer [denɔ̃se] *vt* to denounce.

dénouement [denumã] *nm (d'intrigue)* outcome.

dénouer [denwe] *vt* to untie.

dénoyauter [denwajote] *vt (olives)* to pit.

denrée [dãre] *nf* commodity.

dense [dãs] *adj* dense.

dent [dã] *nf (a) ; (d'une four-chette)* prong ; **~ de lait** milk tooth ; **~ de sagesse** wisdom tooth.

dentelle [dãtel] *nf* lace.

dentier [dãtje] *nm* dentures *(pl)*.

dentifrice [dãtifris] *nm* toothpaste.

dentiste [dãtist] *nmf* dentist.

déodorant [deɔdɔrã] *nm* deodorant.

dépannage [depanaʒ] *nm* repair ; **service de ~** *AUT* breakdown service.

dépanner [depane] *vt* to repair ; *fig (aider)* to bail out.

dépanneur [depanœr] *nm* repairman ; *Can (épicerie)* corner shop *(Br)*, convenience store *(Am)*.

dépanneuse [depanøz] *nf* (breakdown) recovery vehicle.

dépareillé, e [depareje] *adj (service)* incomplete ; *(gant, chaussette)* odd.

départ [depar] *nm* departure ; *(d'une course)* start ; **au ~** *(au début)* at first ; **'~ s'** 'departures'.

départager [departaʒe] *vt* to decide between.

département [departəmã] *nm (division administrative)* territorial and administrative division of France ; *(service)* department.

départementale [departəmã-tal] *nf* **: (route)** ≃ B road *(Br)*, secondary road.

dépassement [depasmã] *nm (sur la route)* overtaking *(Br)*, passing.

dépasser [depase] *vt (passer devant)* to pass ; *(doubler)* to overtake *(Br)*, to pass ; *(en taille)* to be taller than ; *(somme, limite)* to exceed. ◆ *vi (déborder)* to stick out.

dépaysement [depeizmã] *nm* change of scenery.

dépêcher [depeʃe] **: se dépêcher** *vp* to hurry (up).

dépendre [depãdr] *vi* : **~ de** to depend on ; **ça dépend** it depends.

dépens [depã] **: aux dépens de** *prép* at the expense of.

dépense [depãs] *nf* expense.

dépenser [depãse] *vt* to spend. ❏ **se dépenser** *vp (physiquement)* to exert o.s.

dépensier, ère [depãsje, ɛr] *adj* extravagant.

dépit [depi] *nm* spite ; **en ~ de** in spite of.

déplacement [deplasmã] *nm* (*voyage*) trip ; **en ~** away on business.

déplacer [deplase] *vt* to move. ❏ **se déplacer** *vp* to move ; (*voyager*) to travel.

déplaire [deplɛr] : **déplaire à** *v* + *prép* : **ça me déplaît** I don't like it.

déplaisant, e [deplɛzã, ãt] *adj* unpleasant.

dépliant [deplijã] *nm* leaflet.

déplier [deplije] *vt* to unfold. ❏ **se déplier** *vp* (*chaise*) to unfold ; (*canapé*) to fold down.

déplorable [deplɔrabl] *adj* deplorable.

déployer [deplwaje] *vt* (*ailes*) to spread ; (*carte*) to open out.

déporter [depɔrte] *vt* (*prisonnier*) to deport ; (*voiture*) to cause to swerve.

déposer [depoze] *vt* (*poser*) to put down ; (*laisser*) to leave ; (*argent*) to deposit ; (*en voiture*) to drop (off). ❏ **se déposer** *vp* to settle.

dépôt [depo] *nm* deposit ; (*de marchandises*) warehouse ; (*de bus*) depot.

dépotoir [depotwar] *nm* rubbish dump (Br), garbage dump (Am).

dépouiller [depuje] *vt* (*voler*) to rob.

dépourvu, e [depurvy] *adj* : **~ de** without ; **prendre qqn au ~** to catch sb unawares.

dépression [depresjɔ̃] *nf* (*atmosphérique*) low ; **~ (nerveuse)** (nervous) breakdown.

déprimer [deprime] *vt* to depress. ◆ *vi* to be depressed.

depuis [dəpɥi] *prép & adv* since ;

je travaille ici **~ trois ans** I've been working here for three years ; **~ quand est-il marié?** how long has he been married?

député [depyte] *nm* Member of Parliament (Br), Representative (Am).

déraciner [derasine] *vt* to uproot.

dérailler [deraje] *vi* (*train*) to be derailed.

dérailleur [derajœr] *nm* derailleur.

dérangement [derãʒmã] *nm* (*gêne*) trouble ; **en ~** out of order.

déranger [derãʒe] *vt* (*gêner*) to bother ; (*objets, affaires*) to disturb ; **ça vous dérange si ...?** do you mind if ...?

dérapage [derapaʒ] *nm* skid.

déraper [derape] *vi* (*voiture, personne*) to skid ; (*lame*) to slip.

dérégler [deregle] *vt* to put out of order. ❏ **se dérégler** *vp* to go wrong.

dérive [deriv] *nf* NAVIG centre-board ; **aller à la ~** to drift.

dériver [derive] *vi* (*bateau*) to drift.

dermatologue [dɛrmatɔlɔg] *nmf* dermatologist.

dernier, ère [dɛrnje, ɛr] *adj* last ; (*récent*) latest. ◆ *nm, f* last ; **le ~ étage** the top floor ; **en ~** (*enfin*) lastly ; (*arriver*) last.

dernièrement [dɛrnjɛrmã] *adv* lately.

dérouler [derule] *vt* (*fil*) to unwind ; (*papier*) to unroll. ❏ **se dérouler** *vp* (*avoir lieu*) to take place.

dérouter [derute] *vt* (*surprendre*) to disconcert ; (*dévier*) to divert.

derrière [dɛrjɛr] *prép* behind. ◆ *adv* behind ; (*dans une voiture*) in the back. ◆ *nm (partie arrière)* back ; *(fesses)* bottom.

des [de] = de + les, de, un.

dès [dɛ] *prép :* ~ **demain** from tomorrow ; ~ **notre arrivée** as soon as we arrive/arrived ; ~ **que** as soon as.

désaccord [dezakɔr] *nm* disagreement ; **être en** ~ **avec** to disagree with.

désaffecté, e [dezafɛkte] *adj* disused.

désagréable [dezagreabl] *adj* unpleasant.

désaltérer [dezaltere] : **se désaltérer** *vp* to quench one's thirst.

désappointé, e [dezapwɛte] *adj* disappointed.

désapprouver [dezapruve] *vt* to disapprove of.

désarçonner [dezarsɔne] *vt* to throw.

désarmant, e [dezarmɑ̃, ɑ̃t] *adj* disarming.

désarmer [dezarme] *vt* to disarm.

désastre [dezastr] *nm* disaster.

désastreux, euse [dezastrø, øz] *adj* disastrous.

désavantage [dezavɑ̃taʒ] *nm* disadvantage.

désavantager [dezavɑ̃taʒe] *vt* to put at a disadvantage.

descendant, e [desɑ̃dɑ̃, ɑ̃t] *nm, f* descendant.

descendre [desɑ̃dr] *vt (aux avoir) (rue, escalier)* to go/come down ; *(transporter)* to bring/take down. ◆ *vi (aux être)* to go/come down ; *(être en pente)* to slope down ; *(baisser)* to fall ; ~ **de** *(voiture, train)* to get out of ; *(vélo)* to get off ; *(ancêtres)* to be descended from.

descente [desɑ̃t] *nf (en avion)* descent ; *(pente)* slope ; ~ **de lit** bedside rug.

description [dɛskripsjɔ̃] *nf* description.

désemparé, e [dezɑ̃pare] *adj* helpless.

déséquilibre [dezekilibr] *nm (différence)* imbalance ; **en** ~ *(instable)* unsteady.

déséquilibré, e [dezekilibre] *nm, f* unbalanced person.

déséquilibrer [dezekilibre] *vt* to throw off balance.

désert, e [dezɛr, ɛrt] *adj* deserted. ◆ *nm* desert.

déserter [dezɛrte] *vi* to desert.

désespéré, e [dezɛspere] *adj* desperate.

désespoir [dezɛspwar] *nm* despair.

déshabiller [dezabije] *vt (personne)* to undress. ❏ **se déshabiller** *vp* to get undressed.

désherbant [dezɛrbɑ̃] *nm* weedkiller.

désherber [dezɛrbe] *vt* to weed.

déshonorer [dezɔnɔre] *vt* to disgrace.

déshydraté, e [dezidrate] *adj (aliment)* dried ; *fig (assoiffé)* dehydrated.

déshydrater [dezidrate] *vt* to dehydrate. ❏ **se déshydrater** *vp* to become dehydrated.

désigner [deziɲe] *vt (montrer)* to point out ; *(choisir)* to appoint.

désillusion [dezilyzjɔ̃] *nf* disillusion.

désinfectant [dezɛ̃fɛktɑ̃] *nm* disinfectant.

désinfecter [dezɛ̃fɛkte] vt to disinfect.

désintéressé, e [dezɛ̃terese] adj disinterested.

désintéresser [dezɛ̃terese] : **se désintéresser de** vp + prép to lose interest in.

désinvolte [dezɛ̃vɔlt] adj carefree.

désir [dezir] nm desire.

désirer [dezire] vt to want ; **vous désirez?** can I help you?

désobéir [dezɔbeir] vi to disobey ; ~ **à** to disobey.

désobéissant, e [dezɔbeisɑ̃, ɑ̃t] adj disobedient.

désodorisant [dezɔdɔrizɑ̃] nm air freshener.

désolant, e [dezɔlɑ̃, ɑ̃t] adj shocking.

désolé, e [dezɔle] adj (personne) distressed ; (paysage) desolate ; **je suis ~ (de)** I'm sorry (to).

désordonné, e [dezɔrdɔne] adj untidy ; (gestes) wild.

désordre [dezɔrdr] nm mess ; (agitation) disorder ; **être en ~** to be untidy.

désorienté, e [dezɔrjɑ̃te] adj disorientated.

désormais [dezɔrmɛ] adv from now on.

desquelles [dekɛl] = **de** + **lesquelles, lequel.**

desquels [dekɛl] = **de** + **lesquels, lequel.**

dessécher [desefe] vt to dry out. ❑ **se dessécher** vp (peau) to dry out ; (plante) to wither.

desserrer [desere] vt (vis, ceinture) to loosen ; (dents, poing) to unclench ; (frein) to release.

dessert [desɛr] nm dessert.

desservir [desɛrvir] vt (ville, gare) to serve ; (table) to clear.

dessin [desɛ̃] nm drawing ; ~ **animé** cartoon.

dessinateur, trice [desinatœr, tris] nm, f (artiste) artist ; (technicien) draughtsman (f draughtswoman).

dessiner [desine] vt (portrait, paysage) to draw ; (vêtement, voiture) to design.

dessous [dəsu] adv underneath. ◆ nm (d'une table) bottom ; (d'une carte, d'une feuille) other side ; **les voisins du ~** the downstairs neighbours ; **en ~ de** (valeur, prévisions) below.

dessous-de-plat [dəsudpla] nm inv place mat.

dessus [dəsy] adv on top. ◆ nm top ; **il a écrit ~** he wrote on it ; **les voisins du ~** the upstairs neighbours.

dessus-de-lit [dəsydli] nm inv bedspread.

destin [dɛstɛ̃] nm destiny ; **le ~** fate.

destinataire [dɛstinatɛr] nmf addressee.

destination [dɛstinasjɔ̃] nf destination ; **vol 392 à ~ de Londres** flight 392 to London.

destiné, e [dɛstine] adj : **être ~ à qqn** (adressé à) to be addressed to sb ; **être ~ à qqn/qqch** (conçu pour) to be meant for sb/sthg.

destruction [dɛstryksjɔ̃] nf destruction.

détachant [detaʃɑ̃] nm stain remover.

détacher [detaʃe] vt (to untie) (ceinture) to undo ; (découper) to detach ; *(nettoyer)* to remove stains from. ❑ **se détacher** *vp (se défaire)* to come undone ; *(se séparer)* to come off.

détail [detaj] *nm (d'une histoire, d'un tableau)* detail ; **au ~** retail ; **en ~** in detail.

détaillant [detajã] *nm* retailer.

détaillé, e [detaje] *adj* detailed ; *(facture)* itemized.

détartrant [detartrã] *nm* descaler.

détaxé, e [detakse] *adj* duty-free.

détecter [detɛkte] *vt* to detect.

détective [detɛktiv] *nm* detective.

déteindre [detɛ̃dr] *vi* to fade ; **~ sur** *(vêtement)* to discolour.

déteint, e [detɛ̃, ɛ̃t] *pp* → déteindre.

détendre [detãdr] *vt (corde, élastique)* to slacken ; *(personne, atmosphère)* to relax. ❑ **se détendre** *vp (corde, élastique)* to slacken ; *(se décontracter)* to relax.

détendu, e [detãdy] *adj (décontracté)* relaxed.

détenir [detnir] *vt (fortune, secret)* to have ; *(record)* to hold.

détenu, e [detny] *pp* → détenir.
◆ *nm, f* prisoner.

détergent [detɛrʒã] *nm* detergent.

détériorer [deterjɔre] *vt* to damage. ❑ **se détériorer** *vp* to deteriorate.

déterminé, e [detɛrmine] *adj (précis)* specific ; *(décidé)* determined.

déterminer [detɛrmine] *vt (préciser)* to specify ; **~ qqn à faire qqch** to make sb decide to do sthg.

déterrer [detɛre] *vt* to dig up.

détester [detɛste] *vt* to detest.

détonation [detɔnasjɔ̃] *nf* detonation.

détour [detur] *nm* : **faire un ~** *(voyageur)* to make a detour.

détourner [deturne] *vt (circulation, attention)* to divert ; *(argent)* to embezzle ; **~ qqn de** to distract sb from. ❑ **se détourner** *vp* to turn away ; **se ~ de** to move away from.

détraqué, e [detrake] *adj* broken ; *fam (fou)* cracked.

détritus [detrity(s)] *nmpl* rubbish *(Br)(sg)*, garbage *(Am)(sg)*.

détroit [detrwa] *nm* strait.

détruire [detrɥir] *vt* to destroy.

détruit, e [detrɥi, it] *pp* → détruire.

dette [dɛt] *nf* debt.

DEUG [dœg] *nm university diploma taken after two years.*

deuil [dœj] *nm (décès)* death ; **être en ~** to be in mourning.

deux [dø] *num* two ; **à ~** together.

deuxième [døzjɛm] *num* second → sixième.

deux-pièces [døpjɛs] *nm (maillot de bain)* two-piece (costume) ; *(appartement)* two-room flat *(Br)*, two-room apartment *(Am)*.

deux-roues [døru] *nm* two-wheeled vehicle.

dévaliser [devalize] *vt* to rob.

devancer [dəvãse] *vt (arriver avant)* to arrive before.

devant [dəvã] *prép* in front of ; *(avant)* before. ◆ *adv* in front ; *(en avant)* ahead. ◆ *nm* front ; **de ~** *(pattes, roues)* front.

devanture [dəvɑ̃tyr] *nf* shop window.

dévaster [devaste] *vt* to devastate.

développement [devlɔpmɑ̃] *nm* development ; *(de photos)* developing.

développer [devlɔpe] *vt* to develop ; **faire ~ des photos** to have some photos developed. □ **se développer** *vp (grandir)* to grow.

devenir [dəvnir] *vi* to become.

devenu, e [dəvny] *pp* → **devenir**.

déviation [devjasjɔ̃] *nf* diversion.

dévier [devje] *vt (trafic)* to divert ; *(balle)* to deflect.

deviner [dəvine] *vt* to guess ; *(apercevoir)* to make out.

devinette [dəvinet] *nf* riddle.

devis [dəvi] *nm* estimate.

dévisager [devizaʒe] *vt* to stare at.

devise [dəviz] *nf (slogan)* motto ; *(argent)* currency.

deviser [dəvize] *vt* Helv to estimate.

dévisser [devise] *vt* to unscrew.

dévoiler [devwale] *vt (secret, intentions)* to reveal.

☞

devoir [dəvwar] *vt* - 1. *(argent, explications)* : **~ qqch à qqn** to owe sb sthg.
- 2. *(exprime l'obligation)* : **je dois y aller, maintenant** I have to OU must go now.
- 3. *(pour suggérer)* : **vous devriez essayer le rafting** you should try whitewater rafting.
- 4. *(exprime le regret)* : **j'aurais dû/je n'aurais pas dû l'écouter** I should

have/shouldn't have listened to him.
- 5. *(exprime la probabilité)* : **ça doit coûter cher** that must cost a lot.
- 6. *(exprime l'intention)* : **nous devions partir hier, mais ...** we were due to leave yesterday, but ...
◆ *nm* - 1. *(obligation)* duty.
- 2. SCOL : **~ (à la maison)** homework exercise ; **~ (sur table)** classroom test. □ **devoirs** *nmpl* SCOL homework *(sg)*.

dévorer [devɔre] *vt* to devour.

dévoué, e [devwe] *adj* devoted.

dévouer [devwe] : **se dévouer** *vp* to make a sacrifice ; **se ~ pour faire qqch** to sacrifice o.s. to do sthg.

devra *etc* → **devoir**.

diabète [djabɛt] *nm* diabetes.

diabétique [djabetik] *adj* diabetic.

diable [djabl] *nm* devil.

diabolo [djabɔlo] *nm (boisson)* fruit cordial and lemonade ; **~ menthe** mint *(cordial)* and lemonade.

diagnostic [djagnɔstik] *nm* diagnosis.

diagonale [djagɔnal] *nf* diagonal ; **en ~ (traverser)** diagonally.

dialecte [djalɛkt] *nm* dialect.

dialogue [djalɔg] *nm* dialogue.

diamant [djamɑ̃] *nm* diamond ; *(d'un électrophone)* needle.

diamètre [djamɛtr] *nm* diameter.

diapositive [djapozitiv] *nf* slide.

diarrhée [djare] *nf* diarrhoea.

dictateur [diktatœr] *nm* dictator.

dictature [diktatyr] *nf* dictatorship.

dictée [dikte] *nf* dictation.

dicter

dicter [dikte] vt to dictate.

dictionnaire [diksjɔnɛr] nm dictionary.

dicton [diktɔ̃] nm saying.

diesel [djezɛl] nm (moteur) diesel engine ; (voiture) diesel. ◆ adj diesel.

diététique [djetetik] adj : produits ~ s health foods.

dieu, x [djø] nm god. ❑ Dieu nm God ; mon Dieu! my God!

différence [diferɑ̃s] nf difference ; MATH result.

différent, e [diferɑ̃, ɑ̃t] adj different ; ~ de different from. ❑ différents, es adj (divers) various.

différer [difere] vt to postpone. ◆ vi to differ ; ~ de to differ from.

difficile [difisil] adj difficult ; (exigeant) fussy.

difficulté [difikylte] nf difficulty ; avoir des ~ s à faire qqch to have difficulty in doing sthg ; en ~ in difficulties.

diffuser [difyze] vt RADIO to broadcast ; (chaleur, lumière, parfum) to give off.

digérer [diʒere] vt to digest ; ne pas ~ qqch (ne pas supporter) to object to sthg.

digeste [diʒɛst] adj (easily) digestible.

digestif, ive [diʒɛstif, iv] adj digestive. ◆ nm liqueur.

digestion [diʒɛstjɔ̃] nf digestion.

Digicode® [diʒikɔd] nm entry system.

digital, e, aux [diʒital, o] adj digital.

digne [diɲ] adj dignified ; ~ de (qui mérite) worthy of ; (qui correspond à) befitting.

digue [dig] nf dike.

dilater [dilate] vt to expand. ❑ se dilater vp to dilate.

diluer [dilɥe] vt to dilute.

dimanche [dimɑ̃ʃ] nm Sunday → samedi.

dimension [dimɑ̃sjɔ̃] nf dimension.

diminuer [diminɥe] vt to reduce ; (physiquement) to weaken. ◆ vi to fall.

diminutif [diminytif] nm diminutive.

dinde [dɛ̃d] nf turkey ; ~ aux marrons roast turkey with chestnuts, traditionally eaten at Christmas.

dîner [dine] nm dinner ; (repas du midi) lunch. ◆ vi to have dinner ; (le midi) to have lunch.

diplomate [diplɔmat] adj diplomatic. ◆ nmf diplomat. ◆ nm CULIN ≃ trifle.

diplomatie [diplɔmasi] nf diplomacy.

diplôme [diplom] nm diploma.

☞ ─────────────

dire [dir] vt - 1. (prononcer) to say. - 2. (exprimer) to say ; ~ la vérité to tell the truth ; ~ à qqn que/pourquoi to tell sb that/why. - 3. (prétendre) to say ; on dit que ... people say that ... - 4. (ordonner) : ~ à qqn de faire qqch to tell sb to do sthg. - 5. (penser) to think ; que dirais-tu de ...? what would you say to ...? ; on dirait qu'il va pleuvoir it looks like it's going to rain. - 6. (dans des expressions) : ça ne me dit rien it doesn't do much for me ; disons ... let's say ... ❑ se dire vp (penser) to say to o.s.

direct, e [direkt] *adj* direct.
◆ *nm* : en ~ (de) live (from).

directement [direktəmɑ̃] *adv* directly.

directeur, trice [direktœr, tris] *nm, f* director ; *(d'une école)* headmaster *(f* headmistress*)*.

direction [direksjɔ̃] *nf (gestion, dirigeants)* management ; *(sens)* direction ; *AUT* steering ; **'toutes ~ s'** 'all routes'.

dirigeant, e [diriʒɑ̃, ɑ̃t] *nm, f* POL leader ; *(d'une entreprise, d'un club)* manager.

diriger [diriʒe] *vt* to manage ; *(véhicule)* to steer ; *(orchestre)* to conduct. ❑ **se diriger vers** *vp + prép* to go towards.

dis [di] → **dire**.

discipline [disiplin] *nf* discipline.

discipliné, e [disipline] *adj* disciplined.

disc-jockey, s [diskʒɔke] *nm* disc jockey.

discothèque [diskɔtek] *nf (boîte de nuit)* discotheque ; *(de prêt)* record library.

discours [diskur] *nm* speech.

discret, ète [diskre, et] *adj* discreet.

discrétion [diskresjɔ̃] *nf* discretion.

discrimination [diskriminasjɔ̃] *nf* discrimination.

discussion [diskysjɔ̃] *nf* discussion.

discuter [diskyte] *vi* to talk ; *(protester)* to argue ; ~ **de qqch (avec qqn)** to discuss sthg (with sb).

dise *etc* [diz] → **dire**.

disjoncteur [disʒɔ̃ktœr] *nm* circuit breaker.

disons [dizɔ̃] → **dire**.

disparaître [disparetr] *vi* to disappear ; *(mourir)* to die.

disparition [disparisjɔ̃] *nf* disappearance.

disparu, e [dispary] *pp* → **disparaître**. ◆ *nm, f* missing person.

dispensaire [dispɑ̃ser] *nm* clinic.

dispenser [dispɑ̃se] *vt* : ~ **qqn de qqch** to excuse sb from sthg.

disperser [disperse] *vt* to scatter.

disponible [disponibl] *adj* available.

disposé, e [dispoze] *adj* : **être ~ à faire qqch** to be willing to do sthg.

disposer [dispoze] *vt* to arrange. ❑ **disposer de** *v + prép* to have (at one's disposal). ❑ **se disposer à** *vp + prép* to prepare to.

dispositif [dispozitif] *nm* device.

disposition [dispozisjɔ̃] *nf (ordre)* arrangement ; **à la ~ de qqn** at sb's disposal.

disproportionné, e [disprɔpɔrsjɔne] *adj (énorme)* unusually large.

dispute [dispyt] *nf* argument.

disputer [dispyte] *vt (match)* to contest ; *(épreuve)* to compete in. ❑ **se disputer** *vp* to fight.

disquaire [disker] *nmf* record dealer.

disqualifier [diskalifje] *vt* to disqualify.

disque [disk] *nm (enregistrement)* record ; *(objet rond)* disk ; *INFORM* disk ; *SPORT* discus ; ~ **laser** compact disc ; ~ **dur** hard disk.

disquette [disket] *nf* floppy disk.

dissertation [disertasjɔ̃] *nf* essay.

dissimuler

dissimuler [disimyle] *vt* to conceal.

dissipé, e [disipe] *adj* badly behaved.

dissiper [disipe] : **se dissiper** *vp (brouillard)* to clear ; *(élève)* to misbehave.

dissolvant [disɔlvã] *nm* solvent ; *(à ongles)* nail varnish remover.

dissoudre [disudr] *vt* to dissolve.

dissous, oute [disu, ut] *pp* → dissoudre.

dissuader [disɥade] *vt* : ~ qqn de faire qqch to persuade sb not to do sthg.

distance [distãs] *nf* distance ; à une ~ de 20 km, à 20 km de ~ 20 km away ; à ~ *(commander)* by remote control.

distancer [distãse] *vt* to outstrip.

distinct, e [distɛ̃, ɛ̃kt] *adj* distinct.

distinction [distɛ̃ksjɔ̃] *nf* : faire une ~ entre to make a distinction between.

distingué, e [distɛ̃ge] *adj* distinguished.

distinguer [distɛ̃ge] *vt* to distinguish ; *(voir)* to make out. ❑ **se distinguer de** *vp + prép* to stand out from.

distraction [distraksjɔ̃] *nf (étourderie)* absent-mindedness ; *(loisir)* source of entertainment.

distraire [distrɛr] *vt (amuser)* to amuse ; *(déconcentrer)* to distract. ❑ **se distraire** *vp* to amuse o.s.

distrait, e [distrɛ, ɛt] *pp* → distraire. ◆ *adj* absent-minded.

distribuer [distribɥe] *vt* to distribute ; *(cartes)* to deal ; *(courrier)* to deliver.

distributeur [distribytœr] *nm (de*

billets de train) ticket machine ; *(de boissons)* drinks machine ; ~ *(automatique)* de billets FIN cash dispenser.

distribution [distribysjɔ̃] *nf* distribution ; *(du courrier)* delivery ; *(dans un film)* cast.

dit, e [di, dit] *pp* → dire.

dites [dit] → dire.

divan [divã] *nm* couch.

divers, es [divɛr, ɛrs] *adj* various.

divertir [divɛrtir] *vt* to entertain. ❑ **se divertir** *vp* to entertain o.s.

divertissement [divɛrtismã] *nm (distraction)* pastime.

divin, e [divɛ̃, in] *adj* divine.

diviser [divize] *vt* to divide.

division [divizjɔ̃] *nf* division.

divorce [divɔrs] *nm* divorce.

divorcé, e [divɔrse] *adj* divorced. ◆ *nm, f* divorced person.

divorcer [divɔrse] *vi* to divorce.

dix [dis] *num* ten → six.

dix-huit [dizɥit] *num* eighteen → six.

dix-huitième [dizɥitjɛm] *num* eighteenth → sixième.

dixième [dizjɛm] *num* tenth → sixième.

dix-neuf [diznœf] *num* nineteen → six.

dix-neuvième [diznœvjɛm] *num* nineteenth → sixième.

dix-sept [disɛt] *num* seventeen → six.

dix-septième [disɛtjɛm] *num* seventeenth → sixième.

dizaine [dizɛn] *nf* : une ~ (de) about ten.

docile [dɔsil] *adj* docile.

docks [dɔk] *nmpl* docks.

docteur [dɔktœr] *nm* doctor.

document [dɔkymɑ̃] nm document.

documentaire [dɔkymɑ̃tɛr] nm documentary.

documentaliste [dɔkymɑ̃talist] nmf SCOL librarian.

documentation [dɔkymɑ̃tasjɔ̃] nf (documents) literature.

documenter [dɔkymɑ̃te] : **se documenter** vp to do some research.

doigt [dwa] nm finger ; (petite quantité) drop ; ~ **de pied** toe.

dois [dwa] → **devoir**.

doive [dwav] → **devoir**.

dollar [dɔlar] nm dollar.

domaine [dɔmɛn] nm (propriété) estate ; (secteur) field.

dôme [dom] nm dome.

domestique [dɔmɛstik] adj (tâche) domestic. ◆ nmf servant.

domicile [dɔmisil] nm residence ; **à** ~ at OU from home ; **livrer à** ~ to do deliveries.

dominer [dɔmine] vt (être plus fort que) to dominate ; (être plus haut que) to overlook ; (colère, émotion) to control. ◆ vi (face à un adversaire) to dominate ; (être important) to predominate.

dominos [dɔmino] nmpl dominoes.

dommage [dɔmaʒ] nm : (quel) ~! what a shame! ; **c'est** ~ **que** ... it's a shame that ... ❏ **dommages** nmpl damage (sg).

dompter [dɔ̃te] vt to tame.

dompteur, euse [dɔ̃tœr, øz] nm, f tamer.

DOM-TOM [dɔmtɔm] nmpl French overseas départements and territories.

DOM-TOM

The *DOM* (French overseas *départements* with the same status as the mainland *départements*) include the islands of Martinique, Guadeloupe, and Réunion. The *TOM* (French overseas territories having more independence than the *DOM*) include the islands of New Caledonia, Wallis and Futuna, French Polynesia and Mayotte. Their inhabitants are all French citizens.

don [dɔ̃] nm (aptitude) gift.

donc [dɔ̃k] conj so ; **viens** ~! come on!

donjon [dɔ̃ʒɔ̃] nm keep.

données [dɔne] nfpl data.

donner [dɔne] vt to give ; ~ **qqch à qqn** to give sb sthg ; ~ **un coup à qqn** to hit sb ; ~ **à manger à qqn** to feed sb ; **ça donne soif** it makes you feel thirsty. ❏ **donner sur** v + prép (suj : fenêtre) to look out onto ; (suj : porte) to lead to.

dont [dɔ̃] pron relatif - **1.** (complément du verbe, de l'adjectif) : **la façon** ~ **ça s'est passé** the way (in which) it happened ; **la région** ~ **je viens** the region I come from ; **c'est le camping** ~ **on nous a parlé** this is the campsite we were told about.
- **2.** (complément d'un nom d'objet) of which ; (complément d'un nom de personne) whose ; **le parti** ~ **il est le chef** the party of which he is the leader ; **une région** ~ **le vin est très réputé** a region famous for its wine.
- **3.** (parmi lesquels) : **certaines per-**

sonnes, ~ moi, pensent que ... some people, including me, think that ... ; **deux piscines, ~ l'une couverte** two swimming pools, one of which is indoors.

dopage [dɔpaʒ] *nm* doping.

doré, e [dɔre] *adj (métal, bouton)* gilt ; *(lumière, peau)* golden ; *(aliment)* golden brown. ◆ *nm* walleyed pike.

dorénavant [dɔrenavã] *adv* from now on.

dorin [dɔrɛ̃] *nm Helv* collective name for white wines from the Vaud region of Switzerland.

dormir [dɔrmir] *vi* to sleep.

dortoir [dɔrtwar] *nm* dormitory.

dos [do] *nm* back ; **au ~ (de)** on the back (of) ; **de ~** from behind ; **de ~ à** with one's back to.

dose [doz] *nf* dose.

dossier [dosje] *nm (d'un siège)* back ; *(documents)* file.

douane [dwan] *nf* customs *(pl)*.

douanier [dwanje] *nm* customs officer.

doublage [dublaʒ] *nm (d'un film)* dubbing.

double [dubl] *adj & adv* double. ◆ *nm (copie)* copy ; *(partie de tennis)* doubles *(pl)* ; **le ~ du prix normal** twice the normal price ; **avoir qqch en ~** to have two of sthg.

doubler [duble] *vt* to double ; *(vêtement)* to line ; *AUT* to overtake *(Br)*, to pass ; *(film)* to dub. ◆ *vi* to double ; *AUT* to overtake *(Br)*, to pass.

doublure [dublyr] *nf (d'un vêtement)* lining.

douce → **doux**.

doucement [dusmã] *adv (bas)* softly ; *(lentement)* slowly.

douceur [dusœr] *nf (gentillesse)* gentleness ; *(au toucher)* softness ; *(du climat)* mildness ; **en ~** smoothly.

douche [duʃ] *nf* shower ; **prendre une ~** to take OU have a shower ; *fig (sous la pluie)* to get soaked.

doucher [duʃe] : **se doucher** *vp* to take OU have a shower.

doué, e [dwe] *adj* gifted ; **être ~ pour** OU **en qqch** to have a gift for sthg.

douillet, ette [dujɛ, ɛt] *adj (délicat)* soft ; *(confortable)* cosy.

douleur [dulœr] *nf (physique)* pain ; *(morale)* sorrow.

douloureux, euse [dulurø, øz] *adj* painful.

doute [dut] *nm* doubt ; **avoir un ~ sur** to have doubts about ; **sans ~** no doubt.

douter [dute] *vt* : **~ que** to doubt that. ❑ **douter de** *v + prép* to doubt. ❑ **se douter** *vp* : **se ~ de** to suspect.

Douvres [duvr] *n* Dover.

doux, douce [du, dus] *adj (aliment, temps)* mild ; *(au toucher)* soft ; *(personne)* gentle.

douzaine [duzɛn] *nf* : **une ~ (de)** *(douze)* a dozen ; *(environ douze)* about twelve.

douze [duz] *num* twelve → **six**.

douzième [duzjɛm] *num* twelfth → **sixième**.

dragée [draʒe] *nf* sugared almond.

dragon [dragɔ̃] *nm* dragon.

draguer [drage] *vt fam (personne)* to chat up *(Br)*, to hit on *(Am)*.

dramatique [dramatik] *adj (de*

théâtre) dramatic ; *(grave)* tragic.
◆ *nf* TV drama.

drame [dram] *nm (pièce de théâtre)*
drama ; *(catastrophe)* tragedy.

drap [dra] *nm* sheet.

drapeau, x [drapo] *nm* flag.

drap-housse [draus] *(pl* drap-
housses) *nm* fitted sheet.

dresser [drese] *vt (mettre debout)*
to put up ; *(animal)* to train ;
(procès-verbal) to make out. ❏ **se
dresser** *vp (se mettre debout)* to
stand up ; *(arbre, obstacle)* to
stand.

drogue [drɔg] *nf* : **la ~** drugs *(pl).*

drogué, e [drɔge] *nm, f* drug addict.

droguer [drɔge] : **se droguer** *vp*
to take drugs.

droguerie [drɔgri] *nf* hardware
shop.

droit, e [drwa, drwat] *adj & adv*
straight ; *(côté, main)* right. ◆ *nm
(autorisation)* right ; *(taxe)* duty ;
tout ~ straight ahead ; **le ~** JUR
law ; **avoir ~ à qqch** to be entitled
to sthg ; **~ s d'inscription** registration fee.

droite [drwat] *nf* : **la ~** the right ;
POL the right (wing) ; **à ~ (de)** on
the right (of) ; **de ~** *(du côté droit)*
right-hand.

droitier, ère [drwatje, ɛr] *adj*
right-handed.

drôle [drol] *adj* funny.

drôlement [drolmɑ̃] *adv fam
(très)* tremendously.

drugstore [drœgstɔr] *nm* drugstore.

du [dy] = **de + le, de.**

dû, due [dy] *pp* → **devoir.**

duc, duchesse [dyk, dyʃes] *nm, f*
duke *(f* duchess).

duel [dɥɛl] *nm* duel.

duffle-coat, s [dœfəlkot] *nm*
duffel coat.

dune [dyn] *nf* dune.

duo [dɥo] *nm* MUS duet ; *(d'artis-
tes)* duo.

duplex [dyplɛks] *nm (appartement)* maisonette *(Br),* duplex
(Am).

duplicata [dyplikata] *nm* duplicate.

duquel [dykɛl] = **de + lequel, lequel.**

dur, e [dyr] *adj & adv* hard ; *(viande)* tough.

durant [dyrɑ̃] *prép* during.

durcir [dyrsir] *vi* to harden. ❏ **se
durcir** *vp* to harden.

durée [dyre] *nf (longueur)* length ;
(période) period.

durer [dyre] *vi* to last.

dureté [dyrte] *nf (résistance)*
hardness ; *(manque de pitié)* harsh-
ness.

duvet [dyvɛ] *nm (plumes)* down ;
(sac de couchage) sleeping bag.

dynamique [dinamik] *adj* dy-
namic.

dynamite [dinamit] *nf* dynamite.

dynamo [dinamo] *nf* dynamo.

dyslexique [disleksik] *adj* dyslexic.

E

E *(abr de est)* E.

eau, x [o] *nf* water ; **~ bénite** holy
water ; **~ douce** fresh water ; **~ gazeuse** fizzy water ; **~ minérale** mineral water ; **~ oxygénée** hydrogen

peroxide ; ~ **potable** drinking water ; ~ **non potable** water not fit for drinking ; ~ **plate** still water ; ~ **du robinet** tap water.

eau-de-vie [odvi] (*pl* **eaux-de-vie**) *nf* brandy.

ébéniste [ebenist] *nm* cabinet-maker.

éblouir [ebluir] *vt* to dazzle.

éblouissant, e [ebluisã, ãt] *adj* dazzling.

éboueur [ebwœr] *nm* dustman (*Br*), garbage collector (*Am*).

ébouillanter [ebujãte] *vt* to scald.

éboulement [ebulmã] *nm* rock slide.

ébouriffé, e [eburife] *adj* dishevelled.

ébrécher [ebreʃe] *vt* to chip.

ébrouer [ebrue] : **s'ébrouer** *vp* to shake o.s.

ébruiter [ebrɥite] *vt* to spread.

ébullition [ebylisjɔ̃] *nf* : **porter qqch à** ~ to bring sthg to the boil.

écaille [ekaj] *nf* (*de poisson*) scale ; (*d'huître*) shell ; (*matière*) tortoiseshell.

écailler [ekaje] *vt* (*poisson*) to scale. □ **s'écailler** *vp* to peel off.

écarlate [ekarlat] *adj* scarlet.

écarquiller [ekarkije] *vt* : ~ **les yeux** to stare (wide-eyed).

écart [ekar] *nm* (*distance*) gap ; (*différence*) difference ; **faire un** ~ (*véhicule*) to swerve ; **à l'** ~ **(de)** out of the way (of).

écarter [ekarte] *vt* (*ouvrir*) to spread ; (*éloigner*) to move away ; *fig* (*exclure*) to exclude.

échafaudage [eʃafodaʒ] *nm* scaffolding.

échalote [eʃalɔt] *nf* shallot.

échancré, e [eʃãkre] *adj* (*robe*) low-necked ; (*maillot de bain*) high-cut.

échange [eʃãʒ] *nm* exchange ; (*au tennis*) rally ; **en** ~ **(de)** in exchange (for).

échanger [eʃãʒe] *vt* to exchange ; ~ **qqch contre** to exchange sthg for.

échangeur [eʃãʒœr] *nm* (*d'autoroute*) interchange.

échantillon [eʃãtijɔ̃] *nm* sample.

échappement [eʃapmã] *nm* → **pot**, **tuyau**.

échapper [eʃape] : **échapper à** *v + prép* (*mort*) to escape ; (*corvée*) to avoid ; (*personne*) to escape from ; **son nom m'échappe** his name escapes me ; **ça m'a échappé** (*paroles*) it just slipped out. □ **s'échapper** *vp* to escape.

écharde [eʃard] *nf* splinter.

écharpe [eʃarp] *nf* (*cache-nez*) scarf ; **en** ~ in a sling.

échauffement [eʃofmã] *nm* (*sportif*) warm-up.

échauffer [eʃofe] : **s'échauffer** *vp* (*sportif*) to warm up.

échec [eʃɛk] *nm* failure ; **échec!** check! ; ~ **et mat!** checkmate! □ **échecs** *nmpl* chess (*sg*) ; **jouer aux** ~ **s** to play chess.

échelle [eʃɛl] *nf* ladder ; (*sur une carte*) scale ; **faire la courte** ~ **à qqn** to give sb a leg-up.

échelon [eʃlɔ̃] *nm* (*d'échelle*) rung ; (*grade*) grade.

échevelé, e [eʃəvle] *adj* dishevelled.

échine [eʃin] nf CULIN cut of meat taken from pig's back.

échiquier [eʃikje] nm chessboard.

écho [eko] nm echo.

échographie [ekografi] nf (ultrasound) scan.

échouer [eʃwe] vi (rater) to fail. ❑ s'échouer vp to run aground.

éclabousser [eklabuse] vt to splash.

éclair [eklɛr] nm flash of lightning ; (gâteau) éclair.

éclairage [eklɛraʒ] nm lighting.

éclaircie [eklɛrsi] nf sunny spell.

éclaircir [eklɛrsir] vt to make lighter. ❑ s'éclaircir vp (ciel) to brighten (up) ; fig (mystère) to be solved.

éclaircissement [eklɛrsismɑ̃] nm (explication) explanation.

éclairer [eklɛre] vt (pièce) to light ; fig (personne) to enlighten. ❑ s'éclairer vp (visage) to light up ; fig (mystère) to become clear.

éclaireur, euse [eklɛrœr, øz] nm, f (scout) scout (f Guide) ; partir en ~ to scout around.

éclat [ekla] nm (de verre) splinter ; (d'une lumière) brightness ; ~ s de rire bursts of laughter ; ~ s de voix loud voices.

éclatant, e [eklatɑ̃, ɑ̃t] adj brilliant.

éclater [eklate] vi (bombe) to explode ; (pneu, ballon) to burst ; (guerre, scandale) to break out ; ~ de rire to burst out laughing.

éclipse [eklips] nf eclipse.

éclosion [eklozjɔ̃] nf (d'œufs) hatching.

écluse [eklyz] nf lock.

écœurant, e [ekœrɑ̃, ɑ̃t] adj disgusting.

écœurer [ekœre] vt to disgust.

école [ekɔl] nf school ; faire l'~ buissonnière to play truant (Br), to play hooky (Am).

ÉCOLE

In France, from age 3 to 6, children attend an école maternelle where they are introduced to schoolwork through educational games. The first, second and third years are called petite, moyenne and grande section, respectively. School becomes mandatory at age 6 and children enter the école primaire, where they spend the next 5 years : cours préparatoire (CP), cours élémentaire 1 (CE1), cours élémentaire 2 (CE2), cours moyen 1 (CM1) and cours moyen 2 (CM2).

écolier, ère [ekɔlje, ɛr] nm, f schoolboy (f schoolgirl).

écologie [ekɔlɔʒi] nf ecology.

écologique [ekɔlɔʒik] adj ecological.

écologiste [ekɔlɔʒist] nmf : les ~ s the Greens.

économie [ekɔnɔmi] nf (d'un pays) economy ; (science) economics (sg). ❑ économies nfpl savings ; faire des ~ s to save money.

économique [ekɔnɔmik] adj (peu coûteux) economical ; (crise, développement) economic.

économiser [ekɔnɔmize] vt to save.

écorce [ekɔrs] nf (d'arbre) bark ; (d'orange) peel.

écorcher [ekɔrʃe] : s'écorcher vp

to scratch o.s. ; **s'~ le genou** to scrape one's knee.

écorchure [ekɔrʃyr] *nf* graze.

écossais, e [ekɔsɛ, ɛz] *adj* Scottish ; *(tissu)* tartan. ❑ **Écossais, e** *nm, f* Scotsman (f Scotswoman) ; **les Écossais** the Scots.

Écosse [ekɔs] *nf* : **l'~** Scotland.

écouler [ekule] : **s'écouler** *vp (temps)* to pass ; *(liquide)* to flow (out).

écouter [ekute] *vt* to listen to.

écouteur [ekutœr] *nm (de téléphone)* earpiece ; **~ s** *(casque)* headphones.

écran [ekrã] *nm* screen ; *(crème)* **~ total** sun block ; **le grand ~** *(le cinéma)* the big screen ; **le petit ~** *(la télévision)* television.

écrasant, e [ekrazã, ãt] *adj* overwhelming.

écraser [ekraze] *vt* to crush ; *(cigarette)* to stub out ; *(en voiture)* to run over ; **se faire ~** *(par une voiture)* to be run over. ❑ **s'écraser** *vp (avion)* to crash.

écrémé, e [ekreme] *adj* skimmed ; **demi-~** semi-skimmed.

écrevisse [ekrəvis] *nf* crayfish.

écrier [ekrije] : **s'écrier** *vp* to cry out.

écrin [ekrɛ̃] *nm* box.

écrire [ekrir] *vt & vi* to write ; **~ à qqn** to write to sb (Br), to write sb (Am). ❑ **s'écrire** *vp (correspondre)* to write (to each other) ; *(s'épeler)* to be spelled.

écrit, e [ekri, it] *pp* → **écrire.** ◆ *nm* : **par ~** in writing.

écriteau, x [ekrito] *nm* notice.

écriture [ekrityr] *nf* writing.

écrivain [ekrivɛ̃] *nm* writer.

écrou [ekru] *nm* nut.

écrouler [ekrule] : **s'écrouler** *vp* to collapse.

écru, e [ekry] *adj (couleur)* ecru.

écume [ekym] *nf* foam.

écureuil [ekyrœj] *nm* squirrel.

écurie [ekyri] *nf* stable.

écusson [ekysɔ̃] *nm (sur un vêtement)* badge.

eczéma [ɛgzema] *nm* eczema.

édenté, e [edãte] *adj* toothless.

édifice [edifis] *nm* building.

Édimbourg [edɛ̃bur] *n* Edinburgh.

éditer [edite] *vt* to publish.

édition [edisjɔ̃] *nf (exemplaires)* edition ; *(industrie)* publishing.

édredon [edrədɔ̃] *nm* eiderdown.

éducatif, ive [edykatif, iv] *adj* educational.

éducation [edykasjɔ̃] *nf* education ; *(politesse)* good manners *(pl)* ; **~ physique** PE.

éduquer [edyke] *vt* to bring up.

effacer [efase] *vt (mot)* to rub out ; *(tableau)* to wipe ; *(bande magnétique, chanson)* to erase ; IN-FORM to delete. ❑ **s'effacer** *vp (disparaître)* to fade (away).

effaceur [efasœr] *nm* rubber (Br), eraser (Am).

effectif [efektif] *nm (d'une classe)* size ; *(d'une armée)* strength.

effectivement [efektivmã] *adv (réellement)* really ; *(en effet)* indeed.

effectuer [efektɥe] *vt (travail)* to carry out ; *(trajet)* to make.

efféminé, e [efemine] adj effeminate.

effervescent, e [efɛrvesɑ̃, ɑ̃t] adj effervescent.

effet [efɛ] nm (résultat) effect ; (impression) impression ; en ~ indeed.

efficace [efikas] adj (médicament, mesure) effective ; (personne, travail) efficient.

efficacité [efikasite] nf effectiveness.

effilé, e [efile] adj (frange) thinned ; (lame) sharp.

effilocher [efilɔʃe] : **s'effilocher** vp to fray.

effleurer [eflœre] vt to brush (against).

effondrer [efɔ̃dre] : **s'effondrer** vp to collapse.

efforcer [efɔrse] : **s'efforcer de** vp + prép : **s'~ de faire qqch** to try to do sthg.

effort [efɔr] nm effort.

effrayant, e [efrejɑ̃, ɑ̃t] adj frightening.

effrayer [efreje] vt to frighten.

effriter [efrite] : **s'effriter** vp to crumble.

effroyable [efrwajabl] adj terrible.

égal, e, aux [egal, o] adj (identique) equal ; (régulier) even ; **ça m'est ~** I don't care ; **~ à** equal to.

également [egalmɑ̃] adv (aussi) also, as well.

égaliser [egalize] vt (cheveux) to trim ; (sol) to level (out). ◆ vi SPORT to equalize.

égalité [egalite] nf equality ; (au tennis) deuce ; **être à ~** SPORT to be drawing.

égard [egar] nm : **à l'~ de** towards.

égarer [egare] vt to lose. ◻ **s'égarer** vp to get lost ; (sortir du sujet) to stray from the point.

égayer [egeje] vt to brighten up.

église [egliz] nf church.

égoïste [egɔist] adj selfish. ◆ nmf selfish person.

égorger [egɔrʒe] vt : **~ qqn** to cut sb's throat.

égouts [egu] nmpl sewers.

égoutter [egute] vt to drain.

égouttoir [egutwar] nm (à légumes) colander ; (pour la vaisselle) draining board.

égratigner [egratiɲe] vt to graze. ◻ **s'égratigner** vp : **s'~ le genou** to graze one's knee.

égratignure [egratiɲyr] nf graze.

Égypte [eʒipt] nf : **l'~** Egypt.

égyptien, enne [eʒipsjɛ̃, ɛn] adj Egyptian.

eh [e] excl hey! ; **~ bien!** well!

Eiffel [efɛl] n → tour.

élan [elɑ̃] nm (pour sauter) run-up ; (de tendresse) rush.

élancer [elɑ̃se] : **s'élancer** vp (pour sauter) to take a run-up.

élargir [elarʒir] vt (route) to widen ; (vêtement) to let out ; (débat, connaissances) to broaden. ◻ **s'élargir** vp (route) to widen ; (vêtement) to stretch.

élastique [elastik] adj elastic. ◆ nm rubber band.

électeur, trice [elɛktœr, tris] nm, f voter.

élections [elɛksjɔ̃] nfpl elections.

électricien [elɛktrisjɛ̃] nm electrician.

électricité [elɛktrisite] nf electricity.

électrique [elɛktrik] adj electric.

électrocuter [elɛktrɔkyte] : s'électrocuter v p to electrocute o.s.

électroménager [elɛktromena-ʒe] nm household electrical appliances.

électronique [elɛktrɔnik] adj electronic. ◆ nf electronics (sg).

électrophone [elɛktrɔfɔn] nm record player.

électuaire [elɛktɥer] nm Helv jam.

élégance [elegãs] nf elegance.

élégant, e [elegã, ãt] adj smart.

élément [elemã] nm element ; (de meuble, de cuisine) unit.

élémentaire [elemãter] adj basic.

éléphant [elefã] nm elephant.

élevage [ɛlvaʒ] nm breeding ; (troupeau de moutons) flock ; (troupeau de vaches) herd.

élève [elɛv] nmf pupil.

élevé, e [ɛlve] adj high ; bien ~ well brought-up ; mal ~ ill-mannered.

élever [ɛlve] vt (enfant) to bring up ; (animaux) to breed ; (niveau, voix) to raise. ❏ s'élever vp to rise ; s'~ à to add up to.

éleveur, euse [ɛlvœr, øz] nm, f stock breeder.

éliminatoire [eliminatwar] adj qualifying. ◆ nf qualifying round.

éliminer [elimine] vt to eliminate. ◆ vi (en transpirant) to detoxify one's system.

élire [elir] vt to elect.

elle [ɛl] pron (personne, animal)

she ; (chose) it ; (après prép ou comparaison) her. ❏ elles pron (sujet) they ; (après prép ou comparaison) them.

éloigné, e [elwaɲe] adj distant ; ~ de far from.

éloigner [elwaɲe] vt to move away. ❏ s'éloigner (de) vp (+ prép) to move away (from).

élongation [elɔ̃gasjɔ̃] nf pulled muscle.

élu, e [ely] pp → **élire**. ◆ nm, f elected representative.

Élysée [elize] nm : (le palais de) l'~ the official residence of the French President.

 L'ÉLYSÉE

Built in 1718, this palace is located in Paris near the Champs-Élysées and has been the French President's residence since 1873. The word Élysée is frequently used to refer to the President and his staff, e.g. The 'Élysée' responded positively to the delegation's request.

e-mail [imel] (pl e-mails) nm e-mail, E-mail.

émail, aux [emaj, o] nm enamel. ❏ émaux nmpl (objet) enamel ornament.

emballage [ãbalaʒ] nm packaging.

emballer [ãbale] vt to wrap (up) ; fam (enthousiasmer) to thrill.

embarcadère [ãbarkader] nm landing stage.

embarcation [ãbarkasjɔ̃] nf small boat.

embarquement [ãbarkəmã] nm

boarding ; '~ immédiat' 'now boarding'.

embarquer [ɑ̃barke] vt (marchandises) to load ; (passagers) to board. ◆ vi to board. ❑ s'embarquer vp to board.

embarras [ɑ̃bara] nm embarrassment ; mettre qqn dans l'~ to put sb in an awkward position.

embarrassant, e [ɑ̃barasɑ̃, ɑ̃t] adj embarrassing.

embarrasser [ɑ̃barase] vt (gêner) to embarrass ; (encombrer) : ~ qqn to be in sb's way.

embaucher [ɑ̃boʃe] vt to recruit.

embellir [ɑ̃belir] vt to make prettier ; (histoire, vérité) to embellish. ◆ vi to grow more attractive.

embêtant, e [ɑ̃betɑ̃, ɑ̃t] adj annoying.

embêter [ɑ̃bete] vt to annoy. ❑ s'embêter vp (s'ennuyer) to be bored.

emblème [ɑ̃blɛm] nm emblem.

emboîter [ɑ̃bwate] vt to fit together. ❑ s'emboîter vp to fit together.

embouchure [ɑ̃buʃyr] nf (d'un fleuve) mouth.

embourber [ɑ̃burbe] : s'embourber vp to get stuck in the mud.

embout [ɑ̃bu] nm tip.

embouteillage [ɑ̃butɛjaʒ] nm traffic jam.

embranchement [ɑ̃brɑ̃ʃmɑ̃] nm (carrefour) junction.

embrasser [ɑ̃brase] vt to kiss. ❑ s'embrasser vp to kiss (each other).

embrayage [ɑ̃brejaʒ] nm clutch.

embrayer [ɑ̃breje] vi to engage the clutch.

embrouiller [ɑ̃bruje] vt (fil, cheveux) to tangle (up) ; (histoire, personne) to muddle (up). ❑ s'embrouiller vp to get muddled (up).

embruns [ɑ̃brœ̃] nmpl (sea) spray (sg).

embuscade [ɑ̃byskad] nf ambush.

éméché, e [emeʃe] adj tipsy.

émeraude [emrod] nf emerald. ◆ adj inv emerald green.

émerger [emɛrʒe] vi to emerge.

émerveillé, e [emɛrveje] adj filled with wonder.

émetteur [emetœr] nm transmitter.

émettre [emɛtr] vt (sons, lumière) to emit ; (billets, chèque) to issue. ◆ vi to broadcast.

émeute [emøt] nf riot.

émietter [emjete] vt to crumble.

émigrer [emigre] vi to emigrate.

émincé [emɛ̃se] nm thin slices of meat in a sauce.

émis, e [emi, iz] pp → émettre.

émission [emisjɔ̃] nf programme.

emmagasiner [ɑ̃magazine] vt to store up.

emmanchure [ɑ̃mɑ̃ʃyr] nf armhole.

emmêler [ɑ̃mele] vt (fil, cheveux) to tangle (up). ❑ s'emmêler vp (fil, cheveux) to get tangled (up) ; (souvenirs, dates) to get mixed up

emménager [ɑ̃menaʒe] vi to move in.

emmener [ɑ̃mne] vt to take along.

emmental [emɛ̃tal] nm Emmental (cheese).

emmitoufler [ãmitufle] : **s'em-mitoufler** *vp* to wrap up (well).

émotif, ive [emotif, iv] *adj* emotional.

émotion [emosjɔ̃] *nf* emotion.

émouvant, e [emuvã, ãt] *adj* moving.

émouvoir [emuvwar] *vt* to move.

empaillé, e [ãpaje] *adj* stuffed.

empaqueter [ãpakte] *vt* to package.

emparer [ãpare] : **s'emparer de** *vp + prép* (*prendre vivement*) to grab (hold of).

empêchement [ãpɛʃmã] *nm* obstacle ; **j'ai un ~** something has come up.

empêcher [ãpeʃe] *vt* to prevent ; **~ qqn/qqch de faire qqch** to prevent sb/sthg from doing sthg. ☐ **s'em-pêcher de** *vp + prép* : **je n'ai pas pu m'~ de rire** I couldn't stop myself from laughing.

empereur [ãprœr] *nm* emperor.

empester [ãpeste] *vt* (*sentir*) to stink of. ◆ *vi* to stink.

empêtrer [ãpetre] : **s'empêtrer dans** *vp + prép* (*fils*) to get tangled up in ; (*mensonges*) to get caught up in.

empiffrer [ãpifre] : **s'empiffrer (de)** *vp* (+ *prép*) *fam* to stuff o.s. (with).

empiler [ãpile] *vt* to pile up. ☐ **s'empiler** *vp* to pile up.

empire [ãpir] *nm* empire.

empirer [ãpire] *vi* to get worse.

emplacement [ãplasmã] *nm* site ; (*de parking*) parking space ; '**~ réservé** 'reserved parking space'.

emploi [ãplwa] *nm* (*poste*) job ;

(*d'un objet, d'un mot*) use ; **l'~** (*en économie*) employment ; **~ du temps** timetable.

employé, e [ãplwaje] *nm, f* employee ; **~ de bureau** office worker.

employer [ãplwaje] *vt* (*salarié*) to employ ; (*objet, mot*) to use.

employeur, euse [ãplwajœr, øz] *nm, f* employer.

empoigner [ãpwaɲe] *vt* to grasp.

empoisonnement [ãpwazɔnmã] *nm* poisoning.

empoisonner [ãpwazɔne] *vt* to poison.

emporter [ãpɔrte] *vt* to take ; (*suj : vent, rivière*) to carry away ; **à ~** (*plats*) to take away (*Br*), to go (*Am*) ; **l'~ sur** to get the better of. ☐ **s'emporter** *vp* to lose one's temper.

empreinte [ãprɛ̃t] *nf* (*d'un corps*) imprint ; **~s digitales** fingerprints ; **~ de pas** footprint.

empresser [ãprese] : **s'empresser de faire qqch** to hurry to do sthg.

emprisonner [ãprizɔne] *vt* to imprison.

emprunt [ãprœ̃] *nm* loan.

emprunter [ãprœ̃te] *vt* to borrow ; (*itinéraire*) to take ; **~ qqch à qqn** to borrow sthg from sb.

ému, e [emy] *pp* → **émouvoir**. ◆ *adj* moved.

---

en [ã] *prép* - **1.** (*indique le moment*) in ; **~ été/1995** in summer/1995. - **2.** (*indique le lieu où l'on est*) in ; **habiter ~ Angleterre** to live in England. - **3.** (*indique le lieu où l'on va*) to ;

aller ~ ville/~ Dordogne to go into town/to the Dordogne.

- **4.** (*désigne la matière*) made of ; un pull ~ laine a woollen jumper.

- **5.** (*indique la durée*) in.

- **6.** (*indique l'état*) : être ~ vacances to be on holiday ; s'habiller ~ noir to dress in black.

- **7.** (*indique le moyen*) by ; voyager ~ avion/voiture to travel by plane/car.

- **8.** (*pour désigner la taille*) in ; auriez-vous celles-ci ~ 38/~ plus petit? do you have these in a 38/a smaller size?

- **9.** (*devant un participe présent*) : ~ arrivant à Paris on arriving in Paris ; ~ faisant un effort by making an effort.

◆ *pron* - **1.** (*objet indirect*) : n'~ parlons plus let's not say any more about it.

- **2.** (*avec un indéfini*) : ~ reprendrez-vous? will you have some more? ; je n'~ ai plus I haven't got any left.

- **3.** (*indique la provenance*) from there ; j'~ viens I've just been there.

- **4.** (*complément du nom*) of it, of them (*pl*).

- **5.** (*complément de l'adjectif*) : il ~ est fou he's mad about it.

encadrer [ãkadre] *vt* (*tableau*) to frame.

encaisser [ãkese] *vt* (*argent*) to cash.

encastré, e [ãkastre] *adj* built-in.

enceinte [ãsɛ̃t] *adj f* pregnant.

◆ *nf* (*haut-parleur*) speaker ; (*d'une ville*) walls (*pl*).

encens [ãsã] *nm* incense.

encercler [ãserkle] *vt* (*personne, ville*) to surround ; (*mot*) to circle.

enchaîner [ãʃene] *vt* (*attacher*) to chain together ; (*idées, phrases*) to string together. ❑ **s'enchaîner** *vp* (*se suivre*) to follow one another.

enchanté, e [ãʃãte] *adj* delighted ; ~ (*de faire votre connaissance*)! pleased to meet you!

enchères [ãʃer] *nfpl* auction (*sg*) ; vendre qqch aux ~ to sell sthg at auction.

enclencher [ãklãʃe] *vt* (*mécanisme*) to engage ; (*guerre, processus*) to begin.

enclos [ãklo] *nm* enclosure.

encoche [ãkɔʃ] *nf* notch.

encolure [ãkɔlyr] *nf* (*de vêtement*) neck.

encombrant, e [ãkɔ̃brã, ãt] *adj* (*paquet*) bulky.

encombrements [ãkɔ̃brəmã] *nmpl* (*embouteillage*) hold-up.

encombrer [ãkɔ̃bre] *vt* : ~ qqn to be in sb's way ; encombré de (*pièce, table*) cluttered with.

☞

encore [ãkɔr] *adv* - **1.** (*toujours*) still ; il reste ~ une centaine de kilomètres there are still about a hundred kilometres to go ; pas ~ not yet.

- **2.** (*de nouveau*) again ; ~ une fois once more.

- **3.** (*en plus*) : ~ un peu de légumes? a few more vegetables? ; reste ~ un peu stay a bit longer ; ~ un jour another day.

- **4.** (*en intensif*) even.

encourager [ãkuraʒe] *vt* to encourage ; ~ qqn à faire qqch to encourage sb to do sthg.

encrasser [ãkrase] *vt* to clog up.

encre [ɑ̃kr] *nf* ink ; ~ de Chine Indian ink.

encyclopédie [ɑ̃siklɔpedi] *nf* encyclopedia.

endetter [ɑ̃dete] : **s'endetter** *vp* to get into debt.

endive [ɑ̃div] *nf* chicory.

endommager [ɑ̃dɔmaʒe] *vt* to damage.

endormi, e [ɑ̃dɔrmi] *adj* sleeping.

endormir [ɑ̃dɔrmir] *vt* (enfant) to send to sleep ; (anesthésier) to put to sleep. ❑ **s'endormir** *vp* to fall asleep.

endroit [ɑ̃drwa] *nm* place ; (côté) right side ; à l'~ the right way round.

endurcir [ɑ̃dyrsir] : **s'endurcir** *vp* to become hardened.

énergie [enerʒi] *nf* energy.

énergique [enerʒik] *adj* energetic.

énerver [enerve] *vt* to annoy. ❑ **s'énerver** *vp* to get annoyed.

enfance [ɑ̃fɑ̃s] *nf* childhood.

enfant [ɑ̃fɑ̃] *nmf* child ; ~ de chœur altar boy.

enfantin, e [ɑ̃fɑ̃tɛ̃, in] *adj* (souri-re) childlike ; péj (attitude) childish.

enfer [ɑ̃fer] *nm* hell.

enfermer [ɑ̃ferme] *vt* to lock away.

enfiler [ɑ̃file] *vt* (aiguille, perles) to thread ; (vêtement) to slip on.

enfin [ɑ̃fɛ̃] *adv* (finalement) finally, at last ; (en dernier) finally, lastly.

enflammer [ɑ̃flame] : **s'enflammer** *vp* (prendre feu) to catch fire ; MÉD to get inflamed.

enfler [ɑ̃fle] *vi* to swell.

enfoncer [ɑ̃fɔ̃se] *vt* (clou) to drive in ; (porte) to break down ; (aile de voiture) to dent. ❑ **s'enfoncer** *vp* (s'enliser) to sink (in) ; (s'effondrer) to give way.

enfouir [ɑ̃fwir] *vt* to hide.

enfreindre [ɑ̃frɛ̃dr] *vt* to infringe.

enfreint, e [ɑ̃frɛ̃, ɛ̃t] *pp* → enfreindre.

enfuir [ɑ̃fɥir] : **s'enfuir** *vp* to run away.

enfumé, e [ɑ̃fyme] *adj* smoky.

engagement [ɑ̃gaʒmɑ̃] *nm* (pro-messe) commitment ; SPORT kick-off.

engager [ɑ̃gaʒe] *vt* (salarié) to take on ; (conversation, négocia-tions) to start. ❑ **s'engager** *vp* (dans l'armée) to enlist ; s'~ à faire qqch to undertake to do sthg ; s'~ dans (lieu) to enter.

engelure [ɑ̃ʒlyr] *nf* chilblain.

engin [ɑ̃ʒɛ̃] *nm* machine.

engloutir [ɑ̃glutir] *vt* (nourriture) to gobble up ; (submerger) to swal-low up.

engouffrer [ɑ̃gufre] : **s'engouf-frer dans** *vp* + *prép* to rush into.

engourdi, e [ɑ̃gurdi] *adj* numb.

engrais [ɑ̃grɛ] *nm* fertilizer.

engraisser [ɑ̃grɛse] *vt* to fatten. ◆ *vi* to put on weight.

engrenage [ɑ̃grənaʒ] *nm* (méca-nique) gears (pl).

énigmatique [enigmatik] *adj* enigmatic.

énigme [enigm] *nf* (devinette) rid-dle ; (mystère) enigma.

enjamber [ɑ̃ʒɑ̃be] *vt* (flaque, fossé) to step over ; *(suj : pont)* to cross.

enjoliveur [ãʒɔlivœr] *nm* hub-cap.

enlaidir [ãledir] *vt* to make ugly.

enlèvement [ãlɛvmã] *nm (kid-napping)* abduction.

enlever [ãlve] *vt (retirer)* to remove, to take off ; *(kidnapper)* to abduct. ❑ **s'enlever** *vp (tache)* to come off.

enliser [ãlize] : **s'enliser** *vp* to get stuck.

enneigé, e [ãneʒe] *adj* snow-covered.

ennemi, e [ɛnmi] *nm, f* enemy.

ennui [ãnɥi] *nm (lassitude)* bore-dom ; *(problème)* problem.

ennuyé, e [ãnɥije] *adj (contrarié)* annoyed.

ennuyer [ãnɥije] *vt (lasser)* to bore ; *(contrarier)* to annoy. ❑ **s'ennuyer** *vp* to be bored.

ennuyeux, euse [ãnɥijø, øz] *adj (lassant)* boring ; *(contrariant)* an-noying.

énorme [enɔrm] *adj* enormous.

énormément [enɔrmemã] *adv* enormously ; **~ de** an awful lot of.

enquête [ãkɛt] *nf (policière)* in-vestigation ; *(sondage)* survey.

enquêter [ãkete] *vi* : **~ (sur)** to in-quire (into).

enragé, e [ãraʒe] *adj (chien)* rabid ; *(fanatique)* fanatical.

enrayer [ãreje] *vt (maladie, crise)* to check.

enregistrement [ãrəʒistrəmã] *nm (musical)* recording ; **~ des ba-gages** baggage check-in.

enregistrer [ãrəʒistre] *vt* to re-cord ; INFORM to store ; *(bagages)* to check in.

enregistreuse [ãrəʒistrøz] *adj f* → **caisse.**

enrhumé, e [ãryme] *adj* : **être ~** to have a cold.

enrhumer [ãryme] : **s'enrhumer** *vp* to catch a cold.

enrichir [ãriʃir] *vt* to make rich ; *(collection)* to enrich. ❑ **s'enrichir** *vp* to become rich.

enrobé, e [ãrɔbe] *adj* : **~ de** coat-ed with.

enroué, e [ãrwe] *adj* hoarse.

enrouler [ãrule] *vt* to roll up. ❑ **s'enrouler** *vp* : **s'~ autour de qqch** to wind around sthg.

enseignant, e [ãsɛɲã, ãt] *nm, f* teacher.

enseigne [ãsɛɲ] *nf* sign ; **~ lumi-neuse** neon sign.

enseignement [ãsɛɲmã] *nm (éducation)* education ; *(métier)* teaching.

enseigner [ãseɲe] *vt & vi* to teach ; **~ qqch à qqn** to teach sb sthg.

ensemble [ãsãbl] *adv* together. ◆ *nm* set ; *(vêtement)* suit ; **l'~ du groupe** the whole group ; **l'~ des touristes** all the tourists ; **dans l'~** on the whole.

ensevelir [ãsəvlir] *vt* to bury.

ensoleillé, e [ãsɔleje] *adj* sunny.

ensuite [ãsɥit] *adv* then.

entaille [ãtaj] *nf* notch ; *(blessu-re)* cut.

entamer [ãtame] *vt* to start ; *(bouteille)* to open.

entasser [ãtase] *vt (mettre en tas)* to pile up ; *(serrer)* to squeeze in. ❑ **s'entasser** *vp (voyageurs)* to pile in.

entendre [ãtãdr] *vt* to hear ;

~ **dire que** to hear that ; ~ **parler de** to hear about. ❏ **s'entendre** *vp* (*sympathiser*) to get on.

entendu, e [ɑ̃tɑ̃dy] *adj* (*convenu*) agreed ; (*c'est*) ~**!** OK then ! ; **bien** ~ of course.

enterrement [ɑ̃tɛrmɑ̃] *nm* funeral.

enterrer [ɑ̃tere] *vt* to bury.

en-tête, s [ɑ̃tɛt] *nm* heading.

entêter [ɑ̃tete] : **s'entêter** *vp* to persist.

enthousiasme [ɑ̃tuzjasm] *nm* enthusiasm.

enthousiasmer [ɑ̃tuzjasme] *vt* to fill with enthusiasm. ❏ **s'enthousiasmer pour** *vp + prép* to be enthusiastic about.

enthousiaste [ɑ̃tuzjast] *adj* enthusiastic.

entier, ère [ɑ̃tje, ɛr] *adj* (*intact*) whole, entire ; (*total*) complete ; (*lait*) full-fat ; **pendant des journées entières** for days on end ; **en** ~ in its entirety.

entièrement [ɑ̃tjɛrmɑ̃] *adv* completely.

entonnoir [ɑ̃tɔnwar] *nm* funnel.

entorse [ɑ̃tɔrs] *nf* MÉD sprain ; **se faire une** ~ **à la cheville** to sprain one's ankle.

entortiller [ɑ̃tɔrtije] *vt* to twist.

entourage [ɑ̃turaʒ] *nm* (*famille*) family ; (*amis*) circle of friends.

entourer [ɑ̃ture] *vt* (*cerner*) to surround ; (*mot, phrase*) to circle ; **entouré de** surrounded by.

entracte [ɑ̃trakt] *nm* interval.

entraider [ɑ̃trede] : **s'entraider** *vp* to help one another.

entrain [ɑ̃trɛ̃] *nm* : **avec** ~ with gusto ; **plein d'**~ full of energy.

entraînant, e [ɑ̃trɛnɑ̃, ɑ̃t] *adj* catchy.

entraînement [ɑ̃trɛnmɑ̃] *nm* (*sportif*) training ; (*pratique*) practice.

entraîner [ɑ̃trene] *vt* (*emporter*) to carry away ; (*emmener*) to drag along ; (*provoquer*) to lead to, to cause ; SPORT to coach. ❏ **s'entraîner** *vp* (*sportif*) to train ; **s'**~ **à faire qqch** to practise doing sthg.

entraîneur, euse [ɑ̃trɛnœr, øz] *nm, f* SPORT coach.

entraver [ɑ̃trave] *vt* (*mouvements*) to hinder ; (*circulation*) to hold up.

entre [ɑ̃tr] *prép* between ; **l'un d'**~ **nous** one of us.

entrebâiller [ɑ̃trəbaje] *vt* to open slightly.

entrechoquer [ɑ̃trəʃɔke] : **s'entrechoquer** *vp* (*verres*) to chink.

entrecôte [ɑ̃trəkot] *nf* entrecote (steak) ; ~ **à la bordelaise** grilled entrecote steak served with a red wine and shallot sauce.

entrée [ɑ̃tre] *nf* (*accès*) entry, entrance ; (*pièce*) (entrance) hall ; CULIN starter ; '~ **gratuite**' 'admission free' ; '~ **interdite**' 'no entry' ; '~ **libre**' (*dans un musée*) 'admission free' ; (*dans une boutique*) 'browsers welcome'.

entremets [ɑ̃trəmɛ] *nm* dessert.

entreposer [ɑ̃trəpoze] *vt* to store.

entrepôt [ɑ̃trəpo] *nm* warehouse.

entreprendre [ɑ̃trəprɑ̃dr] *vt* to undertake.

entrepreneur [ɑ̃trəprənœr] *nm* (*en bâtiment*) contractor.

entrepris, e [ɑ̃trəpri, iz] *pp* → **entreprendre**.

entreprise [ɑ̃trəpriz] *nf (société)* company.

entrer [ɑ̃tre] *vi (aux être)* to enter, to go/come in. ◆ *vt (aux avoir & IN-FORM)* to enter ; **entrez !** come in !

entre-temps [ɑ̃trətɑ̃] *adv* meanwhile.

entretenir [ɑ̃trətənir] *vt (maison, plante)* to look after. □ **s'entretenir** *vp* : **s'~ (de qqch) avec qqn** to talk (about sthg).

entretenu, e [ɑ̃trətəny] *pp* → **entretenir**.

entretien [ɑ̃trətjɛ̃] *nm (d'un jardin, d'une machine)* upkeep ; *(d'un vêtement)* care ; *(conversation)* discussion ; *(interview)* interview.

entrevue [ɑ̃trəvy] *nf* meeting.

entrouvert, e [ɑ̃truver, ert] *adj* half-open.

énumération [enymerasjɔ̃] *nf* list.

énumérer [enymere] *vt* to list.

envahir [ɑ̃vair] *vt* to invade ; *(suj : herbes)* to overrun ; *fig (suj : sentiment)* to seize.

envahissant, e [ɑ̃vaisɑ̃, ɑ̃t] *adj (personne)* intrusive.

enveloppe [ɑ̃vlɔp] *nf* envelope.

envelopper [ɑ̃vlɔpe] *vt* to wrap (up).

envers [ɑ̃ver] *prép* towards. ◆ *nm* : **l'~** the back ; **à l'~** *(devant derrière)* back to front ; *(en sens inverse)* backwards.

envie [ɑ̃vi] *nf (désir)* desire ; *(jalousie)* envy ; **avoir ~ de qqch** to feel like sthg.

envier [ɑ̃vje] *vt* to envy.

environ [ɑ̃virɔ̃] *adv* about.

□ **environs** *nmpl* surrounding area *(sg)* ; **aux ~ s de** *(heure, nombre)* round about ; *(lieu)* near.

environnant, e [ɑ̃virɔnɑ̃, ɑ̃t] *adj* surrounding.

environnement [ɑ̃virɔnmɑ̃] *nm (milieu)* background ; *(nature)* environment.

envisager [ɑ̃vizaʒe] *vt* to consider ; **~ de faire qqch** to consider doing sthg.

envoi [ɑ̃vwa] *nm (colis)* parcel.

envoler [ɑ̃vɔle] : **s'envoler** *vp (avion)* to take off ; *(oiseau)* to fly away ; *(feuilles)* to blow away.

envoyé, e [ɑ̃vwaje] *nm, f* envoy ; **spécial** special correspondent.

envoyer [ɑ̃vwaje] *vt* to send ; *(balle, objet)* to throw ; **~ qqch à qqn** to send sb sthg.

épagneul [epaɲœl] *nm* spaniel.

épais, aisse [epɛ, ɛs] *adj* thick.

épaisseur [epesœr] *nf* thickness.

épaissir [epesir] *vi CULIN* to thicken. □ **s'épaissir** *vp* to thicken.

épanouir [epanwir] : **s'épanouir** *vp (fleur)* to bloom ; *(visage)* to light up.

épargner [eparɲe] *vt (argent)* to save ; *(ennemi, amour-propre)* to spare.

éparpiller [eparpije] *vt* to scatter. □ **s'éparpiller** *vp* to scatter.

épatant, e [epatɑ̃, ɑ̃t] *adj* splendid.

épater [epate] *vt* to amaze.

épaule [epol] *nf* shoulder ; **~ d'agneau** shoulder of lamb.

épaulette [epolɛt] *nf (décoration)* epaulet ; *(rembourrage)* shoulder pad.

épave [epav] *nf* wreck.

épée [epe] nf sword.

épeler [eple] vt to spell.

éperon [eprɔ̃] nm spur.

épi [epi] nm (de blé) ear ; (de maïs) cob ; (de cheveux) tuft.

épice [epis] nf spice.

épicé, e [epise] adj spicy.

épicerie [episri] nf (denrées) groceries (pl) ; (magasin) grocer's (shop) ; ~ fine delicatessen.

épicier, ière [episje, ɛr] nm, f grocer.

épidémie [epidemi] nf epidemic.

épier [epje] vt to spy on.

épilepsie [epilɛpsi] nf epilepsy.

épiler [epile] vt (jambes) to remove unwanted hair from ; (sourcils) to pluck.

épinards [epinar] nmpl spinach (sg).

épine [epin] nf thorn.

épingle [epɛ̃gl] nf pin ; ~ à cheveux hairpin ; ~ de nourrice safety pin.

épinière [epinjɛr] adj f → moelle.

épisode [epizɔd] nm episode.

éplucher [eplyʃe] vt to peel.

épluchures [eplyʃyr] nfpl peelings.

éponge [epɔ̃ʒ] nf sponge ; (tissu) towelling.

éponger [epɔ̃ʒe] vt (liquide) to mop (up) ; (visage) to wipe.

époque [epɔk] nf period.

épouse → époux.

épouser [epuze] vt to marry.

épousseter [epuste] vt to dust.

épouvantable [epuvɑ̃tabl] adj awful.

épouvantail [epuvɑ̃taj] nm scarecrow.

épouvante [epuvɑ̃t] nf → film.

épouvanter [epuvɑ̃te] vt to terrify.

époux, épouse [epu, epuz] nm, f spouse.

épreuve [eprœv] nf (difficulté, malheur) ordeal ; (sportive) event ; (examen) paper.

éprouvant, e [epruvɑ̃, ɑ̃t] adj trying.

éprouver [epruve] vt (ressentir) to feel ; (faire souffrir) to distress.

éprouvette [epruvɛt] nf test tube.

EPS nf (abr de éducation physique et sportive) PE.

épuisant, e [epɥizɑ̃, ɑ̃t] adj exhausting.

épuisé, e [epɥize] adj exhausted ; (article) sold out ; (livre) out of print.

épuiser [epɥize] vt to exhaust.

épuisette [epɥizɛt] nf landing net.

équateur [ekwatœr] nm equator.

équation [ekwasjɔ̃] nf equation.

équerre [ekɛr] nf set square ; (en T) T-square.

équilibre [ekilibr] nm balance ; en ~ stable.

équilibré, e [ekilibre] adj (mentalement) well-balanced ; (nourriture, repas) balanced.

équilibriste [ekilibrist] nmf tightrope walker.

équipage [ekipaʒ] nm crew.

équipe [ekip] nf team.

équipement [ekipmɑ̃] nm equipment.

équiper [ekipe] vt to equip. ❑ **s'équiper (de)** vp (+ prép) to equip o.s. (with).

équipier, ère [ekipje, ɛr] nm, f

SPORT team member ; *NAVIG* crew member.

équitable [ekitabl] *adj* fair.

équitation [ekitasjɔ̃] *nf* (horse-)riding ; **faire de l'~** to go (horse-)riding.

équivalent, e [ekivalɑ̃, ɑ̃t] *adj & nm* equivalent.

équivaloir [ekivalwar] *vi* : **ça équivaut à (faire)** ... that is equivalent to (doing) ...

équivalu [ekivaly] *pp* → **équivaloir.**

érable [erabl] *nm* maple.

érafler [erafle] *vt* to scratch.

éraflure [eraflyr] *nf* scratch.

érotique [erɔtik] *adj* erotic.

erreur [ɛrœr] *nf* mistake ; **faire une ~** to make a mistake.

éruption [erypsjɔ̃] *nf* (de volcan) eruption ; **~ cutanée** rash.

es [ɛ] → **être.**

escabeau, x [ɛskabo] *nm* stepladder.

escalade [ɛskalad] *nf* climbing.

escalader [ɛskalade] *vt* to climb.

escale [ɛskal] *nf* stop ; **faire ~ (à)** (bateau) to put in (at) ; (avion) to make a stopover (at) ; **vol sans ~** direct flight.

escalier [ɛskalje] *nm* (flight of) stairs ; **les ~ s** the stairs ; **~ roulant** escalator.

escalope [ɛskalɔp] *nf* escalope.

escargot [ɛskargo] *nm* snail.

escarpé, e [ɛskarpe] *adj* steep.

escarpin [ɛskarpɛ̃] *nm* court shoe.

escavèches [ɛskavɛʃ] *nfpl Belg* jellied eels, eaten with French fries.

esclaffer [ɛsklafe] : **s'esclaffer** *vp* to burst out laughing.

esclavage [ɛsklavaʒ] *nm* slavery.

esclave [ɛsklav] *nmf* slave.

escorte [ɛskɔrt] *nf* escort.

escrime [ɛskrim] *nf* fencing.

escroc [ɛskro] *nm* swindler.

escroquerie [ɛskrɔkri] *nf* swindle.

espace [ɛspas] *nm* space ; **~ fumeurs** smoking area ; **~ non-fumeurs** non-smoking area ; **~ s verts** open spaces.

espacer [ɛspase] *vt* to space out.

espadrille [ɛspadrij] *nf* espadrille.

Espagne [ɛspaɲ] *nf* : **l'~** Spain.

espagnol, e [ɛspaɲɔl] *adj* Spanish. ◆ *nm* (langue) Spanish. ❑ **Espagnol, e** *nm, f* Spaniard ; **les Espagnols** the Spanish.

espèce [ɛspɛs] *nf* (race) species ; **une ~ de** a kind of. ❑ **espèces** *nfpl* cash (sg) ; **en ~ s** in cash.

espérer [ɛspere] *vt* to hope for ; **~ faire qqch** to hope to do sthg ; **~ que** to hope (that).

espion, onne [ɛspjɔ̃, ɔn] *nm, f* spy.

espionnage [ɛspjɔnaʒ] *nm* spying ; **film/roman d'~** spy film/novel.

espionner [ɛspjɔne] *vt* to spy on.

esplanade [ɛsplanad] *nf* esplanade.

espoir [ɛspwar] *nm* hope.

esprit [ɛspri] *nm* (pensée) mind ; (humour) wit ; (caractère, fantôme) spirit.

Esquimau, aude, x [ɛskimo, od] *nm, f* Eskimo ; **Esquimau** ® (glace) choc-ice on a stick (Br), Eskimo (Am).

esquisser [ɛskise] vt (dessin) to sketch ; ~ un sourire to half-smile.

esquiver [ɛskive] vt to dodge.
□ **s'esquiver** vp to slip away.

essai [esɛ] nm (test) test ; (tentative) attempt ; (littéraire) essay ; SPORT try.

essaim [esɛ̃] nm swarm.

essayage [esejaʒ] nm → cabine.

essayer [eseje] vt (vêtement, chaussures) to try on ; (tester) to try out ; (tenter) to try.

essence [esɑ̃s] nf petrol (Br), gas (Am) ; ~ sans plomb unleaded (petrol).

essentiel, elle [esɑ̃sjɛl] adj essential. ◆ nm : l'~ (le plus important) the main thing ; (le minimum) the essentials (pl).

essieu, x [esjø] nm axle.

essorage [esɔraʒ] nm (sur un lave-linge) spin cycle.

essorer [esɔre] vt to spin-dry.

essoufflé, e [esufle] adj out of breath.

essuie-glace, s [esɥiglas] nm windscreen wiper (Br), windshield wiper (Am).

essuie-mains [esɥimɛ̃] nm inv hand towel.

essuyer [esɥije] vt (sécher) to dry ; (enlever) to wipe up. □ **s'essuyer** vp to dry o.s. ; s'~ les mains to dry one's hands.

est¹ [ɛst] → **être**.

est² [ɛst] adj inv east, eastern. ◆ nm east ; à l'~ in the east ; à l'~ de east of ; l'Est (l'est de la France) the East (of France).

est-ce que [ɛskə] adv : est-ce qu'il est là ? is he there ? ; ~ tu as mangé ? have you eaten ? ; comment ~ ça s'est passé ? how did it go ?

esthéticienne [ɛstetisjɛn] nf beautician.

esthétique [ɛstetik] adj (beau) attractive.

estimation [ɛstimasjɔ̃] nf (de dégâts) estimate ; (d'un objet d'art) valuation.

estimer [ɛstime] vt (dégâts) to estimate ; (objet d'art) to value ; (respecter) to respect ; ~ que to think that.

estivant, e [ɛstivɑ̃, ɑ̃t] nm, f holidaymaker (Br), vacationer (Am).

estomac [ɛstɔma] nm stomach.

estrade [ɛstrad] nf platform.

estragon [ɛstragɔ̃] nm tarragon.

estuaire [ɛstɥɛr] nm estuary.

et [e] conj and ; ~ après ? (pour défier) so what ? ; vingt ~ un twenty-one.

étable [etabl] nf cowshed.

établi [etabli] nm workbench.

établir [etablir] vt (commerce, entreprise) to set up ; (liste, devis) to draw up ; (contacts) to establish. □ **s'établir** vp (emménager) to settle ; (professionnellement) to set o.s. up (in business).

établissement [etablismɑ̃] nm establishment ; ~ scolaire school.

étage [etaʒ] nm floor ; (couche) tier ; au premier ~ on the first floor (Br), on the second floor (Am) ; à l'~ upstairs.

étagère [etaʒɛr] nf shelf ; (meuble) (set of) shelves.

étain [etɛ̃] nm tin.

étais [etɛ] → **être**.

étal [etal] nm (sur les marchés) stall.

étalage [etalaʒ] nm (vitrine) display.

étaler [etale] *vt* to spread (out) ; *(beurre, confiture)* to spread ; *(connaissances, richesse)* to show off. ❑ **s'étaler** *vp (se répartir)* to be spread.

étanche [etɑ̃ʃ] *adj (montre)* waterproof ; *(joint)* watertight.

étang [etɑ̃] *nm* pond.

étant [etɑ̃] *ppr* → être.

étape [etap] *nf (période)* stage ; *(lieu)* stop ; **faire ~ à** to stop off at.

état [eta] *nm* state, condition ; **en bon ~** in good condition ; **en mauvais ~** in poor condition ; **~ civil** *(d'une personne)* personal details. ❑ **État** *nm* POL state.

États-Unis [etazyni] *nmpl* : **les ~ the** United States.

etc *(abr de et cetera)* etc.

et cetera [etsetera] *adv* et cetera.

été¹ [ete] *pp* → être.

été² [ete] *nm* summer ; **en ~** in (the) summer.

éteindre [etɛ̃dr] *vt (lumière, appareil)* to turn off ; *(cigarette, incendie)* to put out. ❑ **s'éteindre** *vp* to go out.

éteint, e [etɛ̃, ɛ̃t] *pp* → éteindre.

étendre [etɑ̃dr] *vt (nappe, carte)* to spread (out) ; *(linge)* to hang out ; *(jambe, personne)* to stretch (out). ❑ **s'étendre** *vp (se coucher)* to lie down ; *(être situé)* to stretch ; *(se propager)* to spread.

étendu, e [etɑ̃dy] *adj (grand)* extensive.

étendue [etɑ̃dy] *nf* area ; *fig (importance)* extent.

éternel, elle [etɛrnɛl] *adj* eternal.

éternité [etɛrnite] *nf* eternity ; **cela fait une ~ que ...** it's been ages since ...

éternuement [etɛrnymɑ̃] *nm* sneeze.

éternuer [etɛrnɥe] *vi* to sneeze.

êtes [ɛt] → être.

étinceler [etɛ̃sle] *vi* to sparkle.

étincelle [etɛ̃sɛl] *nf* spark.

étiquette [etiket] *nf* label.

étirer [etire] *vt* to stretch (out). ❑ **s'étirer** *vp* to stretch.

étoffe [etɔf] *nf* material.

étoile [etwal] *nf* star ; **hôtel deux/trois ~s** two/three-star hotel ; **dormir à la belle ~** to sleep out in the open ; **~ de mer** starfish.

étonnant, e [etɔnɑ̃, ɑ̃t] *adj* amazing.

étonné, e [etɔne] *adj* surprised.

étonner [etɔne] *vt* to surprise ; **ça m'étonnerait (que)** I would be surprised (if) ; **tu m'étonnes!** *fam* I'm not surprised! ❑ **s'étonner** *vp* : **s'~ que** to be surprised that.

étouffant, e [etufɑ̃, ɑ̃t] *adj* stifling.

étouffer [etufe] *vt* to suffocate ; *(bruit)* to muffle. ◆ *vi (manquer d'air)* to choke ; *(avoir chaud)* to suffocate. ❑ **s'étouffer** *vp* to choke ; *(mourir)* to choke to death.

étourderie [eturdəri] *nf (caractère)* thoughtlessness ; **faire une ~** to make a careless mistake.

étourdi, e [eturdi] *adj (distrait)* scatterbrained.

étourdir [eturdir] *vt (assommer)* to daze ; *(donner le vertige à)* to make dizzy.

étourdissement [eturdismɑ̃] *nm* dizzy spell.

étrange [etrɑ̃ʒ] *adj* strange.

étranger, ère [etrɑ̃ʒe, ɛr] *adj (ville, coutume)* foreign ; *(inconnu)*

étrangler

unfamiliar. ◆ *nm, f (d'un autre pays)* foreigner ; *(inconnu)* stranger. ◆ *nm* : à l'~ abroad.

étrangler [etrɑ̃gle] *vt* to strangle. ❑ **s'étrangler** *vp* to choke.

☞

être [ɛtr] *vi* - **1.** *(pour décrire)* to be ; **je suis architecte** I'm an architect.

- **2.** *(pour désigner le lieu, l'origine)* to be ; **d'où êtes-vous?** where are you from?

- **3.** *(pour donner la date)* : **quel jour sommes-nous?** what day is it? ; **c'est jeudi** it's Thursday.

- **4.** *(aller)* : **j'ai été trois fois en Écosse** I've been to Scotland three times.

- **5.** *(pour exprimer l'appartenance)* : **~ à qqn** to belong to sb ; **c'est à Daniel** it's Daniel's.

◆ *v impers* - **1.** *(pour désigner le moment)* : **il est huit heures/tard** it's eight o'clock/late.

- **2.** *(avec un adjectif ou un participe passé)* : **il est difficile de savoir si ... it** is difficult to know whether ...

◆ *v aux* - **1.** *(pour former le passé composé)* to have/to be ; **nous sommes partis hier** we left yesterday ; **je suis née en 1976** I was born in 1976.

- **2.** *(pour former le passif)* to be ; **le train a été retardé** the train was delayed.

◆ *nm (créature)* being ; **~ humain** human being.

étrenner [etrene] *vt* to use for the first time.

étrennes [etrɛn] *nfpl* ≃ Christmas bonus.

étrier [etrije] *nm* stirrup.

étroit, e [etrwa, at] *adj (rue, siège)* narrow ; *(vêtement)* tight ; **~ d'esprit** narrow-minded.

étude [etyd] *nf* study ; *(salle d'école)* study room ; *(de notaire)* office. ❑ **études** *nfpl* studies ; **faire des ~s (de)** to study.

étudiant, e [etydjɑ̃, ɑ̃t] *adj & nm, f* student.

étudier [etydje] *vt & vi* to study.

étui [etɥi] *nm* case.

eu, e [y] *pp* → **avoir**.

euh [ø] *excl* er.

euro [øro] *nm* euro ; **zone ~** euro zone, euro area.

eurochèque [øroʃɛk] *nm* Eurocheque.

Europe [ørop] *nf* : **l'~** Europe ; **l'~ de l'Est** Eastern Europe.

européen, enne [øropeɛ̃, ɛn] *adj* European. ❑ **Européen, enne** *nm, f* European.

eux [ø] *pron (après prép ou comparatif)* them ; *(pour insister)* they ; **~-mêmes** themselves.

évacuer [evakɥe] *vt* to evacuate ; *(liquide)* to drain.

évader [evade] : **s'évader** *vp* to escape.

évaluer [evalɥe] *vt (dégâts)* to estimate ; *(tableau)* to value.

Évangile [evɑ̃ʒil] *nm (livre)* Gospel.

évanouir [evanwir] : **s'évanouir** *vp* to faint ; *(disparaître)* to vanish.

évaporer [evapore] : **s'évaporer** *vp* to evaporate.

évasé, e [evaze] *adj* flared.

évasion [evazjɔ̃] *nf* escape.

éveillé, e [eveje] *adj (vif)* alert.

éveiller [eveje] *vt (soupçons, attention)* to arouse ; *(intelligence,* *imagination*) to awaken. ❏ **s'éveiller** *vp* (*sensibilité, curiosité*) to be aroused.

événement [evenmɑ̃] *nm* event.

éventail [evɑ̃taj] *nm* fan ; (*variété*) range.

éventrer [evɑ̃tre] *vt* to disembowel ; (*ouvrir*) to rip open.

éventuel, elle [evɑ̃tɥɛl] *adj* possible.

éventuellement [evɑ̃tɥɛlmɑ̃] *adv* possibly.

évêque [evɛk] *nm* bishop.

évidemment [evidamɑ̃] *adv* obviously.

évident, e [evidɑ̃, ɑ̃t] *adj* obvious.

évier [evje] *nm* sink.

évitement [evitmɑ̃] *nm* Belg (*déviation*) diversion.

éviter [evite] *vt* to avoid ; ~ qqch à qqn to spare sb sthg.

évolué, e [evolɥe] *adj* (*pays*) advanced ; (*personne*) broad-minded.

évoluer [evolɥe] *vi* to change ; (*maladie*) to develop.

évolution [evolysjɔ̃] *nf* development.

évoquer [evoke] *vt* (*faire penser à*) to evoke ; (*mentionner*) to mention ; ~ qqch à qqn to remind sb of sthg.

ex- [ɛks] *préf* (*ancien*) ex-.

exact, e [ɛgzakt] *adj* (*correct*) correct ; (*précis*) exact ; (*ponctuel*) punctual ; c'est ~ (*c'est vrai*) that's right.

exactement [ɛgzaktəmɑ̃] *adv* exactly.

exactitude [ɛgzaktityd] *nf* accuracy ; (*ponctualité*) punctuality.

ex aequo [ɛgzeko] *adj inv* level.

exagérer [ɛgzaʒere] *vt & vi* to exaggerate.

examen [ɛgzamɛ̃] *nm* (*médical*) examination ; SCOL exam ; ~ blanc mock exam (*Br*), practise test (*Am*).

examinateur, trice [ɛgzaminateœr, tris] *nm, f* examiner.

examiner [ɛgzamine] *vt* to examine.

exaspérer [ɛgzaspere] *vt* to exasperate.

excédent [ɛksedɑ̃] *nm* surplus ; ~ de bagages excess baggage.

excéder [ɛksede] *vt* (*dépasser*) to exceed ; (*énerver*) to exasperate.

excellent, e [ɛkselɑ̃, ɑ̃t] *adj* excellent.

excentrique [ɛksɑ̃trik] *adj* (*extravagant*) eccentric.

excepté [ɛksepte] *prép* except.

exception [ɛksepsjɔ̃] *nf* exception ; faire une ~ to make an exception ; à l'~ de with the exception of.

exceptionnel, elle [ɛksepsjɔnɛl] *adj* exceptional.

excès [ɛksɛ] *nm* excess. ◆ *nmpl* : faire des ~ to eat and drink too much ; ~ de vitesse speeding (*sg*).

excessif, ive [ɛksesif, iv] *adj* excessive ; (*personne, caractère*) extreme.

excitant, e [ɛksitɑ̃, ɑ̃t] *adj* exciting. ◆ *nm* stimulant.

excitation [ɛksitasjɔ̃] *nf* excitement.

exciter [ɛksite] *vt* to excite.

exclamation [ɛksklamasjɔ̃] *nf* exclamation.

exclamer [ɛksklame] : **s'excla-mer** vp to exclaim.

exclure [ɛksklyr] vt (ne pas comp-ter) to exclude ; (renvoyer) to expel.

exclusif, ive [ɛksklyzif, iv] adj (droit, interview) exclusive ; (per-sonne) possessive.

exclusivité [ɛksklyzivite] nf (d'un film, d'une interview) exclusive rights (pl) ; **en ~** (film) on general release.

excursion [ɛkskyrsjɔ̃] nf excur-sion.

excuse [ɛkskyz] nf excuse. ❑ ex-cuses nfpl : faire des ~ s à qqn to apologize to sb.

excuser [ɛkskyze] vt to excuse ; excusez-moi (pour exprimer ses re-grets) I'm sorry ; (pour interrompre) excuse me. ❑ s'excuser vp to apolo-gize.

exécuter [ɛgzekyte] vt (travail, ordre) to carry out ; (œuvre musica-le) to perform ; (personne) to exe-cute.

exécution [ɛgzekysjɔ̃] nf execu-tion.

exemplaire [ɛgzɑ̃plɛr] nm copy.

exemple [ɛgzɑ̃pl] nm example ; par ~ for example.

exercer [ɛgzɛrse] vt to exercise ; (voix, mémoire) to train ; ~ le métier d'infirmière to work as a nurse. ❑ s'exercer vp (s'entraîner) to prac-tise.

exercice [ɛgzɛrsis] nm exercise ; faire de l'~ to exercise.

exhiber [ɛgzibe] vt péj to show off. ❑ s'exhiber vp péj to make an exhibition of o.s.

exigeant, e [ɛgziʒɑ̃, ɑ̃t] adj de-manding.

exigence [ɛgziʒɑ̃s] nf (demande) demand.

exiger [ɛgziʒe] vt to demand ; (avoir besoin de) to require.

exiler [ɛgzile] : **s'exiler** vp to go into exile.

existence [ɛgzistɑ̃s] nf exis-tence.

exister [ɛgziste] vi to exist ; il existe (il y a) there is/are.

exorbitant, e [ɛgzɔrbitɑ̃, ɑ̃t] adj exorbitant.

exotique [ɛgzɔtik] adj exotic.

expatrier [ɛkspatrije] : **s'expa-trier** vp to leave one's country.

expédier [ɛkspedje] vt to send ; péj (bâcler) to dash off.

expéditeur, trice [ɛkspeditœr, tris] nm, f sender.

expédition [ɛkspedisjɔ̃] nf (voya-ge) expedition ; (envoi) dispatch.

expérience [ɛksperjɑ̃s] nf expe-rience ; (scientifique) experiment.

expérimenté, e [ɛksperimɑ̃te] adj experienced.

expert [ɛkspɛr] nm expert ; ~ en vins wine expert.

expertiser [ɛkspɛrtize] vt to val-ue.

expirer [ɛkspire] vi (souffler) to breathe out ; (finir) to expire.

explication [ɛksplikasjɔ̃] nf ex-planation ; (discussion) discus-sion ; ~ de texte commentary on a text.

expliquer [ɛksplike] vt to ex-plain. ❑ s'expliquer vp to explain o.s. ; (se disputer) to have it out.

exploit [ɛksplwa] nm exploit.

exploitation [ɛksplwatasjɔ̃] nf (d'une terre, d'une mine) working ;

(de personnes) exploitation ; ~ **(agricole)** farm.

exploiter [ɛksplwate] *vt (terre, mine)* to work ; *(personnes, naïveté)* to exploit.

exploration [ɛksplɔrasjɔ̃] *nf* exploration.

explorer [ɛksplɔre] *vt* to explore.

exploser [ɛksploze] *vi* to explode.

explosif, ive [ɛksplozif, iv] *adj & nm* explosive.

explosion [ɛksplozjɔ̃] *nf* explosion ; *fig (de colère, de joie)* outburst.

exportation [ɛkspɔrtasjɔ̃] *nf* export.

exporter [ɛkspɔrte] *vt* to export.

exposé, e [ɛkspoze] *adj (en danger)* exposed. ◆ *nm* account ; *SCOL* presentation ; ~ **au sud** southfacing.

exposer [ɛkspoze] *vt (tableaux)* to exhibit ; *(théorie, motifs)* to explain ; ~ **qqn/qqch à qqch** to expose sb/sthg to sthg. ◻ **s'exposer** *à vp + prép (danger, critiques)* to lay o.s. open to.

exposition [ɛkspozisjɔ̃] *nf* exhibition ; *(d'une maison)* aspect.

exprès[1] [ɛksprɛ] *adj inv (lettre)* special delivery. ◆ *nm* : **par ~** (by) special delivery.

exprès[2] [ɛksprɛ] *adv (volontairement)* on purpose, deliberately ; *(spécialement)* specially.

express [ɛksprɛs] *nm (café)* = expresso ; *(train)* ~ express (train).

expression [ɛkspresjɔ̃] *nf* expression ; ~ **écrite** written language ; ~ **orale** oral language.

expresso [ɛkspresɔ] *nm* expresso.

exprimer [ɛksprime] *vt (idée, sentiment)* to express. ◻ **s'exprimer** *vp* to express o.s.

expulser [ɛkspylse] *vt* to expel.

exquis, e [ɛkski, iz] *adj* exquisite.

extensible [ɛkstãsibl] *adj (vêtement)* stretchy.

exténué, e [ɛkstenye] *adj* exhausted.

extérieur, e [ɛksterjœr] *adj (escalier, poche)* outside ; *(surface)* outer ; *(commerce, politique)* foreign ; *(gentillesse, calme)* outward. ◆ *nm* outside ; *(apparence)* exterior ; **à l' ~** outside ; **jouer à l' ~** *SPORT* to play away.

exterminer [ɛkstermine] *vt* to exterminate.

externe [ɛkstern] *adj* external. ◆ *nmf (élève)* day pupil.

extincteur [ɛkstɛ̃ktœr] *nm* (fire) extinguisher.

extinction [ɛkstɛ̃ksjɔ̃] *nf* : ~ **de voix** loss of voice.

extra [ɛkstra] *adj inv (qualité)* first-class ; *fam (formidable)* great. ◆ *préf (très)* incredibly.

extraire [ɛkstrer] *vt* to extract.

extrait [ɛkstre] *nm* extract.

extraordinaire [ɛkstraɔrdiner] *adj (incroyable)* incredible ; *(excellent)* wonderful.

extravagant, e [ɛkstravagã, ãt] *adj* extravagant.

extrême [ɛkstrem] *adj & nm* extreme ; **l'Extrême-Orient** the Far East.

extrêmement [ɛkstremmã] *adv* extremely.

extrémité [ɛkstremite] *nf* end.

F

F (*abr de franc, Fahrenheit*) F.

fable [fabl] *nf* fable.

fabricant [fabrikã] *nm* manufacturer.

fabrication [fabrikasjɔ̃] *nf* manufacture.

fabriquer [fabrike] *vt* to make ; (*produit*) to manufacture ; **mais qu'est-ce que tu fabriques?** *fam* what are you up to?

fabuleux, euse [fabylø, øz] *adj* (*énorme*) enormous ; (*excellent*) tremendous.

fac [fak] *nf fam* college.

façade [fasad] *nf* facade.

face [fas] *nf* (*côté*) side ; (*d'une pièce*) heads (*sg*) ; (*visage*) face ; **de ~** from the front ; **en ~ (de)** opposite ; **~ à ~** face to face.

fâché, e [fɑʃe] *adj* angry ; (*brouillé*) on bad terms.

fâcher [fɑʃe] : **se fâcher** *vp* to get angry ; (*se brouiller*) to quarrel.

facile [fasil] *adj* easy ; (*aimable*) easygoing.

facilement [fasilmã] *adv* easily.

facilité [fasilite] *nf* (*aisance*) ease.

faciliter [fasilite] *vt* to make easier.

façon [fasɔ̃] *nf* way ; **de ~ (à ce) que** so that ; **de toute ~** anyway ; **non merci, sans ~** no thank you. ❏ **façons** *nfpl* (*comportement*) manners.

facteur, trice [faktœr, tris] *nm, f* postman (*f* postwoman) (*Br*), mailman (*f* mailwoman) (*Am*). ◆ *nm* factor.

facture [faktyr] *nf* bill.

facturer [faktyre] *vt* to invoice.

facturette [faktyret] *nf* (credit card sales) receipt.

facultatif, ive [fakyltatif, iv] *adj* optional.

faculté [fakylte] *nf* (*université*) faculty ; (*possibilité*) right.

fade [fad] *adj* (*aliment*) bland ; (*couleur*) dull.

fagot [fago] *nm* bundle of sticks.

faible [fɛbl] *adj* weak ; (*son, lumière*) faint ; (*revenus, teneur*) low ; (*quantité, volume*) small. ◆ *nm* : **avoir un ~ pour qqch** to have a weakness for sthg ; **avoir un ~ pour qqn** to have a soft spot for sb.

faiblement [fɛbləmã] *adv* weakly ; (*augmenter*) slightly.

faiblesse [fɛbles] *nf* weakness.

faiblir [feblir] *vi* (*physiquement*) to get weaker ; (*son*) to get fainter ; (*lumière*) to fade.

faïence [fajãs] *nf* earthenware.

faille [faj] *nf* (*du terrain*) fault ; (*défaut*) flaw.

faillir [fajir] *vi* : **il a failli tomber** he nearly fell over.

faillite [fajit] *nf* bankruptcy ; **faire ~** to go bankrupt.

faim [fɛ̃] *nf* hunger ; **avoir ~** to be hungry.

fainéant, e [feneã, ãt] *adj* lazy. ◆ *nm, f* layabout.

faire [fer] *vt* - 1. (*fabriquer, préparer*) to make. - 2. (*effectuer*) to do ; **une promenade** to go for a walk. - 3. (*arranger, nettoyer*) : **~ son lit** to make one's bed ; **~ la vaisselle** to wash up ; **~ ses valises** to pack (one's bags).

- **4.** *(s'occuper à)* to do ; **que faites-vous comme métier?** what do you do for a living?
- **5.** *(sport, musique, discipline)* to do ; **~ des études** to study ; **~ du piano** to play the piano.
- **6.** *(provoquer)* : **~ du bruit** to make a noise ; **~ mal à qqn** to hurt sb.
- **7.** *(imiter)* : **~ l'imbécile** to act the fool.
- **8.** *(parcourir)* to do ; **~ du 80 (à l'heure)** to do 50 (miles an hour).
- **9.** *(avec un prix)* : **ça fait combien?** how much is it? ; **ça fait 20 euros** that will be 20 euros.
- **10.** *(avec des mesures)* to be ; **je fais 1,68 m** I'm 1.68 m tall ; **je fais du 40** I take a size 40.
- **11.** MATH : **10 et 3 font 13** 10 and 3 are OU make 13.
- **12.** *(dire)* to say.
- **13.** *(dans des expressions)* : **ça ne fait rien** never mind ; **qu'est-ce que ça peut te ~?** what's it to do with you? ; **qu'est-ce que j'ai fait de mes clefs?** what have I done with my keys?

◆ **vi - 1.** *(agir)* : **vas-y, mais fais vite** go on, but be quick ; **vous feriez mieux de ...** you'd better ... ; **faites comme chez vous** make yourself at home.

- **2.** *(avoir l'air)* : **~ jeune/vieux** to look young/old.

◆ **v impers - 1.** *(climat, température)* : **il fait chaud/-2°C** it's hot/-2° C.

- **2.** *(exprime la durée)* : **ça fait trois jours que nous avons quitté Rouen** it's three days since we left Rouen ; **ça fait dix ans que j'habite ici** I've lived here for ten years.

◆ **v aux - 1.** *(indique que l'on provoque une action)* to make ; **~ cuire qqch** to cook sthg.

- **2.** *(indique que l'on commande une action)* : **~ faire qqch (par qqn)** to get sthg done (by sb).

◆ **v substitut** to do ; **on lui a conseillé de réserver mais il ne l'a pas fait** he was advised to book, but he didn't.

❏ **se faire** *vp* **- 1.** *(être convenable, à la mode)* : **ça se fait** *(c'est convenable)* it's polite ; *(c'est à la mode)* it's fashionable ; **ça ne se fait pas** *(ce n'est pas convenable)* it's not done ; *(ce n'est pas à la mode)* it's not fashionable.

- **2.** *(avoir, provoquer)* : **se ~ des amis** to make friends ; **se ~ mal** to hurt o.s.
- **3.** *(avec un infinitif)* : **se ~ couper les cheveux** to have one's hair cut ; **se ~ opérer** to have an operation.
- **4.** *(devenir)* : **se ~ vieux** to get old ; **il se fait tard** it's getting late.
- **5.** *(dans des expressions)* : **comment se fait-il que ...?** how come ...? ; **ne t'en fais pas** don't worry.

❏ **se faire à** *vp + prép (s'habituer à)* to get used to.

faire-part [fɛʀpaʀ] *nm inv* announcement.

fais [fɛ] → **faire.**

faisable [fəzabl] *adj* feasible.

faisan [fəzɑ̃] *nm* pheasant.

faisant [fəzɑ̃] *ppr* → **faire.**

faisons [fəzɔ̃] → **faire.**

fait, e [fɛ, fɛt] *pp* → **faire.** ◆ *adj* *(tâche)* done ; *(objet, lit)* made ; *(fromage)* ripe. ◆ *nm* fact ; **(c'est) bien ~!** it serves him/you right! ; **~ s divers** minor news stories ; **au ~** *(à propos)* by the way ; **du ~ de** because of ; **en ~** in fact ; **prendre qqn sur le ~** to catch sb in the act.

faites [fɛt] → **faire.**

fait-tout [fɛtu] *nm inv* cooking pot.

falaise [falɛz] *nf* cliff.

falloir [falwar] *v impers* : il faut du courage pour faire ça you need courage to do that ; il faut y aller OU que nous y allions we must go ; il me faut 2 kilos d'oranges I want 2 kilos of oranges.

fallu [faly] *pp* → falloir.

falsifier [falsifje] *vt* (*document, écriture*) to forge.

fameux, euse [famø, øz] *adj* (*célèbre*) famous ; (*très bon*) great.

familial, e, aux [familjal, o] *adj* (*voiture, ennuis*) family.

familiarité [familjarite] *nf* familiarity.

familier, ère [familje, ɛr] *adj* familiar ; (*langage, mot*) colloquial.

famille [famij] *nf* family ; en ~ with one's family ; j'ai de la ~ à Paris I have relatives in Paris.

fan [fan] *nmf fam* fan.

fanatique [fanatik] *adj* fanatical. ◆ *nmf* fanatic.

fané, e [fane] *adj* (*fleur*) withered ; (*couleur, tissu*) faded.

faner [fane] : se faner *vp* (*fleur*) to wither.

fanfare [fɑ̃far] *nf* brass band.

fanfaron, onne [fɑ̃farɔ̃, ɔn] *adj* boastful.

fantaisie [fɑ̃tezi] *nf* (*imagination*) imagination ; (*caprice*) whim ; bijoux ~ costume jewellery.

fantastique [fɑ̃tastik] *adj* fantastic ; (*littérature, film*) fantasy.

fantôme [fɑ̃tom] *nm* ghost.

far [far] *nm* : ~ breton *Breton custard tart with prunes.*

farce [fars] *nf* (*plaisanterie*) practical joke ; CULIN stuffing ; faire une ~ à qqn to play a trick on sb.

farceur, euse [farsœr, øz] *nm, f* practical joker.

farci, e [farsi] *adj* stuffed.

fard [far] *nm* : ~ à joues blusher ; ~ à paupières eyeshadow.

farfelu, e [farfəly] *adj* weird.

farine [farin] *nf* flour.

farouche [faruʃ] *adj* (*animal*) wild ; (*enfant*) shy ; (*haine, lutte*) fierce.

fascinant, e [fasinɑ̃, ɑ̃t] *adj* fascinating.

fasciner [fasine] *vt* to fascinate.

fasse *etc* → faire.

fatal, e [fatal] *adj* (*mortel*) fatal ; (*inévitable*) inevitable.

fatalement [fatalmɑ̃] *adv* inevitably.

fataliste [fatalist] *adj* fatalistic.

fatigant, e [fatigɑ̃, ɑ̃t] *adj* tiring ; (*agaçant*) tiresome.

fatigue [fatig] *nf* tiredness.

fatigué, e [fatige] *adj* tired.

fatiguer [fatige] *vt* to tire (out) ; (*agacer*) to annoy. ❏ se fatiguer *vp* to get tired ; se ~ à faire qqch to wear o.s. out doing sthg.

faubourg [fobur] *nm* suburb.

faucher [foʃe] *vt* (*blé*) to cut ; (*piéton, cycliste*) to run down ; *fam* (*voler*) to pinch.

faudra [fodra] → falloir.

faufiler [fofile] : se faufiler *vp* to slip in.

faune [fon] *nf* fauna.

fausse → faux.

fausser [fose] *vt* (*résultat*) to distort ; (*clef*) to bend ; (*mécanisme*) to damage.

faut [fo] → falloir.

faute [fot] *nf* mistake ; *(responsabilité)* fault.

fauteuil [fotœj] *nm* armchair ; *(de cinéma, de théâtre)* seat ; ~ **à bascule** rocking chair ; ~ **roulant** wheelchair.

fauve [fov] *nm* big cat.

faux, fausse [fo, fos] *adj (incorrect)* wrong ; *(artificiel)* false ; *(billet)* fake. ◆ *adv (chanter, jouer)* out of tune.

faux-filet, s [fofile] *nm* sirloin.

faveur [favœr] *nf (service)* favour ; **en ~ de** in favour of.

favorable [favɔrabl] *adj* favourable ; **être ~ à** to be favourable to.

favori, ite [favɔri, it] *adj* favourite.

favoriser [favɔrize] *vt (personne)* to favour ; *(situation)* to help.

fax [faks] *nm* fax.

faxer [fakse] *vt* to fax.

féculent [fekylã] *nm* starchy food.

fédéral, e, aux [federal, o] *adj* federal.

fédération [federasjɔ̃] *nf* federation.

fée [fe] *nf* fairy.

feignant, e [fɛɲã, ãt] *adj fam* lazy.

feinte [fɛ̃t] *nf (ruse)* ruse ; SPORT dummy.

fêler [fele] : **se fêler** *vp* to crack.

félicitations [felisitasjɔ̃] *nfpl* congratulations.

féliciter [felisite] *vt* to congratulate.

félin [felɛ̃] *nm* cat.

femelle [fəmɛl] *nf* female.

féminin, e [feminɛ̃, in] *adj* feminine ; *(mode, travail)* women's.

femme [fam] *nf* woman ; *(épouse)* wife ; ~ **de chambre** chambermaid ; ~ **de ménage** cleaning woman.

fendant [fɑ̃dɑ̃] *nm white wine from the Valais region of Switzerland.*

fendre [fɑ̃dr] *vt (vase, plat)* to crack ; *(bois)* to split.

fenêtre [fənɛtr] *nf* window.

fenouil [fənuj] *nm* fennel.

fente [fɑ̃t] *nf (fissure)* crack ; *(de tirelire, de distributeur)* slot.

fer [fɛr] *nm* iron ; ~ **à cheval** horseshoe ; ~ **forgé** wrought iron ; ~ **à repasser** iron.

fera *etc* → **faire**.

féra [fera] *nf fish from Lake Geneva.*

fer-blanc [fɛrblɑ̃] *nm* tin.

férié [ferje] *adj m* → **jour**.

ferme [fɛrm] *adj* firm. ◆ *nf* farm.

fermé, e [fɛrme] *adj* closed ; *(caractère)* introverted.

fermement [fɛrməmɑ̃] *adv* firmly.

fermenter [fɛrmɑ̃te] *vi* to ferment.

fermer [fɛrme] *vt* to shut, to close ; *(magasin, société)* to close down ; *(électricité, radio)* to turn off, to switch off. ◆ *vi* to close, to shut ; ~ **qqch à clef** to lock sthg. ❏ **se fermer** *vp* to shut, to close ; *(vêtement)* to do up.

fermeté [fɛrməte] *nf* firmness.

fermeture [fɛrmətyr] *nf* closing ; *(mécanisme)* fastener ; '~ **annuelle'** 'annual closing' ; ~ **Éclair**® zip *(Br)*, zipper *(Am)*.

fermier, ère [fɛrmje, ɛr] *nm, m* farmer.

fermoir [fɛrmwar] nm clasp.

féroce [ferɔs] adj ferocious.

ferraille [fɛrɑj] nf scrap iron.

ferrée [fɛre] adj f → **voie**.

ferroviaire [fɛrɔvjɛr] adj rail.

ferry [feri] (pl ferries) nm ferry.

fertile [fɛrtil] adj fertile.

fesse [fɛs] nf buttock. ❑ **fesses**
nfpl bottom (sg).

fessée [fese] nf spanking.

festin [fɛstɛ̃] nm feast.

festival [fɛstival] nm festival.

FESTIVAL D'AVIGNON

Founded in 1947 by Jean Vilar, a
leading French theatre director,
this festival takes place each
year in and around the town of
Avignon in southeast France. As
well as important new plays and
dance pieces performed here
for the first time before touring
France, more informal street
performances take place throughout the town.

FESTIVAL DE CANNES

During this international film
festival held each year in May in
this fashionable seaside resort in
the south of France, prizes are
awarded for acting, directing
etc. The most sought-after prize
is the Palme d'Or, given for the
best film in the festival.

fête [fɛt] nf (congé) holiday ; (réception) party ; (kermesse) fair ;
(jour du saint) saint's day ; **faire la
~ to** party ; **~ foraine** funfair ; **~ des
Mères** Mother's day ; **~ des Pères**
Father's day ; **~ nationale** national

holiday. ❑ **fêtes** nfpl : **les ~ s** (de fin
d'année) the Christmas holidays.

BONNE FÊTE!

In France each day is associated
with certain saint. It is traditional to wish **bonne fête** (Happy
Saint's Day) to people whose
Christian name is the same as
the saint for that day.

FÊTE DE LA MUSIQUE

This public event was started at
the beginning of the 1980s to
promote music in France. It
takes place every year on 21
June when both professional
and amateur musicians play in
the streets. Every kind of music is
present, from classical and jazz
to rock, techno and rap.

fêter [fete] vt to celebrate.

feu, x [fø] nm fire ; (lumière)
light ; **avez-vous du ~?** have you
got a light? ; **faire du ~** to make a
fire ; **à ~ doux** on a low flame ;
~ d'artifice firework ; **~ de camp**
campfire ; **~ rouge** red light ; **~ x de
signalisation** OU **tricolores** traffic
lights ; **~ x arrière** rear lights ; **~ x
de croisement** dipped headlights ;
au ~! fire! ; **en ~** (forêt, maison) on
fire.

feuillage [fœjaʒ] nm foliage.

feuille [fœj] nf (d'arbre) leaf ; (de
papier) sheet ; **~ morte** dead leaf.

feuilleté, e [fœjte] adj → **pâte**.
◆ nm dessert or savoury dish made
from puff pastry.

feuilleter [fœjte] vt to flick
through.

feuilleton [fœjtɔ̃] *nm* serial.

feutre [føtr] *nm (stylo)* felt-tip pen ; *(chapeau)* felt hat.

fève [fɛv] *nf* broad bean ; *(de galette)* charm put in a 'galette des Rois'.

février [fevrije] *nm* February → **septembre**.

fiable [fjabl] *adj* reliable.

fiançailles [fjɑ̃saj] *nfpl* engagement *(sg)*.

fiancé, e [fjɑ̃se] *nm, f* fiancé (f fiancée).

fiancer [fjɑ̃se] : **se fiancer** *vp* to get engaged.

fibre [fibr] *nf* fibre.

ficeler [fisle] *vt* to tie up.

ficelle [fisɛl] *nf* string ; *(pain)* thin French stick.

fiche [fiʃ] *nf (de carton, de papier)* card ; TECH pin ; **~ de paie** payslip.

ficher [fiʃe] *vt (planter)* to drive in ; *fam (faire)* to do ; *fam (mettre)* to stick ; **fiche-moi la paix!** *fam* leave me alone! ; **fiche le camp!** *fam* get lost! □ **se ficher de** *vp + prép fam (ridiculiser)* to make fun of ; **je m'en fiche** *fam (ça m'est égal)* I don't give a damn.

fichier [fiʃje] *nm (boîte)* card-index box ; INFORM file.

fichu, e [fiʃy] *adj fam* : **c'est ~** *(raté)* that's blown it ; *(cassé, abîmé)* it's had it ; **être mal ~** *(malade)* to feel rotten.

fidèle [fidɛl] *adj* loyal.

fidélité [fidelite] *nf* loyalty.

fier [fje] *vp + prép (personne, instinct)* to rely on.

fier, fière [fjɛr] *adj* proud ; **être ~ de** to be proud of.

fierté [fjɛrte] *nf* pride.

fièvre [fjɛvr] *nf* fever ; **avoir de la ~** to have a (high) temperature.

fiévreux, euse [fjevrø, øz] *adj* feverish.

fig. *(abr de figure)* fig.

figé, e [fiʒe] *adj (sauce)* congealed ; *(personne)* motionless.

figer [fiʒe] : **se figer** *vp (sauce)* to congeal.

figue [fig] *nf* fig.

figure [figyr] *nf (visage)* face ; *(schéma)* figure.

figurer [figyre] *vi* to appear. □ **se figurer** *vp* : **se ~ que** to think that.

fil [fil] *nm (à coudre)* thread ; *(du téléphone)* wire ; **~ de fer** wire.

file [fil] *nf (sur la route)* lane ; **~ (d'attente)** queue (Br), line (Am) ; **à la ~** in a row ; **en ~ (indienne)** in single file.

filer [file] *vt (collant)* to ladder (Br), to put a run in (Am). ◆ *vi (aller vite)* to fly ; *fam (partir)* to dash off ; **~ qqch à qqn** *fam* to slip sthg.

filet [filɛ] *nm* net ; *(de poisson, de bœuf)* fillet ; *(d'eau)* trickle ; **~ américain** Belg steak tartare ; **~ mignon** filet mignon, small good-quality cut of beef.

filiale [filjal] *nf* subsidiary.

filière [filjɛr] *nf* SCOL : **~ scientifique** science subjects.

fille [fij] *nf* girl ; *(descendante)* daughter.

fillette [fijɛt] *nf* little girl.

filleul, e [fijœl] *nm, f* godchild.

film [film] *nm* film ; **~ d'horreur** OU **d'épouvante** horror film ; **~ vidéo** video.

filmer [filme] *vt* to film.

fils [fis] *nm* son.

filtre 118

filtre [filtr] *nm* filter.

filtrer [filtre] *vt* to filter.

fin, e [fɛ̃, fin] *adj (couche, tranche)* thin ; *(sable, cheveux)* fine ; *(délicat)* delicate ; *(subtil)* shrewd. ◆ *nf* end ; **~ juillet** at the end of July ; **à la ~ (de)** at the end (of).

final, e, als OU **aux** [final, o] *adj* final.

finale [final] *nf* final.

finalement [finalmã] *adv* finally.

finaliste [finalist] *nmf* finalist.

finance [finãs] *nf* : **la ~** *(profession)* finance ; **les ~ s** *(publiques)* public funds ; *fam (d'un particulier)* finances.

financement [finãsmã] *nm* funding.

financer [finãse] *vt* to finance.

financier, ère [finãsje, ɛr] *adj* financial. ◆ *nm (gâteau)* small cake made with almonds and candied fruit.

finesse [fines] *nf* subtlety.

finir [finir] *vt* to finish. ◆ *vi* to end ; **~ bien** to have a happy ending ; **~ par faire qqch** to end up doing sthg.

finlandais, e [fɛ̃lãdɛ, ɛz] *adj* Finnish. ◆ *nm* = **finnois**. ❑ **Finlandais, e** *nm, f* Finn.

Finlande [fɛ̃lãd] *nf* : **la ~** Finland.

finnois [finwa] *nm* Finnish.

fioul [fjul] *nm* fuel.

fisc [fisk] *nm* ≃ Inland Revenue *(Br)*, ≃ Internal Revenue *(Am)*.

fiscal, e, aux [fiskal, o] *adj* tax.

fissure [fisyr] *nf* crack.

fissurer [fisyre] : **se fissurer** *vp* to crack.

fixation [fiksasjõ] *nf (de ski)* binding.

fixe [fiks] *adj* fixed.

fixer [fikse] *vt (attacher)* to fix ; *(regarder)* to stare at.

flacon [flakõ] *nm* small bottle.

flageolet [flaʒɔlɛ] *nm* flageolet bean.

flagrant, e [flagrã, ãt] *adj* blatant ; **en ~ délit** in the act.

flair [flɛr] *nm* sense of smell ; **avoir du ~** *fig* to have flair.

flairer [flɛre] *vt* to smell ; *fig (deviner)* to scent.

flamand, e [flamã, ãd] *adj* Flemish. ◆ *nm (langue)* Flemish.

flambé, e [flãbe] *adj* served in alcohol which has been set on fire.

flamber [flãbe] *vi* to burn.

flamiche [flamiʃ] *nf* savoury tart.

flamme [flam] *nf* flame ; **en ~ s** in flames.

flan [flã] *nm* flan.

flanc [flã] *nm* flank.

flâner [flane] *vi* to stroll.

flanquer [flãke] *vt (entourer)* to flank ; *fam (mettre)* to stick.

flaque [flak] *nf* puddle.

flash, s OU **es** [flaʃ] *nm (d'appareil photo)* flash ; *(d'information)* newsflash.

flatter [flate] *vt* to flatter.

fléau, x [fleo] *nm (catastrophe)* natural disaster.

flèche [flɛʃ] *nf* arrow.

fléchette [fleʃɛt] *nf* dart.

fléchir [fleʃir] *vt & vi* to bend.

flemme [flɛm] *nf fam* : **j'ai la ~ de faire qqch** I can't be bothered (to do sthg).

flétri, e [fletri] *adj* withered.

fleur [flœr] *nf* flower ; *(d'arbre)*

blossom ; en ~ (s) *(plante)* in flower ; *(arbre)* in blossom.

fleuri, e [flœri] *adj (tissu, motif)* flowered ; *(jardin)* in flower.

fleurir [flœrir] *vi* to flower.

fleuriste [flœrist] *nmf* florist.

fleuve [flœv] *nm* river.

flexible [fleksibl] *adj* flexible.

flic [flik] *nm fam* cop.

flipper [flipœr] *nm* pin-ball machine.

flirter [flœrte] *vi* to flirt.

flocon [flɔkɔ̃] *nm* : **~ de neige** snowflake ; **~ s d'avoine** oatmeal.

flore [flɔr] *nf* flora ; *(livre)* guide to flowers.

flot [flo] *nm* stream.

flottante [flɔtɑ̃t] *adj* f → île.

flotte [flɔt] *nf (de navires)* fleet ; *fam (pluie)* rain ; *fam (eau)* water.

flotter [flɔte] *vi* to float.

flotteur [flɔtœr] *nm* float.

flou, e [flu] *adj (photo)* blurred ; *(idée, souvenir)* vague.

fluide [flɥid] *adj* fluid ; *(circulation)* flowing freely. ◆ *nm* fluid.

fluo [flyo] *adj inv* fluorescent.

fluor [flyɔr] *nm* fluorine.

fluorescent, e [flyɔresɑ̃, ɑ̃t] *adj* fluorescent.

flûte [flyt] *nf (pain)* French stick ; *(verre)* flute ; **~ (à bec)** recorder. ◆ *excl* bother!

FM *nf* FM.

FNAC [fnak] *nf* chain of large stores selling books, records, audio and video equipment.

foi [fwa] *nf* faith ; **être de bonne ~** to be sincere ; **être de mauvaise ~** to be insincere.

foie [fwa] *nm* liver ; **~ gras** foie gras, duck or goose liver.

foin [fwɛ̃] *nm* hay.

foire [fwar] *nf (marché)* fair ; *(exposition)* trade fair.

fois [fwa] *nf* time ; **une ~** once ; **deux ~** twice ; **trois ~** three times ; **à la ~** at the same time ; **des ~** *(parfois)* sometimes ; **une ~ que tu auras mangé** once you have eaten.

folie [fɔli] *nf* madness ; **faire une ~** *(dépenser)* to be extravagant.

folklore [fɔlklɔr] *nm* folklore.

folklorique [fɔlklɔrik] *adj* folk.

folle → **fou.**

foncé, e [fɔ̃se] *adj* dark.

foncer [fɔ̃se] *vi (s'assombrir)* to darken ; *fam (aller vite)* to get a move on ; **~ dans** to crash into ; **~ sur** to rush towards.

fonction [fɔ̃ksjɔ̃] *nf* function ; *(métier)* post ; **en ~ de** according to.

fonctionnaire [fɔ̃ksjɔnɛr] *nmf* civil servant.

fonctionnel, elle [fɔ̃ksjɔnɛl] *adj* functional.

fonctionnement [fɔ̃ksjɔnmɑ̃] *nm* working.

fonctionner [fɔ̃ksjɔne] *vi* to work ; **faire ~ qqch** to make sthg work.

fond [fɔ̃] *nm (d'un puits, d'une boîte)* bottom ; *(d'une salle)* far end ; *(d'une photo, d'un tableau)* background ; **au ~, dans le ~** *(en réalité)* in fact ; **au ~ de** *(salle)* at the back of ; *(valise)* at the bottom of ; **~ d'artichaut** artichoke heart ; **~ de teint** foundation.

fondamental, e, aux [fɔ̃damɑ̃tal, o] *adj* basic.

fondant, e [fɔ̃dɑ̃, ɑ̃t] *adj* which melts in the mouth. ◆ *nm* : **~ au chocolat** chocolate cake that melts in the mouth.

fondation [fɔ̃dasjɔ̃] nf foundation. ❏ **fondations** nfpl (d'une maison) foundations.

fonder [fɔ̃de] vt (société) to found ; (famille) to start. ❏ **se fonder sur** vp + prép (suj :personne) to base one's opinion on ; (suj : raisonnement) to be based on.

fondre [fɔ̃dr] vi to melt ; ~ **en larmes** to burst into tears.

fonds [fɔ̃] nmpl (argent) funds.

fondue [fɔ̃dy] nf : ~ **bourguignonne** meat fondue ; ~ **savoyarde** cheese fondue.

font [fɔ̃] → faire.

fontaine [fɔ̃tɛn] nf fountain.

fonte [fɔ̃t] nf (métal) cast iron ; (des neiges) thaw.

foot(ball) [fut(bol)] nm football.

footballeur [futbolœr] nm footballer.

footing [futiŋ] nm jogging ; **faire un** ~ to go jogging.

forain, e [fɔrɛ̃, ɛn] adj → **fête**. ◆ nm fairground worker.

force [fɔrs] nf strength ; (violence) force ; ~ **s** (physiques) strength ; **de** ~ **by** force ; **à** ~ **de faire qqch** through doing sthg.

forcément [fɔrsemɑ̃] adv inevitably ; **pas** ~ not necessarily.

forcer [fɔrse] vt (porte) to force. ◆ vi (faire un effort physique) to strain o.s. ; ~ **qqn à faire qqch** to force sb to do sthg. ❏ **se forcer** vp : **se** ~ **(à faire qqch)** to force o.s. (to do sthg).

forêt [fɔrɛ] nf forest.

forêt-noire [fɔrɛnwar] (pl **forêts-noires**) nf Black Forest gâteau.

forfait [fɔrfɛ] nm (abonnement) season ticket ; (de ski) ski pass ;

(de location de voiture) basic rate ; **déclarer** ~ to withdraw.

forfaitaire [fɔrfɛtɛr] adj inclusive.

forgé [fɔrʒe] adj m → **fer**.

forger [fɔrʒe] vt (fer) to forge.

formalités [fɔrmalite] nfpl formalities.

format [fɔrma] nm size.

formater [fɔrmate] vt to format.

formation [fɔrmasjɔ̃] nf (apprentissage) training ; (de roches, de mots) formation.

forme [fɔrm] nf shape, form ; **en** ~ **de T** T-shaped ; **être en (pleine)** ~ to be on (top) form.

former [fɔrme] vt (créer) to form ; (éduquer) to train. ❏ **se former** vp (naître) to form ; (s'éduquer) to train o.s.

formidable [fɔrmidabl] adj great.

formulaire [fɔrmyler] nm form.

formule [fɔrmyl] nf formula ; (de restaurant) menu.

fort, e [fɔr, fɔrt] adj strong ; (gros) large ; (doué) bright. ◆ adv (parler) loudly ; (sentir) strongly ; (pousser) hard.

forteresse [fɔrtərɛs] nf fortress.

fortifications [fɔrtifikasjɔ̃] nfpl fortifications.

fortifier [fɔrtifje] vt to fortify.

fortune [fɔrtyn] nf fortune ; **faire** ~ to make one's fortune.

fosse [fos] nf pit.

fossé [fose] nm ditch.

fossette [fɔsɛt] nf dimple.

fossile [fɔsil] nm fossil.

fou, folle [fu, fɔl] adj mad ; (extraordinaire) amazing. ◆ nm, f madman (f madwoman). ◆

(aux échecs) bishop ; **(avoir le) ~ rire** (to be in fits of) uncontrollable laughter.

foudre [fudʀ] *nf* lightning.

foudroyant, e [fudʀwajɑ̃, ɑ̃t] *adj (poison, maladie)* lethal.

foudroyer [fudʀwaje] *vt* to strike.

fouet [fwɛ] *nm* whip ; *CULIN* whisk ; **de plein ~** head-on.

fouetter [fwete] *vt* to whip ; *CULIN* to whisk.

fougère [fuʒɛʀ] *nf* fern.

fouiller [fuje] *vt* to search.

fouillis [fuji] *nm* muddle.

foulard [fulaʀ] *nm* scarf.

foule [ful] *nf* crowd.

fouler [fule] : **se fouler** *vp* : **se ~ la cheville** to sprain one's ankle.

foulure [fulyʀ] *nf* sprain.

four [fuʀ] *nm (de cuisinière, de boulanger)* oven.

fourche [fuʀʃ] *nf* pitchfork ; *(carrefour)* fork ; *Belg (heure libre)* free period.

fourchette [fuʀʃɛt] *nf* fork ; *(de prix)* range.

fourchu, e [fuʀʃy] *adj* : **avoir les cheveux ~ s** to have split ends.

fourgon [fuʀgɔ̃] *nm* van.

fourgonnette [fuʀgɔnɛt] *nf* small van.

fourmi [fuʀmi] *nf* ant.

fourmilière [fuʀmiljɛʀ] *nf* anthill.

fourneau, x [fuʀno] *nm* stove.

fournir [fuʀniʀ] *vt (effort)* to make ; **~ qqch à qqn** *(marchandises)* to supply sb with sthg ; *(preuve, argument)* to provide sb with sthg.

fournisseur, euse [fuʀnisœʀ, øz]

nm, f supplier ; *INFORM* **~ d'accès** service provider.

fournitures [fuʀnityʀ] *nfpl* supplies.

fourré, e [fuʀe] *adj (vêtement)* lined ; *(crêpe)* filled.

fourrer [fuʀe] *vt (crêpe)* to fill ; *fam (mettre)* to stick. ❑ **se fourrer** *vp fam (mettre)* to put o.s.

fourre-tout [fuʀtu] *nm inv (sac)* holdall.

fourrière [fuʀjɛʀ] *nf* pound.

fourrure [fuʀyʀ] *nf* fur.

foyer [fwaje] *nm (d'une cheminée)* hearth ; *(domicile)* home ; *(pour délinquants)* hostel ; **femme/mère au ~** housewife.

fracasser [fʀakase] : **se fracasser** *vp* to smash.

fraction [fʀaksjɔ̃] *nf* fraction.

fracture [fʀaktyʀ] *nf* fracture.

fracturer [fʀaktyʀe] *vt (porte, coffre)* to break open. ❑ **se fracturer** *vp* : **se ~ le crâne** to fracture one's skull.

fragile [fʀaʒil] *adj* fragile ; *(santé)* delicate.

fragment [fʀagmɑ̃] *nm* fragment.

fraîche → frais.

fraîcheur [fʀeʃœʀ] *nf* coolness ; *(d'un aliment)* freshness.

frais, fraîche [fʀe, fʀeʃ] *adj (froid)* cool ; *(aliment)* fresh. ◆ *nmpl (dépenses)* expenses, costs. ◆ *nm* : **mettre qqch au ~** to put sthg in a cool place ; **'servir ~'** 'serve chilled'.

fraise [fʀez] *nf* strawberry.

fraisier [fʀezje] *nm* strawberry plant ; *(gâteau)* strawberry sponge.

framboise [frãbwaz] nf raspberry.

franc, franche [frã, frãʃ] adj frank. ◆ nm franc ; ~ suisse Swiss franc.

français, e [frãsɛ, ɛz] adj French. ◆ nm (langue) French. ❏ Français, e nm, f Frenchman (f Frenchwoman) ; les Français the French.

France [frãs] nf : la ~ France ; ~ 2 state-owned television channel ; ~ 3 state-owned television channel ; ~ Télécom French state-owned telecommunications organization.

franche → franc.

franchement [frãʃmã] adv frankly ; (très) completely.

franchir [frãʃir] vt (frontière) to cross ; (limite) to exceed.

franchise [frãʃiz] nf frankness ; (d'assurance) excess ; (de location automobile) collision damage waiver.

francophone [frãkɔfɔn] adj French-speaking.

frange [frãʒ] nf fringe ; à ~ s fringed.

frangipane [frãʒipan] nf (crème) almond paste.

frappant, e [frapã, ãt] adj striking.

frappé, e [frape] adj (frais) chilled.

frapper [frape] vt to hit ; (impressionner, affecter) to strike. ◆ vi to strike ; ~ un coup to knock ; ~ (à la porte) to knock (at the door) ; ~ dans ses mains to clap one's hands.

fraude [frod] nf fraud ; passer qqch en ~ to smuggle sthg through customs.

frayer [freje] : se frayer vp : se ~ un chemin to force one's way.

frayeur [frejœr] nf fright.

fredonner [frədɔne] vt to hum.

freezer [frizœr] nm freezer compartment.

frein [frɛ̃] nm brake ; ~ à main handbrake (Br), parking brake (Am).

freiner [frene] vt (élan, personne) to restrain. ◆ vi to brake.

frémir [fremir] vi to tremble.

fréquence [frekãs] nf frequency.

fréquent, e [frekã, ãt] adj frequent.

fréquenter [frekãte] vt (personnes) to mix with ; (endroit) to visit.

frère [frɛr] nm brother.

fresque [frɛsk] nf fresco.

friand [frijã] nm savoury tartlet.

friandise [frijãdiz] nf delicacy.

fric [frik] nm fam cash.

fricassée [frikase] nf fricassee.

frictionner [friksjɔne] vt to rub.

Frigidaire® [friʒidɛr] nm fridge.

frigo [frigo] nm fam fridge.

frileux, euse [frilø, øz] adj sensitive to the cold.

frimer [frime] vi fam to show off.

fripé, e [fripe] adj wrinkled.

frire [frir] vt & vi to fry.

frisé, e [frize] adj (personne) curly-haired ; (cheveux) curly.

frisée [frize] nf curly endive.

friser [frize] vi to curl.

frisson [frisɔ̃] nm shiver ; avoir des ~ s to have the shivers.

frissonner [frisɔne] vi to shiver.

frit, e [fri, frit] pp → frire. ◆ adj fried.

frites [frit] *nfpl* : (pommes) ~ chips *(Br)*, French fries *(Am)*.

friteuse [fritøz] *nf* deep fat fryer.

friture [frityr] *nf* oil ; (poissons) fried fish ; (parasites) interference.

froid, e [frwa, frwad] *adj* & *nm* cold. ◆ *adv* : **avoir** ~ to be cold.

froidement [frwadmɑ̃] *adv* coldly.

froisser [frwase] *vt* to crumple ; *fig (vexer)* to offend. ❑ **se froisser** *vp* to crease ; *fig (se vexer)* to take offence.

frôler [frole] *vt* to brush against.

fromage [frɔmaʒ] *nm* cheese ; ~ **blanc** fromage frais ; ~ **de tête** brawn *(Br)*, headcheese *(Am)*.

FROMAGE

There are about 350 types of French cheese, which can be divided into soft cheeses (such as Camembert, Brie and Pont-l'Évêque), hard cheeses (such as Tomme and Comté) and blue cheeses (such as Bleu d'Auvergne), all made from cow's milk. There are also many cheeses made from goat's milk and sheep's milk. In France cheese is eaten with bread before dessert.

froncer [frɔ̃s] *nf* gather.

froncer [frɔ̃se] *vt* (vêtement) to gather ; ~ **les sourcils** to frown.

fronde [frɔ̃d] *nf* sling.

front [frɔ̃] *nm* forehead ; (des combats) front ; **de** ~ (de face) head-on ; (côte à côte) abreast ; (en même temps) at the same time.

frontière [frɔ̃tjɛr] *nf* border.

frottement [frɔtmɑ̃] *nm* friction.

frotter [frɔte] *vt* (tache) to rub ; (meuble) to polish ; (allumette) to strike. ◆ *vi* to rub.

fruit [frɥi] *nm* fruit ; ~ **s confits** candied fruit *(sg)* ; ~ **s de mer** seafood *(sg)*.

fruitier [frɥitje] *adj m* → **arbre**.

fugue [fyg] *nf* : **faire une** ~ to run away.

fuir [fɥir] *vi* to flee ; (robinet, eau) to leak.

fuite [fɥit] *nf* flight ; (d'eau, de gaz) leak ; **être en** ~ to be on the run ; **prendre la** ~ to take flight.

fumé, e [fyme] *adj* smoked.

fumée [fyme] *nf* smoke ; (vapeur) steam.

fumer [fyme] *vt* to smoke. ◆ *vi* (personne) to smoke ; (liquide) to steam.

fumeur, euse [fymœr, øz] *nm, f* smoker.

fumier [fymje] *nm* manure.

funambule [fynɑ̃byl] *nmf* tightrope walker.

funèbre [fynɛbr] *adj* → **pompe**.

funérailles [fyneraj] *nfpl sout* funeral *(sg)*.

funiculaire [fynikylɛr] *nm* funicular railway.

fur [fyr] : **au fur et à mesure** *adv* as I/you etc go along ; **au** ~ **et à mesure que** *as*.

fureur [fyrœr] *nf* fury.

furieux, euse [fyrjø, øz] *adj* furious.

furoncle [fyrɔ̃kl] *nm* boil.

fuseau, x [fyzo] *nm* (pantalon) ski-pants *(pl)* ; ~ **horaire** time zone.

fusée [fyze] *nf* rocket.

fusible [fyzibl] *nm* fuse.

fusil [fyzi] *nm* gun.

fusillade [fyzijad] *nf* gunfire.

fusiller [fyzije] *vt* to shoot.

futé, e [fyte] *adj* smart.

futile [fytil] *adj* frivolous.

futur, e [fytyr] *adj* future. ◆ *nm (avenir)* future ; GRAMM future (tense).

G

gâcher [gaʃe] *vt (détruire)* to spoil ; *(gaspiller)* to waste.

gâchette [gaʃɛt] *nf* trigger.

gâchis [gaʃi] *nm* waste.

gadget [gadʒɛt] *nm* gadget.

gaffe [gaf] *nf* : faire une ~ to put one's foot in it ; faire ~ (à qqch) *fam* to be careful (of sthg).

gag [gag] *nm* gag.

gage [gaʒ] *nm (dans un jeu)* forfeit ; *(assurance, preuve)* proof.

gagnant, e [gaɲɑ̃, ɑ̃t] *adj* winning. ◆ *nm, f* winner.

gagner [gaɲe] *vt (concours, course, prix)* to win ; *(argent)* to earn ; *(temps, place)* to save ; *(atteindre)* to reach. ◆ *vi* to win ; *(bien)* ~ sa vie to earn a (good) living.

gai, e [ge] *adj* cheerful ; *(couleur, pièce)* bright.

gaiement [gemɑ̃] *adv* cheerfully.

gaieté [gete] *nf* cheerfulness.

gain [gɛ̃] *nm (de temps, d'espace)* saving. ❑ **gains** *nmpl (salaire)* earnings ; *(au jeu)* winnings.

gaine [gɛn] *nf (étui)* sheath ; *(sous-vêtement)* girdle.

gala [gala] *nm* gala.

galant [galɑ̃] *adj m* gallant.

galerie [galri] *nf (passage couvert)* gallery ; *(à bagages)* roof rack ; ~ (d'art) art gallery ; ~ **marchande** shopping centre *(Br)*, shopping mall *(Am)*.

galet [galɛ] *nm* pebble.

galette [galɛt] *nf (gâteau)* flat cake ; *(crêpe)* pancake ; ~ **bretonne** *(biscuit)* all-butter shortcake biscuit, speciality of Brittany.

GALETTE DES ROIS

This large round pastry, often filled with almond paste, is traditionally eaten on Twelfth Night, 6 January. It contains a small porcelain figurine (the *fève*). The cake is shared out and the person who finds the *fève* becomes the king or queen and is given a cardboard crown to wear.

Galles [gal] *n* → pays.

gallois, e [galwa, az] *adj* Welsh. ❏ **Gallois, e** *nm, f* Welshman *(f* Welshwoman) ; les **Gallois** the Welsh.

galon [galɔ̃] *nm (ruban)* braid ; MIL stripe.

galop [galo] *nm* : aller/partir au ~ *(cheval)* to gallop along/off.

galoper [galɔpe] *vi (cheval)* to gallop ; *(personne)* to run about.

gambader [gɑ̃bade] *vi* to leap about.

gambas [gɑ̃bas] *nfpl* large prawns.

gamelle [gamɛl] *nf* mess tin (Br), kit (Am).

gamin, e [gamɛ̃, in] *nm, f* fam kid.

gamme [gam] *nf* MUS scale ; (choix) range.

ganglion [gɑ̃glijɔ̃] *nm* : avoir des ~ s to have swollen glands.

gangster [gɑ̃gstɛr] *nm* gangster.

gant [gɑ̃] *nm* (de laine, de boxe, de cuisine) glove ; ~ de toilette ≃ flannel (Br), facecloth (Am).

garage [garaʒ] *nm* garage.

garagiste [garaʒist] *nm* (propriétaire) garage owner ; (mécanicien) mechanic.

garantie [garɑ̃ti] *nf* guarantee.

garantir [garɑ̃tir] *vt* to guarantee ; ~ qqch à qqn to guarantee sb sthg ; ~ à qqn que to guarantee sb that.

garçon [garsɔ̃] *nm* boy ; (homme) young man ; ~ (de café) waiter.

garde¹ [gard] *nm* guard ; ~ du corps bodyguard.

garde² [gard] *nf* (d'un endroit) guarding ; (d'enfants) care ; (soldats) guard ; mettre qqn en ~ (contre) to put sb on their guard (against) ; prendre ~ (à qqch) to be careful (of sthg) ; de ~ (médecin) on duty ; pharmacie de ~ duty chemist's.

garde-barrière [gard(ə)barjɛr] (*pl* gardes-barrière(s)) *nmf* level crossing keeper (Br), grade crossing keeper (Am).

garde-boue [gardəbu] *nm inv* mudguard.

garde-chasse [gardəʃas] (*pl* gardes-chasse(s)) *nm* gamekeeper.

garde-fou, s [gardəfu] *nm* railing.

garder [garde] *vt* to keep ; (vête-

ment) to keep on ; (enfant, malade) to look after ; (lieu, prisonnier) to guard ; (souvenir, impression) to have. ❑ se garder *vp* (aliment) to keep.

garderie [gardəri] *nf* (day) nursery (Br), day-care center (Am) ; (d'entreprise) crèche.

garde-robe, s [gardərɔb] *nf* wardrobe.

gardien, enne [gardjɛ̃, ɛn] *nm, f* (de musée) attendant ; (de prison) warder (Br), guard (Am) ; (d'immeuble) caretaker (Br), janitor (Am) ; ~ de but goalkeeper ; ~ de nuit nightwatchman.

gare [gar] *nf* station. ◆ *excl* : ~ toi! (menace) watch it! ; entrer en ~ to pull into the station ; ~ routière bus station.

garer [gare] *vt* to park. ❑ se garer *vp* (dans un parking) to park.

gargouille [garguj] *nf* gargoyle.

gargouiller [garguje] *vi* (tuyau) to gurgle ; (estomac) to rumble.

garnement [garnəmɑ̃] *nm* rascal.

garni, e [garni] *adj* (plat) served with vegetables.

garnir [garnir] *vt* : ~ qqch de qqch (décorer) to decorate sthg with sthg ; (équiper) to fit sthg out with sthg.

garniture [garnityr] *nf* (légumes) vegetables (accompanying main dish) ; (décoration) trimming.

gars [ga] *nm* fam guy.

gas-oil [gazɔjl] *nm* = gazole.

gaspillage [gaspijaʒ] *nm* waste.

gaspiller [gaspije] *vt* to waste.

gastronomique [gastrɔnɔmik] *adj* (guide) gastronomic ; (restaurant) gourmet.

gâté, e [gate] *adj (fruit, dent)* rotten.

gâteau, x [gato] *nm* cake ; ~ **sec** biscuit *(Br)*, cookie *(Am)*.

gâter [gate] *vt (enfant)* to spoil. ❏ **se gâter** *vp (fruit)* to go bad ; *(dent)* to decay ; *(temps, situation)* to get worse.

gâteux, euse [gatø, øz] *adj* senile.

gauche [goʃ] *adj* left ; *(maladroit)* awkward. ◆ *nf* : **la ~** the left ; POL the left (wing) ; **à ~ (de)** on the left (of) ; **de ~** *(du côté gauche)* left-hand.

gaucher, ère [goʃe, er] *adj* left-handed.

gaufre [gofr] *nf* waffle.

gaufrette [gofret] *nf* wafer.

gaver [gave] *vt* : ~ **qqn de qqch** *(aliments)* to fill sb full of sthg.

gaz [gaz] *nm inv* gas.

gaze [gaz] *nf* gauze.

gazeux, euse [gazø, øz] *adj (boisson, eau)* fizzy.

gazinière [gazinjer] *nf* gas stove.

gazole [gazɔl] *nm* diesel (oil).

gazon [gazɔ̃] *nm (herbe)* grass ; *(terrain)* lawn.

GB *(abr de Grande-Bretagne)* GB.

géant, e [ʒeã, ãt] *adj (grand)* gigantic ; COMM *(paquet)* giant. ◆ *nm, f* géant.

gel [ʒel] *nm (glace)* frost ; *(à cheveux, dentifrice)* gel.

gélatine [ʒelatin] *nf* CULIN gelatine.

gelée [ʒəle] *nf (glace)* frost ; *(de fruits)* jelly *(Br)* ; **en ~** in jelly.

geler [ʒəle] *vt* to freeze. ◆ *vi* to

freeze ; *(avoir froid)* to be freezing ; **il gèle** it's freezing.

gélule [ʒelyl] *nf* capsule.

Gémeaux [ʒemo] *nmpl* Gemini *(sg)*.

gémir [ʒemir] *vi* to moan.

gênant, e [ʒenã, ãt] *adj (encombrant)* in the way ; *(embarrassant)* embarrassing.

gencive [ʒãsiv] *nf* gum.

gendarme [ʒãdarm] *nm* policeman.

GENDARMERIE

In France, while the police are especially present in larger towns, a military institution called the *gendarmerie* patrols the road network, small towns and the countryside. The *gendarmes* fulfill the same role as police officers, ensuring law and order and recording declarations of theft.

gendarmerie [ʒãdarməri] *nf (gendarmes)* ≃ police force ; *(bureau)* ≃ police station.

gendre [ʒãdr] *nm* son-in-law.

gêne [ʒen] *nf (physique)* discomfort ; *(embarras)* embarrassment.

généalogique [ʒenealɔʒik] *adj* → arbre.

gêner [ʒene] *vt (déranger)* to bother ; *(embarrasser)* to embarrass ; *(encombrer)* : ~ **qqn** to be in sb's way ; **ça vous gêne si ...?** do you mind if ...? ❏ **se gêner** *vp* : **ne te gêne pas** don't mind me.

général, e, aux [ʒeneral, o] *adj & nm* general ; **en ~** *(dans l'ensemble)* in general ; *(d'habitude)* generally.

généralement [ʒeneralmɑ̃] adv generally.

généraliste [ʒeneralist] nm : (médecin) ~ GP.

génération [ʒenerasjɔ̃] nf generation.

généreux, euse [ʒenerø, øz] adj generous.

générique [ʒenerik] nm credits (pl) ; MÉD generic drug.

générosité [ʒenerozite] nf generosity.

genêt [ʒəne] nm broom (plant).

génétique [ʒenetik] adj genetic.

Genève [ʒənɛv] n Geneva.

génial, e, aux [ʒenjal, o] adj brilliant.

génie [ʒeni] nm genius.

génoise [ʒenwaz] nf sponge.

génome [ʒenom] nm genome m.

genou, x [ʒənu] nm knee.

genre [ʒɑ̃r] nm kind, type ; GRAMM gender ; **un ~ de** a kind of.

gens [ʒɑ̃] nmpl people.

gentil, ille [ʒɑ̃ti, ij] adj nice ; (serviable) kind ; (sage) good.

gentillesse [ʒɑ̃tijes] nf kindness.

gentiment [ʒɑ̃timɑ̃] adv kindly ; (sagement) nicely ; Helv (tranquillement) quietly.

géographie [ʒeografi] nf geography.

géométrie [ʒeometri] nf geometry.

géranium [ʒeranjɔm] nm geranium.

gérant, e [ʒerɑ̃, ɑ̃t] nm, f manager ; (f manageress).

gerbe [ʒerb] nf (de blé) sheaf ; (de fleurs) wreath ; (d'étincelles) shower.

gercé, e [ʒerse] adj chapped.

gérer [ʒere] vt to manage.

germain, e [ʒermɛ̃, en] adj → cousin.

germe [ʒerm] nm (de plante) sprout ; (de maladie) germ.

germer [ʒerme] vi to sprout.

gésier [ʒezje] nm gizzard.

geste [ʒest] nm movement ; (acte) gesture.

gesticuler [ʒestikyle] vi to gesticulate.

gestion [ʒestjɔ̃] nf management.

gibier [ʒibje] nm game.

giboulée [ʒibule] nf sudden shower.

gicler [ʒikle] vi to spurt.

gifle [ʒifl] nf slap.

gifler [ʒifle] vt to slap.

gigantesque [ʒigɑ̃tesk] adj gigantic ; (extraordinaire) enormous.

gigot [ʒigo] nm : ~ **d'agneau/de mouton** leg of lamb/of mutton.

gigoter [ʒigote] vi to wriggle about.

gilet [ʒile] nm (pull) cardigan ; (sans manches) waistcoat (Br), vest (Am) ; ~ **de sauvetage** life jacket.

gin [dʒin] nm gin.

gingembre [ʒɛ̃ʒɑ̃br] nm ginger.

girafe [ʒiraf] nf giraffe.

giratoire [ʒiratwar] adj → sens.

girofle [ʒirɔfl] nm → clou.

girouette [ʒirwet] nf weathercock.

gisement [ʒizmɑ̃] nm deposit.

gitan, e [ʒitɑ̃, an] nm, f gipsy.

gîte [ʒit] nm (de bœuf) shin (Br), shank (Am) ; ~ (rural) gîte (self-catering accommodation in the country).

GÎTE RURAL

Often quite large converted farmhouses or outbuildings, *gîtes* can be rented out by holidaymakers as self-catering, furnished accommodations and are usually less expensive than other types of holiday rentals. The term *gîte* is officially recognized and these establishments must meet certain criteria. They are classified according to the level of comfort and amenities provided. Some *gîtes* offer a *table d'hôte* where the guests eat with the family.

givre [ʒivr] *nm* frost.

givré, e [ʒivre] *adj* covered with frost.

glace [glas] *nf* ice ; *(crème glacée)* ice cream ; *(miroir)* mirror ; *(vitre)* pane ; *(de voiture)* window.

glacé, e [glase] *adj (couvert de glace)* frozen ; *(froid)* freezing cold.

glacer [glase] *vt* to chill.

glacial, e, s OU **aux** [glasjal, o] *adj* icy.

glacier [glasje] *nm (de montagne)* glacier ; *(marchand)* ice-cream seller.

glacière [glasjɛr] *nf* cool box.

glaçon [glasɔ̃] *nm* ice cube.

gland [glɑ̃] *nm* acorn.

glande [glɑ̃d] *nf* gland.

glissade [glisad] *nf* slip.

glissant, e [glisɑ̃, ɑ̃t] *adj* slippery.

glisser [glise] *vt* to slip. ◆ *vi (en patinant)* to slide ; *(déraper)* to slip ; *(être glissant)* to be slippery. ❑ **se glisser** *vp* to slip.

global, e, aux [glɔbal, o] *adj* global.

globalement [glɔbalmɑ̃] *adv* on the whole.

globe [glɔb] *nm* globe ; **le ~ (terrestre)** the Earth.

gloire [glwar] *nf* fame.

glorieux, euse [glɔrjø, øz] *adj* glorious.

glossaire [glɔsɛr] *nm* glossary.

gloussement [glusmɑ̃] *nm (de poule)* clucking ; *(rire)* chuckle.

glouton, onne [glutɔ̃, ɔn] *adj* greedy.

gluant, e [glyɑ̃, ɑ̃t] *adj* sticky.

GO *(abr de grandes ondes)* LW.

gobelet [gɔblɛ] *nm (à boire)* tumbler ; *(à dés)* shaker.

gober [gɔbe] *vt* to swallow.

goéland [gɔelɑ̃] *nm* seagull.

goinfre [gwɛ̃fr] *nmf* pig.

golf [gɔlf] *nm* golf ; *(terrain)* golf course ; **~ miniature** crazy golf.

golfe [gɔlf] *nm* gulf.

gomme [gɔm] *nf (à effacer)* rubber *(Br)*, eraser *(Am)*.

gommer [gɔme] *vt (effacer)* to rub out *(Br)*, to erase *(Am)*.

gond [gɔ̃] *nm* hinge.

gondoler [gɔ̃dɔle] **: se gondoler** *vp (bois)* to warp ; *(papier)* to wrinkle.

gonflé, e [gɔ̃fle] *adj* swollen ; *fam (audacieux)* cheeky.

gonfler [gɔ̃fle] *vt* to blow up. ◆ *vi (partie du corps)* to swell (up) ; *(pâte)* to rise.

gorge [gɔrʒ] *nf* throat ; *(gouffre)* gorge.

gorgée [gɔrʒe] *nf* mouthful.

gorille [gɔrij] *nm* gorilla.

gosette [gɔzɛt] nf Belg apricot or apple turnover.

gosse [gɔs] nmf fam kid.

gothique [gɔtik] adj Gothic.

gouache [gwaʃ] nf gouache.

goudron [gudrɔ̃] nm tar.

goudronner [gudrɔne] vt to tar.

gouffre [gufr] nm abyss.

goulot [gulo] nm neck ; **boire au ~** to drink straight from the bottle.

gourde [gurd] nf flask.

gourmand, e [gurmɑ̃, ɑ̃d] adj greedy.

gourmandise [gurmɑ̃diz] nf greed ; **des ~ s** sweets.

gourmet [gurmɛ] nm gourmet.

gourmette [gurmɛt] nf chain bracelet.

gousse [gus] nf : **~ d'ail** clove of garlic ; **~ de vanille** vanilla pod.

goût [gu] nm taste ; **avoir bon ~** (aliment) to taste good ; (personne) to have good taste.

goûter [gute] nm afternoon snack. ◆ vt to taste. ◆ vi to have an afternoon snack.

goutte [gut] nf drop ; **tomber à ~** to drip. ❏ **gouttes** nfpl (médicament) drops.

gouttelette [gutlɛt] nf droplet.

gouttière [gutjɛr] nf gutter.

gouvernail [guvɛrnaj] nm rudder.

gouvernement [guvɛrnəmɑ̃] nm government.

gouverner [guvɛrne] vt to govern.

grâce [gras] nf grace. ❏ **grâce à** prép thanks to.

gracieux, euse [grasjø, øz] adj graceful.

grade [grad] nm rank.

gradins [gradɛ̃] nmpl terraces.

gradué, e [gradɥe] adj graduated ; Belg (diplômé) holding a technical diploma just below university level.

graduel, elle [gradɥɛl] adj gradual.

graffiti(s) [grafiti] nmpl graffiti (sg).

grain [grɛ̃] nm grain ; (de poussière) speck ; (de café) bean ; **~ de beauté** beauty spot.

graine [grɛn] nf seed.

graisse [grɛs] nf fat ; (lubrifiant) grease.

graisser [grɛse] vt to grease.

graisseux, euse [grɛsø, øz] adj greasy.

grammaire [gramɛr] nf grammar.

grammatical, e, aux [gramatikal, o] adj grammatical.

gramme [gram] nm gram.

grand, e [grɑ̃, grɑ̃d] adj (ville, différence) big ; (personne, immeuble) tall ; (en durée) long ; (important, glorieux) great. ◆ adv : **~ ouvert** wide open ; **~ frère** older brother ; **~ magasin** department store ; **~ e surface** hypermarket ; **les ~ es vacances** the summer holidays (Br), the summer vacation (sg) (Am).

grand-chose [grɑ̃ʃoz] pron : **pas ~** not much.

Grande-Bretagne [grɑ̃dbrətaɲ] nf : **la ~** Great Britain.

grandeur [grɑ̃dœr] nf size ; (importance) greatness ; **~ nature** life-size.

grandir [grɑ̃dir] vi to grow.

grand-mère [grɑ̃mɛr] (pl grands-mères) nf grandmother.

grand-père [grɑ̃pɛr] (pl grands-pères) nm grandfather.

grand-rue, s [grɑ̃ry] nf high street (Br), main street (Am).

grands-parents [grɑ̃parɑ̃] nmpl grandparents.

grange [grɑ̃ʒ] nf barn.

granit(e) [granit] nm granite.

granulé [granyle] nm (médicament) tablet.

graphique [grafik] nm diagram.

grappe [grap] nf (de raisin) bunch ; (de lilas) flower.

gras, grasse [grɑ, grɑs] adj greasy ; (aliment) fatty ; (gros) fat.

gras-double, s [grɑdubl] nm (ox) tripe.

gratin [gratɛ̃] nm gratin (dish with a topping of toasted breadcrumbs or cheese) ; ~ dauphinois sliced potatoes baked with cream and browned on top.

gratinée [gratine] nf French onion soup.

gratiner [gratine] vi : faire ~ qqch to brown sthg.

gratis [gratis] adv free (of charge).

gratitude [gratityd] nf gratitude.

gratte-ciel [gratsjɛl] nm inv skyscraper.

gratter [grate] vt (peau) to scratch ; (peinture, tache) to scrape off. ❏ **se gratter** vp to scratch o.s.

gratuit, e [gratɥi, it] adj free.

gravats [grava] nmpl rubble (sg).

grave [grav] adj (maladie, accident, visage) serious ; (voix, note) deep.

gravement [gravmɑ̃] adv seriously.

graver [grave] vt to carve.

gravier [gravje] nm gravel.

gravillon [gravijɔ̃] nm fine gravel.

gravir [gravir] vt to climb.

gravité [gravite] nf (attraction terrestre) gravity ; (d'une maladie, d'une remarque) seriousness.

gravure [gravyr] nf engraving.

gré [gre] nm : de mon plein ~ of my own free will.

grec, grecque [grɛk] adj Greek. ◆ nm (langue) Greek. ❏ **Grec, Grecque**, f Greek.

Grèce [grɛs] nf : la ~ Greece.

greffe [grɛf] nf (d'organe) transplant ; (de peau) graft.

greffer [grefe] vt (organe) to transplant ; (peau) to graft.

grêle [grɛl] nf hail.

grêler [grele] v impers : il grêle it's hailing.

grêlon [grɛlɔ̃] nm hailstone.

grelot [grəlo] nm bell.

grelotter [grəlɔte] vi to shiver.

grenade [grənad] nf (fruit) pomegranate ; (arme) grenade.

grenadine [grənadin] nf grenadine.

grenat [grəna] adj inv dark red.

grenier [grənje] nm attic.

grenouille [grənuj] nf frog.

grésiller [grezije] vi (huile) to sizzle ; (radio) to crackle.

grève [grɛv] nf (arrêt de travail) strike ; être/se mettre en ~ to be/to go on strike.

gréviste [grevist] nmf striker.

gribouillage [gribujaʒ] nm doodle.

gribouiller [gribuje] vt to scribble.

grièvement [grijɛvmɑ̃] adv seriously.

griffe [grif] nf claw ; Belg (éraflure) scratch.

griffer [grife] vt to scratch.

griffonner [grifɔne] vt to scribble.

grignoter [griɲɔte] vt to nibble (at ou on).

gril [gril] nm grill.

grillade [grijad] nf grilled meat.

grillage [grijaʒ] nm (clôture) wire fence.

grille [grij] nf (de four) shelf ; (d'un jardin) gate ; (de mots croisés, de loto) grid ; (tableau) table.

grillé, e [grije] adj (ampoule) blown.

grille-pain [grijpɛ̃] nm inv toaster.

griller [grije] vt (aliment) to grill (Br), to broil (Am) ; fam : ~ un feu rouge to go through a red light.

grillon [grijɔ̃] nm cricket.

grimace [grimas] nf grimace ; faire des ~ s to pull faces.

grimpant, e [grɛ̃pɑ̃, ɑ̃t] adj climbing.

grimper [grɛ̃pe] vt to climb. ◆ vi (chemin, alpiniste) to climb ; (prix) to soar.

grincement [grɛ̃smɑ̃] nm creaking.

grincer [grɛ̃se] vi to creak.

grincheux, euse [grɛ̃ʃø, øz] adj grumpy.

griotte [grijɔt] nf morello (cherry).

grippe [grip] nf flu ; avoir la ~ to have (the) flu.

grippé, e [gripe] adj (malade) : être ~ to have (the) flu.

gris, e [gri, griz] adj & nm grey.

grivois, e [grivwa, az] adj saucy.

grognement [grɔɲmɑ̃] nm growl.

grogner [grɔɲe] vi to growl ; (protester) to grumble.

grognon, onne [grɔɲɔ̃, ɔn] adj grumpy.

grondement [grɔ̃dmɑ̃] nm (de tonnerre) rumble.

gronder [grɔ̃de] vt to scold. ◆ vi (tonnerre) to rumble ; se faire ~ to get a telling-off.

groom [grum] nm bellboy.

gros, grosse [gro, gros] adj big. ◆ adv (écrire) in big letters ; (gagner) a lot. ◆ nm : en ~ (environ) roughly ; COMM wholesale.

groseille [grozɛj] nf redcurrant ; ~ à maquereau gooseberry.

grosse → gros.

grossesse [grosɛs] nf pregnancy.

grosseur [grosœr] nf size ; MÉD lump.

grossier, ère [grosje, ɛr] adj rude ; (approximatif) rough ; (erreur) crass.

grossièreté [grosjɛrte] nf rudeness ; (parole) rude remark.

grossir [grosir] vt (suj : jumelles) to magnify ; (exagérer) to exaggerate. ◆ vi (prendre du poids) to put on weight.

grosso modo [grosomodo] adv roughly.

grotesque [grɔtɛsk] adj ridiculous.

grotte [grɔt] nf cave.

grouiller [gruje] : **grouiller de** *v + prép* to be swarming with.

groupe [grup] *nm* group ; ~ sanguin blood group.

grouper [grupe] *vt* to group together. ◆ **se grouper** *vp* to gather.

gruau [gryo] *nm Can* porridge.

grue [gry] *nf* crane.

grumeau, x [grymo] *nm* lump.

gruyère [gryjɛr] *nm* Gruyère (cheese) *(hard strong cheese made from cow's milk)*.

Guadeloupe [gwadlup] *nf* : la ~ Guadeloupe.

guadeloupéen, enne [gwadlupeɛ̃, ɛn] *adj* of Guadeloupe.

guédille [gedij] *nf Can* bread roll filled with egg or chicken.

guêpe [gɛp] *nf* wasp.

guère [gɛr] *adv* : elle ne mange ~ she hardly eats anything.

guérir [gerir] *vt* to cure. ◆ *vi (personne)* to recover ; *(blessure)* to heal.

guérison [gerizɔ̃] *nf* recovery.

guerre [gɛr] *nf* war ; être en ~ to be at war ; ~ mondiale world war.

guerrier, ère [gɛrje, ɛr] *nmf* warrior.

guet [gɛ] *nm* : faire le ~ to be on the lookout.

guetter [gete] *vt (attendre)* to be on the lookout for ; *(menacer)* to threaten.

gueule [gœl] *nf (d'animal)* mouth ; *vulg (visage)* mug.

gueuler [gœle] *vi fam (crier)* to yell (one's head off).

gueuze [gøz] *nf Belg strong beer which has been fermented twice.*

gui [gi] *nm* mistletoe.

guichet [giʃɛ] *nm (de gare, de poste)* window ; ~ automatique (de banque) cash dispenser.

guichetier, ère [giʃtje, ɛr] *nm, f* counter clerk.

guide [gid] *nm* guide. ◆ *nm. (routier, gastronomique)* guide book ; ~ touristique tourist guide.

guider [gide] *vt* to guide.

guidon [gidɔ̃] *nm* handlebars *(pl)*.

guignol [giɲɔl] *nm (spectacle)* ≃ Punch and Judy show.

guillemets [gijmɛ] *nmpl* inverted commas.

guimauve [gimov] *nf* marshmallow.

guirlande [girlɑ̃d] *nf* garland.

guise [giz] *nf* : en ~ de by way of.

guitare [gitar] *nf* guitar ; ~ électrique electric guitar.

guitariste [gitarist] *nmf* guitarist.

Guyane [gɥijan] *nf* : la ~ (française) French Guiana.

gymnase [ʒimnaz] *nm* gymnasium.

gymnastique [ʒimnastik] *nf SPORT* gymnastics *(sg)* ; faire de la ~ to do exercises.

gynécologue [ʒinekɔlɔg] *nmf* gynaecologist.

H

habile [abil] *adj (manuellement)* skilful ; *(intellectuellement)* clever.

habileté [abilte] *nf (manuelle)* skill ; *(intellectuelle)* cleverness.

habillé, e [abije] *adj* dressed ; *(tenue)* smart.

habillement [abijmɑ̃] *nm (couture)* clothing trade *(Br)*, garment industry *(Am)*.

habiller [abije] *vt* to dress ; *(meuble)* to cover. □ **s'habiller** *vp* to get dressed ; *(élégamment)* to dress up.

habitant, e [abitɑ̃, ɑ̃t] *nm, f* inhabitant ; *Can (paysan)* farmer ; **loger chez l'~** to stay with a family.

habitation [abitasjɔ̃] *nf* residence.

habiter [abite] *vt* to live in. ◆ *vi* to live.

habits [abi] *nmpl* clothes.

habitude [abityd] *nf* habit ; **d'~** usually ; **comme d'~** as usual.

habituel, elle [abityɛl] *adj* usual.

habituellement [abityɛlmɑ̃] *adv* usually.

habituer [abitye] *vt* : **~ qqn à faire qqch** to get sb used to doing sthg ; **être habitué à faire qqch** to be used to doing sthg. □ **s'habituer à** *vp* + *prép* : **s'~ à faire qqch** to get used to doing sthg.

hache [ˈaʃ] *nf* axe.

hacher [ˈaʃe] *vt (viande)* to mince *(Br)*, to grind *(Am)* ; *(oignon)* to chop finely.

hachis [ˈaʃi] *nm* mince *(Br)*, ground meat *(Am)* ; **~ Parmentier** ≃ shepherd's pie.

hachoir [ˈaʃwar] *nm (lame)* chopping knife.

hachures [ˈaʃyr] *nfpl* hatching *(sg)*.

haddock [ˈadɔk] *nm* smoked haddock.

haie [ˈɛ] *nf* hedge ; *SPORT* hurdle.

haine [ˈɛn] *nf* hatred.

haïr [ˈair] *vt* to hate.

Haïti [aiti] *n* Haiti.

hâle [ˈal] *nm (sun)tan.

haleine [alɛn] *nf* breath.

haleter [ˈalte] *vi* to pant.

hall [ˈol] *nm (d'un hôtel)* lobby ; *(d'une gare)* concourse.

halle [ˈal] *nf* (covered) market.

hallucination [alysinasjɔ̃] *nf* hallucination.

halogène [alɔʒɛn] *nm* : **(lampe) ~** halogen lamp.

halte [ˈalt] *nf (arrêt)* stop ; *(lieu)* stopping place ; **faire ~** to stop.

haltère [altɛr] *nm* dumbbell.

hamac [ˈamak] *nm* hammock.

hamburger [ˈɑ̃burgœr] *nm* burger.

hameçon [amsɔ̃] *nm* fish-hook.

hamster [ˈamstɛr] *nm* hamster.

hanche [ˈɑ̃ʃ] *nf* hip.

handball [ˈɑ̃dbal] *nm* handball.

handicap [ˈɑ̃dikap] *nm* handicap.

handicapé, e [ˈɑ̃dikape] *adj* handicapped. ◆ *nm, f* handicapped person.

hangar [ˈɑ̃gar] *nm* shed.

hanté, e [ˈɑ̃te] *adj* haunted.

happer [ˈape] *vt (saisir)* to grab ; *(suj : animal)* to snap up.

harceler [ˈarsəle] *vt* to pester.

hardi, e [ˈardi] *adj* bold.

hareng [ˈarɑ̃] *nm* herring ; **~ saur** kipper.

hargneux, euse [ˈarɲø, øz] *adj* aggressive ; *(chien)* vicious.

haricot [ˈariko] *nm* bean ; **~ vert** green bean.

harmonica [armɔnika] *nm* harmonica.

harmonie [armɔni] *nf* harmony.

harmonieux, euse [armɔnjø, øz] *adj* harmonious.

harmoniser [armɔnize] *vt* to harmonize.

harnais ['arnɛ] *nm* harness.

harpe ['arp] *nf* harp.

hasard ['azar] *nm* : le ~ chance, fate ; un ~ a coincidence ; au ~ at random ; à tout ~ just in case ; par ~ by chance.

hasarder ['azarde] *vt* to venture. ❑ **se hasarder** *vp* to venture ; se ~ à faire qqch to risk doing sthg.

hasardeux, euse ['azardø, øz] *adj* dangerous.

hâte ['at] *nf* haste ; à la ~, en ~ hurriedly ; sans ~ at a leisurely pace ; avoir ~ de faire qqch to be looking forward to doing sthg.

hâter ['ate] : **se hâter** *vp* to hurry.

hausse ['os] *nf* rise ; être en ~ to be on the increase.

hausser ['ose] *vt (prix, ton)* to raise ; ~ les épaules to shrug (one's shoulders).

haut, e ['o, 'ot] *adj & adv* high. ◆ *nm* top ; tout ~ aloud ; ~ la main hands down ; de ~ en bas from top to bottom ; en ~ at the top ; *(à l'étage)* upstairs ; la pièce fait 3 m de ~ the room is 3 m high.

hautain, e ['otɛ̃, ɛn] *adj* haughty.

haute-fidélité ['otfidelite] *nf* hi-fi.

hauteur ['otœr] *nf* height ; *(colline)* hill ; être à la ~ to be up to it.

haut-le-cœur ['olkœr] *nm inv* : avoir un ~ to retch.

haut-parleur, s ['oparlœr] *nm* loudspeaker.

hebdomadaire [ɛbdɔmadɛr] *adj & nm* weekly.

hébergement [ebɛrʒəmɑ̃] *nm* lodging.

héberger [ebɛrʒe] *vt* to put up.

hectare [ɛktar] *nm* hectare.

hein ['ɛ̃] *excl fam* : tu ne lui diras pas, ~? you won't tell him/her, will you? ; hein? what?

hélas ['elas] *excl* unfortunately.

hélice [elis] *nf* propeller.

hélicoptère [elikɔptɛr] *nm* helicopter.

helvétique [ɛlvetik] *adj* Swiss.

hématome [ematom] *nm* bruise.

hémorragie [emɔraʒi] *nf* hemorrhage.

hennissement ['enismɑ̃] *nm* neigh.

hépatite [epatit] *nf* hepatitis.

herbe [ɛrb] *nf* grass ; fines ~ s herbs ; mauvaises ~ s weeds.

héréditaire [ereditɛr] *adj* hereditary.

hérisser ['erise] : **se hérisser** *vp* to stand on end.

hérisson ['erisɔ̃] *nm* hedgehog.

héritage [eritaʒ] *nm* inheritance.

hériter [erite] *vt* to inherit. ❑ **hériter de** *v + prép* to inherit.

héritier, ère [eritje, ɛr] *nm, f* heir *(f* heiress).

hermétique [ermetik] *adj* airtight ; *fig (incompréhensible)* abstruse.

hernie ['erni] *nf* hernia.

héroïne [erɔin] *nf (drogue)* heroin ; → héros.

héroïsme [erɔism] *nm* heroism.

héros, héroïne ['ero, erɔin] *nm, f* hero *(f* heroine).

herve [ɛrv] *nm* soft cheese from the Liège region of Belgium, made from cow's milk.

hésitation [ezitasjɔ̃] *nf* hesitation.

hésiter [ezite] *vi* to hesitate.

hêtre ['ɛtr] *nm* beech.

heure [œr] *nf* hour ; *(moment)* time ; **quelle ~ est-il?** - **il est quatre ~ s** what time is it? - it's four o'clock ; **à quelle ~ part le train?** à deux ~ s what time does the train leave? - at two o'clock ; **c'est l'~ de ...** it's time to ... ; **à l'~ on** time ; **de bonne ~** early ; **~ s d'ouverture** opening hours ; **~ s de pointe** rush hour *(sg).*

heureusement [œrøzmɑ̃] *adv* luckily, fortunately.

heureux, euse [œrø, øz] *adj* happy ; *(favorable)* fortunate.

heurter ['œrte] *vt* to bump into ; *(en voiture)* to hit ; *(vexer)* to offend. □ **se heurter à** *vp + prép (obstacle, refus)* to come up against.

hexagone [ɛgzagɔn] *nm* hexagon ; **l'Hexagone** (mainland) France.

hibou, x ['ibu] *nm* owl.

hier [ijɛr] *adv* yesterday ; **~ après-midi** yesterday afternoon.

hiérarchie ['jerarʃi] *nf* hierarchy.

hiéroglyphes ['jerɔglif] *nmpl* hieroglyphics.

hi-fi ['ifi] *nf inv* hi-fi.

hilarant, e [ilarɑ̃, ɑ̃t] *adj* hilarious.

hindou, e [ɛ̃du] *adj & nm, f* Hindu.

hippodrome [ipɔdrom] *nm* racecourse.

hippopotame [ipɔpɔtam] *nm* hippopotamus.

hirondelle [irɔ̃dɛl] *nf* swallow.

hisser ['ise] *vt* to lift ; *(drapeau, voile)* to hoist.

histoire [istwar] *nf* story ; *(passé)*

history ; **faire des ~ s** to make a fuss ; **~ drôle** joke.

historique [istɔrik] *adj* historical ; *(important)* historic.

hit-parade, s ['itparad] *nm* charts *(pl).*

hiver [ivɛr] *nm* winter ; **en ~** in winter.

HLM *nm inv ou nf inv* ≃ council house/flat *(Br)*, ≃ public housing unit *(Am).*

hobby ['ɔbi] *(pl s ou hobbies) nm* hobby.

hocher ['ɔʃe] *vt* : **~ la tête** *(pour accepter)* to nod ; *(pour refuser)* to shake one's head.

hochet ['ɔʃɛ] *nm* rattle.

hockey ['ɔkɛ] *nm* hockey ; **~ sur glace** ice hockey.

hold-up ['ɔldœp] *nm inv* hold-up.

hollandais, e ['ɔlɑ̃dɛ, ɛz] *adj* Dutch. ◆ *nm (langue)* Dutch. □ **Hollandais, e** *nm, f* Dutchman (*f* Dutchwoman).

hollande ['ɔlɑ̃d] *nm (fromage)* Dutch cheese.

Hollande ['ɔlɑ̃d] *nf* : **la ~** Holland.

homard ['ɔmar] *nm* lobster ; **~ à l'américaine** *lobster cooked in a sauce of white wine, brandy, herbs and tomatoes.*

homéopathie [ɔmeɔpati] *nf* homeopathy.

hommage [ɔmaʒ] *nm* : **en ~ à** in tribute to ; **rendre ~ à** to pay tribute to.

homme [ɔm] *nm* man ; *(mâle)* man ; **~ d'affaires** businessman ; **~ politique** politician.

homogène [ɔmɔʒɛn] *adj (classe)* of the same level.

homosexuel, elle [ɔmɔsɛksɥɛl] *adj* & *nm, f* homosexual.

Hongrie ['ɔ̃gri] *nf* : la ~ Hungary.

honnête [ɔnɛt] *adj* honest ; *(salaire, résultats)* decent.

honnêteté [ɔnɛtte] *nf* honesty.

honneur [ɔnœr] *nm* honour ; faire ~ à *(famille)* to do credit to ; *(repas)* to do justice to.

honorable [ɔnɔrabl] *adj* honourable ; *(résultat)* respectable.

honoraires [ɔnɔrɛr] *nmpl* fee(s).

honte ['ɔ̃t] *nf* shame ; avoir ~ (de) to be ashamed (of) ; faire ~ à qqn *(embarrasser)* to put sb to shame ; *(gronder)* to make sb feel ashamed.

honteux, euse ['ɔ̃tø, øz] *adj* ashamed ; *(scandaleux)* shameful.

hôpital, aux [ɔpital, o] *nm* hospital.

hoquet [ɔkɛ] *nm* : avoir le ~ to have hiccups.

horaire [ɔrɛr] *nm* timetable ; '~ s d'ouverture' 'opening hours'.

horizon [ɔrizɔ̃] *nm* horizon ; à l'~ on the horizon.

horizontal, e, aux [ɔrizɔ̃tal, o] *adj* horizontal.

horloge [ɔrlɔʒ] *nf* clock ; l'~ parlante the speaking clock.

horloger, ère [ɔrlɔʒe, ɛr] *nm, f* watchmaker.

horlogerie [ɔrlɔʒri] *nf* watchmaker's (shop).

horoscope [ɔrɔskɔp] *nm* horoscope.

horreur [ɔrœr] *nf* horror ; quelle ~! how awful! ; avoir ~ de qqch to hate sthg.

horrible [ɔribl] *adj (effrayant)* horrible ; *(laid)* hideous.

horriblement [ɔriblǝmɑ̃] *adv* terribly.

horrifié, e [ɔrifje] *adj* horrified.

hors ['ɔr] *prép* : ~ de outside, out of ; ~ jeu offside ; ~ saison out of season ; '~ service' 'out of order' ; ~ taxes *(prix)* excluding tax ; *(boutique)* duty-free ; ~ d'atteinte, ~ de portée out of reach ; ~ d'haleine out of breath ; ~ de prix ridiculously expensive.

hors-bord ['ɔrbɔr] *nm inv* speedboat.

hors-d'œuvre [ɔrdœvr] *nm inv* starter.

hortensia [ɔrtɑ̃sja] *nm* hydrangea.

horticulture [ɔrtikyltyr] *nf* horticulture.

hospice [ɔspis] *nm (de vieillards)* home.

hospitaliser [ɔspitalize] *vt* to hospitalize.

hospitalité [ɔspitalite] *nf* hospitality.

hostie [ɔsti] *nf* host.

hostile [ɔstil] *adj* hostile.

hostilité [ɔstilite] *nf* hostility.

hot dog, s ['ɔtdɔg] *nm* hot dog.

hôte, hôtesse [ot, otɛs] *nm, f (qui reçoit)* host (*f* hostess). ◆ *nm (invité)* guest.

hôtel [otɛl] *nm* hotel ; *(château)* mansion ; ~ de ville town hall.

hôtellerie [otɛlri] *nf (hôtel)* hotel ; *(activité)* hotel trade.

hôtesse [otɛs] *nf (d'accueil)* receptionist ; *(qui reçoit)* hostess ; ~ de l'air air hostess.

hotte ['ɔt] *nf (panier)* basket ; ~ (aspirante) extractor hood.

houle ['ul] *nf* swell.

hourra ['ura] *excl* hurrah.

housse ['us] *nf* cover ; ~ de couette duvet cover.

houx ['u] *nm* holly.

hovercraft [ɔvœrkraft] *nm* hovercraft.

HT *abr* = hors taxes.

hublot ['yblo] *nm* porthole.

huer ['ɥe] *vt* to boo.

huile [ɥil] *nf* oil ; ~ d'olive olive oil ; ~ solaire suntan oil.

huiler [ɥile] *vt (mécanisme)* to oil ; *(moule)* to grease.

huileux, euse [ɥilə, øz] *adj* oily.

huissier [ɥisje] *nm* JUR bailiff.

huit ['ɥit] *num* eight → **six**.

huitaine ['ɥiten] *nf*: une ~ (de jours) about a week.

huitième ['ɥitjɛm] *num* eighth → **sixième**.

huître [ɥitr] *nf* oyster.

humain, e [ymɛ̃, ɛn] *adj* human ; *(compréhensif)* humane. ◆ *nm* human (being).

humanitaire [ymaniter] *adj* humanitarian.

humanité [ymanite] *nf* humanity.

humble [œ̃bl] *adj* humble.

humecter [ymɛkte] *vt* to moisten.

humeur [ymœr] *nf (momentanée)* mood ; *(caractère)* temper.

humide [ymid] *adj* damp ; *(pluvieux)* humid.

humidité [ymidite] *nf (du climat)* humidity ; *(d'une pièce)* dampness.

humiliant, e [ymiljɑ̃, ɑ̃t] *adj* humiliating.

humilier [ymilje] *vt* to humiliate.

humoristique [ymɔristik] *adj* humorous.

humour [ymur] *nm* humour ; avoir de l'~ to have a sense of humour.

hurlement ['yrləmɑ̃] *nm* howl.

hurler ['yrle] *vi* to howl.

hutte ['yt] *nf* hut.

hydratant, e [idratɑ̃, ɑ̃t] *adj* moisturizing.

hydrophile [idrɔfil] *adj* → **coton**.

hygiène [iʒjen] *nf* hygiene.

hygiénique [iʒjenik] *adj* hygienic.

hymne [imn] *nm (religieux)* hymn ; ~ national national anthem.

hypermarché [ipermarʃe] *nm* hypermarket.

hypertension [ipertɑ̃sjɔ̃] *nf* high blood pressure.

hypertexte [ipertekst] *adj*: lien ~ hyperlink.

hypnotiser [ipnɔtize] *vt* to hypnotize ; *(fasciner)* to fascinate.

hypocrisie [ipɔkrizi] *nf* hypocrisy.

hypocrite [ipɔkrit] *adj* hypocritical. ◆ *nmf* hypocrite.

hypothèse [ipɔtez] *nf* hypothesis.

hystérique [isterik] *adj* hysterical.

I

iceberg [ajsberg] *nm* iceberg.

ici [isi] *adv* here ; d'~ là by then ; d'~ peu before long ; par ~ *(de ce côté)* this way ; *(dans les environs)* around here.

icône [ikon] *nf* icon.

idéal, e, aux [ideal, o] *adj & nm* ideal.

idéaliste [idealist] *adj* idealistic.
◆ *nmf* idealist.

idée [ide] *nf* idea.

identifier [idɑ̃tifje] *vt* to identify. ❏ **s'identifier à** *vp + prép* to identify with.

identique [idɑ̃tik] *adj* : ~ (à) identical (to).

identité [idɑ̃tite] *nf* identity.

idiot, e [idjo, ɔt] *adj* stupid.
◆ *nm, f* idiot.

idiotie [idjosi] *nf (acte, parole)* stupid thing.

idole [idɔl] *nf* idol.

igloo [iglu] *nm* igloo.

ignoble [iɲɔbl] *adj (choquant)* disgraceful ; *(laid, mauvais)* vile.

ignorant, e [iɲɔrɑ̃, ɑ̃t] *adj* ignorant. ◆ *nm, f* ignoramus.

ignorer [iɲɔre] *vt (personne, avertissement)* to ignore ; **j'ignore son adresse/où il est** I don't know his address/where he is.

il [il] *pron (personne, animal)* he ; *(chose)* it ; *(sujet de v impers)* it ; ~ **pleut** it's raining. ❏ **ils** *pron* they.

île [il] *nf* island ; ~ **flottante** *cold dessert of beaten egg whites served on custard* ; **les** ~ **s Anglo-Normandes** the Channel Islands.

Île-de-France [ildəfrɑ̃s] *nf* administrative region centred on Paris.

illégal, e, aux [ilegal, o] *adj* illegal.

illettré, e [iletre] *adj & nm, f* illiterate.

illimité, e [ilimite] *adj* unlimited.

illisible [ilizibl] *adj* illegible.

illuminer [ilymine] *vt* to light up. ❏ **s'illuminer** *vp (monument, ville)* to be lit up ; *(visage)* to light up.

illusion [ilyzjɔ̃] *nf* illusion ; **se faire des** ~ **s** to delude o.s.

illusionniste [ilyzjɔnist] *nmf* conjurer.

illustration [ilystrasjɔ̃] *nf* illustration.

illustré, e [ilystre] *adj* illustrated.
◆ *nm* illustrated magazine.

illustrer [ilystre] *vt* to illustrate.

îlot [ilo] *nm* small island.

ils → il.

image [imaʒ] *nf* picture ; *(comparaison)* image.

imaginaire [imaʒinɛr] *adj* imaginary.

imagination [imaʒinasjɔ̃] *nf* imagination ; **avoir de l'~** to be imaginative.

imaginer [imaʒine] *vt (penser)* to imaginè ; *(inventer)* to think up. ❏ **s'imaginer** *vp (soi-même)* to picture o.s. ; *(scène, personne)* to picture.

imbattable [ɛ̃batabl] *adj* unbeatable.

imbécile [ɛ̃besil] *nmf* idiot.

imbiber [ɛ̃bibe] *vt* : ~ **qqch de** to soak sthg in.

imbuvable [ɛ̃byvabl] *adj* undrinkable.

imitateur, trice [imitatœr, tris] *nm, f* impersonator.

imitation [imitasjɔ̃] *nf* imitation ; *(d'une personnalité)* impersonation.

imiter [imite] *vt* to imitate ; *(personnalité)* to impersonate.

immangeable [ɛmɑ̃ʒabl] *adj* inedible.

immatriculation [imatrikylasjɔ̃] *nf (inscription)* registration ; *(numéro)* registration (number).

immédiat, e [imedja, at] *adj* immediate.

immédiatement [imedjatmɑ̃] *adv* immediately.

immense [imɑ̃s] *adj* huge.

immergé, e [imerʒe] *adj* submerged.

immeuble [imœbl] *nm* block of flats.

immigration [imigrasjɔ̃] *nf* immigration.

immigré, e [imigre] *adj & nm, f* immigrant.

immobile [imɔbil] *adj* still.

immobilier, ère [imɔbilje, er] *adj* property *(Br)*, real estate *(Am)*. ◆ *nm* : l'~ the property business *(Br)*, the real-estate business *(Am)*.

immobiliser [imɔbilize] *vt* to immobilize.

immonde [imɔ̃d] *adj* vile.

immoral, e, aux [imɔral, o] *adj* immoral.

immortel, elle [imɔrtɛl] *adj* immortal.

immuniser [imynize] *vt* to immunize.

impact [ɛ̃pakt] *nm* impact.

impair, e [ɛ̃pɛr] *adj* uneven.

impardonnable [ɛ̃pardɔnabl] *adj* unforgivable.

imparfait, e [ɛ̃parfɛ, ɛt] *adj* imperfect. ◆ *nm* GRAMM imperfect (tense).

impartial, e, aux [ɛ̃parsjal, o] *adj* impartial.

impasse [ɛ̃pas] *nf* dead end.

impassible [ɛ̃pasibl] *adj* impassive.

impatience [ɛ̃pasjɑ̃s] *nf* impatience.

impatient, e [ɛ̃pasjɑ̃, ɑ̃t] *adj* impatient.

impatienter [ɛ̃pasjɑ̃te] : **s'impatienter** *vp* to get impatient.

impeccable [ɛ̃pekabl] *adj* impeccable.

imper [ɛ̃pɛr] *nm* raincoat.

impératif, ive [ɛ̃peratif, iv] *adj* imperative. ◆ *nm* GRAMM imperative (mood).

impératrice [ɛ̃peratris] *nf* empress.

imperceptible [ɛ̃persɛptibl] *adj* imperceptible.

imperfection [ɛ̃pɛrfɛksjɔ̃] *nf* imperfection.

impérial, e, aux [ɛ̃perjal, o] *adj* imperial.

impériale [ɛ̃perjal] *nf → autobus.

imperméable [ɛ̃pɛrmeabl] *adj* waterproof. ◆ *nm* raincoat.

impersonnel, elle [ɛ̃pɛrsɔnɛl] *adj* impersonal.

impertinent, e [ɛ̃pɛrtinɑ̃, ɑ̃t] *adj* impertinent.

impitoyable [ɛ̃pitwajabl] *adj* pitiless.

implanter [ɛ̃plɑ̃te] *vt (mode)* to introduce ; *(entreprise)* to set up. ❑ **s'implanter** *vp (entreprise)* to be set up ; *(peuple)* to settle.

impliquer [ɛ̃plike] *vt (entraîner)* to imply ; ~ qqn dans to implicate sb in. ❑ **s'impliquer dans** *vp + prép* to get involved in.

impoli, e [ɛ̃pɔli] *adj* rude.

import [ɛ̃pɔr] *nm* Belg *(montant)* amount.

importance [ɛ̃pɔrtɑ̃s] *nf* importance ; *(taille)* size.

important, e [ɛ̃pɔrtɑ̃, ɑ̃t] *adj* important ; *(gros)* large.

importation [ɛ̃pɔrtasjɔ̃] *nf* import.

importer [ɛ̃pɔrte] *vt* to import. ◆ *vi (être important)* to matter ; **n'importe comment** *(mal)* any (old) how ; **n'importe quel** any ; **n'importe qui** anyone.

importuner [ɛ̃pɔrtyne] *vt* to bother.

imposable [ɛ̃pozabl] *adj* taxable.

imposant, e [ɛ̃pozɑ̃, ɑ̃t] *adj* imposing.

imposer [ɛ̃poze] *vt (taxer)* to tax ; ~ **qqch à qqn** to impose sthg on sb. ❏ **s'imposer** *vp (être nécessaire)* to be essential.

impossible [ɛ̃pɔsibl] *adj* impossible.

impôt [ɛ̃po] *nm* tax.

impraticable [ɛ̃pratikabl] *adj (chemin)* impassable.

imprégner [ɛ̃preɲe] *vt* to soak ; ~ **qqch de** to soak sthg in. ❏ **s'imprégner de** *vp* to soak up.

impression [ɛ̃presjɔ̃] *nf (sentiment)* impression ; *(d'un livre)* printing ; **avoir l'~ que** to have the feeling that.

impressionnant, e [ɛ̃presjɔnɑ̃, ɑ̃t] *adj* impressive.

impressionner [ɛ̃presjɔne] *vt* to impress.

imprévisible [ɛ̃previzibl] *adj* unpredictable.

imprévu, e [ɛ̃prevy] *adj* unexpected. ◆ *nm* : **aimer l'~** to like surprises.

imprimante [ɛ̃primɑ̃t] *nf* printer.

imprimé, e [ɛ̃prime] *adj (tissu)* printed. ◆ *nm (publicitaire)* booklet.

imprimer [ɛ̃prime] *vt* to print.

imprimerie [ɛ̃primri] *nf (métier)* printing ; *(lieu)* printing works.

imprononçable [ɛ̃prɔnɔ̃sabl] *adj* unpronounceable.

improviser [ɛ̃prɔvize] *vt* & *vi* to improvise.

improviste [ɛ̃prɔvist] : **à l'improviste** *adv* unexpectedly.

imprudent, e [ɛ̃prydɑ̃, ɑ̃t] *adj* reckless.

impuissant, e [ɛ̃pɥisɑ̃, ɑ̃t] *adj (sans recours)* powerless.

impulsif, ive [ɛ̃pylsif, iv] *adj* impulsive.

impureté [ɛ̃pyrte] *nf (saleté)* impurity.

inabordable [inabɔrdabl] *adj (prix)* prohibitive.

inacceptable [inakseptabl] *adj* unacceptable.

inaccessible [inaksesibl] *adj* inaccessible.

inachevé, e [inaʃve] *adj* unfinished.

inactif, ive [inaktif, iv] *adj* idle.

inadapté, e [inadapte] *adj* unsuitable.

inadmissible [inadmisibl] *adj* unacceptable.

inanimé, e [inanime] *adj (sans connaissance)* unconscious ; *(mort)* lifeless.

inaperçu, e [inapɛrsy] *adj* : **passer ~** to go unnoticed.

inapte [inapt] *adj* : **être ~ à qqch** to be unfit for sthg.

inattendu, e [inatɑ̃dy] *adj* unexpected.

inattention [inatɑ̃sjɔ̃] *nf* lack of concentration.

inaudible [inodibl] *adj* inaudible.

inauguration [inogyrasjɔ̃] *nf* (*d'un monument*) inauguration ; (*d'une exposition*) opening.

inaugurer [inogyre] *vt* (*monument*) to inaugurate ; (*exposition*) to open.

incalculable [ɛ̃kalkylabl] *adj* incalculable.

incandescent, e [ɛ̃kɑ̃desɑ̃, ɑ̃t] *adj* red-hot.

incapable [ɛ̃kapabl] *nmf* incompetent person. ◆ *adj* : être ~ de faire qqch to be unable to do sthg.

incapacité [ɛ̃kapasite] *nf* inability ; être dans l'~ de faire qqch to be unable to do sthg.

incarner [ɛ̃karne] *vt* (*personnage*) to play.

incassable [ɛ̃kasabl] *adj* unbreakable.

incendie [ɛ̃sɑ̃di] *nm* fire.

incendier [ɛ̃sɑ̃dje] *vt* to set alight.

incertain, e [ɛ̃sɛrtɛ̃, ɛn] *adj* (*couleur, nombre*) indefinite ; (*avenir*) uncertain.

incertitude [ɛ̃sɛrtityd] *nf* uncertainty.

incessamment [ɛ̃sesamɑ̃] *adv* at any moment.

incessant, e [ɛ̃sesɑ̃, ɑ̃t] *adj* constant.

incident [ɛ̃sidɑ̃] *nm* incident.

incisive [ɛ̃siziv] *nf* incisor.

inciter [ɛ̃site] *vt* : ~ qqn à faire qqch to incite sb to do sthg.

incliné, e [ɛ̃kline] *adj* (*siège, surface*) at an angle.

incliner [ɛ̃kline] *vt* to lean. ❑ **s'incliner** *vp* to lean ; **s'~ devant** (*adversaire*) to give in to.

inclure [ɛ̃klyr] *vt* to include.

inclus, e [ɛ̃kly, yz] *pp* → **inclure**. ◆ *adj* included.

incohérent, e [ɛ̃kɔerɑ̃, ɑ̃t] *adj* incoherent.

incollable [ɛ̃kɔlabl] *adj* (*riz*) nonstick ; *fam* (*qui sait tout*) unbeatable.

incolore [ɛ̃kɔlɔr] *adj* colourless.

incomparable [ɛ̃kɔ̃parabl] *adj* incomparable.

incompatible [ɛ̃kɔ̃patibl] *adj* incompatible.

incompétent, e [ɛ̃kɔ̃petɑ̃, ɑ̃t] *adj* incompetent.

incomplet, ète [ɛ̃kɔ̃plɛ, ɛt] *adj* incomplete.

incompréhensible [ɛ̃kɔ̃preɑ̃sibl] *adj* incomprehensible.

inconditionnel, elle [ɛ̃kɔ̃disjɔnɛl] *nm, f* : un ~ de a great fan of.

incongru, e [ɛ̃kɔ̃gry] *adj* incongruous.

inconnu, e [ɛ̃kɔny] *adj* unknown. ◆ *nm, f* (*étranger*) stranger ; (*non célèbre*) unknown (person).

inconsciemment [ɛ̃kɔ̃sjamɑ̃] *adv* unconsciously.

inconscient, e [ɛ̃kɔ̃sjɑ̃, ɑ̃t] *adj* (*évanoui*) unconscious ; (*imprudent*) thoughtless. ◆ *nm* : l'~ the unconscious.

inconsolable [ɛ̃kɔ̃sɔlabl] *adj* inconsolable.

incontestable [ɛ̃kɔ̃tɛstabl] *adj* indisputable.

inconvénient [ɛ̃kɔ̃venjɑ̃] *nm* disadvantage.

incorporer [ɛ̃kɔrpɔre] vt (ingrédients) to mix in.

incorrect, e [ɛ̃kɔrɛkt] adj incorrect ; (impoli) rude.

incorrigible [ɛ̃kɔriʒibl] adj incorrigible.

incrédule [ɛ̃kredyl] adj sceptical.

incroyable [ɛ̃krwajabl] adj incredible.

incrusté, e [ɛ̃kryste] adj : ~ de (décoré de) inlaid with.

incruster [ɛ̃kryste] : **s'incruster** vp (tache, saleté) to become ground in.

inculpé, e [ɛ̃kylpe] nm, f : l'~ the accused.

inculper [ɛ̃kylpe] vt to charge.

inculte [ɛ̃kylt] adj (terre) uncultivated ; (personne) uneducated.

incurable [ɛ̃kyrabl] adj incurable.

Inde [ɛ̃d] nf : l'~ India.

indécent, e [ɛ̃desã, ãt] adj indecent.

indécis, e [ɛ̃desi, iz] adj undecided ; (vague) vague.

indéfini, e [ɛ̃defini] adj indeterminate.

indéfiniment [ɛ̃definimã] adv indefinitely.

indélébile [ɛ̃delebil] adj indelible.

indemne [ɛ̃dɛmn] adj unharmed ; sortir ~ de to emerge unscathed from.

indemniser [ɛ̃dɛmnize] vt to compensate.

indemnité [ɛ̃dɛmnite] nf compensation.

indépendamment [ɛ̃depãdamã] : **indépendamment de** prép (à part) apart from.

indépendance [ɛ̃depãdãs] nf independence.

indépendant, e [ɛ̃depãdã, ãt] adj independent ; (travailleur) self-employed ; (logement) self-contained ; être ~ de (sans relation avec) to be independent of.

indescriptible [ɛ̃deskriptibl] adj indescribable.

index [ɛ̃dɛks] nm (doigt) index finger ; (d'un livre) index.

indicateur [ɛ̃dikatœr] adj m → poteau.

indicatif, ive [ɛ̃dikatif, iv] nm (téléphonique) dialling code (Br), dial code (Am) ; (d'une émission) signature tune ; GRAMM indicative. ◆ adj m : à titre ~ for information.

indication [ɛ̃dikasjɔ̃] nf (renseignement) (piece of) information.

indice [ɛ̃dis] nm (signe) sign ; (dans une enquête) clue.

indien, enne [ɛ̃djɛ̃, ɛn] adj Indian. □ **Indien, enne** nm, f Indian.

indifféremment [ɛ̃diferamã] adv indifferently.

indifférence [ɛ̃diferãs] nf indifference.

indifférent, e [ɛ̃diferã, ãt] adj (froid) indifferent ; ça m'est ~ it's all the same to me.

indigène [ɛ̃diʒɛn] nmf native.

indigeste [ɛ̃diʒɛst] adj indigestible.

indigestion [ɛ̃diʒɛstjɔ̃] nf stomach upset.

indignation [ɛ̃diɲasjɔ̃] nf indignation.

indigner [ɛ̃diɲe] : **s'indigner** vp : s'~ de qqch to take exception to sthg.

indiquer [ɛ̃dike] vt (révéler) to show ; ~ qqn/qqch à qqn (montrer) to point sb/sthg out to sb ; *(médecin, boulangerie)* to recommend sb/sthg to sb.

indirect, e [ɛ̃dirɛkt] *adj* indirect.

indirectement [ɛ̃dirɛktəmɑ̃] *adv* indirectly.

indiscipliné, e [ɛ̃disipline] *adj* undisciplined.

indiscret, ète [ɛ̃diskrɛ, ɛt] *adj (personne)* inquisitive ; *(question)* personal.

indiscrétion [ɛ̃diskresjɔ̃] *nf (caractère)* inquisitiveness ; *(gaffe)* indiscretion.

indispensable [ɛ̃dispɑ̃sabl] *adj* essential.

indistinct, e [ɛ̃distɛ̃(kt), ɛ̃kt] *adj* indistinct.

individu [ɛ̃dividy] *nm* individual.

individualiste [ɛ̃dividɥalist] *adj* individualistic.

individuel, elle [ɛ̃dividɥɛl] *adj* individual ; *(maison)* detached.

indolore [ɛ̃dɔlɔr] *adj* painless.

indulgent, e [ɛ̃dylʒɑ̃, ɑ̃t] *adj* indulgent.

industrialisé, e [ɛ̃dystrijalize] *adj* industrialized.

industrie [ɛ̃dystri] *nf* industry.

industriel, elle [ɛ̃dystrijɛl] *adj* industrial.

inédit, e [inedi, it] *adj (livre)* unpublished ; *(film)* not released.

inefficace [inefikas] *adj* ineffective.

inégal, e, aux [inegal, o] *adj (longueur, chances)* unequal ; *(terrain)* uneven ; *(travail, résultats)* inconsistent.

inégalité [inegalite] *nf (des salaires, sociale)* inequality.

inépuisable [inepɥizabl] *adj* inexhaustible.

inerte [inɛrt] *adj (évanoui)* lifeless.

inestimable [inɛstimabl] *adj (très cher)* priceless ; *fig (précieux)* invaluable.

inévitable [inevitabl] *adj* inevitable.

inexact, e [inegza(kt), akt] *adj* incorrect.

inexcusable [inɛkskyzabl] *adj* unforgivable.

inexistant, e [inegzistɑ̃, ɑ̃t] *adj* nonexistent.

inexplicable [inɛksplikabl] *adj* inexplicable.

inexpliqué, e [inɛksplike] *adj* unexplained.

in extremis [inɛkstremis] *adv* at the last minute.

infaillible [ɛ̃fajibl] *adj* infallible.

infarctus [ɛ̃farktys] *nm* coronary (thrombosis).

infatigable [ɛ̃fatigabl] *adj* tireless.

infect, e [ɛ̃fɛkt] *adj* revolting.

infecter [ɛ̃fɛkte] : **s'infecter** *vp* to become infected.

infection [ɛ̃fɛksjɔ̃] *nf* infection ; *(odeur)* stench.

inférieur, e [ɛ̃ferjœr] *adj (du dessous)* lower ; *(qualité)* inferior ; **à l'étage ~** downstairs.

infériorité [ɛ̃ferjɔrite] *nf* inferiority.

infernal, e, aux [ɛ̃fɛrnal, o] *adj (bruit, enfant)* diabolical.

infesté, e [ɛ̃feste] *adj* : **~ de** infested with.

infidèle [ɛ̃fidɛl] *adj* unfaithful.

infiltrer [ɛ̃filtre] : **s'infiltrer** vp
(eau, pluie) to seep in.

infime [ɛ̃fim] adj minute.

infini, e [ɛ̃fini] adj infinite. ◆ nm
infinity ; à l'~ (se prolonger, discuter) endlessly.

infiniment [ɛ̃finimã] adv extremely.

infinitif [ɛ̃finitif] nm infinitive.

infirme [ɛ̃firm] adj disabled.
◆ nmf disabled person.

infirmerie [ɛ̃firməri] nf sick bay.

infirmier, ère [ɛ̃firmje, ɛr] nm, f
nurse.

inflammable [ɛ̃flamabl] adj inflammable.

inflammation [ɛ̃flamasjɔ̃] nf inflammation.

inflation [ɛ̃flasjɔ̃] nf inflation.

inflexible [ɛ̃fleksibl] adj inflexible.

infliger [ɛ̃fliʒe] vt : ~ qqch à qqn
(punition) to inflict sthg on sb ;
(amende) to impose sthg on sb.

influence [ɛ̃flyãs] nf influence.

influencer [ɛ̃flyãse] vt to influence.

informaticien, enne [ɛ̃fɔrmatisjɛ̃, ɛn] nm, f computer scientist.

information [ɛ̃fɔrmasjɔ̃] nf : une
~ (renseignement) information ;
(nouvelle) a piece of news. ❑ **informations** nfpl (à la radio, à la télé)
news (sg).

informatique [ɛ̃fɔrmatik] adj
computer. ◆ nf (matériel) computers (pl) ; (discipline) computing.

informatisé, e [ɛ̃fɔrmatize] adj
computerized.

informe [ɛ̃fɔrm] adj shapeless.

informer [ɛ̃fɔrme] vt : ~ qqn
de/que to inform sb of/that.

❑ **s'informer (de)** vp (+ prép) to ask
(about).

infos [ɛ̃fo] nfpl fam (à la radio, à la
télé) news (sg).

infraction [ɛ̃fraksjɔ̃] nf offence ;
être en ~ to be in breach of the
law.

infranchissable [ɛ̃frãʃisabl] adj
(rivière) uncrossable.

infusion [ɛ̃fyzjɔ̃] nf herbal tea.

ingénieur [ɛ̃ʒenjœr] nm engineer.

ingénieux, euse [ɛ̃ʒenjø, øz]
adj ingenious.

ingrat, e [ɛ̃gra, at] adj ungrateful ; (visage, physique) unattractive.

ingratitude [ɛ̃gratityd] nf ingratitude.

ingrédient [ɛ̃gredjã] nm ingredient.

inhabituel, elle [inabityɛl] adj
unusual.

inhumain, e [inymɛ̃, ɛn] adj inhuman.

inimaginable [inimaʒinabl] adj
incredible.

ininflammable [inɛ̃flamabl] adj
non-flammable.

ininterrompu, e [inɛ̃terɔ̃py] adj
unbroken.

initiale [inisjal] nf initial.

initiation [inisjasjɔ̃] nf SCOL (apprentissage) introduction.

initiative [inisjativ] nf initiative.

injecter [ɛ̃ʒekte] vt to inject.

injection [ɛ̃ʒeksjɔ̃] nf injection.

injure [ɛ̃ʒyr] nf insult.

injurier [ɛ̃ʒyrje] vt to insult.

injuste [ɛ̃ʒyst] adj unfair.

injustice [ɛ̃ʒystis] nf injustice.

injustifié, e [ɛ̃ʒystifje] *adj* un-justified.

inné, e [ine] *adj* innate.

innocence [inɔsɑ̃s] *nf* inno-cence.

innocent, e [inɔsɑ̃, ɑ̃t] *adj* inno-cent. ◆ *nm, f* innocent person.

innombrable [inɔ̃brabl] *adj* countless.

innover [inɔve] *vi* to innovate.

inoccupé, e [inɔkype] *adj* empty.

inodore [inɔdɔr] *adj* odourless.

inoffensif, ive [inɔfɑ̃sif, iv] *adj* harmless.

inondation [inɔ̃dasjɔ̃] *nf* flood.

inonder [inɔ̃de] *vt* to flood.

inoubliable [inublijabl] *adj* un-forgettable.

Inox® [inɔks] *nm* stainless steel.

inoxydable [inɔksidabl] *adj* → acier.

inquiet, ète [ɛ̃kjɛ, ɛt] *adj* wor-ried.

inquiétant, e [ɛ̃kjetɑ̃, ɑ̃t] *adj* worrying.

inquiéter [ɛ̃kjete] *vt* to worry. ❑ **s'inquiéter** *vp* to worry.

inquiétude [ɛ̃kjetyd] *nf* worry.

inscription [ɛ̃skripsjɔ̃] *nf* (*sur une liste, à l'université*) registration ; (*gravée*) inscription.

inscrire [ɛ̃skrir] *vt* (*sur une liste, dans un club*) to register ; (*écrire*) to write. ❑ **s'inscrire** *vp* (*sur une liste*) to put one's name down ; **s'~ à** (*club*) to join.

inscrit, e [ɛ̃skri, it] *pp* → **inscrire**.

insecte [ɛ̃sɛkt] *nm* insect.

insecticide [ɛ̃sɛktisid] *nm* in-secticide.

insensé, e [ɛ̃sɑ̃se] *adj* (*aberrant*)

insane ; (*extraordinaire*) extraor-dinary.

insensible [ɛ̃sɑ̃sibl] *adj* insensi-tive.

insensiblement [ɛ̃sɑ̃sibləmɑ̃] *adv* imperceptibly.

inséparable [ɛ̃separabl] *adj* in-separable.

insérer [ɛ̃sere] *vt* to insert.

insigne [ɛ̃siɲ] *nm* badge.

insignifiant, e [ɛ̃siɲifjɑ̃, ɑ̃t] *adj* insignificant.

insinuer [ɛ̃sinɥe] *vt* to insinuate.

insistance [ɛ̃sistɑ̃s] *nf* insist-ence ; **avec ~** insistently.

insister [ɛ̃siste] *vi* to insist ; **~ sur** (*détail*) to emphasize.

insolation [ɛ̃sɔlasjɔ̃] *nf* : **attraper une ~** to get sunstroke.

insolence [ɛ̃sɔlɑ̃s] *nf* insolence.

insolent, e [ɛ̃sɔlɑ̃, ɑ̃t] *adj* inso-lent.

insolite [ɛ̃sɔlit] *adj* unusual.

insoluble [ɛ̃sɔlybl] *adj* insoluble.

insomnie [ɛ̃sɔmni] *nf* insomnia ; **avoir des ~ s** to sleep badly.

insonorisé, e [ɛ̃sɔnɔrize] *adj* soundproofed.

insouciant, e [ɛ̃susjɑ̃, ɑ̃t] *adj* carefree.

inspecter [ɛ̃spɛkte] *vt* to inspect.

inspecteur, trice [ɛ̃spɛktœr, tris] *nm, f* inspector.

inspiration [ɛ̃spirasjɔ̃] *nf* inspi-ration.

inspirer [ɛ̃spire] *vt* to inspire. ◆ *vi* (*respirer*) to breathe in ; **~ qqch à qqn** to inspire sb with sthg. ❑ **s'inspirer de** *vp* + *prép* to be inspired by.

instable [ɛ̃stabl] *adj* unstable.

installation [ɛ̃stalasjɔ̃] *nf*

installer [ɛ̃stale] vt (poser) to put ; (eau, électricité) to install ; (aménager) to fit out ; (loger) to put up. ❏ **s'installer** vp (dans un appartement) to settle in ; (dans un fauteuil) to settle down ; (commerçant, médecin) to set (o.s.) up.

instant [ɛ̃stɑ̃] nm instant ; pour l'~ for the moment.

instantané, e [ɛ̃stɑ̃tane] adj instantaneous ; (café, potage) instant.

instinct [ɛ̃stɛ̃] nm instinct.

instinctif, ive [ɛ̃stɛ̃ktif, iv] adj instinctive.

institut [ɛ̃stity] nm institute ; ~ de beauté beauty salon.

instituteur, trice [ɛ̃stitytœr, tris] nm, f primary school teacher (Br), grade school teacher (Am).

institution [ɛ̃stitysjɔ̃] nf institution.

instructif, ive [ɛ̃stryktif, iv] adj informative.

instruction [ɛ̃stryksjɔ̃] nf (enseignement, culture) education. ❏ instructions nfpl instructions.

instruire [ɛ̃strɥir] : **s'instruire** vp to educate o.s.

instruit, e [ɛ̃strɥi, it] pp → **instruire**. ◆ adj (cultivé) educated.

instrument [ɛ̃strymɑ̃] nm instrument.

insuffisant, e [ɛ̃syfizɑ̃, ɑ̃t] adj insufficient ; (travail) unsatisfactory.

insuline [ɛ̃sylin] nf insulin.

insulte [ɛ̃sylt] nf insult.

insulter [ɛ̃sylte] vt to insult.

insupportable [ɛ̃syportabl] adj unbearable.

insurmontable [ɛ̃syrmɔ̃tabl] adj (difficulté) insurmountable.

intact, e [ɛ̃takt] adj intact.

intégral, e, aux [ɛ̃tegral, o] adj complete.

intégrer [ɛ̃tegre] vt to include. ❏ **s'intégrer** vp : (bien) s'~ (socialement) to fit in.

intellectuel, elle [ɛ̃telɛktɥel] adj & nm, f intellectual.

intelligence [ɛ̃teliʒɑ̃s] nf intelligence.

intelligent, e [ɛ̃teliʒɑ̃, ɑ̃t] adj intelligent.

intempéries [ɛ̃tɑ̃peri] nfpl bad weather (sg).

intempestif, ive [ɛ̃tɑ̃pestif, iv] adj untimely.

intense [ɛ̃tɑ̃s] adj intense.

intensif, ive [ɛ̃tɑ̃sif, iv] adj intensive.

intensité [ɛ̃tɑ̃site] nf intensity.

intention [ɛ̃tɑ̃sjɔ̃] nf intention ; avoir l'~ de faire qqch to intend to do sthg.

intentionné, e [ɛ̃tɑ̃sjɔne] adj : bien ~ well-meaning ; mal ~ ill-intentioned.

intentionnel, elle [ɛ̃tɑ̃sjɔnel] adj intentional.

intercalaire [ɛ̃terkaler] nm insert.

intercaler [ɛ̃terkale] vt to insert.

intercepter [ɛ̃tersepte] vt to intercept.

interchangeable [ɛ̃terʃɑ̃ʒabl] adj interchangeable.

interclasse [ɛ̃terklas] nm break.

interdiction [ɛ̃terdiksjɔ̃] nf ban ;

'~ de fumer' (strictly) no smoking'.

interdire [ɛterdir] vt to forbid.

interdit, e [ɛterdi, it] pp → **interdire**. ◆ adj forbidden ; il est ~ de ... you are not allowed to ...

intéressant, e [ɛteresɑ̃, ɑ̃t] adj interesting.

intéresser [ɛterese] vt to interest ; (concerner) to concern. ❑ s'**intéresser à** vp + prép to be interested in.

intérêt [ɛterɛ] nm interest ; (avantage) point ; **avoir ~ à faire qqch** to be well-advised to do sthg. ❑ **intérêts** nmpl FIN interest (sg).

intérieur, e [ɛterjœr] adj inner ; (national) domestic. ◆ nm inside ; (maison) home.

interligne [ɛterliɲ] nm (line) spacing.

interlocuteur, trice [ɛterlɔkytœr, tris] nm, f : **mon ~** the man to whom I was speaking.

intermédiaire [ɛtermedjɛr] adj intermediate. ◆ nmf intermediary. ◆ nm : **par l'~ de** through.

interminable [ɛterminabl] adj never-ending.

internat [ɛterna] nm (école) boarding school.

international, e, aux [ɛternasjonal, o] adj international.

internaute [ɛternot] nmf (net) surfer, cybersurfer.

interne [ɛtern] adj internal. ◆ nm SCOL boarder.

interner [ɛterne] vt (malade) to commit.

Internet [ɛternet] nm internet, Internet.

interpeller [ɛterpəle] vt (appeler) to call out to.

Interphone® [ɛterfɔn] nm (d'un immeuble) entry phone ; (dans un bureau) intercom.

interposer [ɛterpoze] : s'**interposer** vp : s'~ **entre** to stand between.

interprète [ɛterpret] nmf (traducteur) interpreter ; (acteur, musicien) performer.

interpréter [ɛterprete] vt (résultat, paroles) to interpret ; (personnage, morceau) to play.

interrogation [ɛterɔgasjɔ̃] nf (question) question ; ~ (écrite) (written) test.

interrogatoire [ɛterɔgatwar] nm interrogation.

interroger [ɛterɔʒe] vt to question ; SCOL to test.

interrompre [ɛterɔ̃pr] vt to interrupt.

interrupteur [ɛteryptœr] nm switch.

interruption [ɛterypsjɔ̃] nf (coupure, arrêt) break ; (dans un discours) interruption.

intersection [ɛterseksjɔ̃] nf intersection.

intervalle [ɛterval] nm (distance) space ; (dans le temps) interval.

intervenir [ɛtervənir] vi to intervene.

intervention [ɛtervɑ̃sjɔ̃] nf intervention ; MÉD operation.

intervenu, e [ɛtervəny] pp → **intervenir**.

interview [ɛtervju] nf interview.

interviewer [ɛtervjuve] vt to interview.

intestin [ɛtestɛ̃] nm intestine.

intestinal, e, aux [ɛ̃testinal, o] *adj* intestinal.

intime [ɛ̃tim] *adj (personnel)* private ; *(très proche)* intimate.

intimider [ɛ̃timide] *vt* to intimidate.

intimité [ɛ̃timite] *nf* intimacy.

intituler [ɛ̃tityle] : **s'intituler** *vp* to be called.

intolérable [ɛ̃tɔlerabl] *adj (douleur)* unbearable ; *(comportement)* unacceptable.

intoxication [ɛ̃tɔksikasjɔ̃] *nf* : ~ **alimentaire** food poisoning.

intraduisible [ɛ̃tradɥizibl] *adj* untranslatable.

intransigeant, e [ɛ̃trɑ̃ziʒɑ̃, ɑ̃t] *adj* intransigent.

intrépide [ɛ̃trepid] *adj* intrepid.

intrigue [ɛ̃trig] *nf (d'une histoire)* plot.

intriguer [ɛ̃trige] *vt* to intrigue.

introduction [ɛ̃trɔdyksjɔ̃] *nf* introduction.

introduire [ɛ̃trɔdɥir] *vt* to introduce. ❏ **s'introduire dans** *vp* + *prép (pénétrer dans)* to enter.

introduit, e [ɛ̃trɔdɥi, it] *pp* → introduire.

introuvable [ɛ̃truvabl] *adj (objet perdu)* nowhere to be found.

intrus, e [ɛ̃try, yz] *nm, f* intruder.

intuition [ɛ̃tɥisjɔ̃] *nf (pressentiment)* feeling.

inusable [inyzabl] *adj* hardwearing.

inutile [inytil] *adj (objet, recherches)* useless ; *(efforts)* pointless.

inutilisable [inytilizabl] *adj* unusable.

invalide [ɛ̃valid] *nmf* disabled person.

invariable [ɛ̃varjabl] *adj* invariable.

invasion [ɛ̃vazjɔ̃] *nf* invasion.

inventaire [ɛ̃vɑ̃ter] *nm* inventory.

inventer [ɛ̃vɑ̃te] *vt* to invent ; *(moyen)* to think up.

inventeur, trice [ɛ̃vɑ̃tœr, tris] *nm, f* inventor.

invention [ɛ̃vɑ̃sjɔ̃] *nf* invention.

inverse [ɛ̃vers] *nm* opposite ; **à l'~** conversely.

investir [ɛ̃vestir] *vt (argent)* to invest.

investissement [ɛ̃vestismɑ̃] *nm* investment.

invisible [ɛ̃vizibl] *adj* invisible.

invitation [ɛ̃vitasjɔ̃] *nf* invitation.

invité, e [ɛ̃vite] *nm, f* guest.

inviter [ɛ̃vite] *vt* to invite.

involontaire [ɛ̃vɔlɔ̃ter] *adj* involuntary.

invraisemblable [ɛ̃vresɑ̃blabl] *adj* unlikely.

iode [jɔd] *nm* → teinture.

ira *etc* → aller.

irlandais, e [irlɑ̃dɛ, ɛz] *adj* Irish. ❏ **Irlandais, e** *nm, f* Irishman (f Irishwoman) ; **les Irlandais** the Irish.

Irlande [irlɑ̃d] *nf* : **l'~ du Nord** Northern Ireland ; **la République d'~** the Republic of Ireland, Eire.

ironie [irɔni] *nf* irony.

ironique [irɔnik] *adj* ironic.

irrationnel, elle [irasjɔnel] *adj* irrational.

irrécupérable [irekyperabl] *adj (objet, vêtement)* beyond repair.

irréel, elle [ireel] *adj* unreal.

irrégulier, ère [iregylje, er] *adj*

irregular ; (résultats, terrain) uneven.

irremplaçable [irãplasabl] adj irreplaceable.

irréparable [ireparabl] adj beyond repair ; (erreur) irreparable.

irrésistible [irezistibl] adj irresistible.

irrespirable [irespirabl] adj unbreathable.

irrigation [irigasjɔ̃] nf irrigation.

irritable [iritabl] adj irritable.

irritation [iritasjɔ̃] nf irritation.

irriter [irite] vt to irritate.

islam [islam] nm : l'~ Islam.

isolant, e [izɔlã, ãt] adj (acoustique) soundproofing ; (thermique) insulating. ◆ nm insulator.

isolation [izɔlasjɔ̃] nf (acoustique) soundproofing ; (thermique) insulation.

isolé, e [izɔle] adj (à l'écart) isolated ; (contre le bruit) soundproofed ; (thermiquement) insulated.

isoler [izɔle] vt (séparer) to isolate ; (contre le bruit) to soundproof ; (thermiquement) to insulate. □ **s'isoler** vp to isolate o.s.

Israël [israɛl] n Israel.

issu, e [isy] adj : être ~ de (famille) to be descended from ; (processus, théorie) to stem from.

issue [isy] nf (sortie) exit ; 'voie sans ~' 'no through road'.

Italie [itali] nf : l'~ Italy.

italien, enne [italjɛ̃, ɛn] adj Italian. ◆ nm (langue) Italian. □ **Italien, enne** nm, f Italian.

italique [italik] nm italics (pl).

itinéraire [itinerer] nm route ; ~ **bis** alternative route (to avoid heavy traffic).

ivoire [ivwar] nm ivory.

ivre [ivr] adj drunk.

ivrogne [ivrɔɲ] nmf drunkard.

J

j' → je.

jacinthe [ʒasɛ̃t] nf hyacinth.

jaillir [ʒajir] vi (eau) to gush.

jalousie [ʒaluzi] nf jealousy.

jaloux, ouse [ʒalu, uz] adj jealous ; être ~ de to be jealous of.

jamais [ʒamɛ] adv never ; ne ... ~ never ; c'est le plus long voyage que j'aie ~ fait it's the longest journey I've ever made ; plus que ~ more than ever ; si ... tu le vois ... if you happen to see him ...

jambe [ʒãb] nf leg.

jambon [ʒãbɔ̃] nm ham.

jambonneau, x [ʒãbɔno] nm knuckle of ham.

jante [ʒãt] nf (wheel) rim.

janvier [ʒãvje] nm January → **septembre**.

Japon [ʒapɔ̃] nm : le ~ Japan.

japonais, e [ʒapɔnɛ, ɛz] adj Japanese. ◆ nm (langue) Japanese. □ **Japonais, e** nm, f Japanese (person).

jardin [ʒardɛ̃] nm garden ; ~ **d'enfants** kindergarten, playgroup ; ~ **public** park.

jardinage [ʒardinaʒ] nm gardening.

jardinier, ère [ʒardinje, ɛr] nm, f gardener.

jardinière [ʒardinjer] nf (bac) window box ; ~ **de légumes** dish of diced mixed vegetables.

jarret [ʒare] nm : ~ de veau knuckle of veal.

jauge [ʒoʒ] nf gauge ; ~ d'essence petrol gauge ; ~ d'huile dipstick.

jaune [ʒon] adj & nm yellow ; ~ d'œuf egg yolk.

jaunir [ʒonir] vi to turn yellow.

jaunisse [ʒonis] nf jaundice.

Javel [ʒavɛl] nf : (eau de) ~ bleach.

jazz [dʒaz] nm jazz.

je [ʒə] pron I.

jean [dʒin] nm jeans (pl), pair of jeans.

Jeep® [dʒip] nf Jeep®.

jerrican [ʒerikan] nm jerry can.

Jésus-Christ [ʒezykri] nm Jesus Christ ; après ~ AD ; avant ~ BC.

jet¹ [ʒɛ] nm (de liquide) jet ; ~ d'eau fountain.

jet² [dʒɛt] nm (avion) jet (plane).

jetable [ʒətabl] adj disposable.

jetée [ʒəte] nf jetty.

jeter [ʒəte] vt to throw ; (mettre à la poubelle) to throw away. ❑ **se jeter** vp : se ~ dans (suj :rivière) to flow into ; se ~ sur to pounce on.

jeton [ʒətɔ̃] nm (pour jeu de société) counter ; (au casino) chip ; ~ de téléphone telephone token.

jeu, x [ʒø] nm game ; (d'un mécanisme) play ; (assortiment) set ; le ~ (au casino) gambling ; ~ de cartes (distraction) card game ; (paquet) pack of cards ; ~ d'échecs chess set ; ~ de mots pun ; ~ vidéo video game.

jeudi [ʒødi] nm Thursday → samedi.

jeun [ʒœ̃] nm : à jeun adv on an empty stomach.

jeune [ʒœn] adj young. ◆ nmf young person ; ~ fille girl ; ~ homme young man.

jeûner [ʒøne] vi to fast.

jeunesse [ʒœnɛs] nf (période) youth ; (jeunes) young people (pl).

job [dʒɔb] nm fam job.

jockey [ʒɔke] nm jockey.

jogging [dʒɔgiŋ] nm (vêtement) tracksuit ; (activité) jogging ; faire du ~ to go jogging.

joie [ʒwa] nf joy.

joindre [ʒwɛ̃dr] vt (relier) to join ; (contacter) to contact ; ~ qqch à to attach sthg to ; je joins un chèque à ma lettre I enclose a cheque with my letter. ❑ **se joindre à** vp + prép to join.

joint, e [ʒwɛ̃, ɛ̃t] pp → joindre. ◆ nm TECH seal ; (de robinet) washer ; fam (drogue) joint ; ~ de culasse cylinder head gasket.

joker [ʒɔker] nm joker.

joli, e [ʒɔli] adj (beau) pretty ; iron (désagréable) nice.

jongleur [ʒɔ̃glœr] nm juggler.

jonquille [ʒɔ̃kij] nf daffodil.

joual [ʒwal] nm Can French-Canadian dialect.

joue [ʒu] nf cheek.

jouer [ʒwe] vi to play ; (acteur) to act. ◆ vt to play ; (somme) to bet ; (pièce de théâtre) to perform ; ~ à (tennis, foot, cartes) to play ; ~ de (instrument) to play.

jouet [ʒwɛ] nm toy.

joueur, euse [ʒwœr, øz] nm, f (au casino) gambler ; SPORT player ; être mauvais ~ to be a bad loser ; ~ de flûte flautist ; ~ de foot footballer.

jour [ʒur] nm day ; (clarté) daylight ; il fait ~ it's light ; ~ de l'an New Year's Day ; ~ férié public holiday ; **huit ~ s** a week ; **quinze ~ s** two weeks, a fortnight *(Br)* ; **de ~ *(voyager)*** by day ; **du ~ au lendemain** overnight ; **de nos ~ s** nowadays ; **être à ~** to be up-to-date.

journal, aux [ʒurnal, o] *nm* newspaper ; **~ (intime)** diary ; **~ télévisé** news (on the television).

journaliste [ʒurnalist] *nmf* journalist.

journée [ʒurne] *nf* day ; **dans la ~ (aujourd'hui)** today ; *(le jour)* during the day ; **toute la ~** all day (long).

joyeux, euse [ʒwajø, øz] *adj* happy ; **~ anniversaire!** Happy Birthday! ; **~ Noël!** Merry Christmas!

judo [ʒydo] *nm* judo.

juge [ʒyʒ] *nmf* judge.

juger [ʒyʒe] *vt* to judge ; *(accusé)* to try.

juif, ive [ʒɥif, ʒɥiv] *adj* Jewish. ❑ **Juif, ive** *nm, f* Jew.

juillet [ʒɥijɛ] *nm* July ; **le 14-Juillet** French national holiday → **septembre**.

LE 14-JUILLET

The fourteenth of July is a national holiday in France, in commemoration of the storming of the Bastille on the same day in 1789. Celebrations take place throughout France and often last several days, with outdoor public dances, firework displays etc. A grand military parade is held in Paris on the morning of the fourteenth, in the presence of the President of France.

juin [ʒɥɛ̃] *nm* June → **septembre**.

juke-box [dʒukbɔks] *nm inv* juke-box.

jumeau, elle, eaux [ʒymo, ɛl, o] *adj (maisons)* semidetached. ◆ *nm, f* : **des ~ x** twins ; **frère ~** twin brother.

jumelé, e [ʒymle] *adj* : **'ville ~ avec ...'** 'twinned with ...'.

jumelles [ʒymɛl] *nfpl* binoculars.

jument [ʒymɑ̃] *nf* mare.

jungle [ʒœ̃gl] *nf* jungle.

jupe [ʒyp] *nf* skirt ; **~ droite** straight skirt ; **~ plissée** pleated skirt.

jupon [ʒypɔ̃] *nm* underskirt, slip.

jurer [ʒyre] *vi* to swear. ◆ *vt* : **(à qqn) que** to swear (to sb) that.

jury [ʒyri] *nm* jury.

jus [ʒy] *nm* juice ; *(de viande)* gravy ; **~ d'orange** orange juice.

jusque [ʒysk(ə)] : **jusqu'à** *prép* : **allez jusqu'à l'église** go as far as the church ; **jusqu'à midi** until noon ; **jusqu'à présent** up until now, so far. ❑ **jusqu'ici** *adv (dans l'espace)* up to here ; *(dans le temps)* up until now, so far. ❑ **jusque-là** *adv (dans l'espace)* up to there ; *(dans le temps)* up to then, up until then.

justaucorps [ʒystokɔr] *nm* leotard.

juste [ʒyst] *adj (équitable)* fair ; *(addition, raisonnement)* right, correct ; *(note)* in tune ; *(vêtement)* tight. ◆ *adv* just ; *(chanter, jouer)* in tune ; **il est huit heures ~** it's exactly eight o'clock ; **au ~** exactly.

justement [ʒystəmɑ̃] *adv (précisément)* just ; *(à plus forte raison)* exactly.

justesse [ʒystɛs] : **de justesse** *adv* only just.

justice [ʒystis] *nf* justice.

justifier [ʒystifje] vt to justify. ❏ **se justifier** vp to justify o.s.

jute [ʒyt] nm : (toile de) ~ jute.

juteux, euse [ʒytø, øz] adj juicy.

K

K7 [kaset] nf (abr de cassette) cassette.

kaki [kaki] adj inv khaki.

kangourou [kãguru] nm kangaroo.

karaté [karate] nm karate.

kart [kart] nm go-kart.

karting [kartiŋ] nm go-karting.

kayak [kajak] nm (bateau) kayak ; (sport) canoeing.

képi [kepi] nm kepi.

kermesse [kɛrmɛs] nf fête.

kérosène [kerozɛn] nm kerosene.

ketchup [ketʃœp] nm ketchup.

kg (abr de kilogramme) kg.

kidnapper [kidnape] vt to kidnap.

kilo(gramme) [kilo(gram)] nm kilo(gram).

kilométrage [kilometraʒ] nm (distance) ≃ mileage ; ~ illimité ≃ unlimited mileage.

kilomètre [kilɔmɛtr] nm kilometre ; 100 ~ s (à l') heure 100 kilometres per hour.

kilt [kilt] nm kilt.

kinésithérapeute [kineziterapøt] nmf physiotherapist.

kiosque [kjɔsk] nm pavilion ; ~ à journaux newspaper kiosk.

kir [kir] nm aperitif made with white wine and blackcurrant liqueur.

kirsch [kirʃ] nm kirsch.

kit [kit] nm kit ; en ~ in kit form.

kiwi [kiwi] nm kiwi (fruit).

Klaxon® [klaksɔn] nm horn.

klaxonner [klaksɔne] vi to hoot (one's horn).

km (abr de kilomètre) km.

km/h (abr de kilomètre par heure) kph.

K-O [kao] adj inv KO'd ; fam (épuisé) dead beat.

kouglof [kuglɔf] nm light dome-shaped cake with currants and almonds, a speciality of Alsace.

K-way® [kawɛ] nm inv cagoule.

kyste [kist] nm cyst.

L

l (abr de litre) l.

l' → **le**.

la [la] → **le**.

là [la] adv (lieu) there ; (temps) then ; **elle n'est pas** ~ she's not in ; **par** ~ (de ce côté) that way ; (dans les environs) over there ; **cette fille**-~ that girl.

là-bas [laba] adv there.

laboratoire [labɔratwar] nm laboratory.

labourer [labure] vt to plough.

labyrinthe [labirɛ̃t] nm maze.

lac [lak] nm lake.

lacer [lase] vt to tie.

lacet [lase] nm (de chaussures) lace ; (virage) bend.

lâche [laʃ] adj (peureux) coward-

ly ; *(nœud, corde)* loose. ◆ *nmf* coward.

lâcher [lɑʃe] *vt* to let go of ; *(desserrer)* to loosen ; *(parole)* to let slip. ◆ *vi (corde)* to give way ; *(freins)* to fail.

lâcheté [lɑʃte] *nf* cowardice.

là-dedans [lɑddɑ̃] *adv (lieu)* in there ; *(dans cela)* in that.

là-dessous [lɑdsu] *adv (lieu)* under there ; *(dans cette affaire)* behind that.

là-dessus [lɑdsy] *adv (lieu)* on there ; *(à ce sujet)* about that.

là-haut [lɑo] *adv* up there.

laid, e [lɛ, lɛd] *adj* ugly.

laideur [lɛdœr] *nf* ugliness.

lainage [lɛnaʒ] *nm (vêtement)* woollen garment.

laine [lɛn] *nf* wool ; **en ~** woollen.

laïque [laik] *adj* secular.

laisse [lɛs] *nf* lead ; **tenir un chien en ~** to keep a dog on a lead.

laisser [lese] *vt* to leave. ◆ *aux* : **~ qqn faire qqch** to let sb do sthg ; **~ tomber** to drop. ❏ **se laisser** *vp* : **se ~ aller** to relax ; **se ~ faire** *(par lâcheté)* to let o.s. be taken advantage of ; *(se laisser tenter)* to let o.s. be persuaded.

lait [lɛ] *nm* milk ; **~ démaquillant** cleanser ; **~ solaire** suntan lotion ; **~ de toilette** cleanser.

laitage [lɛtaʒ] *nm* dairy product.

laitier [letje] *adj m* → **produit**.

laiton [lɛtɔ̃] *nm* brass.

laitue [lety] *nf* lettuce.

lambeau, x [lɑ̃bo] *nm* strip.

lambic [lɑ̃bik] *nm Belg* strong malt- and wheat-based beer.

lambris [lɑ̃bri] *nm* panelling.

lame [lam] *nf* blade ; *(de verre, de métal)* strip ; *(vague)* wave ; **~ de rasoir** razor blade.

lamelle [lamɛl] *nf* thin slice.

lamentable [lamɑ̃tabl] *adj (pitoyable)* pitiful ; *(très mauvais)* appalling.

lamenter [lamɑ̃te] : **se lamenter** *vp* to moan.

lampadaire [lɑ̃padɛr] *nm (dans un appartement)* standard lamp *(Br)*, floor lamp *(Am)* ; *(dans la rue)* street lamp.

lampe [lɑ̃p] *nf* lamp ; **~ de chevet** bedside lamp ; **~ de poche** torch *(Br)*, flashlight *(Am)*.

lance [lɑ̃s] *nf (arme)* spear ; **~ d'incendie** fire hose.

lancée [lɑ̃se] *nf* : **sur sa/ma ~** *(en suivant)* while he/I was at it.

lancement [lɑ̃smɑ̃] *nm (d'un produit)* launch.

lance-pierres [lɑ̃spjɛr] *nm inv* catapult.

lancer [lɑ̃se] *vt* to throw ; *(produit, mode)* to launch. ❏ **se lancer** *vp (se jeter)* to throw o.s. ; *(oser)* to take the plunge ; **se ~ dans qqch** to embark on sthg.

landau [lɑ̃do] *nm* pram.

lande [lɑ̃d] *nf* moor.

langage [lɑ̃gaʒ] *nm* language.

langer [lɑ̃ʒe] *vt* to change.

langouste [lɑ̃gust] *nf* spiny lobster.

langoustine [lɑ̃gustin] *nf* langoustine.

langue [lɑ̃g] *nf ANAT & CULIN* tongue ; *(langage)* language ; **~ étrangère** foreign language ; **~ maternelle** mother tongue.

langue-de-chat [lɑ̃gdəʃa] *(pl* langues-de-chat*) nf* thin sweet finger-shaped biscuit.

languette [lɑ̃gɛt] *nf (de chaussures)* tongue ; *(d'une canette)* ring-pull.

lanière [lanjɛr] *nf (de cuir)* strap.

lanterne [lɑ̃tɛrn] *nf* lantern ; AUT *(feu de position)* sidelight *(Br)*, parking light *(Am)*.

lapin [lapɛ̃] *nm* rabbit.

laque [lak] *nf (pour coiffer)* hair spray, lacquer ; *(peinture)* lacquer.

laqué, e [lake] *adj m* → **canard**.

laquelle → **lequel**.

larcin [larsɛ̃] *nm sout* theft.

lard [lar] *nm* bacon.

lardon [lardɔ̃] *nm* strip or cube of bacon.

large [larʒ] *adj (rivière, route)* wide ; *(vêtement)* big ; *(généreux)* generous ; *(tolérant)* open. ◆ *nm* : **le ~** the open sea ; **2 mètres de ~** 2 metres wide ; **au ~ de** off *(the coast of)*.

largement [larʒəmɑ̃] *adv (au minimum)* easily ; **avoir ~ le temps** to have ample time ; **il y en a ~ assez** there's more than enough.

largeur [larʒœr] *nf* width.

larme [larm] *nf* tear ; **être en ~ s** to be in tears.

lasagne(s) [lazaɲ] *nfpl* lasagne.

laser [lazer] *nm* laser.

lassant, e [lasɑ̃, ɑ̃t] *adj* tedious.

lasser [lase] *vt* to bore. ❑ **se lasser de** *vp + prép* to grow tired of.

latéral, e, aux [lateral, o] *adj (porte, rue)* side.

latin [latɛ̃] *nm* Latin.

latitude [latityd] *nf* latitude.

latte [lat] *nf* slat.

lauréat, e [lɔrea, at] *nm, f* prize-winner.

laurier [lɔrje] *nm (arbuste)* laurel ; **feuille de ~** bay leaf.

lavable [lavabl] *adj* washable.

lavabo [lavabo] *nm* washbasin. ❑ **lavabos** *nmpl (toilettes)* toilets.

lavage [lavaʒ] *nm* washing.

lavande [lavɑ̃d] *nf* lavender.

lave-linge [lavlɛ̃ʒ] *nm inv* washing machine.

laver [lave] *vt* to wash ; *(plaie)* to bathe ; *(tache)* to wash out OU off. ❑ **se laver** *vp* to wash o.s. ; **se ~ les dents** to brush one's teeth.

laverie [lavri] *nf* : **~ (automatique)** launderette.

lavette [lavɛt] *nf (tissu)* dishcloth.

lave-vaisselle [lavvɛsɛl] *nm inv* dishwasher.

lavoir [lavwar] *nm communal sink for washing clothes.*

laxatif [laksatif] *nm* laxative.

layette [lɛjɛt] *nf* layette.

☞

le [lə] *(f* la [la]*, pl* les [lɛ]*) article défini* - **1.** *(gén)* the ; **~ lac** the lake ; **la fenêtre** the window ; **les enfants** the children ; **l'amour** love.
- **2.** *(désigne le moment)* : **nous sommes ~ 3 août** it's the 3rd of August ; **Bruxelles, ~ 9 juillet 1994** Brussels, 9 July 1994 ; **~ samedi** *(habituellement)* on Saturdays ; *(moment précis)* on Saturday.
- **3.** *(marque l'appartenance)* : **se laver les mains** to wash one's hands.
- **4.** *(chaque)* : **c'est 40 euros la nuit** it's 40 euros a night.
◆ *pron* - **1.** *(personne)* him *(f* her*)*, them *(pl)* ; *(chose, animal)* him

(pl) ; je ~ /la/les connais bien I know him/her/them well.
- **2.** *(reprend un mot, une phrase)* : je l'ai entendu dire I've heard about it.

lécher [leʃe] *vt* to lick.

lèche-vitrines [lɛʃvitrin] *nm inv* : faire du ~ to go window-shopping.

leçon [ləsɔ̃] *nf* lesson ; *(devoirs)* homework ; faire la ~ à qqn to lecture sb.

lecteur, trice [lɛktœr, tris] *nm, f* reader. ◆ *nm INFORM* reader ; ~ de cassettes cassette player ; ~ laser OU de CD CD player.

lecture [lɛktyr] *nf* reading.

légal, e, aux [legal, o] *adj* legal.

légende [leʒɑ̃d] *nf (conte)* legend ; *(d'une photo)* caption ; *(d'un schéma)* key.

léger, ère [leʒe, ɛr] *adj* light ; *(café)* weak ; *(cigarette)* mild ; *(peu important)* slight ; à la légère lightly.

légèrement [leʒɛrmɑ̃] *adv (un peu)* slightly ; s'habiller ~ to wear light clothes.

légèreté [leʒɛrte] *nf* lightness ; *(insouciance)* casualness.

législation [leʒislasjɔ̃] *nf* legislation.

légitime [leʒitim] *adj* legitimate ; ~ défense self-defence.

léguer [lege] *vt* to bequeath ; *fig (tradition, passion)* to pass on.

légume [legym] *nm* vegetable.

lendemain [lɑ̃dmɛ̃] *nm* : le ~ the next day ; le ~ matin the next morning ; le ~ de notre départ the day after we left.

lent, e [lɑ̃, lɑ̃t] *adj* slow.

lentement [lɑ̃tmɑ̃] *adv* slowly.

lenteur [lɑ̃tœr] *nf* slowness.

lentille [lɑ̃tij] *nf (légume)* lentil ; *(verre de contact)* (contact) lens.

léopard [leɔpar] *nm* leopard.

lequel [ləkɛl] *(f* laquelle [lakɛl], *mpl* lesquels [lekɛl], *fpl* lesquelles [lekɛl]) *pron (sujet de personne)* who ; *(sujet de chose)* which ; *(complément de personne)* whom ; *(complément de chose)* which ; *(interrogatif)* which (one).

les → **le**.

léser [leze] *vt* to wrong.

lésion [lezjɔ̃] *nf* injury.

lesquelles → **lequel**.

lesquels → **lequel**.

lessive [lesiv] *nf (poudre, liquide)* detergent ; *(linge)* washing.

lessiver [lesive] *vt* to wash ; *fam (fatiguer)* to wear out.

leste [lɛst] *adj (agile)* nimble.

lettre [lɛtr] *nf* letter ; en toutes ~ s in full.

leucémie [løsemi] *nf* leukemia.

leur [lœr] *adj* their. ◆ *pron* (to) them. ❏ **le leur** *(f* la leur, *pl* les leurs) *pron* theirs.

levant [ləvɑ̃] *adj m* → **soleil**.

levé, e [ləve] *adj (hors du lit)* up.

levée [ləve] *nf (du courrier)* collection.

lever [ləve] *vt (bras, yeux, doigt)* to raise ; *(relever)* to lift. ◆ *nm* : au ~ when one gets up ; le ~ du jour dawn ; le ~ du soleil sunrise. ❏ **se lever** *vp (personne)* to get up ; *(jour)* to break ; *(soleil)* to rise ; *(temps)* to clear.

levier [ləvje] *nm* lever ; ~ de vitesse gear lever (Br), gearshift (Am).

lèvre [lɛvr] *nf* lip.

levure [ləvyr] *nf CULIN* baking powder.

lexique [lɛksik] *nm (dictionnaire)* glossary.

lézard

lézard [lezar] *nm* lizard.

lézarder [lezarde] : **se lézarder**
vp to crack.

liaison [ljɛzɔ̃] *nf* (aérienne, routière) link ; (amoureuse) affair ; (phonétique) liaison ; **être en ~ avec** to
be in contact with.

liane [ljan] *nf* creeper.

liasse [ljas] *nf* wad.

Liban [libã] *nm* : **le ~** Lebanon.

libéral, e, aux [liberal, o] *adj* libéral.

libération [liberasjɔ̃] *nf* (d'une
ville) liberation ; (d'un prisonnier)
release.

libérer [libere] *vt* (prisonnier) to
release. □ **se libérer** *vp* to free
o.s. ; (de ses occupations) to get
away.

liberté [liberte] *nf* freedom ; **en
~** (animaux) in the wild.

libraire [librer] *nmf* bookseller.

librairie [libreri] *nf* bookshop.

libre [libr] *adj* free ; (ouvert, déga-
gé) clear.

librement [librəmã] *adv* freely.

libre-service [librəservis] (*pl*
libres-services) *nm* (magasin) self-
service store ; (restaurant) self-
service restaurant.

licence [lisãs] *nf* licence ; (diplôme) degree ; (sportive) membership card.

licenciement [lisãsimã] *nm*
(pour faute) dismissal ; (économique) redundancy.

licencier [lisãsje] *vt* (pour faute)
to dismiss ; **être licencié** (économique) to be made redundant.

liège [ljɛʒ] *nm* cork.

lien [ljɛ̃] *nm* (ruban, sangle) tie ;
(relation) link.

lier [lje] *vt* (attacher) to tie up ;
(par contrat) to bind ; (phénomènes,
idées) to connect ; **~ conversation
avec qqn** to strike up a conversation with sb. □ **se lier** *vp* : **se
~ (d'amitié) avec qqn** to make
friends with sb.

lierre [ljer] *nm* ivy.

lieu, x [ljø] *nm* place ; **avoir ~** to
take place ; **au ~ de** instead of.

lièvre [ljevr] *nm* hare.

ligne [liɲ] *nf* line ; **avoir la ~** to be
slim ; **aller à la ~** to start a new
paragraph ; **~ blanche** (sur la route)
white line ; **'grandes ~s'** sign directing rail passengers to platforms for
intercity trains.

ligoter [ligote] *vt* to tie up.

lilas [lila] *nm* lilac.

limace [limas] *nf* slug.

limande [limãd] *nf* dab.

lime [lim] *nf* file ; **~ à ongles** nail
file.

limer [lime] *vt* to file.

limitation [limitasjɔ̃] *nf* restriction ; **~ de vitesse** speed limit.

limite [limit] *nf* (bord) edge ;
(frontière) border ; (maximum ou
minimum) limit. ◆ *adj* (prix, vitesse)
maximum ; **à la ~** if necessary.

limiter [limite] *vt* to limit. □ **se limiter à** *vp* + *prép* (se contenter de)
to limit o.s. to ; (être restreint à) to be
limited to.

limonade [limɔnad] *nf* lemonade.

limpide [lɛ̃pid] *adj* (crystal) clear.

lin [lɛ̃] *nm* linen.

linge [lɛ̃ʒ] *nm* (de maison) linen ;
(lessive) washing.

lingerie [lɛ̃ʒri] *nf* (sous-vêtements)
lingerie ; (local) linen room.

lingot [lɛ̃go] *nm* : ~ (d'or) (gold) ingot.

lino(léum) [lino, linoleɔm] *nm* lino(leum).

lion [ljɔ̃] *nm* lion. ❑ **Lion** *nm* Leo.

liqueur [likœr] *nf* liqueur.

liquidation [likidasjɔ̃] *nf* : '~ totale' 'stock clearance'.

liquide [likid] *adj* & *nm* liquid ; (argent) ~ cash ; payer en (argent) ~ to pay cash.

liquider [likide] *vt* (vendre) to sell off ; *fam* (terminer) to polish off.

lire [lir] *vt* & *vi* to read.

lisible [lizibl] *adj* legible.

lisière [lizjɛr] *nf* edge.

lisse [lis] *adj* smooth.

liste [list] *nf* list ; ~ d'attente waiting list ; être sur ~ rouge to be exdirectory (Br), to have an unlisted number (Am).

lit [li] *nm* bed ; aller au ~ to go to bed ; ~ de camp camp bed ; ~ double, grand- double bed ; ~ simple, ~ à une place, petit ~ single bed.

litchi [litʃi] *nm* lychee.

literie [litri] *nf* mattress and base.

litière [litjɛr] *nf* litter.

litige [litiʒ] *nm* dispute.

litre [litr] *nm* litre.

littéraire [literɛr] *adj* literary.

littérature [literatyr] *nf* literature.

littoral, aux [litɔral, o] *nm* coast.

livide [livid] *adj* pallid.

living(-room), s [liviŋ(rum)] *nm* living room.

livraison [livrɛzɔ̃] *nf* delivery ; '~ à domicile' 'we deliver' ; '~ des bagages' 'baggage reclaim'.

livre¹ [livr] *nm* book.

livre² [livr] *nf* (demi-kilo, monnaie) pound ; ~ (sterling) pound (sterling).

livrer [livre] *vt* (marchandise) to deliver ; (trahir) to hand over.

livret [livre] *nm* booklet ; ~ de famille family record book ; ~ scolaire school report (book).

livreur, euse [livrœr, øz] *nm, f* delivery man (f delivery woman).

local, e, aux [lɔkal, o] *adj* local. ◆ *nm* (d'un club, commercial) premises ; (pour fête) place ; dans les locaux on the premises.

locataire [lɔkatɛr] *nmf* tenant.

location [lɔkasjɔ̃] *nf* (d'une maison) renting ; (d'un billet) booking ; (logement) rented accommodation ; '~ de voitures' 'car hire' (Br), 'car rental' (Am).

locomotive [lɔkɔmɔtiv] *nf* locomotive.

loge [lɔʒ] *nf* (de concierge) lodge ; (d'acteur) dressing room.

logement [lɔʒmɑ̃] *nm* accommodation ; (appartement) flat (Br), apartment (Am).

loger [lɔʒe] *vt* (héberger) to put up. ◆ *vi* to live. ❑ **se loger** *vp* (pénétrer) to get stuck.

logiciel [lɔʒisjɛl] *nm* software.

logique [lɔʒik] *adj* logical. ◆ *nf* logic.

logiquement [lɔʒikmɑ̃] *adv* logically.

logo [logo] *nm* logo.

loi [lwa] *nf* law ; la ~ the law.

loin [lwɛ̃] *adv* far away ; (dans le temps) far off ; au ~ in the distance ; de ~ from a distance ; de ~ (nettement) by far ; de ~ far (away) from.

lointain, e [lwɛ̃tɛ̃, ɛn] *adj*

Loire

distant. ◆ *nm* : **dans le ~** in the distance.

Loire [lwar] *nf* : **la ~** *(fleuve)* the (River) Loire.

loisirs [lwazir] *nmpl (temps libre)* leisure *(sg)* ; *(activités)* leisure activities.

Londonien, enne [lɔ̃dɔnjɛ̃, ɛn] *nm, f* Londoner.

Londres [lɔ̃dr] *n* London.

long, longue [lɔ̃, lɔ̃g] *adj* long ; **le ~ de** along ; **de ~ en large** up and down ; **à la longue** in the long run.

longer [lɔ̃ʒe] *vt* to follow.

longitude [lɔ̃ʒityd] *nf* longitude.

longtemps [lɔ̃tã] *adv* (for) a long time ; **il y a ~** a long time ago.

longue → **long**.

longuement [lɔ̃gmã] *adv* for a long time.

longueur [lɔ̃gœr] *nf* length ; **à ~ de semaine/d'année** all week/year long ; **~ d'onde** wavelength.

longue-vue [lɔ̃gvy] *(pl* **longues-vues)** *nf* telescope.

loquet [lɔkɛ] *nm* latch.

lorraine [lɔrɛn] *adj f* → **quiche**.

lors [lɔr] : **lors de** *prép (pendant)* during.

lorsque [lɔrskə] *conj* when.

losange [lɔzɑ̃ʒ] *nm* lozenge.

lot [lo] *nm (de loterie)* prize ; COMM *(en offre spéciale)* (special offer) pack.

loterie [lɔtri] *nf* lottery.

lotion [lɔsjɔ̃] *nf* lotion.

lotissement [lɔtismã] *nm* housing development.

loto [lɔto] *nm (national)* the French national lottery ; **le ~ sportif** ≃ the football pools *(Br)*, the soccer sweepstakes *(Am)*.

LOTO

The French national lottery, *loto*, has been running since 1976 on a similar basis to the lotteries in Britain and the US with a twice-weekly televized prize draw. French people can also bet on the results of football matches in the *loto sportif*.

lotte [lɔt] *nf* monkfish ; **~ à l'américaine** monkfish tails cooked in a sauce of white wine, brandy, herbs and tomatoes.

louche [luʃ] *adj* shady. ◆ *nf* ladle.

loucher [luʃe] *vi* to squint.

louer [lwe] *vt* to rent ; **'à ~'** 'to let'.

loup [lu] *nm* wolf.

loupe [lup] *nf* magnifying glass.

louper [lupe] *vt fam (examen)* to flunk ; *(train)* to miss.

lourd, e [lur, lurd] *adj* heavy ; *(sans finesse)* unsubtle ; *(erreur)* serious ; *(orageux)* sultry. ◆ *adv* : **peser ~** to be heavy.

lourdement [lurdəmã] *adv* heavily ; *(se tromper)* greatly.

lourdeur [lurdœr] *nf* : **avoir des ~ d'estomac** to feel bloated.

Louvre [luvr] *nm* : **le ~** the Louvre.

LE LOUVRE

Originally the residence of the royal family, this palace became a museum in 1793. Now one of the largest in the world, The Louvre contains a huge collection of antiques, sculptures and paintings. Following the addition of rooms which formerly housed the French Treasury department and renovation of the exterior, the museum is now referred to as the *Grand Louvre*. There is a new entrance via a glass pyramid built in the front courtyard, and an underground shopping centre and car park have been built.

---

loyal, e, aux [lwajal, o] *adj* loyal.

loyauté [lwajote] *nf* loyalty.

loyer [lwaje] *nm (d'un appartement)* rent.

lu, e [ly] *pp* → lire.

lubrifiant [lybrifjɑ̃] *nm* lubricant.

lucarne [lykarn] *nf* skylight.

lucide [lysid] *adj (conscient)* conscious ; *(sur soi-même)* lucid.

lueur [lɥœr] *nf light ; (d'intelligence, de joie)* glimmer.

luge [lyʒ] *nf* toboggan.

lugubre [lygybr] *adj (ambiance)* gloomy ; *(bruit)* mournful.

☞

lui [lɥi] *pron* - 1. *(complément d'objet indirect)* (to) him/her/it ; **je ~ ai parlé** I spoke to him/her ; **je ~ ai serré la main** I shook his/her hand.
- 2. *(après une préposition, un comparatif)* him/it ; **j'en ai eu moins que ~** I had less than him.
- 3. *(pour renforcer le sujet)* he ; **c'est ~ qui nous a renseignés** he was the one who informed us.
- 4. *(dans des expressions)* : **c'est ~ -même qui l'a dit** he said it himself.

lui [lɥi] *pp* → luire.

luire [lɥir] *vi* to shine.

luisant, e [lɥizɑ̃, ɑ̃t] *adj* shining.

lumière [lymjɛr] *nf* light.

luminaires [lyminɛr] *nmpl* lighting *(sg)*.

lumineux, euse [lyminø, øz] *adj* bright ; *(teint, sourire)* radiant ; *(explication)* crystal clear.

lunch, s OU **es** [lœnʃ] *nm (buffet)* buffet lunch.

lundi [lœdi] *nm* Monday → samedi.

lune [lyn] *nf* moon ; **~ de miel** honeymoon ; **pleine ~** full moon.

lunette [lynɛt] *nf (astronomique)* telescope ; **~ arrière** rear window. ❑ **lunettes** *nfpl* glasses ; **~ s de soleil** sunglasses.

lustre [lystr] *nm* ceiling light.

lutte [lyt] *nf* struggle, fight ; *SPORT* wrestling.

lutter [lyte] *vi* to fight ; **~ contre** to fight (against).

luxation [lyksasjɔ̃] *nf* dislocation.

luxe [lyks] *nm* luxury ; **de (grand) ~** luxury.

Luxembourg [lyksɑ̃bur] *nm* : **le ~** Luxembourg.

luxembourgeois, e [lyksɑ̃burʒwa, az] *adj* of/relating to Luxembourg.

luxueux, euse [lyksɥø, øz] *adj* luxurious.

lycée [lise] *nm* ≃ secondary school *(Br)*, ≃ high school *(Am)* ; **~ professionnel** ≃ technical college.

ⓘ **LYCÉE**

From age 15 to 18, French children attend *lycée*. After three years of study (*seconde*, *première* and *terminale*), they take the *baccalauréat* exam which grants access to university studies. There are also professionally-oriented lycées which prepare students to take a *baccalauréat professionnel* or an exam called the *brevet d'études professionnelles* (BEP).

lycéen, enne [liseɛ̃, ɛn] *nm, f* ≃ secondary school student *(Br)*, ≃ high school student *(Am)*.

Lycra® [likra] *nm* Lycra®.

Lyon [ljɔ̃] *n* Lyons.

M

m *(abr de mètre)* m.

m' → me.

M. *(abr de Monsieur)* Mr.

ma → mon.

macadam [makadam] *nm* Tarmac®.

macaron [makarɔ̃] *nm (gâteau)* macaroon.

macaronis [makarɔni] *nmpl* macaroni *(sg)*.

macédoine [masedwan] *nf* : ~ (de légumes) (diced) mixed vegetables *(pl)* ; ~ de fruits fruit salad.

macérer [masere] *vi CULIN* to steep.

mâcher [maʃe] *vt* to chew.

machin [maʃɛ̃] *nm fam* thingamajig.

machinal, e, aux [maʃinal, o] *adj* mechanical.

machine [maʃin] *nf* machine ; ~ à coudre sewing machine ; ~ à laver washing machine ; ~ à sous one-armed bandit.

machiniste [maʃinist] *nm (d'au-*

tobus) driver ; **'faire signe au ~'** sign telling bus passengers to let the driver know when they want to get off.

mâchoire [maʃwar] *nf* jaw.

maçon [masɔ̃] *nm* bricklayer.

madame [madam] *(pl* **mesdames** [medam]*) nf* : ~ X Mrs X ; **bonjour ~ /mesdames!** good morning (Madam/ladies)! ; **Madame,** *(dans une lettre)* Dear Madam,.

madeleine [madlɛn] *nf* small sponge cake flavoured with lemon or orange.

mademoiselle [madmwazɛl] *(pl* **mesdemoiselles** [medmwazɛl]*) nf* : ~ X Miss X ; **bonjour ~ /mesdemoiselles!** good morning (Miss/ladies)! ; **Mademoiselle,** *(dans une lettre)* Dear Madam,.

madère [madɛr] *nm* → **sauce**.

maf(f)ia [mafja] *nf* mafia ; **la Maf(f)ia** *(sicilienne)* the Mafia.

magasin [magazɛ̃] *nm* shop *(Br)*, store *(Am)* ; **en** ~ in stock.

magazine [magazin] *nm* magazine.

Maghreb [magrɛb] *nm* : **le** ~ North Africa, the Maghreb.

Maghrébin, e [magrebɛ̃, in] *nm, f* North African.

magicien, enne [maʒisjɛ̃, ɛn] *nm, f* magician.

magie [maʒi] *nf* magic.

magique [maʒik] *adj* magic.

magistrat [maʒistra] *nm* magistrate.

magnésium [maɲezjɔm] *nm* magnesium.

magnétique [maɲetik] *adj* magnetic.

magnétophone [maɲetɔfɔn] *nm* tape recorder.

magnétoscope [maɲetɔskɔp] *nm* videorecorder.

magnifique [maɲifik] *adj* magnificent.

magret [magrɛ] *nm* : ~ **(de canard)** fillet of duck breast.

mai [mɛ] *nm* May ; **le premier** ~ May Day → **septembre**.

maigre [mɛgr] *adj* thin ; *(viande)* lean ; *(yaourt)* low-fat.

maigrir [megrir] *vi* to lose weight.

maille [maj] *nf (d'un tricot)* stitch ; *(d'un filet)* mesh.

maillon [majɔ̃] *nm* link.

maillot [majo] *nm (de foot)* jersey ; *(de danse)* leotard ; ~ **de bain** bathing costume ; ~ **de corps** vest *(Br)*, undershirt *(Am)*.

main [mɛ̃] *nf* hand ; **à** ~ **gauche** on the left-hand side ; **se donner la** ~ to hold hands ; **fait (à la)** ~ handmade.

main-d'œuvre [mɛ̃dœvr] *(pl* **mains-d'œuvre)** *nf* labour.

maintenant [mɛ̃tnɑ̃] *adv* now ; *(de nos jours)* nowadays.

maintenir [mɛ̃tnir] *vt* to maintain ; *(soutenir)* to support. ❑ **se maintenir** *vp (temps, tendance)* to remain.

maintenu, e [mɛ̃tny] *pp* → **maintenir**.

maire [mɛr] *nmf* mayor.

mairie [meri] *nf (bâtiment)* town hall *(Br)*, city hall *(Am)*.

mais [mɛ] *conj* but ; ~ **non!** of course not!

maïs [mais] *nm* maize *(Br)*, corn *(Am)*.

maison [mɛzɔ̃] *nf (domicile)* house, home ; *(bâtiment)* house.

◆ *adj inv* homemade ; **rentrer à la** ~ to go home ; ~ **de campagne** house in the country ; ~ **des jeunes et de la culture** ≃ youth and community centre.

maître, esse [mɛtr, mɛtrɛs] *nm, f (d'un animal)* master *(f* mistress) ; ~ **(d'école)** schoolteacher ; ~ **d'hôtel** *(au restaurant)* head waiter ; ~ **nageur** swimming instructor.

maîtresse [mɛtrɛs] *nf (amie)* mistress → **maître.**

maîtrise [metriz] *nf (diplôme)* ≃ master's degree.

maîtriser [metrize] *vt* to master ; *(personne)* to overpower ; *(incendie)* to bring under control.

majestueux, euse [maʒɛstɥø, øz] *adj* majestic.

majeur, e [maʒœr] *adj (principal)* major. ◆ *nm (doigt)* middle finger ; **être** ~ *(adulte)* to be of age ; **la** ~ **e partie (de)** the majority (of).

majoration [maʒɔrasjɔ̃] *nf* increase.

majorette [maʒɔrɛt] *nf* majorette.

majorité [maʒɔrite] *nf* majority ; **en** ~ in the majority ; **la** ~ **de** the majority of.

majuscule [maʒyskyl] *nf* capital letter.

mal [mal] *(pl* **maux** [mo]) *nm (contraire du bien)* evil. ◆ *adv* badly ; **j'ai** ~ **it** hurts ; **avoir** ~ **au cœur** to feel sick ; **avoir** ~ **aux dents** to have toothache ; **avoir** ~ **au ventre** to have (a) stomachache ; **ça fait** ~ **it** hurts ; **faire** ~ **à qqn** to hurt sb ; **se faire** ~ to hurt o.s. ; **se donner du** ~ **(pour faire qqch)** to make an effort (to do sthg) ; ~ **de gorge** sore throat ; ~ **de mer** seasickness ;

avoir le ~ du pays to feel homesick ; maux de tête headaches ; pas ~ *fam (assez bon, assez beau)* not bad.

malade [malad] *adj* ill, sick ; *(sur un bateau, en avion)* sick. ◆ *nmf* sick person ; ~ mental mentally ill person.

maladie [maladi] *nf* illness ; ~ de la vache folle mad cow disease.

maladresse [maladrɛs] *nf* clumsiness ; *(acte)* blunder.

maladroit, e [maladrwa, at] *adj* clumsy.

malaise [malɛz] *nm* MÉD faintness ; *(angoisse)* unease ; avoir un ~ to faint.

malaxer [malakse] *vt* to knead.

malchance [malʃɑ̃s] *nf* bad luck.

mâle [mal] *adj* & *nm* male.

malentendu [malɑ̃tɑ̃dy] *nm* misunderstanding.

malfaiteur [malfɛtœr] *nm* criminal.

malfamé, e [malfame] *adj* disreputable.

malformation [malfɔrmasjɔ̃] *nf* malformation.

malgré [malgre] *prép* in spite of ; ~ tout despite everything.

malheur [malœr] *nm* misfortune.

malheureusement [malœrøzmɑ̃] *adv* unfortunately.

malheureux, euse [malœrø, øz] *adj* unhappy.

malhonnête [malɔnɛt] *adj* dishonest.

malicieux, euse [malisjø, øz] *adj* mischievous.

malin, igne [malɛ̃, iɲ] *adj (habile, intelligent)* crafty.

malle [mal] *nf* trunk.

mallette [malɛt] *nf* small suitcase.

malmener [malməne] *vt* to manhandle.

malnutrition [malnytrisjɔ̃] *nf* malnutrition.

malpoli, e [malpɔli] *adj* rude.

malsain, e [malsɛ̃, ɛn] *adj* unhealthy.

maltraiter [maltrete] *vt* to mistreat.

malveillant, e [malvejɑ̃, ɑ̃t] *adj* spiteful.

maman [mamɑ̃] *nf* mum *(Br)*, mom *(Am)*.

mamie [mami] *nf fam* granny.

mammifère [mamifɛr] *nm* mammal.

manager [manadʒɛr] *nm* manager.

manche [mɑ̃ʃ] *nf (de vêtement)* sleeve ; *(de jeu)* round ; *(au tennis)* set. ◆ *nm* handle.

Manche [mɑ̃ʃ] *nf* : la ~ the (English) Channel.

manchette [mɑ̃ʃɛt] *nf (d'une manche)* cuff.

mandarine [mɑ̃darin] *nf* mandarin.

mandat [mɑ̃da] *nm (postal)* money order.

manège [manɛʒ] *nm (attraction)* merry-go-round *(Br)*, carousel *(Am)* ; *(d'équitation)* riding school.

manette [manɛt] *nf* lever ; ~ de jeux joystick.

mangeoire [mɑ̃ʒwar] *nf* trough.

manger [mɑ̃ʒe] *vt* & *vi* to eat ; donner à ~ à qqn to give sb something to eat ; *(bébé)* to feed sb.

mangue [mɑ̃g] *nf* mango.

maniable [manjabl] *adj* easy to use.

maniaque [manjak] *adj* fussy.

manie [mani] *nf* funny habit.

manier [manje] *vt* to handle.

manière [manjɛr] *nf* way ; de ~ à faire qqch in order to do sthg ; de toute ~ at any rate. ❑ **manières** *nfpl* (attitude) manners ; faire des ~ s to be difficult.

maniéré, e [manjere] *adj* affected.

manif [manif] *nf fam* demo.

manifestant, e [manifɛstɑ̃, ɑ̃t] *nm, f* demonstrator.

manifestation [manifɛstasjɔ̃] *nf* (défilé) demonstration ; (culturelle) event.

manifester [manifɛste] *vt* (exprimer) to express. ◆ *vi* to demonstrate. ❑ **se manifester** *vp* (apparaître) to appear.

manigancer [manigɑ̃se] *vt* to dream up.

manipulation [manipylasjɔ̃] *nf* handling ; (tromperie) manipulation.

manipuler [manipyle] *vt* to handle ; *fig* (personne) to manipulate.

manivelle [manivɛl] *nf* crank.

mannequin [mankɛ̃] *nm* (de défilé) model ; (dans une vitrine) dummy.

manœuvre [manœvr] *nf* manœuvre.

manœuvrer [manœvre] *vt & vi* to manoeuvre.

manoir [manwar] *nm* manor house.

manquant, e [mɑ̃kɑ̃, ɑ̃t] *adj* missing.

manque [mɑ̃k] *nm* : le ~ de the lack of.

manquer [mɑ̃ke] *vt* to miss. ◆ *vi* (échouer) to fail ; (élève, employé) to be absent ; elle nous manque we miss her ; il manque deux pages there are two pages missing ; il me manque deux euros I'm two euros short ; ~ de (argent, temps, café) to be short of ; (humour, confiance en soi) to lack.

mansardé, e [mɑ̃sarde] *adj* in the attic.

manteau, x [mɑ̃to] *nm* coat.

manucure [manykyr] *nmf* manicurist.

manuel, elle [manɥɛl] *adj & nm* manual.

manuscrit [manyskri] *nm* manuscript.

mappemonde [mapmɔ̃d] *nf* (carte) map of the world ; (globe) globe.

maquereau, x [makro] *nm* mackerel.

maquette [makɛt] *nf* scale model.

maquillage [makijaʒ] *nm* (fard, etc) make-up.

maquiller [makije] : **se maquiller** *vp* to make o.s. up.

marais [marɛ] *nm* marsh ; le ~ the Marais (historic Paris neighborhood).

marathon [maratɔ̃] *nm* marathon.

marbre [marbr] *nm* marble.

marbré, e [marbre] *adj* marbled.

marchand, e [marʃɑ̃, ɑ̃d] *nm, f* shopkeeper (Br), storekeeper (Am) ; ~ de fruits et légumes OU de primeurs greengrocer ; ~ de journaux newsagent.

marchander [maʃɑ̃de] vi to haggle.

marchandises [maʃɑ̃diz] nfpl merchandise (sg).

marche [maʃ] nf (à pied) walk ; (d'escalier) step ; (fonctionnement) operation ; ~ arrière reverse ; en ~ (en fonctionnement) running ; mettre qqch en ~ to start sthg up.

marché [maʃe] nm market ; (contrat) deal ; faire son ~ to do one's shopping ; ~ couvert covered market ; ~ aux puces flea market ; bon ~ cheap.

marchepied [maʃəpje] nm step.

marcher [maʃe] vi to walk ; (fonctionner) to work ; (bien fonctionner) to go well ; faire ~ qqch to operate sthg ; faire ~ qqn fam to pull sb's leg.

mardi [mardi] nm Tuesday ; ~ gras Shrove Tuesday ; voir aussi samedi.

mare [mar] nf pool.

marécage [mareka3] nm marsh.

marée [mare] nf tide ; (à) ~ basse/ haute (at) low/high tide.

margarine [margarin] nf margarine.

marge [mar3] nf margin.

marginal, e, aux [mar3inal, o] nm, f dropout.

marguerite [margərit] nf daisy.

mari [mari] nm husband.

mariage [marja3] nm (noce) wedding ; (institution) marriage.

marié, e [marje] adj married. ◆ nm, f bridegroom (f bride) ; jeunes ~ s newlyweds.

marier [marje] : se marier vp to get married ; se ~ avec qqn to marry sb.

marin, e [marɛ̃, in] adj (courant, carte) sea. ◆ nm sailor.

marine [marin] adj inv & nm navy (blue). ◆ nf navy.

mariner [marine] vi to marinate.

marinière [marinjɛr] nf → moule².

marionnette [marjɔnɛt] nf puppet.

maritime [maritim] adj (ville) seaside.

marketing [marketiŋ] nm marketing.

marmelade [marməlad] nf stewed fruit.

marmite [marmit] nf (cooking) pot.

marmonner [marmɔne] vt to mumble.

Maroc [marɔk] nm : le ~ Morocco.

marocain, e [marɔkɛ̃, ɛn] adj Moroccan. ❑ **Marocain, e** nm, f Moroccan.

maroquinerie [marɔkinri] nf (objets) leather goods (pl) ; (boutique) leather shop (Br), leather store (Am).

marque [mark] nf (trace) mark ; (commerciale) make ; (nombre de points) score.

marqué, e [marke] adj (différence, tendance) marked.

marquer [marke] vt (écrire) to note (down) ; (impressionner) to mark ; (point, but) to score. ◆ vi (stylo) to write.

marqueur [markœr] nm marker (pen).

marquis, e [marki, iz] nm, f marquis (f marchioness).

marraine [marɛn] nf godmother.

marrant, e [marɑ̃, ɑ̃t] *adj fam* funny.

marre [mar] *adv* : **en avoir ~ (de)** *fam* to be fed up (with).

marrer [mare] : **se marrer** *vp fam (rire)* to laugh ; *(s'amuser)* to have a (good) laugh.

marron [marɔ̃] *adj inv* brown. ◆ *nm (fruit)* chestnut ; *(couleur)* brown.

marronnier [marɔnje] *nm* chestnut tree.

mars [mars] *nm* March → **septembre**.

Marseille [marsɛj] *n* Marseilles.

marteau, x [marto] *nm* hammer ; **~ piqueur** pneumatic drill.

martiniquais, e [martinike, ɛz] *adj* of Martinique.

Martinique [martinik] *nf* : **la ~ Martinique**.

martyr, e [martir] *adj (enfant)* battered. ◆ *nm, f* martyr.

martyre [martir] *nm (douleur, peine)* agony.

martyriser [martirize] *vt* to ill-treat.

mascara [maskara] *nm* mascara.

mascotte [maskɔt] *nf* mascot.

masculin, e [maskylɛ̃, in] *adj &* *nm* masculine.

masque [mask] *nm* mask.

masquer [maske] *vt (cacher à la vue)* to conceal.

massacre [masakr] *nm* massacre.

massacrer [masakre] *vt* to massacre.

massage [masaʒ] *nm* massage.

masse [mas] *nf (bloc)* mass ; *(outil)* sledgehammer.

masser [mase] *vt (dos, personne)* to massage ; *(grouper)* to assem-

ble. ❑ **se masser** *vp (se grouper)* to assemble.

masseur, euse [masœr, øz] *nm, f* masseur (*f* masseuse).

massif, ive [masif, iv] *adj (bois, or)* solid ; *(lourd)* massive. ◆ *nm (d'arbustes, de fleurs)* clump ; *(montagneux)* massif ; **le Massif central** the Massif Central *(upland region in southern central France)*.

massivement [masivmɑ̃] *adv* en masse.

massue [masy] *nf* club.

mastic [mastik] *nm* putty.

mastiquer [mastike] *vt (mâcher)* to chew.

mat, e [mat] *adj (métal, photo)* matt ; *(peau)* olive. ◆ *adj inv (aux échecs)* mate.

mât [ma] *nm* mast.

match [matʃ] *(pl s* ou **es)** *nm* match ; **faire ~ nul** to draw.

matelas [matla] *nm* mattress ; **~ pneumatique** airbed.

matelassé, e [matlase] *adj (vêtement)* lined ; *(tissu)* quilted.

mater [mate] *vt* to put down.

matérialiser [materjalize] : **se matérialiser** *vp* to materialize.

matériaux [materjo] *nmpl* materials.

matériel, elle [materjɛl] *adj* material. ◆ *nm* equipment ; *INFORM* hardware ; **~ de camping** camping equipment.

maternel, elle [maternɛl] *adj* maternal.

maternelle [maternɛl] *nf* : **(école) ~** nursery school.

maternité [maternite] *nf (hôpital)* maternity hospital.

mathématiques [matematik] *nfpl* mathematics.

maths [mat] *nfpl fam* maths *(Br)*, math *(Am)*.

matière [matjɛʀ] *nf (matériau)* material ; SCOL subject ; ~ **s grasses** fats.

Matignon [matiɲɔ̃] *n* : (l'hôtel) ~ building in Paris where the offices of the Prime Minister are based.

MATIGNON

Since 1935, The French Prime Minister's residence has been the *Hôtel Matignon*, located on Rue de Varenne in Paris. The word *Matignon* is frequently used to refer to the Prime Minister and his staff, e.g. '*Matignon*' received the delegation.

matin [matɛ̃] *nm* morning ; **le** ~ *(tous les jours)* in the morning.

matinal, e, aux [matinal, o] *adj* : **être** ~ to be an early riser.

matinée [matine] *nf* morning ; *(spectacle)* matinée.

matraque [matrak] *nf* truncheon *(Br)*, nightstick *(Am)*.

maudire [modiʀ] *vt* to curse.

maudit, e [modi, it] *pp* → **maudire**. ◆ *adj* damned.

maussade [mosad] *adj (humeur)* glum ; *(temps)* dismal.

mauvais, e [movɛ, ɛz] *adj* bad ; *(faux)* wrong ; *(méchant)* nasty.

mauve [mov] *adj* mauve.

maux → **mal**.

max. *(abr de maximum)* max.

maximum [maksimɔm] *nm* maximum ; **au** ~ *(à la limite)* at the most.

mayonnaise [majɔnɛz] *nf* mayonnaise.

mazout [mazut] *nm* fuel oil.

me [mə] *pron (objet direct)* me ; *(objet indirect)* (to) me.

mécanicien, enne [mekanisjɛ̃, ɛn] *nm, f (de garage)* mechanic.

mécanique [mekanik] *adj* mechanical. ◆ *nf (mécanisme)* mechanism ; *(automobile)* car mechanics *(sg)*.

mécanisme [mekanism] *nm* mechanism.

méchamment [meʃamɑ̃] *adv* nastily.

méchanceté [meʃɑ̃ste] *nf* nastiness.

méchant, e [meʃɑ̃, ɑ̃t] *adj* nasty.

mèche [mɛʃ] *nf (de cheveux)* lock ; *(de lampe)* wick ; *(de perceuse)* bit ; *(d'explosif)* fuse.

méchoui [meʃwi] *nm* barbecue of a whole sheep roasted on a spit.

méconnaissable [mekɔnɛsabl] *adj* unrecognizable.

mécontent, e [mekɔ̃tɑ̃, ɑ̃t] *adj* unhappy.

médaille [medaj] *nf (récompense)* medal ; *(bijou)* medallion.

médaillon [medajɔ̃] *nm (bijou)* locket ; CULIN medallion.

médecin [medsɛ̃] *nm* doctor ; **mon** ~ **traitant** my (usual) doctor.

médecine [medsin] *nf* medicine.

médias [medja] *nmpl* (mass) media.

médiatique [medjatik] *adj* : **être** ~ to look good on TV.

médical, e, aux [medikal, o] *adj* medical.

médicament [medikamɑ̃] *nm* medicine.

médiéval, e, aux [medjeval, o] *adj* medieval.

médiocre [medjɔkr] *adj* mediocre.

médisant, e [medizɑ̃, ɑ̃t] *adj* spiteful.

méditation [meditasjɔ̃] *nf* meditation.

méditer [medite] *vt* to think about. ◆ *vi* to meditate.

Méditerranée [mediterane] *nf* : la (mer) ~ the Mediterranean (Sea).

méditerranéen, enne [mediteraneɛ̃, ɛn] *adj* Mediterranean.

méduse [medyz] *nf* jellyfish.

meeting [mitiŋ] *nm* POL (public) meeting ; SPORT meet.

méfiance [mefjɑ̃s] *nf* suspicion.

méfiant, e [mefjɑ̃, ɑ̃t] *adj* mistrustful.

méfier [mefje] : se méfier *vp* to be careful ; se ~ de to distrust.

mégot [mego] *nm* cigarette butt.

meilleur, e [mɛjœr] *adj* (*comparatif*) better ; (*superlatif*) best. ◆ *nm, f* best.

mélancolie [melɑ̃kɔli] *nf* melancholy.

mélange [melɑ̃ʒ] *nm* mixture.

mélanger [melɑ̃ʒe] *vt* to mix ; (*salade*) to toss ; (*cartes*) to shuffle ; (*confondre*) to mix up.

Melba [mɛlba] *adj inv* → **pêche**.

mêlée [mele] *nf* (*au rugby*) scrum.

mêler [mele] *vt* (*mélanger*) to mix ; ~ qqn à qqch to involve sb in sthg. ❑ se mêler *vp* : se ~ à (*foule, manifestation*) to join ; se ~ de qqch to interfere in sthg.

mélodie [melɔdi] *nf* melody.

melon [məlɔ̃] *nm* melon.

membre [mɑ̃br] *nm* (*bras, jambe*) limb ; (*d'un club*) member.

même [mɛm] *adj* - **1.** (*identique*) same.
- **2.** (*sert à renforcer*) : ce sont ses paroles ~ s those are his very words.
◆ *pron* : le/la ~ (que) the same one (as).
◆ *adv* - **1.** (*sert à renforcer*) even ; il n'y a ~ pas de cinéma there isn't even a cinema.
- **2.** (*exactement*) : c'est aujourd'hui ~ it's this very day ; ici ~ right here.
- **3.** (*dans des expressions*) : coucher à ~ le sol to sleep on the floor ; faire de ~ to do the same ; de ~ que (*et*) and.

mémé [meme] *nf fam* granny.

mémoire [memwar] *nf* memory ; de ~ (*réciter, jouer*) from memory ; ~ morte read-only memory ; ~ vive random-access memory.

menace [mənas] *nf* threat.

menacer [mənase] *vt* to threaten. ◆ *vi* : la pluie menace it looks like rain ; ~ de faire qqch to threaten to do sthg.

ménage [menaʒ] *nm* (*rangement*) housework ; (*famille*) couple ; faire le ~ to do the housework.

ménager¹ [menaʒe] *vt* (*forces*) to conserve.

ménager², ère [menaʒe, ɛr] *adj* (*produit, équipement*) household.

ménagère [menaʒɛr] *nf* (*couverts*) canteen.

ménagerie [menaʒri] *nf* menagerie.

mendiant, e [mɑ̃djɑ̃, ɑ̃t] *nm, f* beggar. ◆ *nm* (*gâteau*) biscuit containing dried fruit and nuts.

mendier [mɑ̃dje] *vi* to beg.

mener [məne] *vt* to lead ; *(accompagner)* to take. ◆ *vi* SPORT to lead.

menottes [mənɔt] *nfpl* handcuffs.

mensonge [mãsɔ̃ʒ] *nm* lie.

mensualité [mãsɥalite] *nf (versement)* monthly instalment.

mensuel, elle [mãsɥɛl] *adj & nm* monthly.

mensurations [mãsyrasjɔ̃] *nfpl* measurements.

mental, e, aux [mãtal, o] *adj* mental.

mentalité [mãtalite] *nf* mentality.

menteur, euse [mãtœr, øz] *nm, f* liar.

menthe [mãt] *nf* mint ; ~ à l'eau mint cordial.

mention [mãsjɔ̃] *nf (à un examen)* distinction ; 'rayer les ~ s inutiles' 'delete as appropriate'.

mentionner [mãsjɔne] *vt* to mention.

mentir [mãtir] *vi* to lie.

menton [mãtɔ̃] *nm* chin.

menu, e [məny] *adj (très mince)* slender. ◆ *adv (hacher)* finely. ◆ *nm* menu ; *(à prix fixe)* set menu ; ~ gastronomique gourmet menu ; ~ touristique set menu.

menuisier, ère [mənɥizje, ɛr] *nmf* carpenter.

mépris [mepri] *nm* contempt.

méprisant, e [meprizã, ãt] *adj* contemptuous.

mépriser [meprize] *vt* to despise.

mer [mɛr] *nf* sea ; en ~ at sea.

mercerie [mɛrsəri] *nf (boutique)* haberdasher's shop *(Br)*, notions store *(Am)*.

merci [mɛrsi] *excl* thank you! ;

~ beaucoup! thank you very much! ; ~ de ... thank you for ...

mercredi [mɛrkrədi] *nm* Wednesday → samedi.

merde [mɛrd] *excl* vulg shit! ◆ *nf* vulg shit.

mère [mɛr] *nf* mother.

merguez [mɛrgɛz] *nf* spicy North African sausage.

méridional, e, aux [meridjɔnal, o] *adj (du Midi)* Southern (French).

meringue [mərɛ̃g] *nf* meringue.

mérite [merit] *nm (qualité)* merit ; avoir du ~ to deserve praise.

mériter [merite] *vt* to deserve.

merlan [mɛrlã] *nm* whiting.

merle [mɛrl] *nm* blackbird.

merlu [mɛrly] *nm* hake.

merveille [mɛrvɛj] *nf* marvel.

merveilleux, euse [mɛrvɛjø, øz] *adj* marvellous.

mes → mon.

mésaventure [mezavãtyr] *nf* misfortune.

mesdames → madame.

mesdemoiselles → mademoiselle.

mesquin, e [mɛskɛ̃, in] *adj* mean.

message [mesaʒ] *nm* message.

messager, ère [mesaʒe, ɛr] *nm, f* messenger.

messagerie [mesaʒri] *nf* : ~ électronique electronic mail.

messe [mɛs] *nf* mass.

messieurs → monsieur.

mesure [məzyr] *nf* measurement ; *(rythme)* time ; *(décision)* measure ; sur ~ *(vêtement)* made-to-measure ; dans la ~ du possible as far as possible.

mesuré, e [məzyre] *adj (modéré)* measured.

mesurer [məzyre] *vt* to measure ; **il mesure 1,80 mètres** he's 6 foot tall.

met *etc* → **mettre**.

métal, aux [metal, o] *nm* metal.

métallique [metalik] *adj (pièce)* metal ; *(son)* metallic.

météo [meteo] *nf* : *(bulletin)* ~ weather forecast ; ~ **marine** shipping forecast.

météorologique [meteɔrɔlɔʒik] *adj* meteorological.

méthode [metɔd] *nf* method ; *(manuel)* handbook.

méthodique [metɔdik] *adj* methodical.

méticuleux, euse [metikylø, øz] *adj* meticulous.

métier [metje] *nm* occupation, job.

métis, isse [metis] *nm, f* person of mixed race.

mètre [mɛtr] *nm* metre ; *(ruban)* tape measure.

métro [metro] *nm (réseau)* underground *(Br)*, subway *(Am)* ; *(train)* train ; ~ **aérien** elevated railway.

MÉTRO

The Paris *métro* was built in 1900 and consists of fifteen lines serving the whole of the city in a tightly-knit network with trains running between 5.30 am and 1.00 am. The entrances to *métro* stations are known as *bouches de métro* and some of the older ones feature ornate art nouveau wrought-iron railings and the sign *Métropolitain*. The *métro* is a non-smoking area.

métropole [metrɔpɔl] *nf (ville)* metropolis ; *(pays)* home country.

metteur [metœr] *nm* : ~ **en scène** director.

mettre [mɛtr] *vt* - **1.** *(placer, poser)* to put.
- **2.** *(vêtement)* to put on ; **je ne mets plus ma robe noire** I don't wear my black dress any more.
- **3.** *(temps)* to take ; **nous avons mis deux heures par l'autoroute** it took us two hours on the motorway.
- **4.** *(argent)* to spend.
- **5.** *(déclencher)* to switch on, to turn on ; ~ **le chauffage** to put the heating on.
- **6.** *(dans un état différent)* : ~ **qqn en colère** to make sb angry ; ~ **qqch en marche** to start sthg (up).
- **7.** *(écrire)* to write.
❑ **se mettre** *vp* - **1.** *(se placer)* : **mets-toi sur cette chaise** sit on this chair ; **se** ~ **debout** to stand up ; **se** ~ **au lit** to get into bed.
- **2.** *(dans un état différent)* : **se** ~ **en colère** to get angry ; **se** ~ **d'accord** to agree.
- **3.** *(vêtement, maquillage)* to put on.
- **4.** *(commencer)* : **se** ~ **à faire qqch** to start doing sthg ; **se** ~ **au travail** to set to work.

meuble [mœbl] *nm* piece of furniture ; ~ **s** furniture *(sg)*.

meublé [mœble] *nm* furnished accommodation.

meubler [mœble] *vt* to furnish.

meugler [møgle] *vi* to moo.

meule [møl] *nf (de foin)* haystack.

meunière [mønjɛr] *nf* → **sole**.

meurt [mœr] → **mourir**.

meurtre [mœrtr] nm murder.

meurtrier, ère [mœrtrije, ɛr] nm, f murderer.

meurtrière [mœrtrijɛr] nf (d'un château) arrow slit → **meurtrier**.

meurtrir [mœrtrir] vt to bruise.

meurtrissure [mœrtrisyr] nf bruise.

meute [møt] nf pack.

Mexique [mɛksik] nm : le ~ Mexico.

mezzanine [mɛdzanin] nf (dans une pièce) mezzanine.

mi- [mi] préf half ; à la ~ mars in mid-March ; à ~ chemin halfway.

miauler [mjole] vi to miaow.

miche [miʃ] nf round loaf.

micro [mikro] nm (amplificateur) mike ; (micro-ordinateur) micro.

microbe [mikrɔb] nm (maladie) bug.

micro-ondes [mikrɔɔd] nm inv : (four à) ~ microwave (oven).

micro-ordinateur, s [mikrɔɔr-dinatœr] nm microcomputer.

microprocesseur [mikrɔprɔse-sœr] nm microprocessor.

microscope [mikrɔskɔp] nm microscope.

microscopique [mikrɔskɔpik] adj microscopic.

midi [midi] nm midday, noon ; à ~ at midday, at noon ; (à l'heure du déjeuner) at lunchtime ; le Midi the South of France.

mie [mi] nf soft part (of loaf).

miel [mjɛl] nm honey.

mien [mjɛ̃] : le mien (f la mienne [lamjɛn], mpl les miens [lemjɛ̃], fpl les miennes [lemjɛn]) pron mine.

miette [mjɛt] nf crumb ; en ~ s (en morceaux) in tiny pieces.

mieux [mjø] adv better. ◆ adj better ; (plus joli) nicer ; (plus séduisant) better-looking ; c'est ce qu'il fait le ~ it's what he does best ; aller ~ to be better ; ça vaut ~ it's better ; de ~ en ~ better and better.

mignon, onne [miɲɔ̃, ɔn] adj sweet.

migraine [migrɛn] nf migraine.

mijoter [miʒɔte] vi to simmer.

milieu, x [miljø] nm middle ; (naturel) environment ; (familial, social) background ; au ~ (de) in the middle (of).

militaire [militɛr] adj military. ◆ nm soldier.

militant, e [militɑ̃, ɑ̃t] nm, f militant.

milk-shake, s [milkʃɛk] nm milkshake.

mille [mil] num a thousand ; trois ~ three thousand ; ~ neuf cent quatre-vingt-seize nineteen ninety-six → six.

mille-feuille, s [milfœj] nm millefeuille (Br), napoleon (Am), dessert consisting of layers of thin sheets of puff pastry and confectioner's custard.

mille-pattes [milpat] nm inv millipede.

milliard [miljar] nm thousand million (Br), billion (Am).

milliardaire [miljardɛr] nmf multimillionaire.

millier [milje] nm thousand ; des ~ s de thousands of.

millilitre [mililitr] nm millilitre.

millimètre [milimɛtr] nm millimetre.

million [miljɔ̃] nm million.

millionnaire [miljɔnεr] *nmf* millionaire.

mime [mim] *nm (acteur)* mime artist.

mimer [mime] *vt* to mimic.

mimosa [mimoza] *nm* mimosa.

min *(abr de minute)* min.

min. *(abr de minimum)* min.

minable [minabl] *adj fam (logement, bar)* shabby.

mince [mɛ̃s] *adj (personne)* slim ; *(tissu, tranche)* thin. ◆ *excl* sugar! *(Br)*, shoot! *(Am)*.

mine [min] *nf (de charbon)* mine ; *(de crayon)* lead ; *(visage)* look ; **avoir bonne/mauvaise ~** to look well/ill ; **faire ~ de faire qqch** to pretend to do sthg.

miner [mine] *vt (terrain)* to mine ; *fig (moral)* to undermine.

minerai [minrε] *nm* ore.

minéral, e, aux [mineral, o] *adj & nm* mineral.

minéralogique [mineralɔʒik] *adj* → **plaque**.

mineur, e [minœr] *adj (enfant)* underage ; *(peu important)* minor. ◆ *nm (ouvrier)* miner. ◆ *nm, f (enfant)* minor.

miniature [minjatyr] *adj & nf* miniature ; **en ~** in miniature.

minibar [minibar] *nm* minibar.

minijupe [miniʒyp] *nf* miniskirt.

minimiser [minimize] *vt* to minimize.

minimum [minimɔm] *adj & nm* minimum ; **au ~** at the least.

ministère [minister] *nm* department.

ministre [ministr] *nmf POL* minister *(Br)*, secretary *(Am)*.

Minitel® [minitel] *nm* French teletext network.

minorité [minɔrite] *nf* minority.

minuit [minɥi] *nm* midnight.

minuscule [minyskyl] *adj* tiny.

minute [minyt] *nf* minute.

minuterie [minytri] *nf* time switch.

minutieux, euse [minysjø, øz] *adj* meticulous.

mirabelle [mirabεl] *nf* mirabelle plum.

miracle [mirakl] *nm* miracle.

mirage [miraʒ] *nm* mirage.

miroir [mirwar] *nm* mirror.

mis, e [mi, miz] *pp* → **mettre**.

mise [miz] *nf (enjeu)* stake ; **~ en scène** production.

miser [mize] : **miser sur** *v + prép (au jeu)* to bet on ; *(compter sur)* to count on.

misérable [mizerabl] *adj (pauvre)* poor ; *(lamentable)* miserable.

misère [mizεr] *nf (pauvreté)* poverty.

missile [misil] *nm* missile.

mission [misjɔ̃] *nf* mission.

mistral [mistral] *nm* cold wind in southeast of France, blowing towards the Mediterranean.

mitaine [miten] *nf* fingerless glove.

mite [mit] *nf (clothes)* moth.

mi-temps [mitɑ̃] *nf inv (moitié d'un match)* half ; *(pause)* half time ; **travailler à ~** to work part-time.

mitigé, e [mitiʒe] *adj* mixed.

mitoyen, enne [mitwajε̃, εn] *adj (maisons)* adjoining ; **mur ~** party wall.

mitrailler [mitraje] *vt* to machine-gun ; *fam (photographier)* to snap away at.

mitraillette [mitrajɛt] *nf* sub-machinegun.

mitrailleuse [mitrajøz] *nf* machinegun.

mixer [mikse] *vt* to mix.

mixe(u)r [miksœr] *nm* (food) mixer.

mixte [mikst] *adj* mixed.

ml *(abr de millilitre)* ml.

Mlle *(abr de mademoiselle)* Miss.

mm *(abr de millimètre)* mm.

Mme *(abr de madame)* Mrs.

mobile [mɔbil] *adj (pièce)* moving ; *(cloison)* movable ; *(visage, regard)* animated. ◆ *nm (d'un crime)* motive ; *(objet suspendu)* mobile.

mobilier [mɔbilje] *nm* furniture.

mobiliser [mɔbilize] *vt* to mobilize.

Mobylette® [mɔbilɛt] *nf* moped.

mocassin [mɔkasɛ̃] *nm* moccasin.

moche [mɔʃ] *adj fam (laid)* ugly ; *(méchant)* rotten.

mode [mɔd] *nf* fashion. ◆ *nm (manière)* method ; GRAMM mood ; à la ~ fashionable ; ~ **d'emploi** instructions *(pl)* ; ~ **de vie** lifestyle.

modèle [mɔdɛl] *nm* model ; *(de pull, de chaussures)* style ; ~ **réduit** scale model.

modeler [mɔdle] *vt* to shape.

modélisme [mɔdelism] *nm* model-making.

modem [mɔdɛm] *nm* modem.

modération [mɔderasjɔ̃] *nf* moderation.

modéré, e [mɔdere] *adj* moderate.

moderne [mɔdɛrn] *adj* modern.

moderniser [mɔdɛrnize] *vt* to modernize.

modeste [mɔdɛst] *adj* modest.

modestie [mɔdɛsti] *nf* modesty.

modification [mɔdifikasjɔ̃] *nf* modification.

modifier [mɔdifje] *vt* to modify.

modulation [mɔdylasjɔ̃] *nf* : ~ **de fréquence** frequency modulation.

moduler [mɔdyle] *vt* to adjust.

moelle [mwal] *nf* bone marrow ; ~ **épinière** spinal cord.

moelleux, euse [mwalø, øz] *adj* soft ; *(gâteau)* moist.

mœurs [mœr(s)] *nfpl (habitudes)* customs.

mohair [mɔɛr] *nm* mohair.

moi [mwa] *pron (objet direct, après prép ou comparaison)* me ; *(objet indirect)* (to) me ; *(pour insister)* : ~ **je crois que** ... I think that ... ; ~ **-même** myself.

moindre [mwɛ̃dr] *adj* smaller ; **le** ~ ... *(le moins important)* the slightest ... ; *(le moins grand)* the smallest ... .

moine [mwan] *nm* monk.

moineau, x [mwano] *nm* sparrow.

━━━━━━━━━━━━━━━━

moins [mwɛ̃] *adv* - 1. *(pour comparer)* less ; ~ **vieux (que)** younger (than) ; ~ **vite (que)** not as fast (as). - 2. *(superlatif)* : **c'est la nourriture qui coûte le** ~ the food costs the least ; **le** ~ **possible** as little as possible. - 3. *(en quantité)* less ; ~ **de viande** less meat ; ~ **de gens** fewer people ; ~ **de dix** fewer than ten. - 4. *(dans des expressions)* : **à** ~ **de, à**

~ que : à ~ d'un imprévu, ... unless anything unforeseen happens ... ; à ~ de rouler OU que nous roulions toute la nuit, ... unless we drive all night ... ; au ~ at least ; de ~ en ~ less ; j'ai deux ans de ~ qu'elle I'm two years younger than her ; de ~ en ~ less and less.
◆ *prép* - **1.** *(pour indiquer l'heure)* : trois heures ~ le quart quarter to three *(Br)*, quarter of three *(Am)*. - **2.** *(pour soustraire, indiquer la température)* minus.

mois [mwa] *nm* month ; au ~ de juillet in July.

moisi, e [mwazi] *adj* mouldy.
◆ *nm* mould ; sentir le ~ to smell musty.

moisir [mwazir] *vi* to go mouldy.

moisissure [mwazisyr] *nf (moisi)* mould.

moisson [mwasɔ̃] *nf* harvest.

moissonner [mwasɔne] *vt* to harvest.

moissonneuse [mwasɔnøz] *nf* harvester.

moite [mwat] *adj* clammy.

moitié [mwatje] *nf* half ; la ~ de half (of) ; à ~ plein half-full ; à ~ prix half-price.

moka [mɔka] *nm (gâteau)* coffee cake.

molaire [mɔlɛr] *nf* molar.

molle → **mou**.

mollet [mɔlɛ] *nm* calf.

molletonné, e [mɔltɔne] *adj* lined.

mollusque [mɔlysk] *nm* mollusc.

môme [mom] *nmf fam* kid.

moment [mɔmɑ̃] *nm* moment ; c'est le ~ de ... it's time to ... ; au

~ où just as ; du ~ que since ; par ~ at times ; pour le ~ for the moment.

momentané, e [mɔmɑ̃tane] *adj* temporary.

momie [mɔmi] *nf* mummy.

mon [mɔ̃] *(f* ma [ma], *pl* mes [me]) *adj* my.

Monaco [mɔnako] *n* Monaco.

monarchie [mɔnarʃi] *nf* monarchy.

monastère [mɔnastɛr] *nm* monastery.

monde [mɔ̃d] *nm* world ; il y a du ~ OU beaucoup de ~ there are a lot of people ; tout le ~ everyone, everybody.

mondial, e, aux [mɔ̃djal, o] *adj* world *(avant n)*.

moniteur, trice [mɔnitœr, tris] *nm, f (de colonie)* leader ; *(d'auto-école)* instructor. ◆ *nm (écran)* monitor.

monnaie [mɔnɛ] *nf (argent)* money ; *(devise)* currency ; *(pièces)* change ; faire de la ~ to get some change ; rendre la ~ à qqn to give sb change.

monologue [mɔnɔlɔg] *nm* monologue.

monopoliser [mɔnɔpɔlize] *vt* to monopolize.

monospace [mɔnɔspas] *nm* people carrier, *Am* minivan.

monotone [mɔnɔtɔn] *adj* monotonous.

monotonie [mɔnɔtɔni] *nf* monotony.

monsieur [məsjø] *nm (pl* messieurs [mesjø]) ~ X Mr X ; bonjour ~ /messieurs! good morning (sir/gentlemen)! ; Monsieur, *(dans une lettre)* Dear Sir,

monstre 174

monstre [mɔ̃str] *nm* monster ;
(personne très laide) hideous person.

monstrueux, euse [mɔ̃stryø, øz]
adj (très laid) hideous ; *(moralement)* monstrous ; *(très grand, très gros)* huge.

mont [mɔ̃] *nm* mountain ; le
~ Blanc Mont Blanc ; le Mont-Saint-Michel Mont-Saint-Michel.

montage [mɔ̃taʒ] *nm* assembly.

montagne [mɔ̃taɲ] *nf* mountain ; à la ~ in the mountains ; ~ s russes roller coaster.

montagneux, euse [mɔ̃taɲø,
øz] *adj* mountainous.

montant, e [mɔ̃tɑ̃, ɑ̃t] *adj (marée)* rising ; *(col)* high. ◆ *nm (somme)* total ; *(d'une fenêtre, d'une échelle)* upright.

montée [mɔ̃te] *nf (pente)* slope ;
(ascension) climb ; *(des prix)* rise.

monter [mɔ̃te] *vi (personne)* to
go/come up ; *(route, avion, grimpeur)* to climb ; *(dans un train)* to
get on ; *(dans une voiture)* to get in ;
(niveau, prix, température) to rise.
◆ *vt (escalier, côte)* to climb, to go/
come up ; *(porter en haut)* to take/
bring up ; *(son, chauffage)* to turn
up ; *(meuble)* to assemble ; *(tente)*
to put up ; *(société)* to set up ; *(cheval)* to ride ; CULIN to beat ; ~ à
bord **(d'un avion)** to board (a
plane) ; ~ à cheval to ride (horses).

montre [mɔ̃tr] *nf* watch.

montrer [mɔ̃tre] *vt* to show ;
~ qqch à qqn to show sb sthg ;
~ qqch du doigt to point at sb/
sthg. ❑ se montrer *vp (apparaître)*
to appear ; se ~ courageux to be
brave.

monture [mɔ̃tyr] *nf (de lunettes)*
frame ; *(cheval)* mount.

monument [mɔnymɑ̃] *nm* monument ; ~ aux morts war memorial.

moquer [mɔke] : se moquer de
vp + prép (plaisanter) to make fun
of ; *(ignorer)* not to care about ; je
m'en moque I don't care.

moques [mɔk] *nfpl* Belg sweet
cake spiced with cloves, a speciality
of Ghent.

moquette [mɔket] *nf* carpet.

moqueur, euse [mɔkœr, øz] *adj*
mocking.

moral, e, aux [mɔral, o] *adj (conduite, principes)* moral ; *(psychologiquement)* mental. ◆ *nm* morale ; avoir
le ~ to be in good spirits.

morale [mɔral] *nf (valeurs)*
morals *(pl)* ; *(d'une histoire)* moral ;
faire la ~ à qqn to preach at sb.

moralement [mɔralmɑ̃] *adv
(psychologiquement)* mentally ; *(du
point de vue de la morale)* morally.

morceau, x [mɔrso] *nm* piece ;
~ de sucre lump of sugar.

mordiller [mɔrdije] *vt* to nibble.

mordre [mɔrdr] *vt* to bite ; ~ **(sur)**
(dépasser) to cross over.

morille [mɔrij] *nf* type of mushroom, considered a delicacy.

mors [mɔr] *nm* bit.

morse [mɔrs] *nm (animal)* walrus ; *(code)* Morse code.

morsure [mɔrsyr] *nf* bite.

mort, e [mɔr, mɔrt] *pp* → mourir.
◆ *adj* dead. ◆ *nm, f* dead person.
◆ *nf* death.

mortel, elle [mɔrtɛl] *adj (qui
peut mourir)* mortal ; *(qui tue)* fatal.

morue [mɔry] *nf* cod.

mosaïque [mɔzaik] *nf* mosaic.

Moscou [mɔsku] *n* Moscow.

mosquée [mɔske] *nf* mosque.

mot [mo] *nm* word ; *(message)* note ; **~ de passe** password ; **~ s croisés** crossword *(sg)*.

motard [mɔtar] *nm* motorcyclist ; *(gendarme, policier)* motorcycle policeman.

motel [mɔtɛl] *nm* motel.

moteur [mɔtœr] *nm* engine, motor ; INFORM : **~ de recherche** search engine.

motif [mɔtif] *nm (dessin)* pattern ; *(raison)* motive.

motivation [mɔtivasjɔ̃] *nf* motivation.

motivé, e [mɔtive] *adj* motivated.

moto [mɔto] *nf* motorbike.

motocross [mɔtokrɔs] *nm* motocross.

motocycliste [mɔtosiklist] *nmf* motorcyclist.

motte [mɔt] *nf (de terre)* clod ; *(de beurre)* pat ; *(de gazon)* sod.

mou, molle [mu, mɔl] *adj* soft ; *(sans énergie)* lethargic.

mouche [muʃ] *nf* fly.

moucher [muʃe] : **se moucher** *vp* to blow one's nose.

moucheron [muʃrɔ̃] *nm* gnat.

mouchoir [muʃwar] *nm* handkerchief ; **~ en papier** (paper) tissue.

moudre [mudr] *vt* to grind.

moue [mu] *nf* pout ; **faire la ~** to pout.

mouette [mwɛt] *nf* seagull.

moufle [mufl] *nf* mitten.

mouillé, e [muje] *adj* wet.

mouiller [muje] *vt* to wet. ☐ **se**

mouiller *vp* to get wet ; *fig (s'avancer)* to commit o.s.

mouillette [mujɛt] *nf* strip of bread *(for dunking)*.

moulant, e [mulã, ãt] *adj* tight-fitting.

moule¹ [mul] *nm* mould ; **~ à gâteau** cake tin.

moule² [mul] *nf* mussel ; **~ s marinière** mussels in white wine.

mouler [mule] *vt (statue)* to cast ; *(suj : vêtement)* to fit tightly.

moulin [mulɛ̃] *nm (à farine)* mill ; **~ à café** coffee grinder ; **~ à poivre** pepper mill ; **~ à vent** windmill.

moulinet [muline] *nm (de canne à pêche)* reel.

Moulinette® [mulinɛt] *nf* liquidizer.

moulu, e [muly] *adj* ground.

moulure [mulyr] *nf* moulding.

mourant, e [murã, ãt] *adj* dying.

mourir [murir] *vi* to die ; *(civilisation)* to die out ; *(son)* to die away ; **~ de faim** to starve to death ; *fig* to be starving (hungry) ; **~ d'envie de faire qqch** to be dying to do sthg.

mousse [mus] *nf (bulles)* foam ; *(plante)* moss ; CULIN mousse ; **~ à raser** shaving foam ; **~ au chocolat** chocolate mousse.

mousseline [muslin] *nf (tissu)* muslin. ◆ *adj inv* : **purée** OU **pommes ~** pureed potatoes.

mousser [muse] *vi (savon)* to lather ; *(boisson)* to foam.

mousseux, euse [musø, øz] *adj (chocolat)* frothy. ◆ *nm* : **du (vin) ~** sparkling wine.

moustache [mustaʃ] *nf* moustache ; **des ~ s** *(d'animal)* whiskers.

moustachu, e [mustaʃy] *adj* with a moustache.

moustiquaire [mustiker] *nf* mosquito net.

moustique [mustik] *nm* mosquito.

moutarde [mutard] *nf* mustard.

mouton [mutɔ̃] *nm* sheep ; *CULIN* mutton.

mouvants [muvɑ̃] *adj mpl* → **sable**.

mouvement [muvmɑ̃] *nm* movement.

mouvementé, e [muvmɑ̃te] *adj* eventful.

moyen, enne [mwajɛ̃, ɛn] *adj* average ; *(intermédiaire)* medium. ◆ **moyen** *nm* way ; **~ de transport** means of transport. □ **moyens** *nmpl (ressources)* means ; *(capacités)* ability *(sg)* ; **avoir les ~ s de faire qqch** *(financièrement)* to be able to afford to do sthg ; **perdre ses ~ s** to go to pieces.

moyenne [mwajɛn] *nf* average ; *SCOL* pass mark *(Br)*, passing grade *(Am)* ; **en ~** on average.

muer [mɥe] *vi (animal)* to moult ; *(voix)* to break.

muet, muette [mɥe, mɥɛt] *adj* dumb ; *(cinéma)* silent.

muguet [mɥge] *nm* lily of the valley.

ⓘ **MUGUET**

On the first of May, it is customary for French people to buy small bouquets of lilies of the valley (or *muguet*) to offer to their friends and family as good-luck charms. On this day, on almost every street corner, there are people selling *muguet*, most of whom are individuals with no vending permit whatsoever.

---

mule [myl] *nf* mule.

mulet [myle] *nm* mule.

multicolore [myltikɔlɔr] *adj* multicoloured.

multiple [myltipl] *adj & nm* multiple.

multiplication [myltiplikasjɔ̃] *nf* multiplication.

multiplier [myltiplije] *vt* to multiply ; **2 multiplié par 9** 2 multiplied by 9. □ **se multiplier** *vp* to multiply.

multipropriété [myltiprɔprijete] *nf* : **appartement en ~** timeshare.

multitude [myltityd] *nf* : **une ~ de** a multitude of.

municipal, e, aux [mynisipal, o] *adj* municipal.

municipalité [mynisipalite] *nf (mairie)* (town) council.

munir [mynir] *vt* : **~ qqn/qqch de** to equip sb/sthg with □ **se munir de** *vp + prép* to equip o.s. with.

munitions [mynisjɔ̃] *nfpl* ammunition *(sg)*.

mur [myr] *nm* wall ; **~ du son** sound barrier.

mûr, e [myr] *adj (fruit)* ripe.

muraille [myraj] *nf* wall.

mural, e, aux [myral, o] *adj (carte, peinture)* wall.

mûre [myr] *nf* blackberry.

murer [myre] *vt (fenêtre)* to wall up.

mûrir [myrir] *vi (fruit)* to ripen.

murmure [myrmyr] *nm* murmur.

murmurer [myrmyre] *vi* to murmur.

muscade [myskad] *nf* : **(noix) ~** nutmeg.

muscat [myska] *nm (raisin)* mus-

cat grape ; *(vin)* sweet white liqueur
wine.

muscle [myskl] *nm* muscle.

musclé, e [myskle] *adj* muscular.

musculaire [myskylɛr] *adj* muscular.

musculation [myskylasjɔ̃] *nf*
body-building (exercises).

museau, x [myzo] *nm* muzzle ;
CULIN brawn *(Br)*, headcheese
(Am).

musée [myze] *nm* museum ;
(d'art) gallery.

muselière [myzɛljɛr] *nf* muzzle.

musical, e, aux [myzikal, o] *adj*
musical.

music-hall, s [myzikol] *nm*
music hall.

musicien, enne [myzisjɛ̃, ɛn]
nm, f musician.

musique [myzik] *nf* music.

musulman, e [myzylmɑ̃, an]
adj & nm, f Muslim.

mutation [mytasjɔ̃] *nf (d'un employé)* transfer.

mutiler [mytile] *vt* to mutilate.

mutuel, elle [mytɥɛl] *adj* mutual.

mutuelle [mytɥɛl] *nf* mutual insurance company.

mutuellement [mytɥɛlmɑ̃] *adv*
mutually.

myope [mjɔp] *adj* shortsighted.

myosotis [mjozɔtis] *nm* forget-
me-not.

myrtille [mirtij] *nf* blueberry.

mystère [mistɛr] *nm* mystery ;
Mystère® *(glace)* ice cream filled with
meringue and coated with almonds.

mystérieusement [misterjøz-
mɑ̃] *adv* mysteriously.

mystérieux, euse [misterjø, øz]
adj mysterious.

mythe [mit] *nm* myth.

mythologie [mitɔlɔʒi] *nf* myth-
ology.

N

n' → ne.

n° *(abr de numéro)* no.

N *(abr de nord)* N.

nacre [nakr] *nf* mother-of-pearl.

nage [naʒ] *nf (natation)* swimming ; *(façon de nager)* stroke ; **en
~** dripping with sweat.

nageoire [naʒwar] *nf* fin.

nager [naʒe] *vt & vi* to swim.

nageur, euse [naʒœr, øz] *nm, f*
swimmer.

naïf, naïve [naif, iv] *adj* naive.

nain, e [nɛ̃, nɛn] *adj & nm, f*
dwarf.

naissance [nɛsɑ̃s] *nf* birth.

naître [nɛtr] *vi* to be born ; *(sentiment)* to arise.

naïve → naïf.

naïveté [naivte] *nf* naivety.

nappe [nap] *nf (linge)* tablecloth ;
(de pétrole) layer ; *(de brouillard)*
patch.

nappé, e [nape] *adj* : **~ de** coated
with.

napperon [naprɔ̃] *nm* tablemat.

narguer [narge] *vt* to scoff at.

narine [narin] *nf* nostril.

narrateur, trice [naratœr, tris]
nm, f narrator.

naseaux [nazo] *nmpl* nostrils.

natal, e [natal] *adj* native.

natalité [natalite] *nf* birth rate.

natation [natasjɔ̃] *nf* swimming ; faire de la ~ to swim.

natif, ive [natif, iv] *adj* : je suis ~ de ... I was born in ...

nation [nasjɔ̃] *nf* nation.

national, e, aux [nasjɔnal, o] *adj* national.

nationale [nasjɔnal] *nf* : (route) ~ ≃ A road (*Br*), state highway (*Am*).

nationaliser [nasjɔnalize] *vt* to nationalize.

nationalité [nasjɔnalite] *nf* nationality.

native → natif.

natte [nat] *nf* (tresse) plait ; (tapis) mat.

naturaliser [natyralize] *vt* to naturalize.

nature [natyr] *nf* nature. ◆ *adj inv* (yaourt, omelette) plain ; (thé) black ; ~ morte still life.

naturel, elle [natyrɛl] *adj* natural. ◆ *nm* (caractère) nature ; (simplicité) naturalness.

naturellement [natyrɛlmɑ̃] *adv* naturally ; (bien sûr) of course.

naturiste [natyrist] *nmf* naturist.

naufrage [nofraʒ] *nm* shipwreck.

nausée [noze] *nf* nausea ; avoir la ~ to feel sick.

nautique [notik] *adj* (carte) nautical ; sports ~ s water sports.

naval, e [naval] *adj* naval.

navarin [navarɛ̃] *nm* mutton and vegetable stew.

navet [navɛ] *nm* turnip ; *fam* (mauvais film) turkey.

navette [navɛt] *nf* (véhicule) shuttle.

navigateur, trice [navigatœr, tris] *nm, f* navigator.

navigation [navigasjɔ̃] *nf* navigation ; ~ de plaisance yachting.

naviguer [navige] *vi* (suj : bateau) to sail ; (suj : marin) to navigate.

navire [navir] *nm* ship.

navré, e [navre] *adj* sorry.

NB (*abr de nota bene*) NB.

ne [nə] *adv* → jamais, pas, personne, plus, que, rien.

né, e [ne] *pp* → naître.

néanmoins [neɑ̃mwɛ̃] *adv* nevertheless.

néant [neɑ̃] *nm* : réduire qqch à ~ to reduce sthg to nothing ; 'néant' (*un formulaire*) 'none'.

nécessaire [neseser] *adj* necessary. ◆ *nm* (ce qui est indispensable) bare necessities (*pl*) ; (outils) bag ; ~ de toilette toilet bag.

nécessité [nesesite] *nf* necessity.

nécessiter [nesesite] *vt* to necessitate.

nécessiteux, euse [nesesitø, øz] *nm, f* needy person.

nectarine [nɛktarin] *nf* nectarine.

néerlandais, e [neɛrlɑ̃dɛ, ez] *adj* Dutch. ◆ *nm* (langue) Dutch. ❏ **Néerlandais, e** *nm, f* Dutchman (*f* Dutchwoman).

nef [nɛf] *nf* nave.

néfaste [nefast] *adj* harmful.

négatif, ive [negatif, iv] *adj* & *nm* negative.

négation [negasjɔ̃] *nf* GRAMM negative.

négligeable [negliʒabl] *adj* (quantité) negligible ; (détail) trivial.

négligent, e [negliʒɑ̃, ɑ̃t] *adj* negligent.

négliger [negliʒe] *vt* to neglect.

négociant [negɔsjɑ̃] *nm* : **~ en vins** wine merchant.

négociations [negɔsjasjɔ̃] *nfpl* negotiations.

négocier [negɔsje] *vt & vi* to negotiate.

neige [nɛʒ] *nf* snow.

neiger [neʒe] *v impers* : **il neige** it's snowing.

neigeux, euse [nɛʒø, øz] *adj* snowy.

nénuphar [nenyfar] *nm* water lily.

néon [neɔ̃] *nm (tube)* neon light.

nerf [nɛr] *nm* nerve ; **être à bout de ~s** to be at the end of one's tether.

nerveusement [nɛrvøzmɑ̃] *adv* nervously.

nerveux, euse [nɛrvø, øz] *adj* nervous.

nervosité [nɛrvozite] *nf* nervousness.

n'est-ce pas [nɛspa] *adv* : **tu viens, ~?** you're coming, aren't you? ; **il aime le foot, ~?** he likes football, doesn't he?

net, nette [nɛt] *adj (précis)* clear ; *(propre)* clean ; *(tendance, différence)* marked ; *(prix, salaire)* net. ◆ *adv* : **s'arrêter ~** to stop dead.

nettement [nɛtmɑ̃] *adv (claire-ment)* clearly ; *(beaucoup, très)* definitely.

netteté [nɛtte] *nf* clearness.

nettoyage [netwajaʒ] *nm* cleaning ; **~ à sec** dry cleaning.

nettoyer [netwaje] *vt* to clean ; *(tache)* to remove ; **faire ~ un vête-**ment *(à la teinturerie)* to have a garment dry-cleaned.

neuf, neuve [nœf, nœv] *adj* new. ◆ *num* nine ; **remettre qqch à ~** to do sthg up (like new) ; **quoi de ~?** what's new? → **six**.

neutre [nøtr] *adj* neutral ; *GRAMM* neuter.

neuvième [nœvjɛm] *num* ninth → **sixième**.

neveu, x [nəvø] *nm* nephew.

nez [ne] *nm* nose ; **se trouver ~ à ~ avec qqn** to find o.s. face to face with sb.

NF *(abr de norme française)* ≃ BS *(Br)*, ≃ US standard *(Am)*.

ni [ni] *conj* : **je n'aime ~ la guitare ~ le piano** I don't like either the guitar or the piano ; **~ l'un ~ l'autre ne sont français** neither of them is French.

niais, e [nje, njez] *adj* silly.

niche [niʃ] *nf (à chien)* kennel ; *(dans un mur)* niche.

niçoise [niswaz] *adj f* → **salade**.

nicotine [nikɔtin] *nf* nicotine.

nid [ni] *nm* nest.

nid-de-poule [nidpul] *nm (pl nids-de-poule)* pothole.

nièce [njɛs] *nf* niece.

nier [nje] *vt* to deny ; **~ avoir fait qqch** to deny having done sthg.

Nil [nil] *nm* : **le ~** the Nile.

n'importe [nɛ̃pɔrt] → **importer**.

niveau, x [nivo] *nm* level ; **au ~ de** *(de la même qualité que)* at the level of ; **~ d'huile** *AUT* oil level ; **~ de vie** standard of living.

noble [nɔbl] *adj* noble. ◆ *nmf* nobleman *(f* noblewoman*)*.

noblesse [nɔbles] *nf (nobles)* nobility.

noce [nɔs] nf wedding ; ~ s d'or golden wedding (anniversary).

nocif, ive [nɔsif, iv] adj noxious.

nocturne [nɔktyrn] adj nocturnal. ◆ nf (d'un magasin) late-night opening.

Noël [nɔɛl] nm Christmas. ◆ nf : la ~ (jour) Christmas Day ; (période) Christmastime.

NOËL

Christmas in France begins on Christmas Eve with a family supper, traditionally turkey with chestnuts followed by a Yule log. Children used to leave their shoes by the fireplace for Father Christmas to fill with presents but today presents are usually placed around the Christmas tree and given and received on Christmas Eve.

nœud [n] nm knot ; (ruban) bow ; ~ papillon bow tie.

noir, e [nwar] adj black ; (sombre) dark. ◆ nm black ; (obscurité) darkness ; il fait ~ it's dark ; dans le ~ in the dark. ☐ Noir, e nm, f black.

noircir [nwarsir] vt to blacken. ◆ vi to darken.

noisetier [nwaztje] nm hazel.

noisette [nwazet] nf hazelnut ; (morceau) little bit. ◆ adj inv (yeux) hazel.

noix [nwa] nf walnut ; (morceau) little bit ; ~ de cajou cashew (nut) ; ~ de coco coconut.

nom [nɔ̃] nm name ; GRAMM noun ; ~ de famille surname ; ~ de jeune fille maiden name ; ~ propre proper noun.

nomade [nɔmad] nmf nomad.

nombre [nɔ̃br] nm number ; un grand ~ de a great number of.

nombreux, euse [nɔ̃brø, øz] adj (famille, groupe) large ; (personnes, objets) many ; peu ~ (groupe) small ; (personnes, objets) few.

nombril [nɔ̃bril] nm navel.

nommer [nɔme] vt (appeler) to name ; (à un poste) to appoint. ☐ se nommer vp to be called.

non [nɔ̃] adv no ; ~? (exprime la surprise) no (really)? ; je crois que ~ I don't think so ; je ne suis pas content - moi ~ plus I'm not happy - neither am I ; ~ seulement ..., mais ... not only ..., but ...

nonante [nɔnɑ̃t] num Belg & Helv ninety → six.

nonchalant, e [nɔ̃ʃalɑ̃, ɑ̃t] adj nonchalant.

non-fumeur, euse [nɔ̃fymœr, øz] nm, f nonsmoker.

nord [nɔr] adj inv & nm north ; au ~ in the north ; au ~ de north of.

nord-est [nɔrest] adj inv & nm northeast ; au ~ in the northeast ; au ~ de northeast of.

nordique [nɔrdik] adj Nordic ; Can (du nord canadien) North Canadian.

nord-ouest [nɔrwest] adj inv & nm northwest ; au ~ in the northwest ; au ~ de northwest of.

normal, e, aux [nɔrmal, o] adj normal ; ce n'est pas ~ (pas juste) it's not on.

normale [nɔrmal] nf : la ~ (la moyenne) the norm.

normalement [nɔrmalmɑ̃] adv normally.

normand, e [nɔrmɑ̃, ɑ̃d] adj Norman.

Normandie [nɔrmɑ̃di] *nf* : la ~ Normandy.

norme [nɔrm] *nf* standard.

Norvège [nɔrvɛʒ] *nf* : la ~ Norway.

norvégien, enne [nɔrveʒjɛ̃, ɛn] *adj* Norwegian. ◆ *nm* *(langue)* Norwegian. ❑ Norvégien, enne *nm, f* Norwegian.

nos → notre.

nostalgie [nɔstalʒi] *nf* nostalgia ; avoir la ~ de to feel nostalgic about.

notable [nɔtabl] *adj* & *nm* notable.

notaire [nɔtɛr] *nm* lawyer.

notamment [nɔtamɑ̃] *adv* in particular.

note [nɔt] *nf* note ; *SCOL* mark ; *(facture)* bill *(Br)*, check *(Am)* ; prendre des ~ s to take notes.

noter [nɔte] *vt (écrire)* to note (down) ; *(élève, devoir)* to mark *(Br)*, to grade *(Am)* ; *(remarquer)* to note.

notice [nɔtis] *nf (mode d'emploi)* instructions *(pl)*.

notion [nɔsjɔ̃] *nf* notion ; avoir des ~ s de to have a basic knowledge of.

notoriété [nɔtɔrjete] *nf* fame.

notre [nɔtr] *(pl* nos [no]*) adj* our.

nôtre [nɔtr] : le nôtre *(f* la nôtre, *pl* les nôtres*) pron* ours.

nouer [nwe] *vt (lacet, cravate)* to tie ; *(cheveux)* to tie back.

nougat [nuga] *nm* nougat.

nougatine [nugatin] *nf* hard sweet mixture of caramel and chopped almonds.

nouilles [nuj] *nfpl (type de pâtes)* noodles ; *fam (pâtes)* pasta *(sg)*.

nourrice [nuris] *nf* childminder.

nourrir [nurir] *vt* to feed. ❑ se nourrir *vp* to eat ; se ~ de to eat.

nourrissant, e [nurisɑ̃, ɑ̃t] *adj* nutritious.

nourrisson [nurisɔ̃] *nm* baby.

nourriture [nurityr] *nf* food.

nous [nu] *pron (sujet)* we ; *(complément d'objet direct)* us ; *(complément d'objet indirect)* (to) us ; *(réciproque)* each other.

nouveau, nouvelle [nuvo, nuvɛl] *(m* nouvel [nuvɛl], *mpl* nouveaux [nuvo]*) adj* new. ◆ *nm, f (dans une classe, un club)* new boy *(f* new girl*)* ; rien de ~ nothing new ; à OU de ~ again.

nouveau-né, e, s [nuvone] *nm, f* newborn baby.

nouveauté [nuvote] *nf* COMM new product.

nouvel → nouveau.

nouvelle [nuvɛl] *nf (information)* (piece of) news ; *(roman)* short story ; les ~ s *(à la radio, à la télé)* the news *(sg)* ; avoir des ~ s de qqn to hear from sb → nouveau.

Nouvelle-Calédonie [nuvɛlkaledɔni] *nf* : la ~ New Caledonia.

novembre [nɔvɑ̃br] *nm* November → septembre.

noyade [nwajad] *nf* drowning.

noyau, x [nwajo] *nm* stone ; *(petit groupe)* small group.

noyé, e [nwaje] *nm, f* drowned person.

noyer [nwaje] *nm* walnut tree.

nu 182

◆ *vt* to drown. □ **se noyer** *vp* to drown.

nu, e [ny] *adj (personne)* naked ; *(jambes, pièce, arbre)* bare ; **pieds ~ s** barefoot ; **tout ~** stark naked ; **~ -tête** bare-headed.

nuage [nɥaʒ] *nm* cloud.

nuageux, euse [nɥaʒø, øz] *adj* cloudy.

nuance [nɥɑ̃s] *nf (teinte)* shade ; *(différence)* nuance.

nucléaire [nykleɛr] *adj* nuclear.

nudiste [nydist] *nmf* nudist.

nui [nɥi] *pp* → **nuire.**

nuire [nɥir] : **nuire à** *v + prép* to harm.

nuisible [nɥizibl] *adj* harmful ; **~ à** harmful to.

nuit [nɥi] *nf* night ; **cette ~** *(dernière)* last night ; *(prochaine)* tonight ; **la ~** *(tous les jours)* at night ; **bonne ~!** good night ; **il fait ~** it's dark ; **une ~ blanche** a sleepless night ; **de ~** *(travail, poste)* night, at night.

nul, nulle [nyl] *adj (mauvais, idiot)* hopeless ; **nulle part** nowhere.

numérique [nymerik] *adj* digital.

numéro [nymero] *nm* number ; *(d'une revue)* issue ; *(spectacle)* act ; **~ de compte** account number ; **~ d'immatriculation** registration number ; **~ de téléphone** telephone number.

numéroter [nymerɔte] *vt* to number ; **place numérotée** *(au spectacle)* numbered seat.

nu-pieds [nypje] *nm inv* sandal.

nuque [nyk] *nf* nape.

Nylon® [nilɔ̃] *nm* nylon.

O *(abr de ouest)* W.

oasis [ɔazis] *nf* oasis.

obéir [ɔbeir] *vi* to obey ; **~ à** to obey.

obéissant, e [ɔbeisɑ̃, ɑ̃t] *adj* obedient.

obèse [ɔbɛz] *adj* obese.

objectif, ive [ɔbʒɛktif, iv] *adj* objective. ◆ *nm (but)* objective ; *(d'appareil photo)* lens.

objection [ɔbʒɛksjɔ̃] *nf* objection.

objet [ɔbʒɛ] *nm* object ; *(sujet)* subject ; **(bureau des) ~ s trouvés** lost property (office) *(Br)*, lost-and-found office *(Am)* ; **~ s de valeur** valuables.

obligation [ɔbligasjɔ̃] *nf* obligation.

obligatoire [ɔbligatwar] *adj* compulsory.

obligé, e [ɔbliʒe] *adj fam (inévitable)* : **c'est ~** that's for sure ; **être ~ de faire qqch** to be obliged to do sthg.

obliger [ɔbliʒe] *vt* : **~ qqn à faire qqch** to force sb to do sthg.

oblique [ɔblik] *adj* oblique.

oblitérer [ɔblitere] *vt (ticket)* to punch.

obscène [ɔpsɛn] *adj* obscene.

obscur, e [ɔpskyr] *adj* dark ; *(incompréhensible, peu connu)* obscure.

obscurcir [ɔpskyrsir] : **s'obscurcir** *vp* to grow dark.

obscurité [ɔpskyrite] *nf* darkness.

obséder [ɔpsede] *vt* to obsess.

obsèques [ɔpsek] *nfpl sout* funeral *(sg)*.

observateur, trice [ɔpsεrvatœr, tris] *adj* observant.

observation [ɔpsεrvasjɔ̃] *nf* remark ; *(d'un phénomène)* observation.

observatoire [ɔpsεrvatwar] *nm* observatory.

observer [ɔpsεrve] *vt* to observe.

obsession [ɔpsesjɔ̃] *nf* obsession.

obstacle [ɔpstakl] *nm* obstacle ; *(en équitation)* fence.

obstiné, e [ɔpstine] *adj* obstinate.

obstiner [ɔpstine] : **s'obstiner** *vp* to insist ; **s'~ à faire qqch** to persist (stubbornly) in doing sthg.

obstruer [ɔpstrye] *vt* to block.

obtenir [ɔptənir] *vt (récompense, faveur)* to get, to obtain ; *(résultat)* to reach.

obtenu, e [ɔptəny] *pp* → **obtenir**.

obturateur [ɔptyratœr] *nm (d'appareil photo)* shutter.

obus [ɔby] *nm* shell.

OC *(abr de ondes courtes)* SW.

occasion [ɔkazjɔ̃] *nf (chance)* chance ; *(bonne affaire)* bargain ; **avoir l'~ de faire qqch** to have the chance to do sthg ; **d'~** secondhand.

occasionnel, elle [ɔkazjɔnεl] *adj* occasional.

occasionner [ɔkazjɔne] *vt sout* to cause.

Occident [ɔksidɑ̃] *nm* : **l'~** *POL* the West.

occidental, e, aux [ɔksidɑ̃tal, o] *adj (partie, région)* western ; *POL* Western.

occupation [ɔkypasjɔ̃] *nf* occupation.

occupé, e [ɔkype] *adj* busy ; *(place)* taken ; *(toilettes)* engaged ; *(ligne de téléphone)* engaged *(Br)*, busy *(Am)* ; **ça sonne ~** the line's engaged *(Br)*, the line's busy *(Am)*.

occuper [ɔkype] *vt* to occupy ; *(poste, fonctions)* to hold. ❑ **s'occuper** *vp (se distraire)* to occupy o.s. ; **s'~ de** to take care of.

occurrence [ɔkyrɑ̃s] : **en l'occurrence** *adv* in this case.

océan [ɔseɑ̃] *nm* ocean.

ocre [ɔkr] *adj inv* ochre.

octane [ɔktan] *nm* : **indice d'~** octane rating.

octante [ɔktɑ̃t] *num Belg & Helv* eighty → **six**.

octet [ɔktε] *nm* byte.

octobre [ɔktɔbr] *nm* October → **septembre**.

oculiste [ɔkylist] *nmf* ophthalmologist.

odeur [ɔdœr] *nf* smell.

odieux, euse [ɔdjø, øz] *adj* hateful.

odorat [ɔdɔra] *nm* (sense of) smell.

œil [œj] *(pl* **yeux** [jø]) *nm* eye ; **à l'~** *fam* for nothing ; **avoir qqn à l'~** *fam* to have one's eye on sb.

œillet [œjɛ] *nm* carnation ; *(de chaussure)* eyelet.

œsophage [ezɔfaʒ] *nm* oesophage.

œuf [œf, *pl* ø] *nm* egg ; ~ à la coque boiled egg ; ~ dur hard-boiled egg ; ~ poché poached egg ; ~ sur le plat fried egg ; ~ s brouillés scrambled eggs ; ~ s à la neige *cold dessert of beaten egg whites served on custard.*

œuvre [œvr] *nf* work ; mettre qqch en ~ to make use of sthg ; ~ d'art work of art.

offense [ɔfɑ̃s] *nf* insult.

offenser [ɔfɑ̃se] *vt* to offend.

offert, e [ɔfɛr, ɛrt] *pp* → **offrir**.

office [ɔfis] *nm (organisme)* office ; *(messe)* service ; faire ~ de to act as ; ~ de tourisme tourist office ; d'~ automatically.

officiel, elle [ɔfisjɛl] *adj* official.

officiellement [ɔfisjɛlmɑ̃] *adv* officially.

officier [ɔfisje] *nm* officer.

offre [ɔfr] *nf* offer ; ~ s d'emploi situations vacant.

offrir [ɔfrir] *vt* : ~ qqch à qqn *(en cadeau)* to give sthg to sb ; *(mettre à sa disposition)* to offer sthg to sb ; ~ (à qqn) de faire qqch to offer to do sthg (for sb). ❑ **s'offrir** *vp (cadeau, vacances)* to treat o.s. to.

OGM *(abr de organisme génétiquement modifié) nm* GMO.

oie [wa] *nf* goose.

oignon [ɔɲɔ̃] *nm* onion ; *(de fleur)* bulb ; petits ~ s pickling onions.

oiseau, x [wazo] *nm* bird.

OK [ɔkɛ] *excl* OK!

olive [ɔliv] *nf* olive ; ~ noire black olive ; ~ verte green olive.

olivier [ɔlivje] *nm* olive tree.

olympique [ɔlɛ̃pik] *adj* Olympic.

omble [ɔbl] *nm* : ~ chevalier *fish found especially in Lake Geneva, with a light texture and flavour.*

ombragé, e [ɔbraʒe] *adj* shady.

ombre [ɔbr] *nf (forme)* shadow ; *(obscurité)* shade ; à l'~ (de) in the shade (of) ; ~ à paupières eye shadow.

ombrelle [ɔbrɛl] *nf* parasol.

OMC *(abr de Organisation mondiale du commerce) nf* WTO.

omelette [ɔmlɛt] *nf* omelette ; ~ norvégienne baked Alaska.

omettre [ɔmɛtr] *vt sout* to omit ; ~ de faire qqch to omit to do sthg.

omis, e [ɔmi, iz] *pp* → **omettre**.

omission [ɔmisjɔ̃] *nf* omission.

omnibus [ɔmnibys] *nm* : (train) ~ slow train *(Br)*, local train *(Am)*.

omoplate [ɔmɔplat] *nf* shoulder blade.

on [ɔ̃] *pron (quelqu'un)* somebody ; *(les gens)* people ; *fam (nous)* we.

oncle [ɔkl] *nm* uncle.

onctueux, euse [ɔktɥø, øz] *adj* creamy.

onde [ɔ̃d] *nf* TECH wave ; grandes ~ s long wave *(sg)* ; ~ s courtes/moyennes short/medium wave *(sg)*.

ondulé, e [ɔ̃dyle] *adj (cheveux)* wavy.

ongle [ɔ̃gl] *nm* nail.

ont [ɔ̃] → **avoir**.

ONU [ɔny] *nf (abr de Organisation des Nations unies)* UN.

onze [ɔ̃z] *num* eleven → **six**.

onzième [ɔ̃zjɛm] *num* eleventh → **sixième**.

opaque [ɔpak] *adj* opaque.

opéra [ɔpera] *nm* opera.

opérateur, trice [ɔperatœr, tris] *nm, f (au téléphone)* operator.

opération [ɔperasjɔ̃] *nf* MATH calculation ; *(chirurgicale)* operation ; *(financière, commerciale)* deal.

opérer [ɔpere] *vt (malade)* to operate on. ◆ *vi (médicament)* to take effect ; **se faire ~** to have an operation ; **se faire ~ du cœur** to have heart surgery.

opérette [ɔperet] *nf* operetta.

ophtalmologiste [ɔftalmɔlɔʒist] *nmf* ophthalmologist.

opinion [ɔpinjɔ̃] *nf* opinion ; **l'~ (publique)** public opinion.

opportun, e [ɔpɔrtœ̃, yn] *adj* opportune.

opportuniste [ɔpɔrtynist] *adj* opportunist.

opposé, e [ɔpoze] *adj & nm* opposite ; **~ à** *(inverse)* opposite ; *(hostile à)* opposed to ; **à l'~ de** *(du côté opposé à)* opposite ; *(contrairement à)* unlike.

opposer [ɔpoze] *vt (argument)* to put forward ; *(résistance)* to put up ; *(personnes, équipes)* to pit against each other. ☐ **s'opposer** *vp (s'affronter)* to clash ; **s'~ à** to oppose.

opposition [ɔpozisjɔ̃] *nf (différence)* contrast ; *(désapprobation)* opposition ; POL Opposition ; **faire ~ à** *(un chèque)* to stop a cheque.

oppresser [ɔprese] *vt* to oppress.

oppression [ɔpresjɔ̃] *nf* oppression.

opprimer [ɔprime] *vt* to oppress.

opticien, enne [ɔptisjɛ̃, en] *nm, f* optician.

optimisme [ɔptimism] *nm* optimism.

optimiste [ɔptimist] *adj* optimistic. ◆ *nmf* optimist.

option [ɔpsjɔ̃] *nf* SCOL option ; *(accessoire)* optional extra.

optionnel, elle [ɔpsjɔnel] *adj* optional.

optique [ɔptik] *adj (nerf)* optic. ◆ *nf (point de vue)* point of view.

or [ɔr] *conj* but, now. ◆ *nm* gold ; **en ~** gold.

orage [ɔraʒ] *nm* storm.

orageux, euse [ɔraʒø, øz] *adj* stormy.

oral, e, aux [ɔral, o] *adj & nm* oral ; **'voie ~ e'** 'to be taken orally'.

orange [ɔrɑ̃ʒ] *adj inv, nm & nf* orange.

orangeade [ɔrɑ̃ʒad] *nf* orange squash.

oranger [ɔrɑ̃ʒe] *nm* → **fleur**.

orbite [ɔrbit] *nf (de planète)* orbit ; *(de l'œil)* (eye) socket.

orchestre [ɔrkɛstr] *nm* orchestra ; *(au théâtre)* stalls *(pl)* (Br), orchestra *(Am)*.

orchidée [ɔrkide] *nf* orchid.

ordinaire [ɔrdiner] *adj (normal)* normal ; *(banal)* ordinary. ◆ *nm (essence)* ≃ two-star petrol *(Br)*, ≃ regular *(Am)* ; **d'~** usually.

ordinateur [ɔrdinatœr] *nm* computer.

ordonnance [ɔrdɔnɑ̃s] *nf (médicale)* prescription.

ordonné, e [ɔrdɔne] *adj* tidy.

ordonner [ɔrdɔne] vt (commander) to order ; (ranger) to put in order ; **~ à qqn de faire qqch** to order sb to do sthg.

ordre [ɔrdr] nm order ; (organisation) tidiness ; **donner l'~ de faire qqch** to give the order to do sthg ; **en ~** in order ; **mettre de l'~ dans qqch** to tidy up sthg ; **à l'~ de** (chèque) payable to.

ordures [ɔrdyr] nfpl rubbish (sg) (Br), garbage (sg) (Am).

oreille [ɔrɛj] nf ear.

oreiller [ɔrɛje] nm pillow.

oreillons [ɔrɛjɔ̃] nmpl mumps (sg).

organe [ɔrgan] nm (du corps) organ.

organisateur, trice [ɔrganizatœr, tris] nm, f organizer.

organisation [ɔrganizasjɔ̃] nf organization ; **~ mondiale du commerce** World Trade Organization.

organisé, e [ɔrganize] adj organized.

organiser [ɔrganize] vt to organize. ❑ **s'organiser** vp to get (o.s.) organized.

organisme [ɔrganism] nm (corps) organism ; (organisation) body.

orge [ɔrʒ] nf → sucre.

orgue [ɔrg] nm organ ; **~ de Barbarie** barrel organ.

orgueil [ɔrgœj] nm pride.

orgueilleux, euse [ɔrgœjø, øz] adj proud.

Orient [ɔrjã] nm : **l'~** the Orient.

oriental, e, aux [ɔrjãtal, o] adj (de l'Orient) oriental ; (partie, région) eastern.

orientation [ɔrjãtasjɔ̃] nf (direction) direction ; (d'une maison)

aspect ; SCOL (conseil) careers guidance.

orienter [ɔrjãte] vt to direct ; SCOL to guide. ❑ **s'orienter** vp (se repérer) to get one's bearings ; **s'~ vers** (se tourner vers) to move towards ; SCOL to take.

orifice [ɔrifis] nm orifice.

originaire [ɔriʒinɛr] adj : **être ~ de** to come from.

original, e, aux [ɔriʒinal, o] adj original ; (excentrique) eccentric. ◆ nm, f eccentric. ◆ nm (peinture, écrit) original.

originalité [ɔriʒinalite] nf originality ; (excentricité) eccentricity.

origine [ɔriʒin] nf origin ; **être à l'~ de qqch** to be behind sthg ; **à l'~** originally ; **d'~** (ancien) original ; **pays d'~** native country.

ORL nmf (abr de oto-rhino-laryngologiste) ENT specialist.

ornement [ɔrnəmã] nm ornament.

orner [ɔrne] vt to decorate ; **~ qqch de** to decorate sthg with.

ornière [ɔrnjɛr] nf rut.

orphelin, e [ɔrfəlɛ̃, in] nm, f orphan.

orphelinat [ɔrfəlina] nm orphanage.

Orsay [ɔrsɛ] n : **le musée d'~** museum in Paris specializing in 19th-century art.

orteil [ɔrtɛj] nm toe ; **gros ~** big toe.

orthographe [ɔrtɔgraf] nf spelling.

orthophoniste [ɔrtɔfɔnist] nmf speech therapist.

ortie [ɔrti] nf nettle.

os [ɔs, pl o] nm bone.

oscillation [ɔsilasjɔ̃] *nf* oscillation.

osciller [ɔsile] *vi* (*se balancer*) to sway ; (*varier*) to vary.

osé, e [oze] *adj* daring.

oseille [ozɛj] *nf* sorrel.

oser [oze] *vt* : ~ faire qqch to dare (to) do sthg.

osier [ozje] *nm* wicker.

osselets [ɔslɛ] *nmpl* (*jeu*) jacks.

ostensible [ɔstɑ̃sibl] *adj* conspicuous.

otage [ɔtaʒ] *nm* hostage.

otarie [ɔtari] *nf* sea lion.

ôter [ote] *vt* to take off ; ~ qqch à qqn to take sthg away from sb.

otite [ɔtit] *nf* ear infection.

oto-rhino-laryngologiste, s [ɔtɔrinolaʀɛ̃gɔlɔʒist] *nmf* ear, nose and throat specialist.

ou [u] *conj* or ; ~ bien or else ; ~ ... ~ either ... or.

☞

où [u] *adv* - **1.** (*pour interroger*) where ; d'~ êtes-vous? where are you from? ; par ~ faut-il passer? how do you get there?
- **2.** (*dans une interrogation indirecte*) where.
◆ *pron* - **1.** (*spatial*) where ; le village ~ j'habite the village where I live, the village I live in ; le pays d'~ je viens the country I come from ; la région ~ nous sommes allés the region we went to.
- **2.** (*temporel*) : le jour ~ ... the day (that) ... ; juste au moment ~ ... at the very moment (that) ...

ouate [wat] *nf* cotton wool.

oubli [ubli] *nm* oversight.

oublier [ublije] *vt* to forget ; (*laisser quelque part*) to leave (behind).

oubliettes [ublijɛt] *nfpl* dungeon (*sg*).

ouest [wɛst] *adj inv* & *nm* west ; à l'~ in the west ; à l'~ de west of.

ouf [uf] *excl* phew!

oui [wi] *adv* yes ; je pense que ~ I think so.

ouïe [wi] *nf* hearing. ❏ ouïes *nfpl* (*de poisson*) gills.

ouragan [uʀagɑ̃] *nm* hurricane.

ourlet [uʀlɛ] *nm* hem.

ours [uʀs] *nm* bear ; ~ en peluche teddy bear.

oursin [uʀsɛ̃] *nm* sea urchin.

outil [uti] *nm* tool.

outillage [utijaʒ] *nm* tools (*pl*).

outre [utʀ] *prép* as well as ; en ~ moreover ; ~ mesure unduly.

outré, e [utʀe] *adj* indignant.

outre-mer [utʀəmɛʀ] *adv* overseas.

ouvert, e [uvɛʀ, ɛʀt] *pp* → ouvrir.
◆ *adj* open ; '~ le lundi' 'open on Mondays'.

ouvertement [uvɛʀtəmɑ̃] *adv* openly.

ouverture [uvɛʀtyʀ] *nf* opening ; ~ d'esprit open-mindedness.

ouvrable [uvʀabl] *adj* → jour.

ouvrage [uvʀaʒ] *nm* work.

ouvre-boîtes [uvʀabwat] *nm inv* tin opener.

ouvre-bouteilles [uvʀabutɛj] *nm inv* bottle opener.

ouvreur, euse [uvʀœʀ, øz] *nm, f* usher (*f* usherette).

ouvrier, ère [uvʀije, ɛʀ] *adj* working-class. ◆ *nm, f* worker.

ouvrir [uvʀiʀ] *vt* to open ; (*robinet*)

ovale 188

to turn on. ◆ *vi* to open. ❏ **s'ouvrir**
vp to open.

ovale [ɔval] *adj* oval.

oxyder [ɔkside] : **s'oxyder** *vp* to
rust.

oxygène [ɔksiʒɛn] *nm* oxygen.

oxygénée [ɔksiʒene] *adj f* → **eau.**

ozone [ozon] *nm* ozone.

P

pacifique [pasifik] *adj* peaceful ;
l'océan Pacifique, le Pacifique the
Pacific (Ocean).

pack [pak] *nm (de bouteilles)* pack.

PACS [paks] *(abr de Pacte civil
de solidarité)* *nm* Civil Solidarity
Pact, *civil contract conferring marital
rights on the contrating parties.*

pacte [pakt] *nm* pact.

paella [paela] *nf* paella.

pagayer [pageje] *vi* to paddle.

page [paʒ] *nf* page ; ~ **de garde**
flyleaf.

paie [pɛ] = **paye.**

paiement [pɛmɑ̃] *nm* payment.

paillasson [pajasɔ̃] *nm* doormat.

paille [paj] *nf* straw.

paillette [pajɛt] *nf* sequin.

pain [pɛ̃] *nm* bread ; **un ~** a loaf (of
bread) ; ~ **au chocolat** *sweet flaky
pastry with chocolate filling* ; ~ **complet** wholemeal bread *(Br)*, wholewheat bread *(Am)* ; ~ **doré** *Can*
French toast ; ~ **d'épice** ≃ gingerbread ; ~ **de mie** sandwich bread ;
~ **aux raisins** *sweet pastry containing
raisins, rolled into a spiral shape.*

pair, e [pɛr] *adj* MATH even.
◆ *nm* : **jeune fille au ~** au pair.

paire [pɛr] *nf* pair.

paisible [pezibl] *adj (endroit)*
peaceful ; *(animal)* tame.

paître [pɛtr] *vi* to graze.

paix [pɛ] *nf* peace ; **avoir la ~** to
have peace and quiet.

Pakistan [pakistɑ̃] *nm* : **le ~** Pakistan.

pakistanais, e [pakistanɛ, ɛz] *adj*
Pakistani.

palace [palas] *nm* luxury hotel.

palais [palɛ] *nm (résidence)* palace ; ANAT palate ; **Palais de justice**
law courts.

pâle [pal] *adj* pale.

palette [palɛt] *nf (de peintre)* palette ; *(viande)* shoulder.

palier [palje] *nm* landing.

pâlir [palir] *vi* to turn pale.

palissade [palisad] *nf* fence.

palmarès [palmares] *nm (de victoires)* record ; *(de chansons)* pop
charts *(pl).*

palme [palm] *nf (de plongée)* flipper.

palmé, e [palme] *adj (pattes)* web-
bed.

palmier [palmje] *nm (arbre)* palm

tree ; (gâteau) large, heart-shaped, hard dry biscuit.

palourde [palurd] nf clam.

palper [palpe] vt to feel.

palpitant, e [palpitã, ãt] adj thrilling.

palpiter [palpite] vi to pound.

pamplemousse [pãpləmus] nm grapefruit.

pan [pã] nm (de chemise) shirt tail ; ~ de mur wall.

panaché [panaʃe] nm : (demi) ~ shandy.

panaris [panari] nm finger infection.

pan-bagnat [pãbaɲa] (pl pans-bagnats) nm roll filled with lettuce, tomatoes, anchovies and olives.

pancarte [pãkart] nf (de manifestation) placard ; (de signalisation) sign.

pané, e [pane] adj in breadcrumbs, breaded.

panier [panje] nm basket.

panier-repas [panjerəpa] (pl paniers-repas) nm packed lunch.

panique [panik] nf panic.

paniquer [panike] vt & vi to panic.

panne [pan] nf breakdown ; être en ~ to have broken down ; tomber en ~ to break down ; ~ d'électricité ou de courant power failure ; tomber en ~ d'essence ou sèche to run out of petrol ; 'en ~' 'out of order'.

panneau, x [pano] nm (d'indication) sign ; (de bois, de verre) panel ; ~ d'affichage notice board (Br), bulletin board (Am) ; ~ de signalisation road sign.

panoplie [panɔpli] nf (déguisement) outfit.

panorama [panɔrama] nm panorama.

pansement [pãsmã] nm bandage ; ~ adhésif (sticking) plaster (Br), Band-Aid® (Am).

pantalon [pãtalɔ̃] nm trousers (pl) (Br), pants (pl) (Am), pair of trousers (Br), pair of pants (Am).

panthère [pãter] nf panther.

pantin [pãtɛ̃] nm puppet.

pantoufle [pãtufl] nf slipper.

PAO nf DTP.

paon [pã] nm peacock.

papa [papa] nm dad.

pape [pap] nm pope.

papeterie [papetri] nf (magasin) stationer's ; (usine) paper mill.

papi [papi] nm fam grandad.

papier [papje] nm paper ; (feuille) piece of paper ; ~ aluminium ou minium foil ; ~ cadeau gift wrap ; ~ d'emballage wrapping paper ; ~ à en-tête headed paper ; ~ hygiénique ou toilette toilet paper ; ~ à lettres writing paper ; ~ peint wallpaper ; ~ s (d'identité) (identity) papers.

papillon [papijɔ̃] nm butterfly ; (brasse) ~ butterfly (stroke).

papillote [papijɔt] nf : en ~ CULIN baked in foil or greaseproof paper.

papoter [papote] vi to chatter.

paquebot [pakbo] nm liner.

pâquerette [pakrɛt] nf daisy.

Pâques [pak] nm Easter.

paquet [pakɛ] nm (colis) parcel, package ; (de cigarettes, de chewing-gum) packet ; (de cartes) pack ; je vous fais un ~-cadeau? shall I gift-wrap it for you?

☞

par [par] *prép* - **1.** *(à travers)* through ; **regarder ~ la fenêtre** to look out of the window.
- **2.** *(indique le moyen)* by ; **voyager ~ (le) train** to travel by train.
- **3.** *(introduit l'agent)* by.
- **4.** *(indique la cause)* by ; **faire qqch ~ amitié** to do sthg out of friendship.
- **5.** *(distributif)* per, a ; **deux comprimés ~ jour** two tablets a day ; **un ~ un** one by one.
- **6.** *(dans des expressions)* : **~ endroits** in places ; **~ moments** sometimes ; **~-ci ~-là** here and there.

parabolique [parabɔlik] *adj →* **antenne.**

parachute [paraʃyt] *nm* parachute.

parade [parad] *nf (défilé)* parade.

paradis [paradi] *nm* paradise.

paradoxal, e, aux [paradɔksal, o] *adj* paradoxical.

paradoxe [paradɔks] *nm* paradox.

parages [paraʒ] *nmpl* : **dans les ~** in the area.

paragraphe [paragraf] *nm* paragraph.

paraître [paretr] *vi (sembler)* to seem ; *(apparaître)* to appear ; *(livre)* to be published ; **il paraît que** it would appear that.

parallèle [paralɛl] *adj* & *nm* parallel ; **à ~** parallel to.

paralyser [paralize] *vt* to paralyse.

paralysie [paralizi] *nf* paralysis.

parapente [parapɑ̃t] *nm* paragliding.

parapet [parapɛ] *nm* parapet.

parapluie [paraplɥi] *nm* umbrella.

parasite [parazit] *nm* parasite. ❑ **parasites** *nmpl (perturbation)* interference *(sg)*.

parasol [parasɔl] *nm* parasol.

paratonnerre [paratɔnɛr] *nm* lightning conductor.

paravent [paravɑ̃] *nm* screen.

parc [park] *nm* park ; *(de bébé)* playpen ; **~ d'attractions** amusement park ; **~ de stationnement** car park *(Br)*, parking lot *(Am)* ; **~ zoologique** zoological gardens *(pl)*.

parce que [parsk(ə)] *conj* because.

parchemin [parʃəmɛ̃] *nm* parchment.

parcmètre [parkmetr] *nm* parking meter.

parcourir [parkurir] *vt (distance)* to cover ; *(lieu)* to go all over ; *(livre, article)* to glance through.

parcours [parkur] *nm (itinéraire)* route ; **~ santé** trail in the countryside where signs encourage people to do exercises for their health.

parcouru, e [parkury] *pp →* **parcourir.**

par-derrière [parderjer] *adv (passer)* round the back ; *(attaquer)* from behind. ◆ *prép* round the back of.

par-dessous [pardəsu] *adv* & *prép* underneath.

pardessus [pardəsy] *nm* overcoat.

par-dessus [pardəsy] *adv* over (the top). ◆ *prép* over (the top of).

par-devant [pardəvɑ̃] *adv* round the front. ◆ *prép* round the front of.

pardon [pardɔ̃] *nm* pardon! *(pour s'excuser)* (I'm) sorry! ; *(pour appeler)* excuse me! demander ~ à qqn to apologize to sb.

ⓘ **PARDON**

In Brittany the word *pardon* ('pilgrimage') has come to mean a celebration held in spring and summer in honour of the patron saint of a village or town. People come from far around, often dressed in traditional costumes, to take part in processions and in the general festivities.

pardonner [pardɔne] *vt* to forgive.
pare-brise [parbriz] *nm inv* windscreen *(Br)*, windshield *(Am)*.
pare-chocs [parʃɔk] *nm inv* bumper.
pareil, eille [parej] *adj* the same. ◆ *adv fam* the same (way) ; un culot ~ such cheek.
parent, e [parɑ̃, ɑ̃t] *nm, f (de la famille)* relative, relation ; mes ~ s *(le père et la mère)* my parents.
parenthèse [parɑ̃tɛz] *nf* bracket ; *(commentaire)* digression ; entre ~ s *(mot)* in brackets ; *(d'ailleurs)* by the way.
parer [pare] *vt (éviter)* to ward off.
paresse [parɛs] *nf* laziness.
paresseux, euse [paresø, øz] *adj* lazy. ◆ *nm, f* lazy person.
parfait, e [parfɛ, ɛt] *adj* perfect. ◆ *nm* CULIN frozen dessert made from cream with fruit.
parfaitement [parfɛtmɑ̃] *adv* perfectly ; *(en réponse)* absolutely.
parfois [parfwa] *adv* sometimes.
parfum [parfœ̃] *nm (odeur)* scent ;

(pour femme) perfume, scent ; *(pour homme)* aftershave ; *(goût)* flavour.
parfumé, e [parfyme] *adj* sweet-smelling ; être ~ *(personne)* to be wearing perfume.
parfumer [parfyme] *vt* to perfume ; *(aliment)* to flavour. ❑ se **parfumer** *vp* to put perfume on.
parfumerie [parfymri] *nf* perfumery.
pari [pari] *nm* bet ; faire un ~ to have a bet.
parier [parje] *vt & vi* to bet.
Paris [pari] *n* Paris.
paris-brest [paribrɛst] *nm inv* choux pastry ring filled with hazelnut-flavoured cream and sprinkled with almonds.
parisien, enne [parizjɛ̃, ɛn] *adj (vie, société)* Parisian ; *(métro, banlieue, région)* Paris. ❑ **Parisien, en-ne** *nm, f* Parisian.
parka [parka] *nm ou nf* parka.
parking [parkiŋ] *nm* car park *(Br)*, parking lot *(Am)*.
parlante [parlɑ̃t] *adj f* → **horloge**.
parlement [parləmɑ̃] *nm* parliament.
parler [parle] *vi* to talk, to speak. ◆ *vt (langue)* to speak ; ~ à qqn de to talk OU to speak to sb about.
Parmentier [parmɑ̃tje] *n* → **hachis**.
parmesan [parməzɑ̃] *nm* Parmesan (cheese).
parmi [parmi] *prép* among.
parodie [parodi] *nf* parody.
paroi [parwa] *nf (mur)* wall ; *(montagne)* cliff face ; *(d'un objet)* inside.
paroisse [parwas] *nf* parish.
parole [parɔl] *nf* word ; adresser la ~ à qqn to speak to sb ; couper

~ à qqn to interrupt sb ; prendre la ~ to speak ; tenir (sa) ~ to keep one's word. ❑ **paroles** *nfpl (d'une chanson)* lyrics.

parquet [parkε] *nm (plancher)* wooden floor.

parrain [parɛ̃] *nm* godfather.

parrainer [parεne] *vt to* sponsor.

parsemer [parsəme] *vt :* ~ qqch de qqch to scatter sthg with sthg.

part [par] *nf (de gâteau)* portion ; *(d'un héritage)* share ; prendre ~ à to take part in ; de la ~ de from ; *(remercier)* on behalf of ; d'une ~ ..., d'autre ~ on the one hand ..., on the other hand ; autre ~ somewhere else ; nulle ~ nowhere ; quelque ~ somewhere.

partage [partaʒ] *nm* sharing (out).

partager [partaʒe] *vt* to divide (up). ❑ **se partager** *vp :* se ~ qqch to share sthg out.

partenaire [partənεr] *nmf* partner.

parterre [partεr] *nm fam (sol)* floor ; *(de fleurs)* (flower)bed ; *(au théâtre)* stalls *(pl) (Br)*, orchestra *(Am)*.

parti [parti] *nm (politique)* party ; prendre ~ pour to decide in favour of ; tirer ~ de qqch to make (good) use of sthg ; ~ pris bias.

partial, e, aux [parsjal, o] *adj* biased.

participant, e [partisipɑ̃, ɑ̃t] *nm, f (à un jeu, un concours)* competitor.

participation [partisipasjɔ̃] *nf* participation ; *(financière)* contribution.

participer [partisipe] : **participer à** *v + prép* to take part in ; *(payer pour)* to contribute to.

particularité [partikylarite] *nf* distinctive feature.

particulier, ère [partikylje, εr] *adj (personnel)* private ; *(spécial)* special, particular ; *(peu ordinaire)* unusual ; en ~ *(surtout)* in particular.

particulièrement [partikyljermã] *adv* particularly.

partie [parti] *nf* part ; *(au jeu, en sport)* game ; en ~ partly ; faire ~ de to be part of.

partiel, elle [parsjεl] *adj* partial.

partiellement [parsjεlmã] *adv* partially.

partir [partir] *vi* to go, to leave ; *(moteur)* to start ; *(coup de feu)* to go off ; *(tache)* to come out ; être bien/mal parti to get off to a good/ bad start ; à ~ de from.

partisan [partizɑ̃] *nm* supporter. ◆ *adj :* être ~ de qqch to be in favour of sthg.

partition [partisjɔ̃] *nf MUS* score.

partout [partu] *adv* everywhere.

paru, e [pary] *pp* → paraître.

parution [parysjɔ̃] *nf* publication.

parvenir [parvənir] : **parvenir à** *v + prép (but)* to achieve ; *(personne, destination)* to reach ; ~ à faire qqch to manage to do sthg.

parvenu, e [parvəny] *pp* → parvenir.

parvis [parvi] *nm* square *(in front of a large building)*.

☞
⟦

pas¹ [pa] *adv* - 1. *(avec "ne")* not ; je n'aime ~ les épinards I don't like spinach ; je n'ai ~ terminé I haven't finished ; il n'y a ~ de train pour Ox-

ford aujourd'hui there are no trains to Oxford today.
- **2.** *(sans "ne")* not ; **elle a aimé l'exposition, moi** ~ OU ~ **moi** she liked the exhibition, but I didn't ; **c'est un endroit** ~ **très agréable** it's not a very nice place ; ~ **du tout** not at all.

pas² [pa] *nm* step ; *(allure)* pace ; **à deux** ~ **de** very near ; ~ **à** ~ step by step ; **sur le** ~ **de la porte** on the doorstep.

Pas-de-Calais [padkalɛ] *nm* 'département' in the north of France, containing the port of Calais.

passable [pasabl] *adj* passable.

passage [pasaʒ] *nm (de livre, de film)* passage ; *(chemin)* way ; **être de** ~ to be passing through ; ~ OU (**pour) piétons** pedestrian crossing ; ~ **à niveau** level crossing (*Br*), grade crossing (*Am*) ; ~ **souterrain** subway ; '**premier** ~' *(d'un bus)* 'first bus'.

passager, ère [pasaʒe, ɛr] *adj* passing. ◆ *nm, f* passenger ; ~ **clandestin** stowaway.

passant, e [pasɑ̃, ɑ̃t] *nm, f* passer-by. ◆ *nm* (belt) loop.

passe [pas] *nf* SPORT pass.

passé, e [pase] *adj (terminé)* past ; *(précédent)* last ; *(décoloré)* faded. ◆ *nm* past.

passe-partout [paspartu] *nm inv (clé)* skeleton key.

passe-passe [paspas] *nm inv* : **tour de** ~ conjuring trick.

passeport [paspɔr] *nm* passport.

☞
passer [pase] *vi* - **1.** *(aller, défiler)* to go by OU past ; ~ **par** *(lieu)* to pass through.

- **2.** *(faire une visite rapide)* to drop in ; ~ **voir qqn** to drop in on sb.
- **3.** *(facteur, autobus)* to come.
- **4.** *(se frayer un chemin)* to get past ; **laisser** ~ **qqn** to let sb past.
- **5.** *(à la télé, à la radio, au cinéma)* to be on.
- **6.** *(s'écouler)* to pass.
- **7.** *(douleur)* to go away ; *(couleur)* to fade.
- **8.** *(à un niveau différent)* to move up ; **je passe en 3e** SCOL I'm moving up into the fifth year ; ~ **en seconde** *(vitesse)* to change into second.
- **9.** *(dans des expressions)* : **en passant** in passing.
◆ *vt* - **1.** *(temps, vacances)* to spend.
- **2.** *(obstacle, frontière)* to cross ; *(douane)* to go through.
- **3.** *(examen)* to take ; *(visite médicale, entretien)* to have.
- **4.** *(vidéo, disque)* to play ; *(au cinéma, à la télé)* to show.
- **5.** *(vitesse)* to change into.
- **6.** *(mettre, faire passer)* to put ; ~ **le bras par la portière** to put one's arm out of the door ; ~ **l'aspirateur** to do the vacuuming.
- **7.** *(filtrer)* to strain.
- **8.** *(sauter)* : ~ **son tour** to pass.
- **9.** *(donner, transmettre)* to pass on ; ~ **qqch à qqn** *(objet)* to pass sb sthg ; *(maladie)* to give sb sthg ; **je vous le passe** *(au téléphone)* I'll put him on.
❑ **passer pour** *v + prép* to be thought of as ; **se faire** ~ **pour** to pass o.s. off as.
❑ **se passer** *vp (arriver)* to happen ; **qu'est-ce qui se passe?** what's going on? ; **se** ~ **bien/mal** to go well/badly.
❑ **se passer de** *vp + prép* to do without.

passerelle [pasʀɛl] *nf (pont)* foot-bridge ; *(d'embarquement)* gang-way ; *(sur un bateau)* bridge.

passe-temps [pastɑ̃] *nm inv* pastime.

passible [pasibl] *adj* : ~ de liable to.

passif, ive [pasif, iv] *adj & nm* passive.

passion [pasjɔ̃] *nf* passion.

passionnant, e [pasjɔnɑ̃, ɑ̃t] *adj* fascinating.

passionné, e [pasjɔne] *adj* passionate ; ~ de musique mad on music.

passionner [pasjɔne] *vt* to grip. ❑ **se passionner pour** *vp* + *prép* to have a passion for.

passoire [paswaʀ] *nf (à thé)* strainer ; *(à légumes)* colander.

pastel [pastɛl] *adj inv* pastel.

pastèque [pastɛk] *nf* water-melon.

pasteurisé, e [pastœʀize] *adj* pasteurized.

pastille [pastij] *nf* pastille.

pastis [pastis] *nm* aniseed-flavoured aperitif.

patate [patat] *nf fam (pomme de terre)* spud ; ~ s pilées *Can* mashed potato.

patauger [patoʒe] *vi* to splash about.

pâte [pat] *nf (à pain)* dough ; *(à tarte)* pastry ; *(à gâteau)* mixture ; ~ d'amandes almond paste ; ~ bri-sée shortcrust pastry ; ~ feuilletée puff pastry ; ~ de fruits jelly made from fruit paste ; ~ à modeler Plas-ticine® ; ~ sablée shortcrust pas-try. ❑ **pâtes** *nfpl (nouilles)* pasta *(sg)*.

pâté [pate] *nm (charcuterie)* pâté ; *(de sable)* sandpie ; *(tache)* blot ; ~ de maisons block (of houses) ; ~ chinois *Can* shepherd's pie with a layer of sweetcorn.

pâtée [pate] *nf (pour chien)* food.

paternel, elle [patɛʀnɛl] *adj* pa-ternal.

pâteux, euse [patø, øz] *adj* chewy.

patiemment [pasjamɑ̃] *adv* pa-tiently.

patience [pasjɑ̃s] *nf* patience.

patient, e [pasjɑ̃, ɑ̃t] *adj & nm, f* patient.

patienter [pasjɑ̃te] *vi* to wait.

patin [patɛ̃] *nm* : ~ s à glace ice skates ; ~ s à roulettes roller skates.

patinage [patinaʒ] *nm* skating ; ~ artistique figure skating.

patiner [patine] *vi (patineur)* to skate ; *(voiture)* to skid ; *(roue)* to spin.

patineur, euse [patinœʀ, øz] *nm, f* skater.

patinoire [patinwaʀ] *nf* ice rink.

pâtisserie [patisʀi] *nf (gâteau)* pastry ; *(magasin)* ≃ cake shop.

pâtissier, ère [patisje, ɛʀ] *nm, f* pastrycook.

patois [patwa] *nm* dialect.

patrie [patʀi] *nf* native country.

patrimoine [patʀimwan] *nm (d'une famille)* inheritance ; *(d'un pays)* heritage.

patriote [patʀijɔt] *nmf* patriot.

patriotique [patʀijɔtik] *adj* patriotic.

patron, onne [patʀɔ̃, ɔn] *nm, f* boss. ◆ *nm (modèle de vêtement)* pattern.

patrouille [patruj] *nf* patrol.

patrouiller [patruje] *vi* to patrol.

patte [pat] *nf (jambe)* leg ; *(pied de chien, de chat)* paw ; *(pied d'oiseau)* foot ; *(de boutonnage)* loop ; *(de cheveux)* sideburn.

pâturage [patyraʒ] *nm* pasture land.

paume [pom] *nf* palm.

paupière [popjɛr] *nf* eyelid.

paupiette [popjɛt] *nf* thin slice of meat rolled around a filling.

pause [poz] *nf* break.

pause-café [pozkafe] *(pl* **pauses-café)** *nf* coffee break.

pauvre [povr] *adj* poor.

pauvreté [povrəte] *nf* poverty.

pavé, e [pave] *adj* cobbled. ◆ *nm (pierre)* paving stone ; **~ numérique** numeric keypad.

pavillon [pavijɔ̃] *nm (maison individuelle)* detached house.

payant, e [pɛjɑ̃, ɑ̃t] *adj (spectacle)* with an admission charge ; *(hôte)* paying.

paye [pɛj] *nf* pay.

payer [peje] *vt* to pay ; *(achat)* to pay for ; **bien/mal payé** well/badly paid ; **~ qqch à qqn** *fam (offrir)* to buy sthg for sb, to treat sb to sthg ; **'payez ici'** 'pay here'.

pays [pei] *nm* country ; **les gens du ~** *(de la région)* the local people ; **de ~** *(jambon, fromage)* local ; **le ~ de Galles** Wales.

paysage [peizaʒ] *nm* landscape.

paysan, anne [peizɑ̃, an] *nm, f* (small) farmer.

Pays-Bas [pɛiba] *nmpl* : **les ~** the Netherlands.

PC *nm (abr de Parti communiste)* CP ; *(ordinateur)* PC.

PCV *nm* : **appeler en ~** to make a reverse-charge call *(Br)*, to call collect *(Am)*.

P-DG *nm (abr de président-directeur général)* ≃ MD *(Br)*, ≃ CEO *(Am)*.

péage [peaʒ] *nm (taxe)* toll ; *(lieu)* tollbooth.

peau, x [po] *nf* skin ; **~ de chamois** chamois leather.

pêche [pɛʃ] *nf (fruit)* peach ; *(activité)* fishing ; **~ à la ligne** angling ; **~ Melba** peach Melba.

péché [peʃe] *nm* sin.

pêcher [peʃe] *vt (poisson)* to catch. ◆ *vi* to go fishing. ◆ *nm* peach tree.

pêcheur, euse [peʃœr, øz] *nm, f* fisherman *(f* fisherwoman).

pédagogie [pedagɔʒi] *nf (qualité)* teaching ability.

pédale [pedal] *nf* pedal.

pédaler [pedale] *vi* to pedal.

pédalier [pedalje] *nm* pedals and chain wheel assembly.

Pédalo® [pedalo] nm pedal boat.

pédant, e [pedɑ̃, ɑ̃t] adj pedantic.

pédestre [pedɛstr] adj → randonnée.

pédiatre [pedjatr] nmf pediatrician.

pédicure [pedikyr] nmf chiropodist (Br), podiatrist (Am).

pedigree [pedigre] nm pedigree.

peigne [pɛɲ] nm comb.

peigner [peɲe] vt to comb. ❑ se **peigner** vp to comb one's hair.

peignoir [pɛɲwar] nm dressing gown (Br), robe (Am) ; ~ de bain bathrobe.

peindre [pɛ̃dr] vt to paint ; ~ qqch en blanc to paint sthg white.

peine [pɛn] nf (tristesse) sorrow ; (effort) difficulty ; (de prison) sentence ; avoir de la ~ to be sad ; avoir de la ~ à faire qqch to have difficulty doing sthg ; faire de la ~ à qqn to upset sb ; ce n'est pas la ~ it's not worth it ; valoir la ~ to be worth it ; ~ de mort death penalty ; à ~ hardly.

peiner [pene] vt to sadden. ◆ vi to struggle.

peint, e [pɛ̃, pɛ̃t] pp → peindre.

peintre [pɛ̃tr] nm painter.

peinture [pɛ̃tyr] nf (matière) paint ; (œuvre d'art) painting ; (art) painting.

pelage [pəlaʒ] nm coat.

pêle-mêle [pɛlmɛl] adv higgledy-piggledy.

peler [pəle] vt & vi to peel.

pèlerinage [pɛlrinaʒ] nm pilgrimage.

pelle [pɛl] nf shovel ; (jouet d'enfant) spade.

pellicule [pelikyl] nf film. ❑ pellicules nfpl dandruff (sg).

pelote [pəlɔt] nf (de fil, de laine) ball.

peloton [plɔtɔ̃] nm (de cyclistes) pack.

pelotonner [pəlɔtɔne] : se pelotonner vp to curl up.

pelouse [pəluz] nf lawn ; '~ interdite' 'keep off the grass'.

peluche [pəlyʃ] nf (jouet) soft toy ; animal en ~ cuddly animal.

pelure [pəlyr] nf peel.

pénaliser [penalize] vt to penalize.

penalty [penalti] (pl s ou ies) nm penalty.

penchant [pɑ̃ʃɑ̃] nm : avoir un ~ pour to have a liking for.

pencher [pɑ̃ʃe] vt (tête) to bend ; (objet) to tilt. ◆ vi to lean ; ~ pour to incline towards. ❑ se pencher vp (s'incliner) to lean over ; (se baisser) to bend down.

pendant [pɑ̃dɑ̃] prép during ; ~ deux semaines for two weeks ; ~ que while.

pendentif [pɑ̃dɑ̃tif] nm pendant.

penderie [pɑ̃dri] nf wardrobe (Br), closet (Am).

pendre [pɑ̃dr] vt & vi to hang. ❑ se pendre vp (se tuer) to hang o.s.

pendule [pɑ̃dyl] nf clock.

pénétrer [penetre] vi : ~ dans (entrer dans) to enter ; (s'incruster dans) to penetrate.

pénible [penibl] adj (travail) tough ; (souvenir, sensation) painful ; fam (agaçant) tiresome.

péniche [peniʃ] nf barge.

pénicilline [penisilin] *nf* penicillin.

péninsule [penɛ̃syl] *nf* peninsula.

pénis [penis] *nm* penis.

pense-bête, s [pɑ̃sbɛt] *nm* reminder.

pensée [pɑ̃se] *nf* thought ; *(esprit)* mind ; *(fleur)* pansy.

penser [pɑ̃se] *vt & vi* to think ; qu'est-ce que tu en penses? what do you think (of it)? ; ~ faire qqch to plan to do sthg ; ~ à *(réfléchir à)* to think about ; *(se souvenir de)* to remember.

pensif, ive [pɑ̃sif, iv] *adj* thoughtful.

pension [pɑ̃sjɔ̃] *nf* (hôtel) guest house ; *(allocation)* pension ; être en ~ *(élève)* to be at boarding school ; ~ complète full board ; ~ de famille family-run guest house.

pensionnaire [pɑ̃sjɔner] *nmf* *(élève)* boarder ; *(d'un hôtel)* resident.

pensionnat [pɑ̃sjɔna] *nm* boarding school.

pente [pɑ̃t] *nf* slope ; en ~ sloping.

Pentecôte [pɑ̃tkot] *nf* Whitsun.

pénurie [penyri] *nf* shortage.

pépé [pepe] *nm fam* grandad.

pépin [pepɛ̃] *nm* pip ; *fam (ennui)* hitch.

perçant, e [persɑ̃, ɑ̃t] *adj (cri)* piercing ; *(vue)* sharp.

percepteur [persɛptœr] *nm* tax collector.

perceptible [persɛptibl] *adj* perceptible.

percer [perse] *vt* to pierce ; *(avec*

une perceuse) to drill a hole in ; *(trou, ouverture)* to make. ◆ *vi* *(dent)* to come through.

perceuse [persøz] *nf* drill.

percevoir [persəvwar] *vt* to perceive ; *(argent)* to receive.

perche [perʃ] *nf (tige)* pole.

percher [perʃe] : **se percher** *vp* to perch.

perchoir [perʃwar] *nm* perch.

perçu, e [persy] *pp* → **percevoir**.

percussions [perkysjɔ̃] *nfpl* percussion *(sg)*.

percuter [perkyte] *vt* to crash into.

perdant, e [perdɑ̃, ɑ̃t] *nm, f* loser.

perdre [perdr] *vt* to lose ; *(temps)* to waste. ◆ *vi* to lose. ❑ **se perdre** *vp* to get lost.

perdreau, x [perdro] *nm* young partridge.

perdrix [perdri] *nf* partridge.

perdu, e [perdy] *adj (village, coin)* out-of-the-way.

père [per] *nm* father ; le ~ Noël Father Christmas, Santa Claus.

perfection [perfɛksjɔ̃] *nf* perfection.

perfectionné, e [perfɛksjɔne] *adj* sophisticated.

perfectionnement [perfɛksjɔnmɑ̃] *nm* improvement.

perfectionner [perfɛksjɔne] *vt* to improve. ❑ **se perfectionner** *vp* to improve.

perforer [perfɔre] *vt* to perforate.

performance [perfɔrmɑ̃s] *nf* performance ; ~ s *(d'un ordinateur, d'une voiture)* performance *(sg)*.

perfusion [perfyzjɔ̃] *nf* : être sous ~ to be on a drip.

péril [peril] *nm* peril ; **en ~ in danger.**

périlleux, euse [perijø, øz] *adj* perilous.

périmé, e [perime] *adj* out-of-date.

périmètre [perimetr] *nm* perimeter.

période [perjɔd] *nf* period.

périodique [perjɔdik] *adj* periodic. ◆ *nm* periodical.

péripéties [peripesi] *nfpl* events.

périphérique [periferik] *adj* (*quartier*) outlying. ◆ *nm* INFORM peripheral ; **le (boulevard) ~** the Paris ring road (*Br*), the Paris beltway (*Am*).

périr [perir] *vi sout* to perish.

périssable [perisabl] *adj* perishable.

perle [perl] *nf* pearl.

permanence [permanɑ̃s] *nf* (*bureau*) office ; SCOL free period ; **de ~** on duty ; **en ~** permanently.

permanent, e [permanɑ̃, ɑ̃t] *adj* permanent.

permanente [permanɑ̃t] *nf* perm.

perméable [permeabl] *adj* permeable.

permettre [permetr] *vt* to allow ; **~ à qqn de faire qqch** to allow sb to do sthg. ❑ **se permettre** *vp* : **se ~ de faire qqch** to take the liberty of doing sthg ; **pouvoir se ~ qqch** (*financièrement*) to be able to afford sthg.

permis, e [permi, iz] *pp* → **permettre**. ◆ *nm* licence ; **il n'est pas ~ de fumer** smoking is not permitted ; **~ de conduire** driving licence (*Br*), driver's license (*Am*) ; **~ de pêche** fishing permit.

permission [permisjɔ̃] *nf* permission ; MIL leave.

perpendiculaire [perpɑ̃dikyler] *adj* perpendicular.

perpétuel, elle [perpetɥel] *adj* perpetual.

perplexe [perpleks] *adj* perplexed.

perron [perɔ̃] *nm* steps (*pl*)(*leading to building*).

perroquet [perɔke] *nm* parrot.

perruche [peryʃ] *nf* budgerigar.

perruque [peryk] *nf* wig.

persécuter [persekyte] *vt* to persecute.

persécution [persekysjɔ̃] *nf* persecution.

persévérant, e [perseverɑ̃, ɑ̃t] *adj* persistent.

persévérer [persevere] *vi* to persevere.

persienne [persjen] *nf* shutter.

persil [persi] *nm* parsley.

persillé, e [persije] *adj* sprinkled with chopped parsley.

persistant, e [persistɑ̃, ɑ̃t] *adj* persistent.

persister [persiste] *vi* to persist.

personnage [persɔnaʒ] *nm* character ; (*personnalité*) person.

personnaliser [persɔnalize] *vt* to personalize ; (*voiture*) to customize.

personnalité [persɔnalite] *nf* personality.

personne [persɔn] *nf* person. ◆ *pron* no one, nobody ; **il n'y a ~** there is no one there ; **je n'ai vu ~** I didn't see anyone ; **en ~** in person ; **par ~** per head ; **~ âgée** elderly person.

personnel, elle [pɛrsɔnɛl] *adj* personal. ◆ *nm* staff.

personnellement [pɛrsɔnɛlmɑ̃] *adv* personally.

personnifier [pɛrsɔnifje] *vt* to personify.

perspective [pɛrspɛktiv] *nf* perspective ; *(panorama)* view ; *(possibilité)* prospect.

persuader [pɛrsɥade] *vt* to persuade.

persuasif, ive [pɛrsɥazif, iv] *adj* persuasive.

perte [pɛrt] *nf* loss ; *(gaspillage)* waste ; ~ de temps waste of time.

pertinent, e [pɛrtinɑ̃, ɑ̃t] *adj* relevant.

perturbation [pɛrtyrbasjɔ̃] *nf* disturbance.

perturber [pɛrtyrbe] *vt* *(plans, fête)* to disrupt ; *(troubler)* to disturb.

pesant, e [pəzɑ̃, ɑ̃t] *adj* *(gros)* heavy.

pesanteur [pəzɑ̃tœr] *nf* gravity.

pèse-personne [pɛzpɛrsɔn] *nm inv* scales *(pl)*.

peser [pəze] *vt & vi* to weigh ; ~ lourd to be heavy.

pessimisme [pesimism] *nm* pessimism.

pessimiste [pesimist] *adj* pessimistic. ◆ *nmf* pessimist.

peste [pɛst] *nf* plague.

pétale [petal] *nm* petal.

pétanque [petɑ̃k] *nf* ≃ bowls *(sg)*.

pétard [petar] *nm* *(explosif)* firecracker.

péter [pete] *vi fam* *(se casser)* to bust ; *(personne)* to fart.

pétillant, e [petijɑ̃, ɑ̃t] *adj* sparkling.

pétiller [petije] *vi* *(champagne)* to fizz ; *(yeux)* to sparkle.

petit, e [p(ə)ti, it] *adj* small, little ; *(en durée)* short ; *(peu important)* small. ◆ *nm, f (à l'école)* junior ; ~ ami boyfriend ; ~ e amie girlfriend ; ~ déjeuner breakfast ; ~ pain (bread) roll ; ~ pois (garden) pea ; ~ pot jar (of baby food).

petit-beurre [p(ə)tibœr] *(pl* petits-beurre) *nm* square dry biscuit made with butter.

petite-fille [p(ə)titfij] *(pl* petites-filles) *nf* granddaughter.

petit-fils [p(ə)tifis] *(pl* petits-fils) *nm* grandson.

petit-four [p(ə)tifur] *(pl* petits-fours) *nm* petit four, *small sweet cake or savoury.*

pétition [petisjɔ̃] *nf* petition.

petits-enfants [p(ə)tizɑ̃fɑ̃] *nmpl* grandchildren.

petit-suisse [p(ə)tisɥis] *(pl* petits-suisses) *nm* thick *fromage frais sold in small individual portions and eaten as a dessert.*

pétrole [petrɔl] *nm* oil.

pétrolier [petrɔlje] *nm* oil tanker.

☞ ────────────

peu [pø] *adv* **- 1.** *(avec un verbe)* not much ; *(avec un adjectif, un adverbe)* not very ; ils sont ~ nombreux there aren't many of them ; ~ après afterwards.
- 2. *(avec un nom)* : ~ de (sel, temps) not much, a little ; (gens, vêtements) not many, few.
- 3. *(dans le temps)* : avant ~ soon ; il y a ~ a short time ago.

- **4.** *(dans des expressions)* : à ~ près about ; ~ à ~ little by little.
◆ **un : un** ~ a bit, a little ; **un petit** ~ a little bit ; **un** ~ **de a** little.

peuple [pœpl] *nm* people.

peupler [pœple] *vt (pays)* to populate ; *(rivière)* to stock ; *(habiter)* to inhabit.

peuplier [pøplije] *nm* poplar.

peur [pœr] *nf* fear ; **avoir** ~ to be afraid ; **avoir** ~ **de qqch** to be afraid of sthg ; **faire** ~ **à qqn** to frighten sb.

peureux, euse [pœrø, øz] *adj* timid.

peut [pø] → **pouvoir**.

peut-être [pøtɛtr] *adv* perhaps, maybe ; ~ **qu'il est parti** perhaps he's left.

peux [pø] → **pouvoir**.

phalange [falɑ̃ʒ] *nf* finger bone.

pharaon [faraɔ̃] *nm* pharaoh.

phare [far] *nm (de voiture)* headlight ; *(sur la côte)* lighthouse.

pharmacie [farmasi] *nf (magasin)* chemist's *(Br)*, drugstore *(Am)* ; *(armoire)* medicine cabinet.

pharmacien, enne [farmasjɛ̃, ɛn] *nm, f* chemist *(Br)*, druggist *(Am)*.

phase [faz] *nf* phase.

phénoménal, e, aux [fenomenal, o] *adj* phenomenal.

phénomène [fenomɛn] *nm* phenomenon.

philatélie [filateli] *nf* stamp-collecting.

philosophe [filozof] *adj* philosophical. ◆ *nmf* philosopher.

philosophie [filozofi] *nf* philosophy.

phonétique [fɔnetik] *adj* phonetic.

phoque [fɔk] *nm* seal.

photo [foto] *nf* photo ; *(art)* photography ; **prendre qqn/qqch en** ~ to take a photo of sb/sthg ; **prendre une** ~ **(de)** to take a photo (of).

photocopie [fotokopi] *nf* photocopy.

photocopier [fotokopje] *vt* to photocopy.

photocopieuse [fotokopjøz] *nf* photocopier.

photographe [fotograf] *nmf (artiste)* photographer ; *(commerçant)* camera dealer and film developer.

photographie [fotografi] *nf (procédé, art)* photography ; *(image)* photograph.

photographier [fotografje] *vt* to photograph.

Photomaton® [fotomatɔ̃] *nm* photo booth.

phrase [fraz] *nf* sentence.

physionomie [fizjɔnɔmi] *nf (d'un visage)* physiognomy.

physique [fizik] *adj* physical. ◆ *nf* physics *(sg)*. ◆ *nm (apparence)* physique.

pianiste [pjanist] *nmf* pianist.

piano [pjano] *nm* piano.

pic [pik] *nm (montagne)* peak ; **à** ~ *(descendre)* vertically ; *fig (tomber, arriver)* at just the right moment ; **couler à** ~ to sink like a stone.

pichet [piʃɛ] *nm* jug.

pickpocket [pikpɔkɛt] *nm* pickpocket.

picorer [pikɔre] *vt* to peck.

picotement [pikɔtmɑ̃] *nm* prickling.

picoter [pikɔte] *vt* to sting.

pie [pi] *nf* magpie.

pièce [pjɛs] *nf (argent)* coin ; *(sal-*

le) room ; *(sur un vêtement)* patch ; *(morceau)* piece ; **20 euros** ~ 20 euros each ; *(maillot de bain)* une ~ one-piece (swimming costume) ; ~ **d'identité** identity card ; ~ **de monnaie** coin ; ~ **de rechange** spare part ; ~ **(de théâtre)** play.

pied [pje] *nm* foot ; **à** ~ on foot ; **au** ~ **de** at the foot of ; **avoir** ~ to be able to touch the bottom.

piège [pjɛʒ] *nm* trap.

piéger [pjeʒe] *vt* to trap ; *(voiture, valise)* to booby-trap.

pierre [pjɛr] *nf* stone ; ~ **précieuse** precious stone.

piétiner [pjetine] *vt* to trample. ◆ *vi (foule)* to mill around ; *fig (enquête)* to make no headway.

piéton, onne [pjetɔ̃, ɔn] *nm, f* pedestrian. ◆ *adj* = **piétonnier**.

piétonnier, ère [pjetɔnje, ɛr] *adj* pedestrianized.

pieu, x [pjø] *nm* post.

pieuvre [pjœvr] *nf* octopus.

pigeon [piʒɔ̃] *nm* pigeon.

pilaf [pilaf] *nm* → **riz**.

pile [pil] *nf (tas)* pile ; *(électrique)* battery. ◆ *adv (arriver)* at just the right moment ; **jouer qqch à** ~ **ou face** to toss (up) for sthg ; ~ **ou face?** heads or tails? ; **trois heures** ~ three o'clock on the dot.

piler [pile] *vt* to crush. ◆ *vi fam (freiner)* to brake hard.

pilier [pilje] *nm* pillar.

piller [pije] *vt* to loot.

pilote [pilɔt] *nmf (d'avion)* pilot ; *(de voiture)* driver.

piloter [pilɔte] *vt (avion)* to fly ; *(voiture)* to drive ; *(diriger)* to show around.

pilotis [pilɔti] *nm* stilts *(pl)*.

pilule [pilyl] *nf* pill ; **prendre la** ~ to be on the pill.

piment [pimɑ̃] *nm (condiment)* chilli ; ~ **doux** sweet pepper ; ~ **rouge** chilli (pepper).

pimenté, e [pimɑ̃te] *adj* spicy.

pin [pɛ̃] *nm* pine.

pince [pɛ̃s] *nf (outil)* pliers *(pl)* ; *(de crabe)* pincer ; *(de pantalon)* pleat ; ~ **à cheveux** hair clip ; ~ **à épiler** tweezers *(pl)* ; ~ **à linge** clothes peg.

pinceau, x [pɛ̃so] *nm* brush.

pincée [pɛ̃se] *nf* pinch.

pincer [pɛ̃se] *vt (serrer)* to pinch ; *(coincer)* to catch.

pingouin [pɛ̃gwɛ̃] *nm* penguin.

ping-pong [piŋpɔ̃g] *nm* table tennis.

pintade [pɛ̃tad] *nf* guinea fowl.

pinte [pɛ̃t] *nf Helv (café)* café.

pioche [pjɔʃ] *nf* pick.

piocher [pjɔʃe] *vi (aux cartes, aux dominos)* to pick up.

pion [pjɔ̃] *nm (aux échecs)* pawn ; *(aux dames)* piece.

pionnier, ère [pjɔnje, ɛr] *nm, f* pioneer.

pipe [pip] *nf* pipe.

pipi [pipi] *nm fam :* **faire** ~ to have a wee.

piquant, e [pikɑ̃, ɑ̃t] *adj (épicé)* spicy. ◆ *nm (épine)* thorn.

pique [pik] *nm (remarque)* spiteful remark. ◆ *nm (aux cartes)* spades *(pl)*.

pique-nique, s [piknik] *nm* picnic.

pique-niquer [piknike] *vi* to have a picnic.

piquer [pike] *vt (suj : aiguille, pointe)* to prick ; *(suj : guêpe, ortie,* *fumée)* to sting ; *(suj : moustique)* to bite ; *(planter)* to stick. ◆ vi *(insecte)* to sting ; *(épice)* to be hot.

piquet [pikɛ] *nm* stake.

piqueur [pikœr] *adj m* → **marteau.**

piqûre [pikyr] *nf (d'insecte)* sting ; *(de moustique)* bite ; MÉD injection.

piratage [pirataʒ] *nm* INFORM hacking ; *(de vidéos, de cassettes)* pirating.

pirate [pirat] *nm* pirate. ◆ *adj (radio, cassette)* pirate ; ~ de l'air hijacker.

pirater [pirate] *vt* to pirate.

pire [pir] *adj (comparatif)* worse ; *(superlatif)* worst. ◆ *nm* : le ~ the worst.

pirouette [pirwɛt] *nf* pirouette.

pis [pi] *nm (de vache)* udder.

piscine [pisin] *nf* swimming pool.

pissenlit [pisɑ̃li] *nm* dandelion.

pistache [pistaʃ] *nf* pistachio (nut).

piste [pist] *nf* track, trail ; *(indice)* lead ; *(de cirque)* (circus) ring ; *(de ski)* run ; *(d'athlétisme)* track ; ~ *(d'atterrissage)* runway ; ~ cyclable cycle track ; *(sur la route)* cycle lane ; ~ de danse dance floor.

pistolet [pistolɛ] *nm* gun.

piston [pistɔ̃] *nm (de moteur)* piston.

pitié [pitje] *nf* pity ; avoir ~ de qqn to feel pity for sb ; elle me fait ~ I feel sorry for her.

pitoyable [pitwajabl] *adj* pitiful.

pitre [pitr] *nm* clown ; faire le ~ to play the fool.

pittoresque [pitoresk] *adj* picturesque.

pivoter [pivote] *vi (personne)* to turn round ; *(fauteuil)* to swivel.

pizza [pidza] *nf* pizza.

pizzeria [pidzerja] *nf* pizzeria.

placard [plakar] *nm* cupboard.

placarder [plakarde] *vt (affiche)* to stick up.

place [plas] *nf (endroit, dans un classement)* place ; *(de parking)* space ; *(siège)* seat ; *(d'une ville)* square ; *(espace)* room ; *(emploi)* job ; changer qqch de ~ to move sthg ; à la ~ de instead of ; sur ~ on the spot ; ~ assise seat.

placement [plasmɑ̃] *nm (financier)* investment.

placer [plase] *vt* to place ; *(argent)* to invest. ❑ se placer *vp (se mettre debout)* to stand ; *(s'asseoir)* to sit (down) ; *(se classer)* to come.

plafond [plafɔ̃] *nm* ceiling.

plafonnier [plafonje] *nm* ceiling light.

plage [plaʒ] *nf* beach ; *(de disque)* track ; ~ arrière back shelf.

plaie [plɛ] *nf* wound.

plaindre [plɛ̃dr] *vt* to feel sorry for. ❑ se plaindre *vp* to complain ; se ~ de to complain about.

plaine [plɛn] *nf* plain.

plaint, e [plɛ̃, plɛ̃t] *pp* → **plaindre.**

plainte [plɛ̃t] *nf (gémissement)* moan ; *(en justice)* complaint ; porter ~ to lodge a complaint.

plaintif, ive [plɛ̃tif, iv] *adj* plaintive.

plaire [plɛr] *vi* : elle me plaît I like her ; le film m'a beaucoup plu I enjoyed the film a lot ; s'il vous/te plaît please. ❑ se plaire *vp* : tu te plais ici? do you like it here?

plaisance [plɛzɑ̃s] *nf* → **navigation, port.**

plaisanter [plezɑ̃te] vi to joke.

plaisanterie [plezɑ̃tri] nf joke.

plaisir [plezir] nm pleasure ; **votre lettre m'a fait très ~ I** was delighted to receive your letter ; **avec ~!** with pleasure!

plan [plɑ̃] nm plan ; (carte) map ; (niveau) level ; **au premier/second ~** in the foreground/background ; **~ d'eau** lake.

planche [plɑ̃ʃ] nf plank ; **faire la ~** to float ; **~ à roulettes** skateboard ; **~ à voile** sailboard ; **faire de la ~ à voile** to windsurf.

plancher [plɑ̃ʃe] nm floor.

planer [plane] vi to glide.

planète [planet] nf planet.

planeur [plancær] nm glider.

planifier [planifje] vt to plan.

planning [planiŋ] nm schedule.

plantation [plɑ̃tasjɔ̃] nf (exploitation agricole) plantation ; **~s** (plantes) plants.

plante [plɑ̃t] nf plant ; **~ du pied** sole (of the foot) ; **~ grasse** succulent (plant) ; **~ verte** houseplant.

planter [plɑ̃te] vt (graines) to plant ; (enfoncer) to drive in.

plaque [plak] nf sheet ; (de chocolat) bar ; (de beurre) pack ; (sur un mur) plaque ; (tache) patch ; **~ chauffante** hotplate ; **~ d'immatriculation** OU **minéralogique** numberplate (Br), license plate (Am).

plaqué, e [plake] adj : **~ or/argent** gold/silver-plated.

plaquer [plake] vt (aplatir) to flatten ; (au rugby) to tackle.

plaquette [plaket] nf (de beurre) pack ; (de chocolat) bar ; **~ de frein** brake pad.

plastifié, e [plastifje] adj plastic-coated.

plastique [plastik] nm plastic ; **sac en ~** plastic bag.

plat, e [pla, plat] adj flat ; (eau) still. ◆ nm dish ; (de menu) course ; **à ~** (pneu, batterie) flat ; (fatigué) exhausted ; **~ cuisiné** ready-cooked dish ; **~ du jour** dish of the day ; **~ de résistance** main course.

platane [platan] nm plane tree.

plateau, x [plato] nm (de cuisine) tray ; (plaine) plateau ; (de télévision, de cinéma) set ; **~ à fromages** cheese board ; **~ de fromages** cheese board.

plate-bande [platbɑ̃d] (pl **plates-bandes**) nf flowerbed.

plate-forme [platfɔrm] (pl **plates-formes**) nf platform.

platine [platin] nf : **~ cassette** cassette deck ; **~ laser** compact disc player.

plâtre [platr] nm plaster ; MÉD plaster cast.

plâtrer [platre] vt MÉD to put in plaster.

plausible [plozibl] adj plausible.

plébiscite [plebisit] nm Helv (référendum) referendum.

plein, e [plɛ̃, plɛn] adj full. ◆ nm : **faire le ~** (d'essence) to fill up ; **~ de** full of ; fam (beaucoup de) lots of ; **en ~ air** in the open air ; **en ~ forme** in good form ; **en ~ e nuit** in the middle of the night ; **en ~ milieu** bang in the middle ; **~ s phares** with full beams on (Br), high beams (Am).

pleurer [plære] vi to cry.

pleureur [plærær] adj m → **saule**.

pleurnicher [plærniʃe] vi to whine.

pleut [plø] → **pleuvoir**.

pleuvoir [pløvwar] vi (insultes, coups, bombes) to rain down.
◆ v impers : **il pleut** it's raining ; **il pleut à verse** it's pouring (down).

pli [pli] nm (d'un papier, d'une carte) fold ; (d'une jupe) pleat ; (d'un pantalon) crease ; (aux cartes) trick ; (faux) ~ crease.

pliant, e [plijɑ̃, ɑ̃t] adj folding.
◆ nm folding chair.

plier [plije] vt to fold ; (lit, tente) to fold up ; (courber) to bend. ◆ vi (se courber) to bend.

plinthe [plɛ̃t] nf (en bois) skirting board.

plissé, e [plise] adj (jupe) pleated.

plisser [plise] vt (papier) to fold ; (tissu) to pleat ; (yeux) to screw up.

plomb [plɔ̃] nm (matière) lead ; (fusible) fuse ; (de pêche) sinker ; (de chasse) shot.

plombage [plɔ̃baʒ] nm (d'une dent) filling.

plomberie [plɔ̃bri] nf plumbing.

plombier [plɔ̃bje] nm plumber.

plombières [plɔ̃bjɛr] nf tutti-frutti ice cream.

plongeant, e [plɔ̃ʒɑ̃, ɑ̃t] adj (décolleté) plunging ; (vue) from above.

plongée [plɔ̃ʒe] nf diving ; ~ sous-marine scuba diving.

plongeoir [plɔ̃ʒwar] nm diving board.

plongeon [plɔ̃ʒɔ̃] nm dive.

plonger [plɔ̃ʒe] vi to dive. ◆ vt to plunge. ❑ **se plonger dans** vp + prép (activité) to immerse o.s. in.

plongeur, euse [plɔ̃ʒœr, øz] nm, f (sous-marin) diver.

plu [ply] pp → plaire, pleuvoir.

pluie [plɥi] nf rain.

plumage [plymaʒ] nm plumage.

plume [plym] nf feather ; (pour écrire) nib.

plupart [plypar] nf : **la ~ (de)** most (of) ; **la ~ du temps** most of the time.

pluriel [plyrjɛl] nm plural.

☞

plus [ply(s)] adv - 1. (pour comparer) more ; ~ **intéressant (que)** more interesting (than) ; ~ **court (que)** shorter (than).
- 2. (superlatif) : **c'est ce qui me plaît le ~ ici** it's what I like best about this place ; **l'hôtel le ~ confortable où nous ayons logé** the most comfortable hotel we've stayed in ; **le ~ souvent (d'habitude)** usually.
- 3. (davantage) more ; ~ **de (encore de)** more ; (au-delà de) more than.
- 4. (avec "ne") : **il ne vient ~ me voir** he doesn't come to see me any more , he no longer comes to see me.
- 5. (dans des expressions) : **de** OU **en ~ (d'autre part)** what's more ; **trois de** OU **en ~** three more ; **il a deux ans de ~ que moi** he's two years older than me ; **de ~ en ~ (de)** more and more ; **en ~ de** in addition to ; ~ **tu y penseras, pire ce sera** the more you think about it, the worse.
◆ prép plus.

plusieurs [plyzjœr] adj & pron several.

plus-que-parfait [plyskəparfɛ] nm pluperfect.

plutôt [plyto] adv rather ; **allons ~ à la plage** let's go to the beach instead ; ~ **que (de) faire qqch** rather than OU doing sthg.

pluvieux, euse [plyvjø, øz] *adj* rainy.

PMU *nm* system for betting on horses ; *(bar)* ≃ betting shop.

PMU

This abbreviation, which stands for *Pari mutuel urbain*, is displayed outside of *tabacs* where it is possible to place bets on horse races. Some *PMU* establishments are gathering-places for racing enthusiasts.

pneu [pnø] *nm* tyre.

pneumatique [pnømatik] *adj* → canot, matelas.

pneumonie [pnømɔni] *nf* pneumonia.

PO *(abr de petites ondes)* MW.

poche [pɔʃ] *nf* pocket ; **de ~** *(livre, lampe)* pocket.

poché, e [pɔʃe] *adj* : **avoir un œil ~** to have a black eye.

pocher [pɔʃe] *vt* CULIN to poach.

pochette [pɔʃet] *nf* (de rangement) wallet ; (de disque) sleeve ; (sac à main) clutch bag ; (mouchoir) (pocket) handkerchief.

podium [pɔdjɔm] *nm* podium.

poêle¹ [pwal] *nm* stove ; **~ à mazout** oil-fired stove.

poêle² [pwal] *nf* : **~ (à frire)** frying pan.

poème [pɔɛm] *nm* poem.

poésie [pɔezi] *nf* (art) poetry ; (poème) poem.

poète [pɔɛt] *nm* poet.

poétique [pɔetik] *adj* poetic.

poids [pwa] *nm* weight ; **lancer le ~** SPORT to put the shot ; **perdre/prendre du ~** to lose/gain

weight ; **~ lourd** *(camion)* heavy goods vehicle.

poignard [pwaɲar] *nm* dagger.

poignarder [pwaɲarde] *vt* to stab.

poignée [pwaɲe] *nf* (de porte, de valise) handle ; (de sable, de bonbons) handful ; **~ de main** handshake.

poignet [pwaɲɛ] *nm* wrist ; (de vêtement) cuff.

poil [pwal] *nm* hair ; (de pinceau, de brosse à dents) bristle ; **à ~** *fam* stark naked ; **au ~** *fam* (excellent) great.

poilu, e [pwaly] *adj* hairy.

poinçonner [pwɛ̃sɔne] *vt* (ticket) to punch.

poing [pwɛ̃] *nm* fist.

point [pwɛ̃] *nm* (petite tache) dot, spot ; (de ponctuation) full stop (Br), period (Am) ; (problème, dans une note, un score) point ; (de couture, de tricot) stitch ; **~ de co: d'exclamation** exclamation mark ; **~ final** full stop (Br), period (Am) ; **~ d'interrogation** question mark ; **(au) ~ mort** AUT (in) neutral ; **~ de repère** (concret) landmark ; **~ s cardinaux** points of the compass ; **~ s (de suture)** stitches ; **à ~** (steak) medium ; **au ~** (méthode) perfected ; **au ~ que ou à tel ~ que** to such an extent that ; **être sur le ~ de faire qqch** to be on the point of doing sthg.

point de vue [pwɛ̃dvy] (pl points de vue) *nm* (endroit) viewpoint ; (opinion) point of view.

pointe [pwɛ̃t] *nf* (extrémité) point, tip ; (clou) panel pin ; **sur la ~ des pieds** on tiptoe ; **de ~** (technique) state-of-the-art ; **en ~** (tailler) to point. ❑ **pointes** *nfpl (chaussons)* points.

pointer [pwɛte] *vt (diriger)* to point. ◆ *vi (à l'entrée)* to clock in ; *(à la sortie)* to clock out.

pointillé [pwɛtije] *nm (ligne)* dotted line ; *(perforations)* perforated line.

pointu, e [pwɛty] *adj* pointed.

pointure [pwɛtyr] *nf (shoe)* size.

point-virgule [pwɛvirgyl] *(pl points-virgules)* nm semicolon.

poire [pwar] *nf* pear ; ~ **Belle-Hélène** *pear served on vanilla ice cream and covered with chocolate sauce.*

poireau, x [pwaro] *nm* leek.

poirier [pwarje] *nm* pear tree.

pois [pwa] *nm (rond)* spot ; à ~ spotted ; ~ **chiche** chickpea.

poison [pwazɔ̃] *nm* poison.

poisseux, euse [pwasø, øz] *adj* sticky.

poisson [pwasɔ̃] *nm* fish ; ~ **d'avril!** April Fool! ; ~ **s du lac** *Helv fish caught in Lake Geneva* ; ~ **rouge** goldfish. ❑ **Poissons** *nmpl* Pisces *(sg)*.

poissonnerie [pwasɔnri] *nf* fishmonger's (shop).

poissonnier, ère [pwasɔnje, er] *nm, f* fishmonger.

poitrine [pwatrin] *nf (buste)* chest ; *(seins)* bust ; *(de porc)* belly.

poivre [pwavr] *nm* pepper.

poivré, e [pwavre] *adj* peppery.

poivrier [pwavrije] *nm (sur la table)* pepper pot.

poivrière [pwavrijer] *nf* = poivrier.

poivron [pwavrɔ̃] *nm* pepper.

poker [pɔker] *nm* poker.

polaire [pɔler] *adj* polar.

pôle [pol] *nm (géographique)* pole ; ~ **Nord/Sud** North/South Pole.

poli, e [pɔli] *adj* polite ; *(verre, bois)* polished.

police [pɔlis] *nf* police *(pl)* ; ~ **d'assurance** insurance policy ; ~ **secours** emergency call-out service provided by the police.

policier, ère [pɔlisje, er] *adj (roman, film)* detective ; *(enquête)* police. ◆ *nm* police officer.

poliment [pɔlimɑ̃] *adv* politely.

politesse [pɔlites] *nf* politeness.

politicien, enne [pɔlitisjɛ̃, en] *nm, f* politician.

politique [pɔlitik] *adj* political. ◆ *nf (activité)* politics *(sg)* ; *(extérieure, commerciale, etc)* policy.

pollen [pɔlen] *nm* pollen.

pollué, e [pɔlɥe] *adj* polluted.

pollution [pɔlysjɔ̃] *nf* pollution.

polo [pɔlo] *nm (vêtement)* polo shirt.

polochon [pɔlɔʃɔ̃] *nm* bolster.

Pologne [pɔlɔɲ] *nf* : la ~ Poland.

polycopié [pɔlikɔpje] *nm* photocopied notes *(pl)*.

polyester [pɔliester] *nm* polyester.

Polynésie [pɔlinezi] *nf* : la ~ française French Polynesia.

polystyrène [pɔlistiren] *nm* polystyrene.

polyvalent, e [pɔlivalɑ̃, ɑ̃t] *adj (salle)* multi-purpose ; *(employé)* versatile.

pommade [pɔmad] *nf* ointment.

pomme [pɔm] *nf* apple ; *(de douche)* head ; *(d'arrosoir)* rose ; ~ **de pin** pine cone ; ~ **s dauphine** mashed *potato coated in batter and deep-fried* ; **~ s noisettes** *fried potato balls.*

pomme de terre [pɔmdətɛr] (*pl* **pommes de terre**) *nf* potato.

pommette [pɔmɛt] *nf* cheekbone.

pommier [pɔmje] *nm* apple tree.

pompe [pɔ̃p] *nf* pump ; **~ à essence** petrol pump (Br), gas pump (Am) ; **~ à vélo** bicycle pump ; **~ s funèbres** funeral director's (sg) (Br), mortician's (sg) (Am).

pomper [pɔ̃pe] *vt* to pump.

pompier [pɔ̃pje] *nm* fireman (Br), firefighter (Am).

pompiste [pɔ̃pist] *nmf* forecourt attendant.

pompon [pɔ̃pɔ̃] *nm* pompom.

poncer [pɔ̃se] *vt* to sand down.

ponctuation [pɔ̃ktɥasjɔ̃] *nf* punctuation.

ponctuel, elle [pɔ̃ktɥɛl] *adj* (*à l'heure*) punctual ; (*limité*) specific.

pondre [pɔ̃dr] *vt* to lay.

poney [pɔne] *nm* pony.

pont [pɔ̃] *nm* bridge ; (*de bateau*) deck ; **faire le ~ to** have the day off between a national holiday and a weekend.

pont-levis [pɔ̃lavi] (*pl* **ponts-levis**) *nm* drawbridge.

ponton [pɔ̃tɔ̃] *nm* pontoon.

pop [pɔp] *adj inv* & *nf* pop.

pop-corn [pɔpkɔrn] *nm inv* popcorn.

populaire [pɔpylɛr] *adj* (*quartier, milieu*) working-class ; (*apprécié*) popular.

population [pɔpylasjɔ̃] *nf* population.

porc [pɔr] *nm* pig ; *CULIN* pork.

porcelaine [pɔrsəlɛn] *nf* (*matériau*) porcelain.

porche [pɔrʃ] *nm* porch.

pore [pɔr] *nm* pore.

poreux, euse [pɔrø, øz] *adj* porous.

pornographique [pɔrnɔgrafik] *adj* pornographic.

port [pɔr] *nm* port ; '**~ payé**' 'postage paid' ; **~ de pêche** fishing port ; **~ de plaisance** sailing harbour.

portable [pɔrtabl] *adj* portable.

portail [pɔrtaj] *nm* gate.

portant, e [pɔrtɑ̃, ɑ̃t] *adj* : **être bien/mal ~** to be in good/poor health ; **à bout ~** point-blank.

portatif, ive [pɔrtatif, iv] *adj* portable.

porte [pɔrt] *nf* door ; (*d'un jardin, d'une ville*) gate ; **mettre qqn à la ~** to throw sb out ; **~ (d'embarquement)** gate.

porte-avions [pɔrtavjɔ̃] *nm inv* aircraft carrier.

porte-bagages [pɔrtbagaʒ] *nm inv* (*de vélo*) bike rack.

porte-bébé, s [pɔrtbebe] *nm* (*harnais*) baby sling.

porte-bonheur [pɔrtbɔnœr] *nm inv* lucky charm.

porte-clefs [pɔrtəkle] = **porte-clés.**

porte-clés [pɔrtəkle] *nm inv* key ring.

portée [pɔrte] *nf* (*d'un son, d'une arme*) range ; (*d'une femelle*) litter ; *MUS* stave ; **à la ~ de qqn** (*intellectuelle*) within sb's understanding ; **à ~ de (la) main** within reach.

porte-fenêtre [pɔrtfənɛtr] (*pl* **portes-fenêtres**) *nf* French window (Br), French door (Am).

portefeuille [pɔrtəfœj] *nm* wallet.

porte-jarretelles [pɔrtʒartel] *nm inv* suspender belt *(Br)*, garter belt *(Am)*.

portemanteau, x [pɔrtmɑ̃to] *nm (au mur)* coat rack ; *(sur pied)* coat stand.

porte-monnaie [pɔrtmɔne] *nm inv* purse.

porte-parole [pɔrtparɔl] *nm inv* spokesman (*f* spokeswoman).

porter [pɔrte] *vt (tenir)* to carry ; *(vêtement, lunettes)* to wear ; *(nom, date, responsabilité)* to bear ; *(apporter)* to take. ◆ *vi (son)* to carry ; *(remarque, menace)* to hit home ; ~ **bonheur/malheur à qqn** to bring sb good luck/bad luck. ❏ **se porter** *vp* : **se ~ bien/mal** to be well/unwell.

porte-savon, s [pɔrtsavɔ̃] *nm* soap dish.

porte-serviette, s [pɔrtservjet] *nm* towel rail.

porteur, euse [pɔrtœr, øz] *nm, f (de bagages)* porter.

portier [pɔrtje] *nm* doorman.

portière [pɔrtjer] *nf* door.

portillon [pɔrtijɔ̃] *nm* barrier ; ~ **automatique** *TRANSP* automatic barrier.

portion [pɔrsjɔ̃] *nf* portion ; *(que l'on se sert soi-même)* helping.

portique [pɔrtik] *nm (de balançoire)* frame.

porto [pɔrto] *nm* port.

portrait [pɔrtrɛ] *nm* portrait.

portugais, e [pɔrtygɛ, ɛz] *adj* Portuguese. ◆ *nm (langue)* Portuguese. ❏ **Portugais, e** *nm, f* Portuguese (person).

Portugal [pɔrtygal] *nm* : **le ~** Portugal.

pose [poz] *nf (de moquette)* laying ; *(de vitre)* fitting ; *(attitude)* pose ; **prendre la ~** to assume a pose.

posé, e [poze] *adj (calme)* composed.

poser [poze] *vt* to put ; *(rideaux, tapisserie)* to hang ; *(vitre)* to fit ; *(moquette)* to lay ; *(question)* to ask ; *(problème)* to pose. ◆ *vi (pour une photo)* to pose. ❏ **se poser** *vp (oiseau, avion)* to land.

positif, ive [pozitif, iv] *adj* positive.

position [pozisjɔ̃] *nf* position.

posologie [pozɔlɔʒi] *nf* dosage.

posséder [pɔsede] *vt* to possess ; *(maison, voiture)* to own.

possessif, ive [pɔsesif, iv] *adj* possessive.

possibilité [pɔsibilite] *nf* possibility ; **avoir la ~ de faire qqch** to have the chance to do sthg. ❏ **possibilités** *nfpl (financières)* means ; *(intellectuelles)* potential *(sg)*.

possible [pɔsibl] *adj* possible. ◆ *nm* : **faire son ~ (pour faire qqch)** to do one's utmost (to do sthg) ; **le plus d'argent ~** as much money as possible ; **dès que ~**, **le plus tôt ~** as soon as possible ; **si ~** if possible.

postal, e, aux [pɔstal, o] *adj (service)* postal *(Br)*, mail *(Am)* ; *(wagon)* mail.

poste¹ [pɔst] *nm (emploi)* post ; *(de ligne téléphonique)* extension ; ~ **(de police)** police station ; ~ **de radio** radio ; ~ **de télévision** television (set).

poste² [pɔst] *nf (administration)*

post (Br), mail (Am) ; (bureau) post office ; ~ **restante** poste restante (Br), general delivery (Am).

poster[1] [pɔste] vt (lettre) to post (Br), to mail (Am).

poster[2] [pɔstɛr] nm poster.

postérieur, e [pɔsterjœr] adj (dans le temps) later ; (partie, membres) rear. ◆ nm posterior.

postier, ère [pɔstje, ɛr] nm, f post-office worker.

postillonner [pɔstijɔne] vi to splutter.

post-scriptum [pɔstskriptɔm] nm inv postscript.

posture [pɔstyr] nf posture.

pot [po] nm (de yaourt, de peinture) pot ; (de confiture) jar ; ~ **d'échappement** exhaust (pipe) ; ~ **de fleurs** flowerpot ; ~ **à lait** milk jug.

potable [pɔtabl] adj → **eau.**

potage [pɔtaʒ] nm soup.

potager [pɔtaʒe] nm : (jardin) ~ vegetable garden.

pot-au-feu [pɔtofø] nm inv boiled beef and vegetables.

pot-de-vin [pɔdvɛ̃] (pl pots-de-vin) nm bribe.

poteau, x [pɔto] nm post ; ~ **indicateur** signpost.

potée [pɔte] nf stew of meat, usually pork, and vegetables.

potentiel, elle [pɔtɑ̃sjɛl] adj & nm potential.

poterie [pɔtri] nf (art) pottery ; (objet) piece of pottery.

potiron [pɔtirɔ̃] nm pumpkin.

pot-pourri [popuri] (pl pots-pourris) nm potpourri.

pou, x [pu] nm louse.

poubelle [pubɛl] nf dustbin (Br), trashcan (Am) ; mettre qqch à la

~ to put sthg in the dustbin (Br), to put sthg in the trash (Am).

pouce [pus] nm thumb.

pouding [pudiŋ] nm sweet cake made from bread and candied fruit ; ~ **de cochon** French-Canadian dish of meatloaf made from chopped pork and pigs' livers.

poudre [pudr] nf powder ; en ~ (lait, amandes) powdered ; **chocolat en** ~ chocolate powder.

poudreux, euse [pudrø, øz] adj powdery.

pouf [puf] nm pouffe.

pouffer [pufe] vi : ~ **(de rire)** to titter.

poulailler [pulaje] nm henhouse.

poulain [pulɛ̃] nm foal.

poule [pul] nf hen ; CULIN fowl ; ~ **au pot** chicken and vegetable stew.

poulet [pulɛ] nm chicken ; ~ **basquaise** sauteed chicken in a rich tomato, pepper and garlic sauce.

poulie [puli] nf pulley.

pouls [pu] nm pulse ; prendre le ~ à qqn to take sb's pulse.

poumon [pumɔ̃] nm lung.

poupée [pupe] nf doll.

☞

pour [pur] prép - 1. (exprime le but, la destination) for ; **c'est ~ vous** it's for you ; **faire qqch ~ l'argent** to do sthg for money.
- 2. (afin de) : ~ **faire qqch** in order to do sthg ; ~ **que** so that.
- 3. (en raison de) for.
- 4. (exprime la durée) for.
- 5. (comme) : **je voudrais ~ cinq euros de bonbons** I'd like five euros' worth of sweets.

- 6. (*pour donner son avis*) : ~ **moi** as far as I'm concerned.

- 7. (*à la place de*) for ; **signe ~ moi** sign for me.

- 8. (*en faveur de*) for ; **être ~ qqch** to be in favour of sthg.

pourboire [purbwar] *nm* tip.

POURBOIRE

In France, it is not necessary to leave a tip (*pourboire*). A certain percentage of the bill in a restaurant or café is automatically set aside to pay for table service. If desired, an additional tip may be given. In this case, it is always left in cash regardless of how the meal was paid. Customers who pay in cash often leave part of the change as a pourboire.

pourcentage [pursɑ̃taʒ] *nm* percentage.

pourquoi [purkwa] *adv* why ; **c'est ~ ...** that's why ... ; **~ pas?** why not?

pourra *etc* → pouvoir.

pourrir [purir] *vi* to rot.

pourriture [purityr] *nf* (*partie moisie*) rotten part.

poursuite [pursɥit] *nf* chase ; **se lancer à la ~ de qqn** to set off after sb. ❑ **poursuites** *nfpl* JUR proceedings.

poursuivi, e [pursɥivi] *pp* → poursuivre.

poursuivre [pursɥivr] *vt* (*voleur*) to chase ; (*criminel*) to prosecute ; (*voisin*) to sue ; (*continuer*) to continue. ❑ **se poursuivre** *vp* to continue.

pourtant [purtɑ̃] *adv* yet.

pourvu [purvy] : **pourvu que** *conj*

(*condition*) provided (that) ; (*souhait*) let's hope (that).

pousse-pousse [puspus] *nm inv* Helv (*poussette*) pushchair.

pousser [puse] *vt* to push ; (*déplacer*) to move ; (*cri*) to give. ❖ *vi* to push ; (*plante*) to grow ; **~ qqn à faire qqch** to urge sb to do sthg ; **faire ~** (*plante, légumes*) to grow ; **'poussez'** 'push'. : **se pousser** *vp* to move up.

poussette [puset] *nf* pushchair.

poussière [pusjer] *nf* dust.

poussiéreux, euse [pusjerø, øz] *adj* dusty.

poussin [pusɛ̃] *nm* chick.

poutine [putin] *nf Can* fried potato topped with grated cheese and brown sauce.

poutre [putr] *nf* beam.

pouvoir [puvwar] *nm* (*influence*) power ; **le ~** (*politique*) power ; **les ~ s publics** the authorities. ❖ *vt*
- 1. (*être capable de*) can, to be able ; **je n'en peux plus** (*je suis fatigué*) I'm exhausted ; (*j'ai trop mangé*) I'm full up ; **je n'y peux rien** there's nothing I can do about it.
- 2. (*être autorisé à*) : **vous ne pouvez pas stationner ici** you can't park here. **- 3.** (*exprime la possibilité*) : **il peut faire très froid ici** it can get very cold here. ❑ **se pouvoir** *vp* : **il se peut que le vol soit annulé** the flight may OU might be cancelled.

prairie [preri] *nf* meadow.

praline [pralin] *nf* praline, sugared almond ; *Belg* (*chocolat*) chocolate.

praliné, e [praline] *adj* hazelnut-or almond-flavoured.

pratiquant, e [pratikɑ̃, ɑ̃t] *adj* RELIG practising.

pratique [pratik] *adj (commode)* handy ; *(concret)* practical.

pratiquement [pratikmɑ̃] *adv* practically.

pratiquer [pratike] *vt* : ~ un sport to do some sport ; ~ le golf to play golf.

pré [pre] *nm* meadow.

préau, x [preo] *nm (de récréation)* (covered) play area.

précaire [prekɛr] *adj* precarious.

précaution [prekosjɔ̃] *nf* precaution ; prendre des ~ s to take precautions ; avec ~ carefully.

précédent, e [presedɑ̃, ɑ̃t] *adj* previous.

précéder [presede] *vt* to precede.

précieux, euse [presjø, øz] *adj* precious.

précipice [presipis] *nm* precipice.

précipitation [presipitasjɔ̃] *nf* haste. ❏ **précipitations** *nfpl (pluie)* precipitation *(sg)*.

précipiter [presipite] *vt (pousser)* to push ; *(allure)* to quicken ; *(départ)* to bring forward. ❏ **se précipiter** *vp (tomber)* to throw o.s. ; *(se dépêcher)* to rush ; se ~ sur qqn to jump on sb.

précis, e [presi, iz] *adj (clair, rigoureux)* precise ; *(exact)* accurate ; à cinq heures ~ es at five o'clock sharp.

préciser [presize] *vt (déterminer)* to specify ; *(clarifier)* to clarify. ❏ **se préciser** *vp* to become clear.

précision [presizjɔ̃] *nf* accuracy ; *(explication)* detail.

précoce [prekɔs] *adj (enfant)* precocious ; *(printemps)* early.

prédécesseur [predesesœr] *nm* predecessor.

prédiction [prediksjɔ̃] *nf* prediction.

prédire [predir] *vt* to predict.

prédit, e [predi, it] *pp* → **prédire**.

préfabriqué, e [prefabrike] *adj* prefabricated.

préface [prefas] *nf* preface.

préfecture [prefektyr] *nf* town where a *préfet's* office is situated, and the office itself.

préféré, e [prefere] *adj & nm,* f favourite.

préférence [preferɑ̃s] *nf* preference ; de ~ preferably.

préférer [prefere] *vt* to prefer ; je préférerais qu'elle s'en aille I'd rather she left.

préfet [prefɛ] *nm* senior local government official.

préhistoire [preistwar] *nf* prehistory.

préhistorique [preistɔrik] *adj* prehistoric.

préjugé [preʒyʒe] *nm* prejudice.

prélèvement [prelɛvmɑ̃] *nm* *(d'argent)* deduction ; *(de sang)* sample.

prélever [prelɔve] *vt (somme, part)* to deduct ; *(sang)* to take.

prématuré, e [prematyre] *adj* premature. ◆ *nm, f* premature baby.

prémédité, e [premedite] *adj* premeditated.

premier, ère [prɔmje, ɛr] *adj & nm,* f first ; en ~ first ; le ~ de l'an New Year's Day ; Premier ministre Prime Minister → **sixième**.

première [prɔmjer] *nf* SCOL ≃ lower sixth (Br), ≃ eleventh grade (Am) ; (vitesse) first (gear) ; *TRANSP* first class.

premièrement [prəmjɛrmã] adv firstly.

prenais etc → prendre.

☞

prendre [prɑ̃dr] vt - 1. (saisir, emporter, enlever) to take ; ~ qqch à qqn to take sthg from sb.
- 2. (passager, auto-stoppeur) to pick up ; passer ~ qqn to pick sb up.
- 3. (repas, boisson) to have ; qu'est-ce que vous prendrez? (à boire) what would you like to drink?
- 4. (utiliser) to take ; ~ l'avion to fly ; ~ le train to take the train.
- 5. (attraper, surprendre) to catch ; se faire ~ to be caught.
- 6. (air, ton) to put on.
- 7. (considérer) : ~ qqn pour (par erreur) to mistake sb for ; (sciemment) to take sb for.
- 8. (notes, photo, mesures) to take.
- 9. (poids) to put on.
- 10. (dans des expressions) : qu'est-ce qui te prend? what's the matter with you?
◆ vi - 1. (sauce, ciment) to set.
- 2. (feu) to catch.
- 3. (se diriger) : prenez à droite turn right.
❑ se prendre vp : pour qui tu te prends? who do you think you are? ; s'y ~ mal to go about things the wrong way.

prenne etc → prendre.

prénom [prenɔ̃] nm first name.

préoccupé, e [preɔkype] adj preoccupied.

préoccuper [preɔkype] vt to pre-

occupy. ❑ se préoccuper de vp + prép to think about.

préparatifs [preparatif] nmpl preparations.

préparation [preparasjɔ̃] nf preparation.

préparer [prepare] vt to prepare ; (affaires) to get ready ; (départ, examen) to prepare for. ❑ se préparer vp to get ready ; (s'annoncer) to be imminent ; se ~ à faire qqch to be about to do sthg.

préposition [prepozisjɔ̃] nf preposition.

près [prɛ] adv : de ~ closely ; tout ~ very close, very near ; ~ de near (to) ; (presque) nearly.

prescrire [prɛskrir] vt to prescribe.

prescrit, e [prɛskri, it] pp → prescrire.

présence [prezɑ̃s] nf presence ; en ~ de in the presence of.

présent, e [prezɑ̃, ɑ̃t] adj & nm present ; à ~ (que) now (that).

présentateur, trice [prezɑ̃tatœr, tris] nm, f presenter.

présentation [prezɑ̃tasjɔ̃] nf presentation. ❑ présentations nfpl : faire les ~ s to make the introductions.

présenter [prezɑ̃te] vt to present ; (montrer) to show ; ~ qqn à qqn to introduce sb to sb. ❑ se présenter vp (occasion, difficulté) to arise ; (à un rendez-vous) to present o.s. ; (dire son nom) to introduce o.s. ; se ~ bien/mal to look good/bad.

préservatif [prezɛrvatif] nm condom.

préserver [prezɛrve] vt to protect ; ~ qqn/qqch de to protect sb/ sthg from.

président, e [prezidã, ãt] *nm, f (d'une assemblée, d'une société)* chairman (f chairwoman) ; **le ~ de la République** the French President.

présider [prezide] *vt (assemblée)* to chair.

presque [presk] *adv* almost ; **~ pas de** hardly any.

presqu'île [preskil] *nf* peninsula.

pressant, e [presã, ãt] *adj* pressing.

presse [pres] *nf (journaux)* press ; **la ~ à sensation** the tabloids *(pl)*.

pressé, e [prese] *adj* in a hurry ; *(urgent)* urgent ; *(citron, orange)* freshly squeezed.

presse-citron [pressitrõ] *nm inv* lemon squeezer.

pressentiment [presãtimã] *nm* premonition.

pressentir [presãtir] *vt* to have a feeling about.

presser [prese] *vt (fruit)* to squeeze ; *(bouton)* to press ; *(faire se dépêcher)* to rush. ◆ *vi* : **le temps presse** there isn't much time ; **rien ne presse** there's no rush. ❏ **se presser** *vp* to hurry.

pressing [presiŋ] *nm* dry cleaner's.

pression [presjõ] *nf* pressure ; *(bouton)* press stud *(Br)*, snap fastener *(Am)* ; *(bière)* ~ draught beer.

prestidigitateur, trice [prestidigitatœr, tris] *nm, f* conjurer.

prestige [presti3] *nm* prestige.

prêt, e [pre, pret] *adj* ready. ◆ *nm* FIN loan.

prêt-à-porter [pretaporte] *nm* ready-to-wear clothing.

prétendre [pretãdr] *vt* : ~ **que** to claim (that).

prétentieux, euse [pretãsjø, øz] *adj* pretentious.

prétention [pretãsjõ] *nf* pretentiousness.

prêter [prete] *vt* to lend ; ~ **qqch à qqn** to lend sb sthg.

prétexte [pretekst] *nm* pretext ; **sous ~ que** under the pretext that.

prêtre [pretr] *nm* priest.

preuve [prœv] *nf* proof, evidence ; **faire ~ de** to show.

prévaloir [prevalwar] *vi* soit to prevail.

prévenir [prevnir] *vt (avertir)* to warn ; *(empêcher)* to prevent.

préventif, ive [prevãtif, iv] *adj* preventive.

prévention [prevãsjõ] *nf* prevention ; ~ **routière** road safety body.

prévenu, e [prevny] *pp* → **prévenir**.

prévisible [previzibl] *adj* foreseeable.

prévision [previzjõ] *nf* forecast ; **en ~ de** in anticipation of ; ~ **s météo(rologiques)** weather forecast *(sg)*.

prévoir [prevwar] *vt (anticiper)* to anticipate, to expect ; *(organiser, envisager)* to plan ; **comme prévu** as planned.

prévoyant, e [prevwajã, ãt] *adj* : **être ~** to think ahead.

prévu, e [prevy] *pp* → **prévoir**.

prier [prije] *vi* to pray. ◆ *vt* RELIG to pray to ; ~ **qqn de faire qqch** to ask sb to do sthg ; **je te/vous prie** please ; **je vous/t'en prie** *(pour vous gênez/te gêne pas)* please do ; *(de rien)* don't mention it.

prière [prijer] *nf* RELIG prayer ;

'~ de ne pas fumer' 'you are request-
ed not to smoke'.

primaire [primer] *adj* SCOL primary ; *péj (raisonnement, personne)*
limited.

prime [prim] *nf (d'assurance)* premium ; *(de salaire)* bonus ; en
~ *(avec un achat)* as a free gift.

primeurs [primœr] *nfpl* early
produce *(sg)*.

primevère [primver] *nf* primrose.

primitif, ive [primitif, iv] *adj*
primitive.

prince [prɛ̃s] *nm* prince.

princesse [prɛ̃sɛs] *nf* princess.

principal, e, aux [prɛ̃sipal, o]
adj main. ◆ *nmf (d'un collège)*
headmaster (f headmistress) ; le
~ *(l'essentiel)* the main thing.

principalement [prɛ̃sipalmɑ̃]
adv mainly.

principe [prɛ̃sip] *nm* principle ;
en ~ in principle.

printemps [prɛ̃tɑ̃] *nm* spring.

priori → a priori.

prioritaire [prijɔriter] *adj* : être
~ *(urgent)* to be a priority ; *(sur la
route)* to have right of way.

priorité [prijɔrite] *nf* priority ;
(sur la route) right of way ; ~ à droite right of way to traffic coming
from the right ; laisser la ~ to give
way *(Br)*, to yield *(Am)* ; 'vous
n'avez pas la ~' 'give way' *(Br)*,
'yield' *(Am)*.

pris, e [pri, iz] *pp* → prendre.

prise [priz] *nf (à la pêche)* catch ;
(point d'appui) hold ; ~ *(de courant)
(dans le mur)* socket ; *(fiche)* plug ;
~ multiple adapter ; ~ de sang
blood test.

prison [prizɔ̃] *nf* prison ; en ~ in
prison.

prisonnier, ère [prizɔnje, ɛr]
nm, f prisoner.

privé, e [prive] *adj* private ; en
~ in private.

priver [prive] *vt* : ~ qqn de qqch to
deprive sb of sthg. ❑ **se priver** *vp*
to deprive o.s. ; se ~ de qqch to go
without sthg.

privilège [privilɛʒ] *nm* privilege.

privilégié, e [privileʒje] *adj* priv-
ileged.

prix [pri] *nm* price ; *(récompense)*
prize ; à tout ~ at all costs.

probable [prɔbabl] *adj* probable.

probablement [prɔbabləmɑ̃]
adv probably.

problème [prɔblɛm] *nm* problem.

procédé [prɔsede] *nm* process.

procès [prɔsɛ] *nm* trial.

processus [prɔsesys] *nm* process.

procès-verbal, aux [prɔsever-
bal, o] *nm (contravention)* ticket.

prochain, e [prɔʃɛ̃, ɛn] *adj* next ;
la semaine ~e next week.

proche [prɔʃ] *adj* near ; être ~ de
(lieu, but) to be near (to) ; *(personne, ami)* to be close to ; le Proche-
Orient the Near East.

procuration [prɔkyrasjɔ̃] *nf*
mandate ; voter par ~ to vote by
proxy.

procurer [prɔkyre] : **se procurer**
vp (marchandise) to obtain.

prodigieux, euse [prɔdiʒjø, øz]
adj incredible.

producteur, trice [prɔdyktœr,
tris] *nm, f* producer.

production [prɔdyksjɔ̃] *nf* production.

produire [prɔdɥir] *vt* to produce. ❏ **se produire** *vp* *(avoir lieu)* to happen.

produit, e [prɔdɥi, it] *pp* → **produire**. ◆ *nm* product ; **~ s de beauté** beauty products.

prof [prɔf] *nmf fam* teacher.

professeur [prɔfesœr] *nm* teacher.

profession [prɔfesjɔ̃] *nf* occupation.

professionnel, elle [prɔfesjɔnel] *adj* & *nm, f* professional.

profil [prɔfil] *nm* profile ; **de ~ in** profile.

profit [prɔfi] *nm* *(avantage)* benefit ; *(d'une entreprise)* profit ; **tirer ~ de qqch** to benefit from sthg.

profiter [prɔfite] : **profiter de** *v + prép* to take advantage of.

profiterole [prɔfitrɔl] *nf* profiterole.

profond, e [prɔfɔ̃, ɔ̃d] *adj* deep.

profondeur [prɔfɔ̃dœr] *nf* depth ; **à 10 mètres de ~** 10 metres deep.

programmateur [prɔgramatœr] *nm* *(d'un lave-linge)* programme selector.

programme [prɔgram] *nm* programme ; *SCOL* syllabus ; *INFORM* program.

programmer [prɔgrame] *vt* *(projet, activité)* to plan ; *(magnétoscope, four)* to set ; *INFORM* to program.

programmeur, euse [prɔgramœr, øz] *nm, f* computer programmer.

progrès [prɔgrɛ] *nm* progress ; **être en ~** to be making (good) pro-

gress ; **faire des ~** to make progress.

progresser [prɔgrese] *vi* to make progress.

progressif, ive [prɔgresif, iv] *adj* progressive.

progressivement [prɔgresivmɑ̃] *adv* progressively.

prohiber [prɔibe] *vt sout* to prohibit.

proie [prwa] *nf* prey.

projecteur [prɔʒɛktœr] *nm* *(lumière)* floodlight ; *(de films, de diapositives)* projector.

projection [prɔʒɛksjɔ̃] *nf* *(de films, de diapositives)* projection.

projectionniste [prɔʒɛksjɔnist] *nmf* projectionist.

projet [prɔʒɛ] *nm* plan.

projeter [prɔʒte] *vt* *(film, diapositives)* to project ; *(lancer)* to throw ; *(envisager)* to plan.

prolongation [prɔlɔ̃gasjɔ̃] *nf* extension. ❏ **prolongations** *nfpl SPORT* extra time *(sg)*.

prolongement [prɔlɔ̃ʒmɑ̃] *nm* extension ; **être dans le ~ de** *(dans l'espace)* to be a continuation of.

prolonger [prɔlɔ̃ʒe] *vt* *(séjour)* to prolong ; *(route)* to extend. ❏ **se prolonger** *vp* to go on.

promenade [prɔmnad] *nf* *(à pied)* walk ; *(en vélo)* ride ; *(en voiture)* drive ; *(lieu)* promenade ; **faire une ~** *(à pied)* to go for a walk ; *(en vélo)* to go for a (bike) ride ; *(en voiture)* to go for a drive.

promener [prɔmne] *vt* *(à pied)* to take out for a walk ; *(en voiture)* to take out for a drive. ❏ **se promener** *vp* *(à pied)* to go for a walk ; *(en vélo)* to go for a ride ; *(en voiture)* to go for a drive.

promesse [prɔmɛs] nf promise.

promettre [prɔmɛtr] vt : ~ qqch à qqn to promise sb sthg ; ~ à qqn de faire qqch to promise sb to do sthg ; c'est promis it's a promise.

promis, e [prɔmi, iz] pp → promettre.

promotion [prɔmɔsjɔ̃] nf promotion ; en ~ (article) on special offer.

pronom [prɔnɔ̃] nm pronoun.

prononcer [prɔnɔ̃se] vt (mot) to pronounce ; (discours) to deliver. ❑ se prononcer vp (mot) to be pronounced.

prononciation [prɔnɔ̃sjasjɔ̃] nf pronunciation.

pronostic [prɔnɔstik] nm forecast.

propagande [prɔpagɑ̃d] nf propaganda.

propager [prɔpaʒe] vt to spread. ❑ se propager vp to spread.

prophétie [prɔfesi] nf prophecy.

propice [prɔpis] adj favourable.

proportion [prɔpɔrsjɔ̃] nf proportion.

proportionnel, elle [prɔpɔrsjɔnɛl] adj : ~ à proportional to.

propos [prɔpo] nmpl words. ◆ nm : à ~, ... by the way, ... ; à ~ de about.

proposer [prɔpoze] vt (offrir) to offer ; (suggérer) to propose ; ~ à qqn de faire qqch to suggest doing sthg to sb.

proposition [prɔpozisjɔ̃] nf proposal.

propre [prɔpr] adj clean ; (sens) proper ; (à soi) own ; avec ma ~ voiture in my own car.

proprement [prɔprəmɑ̃] adv (découper, travailler) neatly.

propreté [prɔprəte] nf cleanness.

propriétaire [prɔprijeter] nmf owner.

propriété [prɔprijete] nf property ; '~ privée' 'private property'.

prose [proz] nf prose.

prospectus [prɔspektys] nm (advertising) leaflet.

prospère [prɔsper] adj prosperous.

prostituée [prɔstitɥe] nf prostitute.

protection [prɔteksjɔ̃] nf protection.

protège-cahier, s [prɔteʒkaje] nm exercise book cover.

protéger [prɔteʒe] vt to protect. ❑ se protéger de vp + prép to protect o.s. from ; (pluie) to shelter from.

protestant, e [prɔtestɑ̃, ɑ̃t] adj & nm, f Protestant.

protester [prɔteste] vi to protest.

prothèse [prɔtez] nf prosthesis.

prototype [prɔtɔtip] nm prototype.

prouesse [prues] nf feat.

prouver [pruve] vt to prove.

provenance [prɔvnɑ̃s] nf origin ; en ~ de (vol, train) from.

provençal, e, aux [prɔvɑ̃sal, o] adj of Provence.

Provence [prɔvɑ̃s] nf : la ~ Provence (region in the southeast of France).

provenir [prɔvnir] : provenir de v + prép to come from.

proverbe [prɔverb] nm proverb.

province [prɔvɛ̃s] nf (région)

province ; la ~ *(hors Paris)* the provinces *(pl)*.

provincial, e, aux [prɔvɛ̃sjal, o] *adj (hors Paris)* provincial. ◆ *nm* : le ~ Can provincial government.

proviseur [prɔvizœr] *nm* ≃ head-teacher *(Br)*, ≃ principal *(Am)*.

provisions [prɔvizjɔ̃] *nfpl* provisions.

provisoire [prɔvizwar] *adj* temporary.

provocant, e [prɔvɔkɑ̃, ɑ̃t] *adj* provocative.

provoquer [prɔvɔke] *vt (occasionner)* to cause ; *(défier)* to provoke.

proximité [prɔksimite] *nf*: à ~ (de) near.

prudemment [prydamɑ̃] *adv* carefully.

prudence [prydɑ̃s] *nf* care ; avec ~ carefully.

prudent, e [prydɑ̃, ɑ̃t] *adj* careful.

prune [pryn] *nf* plum.

pruneau, x [pryno] *nm* prune.

PS *nm (abr de post-scriptum)* PS ; *(abr de parti socialiste)* French party to the left of the political spectrum.

psychanalyste [psikanalist] *nmf* psychoanalyst.

psychiatre [psikjatr] *nmf* psychiatrist.

psychologie [psikɔlɔʒi] *nf* psychology ; *(tact)* tactfulness.

psychologique [psikɔlɔʒik] *adj* psychological.

psychologue [psikɔlɔg] *nmf* psychologist.

PTT *nfpl* French Post Office.

pu [py] *pp* → pouvoir.

pub¹ [pœb] *nm* pub.

pub² [pyb] *nf fam* advert.

public, ique [pyblik] *adj & nm* public ; en ~ in public.

publication [pyblikasjɔ̃] *nf* publication.

publicitaire [pyblisiter] *adj (campagne, affiche)* advertising.

publicité [pyblisite] *nf (activité, technique)* advertising ; *(annonce)* advert.

publier [pyblije] *vt* to publish.

puce [pys] *nf* flea ; *INFORM* (silicon) chip.

pudding [pudiŋ] = pouding.

pudique [pydik] *adj (décent)* modest ; *(discret)* discreet.

puer [pɥe] *vi* to stink. ◆ *vt* to stink of.

puériculteur, trice [pɥerikyltœr, tris] *nm, f* nursery nurse.

puéril, e [pɥeril] *adj* childish.

puis [pɥi] *adv* then.

puisque [pɥiskə] *conj* since.

puissance [pɥisɑ̃s] *nf* power.

puissant, e [pɥisɑ̃, ɑ̃t] *adj* powerful.

puisse *etc* → pouvoir.

puits [pɥi] *nm* well.

pull(-over), s [pyl(ɔver)] *nm* sweater, jumper.

pulpe [pylp] *nf* pulp.

pulsation [pylsasjɔ̃] *nf* beat.

pulvérisateur [pylverizatœr] *nm* spray.

pulvériser [pylverize] *vt (projeter)* to spray ; *(détruire)* to smash.

punaise [pynɛz] *nf (insecte)* bug ; *(clou)* drawing pin *(Br)*, thumbtack *(Am)*.

punch¹ [pɔ̃ʃ] *nm (boisson)* punch.

punch² [pœnʃ] *nm fam (énergie)* oomph.

punir [pynir] *vt* to punish.

punition [pynisjɔ̃] *nf* punishment.

pupille [pypij] *nf (de l'œil)* pupil.

pupitre [pypitr] *nm (bureau)* desk ; *(à musique)* stand.

pur, e [pyr] *adj* pure ; *(alcool)* neat.

purée [pyre] *nf* puree ; ~ *(de pommes de terre)* mashed potatoes *(pl)*.

pureté [pyrte] *nf* purity.

purger [pyrʒe] *vt* MÉD to purge ; *(radiateur)* to bleed ; *(tuyau)* to drain ; *(peine de prison)* to serve.

purifier [pyrifje] *vt* to purify.

pur-sang [pyrsɑ̃] *nm inv* thoroughbred.

pus [py] *nm* pus.

puzzle [pœzl] *nm* jigsaw (puzzle).

PV *abr* = procès-verbal.

PVC *nm* PVC.

pyjama [piʒama] *nm* pyjamas *(pl)*.

pylône [pilon] *nm* pylon.

pyramide [piramid] *nf* pyramid.

Pyrénées [pirene] *nfpl* : les ~ the Pyrenees.

Q

QI *nm (abr de quotient intellectuel)* IQ.

quadrillé, e [kadrije] *adj (papier)* squared.

quadruple [k(w)adrypl] *nm* : le ~ du prix normal four times the normal price.

quai [kɛ] *nm (de port)* quay ; *(de gare)* platform.

qualification [kalifikasjɔ̃] *nf* qualification.

qualifié, e [kalifje] *adj (personnel, ouvrier)* skilled.

qualifier [kalifje] *vt* : ~ qqn/qqch de to describe sb/sthg as. ❑ **se qualifier** *vp (équipe, sportif)* to qualify.

qualité [kalite] *nf* quality ; de ~ quality.

quand [kɑ̃] *adv & conj (au moment où)* when ; *jusqu'à* ~ restez-vous? how long are you staying for ; ~ même *(malgré tout)* all the same.

quant [kɑ̃] : **quant à** *prép* as for.

quantité [kɑ̃tite] *nf* quantity ; une ~ OU des ~ s de *(beaucoup de)* a lot OU lots of.

quarantaine [karɑ̃tɛn] *nf (isolement)* quarantine ; une ~ (de) *(about)* forty ; avoir la ~ to be in one's forties.

quarante [karɑ̃t] *num* forty → six.

quarantième [karɑ̃tjɛm] *num* fortieth → sixième.

quart [kar] *nm* quarter ; cinq heures et ~ quarter past five *(Br)*, quarter after five *(Am)* ; cinq heures moins le ~ quarter to five *(Br)*, quarter of five *(Am)* ; un ~ d'heure a quarter of an hour.

quartier [kartje] *nm (de pomme)* piece ; *(d'orange)* segment ; *(d'une ville)* area, district.

QUARTIER LATIN

This district on the south bank of the Seine in Paris has long been associated with students and artists. It straddles the 5th and 6th *arrondissements*, with the Sorbonne university at its centre. It is also famous for its numerous bookshops, libraries, cafés and cinemas. Howeever, since the 1980s the area's traditional activities have been facing intense competition from fast-food chains and discount clothes shops.

quartz [kwarts] *nm* quartz ; montre à ~ quartz watch.

quasiment [kazimã] *adv* almost.

quatorze [katɔrz] *num* fourteen → **six**.

quatorzième [katɔrzjɛm] *num* fourteenth → **sixième**.

quatre [katr] *num* four ; à ~ pattes on all fours → **six**.

quatre-quarts [katkar] *nm inv* cake made with equal weights of flour, butter, sugar and eggs.

quatre-quatre [kat(rə)katr] *nm inv* four-wheel drive.

quatre-vingt [katrəvɛ̃] = **quatre-vingts**.

quatre-vingt-dix [katrəvɛ̃dis] *num* ninety → **six**.

quatre-vingt-dixième [katrəvɛ̃dizjɛm] *num* ninetieth → **sixième**.

quatre-vingtième [katrəvɛ̃tjɛm] *num* eightieth → **sixième**.

quatre-vingts [katrəvɛ̃] *num* eighty → **six**.

quatrième [katrijɛm] *num* fourth. ◆ *nf* SCOL ≃ third year (Br), ≃ ninth grade (Am) ; (*vitesse*) fourth (gear) → **sixième**.

☞

que [kə] *conj* - **1.** (*introduit une subordonnée*) that ; **voulez-vous** ~ **je ferme la fenêtre?** would you like me to close the window?

- **2.** (*dans une comparaison*) → **aussi, autant, même, moins, plus**.

- **3.** (*exprime l'hypothèse*) : ~ **nous partions aujourd'hui ou demain ...** whether we leave today or tomorrow ...

- **4.** (*remplace une autre conjonction*) : **comme il pleut et** ~ **je n'ai pas de parapluie ...** since it's raining and I haven't got an umbrella ...

- **5.** (*exprime une restriction*) : **ne ...** ~ only.

◆ *pron relatif* - **1.** (*désigne une personne*) that ; **la personne** ~ **vous voyez là-bas** the person (that) you can see over there.

- **2.** (*désigne une chose*) that, which ; **les livres qu'il m'a prêtés** the books (that) he lent me.

◆ *pron interr* what ; **qu'a-t-il dit?, qu'est-ce qu'il a dit?** what did he say? ; **je ne sais plus** ~ **faire** I don't know what to do any more.

◆ *adv* (*dans une exclamation*) : ~ **c'est beau!, qu'est-ce** ~ **c'est beau!** it's really beautiful!

Québec [kebɛk] *nm* : **le** ~ Quebec.

québécois, e [kebekwa, az] *adj* of Quebec. ☐ **Québécois, e** *nm, f* Quebecker.

☞

quel, quelle [kɛl] *adj* - **1.** (*interrogatif :personne*) which ; ~ **s amis comptez-vous aller voir?** which friends are you planning to go and see?.

- **2.** (*interrogatif :chose*) which, what ; **quelle heure est-il?** what time is it? ; ~ **est ton vin préféré?** what's your favourite wine?

- **3.** *(exclamatif)* : ~ beau temps!
what beautiful weather! ; ~ dommage! what a shame!
- **4.** *(avec "que")* : ~ que soit le temps
whatever the weather.
◆ *pron interr* which ; ~ est le plus
intéressant des deux musées? which
of the two museums is the most
interesting?.

quelconque [kɛlkɔ̃k] *adj (banal)*
mediocre ; *(n'importe quel)* : un
chiffre ~ any number.

quelque [kɛlk(ə)] *adj* - **1.** *(un peu
de)* some ; **dans** ~ temps in a while.
- **2.** *(avec "que")* whatever ; ~ route
que je prenne whatever route I
take. ▫ **quelques** *adj* - **1.** *(plusieurs)* some, a few ; aurais-tu ~
pièces pour le téléphone? have you
got any change for the phone? -
2. *(dans des expressions)* : 50 euros
et ~ s just over 50 euros ; il est midi
et ~ s it's just gone midday.

quelque chose [kɛlkəʃoz] *pron*
something ; *(dans les questions, les
négations)* anything ; il y a ~ de bizarre there's something funny.

quelquefois [kɛlkəfwa] *adv*
sometimes.

quelque part [kɛlkəpar] *adv*
somewhere ; *(dans les questions,
les négations)* anywhere.

**quelques-uns, quelques-
unes** [kɛlkəzœ̃, kɛlkəzyn] *pron*
some.

quelqu'un [kɛlkœ̃] *pron* someone, somebody ; *(dans les questions, les négations)* anyone, anybody.

qu'en-dira-t-on [kɑ̃diratɔ̃] *nm
inv* : le ~ tittle-tattle.

quenelle [kənɛl] *nf* minced fish or
chicken mixed with egg and shaped
into rolls.

quereller [kərele] : se quereller
vp sout to quarrel.

qu'est-ce que [kɛskə] → que.

qu'est-ce qui [kɛski] → que.

question [kɛstjɔ̃] *nf* question ;
l'affaire en ~ the matter in question ; **dans ce chapitre, il est ~ de ...**
this chapter deals with ; il est ~ **de**
faire qqch there's some talk of
doing sthg ; (il n'en est) pas ~! (it's)
out of the question! ; **remettre
qqch en ~** to question sthg.

questionnaire [kɛstjɔnɛr] *nm*
questionnaire.

questionner [kɛstjɔne] *vt* to
question.

quête [kɛt] *nf (d'argent)* collection ; **faire la ~** to collect money.

quêter [kete] *vi* to collect
money.

quetsche [kwɛtʃ] *nf* dark red
plum.

queue [kø] *nf* tail ; *(d'un train,
d'un peloton)* rear ; *(file d'attente)*
queue (Br), line (Am) ; **faire la ~** to
queue (Br), to stand in line (Am) ; **à
la ~ leu leu** in single file ; **faire une
~ de poisson à qqn** to cut sb up.

queue-de-cheval [kødʃəval] *nf (pl*
queues-de-cheval) ponytail.

☞

qui [ki] *pron relatif* - **1.** *(sujet : désigne une personne)* who ; les passa-
gers ~ doivent changer d'avion passengers who have to change
planes.
- **2.** *(sujet : désigne une chose)*
which, that ; **la route ~ mène à Ca-**

lais the road which OU that goes to Calais.
- **3.** *(complément d'objet direct)* who ; **invite ~ tu veux** invite whoever you like.
- **4.** *(complément d'objet indirect)* who, whom ; **la personne à ~ j'ai parlé** the person to who OU whom I spoke.
- **5.** *(quiconque)* **: ~ que ce soit** whoever it may be.
- **6.** *(dans des expressions)* **: ~ plus est, ...** what's more, ...
◆ *pron interr* - **1.** *(sujet)* who ; **~ êtes-vous?** who are you?
- **2.** *(complément d'objet direct)* who ; **~ cherchez-vous?, ~ est-ce que vous cherchez?** who are you looking for?
- **3.** *(complément d'objet indirect)* who, whom ; **à ~ dois-je m'adresser?** who should I speak to?

quiche [kiʃ] *nf* : **~ (lorraine)** quiche (lorraine).

quiconque [kikɔ̃k] *pron (dans une phrase négative)* anyone, anybody ; *(celui qui)* anyone who.

quille [kij] *nf (de jeu)* skittle ; *(d'un bateau)* keel.

quincaillerie [kɛ̃kajri] *nf (boutique)* hardware shop.

quinte [kɛ̃t] *nf* : **~ de toux** coughing fit.

quintuple [kɛ̃typl] *nm* : **le ~ du prix normal** five times the normal price.

quinzaine [kɛ̃zɛn] *nf (deux semaines)* fortnight ; **une ~ (de)** *(environ quinze)* about fifteen.

quinze [kɛ̃z] *num* fifteen → **six**.

quinzième [kɛ̃zjɛm] *num* fifteenth → **sixième**.

quiproquo [kiprɔko] *nm* misunderstanding.

quittance [kitɑ̃s] *nf* receipt.

quitte [kit] *adj* : **être ~ (envers qqn)** to be quits (with sb) ; **restons un peu, ~ à rentrer en taxi** let's stay a bit longer, even if it means getting a taxi home.

quitter [kite] *vt* to leave ; **ne quittez pas** *(au téléphone)* hold the line. ❏ **se quitter** *vp* to part.

☞

quoi [kwa] *pron interr* - **1.** *(employé seul)* : **c'est ~?** *fam* what is it? ; **de neuf?** what's new? ; **~?** *(pour faire répéter)* what?
- **2.** *(complément d'objet direct)* what ; **je ne sais pas ~ dire** I don't know what to say.
- **3.** *(après une préposition)* what ; **à ~ penses-tu?** what are you thinking about?
- **4.** *(dans des expressions)* : **tu viens ou ~?** *fam* are you coming or what? ; **~ que** whatever.
◆ *pron relatif (après une préposition)* : **avoir de ~ manger/vivre** to have enough to eat/live on ; **avez-vous de ~ écrire?** have you got something to write with? ; **merci il n'y a pas de ~** thank you - don't mention it.

quoique [kwakə] *conj* although.

quotidien, enne [kɔtidjɛ̃, ɛn] *adj & nm* daily.

quotient [kɔsjɑ̃] *nm* quotient ; **~ intellectuel** intelligence quotient.

R

rabâcher [rabaʃe] *vt fam* to go over (and over).

rabais [rabɛ] *nm* discount.

rabaisser [rabese] *vt* to belittle.

rabat [raba] *nm* flap.

rabat-joie [rabaʒwa] *nm inv* killjoy.

rabattre [rabatr] *vt* (*replier*) to turn down ; (*gibier*) to drive. ❏ **se rabattre** *vp* (*automobiliste*) to cut in ; **se ~ sur** (*choisir*) to fall back on.

rabbin [rabɛ̃] *nm* rabbi.

rabot [rabo] *nm* plane.

raboter [rabote] *vt* to plane.

rabougri, e [rabugri] *adj* (*personne*) shrivelled ; (*végétation*) stunted.

raccommoder [rakɔmɔde] *vt* to mend.

raccompagner [rakɔ̃paɲe] *vt* to take home.

raccord [rakɔr] *nm* (*de tuyau, de papier peint*) join.

raccourci [rakursi] *nm* short cut.

raccourcir [rakursir] *vt* to shorten. ◆ *vi* (*jours*) to grow shorter.

raccrocher [rakrɔʃe] *vt* (*remorque*) to hitch up again ; (*tableau*) to hang back up. ◆ *vi* (*au téléphone*) to hang up.

race [ras] *nf* (*humaine*) race ; (*animale*) breed ; **de ~** (*chien*) pedigree ; (*cheval*) thoroughbred.

racheter [raʃte] *vt* (*acheter plus de*) to buy more ; **~ qqch à qqn** (*d'occasion*) to buy sthg from sb.

racial, e, aux [rasjal, o] *adj* racial.

racine [rasin] *nf* root ; **~ carrée** square root.

racisme [rasism] *nm* racism.

raciste [rasist] *adj* racist.

racket [rakɛt] *nm* racketeering.

racler [rakle] *vt* to scrape. ❏ **se racler** *vp* : **se ~ la gorge** to clear one's throat.

raclette [raklɛt] *nf* (*plat*) melted Swiss cheese served with jacket potatoes.

racontars [rakɔ̃tar] *nmpl fam* gossip (*sg*).

raconter [rakɔ̃te] *vt* to tell ; **~ qqch à qqn** to tell sb sthg.

radar [radar] *nm* radar.

radeau, x [rado] *nm* raft.

radiateur [radjatœr] *nm* radiator.

radiations [radjasjɔ̃] *nfpl* radiation (*sg*).

radical, e, aux [radikal, o] *adj* radical. ◆ *nm* (*d'un mot*) stem.

radieux, euse [radjø, øz] *adj* (*soleil*) bright ; (*sourire*) radiant.

radin, e [radɛ̃, in] *adj fam* stingy.

radio [radjo] *nf* (*appareil*) radio ; (*station*) radio station ; *MÉD* X-ray ; **à la ~** on the radio.

radioactif, ive [radjoaktif, iv] *adj* radioactive.

radiocassette [radjokasɛt] *nf* radio cassette player.

radiographie [radjɔgrafi] *nf* X-ray.

radiologue [radjɔlɔg] *nmf* radiologist.

radio-réveil [radjɔrevɛj] (*pl* **radios-réveils**) *nm* radio alarm.

radis [radi] *nm* radish.

radoucir [radusir] : **se radoucir** *vp* (*temps*) to get milder.

rafale [rafal] nf (de vent) gust.

raffermir [rafɛrmir] vt (muscle, peau) to tone.

raffiné, e [rafine] adj refined.

raffinement [rafinmã] nm refinement.

raffinerie [rafinri] nf refinery.

raffoler [rafɔle] : raffoler de v + prép to be mad about.

rafler [rafle] vt fam (emporter) to swipe.

rafraîchir [rafreʃir] vt (atmosphère, pièce) to cool ; (boisson) to chill ; (coiffure) to trim. ❑ se rafraîchir vp (boire) to have a drink ; (temps) to get cooler.

rafraîchissant, e [rafreʃisã, ãt] adj refreshing.

rafraîchissement [rafreʃismã] nm (boisson) cold drink.

rage [raʒ] nf (maladie) rabies ; (colère) rage ; ~ de dents toothache.

ragots [rago] nmpl fam gossip (sg).

ragoût [ragu] nm stew.

raide [red] adj (cheveux) straight ; (corde) taut ; (personne, démarche) stiff ; (pente) steep. ◆ adv : tomber ~ mort to drop dead.

raidir [redir] vt (muscles) to tense. ❑ se raidir vp to stiffen.

raie [re] nf (de table) stripe ; (dans les cheveux) parting (Br), part (Am) ; (poisson) skate.

rails [raj] nmpl tracks.

rainure [renyr] nf groove.

raisin [rezẽ] nm grapes ; ~ s secs raisins.

raison [rezɔ̃] nf reason ; avoir ~ (de faire qqch) to be right (to do sthg) ; en ~ de owing to.

raisonnable [rezɔnabl] adj reasonable.

raisonnement [rezɔnmã] nm reasoning.

raisonner [rezɔne] vi to think. ◆ vt (calmer) to reason with.

rajeunir [raʒœnir] vi (paraître plus jeune) to look younger ; (se sentir plus jeune) to feel younger. ◆ vt : ~ qqn (suj : vêtement) to make sb look younger ; (suj : événement) to make sb feel younger.

rajouter [raʒute] vt to add.

ralenti [ralãti] nm (d'un moteur) idling speed ; (au cinéma) slow motion ; au ~ (au cinéma) in slow motion.

ralentir [ralãtir] vt & vi to slow down.

râler [rale] vi fam to moan.

rallonge [ralɔ̃ʒ] nf (de table) leaf ; (électrique) extension (lead).

rallonger [ralɔ̃ʒe] vt to lengthen. ◆ vi (jours) to get longer.

rallumer [ralyme] vt (lampe) to switch on again ; (feu, cigarette) to relight.

rallye [rali] nm (course automobile) rally.

RAM [ram] nf inv RAM.

ramadan [ramadã] nm Ramadan.

ramassage [ramasaʒ] nm : ~ scolaire school bus service.

ramasser [ramase] vt (objet tombé) to pick up ; (fleurs, champignons) to pick.

rambarde [rãbard] nf guardrail.

rame [ram] nf (aviron) oar ; (de métro) train.

ramener [ramne] vt (raccompagner) to take home ; (amener de nouveau) to take back.

ramequin [ramkɛ̃] *nm* ramekin (mould).

ramer [rame] *vi* to row.

ramollir [ramɔlir] *vt* to soften. ❏ **se ramollir** *vp* to soften.

ramoner [ramɔne] *vt* to sweep.

rampe [rɑ̃p] *nf (d'escalier)* banister ; *(d'accès)* ramp.

ramper [rɑ̃pe] *vi* to crawl.

rampon [rɑ̃pɔ̃] *nm Helv* lamb's lettuce.

rance [rɑ̃s] *adj* rancid.

ranch [rɑ̃tʃ] *(pl* s OU es) *nm* ranch.

rançon [rɑ̃sɔ̃] *nf* ransom.

rancune [rɑ̃kyn] *nf* spite ; **sans ~!** no hard feelings!

rancunier, ère [rɑ̃kynje, ɛr] *adj* spiteful.

randonnée [rɑ̃dɔne] *nf (à pied)* hike ; *(à vélo)* ride.

rang [rɑ̃] *nm (rangée)* row ; *(place)* place ; **se mettre en ~** to line up.

rangé, e [rɑ̃ʒe] *adj (chambre)* tidy.

rangée [rɑ̃ʒe] *nf* row.

rangement [rɑ̃ʒmɑ̃] *nm (placard)* storage unit ; **faire du ~** to tidy up.

ranger [rɑ̃ʒe] *vt (chambre)* to tidy (up) ; *(objets)* to put away. ❏ **se ranger** *vp (en voiture)* to park.

ranimer [ranime] *vt (blessé)* to revive ; *(feu)* to rekindle.

rap [rap] *nm* rap.

rapace [rapas] *nm* bird of prey.

rapatrier [rapatrije] *vt* to send home.

râpe [rap] *nf* grater ; *Helv fam (avare)* skinflint.

râper [rape] *vt (aliment)* to grate.

rapetisser [raptise] *vi* to shrink.

râpeux, euse [rapø, øz] *adj* rough.

raphia [rafja] *nm* raffia.

rapide [rapid] *adj (cheval, pas, voiture)* fast ; *(décision, guérison)* quick.

rapidement [rapidmɑ̃] *adv* quickly.

rapidité [rapidite] *nf* speed.

rapiécer [rapjese] *vt* to patch up.

rappel [rapel] *nm (de paiement)* reminder.

rappeler [raple] *vt* to call back ; **~ qqch à qqn** to remind sb of sthg. ❏ **se rappeler** *vp* to remember.

rapport [rapɔr] *nm (compte-rendu)* report ; *(point commun)* connection ; **par ~** à in comparison to. ❏ **rapports** *nmpl (relation)* relationship *(sg)*.

rapporter [rapɔrte] *vt (rendre)* to take back ; *(ramener)* to bring back ; *(suj : investissement)* to yield. ◆ *vi (être avantageux)* to be lucrative. ❏ **se rapporter à** *vp + prép* to relate to.

rapporteur, euse [rapɔrtœr, øz] *nm, f* telltale. ◆ *nm* MATH protractor.

rapprocher [raprɔʃe] *vt* to bring closer. ❏ **se rapprocher** *vp* to approach ; **se ~ de** to approach ; *(affectivement)* to get closer to.

raquette [raket] *nf (de tennis)* racket ; *(de ping-pong)* bat ; *(pour la neige)* snowshoe.

rare [rar] *adj* rare.

rarement [rarmɑ̃] *adv* rarely.

ras, e [ra, raz] *adj (très court)* short ; *(verre, cuillère)* full. ◆ *adv* : **(à) ~ (couper)** short ; **au ~ de** just above ; **à ~ bord** to the brim.

raser [raze] *vt (barbe)* to shave

off ; *(personne)* to shave ; *(frôler)* to hug. ❏ **se raser** *vp* to shave.

rasoir [rɑzwar] *nm* razor ; **~ électrique** (electric) shaver.

rassasié, e [rɑsɑzje] *adj* full (up).

rassembler [rɑsɑ̃ble] *vt* to gather. ❏ **se rassembler** *vp (manifestants)* to gather ; *(famille)* to get together.

rasseoir [rɑswar] : **se rasseoir** *vp* to sit down again.

rassis, e [rɑsi, iz] *pp* → **rasseoir**. ◆ *adj (pain)* stale.

rassurant, e [rɑsyrɑ̃, ɑ̃t] *adj* reassuring.

rassurer [rɑsyre] *vt* to reassure.

rat [rɑ] *nm* rat.

ratatiné, e [ratatine] *adj* shrivelled.

ratatouille [ratatuj] *nf* ratatouille.

râteau, x [rɑto] *nm* rake.

rater [rate] *vt (cible, train)* to miss ; *(examen)* to fail. ◆ *vi (échouer)* to fail.

ration [rasjɔ̃] *nf* ration.

rationnel, elle [rasjɔnɛl] *adj* rational.

ratisser [ratise] *vt (allée)* to rake.

RATP *nf Paris public transport authority.*

rattacher [rataʃe] *vt* : **~** qqch à *(relier)* to link sthg to.

rattrapage [ratrapaʒ] *nm SCOL* remedial teaching.

rattraper [ratrape] *vt (évadé)* to recapture ; *(objet)* to catch ; *(retard)* to make up. ❏ **se rattraper** *vp (se retenir)* to catch o.s. ; *(d'une erreur)* to make up for it.

rature [ratyr] *nf* crossing out.

rauque [rok] *adj* hoarse.

ravages [ravaʒ] *nmpl* : **faire des ~** *(dégâts)* to wreak havoc.

ravaler [ravale] *vt (façade)* to restore.

ravi, e [ravi] *adj* delighted.

ravin [ravɛ̃] *nm* ravine.

ravioli(s) [ravjɔli] *nmpl* ravioli *(sg)*.

ravissant, e [ravisɑ̃, ɑ̃t] *adj* gorgeous.

ravisseur, euse [ravisœr, øz] *nm, f* kidnapper.

ravitaillement [ravitajmɑ̃] *nm* supplying ; *(provisions)* food supplies.

ravitailler [ravitaje] *vt* to supply. ❏ **se ravitailler** *vp (avion)* to refuel.

rayé, e [rɛje] *adj (tissu)* striped ; *(disque, verre)* scratched.

rayer [rɛje] *vt (abîmer)* to scratch ; *(barrer)* to cross out.

rayon [rɛjɔ̃] *nm (de soleil, de lumière)* ray ; *(de grand magasin)* department ; *(de roue)* spoke ; *MATH* radius ; **~ s X** X-rays.

rayonnage [rɛjɔnaʒ] *nm* shelves *(pl)*.

rayonner [rɛjɔne] *vi (visage, personne)* to be radiant ; *(touriste, randonneur)* to tour around.

rayure [rɛjyr] *nf (sur un tissu)* stripe ; *(sur un disque, sur du verre)* scratch ; **à ~ s** striped.

raz(-)de(-)marée [radmare] *nm inv* tidal wave.

réacteur [reaktœr] *nm (d'avion)* jet engine.

réaction [reaksjɔ̃] *nf* reaction.

réagir [reaʒir] *vi* to react.

réalisateur, trice [realizatœr, tris] *nm, f (de cinéma, de télévision)* director.

réaliser [realize] vt (projet, exploit) to carry out ; (rêve) to fulfil ; (film) to direct ; (comprendre) to realize. ☐ **se réaliser** vp (rêve, souhait) to come true.

réaliste [realist] adj realistic.

réalité [realite] nf reality.

réanimation [reanimasjɔ̃] nf (service) intensive care.

rebeller [rəbele] : **se rebeller** vp to rebel.

rebondir [rəbɔ̃dir] vi to bounce.

rebondissement [rəbɔ̃dismɑ̃] nm new development.

rebord [rəbɔr] nm (d'une fenêtre) sill.

reboucher [rəbuʃe] vt (bouteille) to recork ; (trou) to fill in.

rebrousse-poil [rəbruspwal] : à rebrousse-poil adv the wrong way.

rebrousser [rəbruse] vt : ~ chemin to retrace one's steps.

rébus [rebys] nm game where pictures represent the syllables of words.

récapituler [rekapityle] vt to summarize.

récemment [resamɑ̃] adv recently.

recensement [rəsɑ̃smɑ̃] nm (de la population) census.

récent, e [resɑ̃, ɑ̃t] adj recent.

récépissé [resepise] nm receipt.

récepteur [reseptœr] nm receiver.

réception [resɛpsjɔ̃] nf reception.

réceptionniste [resɛpsjɔnist] nmf receptionist.

recette [rəsɛt] nf (de cuisine) recipe ; (argent gagné) takings (pl).

receveur [rəsəvœr] nm (des postes) postmaster.

recevoir [rəsəvwar] vt (colis, lettre) to receive ; (balle, coup) to get ; (à dîner) to entertain ; (accueillir) to welcome ; **être reçu à un examen** to pass an exam.

rechange [rəʃɑ̃ʒ] : **de rechange** adj (vêtement) spare ; (solution) alternative.

recharge [rəʃarʒ] nf refill.

rechargeable [rəʃarʒabl] adj refillable.

recharger [rəʃarʒe] vt (briquet, stylo) to refill ; (arme) to reload.

réchaud [reʃo] nm (portable) stove.

réchauffer [reʃofe] vt to warm up. ☐ **se réchauffer** vp (temps) to get warmer.

recherche [rəʃɛrʃ] nf (scientifique) research ; **être à la ~** de to be looking for.

rechercher [rəʃɛrʃe] vt to look for.

rechute [rəʃyt] nf relapse.

rechuter [rəʃyte] vi to relapse.

récif [resif] nm reef.

récipient [resipjɑ̃] nm container.

réciproque [resiprɔk] adj mutual.

récit [resi] nm story.

récital [resital] nm recital.

récitation [resitasjɔ̃] nf SCOL recitation piece.

réciter [resite] vt to recite.

réclamation [reklamasjɔ̃] nf complaint.

réclame [reklam] nf (annonce) advertisement.

réclamer [reklame] vt to ask for.

recoiffer [rəkwafe] : **se recoiffer** vp to do one's hair again.

recoin [rəkwɛ̃] nm corner.

récolte [rekɔlt] nf harvest.

récolter [rekɔlte] vt to harvest.

recommandation [rəkɔmɑ̃dasjɔ̃] nf recommendation.

recommandé, e [rəkɔmɑ̃de] adj (lettre, paquet) registered. ◆ nm : **envoyer qqch en ~** to send sthg by registered post (Br), to send sthg by registered mail (Am).

recommander [rəkɔmɑ̃de] vt to recommend. ☐ **se recommander** vp Helv (insister) to insist.

recommencer [rəkɔmɑ̃se] vt & vi to start again.

récompense [rekɔ̃pɑ̃s] nf reward.

récompenser [rekɔ̃pɑ̃se] vt to reward.

réconcilier [rekɔ̃silje] vt to reconcile. ☐ **se réconcilier** vp to make up.

reconduire [rəkɔ̃dɥir] vt (raccompagner) to take back.

reconduit, e [rəkɔ̃dɥi, it] pp → reconduire.

réconforter [rekɔ̃fɔrte] vt to comfort.

reconnaissance [rəkɔnɛsɑ̃s] nf (gratitude) gratitude.

reconnaissant, e [rəkɔnɛsɑ̃, ɑ̃t] adj grateful.

reconnaître [rəkɔnɛtr] vt (se rappeler) to recognize ; (admettre) to admit.

reconnu, e [rəkɔny] pp → reconnaître.

reconstituer [rəkɔ̃stitɥe] vt (puzzle, objet cassé) to piece together.

reconstruire [rəkɔ̃strɥir] vt to rebuild.

reconstruit, e [rəkɔ̃strɥi, it] pp → reconstruire.

reconvertir [rəkɔ̃vertir] : **se reconvertir dans** vp + prép (profession) to go into.

recopier [rəkɔpje] vt to copy out.

record [rəkɔr] nm record.

recoucher [rəkuʃe] : **se recoucher** vp to go back to bed.

recoudre [rəkudr] vt (bouton) to sew back on ; (vêtement) to sew up again.

recourbé, e [rəkurbe] adj curved.

recours [rəkur] nm : **avoir ~ à** to have recourse to.

recouvert, e [rəkuver, ɛrt] pp → recouvrir.

recouvrir [rəkuvrir] vt to cover ; **~ qqch de** to cover sthg with.

récréation [rekreasjɔ̃] nf SCOL break (Br), recess (Am).

recroqueviller [rəkrɔkvije] : **se recroqueviller** vp to curl up.

recruter [rəkryte] vt to recruit.

rectangle [rektɑ̃gl] nm rectangle.

rectangulaire [rektɑ̃gyler] adj rectangular.

rectifier [rektifje] vt to correct.

rectiligne [rektilin] adj straight.

recto [rekto] nm right side ; **~ verso** on both sides.

reçu, e [rəsy] pp → recevoir. ◆ nm receipt.

recueil [rəkœj] nm collection.

recueillir [rəkœjir] vt (rassembler)

to collect ; *(accueillir)* to take in. ❏ **se recueillir** *vp* to meditate.

reculer [rəkyle] *vt* to move back ; *(date)* to postpone. ◆ *vi* to move back.

reculons [rəkylɔ̃] : **à reculons** *adv* backwards.

récupérer [rekypere] *vt (reprendre)* to get back ; *(pour réutiliser)* to salvage ; *(heures, journées de travail)* to make up. ◆ *vi* to recover.

récurer [rekyre] *vt* to scour.

recyclage [rəsiklaʒ] *nm (de déchets)* recycling ; *(professionnel)* retraining.

recycler [rəsikle] *vt (déchets)* to recycle.

rédaction [redaksjɔ̃] *nf* SCOL essay.

redescendre [rədesɑ̃dr] *vi* to go/come down again ; *(avion)* to descend.

redevance [rədəvɑ̃s] *nf* fee.

rediffusion [rədifyzjɔ̃] *nf (émission)* repeat.

rédiger [rediʒe] *vt* to write.

redire [rədir] *vt* to repeat.

redonner [rədɔne] *vt* : ~ qqch à qqn *(rendre)* to give sb back sthg ; *(donner plus)* to give sb more sthg.

redoubler [rəduble] *vt* SCOL to repeat. ◆ *vi* SCOL to repeat a year ; *(pluie)* to intensify.

redoutable [rədutabl] *adj* formidable.

redouter [rədute] *vt* to fear.

redresser [rədrese] *vt (tête, buste)* to lift ; *(parasol, étagère, barre)* to straighten up. ◆ *vi (conducteur)* to straighten up. ❏ **se redresser** *vp (personne)* to sit/stand up straight.

réduction [redyksjɔ̃] *nf* reduction ; *(copie)* (scale) model.

réduire [redɥir] *vt* to reduce ; ~ qqch en poudre *(écraser)* to grind sthg.

réduit, e [redɥi, it] *pp* → **réduire**. ◆ *adj (chiffre, vitesse)* low.

rééducation [reedykasjɔ̃] *nf* MÉD rehabilitation.

réel, elle [reel] *adj* real.

réellement [reelmɑ̃] *adv* really.

réexpédier [reekspedje] *vt (rendre)* to send back ; *(faire suivre)* to forward.

refaire [rəfɛr] *vt (faire à nouveau)* to do again ; *(remettre en état)* to repair.

refait, e [rəfɛ, ɛt] *pp* → **refaire**.

réfectoire [refɛktwar] *nm* refectory.

référence [referɑ̃s] *nf* reference ; *(numéro)* reference number ; faire ~ à to refer to.

référendum [referɛ̃dɔm] *nm* referendum.

refermer [rəfɛrme] *vt* to close. ❏ **se refermer** *vp* to close.

réfléchi, e [refleʃi] *adj* GRAMM. reflexive.

réfléchir [refleʃir] *vt (lumière)* to reflect. ◆ *vi* to think. ❏ **se réfléchir** *vp* to be reflected.

reflet [rəflɛ] *nm (dans un miroir)* reflection ; *(de cheveux)* tint.

refléter [rəflete] *vt* to reflect. ❏ **se refléter** *vp* to be reflected.

réflexe [reflɛks] *nm* reflex.

réflexion [reflɛksjɔ̃] *nf (pensée)* thought ; *(remarque, critique)* remark.

réforme [refɔrm] *nf* reform.

réformer [refɔrme] *vt* to reform ; MIL to discharge.

refouler [rəfule] *vt (foule)* to

drive back ; *(sentiment, larmes)* to hold back.

refrain [rəfrɛ̃] *nm* chorus.

réfrigérateur [refriʒeratœr] *nm* refrigerator.

refroidir [rəfrwadir] *vt (aliment)* to cool ; *(décourager)* to discourage. ◆ *vi* to cool. ❑ **se refroidir** *vp (temps)* to get colder.

refroidissement [rəfrwadismɑ̃] *nm (de la température)* drop in temperature ; *(rhume)* chill.

refuge [rəfyʒ] *nm (en montagne)* mountain lodge ; *(pour sans-abri)* refuge.

réfugié, e [refyʒje] *nm, f* refugee.

réfugier [refyʒje] : **se réfugier** *vp* to take refuge.

refus [rəfy] *nm* refusal.

refuser [rəfyze] *vt* to refuse ; *(candidat)* to fail.

regagner [rəgaɲe] *vt (reprendre)* to regain ; *(rejoindre)* to return to.

régaler [regale] : **se régaler** *vp (en mangeant)* to have a great meal ; *(s'amuser)* to have a great time.

regard [rəgar] *nm* look.

regarder [rəgarde] *vt* to look at ; *(télévision, spectacle)* to watch ; *(concerner)* to concern.

reggae [rege] *nm* reggae.

régime [reʒim] *nm* diet ; *(d'un moteur)* speed ; *(de bananes)* bunch ; *POL* regime ; **être/se mettre au ~** to be/go on a diet.

régiment [reʒimɑ̃] *nm* regiment.

région [reʒjɔ̃] *nf* region.

RÉGIONS

France proper in mainland Europe is divided into 20 regions. These, together with the region of Corsica in the Mediterranean Sea, form the 21 regions of the *Métropole*. In addition, France possesses four overseas regions. Each region is divided into *départements* (as few as one in the overseas regions and up to eight per region in the *Métropole*). The regions have been gaining importance in French politics, gradually replacing the long-standing distinction between Paris and *Province*, the rest of France. Each region elects a regional council with responsibilities in education, culture, land-use and planning. In Belgium, there are three regions which have predominantly economic roles : the capital Brussels and the Flemish and Walloon regions.

régional, e, aux [reʒjɔnal, o] *adj* regional.

registre [rəʒistr] *nm* register.

réglable [reglabl] *adj* adjustable.

réglage [reglaʒ] *nm* adjustment.

règle [regl] *nf (instrument)* ruler ; *(loi)* rule ; **être en ~** *(papiers)* to be in order ; **~ s du jeu** rules of the game. ❑ **règles** *nfpl* period *(sg)*.

règlement [regləmɑ̃] *nm (lois)* regulations *(pl)* ; *(paiement)* payment.

réglementer [regləmɑ̃te] *vt* to regulate.

régler [regle] *vt (appareil, moteur)* to adjust ; *(payer)* to pay ; *(problème)* to sort out.

réglisse [reglis] *nf* liquorice.

règne [rɛɲ] *nm* reign.

régner [reɲe] *vi* to reign.

regret [rəgrɛ] *nm* regret.

regrettable [rəgrɛtabl] *adj* regrettable.

regretter [rəgrete] *vt* (erreur, décision) to regret ; (personne) to miss ; **~ de faire qqch** to be sorry to do sthg ; **je regrette de lui avoir dit ça** I wish I hadn't told him.

regrouper [rəgrupe] *vt* to regroup. ❑ **se regrouper** *vp* to gather.

régulier, ère [regylje, ɛr] *adj* (constant) steady ; (fréquent, habituel) regular ; (légal) legal.

régulièrement [regyljɛrmɑ̃] *adv* (de façon constante) steadily ; (souvent) regularly.

rein [rɛ̃] *nm* kidney. ❑ **reins** *nmpl* (dos) back (sg).

reine [rɛn] *nf* queen.

rejeter [rəʒte] *vt* (renvoyer) to throw back ; (refuser) to reject.

rejoindre [rəʒwɛ̃dr] *vt* (personne, route) to join ; (lieu) to return to.

rejoint, e [rəʒwɛ̃, ɛ̃t] *pp* → **rejoindre**.

réjouir [reʒwir] : **se réjouir** *vp* to be delighted.

réjouissant, e [reʒwisɑ̃, ɑ̃t] *adj* joyful.

relâcher [rəlɑʃe] *vt* (prisonnier) to release. ❑ **se relâcher** *vp* (corde) to go slack ; (discipline) to become lax.

relais [rəlɛ] *nm* (auberge) inn ; *SPORT* relay ; **prendre le ~ (de qqn)** to take over (from sb).

relancer [rəlɑ̃se] *vt* (balle) to throw back ; (solliciter) to pester.

relatif, ive [rəlatif, iv] *adj* relative ; **~ à** relating to.

relation [rəlasjɔ̃] *nf* relationship ; (personne) acquaintance ;

être/entrer en ~ (s) avec qqn to be in/make contact with sb.

relativement [rəlativmɑ̃] *adv* relatively.

relaxation [rəlaksasjɔ̃] *nf* relaxation.

relaxer [rəlakse] : **se relaxer** *vp* to relax.

relayer [rəlɛje] *vt* to take over from. ❑ **se relayer** *vp* : **se ~ (pour faire qqch)** to take turns (in doing sthg).

relevé, e [rəlve] *adj* (épicé) spicy. ◆ *nm* : **~ de compte** bank statement.

relever [rəlve] *vt* (tête) to lift ; (col) to turn up ; (remettre debout) to pick up ; (épicer) to season. ❑ **se relever** *vp* (du lit) to get up again ; (après une chute) to get up.

relief [rəljɛf] *nm* relief ; **en ~** (carte) relief ; (film) three-D.

relier [rəlje] *vt* to connect.

religieuse [rəliʒjøz] *nf* (gâteau) choux pastry with a chocolate or coffee filling → **religieux**.

religieux, euse [rəliʒjø, øz] *adj* religious. ◆ *nm, f* monk (f nun).

religion [rəliʒjɔ̃] *nf* religion.

relire [rəlir] *vt* (lire à nouveau) to reread ; (pour corriger) to read over.

reliure [rəljyr] *nf* binding.

relu, e [rəly] *pp* → **relire**.

remanier [rəmanje] *vt* (texte) to revise ; (équipe) to reshuffle.

remarquable [rəmarkabl] *adj* remarkable.

remarque [rəmark] *nf* remark.

remarquer [rəmarke] *vt* (s'apercevoir de) to notice ; **faire ~ qqch à qqn** to point sthg out to sb ; **se faire ~** to draw attention to o.s.

rembobiner [rɑ̃bɔbine] *vt* to rewind.

rembourré, e [rɑ̃bure] *adj (fauteuil, veste)* padded.

remboursement [rɑ̃bursəmɑ̃] *nm* refund.

rembourser [rɑ̃burse] *vt* to pay back.

remède [rəmɛd] *nm* cure.

remédier [rəmedje] : **remédier à** *v + prép (problème)* to solve ; *(situation)* to put right.

remerciements [rəmɛrsimɑ̃] *nmpl* thanks.

remercier [rəmɛrsje] *vt* to thank ; ~ **qqn de** OU **pour qqch** to thank sb for sthg.

remettre [rəmɛtr] *vt (reposer)* to put back ; *(vêtement)* to put back on ; *(retarder)* to put off ; ~ **qqch à qqn** to hand sthg over to sb. □ **se remettre** *vp* to recover ; **se ~ à qqch** to take sthg up again ; **se ~ de qqch** to get over sthg.

remis, e [rəmi, iz] *pp* → remettre.

remise [rəmiz] *nf (abri)* shed ; *(rabais)* discount ; **faire une ~ à qqn** to give sb a discount.

remontant [rəmɔ̃tɑ̃] *nm* tonic.

remontée [rəmɔ̃te] *nf :* ~ **s mécaniques** ski lifts.

remonte-pente, s [rəmɔ̃tpɑ̃t] *nm* ski tow.

remonter [rəmɔ̃te] *vt (mettre plus haut)* to raise ; *(aux avoir) (manches, chaussettes)* to pull up ; *(côte, escalier)* to come/go back up ; *(moteur, pièces)* to put together again ; *(montre)* to wind up. ◆ *vi* to come/go back up ; *(dans une voiture)* to get back in ; *(aux être) (augmenter)* to rise ; ~ **à** *(dater de)* to go back to.

remords [rəmɔr] *nm* remorse.

remorque [rəmɔrk] *nf* trailer.

remorquer [rəmɔrke] *vt* to tow.

rémoulade [remulad] *nf* → céleri.

remous [rəmu] *nm* eddy ; *(derrière un bateau)* wash.

remparts [rɑ̃par] *nmpl* ramparts.

remplaçant, e [rɑ̃plasɑ̃, ɑ̃t] *nm, f (de sportif)* substitute ; *(d'enseignant)* supply teacher ; *(de médecin)* locum.

remplacer [rɑ̃plase] *vt (changer)* to replace ; *(prendre la place de)* to take over from.

remplir [rɑ̃plir] *vt* to fill ; *(questionnaire)* to fill in ; ~ **qqch de** to fill sthg with. □ **se remplir (de)** *vp (+ prép)* to fill (with).

remporter [rɑ̃pɔrte] *vt (reprendre)* to take back ; *(gagner)* to win.

remuant, e [rəmɥɑ̃, ɑ̃t] *adj* restless.

remue-ménage [rəmymenaʒ] *nm inv* confusion.

remuer [rəmɥe] *vt* to move ; *(mélanger)* to stir ; *(salade)* to toss.

rémunération [remyneʀasjɔ̃] *nf* remuneration.

rémunérer [remynere] *vt* to pay.

renard [rənar] *nm* fox.

rencontre [rɑ̃kɔ̃tr] *nf* meeting ; *(sportive)* match ; **aller à la ~ de qqn** to go to meet sb.

rencontrer [rɑ̃kɔ̃tre] *vt* to meet. □ **se rencontrer** *vp* to meet.

rendez-vous [rɑ̃devu] *nm (d'affaires)* appointment ; *(amoureux)* date ; *(lieu)* meeting place ; **avoir ~ avec qqn** to have a meeting with sb ; **donner ~ à qqn** to arrange to meet sb.

rendormir [rɑ̃dɔrmir] : se rendormir *vp* to go back to sleep.

rendre [rɑ̃dr] *vt* to give back ; *(sourire, coup)* to return ; *(faire devenir)* to make. ◆ *vi (vomir)* to be sick ; ~ visite à qqn to visit sb. ❑ se rendre *vp (armée, soldat)* to surrender ; ~ à sout to go to.

rênes [rɛn] *nfpl* reins.

renfermé, e [rɑ̃fɛrme] *adj* withdrawn. ◆ *nm* : sentir le ~ to smell musty.

renfermer [rɑ̃fɛrme] *vt* to contain.

renfoncement [rɑ̃fɔ̃smɑ̃] *nm* recess.

renforcer [rɑ̃fɔrse] *vt* to reinforce.

renforts [rɑ̃fɔr] *nmpl* reinforcements.

renfrogné, e [rɑ̃frɔɲe] *adj* sullen.

renier [rənje] *vt (idées)* to repudiate.

renifler [rənifle] *vi* to sniff.

renommé, e [rənɔme] *adj* famous.

renommée [rənɔme] *nf* fame.

renoncer [rənɔ̃se] : renoncer à *v + prép* to give up ; ~ à faire qqch to give up doing sthg.

renouer [rənwe] *vt (relation, conversation)* to resume. ◆ *vi* : ~ avec qqn to get back together with sb.

renouvelable [rənuvlabl] *adj* renewable.

renouveler [rənuvle] *vt (changer)* to change ; *(recommencer, prolonger)* to renew. ❑ se renouveler *vp (se reproduire)* to recur.

rénovation [renɔvasjɔ̃] *nf* renovation.

rénover [renɔve] *vt* to renovate.

renseignement [rɑ̃sɛɲmɑ̃] *nm* : un ~ information ; des ~s information *(sg)* ; les ~s *(bureau)* enquiries ; *(téléphoniques)* directory enquiries *(Br)*, information *(Am)*.

renseigner [rɑ̃sɛɲe] *vt* : ~ qqn (sur) to give sb information (about). ❑ se renseigner (sur) *vp (+ prép)* to find out (about).

rentable [rɑ̃tabl] *adj* profitable.

rente [rɑ̃t] *nf (revenu)* income.

rentrée [rɑ̃tre] *nf* : ~ (d'argent) income ; ~ (des classes) start of the school year.

RENTRÉE

The term *rentrée* refers to the return to school after the summer holidays. It takes place on the same day in early September for all French school children. The term also refers to the resumption of Parliamentary and cultural activity during the same period.

rentrer [rɑ̃tre] *vi (aux être) (entrer)* to go/come in ; *(chez soi)* to go/come home ; *(être contenu)* to fit. ◆ *vt (aux avoir) (faire pénétrer)* to fit ; *(dans la maison)* to bring/take in ; *(chemise)* to tuck in ; ~ dans *(entrer dans)* to go/come into ; *(heurter)* to crash into. ❑ se rentrer *vp* : se ~ dedans *fam (voitures)* to smash into one another.

renverse [rɑ̃vɛrs] : à la renverse *adv* backwards.

renverser [rɑ̃vɛrse] *vt (liquide)* to spill ; *(piéton)* to knock over ; *(gouvernement)* to overthrow. ❑ se ren-

verser *vp (bouteille)* to fall over ; *(liquide)* to spill.

renvoi [ʀɑ̃vwa] *nm (d'un salarié)* dismissal ; *(d'un élève)* expulsion ; *(rot)* belch.

renvoyer [ʀɑ̃vwaje] *vt (balle, lettre)* to return ; *(image, rayon)* to reflect ; *(salarié)* to dismiss ; *(élève)* to expel.

réorganiser [reɔʀganize] *vt* to reorganize.

répandre [repɑ̃dʀ] *vt (renverser)* to spill ; *(nouvelle)* to spread. ❑ **se répandre** *vp (liquide)* to spill ; *(nouvelle, maladie)* to spread.

répandu, e [repɑ̃dy] *adj (fréquent)* widespread.

réparateur, trice [reparatœʀ, tʀis] *nm, f* repairer.

réparation [reparasjɔ̃] *nf* repair ; **en ~** under repair.

réparer [repare] *vt* to repair ; **faire ~ qqch** to get sthg repaired.

repartir [rəpaʀtiʀ] *vi (partir)* to set off again ; *(rentrer)* to return.

répartir [repaʀtiʀ] *vt* to share out.

répartition [repaʀtisjɔ̃] *nf* distribution.

repas [rəpa] *nm* meal.

repassage [rəpasaʒ] *nm (de linge)* ironing.

repasser [rəpase] *vt (linge)* to iron. ◆ *vi (rendre visite)* to drop by again later.

repêcher [rəpeʃe] *vt (retirer de l'eau)* to fish out ; *(à un examen)* : **être repêché** to pass a resit.

repeindre [rəpɛ̃dʀ] *vt* to repaint.

repeint, e [rəpɛ̃, ɛ̃t] *pp →* **repeindre**.

répercussions [reperkysjɔ̃] *nfpl (conséquences)* repercussions.

repère [rəpɛʀ] *nm (marque)* mark.

repérer [rəpere] *vt (remarquer)* to spot. ❑ **se repérer** *vp* to get one's bearings.

répertoire [repeʀtwaʀ] *nm (carnet)* notebook ; *(d'un acteur, d'un musicien)* repertoire ; *INFORM* directory.

répéter [repete] *vt* to repeat ; *(rôle, œuvre)* to rehearse. ❑ **se répéter** *vp (se reproduire)* to be repeated.

répétition [repetisjɔ̃] *nf (dans un texte)* repetition ; *(au théâtre)* rehearsal.

replacer [rəplase] *vt* to replace.

replier [rəplije] *vt* to fold up.

réplique [replik] *nf (réponse)* reply ; *(copie)* replica.

répliquer [replike] *vt* to reply. ◆ *vi (avec insolence)* to answer back.

répondeur [repɔ̃dœʀ] *nm* : **~ (téléphonique** OU **automatique)** answering machine.

répondre [repɔ̃dʀ] *vi* to answer ; *(freins)* to respond. ◆ *vt* to answer ; **~ à qqn** to answer sb ; *(avec insolence)* to answer sb back.

réponse [repɔ̃s] *nf* answer.

reportage [rəpɔʀtaʒ] *nm* report.

reporter[1] [rəpɔʀtɛʀ] *nm* reporter.

reporter[2] [rəpɔʀte] *vt (rapporter)* to take back ; *(date, réunion)* to postpone.

repos [rəpo] *nm (détente)* rest ; **jour de ~** day off.

reposant, e [rəpozɑ̃, ɑ̃t] *adj* relaxing.

reposer [rəpoze] *vt (remettre)* to put back. ❑ **se reposer** *vp* to rest.

repousser [rəpuse] *vt (faire reculer)* to push back ; *(retarder)* to push back. ◆ *vi* to grow back.

reprendre [rəprɑ̃dr] vt (objet) to take back ; (lecture, conversation) to continue ; (études, sport) to take up again ; (corriger) to correct ; ~ son souffle to get one's breath back. ❑ se reprendre vp (se ressaisir) to pull o.s. together.

représailles [rəprezaj] nfpl reprisals.

représentant, e [rəprezɑ̃tɑ̃, ɑ̃t] nm, f (porte-parole) representative ; ~ (de commerce) sales rep.

représentatif, ive [rəprezɑ̃tatif, iv] adj representative.

représentation [rəprezɑ̃tasjɔ̃] nf (spectacle) performance ; (image) representation.

représenter [rəprezɑ̃te] vt to represent.

répression [represjɔ̃] nf repression.

réprimer [reprime] vt (révolte) to put down.

repris, e [rəpri, iz] pp → reprendre.

reprise [rəpriz] nf (couture) mending ; (économique) recovery ; (d'un appareil, d'une voiture) part exchange ; à plusieurs ~ s several times.

repriser [rəprize] vt to mend.

reproche [rəprɔʃ] nm reproach.

reprocher [rəprɔʃe] vt : ~ qqch à qqn to reproach sb for sthg.

reproduction [rəprɔdyksjɔ̃] nf reproduction.

reproduire [rəprɔdɥir] vt to reproduce. ❑ se reproduire vp (avoir de nouveau lieu) to recur ; (animaux) to reproduce.

reproduit, e [rəprɔdɥi, it] pp → reproduire.

reptile [reptil] nm reptile.

repu, e [rəpy] adj full (up).

république [repyblik] nf republic.

répugnant, e [repyɲɑ̃, ɑ̃t] adj repulsive.

réputation [repytasjɔ̃] nf reputation.

réputé, e [repyte] adj well-known.

requin [rəkɛ̃] nm shark.

RER nm Paris rail network.

ⓘ RER

The RER is a rail network extending throughout the Paris region linking the centre with the suburbs and Orly and Charles de Gaulle airports between 5 am till 1 am. There are five main lines (A, B, C, D and E) which connect with Paris metro stations as well as train stations. Within the city of Paris, it is possible to use the same tickets for both the RER and the métro, which are the same price in this zone. The RER is a non-smoking area.

rescapé, e [reskape] nm, f survivor.

rescousse [reskus] nf : appeler qqn à la ~ to call on sb for help.

réseau, x [rezo] nm network.

réservation [rezervasjɔ̃] nf reservation, booking ; TRANSP (ticket) reservation.

réserve [rezerv] nf reserve.

réservé, e [rezerve] adj reserved.

réserver [rezerve] vt (billet, chambre) to reserve, to book. ❑ se réserver vp (pour un repas, le dessert) to save o.s.

réservoir [rezervwar] *nm (à essence)* tank.

résidence [rezidɑ̃s] *nf sout (domicile)* residence ; *(immeuble)* apartment building ; **~ secondaire** second home.

résider [rezide] *vi sout (habiter)* to reside.

résigner [rezine] : **se résigner à** *vp + prép* to resign o.s. to.

résilier [rezilje] *vt* to cancel.

résine [rezin] *nf* resin.

résistance [rezistɑ̃s] *nf* resistance ; *(électrique)* element.

résistant, e [rezistɑ̃, ɑ̃t] *adj* tough. ◆ *nm, f* resistance fighter.

résister [reziste] : **résister à** *v + prép (lutter contre)* to resist ; *(supporter)* to withstand.

résolu, e [rezɔly] *pp* → **résoudre**. ◆ *adj (décidé)* resolute.

résolution [rezɔlysjɔ̃] *nf (décision)* resolution.

résonner [rezɔne] *vi (faire du bruit)* to echo.

résoudre [rezudr] *vt* to solve.

respect [rɛspɛ] *nm* respect.

respecter [rɛspɛkte] *vt* to respect.

respectif, ive [rɛspɛktif, iv] *adj* respective.

respiration [rɛspirasjɔ̃] *nf* breathing.

respirer [rɛspire] *vi & vt* to breathe.

responsabilité [rɛspɔ̃sabilite] *nf* responsibility.

responsable [rɛspɔ̃sabl] *adj* responsible. ◆ *nmf (coupable)* person responsible ; *(d'une administration, d'un magasin)* person in charge.

resquiller [rɛskije] *vi fam (dans le bus)* to dodge the fare ; *(au spectacle)* to sneak in without paying.

ressaisir [rəsezir] : **se ressaisir** *vp* to pull o.s. together.

ressemblant, e [rəsɑ̃blɑ̃, ɑ̃t] *adj* lifelike.

ressembler [rəsɑ̃ble] : **ressembler à** *v + prép (en apparence)* to look like ; *(par le caractère)* to be like. ❑ **se ressembler** *vp (en apparence)* to look alike ; *(par le caractère)* to be alike.

ressemeler [rəsəmle] *vt* to resole.

ressentir [rəsɑ̃tir] *vt* to feel.

resserrer [rəsere] *vt (ceinture, nœud)* to tighten. ❑ **se resserrer** *vp (route)* to narrow.

resservir [rəservir] *vt* to give another helping to. ◆ *vi* to be used again. ❑ **se resservir** *vp* : **se ~ (de)** *(plat)* to take another helping (of).

ressort [rəsɔr] *nm* spring.

ressortir [rəsɔrtir] *vi (sortir à nouveau)* to go out again ; *(se détacher)* to stand out.

ressortissant, e [rəsɔrtisɑ̃, ɑ̃t] *nm, f* national.

ressources [rəsurs] *nfpl* resources.

ressusciter [resysite] *vi* to come back to life.

restant, e [rɛstɑ̃, ɑ̃t] *adj* → **poste**. ◆ *nm* rest.

restaurant [rɛstɔrɑ̃] *nm* restaurant.

restauration [rɛstɔrasjɔ̃] *nf (rénovation)* restoration ; *(gastronomie)* restaurant trade.

restaurer [rɛstɔre] *vt (monument)* to restore.

reste [rɛst] nm rest ; les ~ s (d'un repas) the leftovers.

rester [rɛste] vi (dans un lieu) to stay ; (subsister) to be left ; (continuer à être) to keep, to remain.

restituer [rɛstitɥe] vt (rendre) to return.

resto [rɛsto] nm fam restaurant ; les ~ s du cœur charity food distribution centres.

restreindre [rɛstrɛ̃dr] vt to restrict.

restreint, e [rɛstrɛ̃, ɛ̃t] pp → restreindre. ◆ adj limited.

résultat [rezylta] nm result ; ~ s (scolaires, d'une élection) results.

résumé [rezyme] nm summary ; en ~ in short.

résumer [rezyme] vt to summarize.

rétablir [retablir] vt (l'ordre, l'électricité) to restore. ❏ se rétablir vp (guérir) to recover.

retard [rətar] nm delay ; (d'un élève, d'un pays) backwardness ; avoir du ~, être en ~ to be late ; être en ~ sur qqch to be behind sthg.

retarder [rətarde] vi : ma montre retarde (de cinq minutes) my watch is (five minutes) slow.

retenir [rətnir] vt (empêcher de partir, de tomber) to hold back ; (empêcher d'agir) to stop ; (réserver) to reserve, to book ; (se souvenir de) to remember ; ~ son souffle to hold one's breath. ❏ se retenir vp : se ~ (à qqch) to hold on (to sthg) ; se ~ (de faire qqch) to stop o.s. (from doing sthg).

retenu, e [rətny] pp → retenir.

retenue [rətny] nf SCOL detention ; (dans une opération) amount carried.

réticent, e [retisɑ̃, ɑ̃t] adj reluctant.

retirer [rətire] vt (extraire) to remove ; (vêtement) to take off ; (argent) to withdraw ; (billet, colis, bagages) to collect ; ~ qqch à qqn to take sthg away from sb.

retomber [rətɔ̃be] vi (tomber à nouveau) to fall over again ; (après un saut) to land ; (pendre) to hang down ; ~ malade to fall ill again.

retour [rətur] nm return ; TRANSP return journey ; être de ~ to be back ; au ~ (sur le chemin) on the way back.

retourner [rəturne] vt (mettre à l'envers) to turn over ; (vêtement, sac) to turn inside out ; (renvoyer) to send back. ◆ vi to go back, to return. ❏ se retourner vp (voiture, bateau) to turn over ; (tourner la tête) to turn round.

retrait [rətrɛ] nm (d'argent) withdrawal.

retraite [rətrɛt] nf retirement ; être à la ~ to be retired ; prendre sa ~ to retire.

retraité, e [rətrɛte] nm, f pensioner.

retransmission [rətrɑ̃smisjɔ̃] nf (à la radio) broadcast.

rétrécir [retresir] vi (vêtement) to shrink. ❏ se rétrécir vp (route) to narrow.

rétro [retro] adj inv old-fashioned. ◆ nm fam (rétroviseur) (rearview) mirror.

rétrograder [retrograde] vi (automobiliste) to change down.

rétrospective [retrospɛktiv] nf retrospective.

retrousser [rətruse] vt (manches) to roll up.

retrouvailles [rətruvaj] *nfpl* réunion *(sg).*

retrouver [rətruve] *vt (objet perdu)* to find ; *(personne perdue de vue)* to see again ; *(rejoindre)* to meet. ❏ **se retrouver** *vp (se réunir)* to meet ; *(après une séparation)* to meet up again ; *(dans une situation, un lieu)* to find o.s.

rétroviseur [retrovizœr] *nm* rearview mirror.

réunion [reynjɔ̃] *nf* meeting ; **la Réunion** Réunion.

réunionnais, e [reynjɔnɛ, ɛz] *adj* from Réunion.

réunir [reynir] *vt (personnes)* to gather together ; *(informations, fonds)* to collect. ❏ **se réunir** *vp* to meet.

réussi, e [reysi] *adj (photo)* good ; *(soirée)* successful.

réussir [reysir] *vt (plat, carrière)* to make a success of. ◆ *vi* to succeed ; **~ (à) un examen** to pass an exam ; **~ à faire qqch** to succeed in doing sthg ; **~ à qqn** *(aliment, climat)* to agree with sb.

réussite [reysit] *nf* success ; *(jeu)* patience *(Br),* solitaire *(Am).*

revanche [rəvɑ̃ʃ] *nf* revenge ; *(au jeu)* return game ; **en ~ on** the other hand.

rêve [rɛv] *nm* dream ; **faire un ~** to have a dream.

réveil [revɛj] *nm (pendule)* alarm clock ; **à mon ~** when I woke up.

réveiller [reveje] *vt* to wake up. ❏ **se réveiller** *vp* to wake up ; *(douleur, souvenir)* to revive.

réveillon [revɛjɔ̃] *nm (du 24 décembre)* Christmas Eve supper and party ; *(du 31 décembre)* New Year's Eve supper and party.

révélation [revelasjɔ̃] *nf* revelation.

révéler [revele] *vt* to reveal. ❏ **se révéler** *vp (s'avérer)* to prove to be.

revenant [rəvnɑ̃] *nm* ghost.

revendication [rəvɑ̃dikasjɔ̃] *nf* claim.

revendre [rəvɑ̃dr] *vt* to resell.

revenir [rəvnir] *vi* to come back ; **faire ~ qqch** CULIN to brown sthg ; **~ cher** to be expensive ; **ça revient au même** it comes to the same thing ; **~ sur sa décision** to go back on one's decision ; **~ sur ses pas** to retrace one's steps.

revenu, e [rəvny] *pp* → **revenir**. ◆ *nm* income.

rêver [reve] *vi* to dream ; *(être distrait)* to daydream. ◆ *vt :* **~ que** to dream (that) ; **~ de** to dream about ; *(souhaiter)* to long for.

réverbère [reverber] *nm* street light.

revers [rəver] *nm (d'une pièce)* reverse side ; *(de la main, d'un billet)* back ; *(d'une veste)* lapel ; *(d'un pantalon)* turn-up *(Br),* cuff *(Am)* ; SPORT backhand.

réversible [reversibl] *adj* reversible.

revêtement [rəvɛtmɑ̃] *nm (d'un mur, d'un sol)* covering ; *(d'une route)* surface.

rêveur, euse [revœr, øz] *adj* dreamy.

réviser [revize] *vt (leçons)* to revise ; **faire ~ sa voiture** to have one's car serviced.

révision [revizjɔ̃] *nf (d'une voiture)* service. ❏ **révisions** *nfpl* SCOL revision *(sg).*

revoir [rəvwar] *vt (retrouver)* to see again ; *(leçons)* to revise *(Br),* to review (Am). ❏ **au revoir** excl goodbye!

révoltant, e [revɔltɑ̃, ɑ̃t] adj revolting.

révolte [revɔlt] nf revolt.

révolter [revɔlte] vt (suj : spectacle, attitude) to disgust. ❏ **se révolter** vp to rebel.

révolution [revɔlysjɔ̃] nf revolution ; **la Révolution (française)** the French Revolution.

révolutionnaire [revɔlysjɔner] adj & nmf revolutionary.

revolver [revɔlver] nm revolver.

revue [ravy] nf (magazine) magazine ; (spectacle) revue ; **passer qqch en ~** to review sthg.

rez-de-chaussée [redʃose] nm inv ground floor (Br), first floor (Am).

Rhin [rɛ̃] nm : **le ~** the Rhine.

rhinocéros [rinɔserɔs] nm rhinoceros.

Rhône [ron] nm : **le ~ (fleuve)** the (River) Rhône.

rhubarbe [rybarb] nf rhubarb.

rhum [rɔm] nm rum.

rhumatismes [rymatism] nmpl rheumatism (sg) ; **avoir des ~** to have rheumatism.

rhume [rym] nm cold ; **avoir un ~** to have a cold ; **~ des foins** hay fever.

ri [ri] pp → **rire**.

ricaner [rikane] vi to snigger.

riche [riʃ] adj rich. ◆ nmf : **les ~ s** the rich ; **~ en** rich in.

richesse [riʃes] nf wealth. ❏ **richesses** nfpl (minières) resources ; (archéologiques) treasures.

ricocher [rikɔʃe] vi to ricochet.

ricochet [rikɔʃe] nm : **faire des ~ s** to skim pebbles.

ride [rid] nf wrinkle.

ridé, e [ride] adj wrinkled.

rideau, x [rido] nm curtain.

ridicule [ridikyl] adj ridiculous.

rien [rjɛ̃] pron nothing ; **ne ... ~** nothing ; **ça ne fait ~** it doesn't matter ; **de ~** don't mention it ; **pour ~** for nothing ; **~ d'intéressant** nothing interesting.

rigide [riʒid] adj stiff.

rigole [rigɔl] nf (caniveau) channel ; (eau) rivulet.

rigoler [rigɔle] vi fam (rire) to laugh ; (s'amuser) to have a laugh ; (plaisanter) to joke.

rigolo, ote [rigɔlo, ɔt] adj fam funny.

rigoureux, euse [rigurø, øz] adj (hiver) harsh ; (analyse, esprit) rigorous.

rigueur [rigœr] : **à la rigueur** adv (si nécessaire) if necessary ; (si on veut) at a push.

rillettes [rijet] nfpl potted pork, duck or goose.

rime [rim] nf rhyme.

rinçage [rɛ̃saʒ] nm rinse.

rincer [rɛ̃se] vt to rinse.

ring [riŋ] nm (de boxe) ring ; Belg (route) ring road.

riposter [ripɔste] vi (en paroles) to answer back ; (militairement) to retaliate.

rire [rir] nm laugh. ◆ vi to laugh ; (s'amuser) to have fun ; **aux éclats** to howl with laughter ; **tu veux ~!** you're joking! ; **pour ~ (en plaisantant)** as a joke.

ris [ri] nmpl : **~ de veau** calves' sweetbreads.

risotto [rizɔto] *nm* risotto.

risque [risk] *nm* risk.

risqué, e [riske] *adj* risky.

risquer [riske] *vt* to risk ; *(proposition, question)* to venture. ♦ *vi* : ~ **de faire qqch** *(être en danger de)* to be in danger of doing sthg ; *(exprime la probabilité)* to be likely to do sthg.

rissolé, e [risɔle] *adj* browned.

rivage [rivaʒ] *nm* shore.

rival, e, aux [rival, o] *adj & nm, f* rival.

rivalité [rivalite] *nf* rivalry.

rive [riv] *nf* bank ; **la ~ gauche** *(à Paris)* the south bank of the Seine *(traditionally associated with students and artists)* ; **la ~ droite** *(à Paris)* the north bank of the Seine *(generally considered more affluent)*.

riverain, e [rivrɛ̃, ɛn] *nm, f* *(d'une rue)* resident.

rivière [rivjɛr] *nf* river.

riz [ri] *nm* rice ; **~ cantonais** fried rice ; **~ au lait** rice pudding.

RMI *nm (abr de revenu minimum d'insertion)* minimum guaranteed benefit.

RN *abr* = **route nationale**.

robe [rɔb] *nf* dress ; *(d'un cheval)* coat ; **~ de chambre** dressing gown ; **~ du soir** evening dress.

robinet [rɔbinɛ] *nm* tap *(Br)*, faucet *(Am)*.

robot [rɔbo] *nm (industriel)* robot ; *(ménager)* food processor.

robuste [rɔbyst] *adj* sturdy.

roc [rɔk] *nm* rock.

rocade [rɔkad] *nf* ring road *(Br)*, beltway *(Am)*.

roche [rɔʃ] *nf* rock.

rocher [rɔʃe] *nm* rock ; *(au choco-*

lat) chocolate covered with chopped hazelnuts.

rock [rɔk] *nm* rock.

rodage [rɔdaʒ] *nm* running in.

rôder [rode] *vi (par ennui)* to hang about ; *(pour attaquer)* to loiter.

roesti [rœʃti] *nmpl Helv* grated potato fried to form a sort of cake.

rognons [rɔɲɔ̃] *nmpl* kidneys.

roi [rwa] *nm* king ; **les Rois, la fête des Rois** Twelfth Night.

Roland-Garros [rɔlɑ̃garɔs] *n* : *(le tournoi de)* ~ the French Open.

rôle [rol] *nm* role.

roller [rɔlœr] *nm (sport)* rollerblading ; **les ~s** *(patins)* Rollerblades®.

ROM [rɔm] *nf (abr de read only memory)* ROM.

romain, e [rɔmɛ̃, ɛn] *adj* Roman.

roman, e [rɔmɑ̃, an] *adj (architecture, église)* Romanesque. ♦ *nm* novel.

romancier, ère [rɔmɑ̃sje, ɛr] *nm, f* novelist.

romantique [rɔmɑ̃tik] *adj* romantic.

romarin [rɔmarɛ̃] *nm* rosemary.

rompre [rɔ̃pr] *vi (se séparer)* to break up.

romsteck [rɔmstɛk] *nm* rump steak.

ronces [rɔ̃s] *nfpl* brambles.

rond, e [rɔ̃, rɔ̃d] *adj* round ; *(gros)* chubby. ♦ *nm* circle.

ronde [rɔ̃d] *nf (de policiers)* patrol.

rondelle [rɔ̃dɛl] *nf (tranche)* slice ; *TECH* washer.

rond-point [rɔ̃pwɛ̃] *(pl ronds-points) nm* roundabout *(Br)*, traffic circle *(Am)*.

ronfler [rɔ̃fle] *vi* to snore.

ronger [rɔ̃ʒe] vt (os) to gnaw at ; (suj : rouille) to eat away at. ❏ **se ronger** vp : se ~ les ongles to bite one's nails.

ronronner [rɔ̃rɔne] vi to purr.

roquefort [rɔkfɔr] nm Roquefort (strong blue cheese).

rosace [rozas] nf (vitrail) rose window.

rosbif [rɔsbif] nm roast beef.

rose [roz] adj & nm pink. ◆ nf rose.

rosé, e [roze] adj (teinte) rosy ; (vin) rosé. ◆ nm (vin) rosé.

roseau, x [rozo] nm reed.

rosée [roze] nf dew.

rosier [rozje] nm rose bush.

rossignol [rɔsiɲɔl] nm nightingale.

rot [ro] nm burp.

roter [rote] vi to burp.

rôti [roti] nm roast.

rôtie [roti] nf Can piece of toast.

rotin [rɔtɛ̃] nm rattan.

rôtir [rotir] vt & vi to roast.

rôtissoire [rotiswar] nf (électrique) rotisserie.

rotule [rotyl] nf kneecap.

roucouler [rukule] vi to coo.

roue [ru] nf wheel ; ~ de secours spare wheel ; **grande** ~ ferris wheel.

rouge [ruʒ] adj red ; (fer) red-hot. ◆ nm red ; (vin) red (wine) ; ~ à lèvres lipstick.

rouge-gorge [ruʒgɔrʒ] (pl rouges-gorges) nm robin.

rougeole [ruʒɔl] nf measles (sg).

rougeurs [ruʒœr] nfpl red blotches.

rougir [ruʒir] vi (de honte, d'émo-

tion) to blush ; (de colère) to turn red.

rouille [ruj] nf rust ; (sauce) garlic and red pepper sauce for fish or soup.

rouillé, e [ruje] adj rusty.

rouiller [ruje] vi to rust.

roulant [rulɑ̃] adj m → fauteuil, tapis.

rouleau, x [rulo] nm (de papier, de tissu) roll ; (pinceau, vague) roller ; ~ à pâtisserie rolling pin ; ~ de printemps spring roll.

roulement [rulmɑ̃] nm (tour de rôle) rota ; ~ à billes ball bearings (pl) ; ~ de tambour drum roll.

rouler [rule] vt (nappe, tapis) to roll up ; (voler) to swindle. ◆ vi (balle, caillou) to roll ; (véhicule) to go ; (automobiliste, cycliste) to drive ; 'roulez au pas' 'dead slow'. : **se rouler** vp (par terre, dans l'herbe) to roll about.

roulette [rulɛt] nf (de roue) wheel ; la ~ (jeu) roulette.

roulotte [rulɔt] nf caravan.

roumain, e [rumɛ̃, ɛn] adj Romanian.

Roumanie [rumani] nf : la ~ Romania.

rousse → roux.

rousseur [rusœr] nf → tache.

route [rut] nf road ; (itinéraire) route ; mettre qqch en ~ (machine) to start sthg up ; (processus) to get sthg under way ; se mettre en ~ (voyageur) to set off ; '~ barrée' 'road closed'.

routier, ère [rutje, ɛr] adj (carte, transports) road. ◆ nm (camionneur) lorry driver (Br), truck driver (Am) ; (restaurant) transport café (Br), truck stop (Am).

routine [rutin] nf routine.

roux, rousse [ru, rus] *adj (cheveux)* red ; *(personne)* red-haired ; *(chat)* ginger. ◆ *nm, f* redhead.

royal, e, aux [rwajal, o] *adj* royal ; *(cadeau, pourboire)* generous.

royaume [rwajom] *nm* kingdom.

Royaume-Uni [rwajomyni] *nm* : **le ~** the United Kingdom.

RPR *nm French party to the right of the political spectrum.*

RTT *(abr de réduction du temps de travail)* nf French 35 hour per week employement scheme.* ◆ *adj* : **jours ~** paid holidays *Br*, paid vacation *Am.*

ruban [rybã] *nm* ribbon ; ~ **adhésif** adhesive tape.

rubéole [rybeɔl] *nf* German measles *(sg).*

rubis [rybi] *nm* ruby.

rubrique [rybrik] *nf (catégorie)* heading ; *(de journal)* column.

ruche [ryʃ] *nf* beehive.

rude [ryd] *adj (climat, voix)* harsh ; *(travail)* tough.

rudimentaire [rydimãter] *adj* rudimentary.

rue [ry] *nf* street.

ruelle [rɥɛl] *nf* alley.

ruer [rɥe] *vi* to kick. ❑ **se ruer** *vp* : **se ~ dans/sur** to rush into/at.

rugby [rygbi] *nm* rugby.

rugir [ryʒir] *vi* to roar.

rugueux, euse [rygø, øz] *adj* rough.

ruine [rɥin] *nf (financière)* ruin ; **en ~** *(maison)* ruined ; **tomber en ~** to crumble. ❑ **ruines** *nfpl* ruins.

ruiné, e [rɥine] *adj* ruined.

ruisseau, x [rɥiso] *nm* stream.

ruisseler [rɥisle] *vi* to stream.

rumeur [rymœr] *nf (nouvelle)* rumour ; *(bruit)* rumble.

ruminer [rymine] *vi (vache)* to chew the cud.

rupture [ryptyr] *nf (de relations diplomatiques)* breaking off ; *(d'une relation amoureuse)* break-up.

rural, e, aux [ryral, o] *adj* rural.

ruse [ryz] *nf (habileté)* cunning ; *(procédé)* trick.

rusé, e [ryze] *adj* cunning.

russe [rys] *adj* Russian. ◆ *nm (langue)* Russian. ❑ **Russe** *nmf* Russian.

Russie [rysi] *nf* : **la ~** Russia.

Rustine® [rystin] *nf* rubber repair patch for bicycle tyres.

rustique [rystik] *adj* rustic.

rythme [ritm] *nm* rhythm ; *(cardiaque)* rate ; *(de la marche)* pace.

S

s' → se.

S *(abr de sud)* S.

sa → son.

SA *nf (abr de société anonyme)* ≃ plc *(Br)*, ≃ Inc. *(Am).*

sable [sabl] *nm* sand ; ~ **s mouvants** quicksand *(sg).*

sablé, e [sable] *adj (biscuit)* shortbread. ◆ *nm* shortbread biscuit *(Br)*, shortbread cookie *(Am).*

sablier [sablije] *nm* hourglass.

sablonneux, euse [sablɔnø, øz] *adj* sandy.

sabot [sabo] *nm (de cheval, de vache)* hoof ; *(chaussure)* clog ; ~ **de Denver** wheel clamp *(Br)*, Denver boot *(Am).*

sabre [sabʀ] nm sabre.

sac [sak] nm bag ; (de pommes de terre) sack ; ~ de couchage sleeping bag ; ~ à dos rucksack ; ~ à main handbag (Br), purse (Am).

saccadé, e [sakade] adj (gestes) jerky ; (respiration) uneven.

saccager [sakaʒe] vt (ville, cultures) to destroy ; (appartement) to wreck.

sachant [saʃɑ̃] ppr → savoir.

sache etc → savoir.

sachet [saʃɛ] nm sachet ; ~ de thé teabag.

sacoche [sakɔʃ] nf (sac) bag ; (de vélo) pannier.

sac-poubelle [sakpubɛl] (pl sacs-poubelle) nm dustbin bag (Br), garbage bag (Am).

sacré, e [sakʀe] adj sacred ; fam (maudit) damn.

sacrifice [sakʀifis] nm sacrifice.

sacrifier [sakʀifje] vt to sacrifice. ❑ se sacrifier vp to sacrifice o.s.

sadique [sadik] adj sadistic.

safari [safaʀi] nm safari.

safran [safʀɑ̃] nm saffron.

sage [saʒ] adj (avisé) wise ; (obéissant) good, well-behaved.

sage-femme [saʒfam] (pl sages-femmes) nf midwife.

sagesse [saʒɛs] nf (prudence, raison) wisdom.

Sagittaire [saʒitɛʀ] nm Sagittarius.

saignant, e [sɛɲɑ̃, ɑ̃t] adj (viande) rare.

saigner [seɲe] vi to bleed ; ~ du nez to have a nosebleed.

saillant, e [sajɑ̃, ɑ̃t] adj (par rapport à un mur) projecting ; (pommettes, veines) prominent.

sain, e [sɛ̃, sɛn] adj healthy ; (mentalement) sane ; ~ et sauf safe and sound.

saint, e [sɛ̃, sɛ̃t] adj holy. ◆ nm, f saint ; la Saint-François Saint Francis' day.

Saint-Jacques [sɛ̃ʒak] n → coquille.

Saint-Michel [sɛ̃miʃɛl] n → mont.

Saint-Sylvestre [sɛ̃silvɛstʀ] nf : la ~ New Year's Eve.

sais etc → savoir.

saisir [seziʀ] vt (objet, occasion) to grab ; (comprendre) to understand ; JUR (biens) to seize ; INFORM to capture.

saison [sɛzɔ̃] nf season ; basse ~ low season ; haute ~ high season.

salade [salad] nf (verte) lettuce ; (plat en vinaigrette) salad ; ~ de fruits fruit salad ; ~ mêlée Helv mixed salad ; ~ mixte mixed salad ; ~ niçoise niçoise salad.

saladier [saladje] nm salad bowl.

salaire [salɛʀ] nm salary, wage.

salami [salami] nm salami.

salarié, e [salaʀje] nm, f (salaried) employee.

sale [sal] adj dirty ; fam (temps) filthy ; fam (journée, mentalité) nasty.

salé, e [sale] adj (plat) salted ; (eau) salty. ◆ nm : petit ~ aux lentilles salt pork served with lentils.

saler [sale] vt to salt.

saleté [salte] nf (état) dirtiness ; (crasse) dirt ; (chose sale) disgusting thing.

salière [saljɛʀ] nf saltcellar.

salir [saliʀ] vt to (make) dirty. ❑ se salir vp to get dirty.

salissant, e [salisɑ̃, ɑ̃t] *adj* that shows the dirt.

salive [saliv] *nf* saliva.

salle [sal] *nf* room ; *(d'hôpital)* ward ; *(de cinéma)* screen ; *(des fêtes, municipale)* hall ; ~ **de bains** bathroom ; ~ **de classe** classroom ; ~ **d'embarquement** departure lounge ; ~ **à manger** dining room ; ~ **d'opération** operating theatre.

salon [salɔ̃] *nm (séjour)* living room ; *(exposition)* show ; ~ **de coiffure** hairdressing salon ; ~ **de thé** tearoom.

salopette [salɔpɛt] *nf (d'ouvrier)* overalls *(pl)* ; *(en jean, etc)* dungarees *(pl)*.

salsifis [salsifi] *nmpl* salsify *(root vegetable)*.

saluer [salɥe] *vt (dire bonjour à)* to greet ; *(de la tête)* to nod to ; *(dire au revoir à)* to say goodbye to ; MIL to salute.

salut [saly] *nm (pour dire bonjour)* greeting ; *(de la tête)* nod ; *(pour dire au revoir)* farewell ; MIL salute. ♦ *excl fam (bonjour)* hi! ; *(au revoir)* bye!

salutations [salytasjɔ̃] *nfpl* greetings.

samaritain [samaritɛ̃] *nm Helv person qualified to give first aid.*

samedi [samdi] *nm* Saturday ; **nous sommes** OU **c'est** ~ it's Saturday today ; ~ **dernier** last Saturday ; ~ **prochain** next Saturday ; ~ **matin** on Saturday morning ; **le** ~ on Saturdays ; **à** ~! see you Saturday!

SAMU [samy] *nm French ambulance and emergency service.*

sanction [sɑ̃ksjɔ̃] *nf* sanction.

sanctionner [sɑ̃ksjɔne] *vt* to punish.

sandale [sɑ̃dal] *nf* sandal.

sandwich [sɑ̃dwitʃ] *nm* sandwich.

sang [sɑ̃] *nm* blood ; **en** ~ bloody ; **se faire du mauvais** ~ to be worried.

sang-froid [sɑ̃frwa] *nm inv* calm.

sanglant, e [sɑ̃glɑ̃, ɑ̃t] *adj* bloody.

sangle [sɑ̃gl] *nf* strap.

sanglier [sɑ̃glije] *nm* boar.

sanglot [sɑ̃glo] *nm* sob.

sangloter [sɑ̃glɔte] *vi* to sob.

sangria [sɑ̃grija] *nf* sangria.

sanguin [sɑ̃gɛ̃] *adj m* → **groupe**.

sanguine [sɑ̃gin] *nf (orange)* blood orange.

Sanisette® [sanizɛt] *nf* superloo.

sanitaire [saniter] *adj (d'hygiène)* sanitary. ❑ **sanitaires** *nmpl (d'un camping)* toilets and showers.

sans [sɑ̃] *prép* without ; ~ **faire qqch** without doing sthg.

sans-abri [sɑ̃zabri] *nmf inv* homeless person.

sans-gêne [sɑ̃ʒɛn] *adj inv* rude. ♦ *nm inv* rudeness.

santé [sɑ̃te] *nf* health ; **en bonne/mauvaise** ~ in good/poor health ; **(à la)** ~! cheers!

saoul, e [su, sul] = **soûl**.

saouler [sule] = **soûler**.

saphir [safir] *nm* sapphire ; *(d'un électrophone)* needle.

sapin [sapɛ̃] *nm* fir ; ~ **de Noël** Christmas tree.

sardine [sardin] *nf* sardine.

SARL *nf (abr de société à responsabilité limitée)* ≃ Ltd *(Br)*, ≃ Inc. *(Am)*.

sarrasin [sarazɛ̃] nm (graine) buckwheat.

satellite [satelit] nm satellite.

satin [satɛ̃] nm satin.

satiné, e [satine] adj (tissu, peinture) satin.

satirique [satirik] adj satirical.

satisfaction [satisfaksjɔ̃] nf satisfaction.

satisfaire [satisfɛr] vt to satisfy. ❏ **se satisfaire de** vp + prép to be satisfied with.

satisfaisant, e [satisfəzɑ̃, ɑ̃t] adj satisfactory.

satisfait, e [satisfɛ, ɛt] pp → **satisfaire**. ◆ adj satisfied.

saturé, e [satyre] adj saturated.

sauce [sos] nf sauce ; **en ~** in a sauce ; **~ blanche** white sauce made with chicken stock ; **~ madère** vegetable, mushroom and Madeira sauce ; **~ tartare** tartar sauce ; **~ tomate** tomato sauce.

saucer [sose] vt (assiette) to wipe clean.

saucisse [sosis] nf sausage ; **~ sèche** thin dry sausage.

saucisson [sosisɔ̃] nm dry sausage.

sauf, sauve [sof, sov] adj → **sain**. ◆ prép (excepté) except ; **~ erreur** unless there is some mistake.

sauge [soʒ] nf sage.

saule [sol] nm willow ; **~ pleureur** weeping willow.

saumon [somɔ̃] nm salmon. ◆ adj inv (rose) : **~** salmon-(pink) ; **~ fumé** smoked salmon.

sauna [sona] nm sauna.

saupoudrer [sopudre] vt : **~ qqch de** to sprinkle sthg with.

saur [sɔr] adj m → **hareng**.

saura etc → **savoir**.

saut [so] nm jump ; **~ en hauteur** high jump ; **~ en longueur** long jump ; **~ périlleux** somersault.

saute [sot] nf : **~ d'humeur** mood change.

sauté, e [sote] adj CULIN sautéed. ◆ nm : **~ de veau** sautéed veal.

saute-mouton [sotmutɔ̃] nm inv : **jouer à ~** to play leapfrog.

sauter [sote] vi to jump ; (exploser) to blow up ; (se défaire) to come off ; (plombs) to blow. ◆ vt (obstacle) to jump over ; (passage, classe) to skip ; **faire ~ qqch** (faire exploser) to blow sthg up ; CULIN to sauté sthg.

sauterelle [sotrɛl] nf grasshopper.

sautiller [sotije] vi to hop.

sauvage [sovaʒ] adj (animal, plante) wild ; (tribu) primitive ; (enfant, caractère) shy ; (cri, haine) savage. ◆ nmf (barbare) brute ; (personne farouche) recluse.

sauvegarde [sovgard] nf INFORM saving ; **~ automatique** automatic backup.

sauvegarder [sovgarde] vt (protéger) to safeguard ; INFORM to save.

sauver [sove] vt to save ; **~ qqn/qqch de qqch** to save sb/sthg from sthg. ❏ **se sauver** vp (s'échapper) to run away.

sauvetage [sovtaʒ] nm rescue.

sauveteur [sovtœr] nm rescuer.

SAV abr = **service après-vente**.

savant, e [savɑ̃, ɑ̃t] adj (cultivé) scholarly. ◆ nm scientist.

savarin [savarɛ̃] nm ≃ rum baba.

saveur [savœr] nf flavour.

savoir [savwar] vt to know ; savez-vous parler français? can you speak French? ; je n'en sais rien I have no idea.

savoir-faire [savwarfer] nm inv know-how.

savoir-vivre [savwarvivr] nm inv good manners (pl).

savon [savɔ̃] nm soap ; (bloc) bar of soap.

savonnette [savɔnɛt] nf bar of soap.

savourer [savure] vt to savour.

savoureux, euse [savurø, øz] adj (aliment) tasty.

savoyarde [savwajard] adj f ~ fondue.

saxophone [saksɔfɔn] nm saxophone.

sbrinz [ʃbrints] nm hard crumbly Swiss cheese made from cow's milk.

scandale [skɑ̃dal] nm (affaire) scandal ; (fait choquant) outrage ; faire du OU un ~ to make a fuss ; faire ~ to cause a stir.

scandaleux, euse [skɑ̃dalø, øz] adj outrageous.

scandinave [skɑ̃dinav] adj Scandinavian.

Scandinavie [skɑ̃dinavi] nf: la ~ Scandinavia.

scanner [skaner] nm (appareil) scanner ; (test) scan.

scaphandre [skafɑ̃dr] nm diving suit.

scarole [skarɔl] nf endive.

sceller [sele] vt (cimenter) to cement.

scénario [senarjo] nm (de film) screenplay.

scène [sɛn] nf (estrade) stage ; (événement, partie d'une pièce)

scene ; **mettre qqch en** ~ (film, pièce de théâtre) to direct sthg.

sceptique [sɛptik] adj sceptical.

schéma [ʃema] nm diagram ; (résumé) outline.

schématique [ʃematik] adj (sous forme de schéma) diagrammatical ; (trop simple) simplistic.

schublig [ʃublig] nm Helv type of sausage.

sciatique [sjatik] nf sciatica.

scie [si] nf saw.

science [sjɑ̃s] nf science.

science-fiction [sjɑ̃sfiksjɔ̃] nf science fiction.

scientifique [sjɑ̃tifik] adj scientific. ◆ nmf scientist.

scier [sje] vt to saw.

scintiller [sɛ̃tije] vi to sparkle.

sciure [sjyr] nf sawdust.

scolaire [skɔlɛr] adj (vacances, manuel) school.

scoop [skup] nm scoop.

scooter [skutœr] nm scooter ; ~ des mers jet ski.

score [skɔr] nm score.

Scorpion [skɔrpjɔ̃] nm Scorpio.

scotch [skɔtʃ] nm (whisky) Scotch.

Scotch® [skɔtʃ] nm (adhésif) ≃ Sellotape® (Br) Scotch® tape (Am).

scout, e [skut] nm, f scout.

scrupule [skrypyl] nm scruple.

scrutin [skrytɛ̃] nm ballot.

sculpter [skylte] vt to sculpt ; (bois) to carve.

sculpteur [skyltœr] nm sculptor.

sculpture [skyltyr] nf sculpture.

SDF nmf (abr de sans domicile fixe) homeless person.

se [sə] *pron pers* - **1.** *(réfléchi : personne indéfinie)* oneself ; *(personne)* himself (*f* herself), themselves (*pl*) ; *(chose, animal)* itself, themselves (*pl*) ; ~ **faire mal** to hurt oneself.
- **2.** *(réciproque)* each other, one another ; ~ **battre** to fight.
- **3.** *(avec certains verbes, vide de sens)* : ~ **décider** to decide ; ~ **mettre à faire qqch** to start doing sthg.
- **4.** *(passif)* : **ce produit** ~ **vend bien/partout** this product is selling well/is sold everywhere.
- **5.** *(à valeur de possessif)* : ~ **couper le doigt** to cut one's finger.

séance [seɑ̃s] *nf (de rééducation, de gymnastique)* session ; *(de cinéma)* performance ; ~ **tenante** right away.

seau, x [so] *nm* bucket ; ~ **à champagne** champagne bucket.

sec, sèche [sɛk, sɛʃ] *adj* dry ; *(fruit, légume)* dried ; **à** ~ *(cours d'eau)* dried-up ; **au** ~ *(à l'abri de la pluie)* out of the rain.

sécateur [sekatœr] *nm* secateurs (*pl*).

séchage [seʃaʒ] *nm* drying.

sèche → **sec.**

sèche-cheveux [sɛʃʃəvø] *nm inv* hairdryer.

sèche-linge [sɛʃlɛ̃ʒ] *nm inv* tumbledryer.

sèchement [sɛʃmɑ̃] *adv* drily.

sécher [seʃe] *vt* to dry. ◆ *vi* to dry ; *fam (à un examen)* to have a mental block ; ~ **les cours** to play truant (*Br*), to play hooky (*Am*).

sécheresse [seʃrɛs] *nf (manque de pluie)* drought.

séchoir [seʃwar] *nm* : ~ **(à cheveux)** hairdryer ; ~ **(à linge)** *(sur pied)* clothes dryer ; *(électrique)* tumbledryer.

second, e [səgɔ̃, ɔ̃d] *adj* second → **sixième.**

secondaire [səgɔ̃dɛr] *adj* secondary.

seconde [səgɔ̃d] *nf (unité de temps)* second ; SCOL ≃ fifth form (*Br*), ≃ tenth grade (*Am*) ; *(vitesse)* second (gear) ; **voyager en** ~ *(classe)* to travel second class.

secouer [səkwe] *vt* to shake ; *(bouleverser, inciter à agir)* to shake up.

secourir [səkurir] *vt (d'un danger)* to rescue ; *(moralement)* to help.

secouriste [səkurist] *nmf* first-aid worker.

secours [səkur] *nm* help ; **au** ~ **!** help! ; ~ **d'urgence** emergency aid ; **premiers** ~ first aid.

secouru, e [səkury] *pp* → **secourir.**

secousse [səkus] *nf* jolt.

secret, ète [səkrɛ, ɛt] *adj* & *nm* secret ; **en** ~ in secret.

secrétaire [səkretɛr] *nmf* secretary. ◆ *nm (meuble)* secretaire.

secrétariat [səkretarja] *nm (bureau)* secretary's office ; *(métier)* secretarial work.

secte [sɛkt] *nf* sect.

secteur [sɛktœr] *nm (zone)* area ; *(électrique)* sector ; *(économique, industriel)* sector ; **fonctionner sur** ~ to run off the mains.

section [sɛksjɔ̃] *nf* section ; *(de ligne d'autobus)* fare stage.

sectionner [sɛksjɔne] *vt* to cut.

Sécu [seky] *nf fam* : **la** ~ *French social security system.*

sécurité [sekyrite] *nf (tranquillité)* safety ; *(ordre)* security ; en ~ safe ; mettre qqch en ~ to put sthg in a safe place ; la Sécurité sociale *French social security system.*

séduire [sedɥir] *vt* to attract.

séduisant, e [sedɥizɑ̃, ɑ̃t] *adj* attractive.

séduit, e [sedɥi, it] *pp* → **séduire**.

segment [sɛgmɑ̃] *nm* segment.

ségrégation [segregasjɔ̃] *nf* segregation.

seigle [sɛgl] *nm* rye.

seigneur [sɛɲœr] *nm (d'un château)* lord ; le Seigneur the Lord.

sein [sɛ̃] *nm* breast ; au ~ de within.

Seine [sɛn] *nf*: la ~ *(fleuve)* the Seine.

séisme [seism] *nm* earthquake.

seize [sɛz] *num* sixteen → **six**.

seizième [sɛzjɛm] *num* sixteenth → **sixième**.

séjour [seʒur] *nm* stay ; *(salle de)* ~ living room.

séjourner [seʒurne] *vi* to stay.

sel [sɛl] *nm* salt ; ~ s de bain bath salts.

sélection [selɛksjɔ̃] *nf* selection.

sélectionner [selɛksjɔne] *vt* to select.

self-service, s [selfsɛrvis] *nm (restaurant)* self-service restaurant ; *(station-service)* self-service petrol station *(Br)*, self-service gas station *(Am)*.

selle [sɛl] *nf* saddle.

seller [sele] *vt* to saddle.

selon [səlɔ̃] *prép (de l'avis de, en accord avec)* according to ; *(en fonction de)* depending on.

semaine [səmɛn] *nf* week ; en ~ during the week.

semblable [sɑ̃blabl] *adj* similar ; ~ à similar to.

semblant [sɑ̃blɑ̃] *nm* : faire ~ (de faire qqch) to pretend (to do sthg).

sembler [sɑ̃ble] *vi* to seem ; il semble que ... it seems that ... ; il me semble que ... I think that ...

semelle [səmɛl] *nf* sole.

semer [səme] *vt* to sow ; *(se débarrasser de)* to shake off.

semestre [səmɛstr] *nm* half-year ; *SCOL* semester.

semi-remorque, s [səmirəmɔrk] *nm* articulated lorry *(Br)*, semitrailer *(Am)*.

semoule [səmul] *nf* semolina.

sénat [sena] *nm* senate.

Sénégal [senegal] *nm* : le ~ Senegal.

sens [sɑ̃s] *nm (direction)* direction ; *(signification)* meaning ; en ~ inverse in the opposite direction ; avoir du bon ~ to have common sense ; ~ giratoire roundabout *(Br)*, traffic circle *(Am)* ; ~ interdit *(panneau)* no-entry sign ; *(rue)* one-way street ; ~ unique one-way street.

sensation [sɑ̃sasjɔ̃] *nf* feeling, sensation ; faire ~ to cause a stir.

sensationnel, elle [sɑ̃sasjɔnɛl] *adj (formidable)* fantastic.

sensible [sɑ̃sibl] *adj* sensitive ; *(perceptible)* noticeable ; ~ à sensitive to.

sensiblement [sɑ̃sibləmɑ̃] *adv (à peu près)* more or less ; *(de façon perceptible)* noticeably.

sensuel, elle [sɑ̃sɥɛl] *adj* sensual.

sentence [sɑ̃tɑ̃s] *nf JUR* sentence.

sentier [sɑ̃tje] *nm* path.

sentiment [sɑ̃timɑ̃] *nm* feeling ; **~ s dévoués** *(dans une lettre)* yours sincerely.

sentimental, e, aux [sɑ̃timɑ̃tal, o] *adj* sentimental.

sentir [sɑ̃tir] *vt (odeur)* to smell ; *(goût)* to taste ; *(au toucher)* to feel ; *(avoir une odeur de)* to smell of ; **~ bon** to smell good ; **~ mauvais** to smell bad. ❑ **se sentir** *vp* : **se ~ mal** to feel ill ; **se ~ bizarre** to feel strange.

séparation [separasjɔ̃] *nf* separation.

séparément [separemɑ̃] *adv* separately.

séparer [separe] *vt* to separate ; *(diviser)* to divide ; **~ qqn/qqch de** to separate sb/sthg from. ❑ **se séparer** *vp (couple)* to split up ; *(se diviser)* to divide ; **se ~ de qqn** *(conjoint)* to separate from sb ; *(employé)* to let sb go.

sept [sɛt] *num* seven → **six**.

septante [sɛptɑ̃t] *num Belg & Helv* seventy → **six**.

septembre [sɛptɑ̃br] *nm* September ; **en ~, au mois de ~** in September ; **début ~** at the beginning of September ; **fin ~** at the end of September ; **le deux ~** the second of September.

septième [sɛtjɛm] *num* seventh → **sixième**.

séquelles [sekɛl] *nfpl MÉD* aftereffects.

séquence [sekɑ̃s] *nf* sequence.

sera *etc* → **être**.

séré [sere] *nm Helv* fromage frais.

serein, e [sarɛ̃, ɛn] *adj* serene.

sérénité [serenite] *nf* serenity.

sergent [sɛrʒɑ̃] *nm* sergeant.

série [seri] *nf (succession)* series ; *(ensemble)* set ; **~ (télévisée)** (television) series.

sérieusement [serjøzmɑ̃] *adv* seriously.

sérieux, euse [serjø, øz] *adj* serious. ◆ *nm* : **travailler avec ~** to take one's work seriously ; **garder son ~** to keep a straight face.

seringue [sarɛ̃g] *nf* syringe.

sermon [sɛrmɔ̃] *nm RELIG* sermon ; *péj (leçon)* lecture.

séropositif, ive [serɔpozitif, iv] *adj* HIV-positive.

serpent [sɛrpɑ̃] *nm* snake.

serpenter [sɛrpɑ̃te] *vi* to wind.

serpentin [sɛrpɑ̃tɛ̃] *nm (de fête)* streamer.

serpillière [sɛrpijɛr] *nf* floor cloth.

serre [sɛr] *nf (à plantes)* greenhouse.

serré, e [sere] *adj (vêtement)* tight ; *(spectateurs, passagers)* : **on est ~ ici** it's packed in here.

serrer [sere] *vt (comprimer)* to squeeze ; *(dans ses bras)* to hug ; *(dans une boîte, une valise)* to pack tightly ; *(poings, dents)* to clench ; *(nœud, vis)* to tighten ; **~ la main à qqn** to shake sb's hand ; **'serrez à droite'** 'keep right'. ❑ **se serrer** *vp* to squeeze up ; **se ~ contre qqn** to huddle up against sb.

serre-tête [sɛrtɛt] *nm inv* Alice band.

serrure [seryr] *nf* lock.

serrurier [seryrje] *nm* locksmith.

sers *etc* → **servir**.

serveur, euse [sɛrvœr, øz] *nm, f (de café, de restaurant)* waiter (f waitress).

serviable [sɛʁvjabl] *adj* helpful.

service [sɛʁvis] *nm (manière de servir)* service ; *(faveur)* favour ; *(de vaisselle)* set ; *(département)* department ; SPORT service ; **faire le ~** to serve the food out ; **rendre ~ à qqn** to be helpful to sb ; **être de ~** to be on duty ; '**~ compris/non compris**' 'service included/not included' ; **~ après-vente** after-sales service department ; **~ militaire** military service.

serviette [sɛʁvjɛt] *nf (cartable)* briefcase ; **~ hygiénique** sanitary towel (Br), sanitary napkin (Am) ; **~ (de table)** table napkin ; **~ (de toilette)** towel.

☞

servir [sɛʁviʁ] *vt* - **1.** *(invité, client)* to serve.

- **2.** *(plat, boisson)* : **~ qqch à qqn** to serve sb sthg ; **qu'est-ce que je vous sers?** what would you like (to drink)?

◆ *vi* - **1.** *(être utile)* to be of use ; **~ à qqch** to be used for sthg ; **ça ne sert à rien d'insister** there's no point in insisting.

- **2.** *(avec "de")* : **~ de qqch** *(objet)* to serve as sthg.

- **3.** *(au tennis)* to serve.

- **4.** *(aux cartes)* to deal.

❏ **se servir** *vp (de la nourriture, de la boisson)* to help o.s.

❏ **se servir de** *vp + prép (objet)* to use.

ses → **son**.

sésame [sezam] *nm (graines)* sesame seeds *(pl)*.

set [sɛt] *nm* SPORT set ; **~ (de table)** table mat.

seuil [sœj] *nm* threshold.

seul, e [sœl] *adj (sans personne)* alone ; *(solitaire)* lonely ; *(unique)* only. ◆ *nm, f* : **le ~** the only one ; **un ~** only one ; **pas un ~** not a single one ; **(tout) ~** *(sans aide)* by oneself ; *(parler)* to oneself.

seulement [sœlmɑ̃] *adv* only ; **non ~ ... mais encore** OU **en plus** not only ... but also ; **si ~ ...** if only ...

sève [sɛv] *nf* sap.

sévère [sevɛʁ] *adj (professeur, parent)* strict ; *(regard, aspect, échec)* severe ; *(punition)* harsh.

sévérité [severite] *nf* severity.

sévir [seviʁ] *vi (punir)* to punish ; *(épidémie, crise)* to rage.

sexe [sɛks] *nm (mâle, femelle)* sex ; ANAT genitals *(pl)*.

sexiste [sɛksist] *adj* sexist.

sexuel, elle [sɛksɥɛl] *adj* sexual.

seyant, e [sɛjɑ̃, ɑ̃t] *adj* becoming.

Seychelles [seʃɛl] *nfpl* : **les ~** the Seychelles.

shampo(o)ing [ʃɑ̃pwɛ̃] *nm* shampoo.

short [ʃɔʁt] *nm* (pair of) shorts.

show [ʃo] *nm (de variétés)* show.

☞

si [si] *conj* - **1.** *(exprime l'hypothèse)* if ; **~ tu veux, on y va** we'll go if you want ; **~ c'est toi qui le dis, ce doit être vrai** since you told me, it must be true.

- **2.** *(dans une question)* : **(et) ~ on allait à la piscine?** how about going to the swimming pool?

- **3.** *(exprime un souhait)* if.

- **4.** *(dans une question indirecte)* if, whether ; **dites-moi ~ vous venez** tell me if you are coming.

◆ *adv* - **1.** *(tellement)* so ; **une ~ jolie**

ville such a pretty town ; ~ ... que
so ... that ; ~ bien que with the re‐
sult that.
- 2. (oui) yes ; tu n'aimes pas le café?
- ~ don't you like coffee? - yes, I
do.

SICAV [sikav] nf inv (titre) share in
a unit trust.

SIDA [sida] nm AIDS.

siècle [sjɛkl] nm century ; **au ving‐
tième ~** in the twentieth century.

siège [sjɛʒ] nm seat ; (d'une ban‐
que, d'une association) head office.

sien [sjɛ̃] : **le sien** (f **la sienne** [la‐
sjɛn], mpl **les siens** [lesjɛ], fpl **les
siennes** [lesjɛn]) pron (d'homme)
his ; (de femme) hers ; (de chose,
d'animal) its.

sieste [sjɛst] nf nap ; **faire la ~** to
have a nap.

sifflement [sifləmɑ̃] nm whist‐
ling.

siffler [sifle] vi to whistle. ◆ vt
(air) to whistle ; (acteur) to boo ;
(chien) to whistle for ; (femme) to
whistle at.

sifflet [sifle] nm (instrument)
whistle ; (au spectacle) boo.

sigle [sigl] nm acronym.

signal, aux [sinal, o] nm (geste,
son) signal ; (feu, pancarte) sign ;
~ d'alarme alarm signal.

signalement [sinalmɑ̃] nm des‐
cription.

signaler [sinale] vt (par un geste)
to signal ; (par une pancarte) to
signpost ; (faire remarquer) to
point out.

signalisation [sinalizasjɔ̃] nf
(feux, panneaux) signs (pl) ; (au sol)
road markings (pl).

signature [sinatyr] nf signature.

signe [sin] nm sign ; (dessin) sym‐
bol ; **faire ~ à qqn** (de faire qqch) to
signal to sb (to do sthg) ; **faire le
~ de croix** to cross o.s. ; **~ du zodia‐
que** sign of the zodiac.

signer [sine] vt & vi to sign. ❏ **se
signer** vp to cross o.s.

significatif, ive [sinifikatif, iv]
adj significant.

signification [sinifikasjɔ̃] nf
meaning.

signifier [sinifje] vt to mean.

silence [silɑ̃s] nm silence.

silencieux, euse [silɑ̃sjø, øz] adj
quiet.

silhouette [silwet] nf (forme) sil‐
houette ; (corps) figure.

sillonner [sijone] vt (parcourir) :
~ une région to travel all round a
region.

similaire [similɛr] adj similar.

simple [sɛ̃pl] adj simple ; (feuille,
chambre) single.

simplement [sɛ̃pləmɑ̃] adv sim‐
ply.

simplicité [sɛ̃plisite] nf simpli‐
city.

simplifier [sɛ̃plifje] vt to sim‐
plify.

simuler [simyle] vt to feign.

simultané, e [simyltane] adj
simultaneous.

simultanément [simyltanemɑ̃]
adv simultaneously.

sincère [sɛ̃sɛr] adj sincere.

sincérité [sɛ̃serite] nf sincerity.

singe [sɛ̃ʒ] nm monkey.

singulier [sɛ̃gylje] nm singular.

sinistre [sinistr] adj sinister.
◆ nm (incendie) fire ; (inondation)
flood.

sinistré, e [sinistre] *adj* disaster-stricken. ◆ *nm, f* disaster victim.

sinon [sinɔ̃] *conj (autrement)* otherwise ; *(peut-être même)* if not.

sinueux, euse [sinɥø, øz] *adj* winding.

sinusite [sinyzit] *nf* sinusitis.

sirène [siʀɛn] *nf (d'alarme, de police)* siren.

sirop [siʀo] *nm* CULIN syrup ; ~ d'érable maple syrup ; ~ de fruits fruit cordial ; ~ (pour la toux) cough mixture.

siroter [siʀote] *vt* to sip.

site [sit] *nm (paysage)* beauty spot ; *(emplacement)* site ; ~ touristique tourist site.

situation [sitɥasjɔ̃] *nf (circonstances)* situation ; *(emplacement)* location ; *(emploi)* job.

situé, e [sitɥe] *adj* situated.

situer [sitɥe] : **se situer** *vp* to be situated.

six [sis] *adj num, pron num & nm* six ; **il a ~ ans** he's six (years old) ; **le ~ janvier** the sixth of January ; **ils étaient ~** there were six of them ; **(au) ~ rue Lepic** at/to six, rue Lepic.

sixième [sizjɛm] *adj num & pron num* sixth. ◆ *nf* SCOL = first form *(Br)*, ≃ seventh grade *(Am)*. ◆ *nm (fraction)* sixth ; *(étage)* sixth floor *(Br)*, seventh floor *(Am)* ; *(arrondissement)* sixth arrondissement.

Skaï® [skaj] *nm* Leatherette®.

skateboard [skɛtbɔʀd] *nm (planche)* skateboard ; *(sport)* skateboarding.

sketch [skɛtʃ] *nm* sketch.

ski [ski] *nm (planche)* ski ; *(sport)* skiing ; **faire du ~** to go skiing ; ~ **alpin** Alpine skiing ; ~ **de fond** cross-country skiing ; ~ **nautique** water skiing.

skier [skje] *vi* to ski.

skieur, euse [skjœʀ, øz] *nm, f* skier.

slalom [slalɔm] *nm* slalom.

slip [slip] *nm (sous-vêtement masculin)* pants *(Br)(pl)*, shorts *(Am)(pl)* ; *(sous-vêtement féminin)* knickers *(pl)* ; ~ **de bain** *(d'homme)* swimming trunks *(pl)*.

slogan [slɔgɑ̃] *nm* slogan.

SMIC [smik] *nm* guaranteed minimum wage.

smoking [smɔkiŋ] *nm (costume)* dinner suit.

snack(-bar), s [snak(baʀ)] *nm* snack bar.

SNCF *nf* French national railway company, ≃ BR *(Br)*, ≃ Amtrak *(Am)*.

snob [snɔb] *adj* snobbish. ◆ *nmf* snob.

sobre [sɔbʀ] *adj* sober.

sociable [sɔsjabl] *adj* sociable.

social, e, aux [sɔsjal, o] *adj* social.

socialisme [sɔsjalism] *nm* socialism.

socialiste [sɔsjalist] *adj & nmf* socialist.

société [sɔsjete] *nf* society ; *(entreprise)* company.

socle [sɔkl] *nm (d'une statue)* pedestal.

socquette [sɔkɛt] *nf* ankle sock.

soda [sɔda] *nm* fizzy drink, soda *(Am)*.

sœur [sœʀ] *nf* sister.

sofa [sɔfa] *nm* sofa.

soi [swa] *pron* oneself ; **en ~** *(par lui-même)* in itself.

soi-disant [swadizɑ̃] *adj inv* so-called. ◆ *adv* supposedly.

soie [swa] *nf* silk.

soif [swaf] *nf* thirst ; avoir ~ to be thirsty ; ça donne ~ it makes you thirsty.

soigner [swaɲe] *vt* (malade, maladie) to treat ; (travail, présentation) to take care over ; (s'occuper de) to look after, to take care of.

soigneusement [swaɲøzmɑ̃] *adv* carefully.

soigneux, euse [swaɲø, øz] *adj* careful.

soin [swɛ̃] *nm* care ; prendre ~ de faire qqch to take care to do sthg. ❑ **soins** *nmpl* (médicaux, de beauté) care (sg) ; premiers ~s first aid (sg).

soir [swar] *nm* evening ; ce ~ tonight ; le ~ (tous les jours) in the evening.

soirée [sware] *nf* evening ; (réception) party.

sois, soit [swa] → **être**.

soit [swa(t)] *conj* : ~ ... ~ either ... or.

soixante [swasɑ̃t] *num* sixty → **six**.

soixante-dix [swasɑ̃tdis] *num* seventy → **six**.

soixante-dixième [swasɑ̃tdizjem] *num* seventieth → **sixième**.

soixantième [swasɑ̃tjem] *num* sixtieth → **sixième**.

soja [sɔʒa] *nm* soya.

sol [sɔl] *nm* (d'une maison) floor ; (dehors) ground ; (terrain) soil.

solaire [sɔler] *adj* solar.

soldat [sɔlda] *nm* soldier.

solde [sɔld] *nm* (d'un compte bancaire) balance ; en ~ in a sale.

❑ **soldes** *nmpl* (vente) sales ; (articles) sale goods.

soldé, e [sɔlde] *adj* (article) reduced.

sole [sɔl] *nf* sole ; ~ meunière sole fried in butter and served with lemon juice and parsley.

soleil [sɔlej] *nm* sun ; au ~ in the sun ; ~ couchant sunset ; ~ levant sunrise.

solennel, elle [sɔlanel] *adj* (officiel) solemn ; péj (ton, air) pompous.

solfège [sɔlfeʒ] *nm* : faire du ~ to learn how to read music.

solidaire [sɔlider] *adj* : être ~ de qqn to stand by sb.

solidarité [sɔlidarite] *nf* solidarity.

solide [sɔlid] *adj* (matériau, construction) solid ; (personne) sturdy.

solidité [sɔlidite] *nf* solidity.

soliste [sɔlist] *nmf* soloist.

solitaire [sɔliter] *adj* lonely. ◆ *nmf* loner.

solitude [sɔlityd] *nf* (calme) solitude ; (abandon) loneliness.

solliciter [sɔlisite] *vt* (suj : mendiant) to beg ; (entrevue, faveur) to request.

soluble [sɔlybl] *adj* (café) instant ; (médicament) soluble.

solution [sɔlysjɔ̃] *nf* solution.

sombre [sɔ̃br] *adj* dark ; (visage, humeur, avenir) gloomy.

sommaire [sɔmer] *adj* (explication, résumé) brief ; (repas, logement) basic. ◆ *nm* summary.

somme [sɔm] *nf* sum. ◆ *nm* : faire un ~ to have a nap ; faire la ~ de to add up ; en ~ in short.

sommeil [sɔmej] *nm* sleep ; avoir ~ to be sleepy.

sommelier, ère [sɔməlje, er] *nm, f* wine waiter (*f* wine waitress).

sommes [sɔm] → **être**.

sommet [sɔme] *nm* top ; (*montagne*) peak.

sommier [sɔmje] *nm* base.

somnambule [sɔmnɑ̃byl] *nmf* sleepwalker.

somnifère [sɔmnifer] *nm* sleeping pill.

somnoler [sɔmnɔle] *vi* to doze.

somptueux, euse [sɔ̃ptɥø, øz] *adj* sumptuous.

son¹ [sɔ̃] (*f* sa [sa], *pl* ses [se]) *adj* (*d'homme*) his ; (*de femme*) her ; (*de chose, d'animal*) its.

son² [sɔ̃] *nm* (*bruit*) sound ; (*de blé*) bran ; ~ **et lumière** *historical play performed at night*.

sondage [sɔ̃daʒ] *nm* survey.

sonde [sɔ̃d] *nf* MÉD probe.

songer [sɔ̃ʒe] *vi* : à **faire qqch** (*envisager de*) to think of doing sthg.

songeur, euse [sɔ̃ʒœr, øz] *adj* thoughtful.

sonner [sɔne] *vi* to ring. ◆ *vt* (*cloche*) to ring ; (*suj : horloge*) to strike.

sonnerie [sɔnri] *nf* (*son*) ringing ; (*mécanisme de réveil*) alarm ; (*de porte*) bell.

sonnette [sɔnɛt] *nf* (*de porte*) bell ; ~ **d'alarme** (*dans un train*) communication cord.

sono [sɔno] *nf fam* sound system.

sonore [sɔnɔr] *adj* (*voix, rire*) loud.

sonorité [sɔnɔrite] *nf* tone.

sont [sɔ̃] → **être**.

sophistiqué, e [sɔfistike] *adj* sophisticated.

sorbet [sɔrbe] *nm* sorbet.

Sorbonne [sɔrbɔn] *nf* : **la** ~ the Sorbonne (*highly respected Paris university*).

The oldest university in Paris was founded by Robert de Sorbon in 1257 as a Theology school for poor students. Today it consists of a Law school (*Panthéon-Sorbonne* or *Paris I*) and a school for the Humanities (*la Sorbonne* or *Paris IV*). The names *Sorbonne nouvelle* and *Paris III* refer to another Humanities school located on Rue Censier.

sorcier, ère [sɔrsje, er] *nm, f* wizard (*f* witch).

sordide [sɔrdid] *adj* sordid.

sort [sɔr] *nm* fate ; **tirer au** ~ to draw lots.

sorte [sɔrt] *nf* sort, kind ; **une** ~ **de** a sort of, a kind of ; **en quelque** ~ as it were.

sortie [sɔrti] *nf* (*porte*) exit, way out ; (*excursion*) outing ; (*au cinéma, au restaurant*) evening out ; (*d'un livre*) publication ; (*d'un film*) release ; ~ **de secours** emergency exit ; '~ **de véhicules**' 'garage entrance'.

sortir [sɔrtir] *vi* (*aux être*) (*aller dehors, au cinéma, au restaurant*) to go out ; (*venir dehors*) to come out ; (*livre, film*) to come out. ◆ *vt* (*aux avoir*) (*chien*) to take out ; (*livre, film*) to bring out ; ~ **de** (*aller*) to leave ; (*venir*) to come out of ;

(école, université) to have studied at. ❑ **s'en sortir** vp to pull through.

SOS nm SOS ; ~ **Médecins** emergency medical service.

sosie [sɔzi] nm double.

sou [su] nm : **ne plus avoir un ~** to be broke. ❑ **sous** nmpl fam (argent) money (sg).

souche [suʃ] nf (d'arbre) stump ; (de carnet) stub.

souci [susi] nm worry ; **se faire du ~** (pour) to worry (about).

soucier [susje] : **se soucier de** vp + prép to care about.

soucieux, euse [susjø, øz] adj concerned.

soucoupe [sukup] nf saucer ; ~ **volante** flying saucer.

soudain, e [sudɛ̃, ɛn] adj sudden. ◆ adv suddenly.

souder [sude] vt TECH to weld.

soudure [sudyr] nf (opération) welding ; (partie soudée) weld.

souffert [sufɛr] pp → **souffrir**.

souffle [sufl] nm (respiration) breathing ; (d'une explosion) blast ; **un ~ d'air** OU **de vent** a gust of wind ; **être à bout de ~** to be out of breath.

soufflé [sufle] nm soufflé.

souffler [sufle] vt (fumée) to blow ; (bougie) to blow out. ◆ vi (expirer) to breathe out ; (haleter) to puff ; (vent) to blow.

soufflet [sufle] nm (pour le feu) bellows (pl) ; (de train) concertina vestibule.

souffrance [sufrɑ̃s] nf suffering.

souffrant, e [sufrɑ̃, ɑ̃t] adj sout unwell.

souffrir [sufrir] vi to suffer ; ~ **de** to suffer from.

soufre [sufr] nm sulphur.

souhait [swe] nm wish ; **à tes ~ s!** bless you!

souhaitable [swetabl] adj desirable.

souhaiter [swete] vt : ~ **que** to hope that ; ~ **bonne chance/bon anniversaire à qqn** to wish sb good luck/happy birthday.

soûl, e [su, sul] adj drunk.

soulagement [sulaʒmɑ̃] nm relief.

soulager [sulaʒe] vt to relieve.

soûler [sule] : **se soûler** vp to get drunk.

soulever [sulve] vt (couvercle, jupe) to lift ; (enthousiasme, protestations) to arouse ; (problème) to bring up. ❑ **se soulever** vp (se redresser) to raise o.s. up ; (se rebeller) to rise up.

soulier [sulje] nm shoe.

souligner [suliɲe] vt to underline ; (insister sur) to emphasize.

soumettre [sumɛtr] vt : ~ **qqn/qqch à** to subject sb/sthg to ; ~ **qqch à qqn** (idée, projet) to submit sthg to sb. ❑ **se soumettre à** vp + prép (loi, obligation) to abide by.

soumis, e [sumi, iz] adj → **soumettre**. ◆ adj submissive.

soupape [supap] nf valve.

soupçon [supsɔ̃] nm suspicion.

soupçonner [supsɔne] vt to suspect.

soupçonneux, euse [supsɔnø, øz] adj suspicious.

soupe [sup] nf soup.

souper [supe] nm (dernier repas) late supper ; (dîner) dinner. ◆ vi (très tard) to have a late supper ; (dîner) to have dinner.

soupeser [supəze] vt to feel the weight of.

soupière [supjɛr] nf tureen.

soupir [supir] nm sigh ; **pousser un ~** to give a sigh.

soupirer [supire] vi to sigh.

souple [supl] adj (matière) flexible ; (sportif) supple.

souplesse [suples] nf (d'un sportif) suppleness.

source [surs] nf (d'eau) spring ; (de chaleur, de lumière) source.

sourcil [sursi] nm eyebrow.

sourd, e [sur, surd] adj deaf.

sourd-muet, sourde-muette [surmɥɛ, surdmɥɛt] (mpl sourds-muets, fpl sourdes-muettes) nm, f deaf and dumb person.

souriant, e [surjɑ̃, ɑ̃t] adj smiling.

sourire [surir] nm smile. ◆ vi to smile.

souris [suri] nf mouse.

sournois, e [surnwa, az] adj sly.

sous [su] prép under, underneath ; **~ enveloppe** in an envelope ; **~ la pluie** in the rain.

sous-bois [subwa] nm undergrowth.

sous-développé, e, s [sudevlɔpe] adj underdeveloped.

sous-entendre [suzɑ̃tɑ̃dr] vt to imply.

sous-entendu, s [suzɑ̃tɑ̃dy] nm innuendo.

sous-estimer [suzɛstime] vt to underestimate.

sous-louer [sulwe] vt to sublet.

sous-marin, e, s [sumarɛ̃] adj (flore) underwater. ◆ nm submarine ; Can (sandwich) long filled roll, sub (Am).

sous-préfecture, s [suprefektyr] nf administrative area smaller than a 'préfecture'.

sous-pull, s [supyl] nm lightweight polo-neck sweater.

sous-sol, s [susɔl] nm (d'une maison) basement.

sous-titre, s [sutitr] nm subtitle.

sous-titré, e, s [sutitre] adj subtitled.

soustraction [sustraksjɔ̃] nf subtraction.

sous-verre [suvɛr] nm inv picture in a clip-frame.

sous-vêtements [suvɛtmɑ̃] nmpl underwear (sg).

soute [sut] nf (d'un bateau) hold ; **~ à bagages** (d'un car) luggage compartment ; (d'un avion) luggage hold.

soutenir [sutnir] vt (porter, défendre) to support.

souterrain, e [sutɛrɛ̃, ɛn] adj underground. ◆ nm underground passage ; (sous une rue) subway (Br), underpass (Am).

soutien [sutjɛ̃] nm support ; SCOL extra classes (pl).

soutien-gorge [sutjɛ̃gɔrʒ] (pl soutiens-gorge) nm bra.

souvenir [suvnir] nm memory ; (objet touristique) souvenir. ❑ **se souvenir de** vp + prép to remember.

souvent [suvɑ̃] adv often.

souvenu, e [suvny] pp → souvenir.

souverain, e [suvrɛ̃, ɛn] nm, f monarch.

soviétique [sɔvjetik] adj Soviet.

soyeux, euse [swajø, øz] adj silky.

soyons [swajɔ̃] → être.

SPA nf ≃ RSPCA (Br), ≃ SPCA (Am).

spacieux, euse [spasjø, øz] adj spacious.

spaghetti(s) [spageti] nmpl spaghetti (sg).

sparadrap [sparadra] nm (sticking) plaster (Br), Band-Aid® (Am).

spatial, e, aux [spasjal, o] adj (recherche, vaisseau) space.

spatule [spatyl] nf (de cuisine) spatula.

spätzli [ʃpetsli] nmpl Helv small dumplings.

spécial, e, aux [spesjal, o] adj special ; (bizarre) odd.

spécialisé, e [spesjalize] adj specialized.

spécialiste [spesjalist] nmf specialist.

spécialité [spesjalite] nf speciality.

spécifique [spesifik] adj specific.

spécimen [spesimen] nm specimen.

spectacle [spektakl] nm (au théâtre, au cinéma) show ; (vue) sight.

spectaculaire [spektakylɛr] adj spectacular.

spectateur, trice [spektatœr, tris] nm, f spectator.

speculo(o)s [spekylos] nm Belg crunchy sweet biscuit flavoured with cinnamon.

speed [spid] adj : il est très ~ he's really hyper.

spéléologie [speleɔlɔʒi] nf potholing.

sphère [sfɛr] nf sphere.

spirale [spiral] nf spiral ; en ~ spiral.

spirituel, elle [spirityɛl] adj spiritual ; (personne, remarque) witty.

spiritueux [spirityø] nm spirit.

splendide [splãdid] adj magnificent.

sponsor [spɔ̃sɔr] nm sponsor.

sponsoriser [spɔ̃sɔrize] vt to sponsor.

spontané, e [spɔ̃tane] adj spontaneous.

sport [spɔr] nm sport ; ~ s d'hiver winter sports.

sportif, ive [spɔrtif, iv] adj (athlétique) sporty ; (épreuve, journal) sports. ◆ nm, f sportsman (f sportswoman).

spot [spɔt] nm (projecteur, lampe) spotlight ; ~ publicitaire commercial.

sprint [sprint] nm sprint.

square [skwar] nm small public garden.

squelette [skəlɛt] nm skeleton.

St (abr de saint) St.

stable [stabl] adj stable.

stade [stad] nm (de sport) stadium ; (période) stage.

stage [staʒ] nm (en entreprise) work placement ; (d'informatique, de yoga) intensive course.

stagiaire [staʒjɛr] nmf trainee.

stagner [stagne] vi to stagnate.

stalactite [stalaktit] nf stalactite.

stalagmite [stalagmit] nf stalagmite.

stand [stãd] nm stand.

standard [stãdar] adj inv standard. ◆ nm (téléphonique) switchboard.

standardiste [stãdardist] nmf switchboard operator.

star [star] nf star.

starter [starter] nm (d'une voiture) choke.

station [stasjɔ̃] nf (de métro, de radio) station ; ~ **de sports d'hiver** OU **de ski** ski resort ; ~ **balnéaire** seaside resort ; ~ **de taxis** taxi rank ; ~ **thermale** spa.

stationnement [stasjɔnmɑ̃] nm parking ; '~ **payant**' sign indicating that drivers must pay to park in designated area.

stationner [stasjɔne] vi to park.

station-service [stasjɔ̃sɛʀvis] (pl stations-service) nf petrol station (Br), gas station (Am).

statique [statik] adj → **électricité**.

statistiques [statistik] nfpl statistics.

statue [staty] nf statue.

statuette [statɥɛt] nf statuette.

statut [staty] nm (situation) status.

Ste (abr de sainte) St.

Sté (abr de société) Co.

steak [stɛk] nm steak ; ~ **frites** steak and chips ; ~ **haché** beefburger ; ~ **tartare** steak tartare.

sténodactylo [stenɔdaktilo] nf shorthand typist.

stéréo [stereo] adj inv & nf stereo.

stérile [steril] adj sterile.

stériliser [sterilize] vt to sterilize.

sterling [sterliŋ] adj → **livre** ².

steward [stiwart] nm (sur un avion) (air) steward.

stimuler [stimyle] vt (encourager) to encourage.

stock [stɔk] nm stock.

stocker [stɔke] vt to stock.

stop [stɔp] nm (panneau) stop

sign ; (phare) brake light. ◆ excl stop! ; **faire du** ~ to hitchhike.

stopper [stɔpe] vt & vi to stop.

store [stɔr] nm blind ; (de magasin) awning.

strapontin [strapɔ̃tɛ̃] nm folding seat.

stratégie [strateʒi] nf strategy.

stress [strɛs] nm stress.

stressé, e [strese] adj stressed.

strict, e [strikt] adj strict.

strictement [striktəmɑ̃] adv strictly.

strident, e [stridɑ̃, ɑ̃t] adj shrill.

strié, e [strije] adj with ridges.

strophe [strɔf] nf verse.

structure [stryktyr] nf structure.

studieux, euse [stydjø, øz] adj studious.

studio [stydjo] nm (logement) studio flat (Br), studio apartment (Am) ; (de cinéma, de photo) studio.

stupéfait, e [stypefɛ, ɛt] adj astounded.

stupéfiant, e [stypefjɑ̃, ɑ̃t] adj astounding. ◆ nm drug.

stupide [stypid] adj stupid.

stupidité [stypidite] nf stupidity ; (parole) stupid remark.

style [stil] nm style.

stylo [stilo] nm pen ; ~ **(à) bille** ballpoint pen ; ~ **(à) plume** fountain pen.

stylo-feutre [stiloføtr] (pl stylos-feutres) nm felt-tip (pen).

su, e [sy] pp → **savoir**.

subir [sybir] vt (attaque, opération, changement) to undergo.

subit, e [sybi, it] adj sudden.

subjectif, ive [sybʒɛktif, iv] adj subjective.

subjonctif [syb₃ɔktif] *nm* subjunctive.

sublime [syblim] *adj* sublime.

submerger [sybmεrʒe] *vt (suj: eau)* to flood ; *(suj: travail, responsabilités)* to overwhelm.

subsister [sybziste] *vi (rester)* to remain.

substance [sypstɑ̃s] *nf* substance.

substantiel, elle [sypstɑ̃sjɛl] *adj* substantial.

substituer [sypstitɥe] *vt :* ~ qqch à qqch to substitute sthg for sthg.

subtil, e [syptil] *adj* subtle.

subtilité [syptilite] *nf* subtlety.

subvention [sybvɑ̃sjɔ̃] *nf* subsidy.

succéder [syksede] : **succéder à** *v + prép (suivre)* to follow ; *(dans un emploi)* to succeed. ❑ **se succéder** *vp (événements, jours)* to follow one another.

succès [syksε] *nm* success ; **avoir du** ~ to be successful.

successeur [syksesœr] *nm* successor.

successif, ive [syksesif, iv] *adj* successive.

succession [syksesjɔ̃] *nf* succession.

succulent, e [sykylɑ̃, ɑ̃t] *adj* delicious.

succursale [sykyrsal] *nf* branch.

sucer [syse] *vt* to suck.

sucette [sysεt] *nf (bonbon)* lollipop ; *(de bébé)* dummy (Br), pacifier (Am).

sucre [sykr] *nm* sugar ; ~ **en morceaux** sugar lumps *(pl)* ; ~ **en poudre** caster sugar.

sucré, e [sykre] *adj (yaourt, lait*

concentré) sweetened ; *(fruit, café)* sweet.

sucrer [sykre] *vt* to sweeten.

sucreries [sykrəri] *nfpl* sweets (Br), candies (Am).

sucrier [sykrije] *nm* sugar bowl.

sud [syd] *adj inv* & *nm* south ; **au** ~ in the south ; **au ~ de** south of.

sud-africain, e, s [sydafrikɛ̃, εn] *adj* South African.

sud-est [sydεst] *adj inv* & *nm* southeast ; **au** ~ in the southeast ; **au ~ de** southeast of.

sud-ouest [sydwεst] *adj inv* & *nm* southwest ; **au** ~ in the southwest.

Suède [sɥεd] *nf :* **la** ~ Sweden.

suédois, e [sɥedwa, az] *adj* Swedish. ◆ *nm (langue)* Swedish. ❑ **Suédois, e** *nm, f* Swede.

suer [sɥe] *vi* to sweat.

sueur [sɥœr] *nf* sweat ; **être en** ~ to be sweating.

suffire [syfir] *vi* to be enough ; **ça suffit!** that's enough! ; **il (te) suffit de faire** all you have to do is.

suffisamment [syfizamɑ̃] *adv* enough ; ~ **de** enough.

suffisant, e [syfizɑ̃, ɑ̃t] *adj* sufficient.

suffocant, e [syfɔkɑ̃, ɑ̃t] *adj* oppressive.

suffoquer [syfɔke] *vi* to suffocate.

suggérer [sygʒere] *vt* to suggest.

suggestion [sygʒεstjɔ̃] *nf* suggestion.

suicide [sɥisid] *nm* suicide.

suicider [sɥiside] : **se suicider** *vp* to commit suicide.

suie [sɥi] *nf* soot.

suinter [sɥɛ̃te] vi (murs) to sweat ; (liquide) to ooze.

suis [sɥi] → être, suivre.

suisse [sɥis] adj Swiss. ❑ **Suisse** nmf Swiss (person). ◆ nf : **la Suisse** Switzerland ; **les Suisses** the Swiss.

suite [sɥit] nf (série, succession) series ; (d'une histoire) rest ; (deuxième film) sequel ; **à la ~** (en suivant) one after the other ; **à ~ de** (à cause de) following ; **de ~** (d'affilée) in a row. ❑ **suites** nfpl (conséquences) consequences ; (d'une maladie) aftereffects.

suivant, e [sɥivɑ̃, ɑ̃t] adj next. ◆ nm, f next (one). ◆ prép (selon) according to ; **au ~!** next!

suivi, e [sɥivi] pp → suivre.

suivre [sɥivr] vt to follow ; **suivi de** followed by ; **faire ~** (courrier) to forward.

sujet [syʒɛ] nm subject ; **au ~ de** about.

super [sypɛr] adj inv fam (formidable) great. ◆ nm (carburant) four-star (petrol).

super- [sypɛr] préf fam (très) really.

superbe [sypɛrb] adj superb.

supérette [sypɛrɛt] nf mini-market.

superficie [sypɛrfisi] nf area.

superficiel, elle [sypɛrfisjɛl] adj superficial.

superflu, e [sypɛrfly] adj superfluous.

supérieur, e [sypɛrjœr] adj (du dessus) upper ; (hiérarchique) superior. ◆ nm, f (hiérarchique) superior ; **~ à** (plus élevé que) higher than ; (meilleur que) better than.

supériorité [sypɛrjɔrite] nf superiority.

supermarché [sypɛrmarʃe] nm supermarket.

superposer [sypɛrpoze] vt (objets) to put on top of each other ; (images) to superimpose.

superstitieux, euse [sypɛrstisjø, øz] adj superstitious.

superviser [sypɛrvize] vt to supervise.

supplément [syplemɑ̃] nm (argent) supplement, extra charge ; **en ~** extra.

supplémentaire [syplemɑ̃tɛr] adj additional.

supplice [syplis] nm torture.

supplier [syplije] vt : **~ qqn de faire qqch** to beg sb to do sthg.

support [sypɔr] nm support.

supportable [sypɔrtabl] adj (douleur) bearable ; (situation) tolerable.

supporter[1] [sypɔrte] vt (endurer) to bear, to stand ; (tolérer) to bear ; (soutenir) to support.

supporter[2] [sypɔrtɛr] nm (d'une équipe) supporter.

supposer [sypoze] vt to suppose ; (exiger) to require ; **à ~ que ... supposing** (that) ...

supposition [sypozisjɔ̃] nf supposition.

suppositoire [sypozitwar] nm suppository.

suppression [sypresjɔ̃] nf removal ; (d'un mot) deletion.

supprimer [syprime] vt to remove ; (train) to cancel ; (mot) to delete ; (tuer) to do away with.

suprême [syprɛm] nm : **~ de volaille** chicken supreme.

sur [syʀ] *prép* - **1.** *(dessus)* on.
- **2.** *(au-dessus de)* above, over.
- **3.** *(indique la direction)* towards ;
tournez ~ la droite turn (to the) right.
- **4.** *(indique la distance)* for ; 'travaux ~ 10 kilomètres' 'roadworks for 10 kilomètres'.
- **5.** *(au sujet de)* on, about.
- **6.** *(dans une mesure)* by ; **un mètre ~ deux** one metre by two.
- **7.** *(dans une proportion)* out of ; **un jour ~ deux** every other day.

sûr, e [syʀ] *adj (certain)* certain, sure ; *(sans danger)* safe ; *(digne de confiance)* reliable ; **être ~ de soi** to be self-confident.

surbooking [syʀbukiŋ] *nm* overbooking.

surcharger [syʀʃaʀʒe] *vt* to overload.

surchauffé, e [syʀʃofe] *adj* overheated.

surélever [syʀelve] *vt* to raise.

sûrement [syʀmɑ̃] *adv (probablement)* probably ; **~ pas!** certainly not!

surestimer [syʀestime] *vt* to overestimate.

sûreté [syʀte] *nf* : **mettre qqch en ~** to put sthg in a safe place.

surexcité, e [syʀeksite] *adj* overexcited.

surf [sœʀf] *nm* surfing.

surface [syʀfas] *nf (étendue)* surface area ; *MATH* surface.

surfer [syʀfe] *vi INFORM* to surf.

surgelé, e [syʀʒəle] *adj* frozen.
◆ *nm* frozen meal ; **des ~ s** frozen food *(sg)*.

surgir [syʀʒiʀ] *vi* to appear suddenly ; *(difficultés)* to arise.

sur-le-champ [syʀləʃɑ̃] *adv* immediately.

surlendemain [syʀlɑ̃dmɛ̃] *nm* : **le ~** two days later ; **le ~ de son départ** two days after he left.

surligneur [syʀliɲœʀ] *nm* highlighter (pen).

surmené, e [syʀməne] *adj* overworked.

surmonter [syʀmɔ̃te] *vt (difficulté, obstacle)* to overcome.

surnaturel, elle [syʀnatyʀɛl] *adj* supernatural.

surnom [syʀnɔ̃] *nm* nickname.

surnommer [syʀnɔme] *vt* to nickname.

surpasser [syʀpase] *vt* to surpass. ❑ **se surpasser** *vp* to excel o.s.

surplace [syʀplas] *nm* : **faire du ~** *fig* to mark time.

surplomber [syʀplɔ̃be] *vt* to overhang.

surplus [syʀply] *nm* surplus.

surprenant, e [syʀpʀənɑ̃, ɑ̃t] *adj* surprising.

surprendre [syʀpʀɑ̃dʀ] *vt* to surprise.

surpris, e [syʀpʀi, iz] *pp* → surprendre. ◆ *adj* surprised.

surprise [syʀpʀiz] *nf* surprise ; **faire une ~ à qqn** to give sb a surprise ; **par ~** by surprise.

surréservation [syʀʀezɛʀvasjɔ̃] *nf* = surbooking.

sursaut [syʀso] *nm* : **se réveiller en ~** to wake with a start.

sursauter [syʀsote] *vi* to start.

surtaxe [syʀtaks] *nf* surcharge.

surtout [syʀtu] *adv (avant tout)*

above all ; (plus particulièrement) especially ; ~, fais bien attention! whatever you do, be careful!

survécu [syrveky] pp → survivre.

surveillance [syrvejãs] nf supervision ; **être sous** ~ to be under surveillance.

surveillant, e [syrvejã, ãt] nm, f SCOL supervisor.

surveiller [syrveje] vt to watch. ❏ **se surveiller** vp (faire du régime) to watch one's weight.

survêtement [syrvetmã] nm tracksuit.

survivant, e [syrvivã, ãt] nm, f survivor.

survivre [syrvivr] vi to survive ; ~ **à** to survive.

survoler [syrvɔle] vt (lieu) to fly over.

sus [sy(s)] : **en sus** adv on top.

susceptible [syseptibl] adj (sensible) touchy.

susciter [sysite] vt (intérêt, colère) to arouse ; (difficulté, débat) to create.

suspect, e [syspe, ɛkt] adj (comportement, individu) suspicious ; (aliment) suspect. ◆ nm, f suspect.

suspecter [syspɛkte] vt to suspect.

suspendre [syspãdr] vt (accrocher) to hang ; (arrêter) to suspend.

suspense [syspãs] nm suspense.

suspension [syspãsjɔ̃] nf (d'une voiture) suspension ; (lampe) (ceiling) light (hanging type).

suture [sytyr] nf → point.

SVP (abr de s'il vous plaît) pls.

sweat-shirt, s [switʃœrt] nm sweatshirt.

syllabe [silab] nf syllable.

symbole [sɛ̃bɔl] nm symbol.

symbolique [sɛ̃bɔlik] adj symbolic.

symétrie [simetri] nf symmetry.

symétrique [simetrik] adj symmetrical.

sympa [sɛ̃pa] adj fam nice.

sympathie [sɛ̃pati] nf : **éprouver** OU **avoir de la** ~ **pour qqn** to have a liking for sb.

sympathique [sɛ̃patik] adj nice.

sympathiser [sɛ̃patize] vi to get on well.

symphonie [sɛ̃fɔni] nf symphony.

symptôme [sɛ̃ptom] nm symptom.

synagogue [sinagɔg] nf synagogue.

synchronisé, e [sɛ̃krɔnize] adj synchronized.

syncope [sɛ̃kɔp] nf MÉD blackout.

syndical, e, aux [sɛ̃dikal, o] adj (mouvement, revendications) (trade) union.

syndicaliste [sɛ̃dikalist] nmf (trade) unionist.

syndicat [sɛ̃dika] nm (trade) union ; ~ **d'initiative** tourist office.

syndiqué, e [sɛ̃dike] adj : **être** ~ to belong to a (trade) union.

synonyme [sinɔnim] nm synonym.

synthèse [sɛ̃tɛz] nf (d'un texte) summary.

synthétique [sɛ̃tetik] adj (produit, fibre) synthetic, man-made. ◆ nm (tissu) synthetic OU man-made fabric.

synthétiseur [sɛ̃tetizœr] *nm* synthesizer.

systématique [sistematik] *adj* systematic.

système [sistɛm] *nm* system.

T

t' → te.

ta → ton [1].

tabac [taba] *nm* tobacco ; *(magasin)* tobacconist's.

TABAC

As well as selling cigarettes, cigars and tobacco, *tabacs* in France also sell stamps and lottery tickets. In Paris they sell métro tickets and carte orange monthly public transport passes. In the countryside they may also stock newspapers.

tabagie [tabaʒi] *nf Can (bureau de tabac)* tobacconist's.

table [tabl] *nf* table ; **mettre la ~ to** set OU lay the table ; **se mettre à ~** to sit down to eat ; **~ de chevet** OU **de nuit** bedside table ; **~ à langer** baby changing table ; **~ d'opération** operating table ; **~ d'orientation** viewpoint indicator ; **~ à repasser** ironing board.

tableau, x [tablo] *nm (peinture)* painting ; *(panneau)* board ; *(grille)* table ; **~ de bord** *(d'une voiture)* dashboard ; *(d'un avion)* instrument panel ; **~ (noir)** blackboard.

tablette [tablɛt] *nf (étagère)* shelf ; **~ de chocolat** bar of chocolate.

tablier [tablije] *nm* apron.

taboulé [tabule] *nm* tabbouleh, *Lebanese dish of couscous, tomatoes, onion, mint and lemon.*

tabouret [taburɛ] *nm* stool.

tache [taʃ] *nf (de couleur)* patch ; *(de graisse)* stain ; **~ s de rousseur** freckles.

tâche [taʃ] *nf* task.

tacher [taʃe] *vt* to stain.

tâcher [taʃe] : **tâcher de** *v + prép* to try to.

tacheté, e [taʃte] *adj* spotted.

tact [takt] *nm* tact.

tactique [taktik] *nf* tactics *(pl)*.

tag [tag] *nm* name written with a spray can on walls, trains etc.

tagine [taʒin] *nm North African stew, cooked in a special earthenware vessel.*

taie [tɛ] *nf* : **~ d'oreiller** pillowcase.

taille [taj] *nf* size ; *(hauteur)* height ; *(partie du corps)* waist.

taille-crayon, s [tajkrɛjɔ̃] *nm* pencil sharpener.

tailler [taje] *vt (arbre)* to prune ; *(tissu)* to cut out ; *(crayon)* to sharpen.

tailleur [tajœr] *nm (couturier)* tailor ; *(vêtement)* (woman's) suit ; **s'asseoir en ~** to sit cross-legged.

taire [tɛr] : **se taire** *vp (arrêter de parler)* to stop speaking ; *(rester silencieux)* to be silent.

talc [talk] *nm* talc.

talent [talɑ̃] *nm* talent.

talkie-walkie [tɔkiwɔki] *(pl* talkies-walkies) *nm* walkie-talkie.

talon [talɔ̃] *nm* heel ; *(d'un chèque)* stub ; **chaussures à ~ s hauts/plats** high-heeled/flat shoes.

talus [taly] *nm* embankment.

tambour [tābur] *nm* drum.

tambourin [tāburɛ̃] *nm* tambourine.

tamis [tami] *nm* sieve.

Tamise [tamiz] *nf* : la ~ the Thames.

tamisé, e [tamize] *adj (lumière)* soft.

tamiser [tamize] *vt (farine, sable)* to sieve.

tampon [tāpɔ̃] *nm (cachet)* stamp ; *(de tissu, de coton)* wad ; ~ *(hygiénique)* tampon.

tamponneuse [tāpɔnøz] *adj f* → **auto**.

tandem [tādɛm] *nm* tandem.

tandis [tādi] : **tandis que** *conj (pendant que)* while ; *(alors que)* whereas.

tango [tāgo] *nm* tango.

tanguer [tāge] *vi* to pitch.

tank [tāk] *nm* tank.

👉

tant [tā] *adv* - **1.** *(tellement)* so much ; ~ **de** ... **(que)** *(travail, patience)* so much ... (that) ; *(livres, gens)* so many ... (that).
- **2.** *(autant)* : ~ **que** as much as.
- **3.** *(temporel)* : ~ **que nous resterons ici** for as long as we're staying here.
- **4.** *(dans des expressions)* : **en** ~ **que** as ; ~ **mieux** so much the better ; ~ **pis** too bad.

tante [tāt] *nf* aunt.

tantôt [tāto] *adv* : ~ ..., ~ sometimes ..., sometimes.

taon [tā] *nm* horsefly.

tapage [tapaʒ] *nm* din.

tape [tap] *nf* tap.

tapenade [tapənad] *nf* spread made from black olives, capers and crushed anchovies, moistened with olive oil.

taper [tape] *vt* to hit ; *(code)* to dial ; ~ **(qqch) à la machine** to type (sthg) ; ~ **des pieds** to stamp one's feet ; ~ **sur** *(porte)* to hammer at ; *(dos)* to slap ; *(personne)* to hit.

tapioca [tapjɔka] *nm* tapioca.

tapis [tapi] *nm* carpet ; ~ **roulant** moving pavement *(Br)*, moving sidewalk *(Am)* ; ~ **de sol** groundsheet.

tapisser [tapise] *vt (mur, pièce)* to paper ; *(recouvrir)* to cover.

tapisserie [tapisri] *nf (de laine)* tapestry ; *(papier peint)* wallpaper.

tapoter [tapɔte] *vt* to tap.

taquiner [takine] *vt* to tease.

tarama [tarama] *nm* taramasalata.

tard [tar] *adv* late ; **plus** ~ later ; **à plus** ~! see you later! ; **au plus** ~ at the latest.

tarder [tarde] *vi* : **elle ne va pas** ~ **(à arriver)** she won't be long ; ~ **à faire qqch** *(personne)* to take a long time doing sthg.

tarif [tarif] *nm (liste des prix)* price ; ~ **plein** full price ; ~ **réduit** concession.

tarir [tarir] *vi* to dry up.

tarot [taro] *nm (jeu)* tarot.

tartare [tartar] *adj* → **sauce**, **steak**.

tarte [tart] *nf* tart ; ~ **aux fraises** strawberry tart ; ~ **aux matons** *Belg* tart made with curdled milk and almonds ; ~ **Tatin** apple tart cooked upside down with the pastry on top, then turned over before serving.

tartelette [tartəlɛt] *nf* tartlet.

tartine [tartin] nf slice of bread ; ~ de beurre slice of bread and butter.

tartiner [tartine] vt to spread ; fromage à ~ cheese spread ; pâte à ~ spread.

tartre [tartr] nm (sur les dents) tartar ; (calcaire) scale.

tas [ta] nm heap, pile ; mettre qqch en ~ to pile sthg up ; un ou des ~ de fam (beaucoup de) loads of.

tasse [tas] nf cup ; boire la ~ to swallow a mouthful ; ~ à café coffee cup ; ~ à thé teacup.

tasser [tase] vt (serrer) to cram. ❏ **se tasser** vp (s'affaisser) to subside ; (dans une voiture) to cram.

tâter [tate] vt to feel. ❏ **se tâter** vp (hésiter) to be in two minds.

tâtonner [tatɔne] vi to grope around.

tatouage [tatwaʒ] nm (dessin) tattoo.

taupe [top] nf mole.

taureau, x [tɔro] nm bull. ❏ **Taureau** nm Taurus.

taux [to] nm rate ; ~ de change exchange rate.

taverne [tavɛrn] nf Can (café) tavern.

taxe [taks] nf tax ; toutes ~ s comprises inclusive of tax.

taxer [takse] vt (produit) to tax.

taxi [taksi] nm taxi.

Tchécoslovaquie [tʃekɔslovaki] nf : la ~ Czechoslovakia.

te [tə] pron (objet direct) you ; (objet indirect) (to) you ; (réfléchi) : tu t'es bien amusé? did you have a good time?

technicien, enne [tɛknisjɛ̃, ɛn] nm, f technician.

technique [tɛknik] adj technical. ◆ nf technique.

technologie [tɛknɔlɔʒi] nf technology.

tee-shirt, s [tiʃœrt] nm tee shirt.

teindre [tɛ̃dr] vt to dye ; se faire ~ (les cheveux) to have one's hair dyed.

teint, e [tɛ̃, tɛ̃t] pp → teindre. ◆ nm complexion.

teinte [tɛ̃t] nf colour.

teinter [tɛ̃te] vt (bois, verre) to stain.

teinture [tɛ̃tyr] nf (produit) dye ; ~ d'iode tincture of iodine.

teinturerie [tɛ̃tyrri] nf dry cleaner's.

teinturier, ère [tɛ̃tyrje, ɛr] nm, f dry cleaner.

tel, telle [tɛl] adj such ; ~ que (comparable à) like ; (pour donner un exemple) such as ; ~ ou ~ any particular.

télé [tele] nf fam telly ; à la ~ on the telly.

télécabine [telekabin] nf cable car.

Télécarte® [telekart] nf phonecard.

télécommande [telekɔmɑ̃d] nf remote control.

télécommunications [telekɔmynikasjɔ̃] nfpl telecommunications.

télécopie [telekɔpi] nf fax.

télécopieur [telekɔpjœr] nm fax (machine).

téléfilm [telefilm] nm TV film.

télégramme [telegram] nm telegram.

téléguidé, e [telegide] adj (missi-

le) guided ; *(jouet)* radio-controlled.

téléobjectif [teleɔbʒɛktif] *nm* telephoto lens.

téléphérique [teleferik] *nm* cable car.

téléphone [telefɔn] *nm* (tele)phone ; **au ~** on the (tele)phone ; **~ mobile** mobile phone ; **~ sans fil** cordless phone ; **~ de voiture** car phone.

TÉLÉPHONE

When making a phone call within in France, the same number is used regardless of whether the call is between two different towns or within a single locality. All telephone numbers begin with a '0' and the second digit identifies the part of the country or the type of telephone line:
01 for Ile de France
(the Paris region)
02 for the Northwest of France
03 for the Northeast of France
04 for the Southeast of France
05 for the Southwest of France
06 for mobile telephones

téléphoner [telefɔne] *vi* to (tele)phone ; **~ à qqn** to (tele)phone sb.

téléphonique [telefɔnik] *adj* → **cabine, carte**.

télescope [teleskɔp] *nm* telescope.

télescoper [teleskɔpe] : **se télescoper** *vp* to crash into one another.

télescopique [teleskɔpik] *adj* telescopic.

télésiège [telesjɛʒ] *nm* chair lift.

téléski [teleski] *nm* ski tow.

téléspectateur, trice [telespɛktatœr, tris] *nm, f* (television) viewer.

télétravail, aux [teletravaj, o] *nm* teleworking.

télévisé, e [televize] *adj* televised.

téléviseur [televizœr] *nm* television (set).

télévision [televizjɔ̃] *nf* television ; **à la ~** on television.

télex [telɛks] *nm inv* telex.

telle → **tel**.

tellement [tɛlmɑ̃] *adv (tant)* so much ; *(si)* so ; **~ de** *(nourriture, patience)* so much ; *(objets, personnes)* so many ; **pas ~** not particularly.

témoignage [temwaɲaʒ] *nm* testimony.

témoigner [temwaɲe] *vi (en justice)* to testify.

témoin [temwɛ̃] *nm* witness ; SPORT baton.

tempe [tɑ̃p] *nf* temple.

tempérament [tɑ̃peramɑ̃] *nm* temperament.

température [tɑ̃peratyr] *nf* temperature.

tempête [tɑ̃pɛt] *nf (vent)* gale ; *(avec orage)* storm.

temple [tɑ̃pl] *nm (grec, égyptien, etc)* temple ; *(protestant)* church.

temporaire [tɑ̃pɔrɛr] *adj* temporary.

temporairement [tɑ̃pɔrɛrmɑ̃] *adv* temporarily.

temps [tɑ̃] *nm (durée, en musique)* time ; *(météo)* weather ; GRAMM tense ; **avoir le ~ de faire qqch** to have time to do sthg ; **à ~** on time ; **de ~ en ~** from time to time ; **en même ~** at the same time ; **à ~ complet/partiel** full-/part-time.

tenailles [tənaj] *nfpl* pincers.

tendance [tɑ̃dɑ̃s] *nf* trend ; **avoir ~ à faire qqch** to have a tendency to do sthg, to tend to do sthg.

tendeur [tɑ̃dœr] *nm (courroie)* luggage strap.

tendinite [tɑ̃dinit] *nf* tendinitis.

tendon [tɑ̃dɔ̃] *nm* tendon.

tendre [tɑ̃dr] *adj* tender. ◆ *vt (corde)* to pull taut ; *(bras)* to stretch out ; **~ qqch à qqn** to hold sthg out to sb ; **~ un piège à qqn** to set a trap for sb. ❏ **se tendre** *vp* to tighten.

tendresse [tɑ̃drɛs] *nf* tenderness.

tendu, e [tɑ̃dy] *adj (personne)* tense ; *(rapports)* strained.

☞

tenir [tənir] *vt* - **1.** *(à la main, dans ses bras)* to hold.
- **2.** *(garder)* to keep ; **~ un plat au chaud** to keep a dish warm.
- **3.** *(promesse, engagement)* to keep.
- **4.** *(magasin, bar)* to run.
- **5.** *(dans des expressions)* : **tiens! ; tenez!** *(en donnant)* here! ; **tiens!** *(exprime la surprise)* hey!
◆ *vi* - **1.** *(construction)* to stay up ; *(beau temps, relation)* to last.
- **2.** *(rester)* : **~ debout** to stand (up).
- **3.** *(être contenu)* to fit.
❏ **tenir à** *v + prép (être attaché à)* to care about ; **~ à faire qqch** to insist on doing sthg.
❏ **tenir de** *v + prép (ressembler à)* to take after.

❏ **se tenir** *vp* - **1.** *(avoir lieu)* to be held.
- **2.** *(s'accrocher)* to hold on ; **se ~ à** to hold on to.
- **3.** *(debout)* to stand ; *(assis)* to sit ; **se ~ tranquille** to keep still.
- **4.** *(se comporter)* : **bien/mal se ~** to behave well/badly.

tennis [tenis] *nm* tennis. ◆ *nmpl (chaussures)* trainers ; **~ de table** table tennis.

tension [tɑ̃sjɔ̃] *nf (dans une relation)* tension ; MÉD blood pressure ; *(électrique)* voltage ; **avoir de la ~** to have high blood pressure.

tentacule [tɑ̃takyl] *nm* tentacle.

tentation [tɑ̃tasjɔ̃] *nf* temptation.

tentative [tɑ̃tativ] *nf* attempt.

tente [tɑ̃t] *nf* tent.

tenter [tɑ̃te] *vt (essayer)* to attempt, to try ; *(attirer)* to tempt ; **~ de faire qqch** to attempt to do sthg.

tenu, e [təny] *pp* → **tenir.**

tenue [təny] *nf (vêtements)* clothes *(pl)* ; **~ de soirée** evening dress.

ter [tɛr] *adv (dans une adresse)* b ; **11 ~ 11b.**

Tergal® [tɛrgal] *nm* ≃ Terylene®.

terme [tɛrm] *nm (mot)* term ; *(fin)* end ; **à court ~,** ... in the short term, ... ; **à long ~,** ... in the long term, ...

terminaison [tɛrminɛzɔ̃] *nf* GRAMM ending.

terminal, aux [tɛrminal, o] *nm* terminal.

terminale [tɛrminal] *nf* SCOL ≃ upper sixth *(Br)*.

terminer [tɛrmine] *vt* to finish, to

end ; *(repas, travail)* to finish. ❑ **se terminer** *vp* to end.

terminus [terminys] *nm* terminus.

terne [tern] *adj* dull.

terrain [terɛ̃] *nm (emplacement)* piece of land ; *(sol)* ground ; ~ **de camping** campsite ; ~ **de football** football pitch ; ~ **de jeux** playground.

terrasse [teras] *nf* terrace ; *(de café)* tables outside a café.

terre [ter] *nf (sol)* ground ; *(matière)* soil ; *(argile)* clay ; *(propriété)* piece of land ; **la Terre** (the) Earth ; **par** ~ on the ground.

terre-plein, s [terplɛ̃] *nm* raised area ; ~ **central** central reservation.

terrestre [terestr] *adj (flore, animal)* land.

terreur [terœr] *nf* terror.

terrible [tribl] *adj* terrible ; *fam (excellent)* brilliant ; **pas** ~ *fam* not brilliant.

terrier [terje] *nm (de lapin)* burrow ; *(de renard)* earth.

terrifier [terifje] *vt* to terrify.

terrine [terin] *nf* terrine.

territoire [teritwar] *nm* territory.

terroriser [terɔrize] *vt* to terrorize.

terroriste [terɔrist] *nmf* terrorist.

tes → **ton** [1].

test [test] *nm* test.

testament [testamɑ̃] *nm* will.

tester [teste] *vt* to test.

tétanos [tetanos] *nm* tetanus.

tête [tet] *nf* head ; *(visage)* face ; *(partie avant)* front ; **faire la** ~ to sulk ; **en** ~ à ~ *(parler)* in private ; *(dîner)* alone together ; ~ **de veau**

(plat) dish made from the soft part of a calf's head.

tête-à-queue [tetakø] *nm inv* spin.

téter [tete] *vi* to suckle.

tétine [tetin] *nf (de biberon)* teat ; *(sucette)* dummy *(Br)*, pacifier *(Am)*.

têtu, e [tety] *adj* stubborn.

texte [tekst] *nm* text.

textile [tekstil] *nm (tissu)* textile.

texto® [teksto] *nm fam* TEL SMS message.

TF1 *n* French independent television company.

TGV *nm* French high-speed train.

Thaïlande [tajlɑ̃d] *nf* : **la** ~ Thailand.

thé [te] *nm* tea ; ~ **au citron** lemon tea ; ~ **au lait** tea with milk ; ~ **nature** tea without milk.

théâtral, e, aux [teatral, o] *adj* theatrical.

théâtre [teatr] *nm* theatre.

théière [tejer] *nf* teapot.

thème [tem] *nm* theme ; *(traduction)* prose.

théorie [teɔri] *nf* theory.

théoriquement [teɔrikmɑ̃] *adv* theoretically.

thermal, e, aux [termal, o] *adj (source)* thermal.

thermomètre [termɔmetr] *nm* thermometer.

Thermos® [termos] *nf* : *(bouteille)* ~ **Thermos**® flask.

thermostat [termɔsta] *nm* thermostat.

thèse [tez] *nf (universitaire)* thesis ; *(idée)* theory.

thon [tɔ̃] *nm* tuna.

thym [tɛ̃] *nm* thyme.

tibia [tibja] *nm* tibia.

tic [tik] *nm (mouvement)* tic ; *(habitude)* mannerism.

ticket [tike] *nm* ticket ; ~ **de caisse** (till) receipt ; ~ **de métro** underground ticket.

tiède [tjɛd] *adj* lukewarm.

tien [tjɛ̃] : **le tien** (*f* **la tienne** [latjɛn], *mpl* **les tiens** [letjɛ̃], *fpl* **les tiennes** [letjɛn]) *pron* yours ; **à la tienne!** cheers!

tiendra *etc* → **tenir**.

tienne *etc* → **tenir, tien**.

tiens *etc* → **tenir**.

tiercé [tjɛrse] *nm* system of betting involving the first three horses in a race.

tiers [tjɛr] *nm* third.

tige [tiʒ] *nf (de plante)* stem ; *(de métal)* rod ; *(de bois)* shaft.

tigre [tigr] *nm* tiger.

tilleul [tijœl] *nm (arbre)* lime (tree) ; *(tisane)* lime tea.

tilsit [tilsit] *nm* strong firm Swiss cheese with holes in it.

timbale [tɛ̃bal] *nf (gobelet)* metal cup ; *CULIN* meat, fish etc in a sauce, cooked in a mould lined with pastry.

timbre(-poste) [tɛ̃br(əpɔst)] (*pl* **timbres(-poste)**) *nm* (postage) stamp.

timbrer [tɛ̃bre] *vt* to put a stamp on.

timide [timid] *adj* shy.

timidité [timidite] *nf* shyness.

tir [tir] *nm (sport)* shooting ; ~ **à l'arc** archery.

tirage [tiraʒ] *nm (d'une loterie)* draw ; ~ **au sort** drawing lots.

tire-bouchon, s [tirbuʃɔ̃] *nm* corkscrew.

tirelire [tirlir] *nf* moneybox.

tirer [tire] *vt* - **1.** *(gén)* to pull ; *(tiroir)* to pull open ; *(rideau)* to draw ; *(caravane)* to tow.
- **2.** *(trait)* to draw.
- **3.** *(avec une arme)* to fire.
- **4.** *(sortir)* : ~ **qqch de** to take sthg out of ; ~ **qqn de** *(situation)* to get sb out of.
- **5.** *(numéro, carte)* to draw.
◆ *vi* - **1.** *(avec une arme)* to shoot ; ~ **sur** to shoot at.
- **2.** *(vers soi, vers le bas, etc)* : ~ **sur qqch** to pull on sthg.
- **3.** *SPORT* to shoot.
☐ **se tirer** *vp fam (s'en aller)* to push off.
☐ **s'en tirer** *vp (se débrouiller)* to get by ; *(survivre)* to pull through.

tiret [tire] *nm* dash.

tirette [tiret] *nf Belg (fermeture)* zip (Br), zipper (Am).

tiroir [tirwar] *nm* drawer.

tisane [tizan] *nf* herb tea.

tisonnier [tizɔnje] *nm* poker.

tisser [tise] *vt* to weave.

tissu [tisy] *nm (toile)* cloth.

titre [titr] *nm* title ; *(de journal)* headline ; ~ **de transport** ticket.

toast [tost] *nm (pain)* piece of toast ; **porter un** ~ **à qqn** to drink (a toast) to sb.

toboggan [tɔbɔgɑ̃] *nm* slide.

toc [tɔk] *nm (imitation)* fake.
◆ *excl* : ~ ~! knock knock! ; **en** ~ fake.

toi [twa] *pron* you ; **lève-** ~ get up ; ~ **-même** yourself.

toile [twal] *nf (tissu)* cloth ; *(tableau)* canvas ; ~ **d'araignée** spider's web ; **en** ~ *(vêtement)* linen.

toilette [twalet] *nf (vêtements)*

clothes (pl) ; faire sa ~ to (have a) wash. ❏ **toilettes** nfpl toilets.

toit [twa] nm roof.

tôle [tol] nf sheet metal ; ~ ondulée corrugated iron.

tolérant, e [tɔlerã, ãt] adj tolerant.

tolérer [tɔlere] vt to tolerate.

tomate [tɔmat] nf tomato ; ~ s farcies stuffed tomatoes.

tombe [tɔ̃b] nf grave.

tombée [tɔ̃be] nf : à la ~ de la nuit at nightfall.

tomber [tɔ̃be] vi to fall ; (date, fête) to fall on ; **laisser** ~ to drop ; ~ **amoureux** to fall in love ; ~ **malade** to fall ill ; ~ **en panne** to break down.

tombola [tɔ̃bɔla] nf raffle.

tome [tom] nm volume.

tomme [tom] nf : ~ **vaudoise** soft white cheese made from cow's milk.

ton¹ [tɔ̃] (f **ta** [ta], pl **tes** [te]) adj your.

ton² [tɔ̃] nm tone.

tonalité [tɔnalite] nf (au téléphone) dialling tone.

tondeuse [tɔ̃døz] nf : ~ (à gazon) lawnmower.

tondre [tɔ̃dʀ] vt (cheveux) to clip ; (gazon) to mow.

tongs [tɔ̃g] nfpl flip-flops (Br), thongs (Am).

tonne [ton] nf tonne.

tonneau, x [tɔno] nm (de vin) cask ; **faire des** ~ **x** (voiture) to roll over.

tonnerre [tɔneʀ] nm thunder ; **coup de** ~ thunderclap.

tonus [tɔnys] nm energy.

torche [tɔʀʃ] nf (flamme) torch ; ~ **électrique** (electric) torch.

torchon [tɔʀʃɔ̃] nm tea towel.

tordre [tɔʀdʀ] vt (linge, cou) to wring ; (bras) to twist ; (plier) to bend. ❏ **se tordre** vp : **se tordre la cheville** to twist one's ankle ; **se ~ de douleur** to be racked with pain ; **se ~ de rire** to be doubled up with laughter.

tornade [tɔʀnad] nf tornado.

torrent [tɔʀã] nm torrent ; **il pleut à ~ s** it's pouring (down).

torsade [tɔʀsad] nf : **pull à ~ s** cable sweater.

torse [tɔʀs] nm trunk ; ~ **nu** barechested.

tort [tɔʀ] nm : **avoir ~** (de faire qqch) to be wrong (to do sthg) ; **causer** OU **faire du ~ à qqn** to wrong sb ; **être dans son ~** , **être en ~** (automobiliste) to be in the wrong ; **à ~** (accuser) wrongly.

torticolis [tɔʀtikɔli] nm stiff neck.

tortiller [tɔʀtije] vt to twist. ❏ **se tortiller** vp to squirm.

tortue [tɔʀty] nf tortoise.

torture [tɔʀtyʀ] nf torture.

torturer [tɔʀtyʀe] vt to torture.

tôt [to] adv early ; ~ **ou tard** sooner or later ; **au plus ~** at the earliest.

total, e, aux [tɔtal, o] adj & nm total.

totalement [tɔtalmã] adv totally.

totalité [tɔtalite] nf : **la ~ de** all (of) ; **en ~** (rembourser) in full.

touchant, e [tuʃã, ãt] adj touching.

touche [tuʃ] nf (de piano, d'ordinateur) key ; (de téléphone) button ; SPORT (ligne) touchline.

toucher [tuʃe] vt to touch ; (ar-

gent) to get ; *(cheque)* to cash ; *(cible)* to hit ; **~ à** to touch. ❏ **se toucher** *vp (être en contact)* to be touching.

touffe [tuf] *nf* tuft.

toujours [tuʒur] *adv* always ; *(dans l'avenir)* forever ; *(encore)* still ; **pour ~** for good.

toupie [tupi] *nf* (spinning) top.

tour[1] [tur] *nm (mouvement sur soi-même)* turn ; **faire un ~** *(à pied)* to go for a walk ; *(en voiture)* to go for a drive ; **faire le ~ de qqch** to go round sthg ; **jouer un ~ à qqn** to play a trick on sb ; **le Tour de France** the Tour de France ; **~ de magie** (magic) trick.

This world famous cycle race was created in 1903. It is divided into several legs of varying length and takes place every year during the first three weeks of July. The races always finishes on the Champs Élysées in Paris. The contestants enter the race as part of a team. During the *Tour*, the highest-placed cyclist wears the yellow jersey that is then awarded to the winner at the end of the race. Other jerseys are worn by the best climber, the best sprinter, etc. Large crowds gather to cheer on the contestants along each leg of the course. A women's version of the *Tour de France* was initiated in 1984.

tour[2] [tur] *nf (d'un château)* tower ; *(immeuble)* tower block *(Br)*, high rise *(Am)* ; **~ de contrôle** control tower ; **la ~ Eiffel** the Eiffel Tower.

TOUR EIFFEL

Built by Gustave Eiffel for the World Fair in 1889 as a temporary construction, the 320-metre Eiffel Tower has come to symbolize Paris and is one of the most popular tourist attractions in the world. From the top, which can be reached by lift, there is a panoramic view over the whole city and beyond.

tourbillon [turbijɔ̃] *nm (de vent)* whirlwind ; *(de sable)* swirl.

tourisme [turism] *nm* tourism ; **faire du ~** to go sightseeing.

touriste [turist] *nmf* tourist.

touristique [turistik] *adj (dépliant, ville)* tourist.

tourmenter [turmɑ̃te] *vt* to torment. ❏ **se tourmenter** *vp* to worry o.s.

tournage [turnaʒ] *nm (d'un film)* shooting.

tournant [turnɑ̃] *nm* bend.

tourne-disque, s [turnədisk] *nm* record player.

tournedos [turnədo] *nm* tender fillet steak.

tournée [turne] *nf (d'un chanteur)* tour ; *(du facteur, au bar)* round.

tourner [turne] *vt (clé, page, tête)* to turn ; *(sauce, soupe)* to stir ; *(salade)* to toss ; *(regard)* to direct ; *(film)* to shoot. ◆ *vi (roue, route)* to turn ; *(moteur, machine)* to run ; *(lait)* to go off ; *(acteur)* to act ; **tournez à gauche/droite** turn left/right ; **~ autour de qqch** to go around sthg ; **avoir la tête qui tourne** to feel dizzy. ❏ **se tourner** *vp* to turn round ; **se ~ vers** to turn to.

tournesol [turnəsɔl] *nm* sunflower.

tournevis [turnəvis] *nm* screwdriver.

tourniquet [turnike] *nm* (*du métro*) turnstile.

tournoi [turnwa] *nm* tournament.

tournure [turnyr] *nf* (*expression*) turn of phrase.

tourte [turt] *nf* pie.

tourtière [turtjɛr] *nf* Can pie made from minced beef and onions.

tous → tout.

Toussaint [tusɛ̃] *nf* : la ~ All Saints' Day.

 TOUSSAINT

In France on 1 November people celebrate All Saints' Day by laying flowers (typically chrysanthemums) on family-members' graves. People often drive long distances to reunite with their families around the tombs of their relatives.

tousser [tuse] *vi* to cough.

tout, e [tu, tut] (*mpl* **tous** [tus], *fpl* **toutes** [tut]) *adj* - **1.** (*avec un substantif singulier*) all ; ~ **un gâteau** a whole cake ; ~ **e la journée** the whole day, all day ; ~ **le monde** everyone, everybody.
- **2.** (*avec un pronom démonstratif*) all ; ~ **ça** OU **cela** all that.
- **3.** (*avec un substantif pluriel*) all ; **tous les jours** every day ; ~ **es les deux** both ; ~ **es les trois** all three of us/them ; **tous les deux ans** every two years.

- **4.** (*n'importe quel*) any ; **à** ~ **e heure** at any time.
◆ *pron* - **1.** (*la totalité*) everything ; **je t'ai** ~ **dit** I've told you everything ; **c'est** ~ that's all ; **ce sera** ~ ? (*dans un magasin*) is that everything? ; **en** ~ in all.
- **2.** (*au pluriel : tout le monde*) : **ils voulaient tous la voir** they all wanted to see her.
◆ *adv* - **1.** (*très, complètement*) very ; **ils étaient** ~ **seuls** they were all alone ; ~ **en haut** right at the top.
- **2.** (*avec un gérondif*) : ~ **en marchant** while walking.
- **3.** (*dans des expressions*) : ~ **à coup** suddenly ; ~ **à fait** absolutely ; ~ **à l'heure** (*avant*) a little while ago ; (*après*) in a minute ; **à** ~ **à l'heure!** see you soon! ; ~ **de suite** immediately, at once.
◆ *nm* : **le** ~ (*la totalité*) the lot ; **le** ~ **est de ...** the main thing is to ... ; **pas du** ~ not at all.

toutefois [tutfwa] *adv* however.

tout(-)terrain, s [tuterɛ̃] *adj* off-road.

toux [tu] *nf* cough.

toxique [tɔksik] *adj* toxic.

TP *nmpl* = travaux pratiques.

trac [trak] *nm* : **avoir le** ~ (*acteur*) to get stage fright ; (*candidat*) to be nervous.

tracasser [trakase] *vt* to worry. ❏ **se tracasser** *vp* to worry.

trace [tras] *nf* trace ; ~ **de pas** footprint.

tracer [trase] *vt* (*dessiner*) to draw.

tract [trakt] *nm* leaflet.

tracteur [traktœr] *nm* tractor.

tradition [tradisjɔ̃]

traditionnel, elle [tradisjɔnɛl] *adj* traditional.

traducteur, trice [tradyktœr, tris] *nm, f* translator.

traduction [tradyksjɔ̃] *nf* translation.

traduire [tradɥir] *vt* to translate.

trafic [trafik] *nm* traffic.

tragédie [traʒedi] *nf* tragedy.

tragique [traʒik] *adj* tragic.

trahir [trair] *vt* to betray ; *(secret)* to give away. ❑ **se trahir** *vp* to give o.s. away.

train [trɛ̃] *nm* train ; **être en ~ de faire qqch** to be doing sthg ; **~ d'atterrissage** landing gear ; **~ de banlieue** commuter train ; **~ -couchettes** sleeper.

traîne [trɛn] *nf (d'une robe)* train ; **être à la ~** *(en retard)* to lag behind.

traîneau, x [trɛno] *nm* sledge.

traînée [trɛne] *nf (trace)* trail.

traîner [trɛne] *vt* to drag. ◆ *vi (par terre)* to trail ; *(prendre du temps)* to drag on ; *(s'attarder)* to dawdle ; *(être en désordre)* to lie around ; *péj (dans la rue, dans les bars)* to hang around. ❑ **se traîner** *vp (par terre)* to crawl ; *(avancer lentement)* to be slow.

train-train [trɛ̃trɛ̃] *nm inv* routine.

traire [trɛr] *vt* to milk.

trait [trɛ] *nm* line ; *(caractéristique)* trait ; **d'un ~** *(boire)* in one go ; **~ d'union** hyphen. ❑ **traits** *nmpl (du visage)* features.

traite [trɛt] *nf* : **d'une (seule) ~** in one go.

traitement [trɛtmɑ̃] *nm* MÉD treatment ; **~ de texte** *(programme)* word-processing package.

traiter [trɛte] *vt* to treat ; *(affaire, sujet)* to deal with ; **~ qqn d'imbécile** to call sb an idiot. ❑ **traiter de** *v + prép (suj : livre, exposé)* to deal with.

traiteur [trɛtœr] *nm* caterer.

traître [trɛtr] *nm* traitor.

trajectoire [traʒɛktwar] *nf (d'une balle)* trajectory.

trajet [traʒɛ] *nm (voyage)* journey.

trampoline [trɑ̃pɔlin] *nm* trampoline.

tramway [tramwɛ] *nm* tram *(Br)*, streetcar *(Am)*.

tranchant, e [trɑ̃ʃɑ̃, ɑ̃t] *adj (couteau)* sharp ; *(ton)* curt. ◆ *nm* cutting edge.

tranche [trɑ̃ʃ] *nf (morceau)* slice ; *(d'un livre)* edge.

tranchée [trɑ̃ʃe] *nf* trench.

trancher [trɑ̃ʃe] *vt* to cut. ◆ *vi (décider)* to decide ; *(ressortir)* to stand out.

tranquille [trɑ̃kil] *adj* quiet ; **laisser qqn/qqch ~** to leave sb/sthg alone ; **restez ~ s!** don't fidget! ; **soyez ~** *(ne vous inquiétez pas)* don't worry.

tranquillisant [trɑ̃kilizɑ̃] *nm* tranquillizer.

tranquillité [trɑ̃kilite] *nf* peace.

transaction [trɑ̃zaksjɔ̃] *nf* transaction.

transférer [trɑ̃sfere] *vt* to transfer.

transformateur [trɑ̃sfɔrmatœr] *nm* transformer.

transformation [trɑ̃sfɔrmasjɔ̃] *nf* transformation ; *(aménagement)* alteration.

transformer [trɑ̃sfɔrme] *vt* to

transform ; *(vêtement)* to alter ; ~ **qqch en qqch** to turn sthg into sthg ; *(bâtiment)* to convert sthg into sthg. ❑ **se transformer** *vp* to change completely ; **se ~ en qqch** to turn into sthg.

transfusion [trãsfyzjɔ̃] *nf* : ~ **(sanguine)** (blood) transfusion.

transgénique [trãsʒenik] *adj* transgenic.

transistor [trãzistɔr] *nm* transistor.

transit [trãzit] *nm* : **passagers en ~** transit passengers.

transmettre [trãsmɛtr] *vt* : ~ **qqch à qqn** to pass sthg on to sb. ❑ **se transmettre** *vp (maladie)* to be transmitted.

transmis, e [trãsmi, iz] *pp* → **transmettre**.

transmission [trãsmisjɔ̃] *nf* transmission.

transparent, e [trãsparɑ̃, ɑ̃t] *adj (eau)* transparent ; *(blouse)* see-through.

transpercer [trãspɛrse] *vt* to pierce.

transpiration [trãspirasjɔ̃] *nf* perspiration.

transpirer [trãspire] *vi* to perspire.

transplanter [trãsplɑ̃te] *vt* to transplant.

transport [trãspɔr] *nm* transport ; **les ~ s (en commun)** public transport *(sg)*.

transporter [trãspɔrte] *vt (à la main)* to carry ; *(en véhicule)* to transport.

transversal, e, aux [trãsversal, o] *adj (poutre)* cross ; *(ligne)* diagonal.

trapèze [trapɛz] *nm (de cirque)* trapeze.

trapéziste [trapezist] *nmf* trapeze artist.

trappe [trap] *nf* trap door.

travail, aux [travaj, o] *nm (activité, lieu)* work ; *(tâche, emploi)* job ; **être sans ~** *(au chômage)* to be out of work. ❑ **travaux** *nmpl (ménagers, agricoles)* work *(sg)* ; *(de construction)* building (work) *(sg)* ; '**travaux** *(sur la route)* 'roadworks'.

travailler [travaje] *vi* to work. ❖ *vt (matière scolaire, passage musical)* to work on ; *(bois, pierre)* to work.

traveller's check, s [travlœrʃɛk] *nm* traveller's cheque.

traveller's cheque, s [travlœrʃɛk] = **traveller's check**.

travers [traver] *nm* : **à ~** through ; **de ~** crooked ; *(marcher)* sideways ; *fig (mal)* wrong ; **regarder qqn de ~** to give sb a funny look ; **en ~ (de)** across ; ~ **de porc** sparerib of pork.

traversée [traverse] *nf* crossing.

traverser [traverse] *vt (rue, rivière)* to cross ; *(transpercer)* to go through. ❖ *vi (piéton)* to cross.

traversin [traversɛ̃] *nm* bolster.

trébucher [trebyʃe] *vi* to stumble.

trèfle [trefl] *nm (plante)* clover ; *(aux cartes)* clubs *(pl)*.

treize [trɛz] *num* thirteen → **six**.

treizième [trɛzjɛm] *num* thirteenth → **sixième**.

tremblement [trãbləmã] *nm* : ~ **de terre** earthquake ; **avoir des ~ s** to shiver.

trembler [trãble] *vi* to tremble ;

~ de peur/froid to shiver with fear/cold.

trémousser [tremuse] : se trémousser *vp* to jig up and down.

trempé, e [trɑ̃pe] *adj (mouillé)* soaked.

tremper [trɑ̃pe] *vt (plonger)* to dip. ◆ *vi* to soak ; faire ~ qqch to soak sthg.

tremplin [trɑ̃plɛ̃] *nm (de gymnastique)* springboard ; *(de piscine)* divingboard.

trente [trɑ̃t] *num* thirty → **six.**

trentième [trɑ̃tjɛm] *num* thirtieth → **sixième.**

très [trɛ] *adv* very.

trésor [trezɔr] *nm* treasure.

tresse [trɛs] *nf* plait *(Br)*, braid *(Am)* ; *Helv (pain)* plait-shaped loaf.

tresser [trese] *vt* to plait *(Br)*, to braid *(Am)*.

tréteau, x [treto] *nm* trestle.

treuil [trœj] *nm* winch.

tri [tri] *nm* : faire un ~ parmi to choose from.

triangle [trijɑ̃gl] *nm* triangle.

triangulaire [trijɑ̃gylɛr] *adj* triangular.

tribord [tribɔr] *nm* starboard ; à ~ to starboard.

tribu [triby] *nf* tribe.

tribunal, aux [tribynal, o] *nm* court.

tricher [triʃe] *vi* to cheat.

tricheur, euse [triʃœr, øz] *nm, f* cheat.

tricot [triko] *nm (ouvrage)* knitting ; *(pull)* jumper ; ~ de corps vest *(Br)*, undershirt *(Am)*.

tricoter [trikɔte] *vt & vi* to knit.

tricycle [trisikl] *nm* tricycle.

trier [trije] *vt (sélectionner)* to select ; *(classer)* to sort out.

trimestre [trimɛstr] *nm (trois mois)* quarter ; *SCOL* term.

trimestriel, elle [trimɛstrijɛl] *adj* quarterly.

trinquer [trɛ̃ke] *vi (boire)* to clink glasses.

triomphe [trijɔ̃f] *nm* triumph.

triompher [trijɔ̃fe] *vi* to triumph ; ~ de to overcome.

tripes [trip] *nfpl CULIN* tripe *(sg)*.

triple [tripl] *adj* triple. ◆ *nm* : le ~ du prix normal three times the normal price.

tripler [triple] *vt & vi* to triple.

tripoter [tripɔte] *vt (objet)* to fiddle with.

triste [trist] *adj* sad ; *(couleur)* dull ; *(endroit)* gloomy.

tristesse [tristɛs] *nf* sadness.

troc [trɔk] *nm (échange)* swap.

trognon [trɔɲɔ̃] *nm (de pomme, de poire)* core.

trois [trwa] *num* three → **six.**

troisième [trwazjɛm] *num* third. ◆ *nf SCOL* ≃ fourth year ; *(vitesse)* third (gear) → **sixième.**

trois-quarts [trwakar] *nm (manteau)* three-quarter length coat.

trombe [trɔ̃b] *nf* : des ~ s d'eau a downpour ; partir en ~ to shoot off.

trombone [trɔ̃bɔn] *nm (agrafe)* paper clip ; *MUS* trombone.

trompe [trɔ̃p] *nf (d'éléphant)* trunk.

tromper [trɔ̃pe] *vt (conjoint)* to be unfaithful to ; *(client)* to cheat. ❑ se tromper *vp* to make a mistake ; se ~ de jour to get the wrong day.

trompette [trɔ̃pɛt] nf trumpet.

trompeur, euse [trɔ̃pœr, øz] adj deceptive.

tronc [trɔ̃] nm : ~ (d'arbre) (tree) trunk.

tronçonneuse [trɔ̃sɔnøz] nf chain saw.

trône [tron] nm throne.

trop [tro] adv too ; ~ manger to eat too much ; ~ de (nourriture) too much ; (gens) too many ; 20 euros de OU en ~ 20 euros too much ; deux personnes de OU en ~ two people too many.

tropical, e, aux [trɔpikal, o] adj tropical.

trot [tro] nm trot ; au ~ at a trot.

trotter [trɔte] vi to trot.

trotteuse [trɔtøz] nf second hand.

trottinette [trɔtinɛt] nf child's scooter.

trottoir [trɔtwar] nm pavement (Br), sidewalk (Am).

trou [tru] nm hole ; j'ai un ~ de mémoire my mind has gone blank.

trouble [trubl] adj (eau) cloudy ; (image) blurred.

trouer [true] vt to make a hole in.

trouille [truj] nf fam : avoir la ~ to be scared stiff.

troupe [trup] nf (de théâtre) company.

troupeau, x [trupo] nm (de vaches) herd ; (de moutons) flock.

trousse [trus] nf (d'écolier) pencil case ; ~ de secours first-aid kit ; ~ de toilette sponge bag.

trousseau, x [truso] nm (de clefs) bunch.

trouver [truve] vt to find ; je trouve que I think (that). ❑ se trouver vp (se situer) to be.

truc [tryk] nm fam (objet) thing ; (astuce) trick.

trucage [trykaʒ] nm (au cinéma) special effect.

truffe [tryf] nf (d'un animal) muzzle ; (champignon) truffle ; ~ (en chocolat) (chocolate) truffle.

truite [tryit] nf trout ; ~ aux amandes trout with almonds.

truquage [trykaʒ] = trucage.

T-shirt [tiʃœrt] = tee-shirt.

TSVP (abr de tournez s'il vous plaît) PTO.

TTC (abr de toutes taxes comprises) inclusive of tax.

tu¹ [ty] pron you.

tu², e [ty] pp → taire.

tuba [tyba] nm (de plongeur) snorkel.

tube [tyb] nm tube ; fam (musique) hit.

tuberculose [tyberkyloz] nf tuberculosis.

tuer [tɥe] vt to kill. ❑ se tuer vp (se suicider) to kill o.s. ; (accidentellement) to die.

tue-tête [tytɛt] : à tue-tête adv at the top of one's voice.

tuile [tɥil] nf tile ; ~ aux amandes thin curved almond biscuit.

tulipe [tylip] nf tulip.

tumeur [tymœr] nf tumour.

tuner [tyner] nm tuner.

tunique [tynik] nf tunic.

Tunisie [tynizi] nf : la ~ Tunisia.

tunisien, enne [tynizjɛ̃, ɛn] adj Tunisian. ❑ Tunisien, enne nm, f Tunisian.

tunnel [tynɛl] nm tunnel ; le ~ sous la Manche the Channel Tunnel.

turbo [tyrbo] adj inv & nf turbo.

turbot [tyrbo] nm turbot.

turbulences [tyrbylɑ̃s] nfpl (dans un avion) turbulence (sg).

turbulent, e [tyrbylɑ̃, ɑ̃t] adj boisterous.

turc, turque [tyrk] adj Turkish.

Turquie [tyrki] nf : la ~ Turkey.

turquoise [tyrkwaz] adj inv & nf turquoise.

tutoyer [tytwaje] vt : ~ qqn to use the 'tu' form to sb.

tutu [tyty] nm tutu.

tuyau, x [tɥijo] nm pipe ; ~ d'échappement exhaust (pipe).

TV (abr de télévision) TV.

TVA nf (abr de taxe sur la valeur ajoutée) VAT.

tweed [twid] nm tweed.

tympan [tɛ̃pɑ̃] nm ANAT eardrum.

type [tip] nm (sorte) type ; fam (individu) bloke.

typique [tipik] adj typical.

U

UE (abr de Union européenne) nf EU.

ulcère [ylsɛr] nm ulcer.

ULM nm microlight.

ultérieur, e [ylterjœr] adj later.

ultra- [yltra] préf ultra-.

un, une [œ̃, yn] (pl des [de]) article indéfini a, an (devant voyelle) ; ~ homme a man ; une femme a woman ; une pomme an apple ; des valises suitcases.

◆ pron one ; (l') ~ de mes amis/des plus intéressants one of my friends/the most interesting ; l'~ l'autre each other, one another ; l'~ et l'autre both (of them/us) ; l'~ ou l'autre either (of them/us) ; ni l'~ ni l'autre neither (of them/us).

◆ num one ; → six.

unanime [ynanim] adj unanimous.

unanimité [ynanimite] nf unanimity ; à l'~ unanimously.

uni, e [yni] adj (tissu, couleur) plain ; (famille, couple) close.

uniforme [yniform] adj uniform ; (surface) even. ◆ nm uniform.

union [ynjɔ̃] nf (d'États) union ; (de syndicats) confederation ; l'Union européenne the European Union.

unique [ynik] adj (seul) only ; (exceptionnel) unique.

uniquement [ynikmɑ̃] adv only.

unir [ynir] vt (mots, idées) to combine. ❑ s'unir vp (s'associer) to join together ; (pays) to unite.

unisson [ynisɔ̃] nm : à l'~ in unison.

unitaire [yniter] adj (prix, poids) unit.

unité [ynite] nf unit ; (harmonie, ensemble) unity ; vendu à l'~ sold individually ; ~ centrale central processing unit.

univers [yniver] nm universe.

universel, elle [yniversel] adj universal.

universitaire [yniversiter] adj (diplôme, bibliothèque) university.

université [yniversite] nf university.

valable

urbain, e [yrbē, ɛn] *adj* urban.

urbanisme [yrbanism] *nm* town planning.

urgence [yrʒɑ̃s] *nf* urgency ; *MÉD* emergency ; **d'~** (utilisation) immediately ; **(service des) ~ s** casualty (department).

urgent, e [yrʒɑ̃, ɑ̃t] *adj* urgent.

urine [yrin] *nf* urine.

uriner [yrine] *vi* to urinate.

urinoir [yrinwar] *nm* urinal.

URSS *nf* : **l'~** the USSR.

urticaire [yrtiker] *nf* nettle rash.

USA *nmpl* : **les ~** the USA.

usage [yzaʒ] *nm* (utilisation) use ; **'~ externe'** 'for external use only' ; **'~ interne'** 'for internal use only'.

usagé, e [yzaʒe] *adj* (ticket) used.

usager [yzaʒe] *nm* user.

usé, e [yze] *adj* worn.

user [yze] *vt* (abîmer) to wear out ; (consommer) to use. ❏ **s'user** *vp* to wear out.

usine [yzin] *nf* factory.

ustensile [ystɑ̃sil] *nm* tool.

utile [ytil] *adj* useful.

utilisateur, trice [ytilizatœr, tris] *nm, f* user.

utilisation [ytilizasjɔ̃] *nf* use.

utiliser [ytilize] *vt* to use.

utilité [ytilite] *nf* : **être d'une grande ~** to be of great use.

UV *nmpl* (abr de ultraviolets) UV rays.

V

va [va] → **aller**.

vacances [vakɑ̃s] *nfpl* holiday (sg) (Br), vacation (sg) (Am) ; **être/partir en ~** to be/go on holiday

(Br), to be/go on vacation (Am) ; **~ scolaires** school holidays (Br), school break (Am).

vacancier, ère [vakɑ̃sje, ɛr] *nm, f* holidaymaker (Br), vacationer (Am).

vacarme [vakarm] *nm* racket.

vaccin [vaksē] *nm* vaccine.

vacciner [vaksine] *vt* : **~ qqn contre qqch** to vaccinate sb against sthg.

vache [vaʃ] *nf* cow. ◆ *adj fam* (méchant) mean.

vachement [vaʃmɑ̃] *adv fam* dead (Br), real (Am).

vacherin [vaʃrē] *nm* (gâteau) meringue filled with ice cream and whipped cream ; (fromage) soft cheese made from cow's milk.

va-et-vient [vaevjē] *nm inv* : **faire le ~ entre** to go back and forth between.

vague [vag] *adj* (peu précis) vague. ◆ *nf* wave ; **~ de chaleur** heat wave.

vaguement [vagmɑ̃] *adv* vaguely.

vaille *etc* → **valoir**.

vain [vē] : **en vain** *adv* in vain.

vaincre [vēkr] *vt* (ennemi) to defeat ; (peur, obstacle) to overcome.

vaincu, e [vēky] *nm, f* (équipe) losing team ; (sportif) loser.

vainqueur [vēkœr] *nm* (d'un match) winner ; (d'une bataille) victor.

vais [vɛ] → **aller**.

vaisseau, x [veso] *nm* (veine) vessel ; **~ spatial** spaceship.

vaisselle [vesel] *nf* (assiettes) crockery ; **faire la ~** to wash up.

valable [valabl] *adj* valid.

valait → valoir.

valent [val] → valoir.

valet [valɛ] *nm (aux cartes)* jack.

valeur [valœr] *nf* value ; **sans ~** worthless.

valider [valide] *vt (ticket)* to validate.

validité [validite] *nf* : **date limite de ~** expiry date.

valise [valiz] *nf* case, suitcase ; **faire ses ~ s** to pack.

vallée [vale] *nf* valley.

vallonné, e [valɔne] *adj* undulating.

valoir [valwar] *vi (coûter, avoir comme qualité)* to be worth ; *(dans un magasin)* to cost. ◆ *v impers* : **il vaut mieux faire qqch** it's best to do sthg ; **il vaut mieux que tu restes** you had better stay ; **ça vaut combien?** how much is it? ; **ça vaut la peine OU le coup d'y aller** it's worth going.

valse [vals] *nf* waltz.

valu [valy] *pp* → valoir.

vandale [vɑ̃dal] *nm* vandal.

vandalisme [vɑ̃dalism] *nm* vandalism.

vanille [vanij] *nf* vanilla.

vaniteux, euse [vanitø, øz] *adj* vain.

vanter [vɑ̃te] : **se vanter** *vp* to boast.

vapeur [vapœr] *nf* steam ; **fer à ~** steam iron ; **(à la) ~** CULIN steamed.

vaporisateur [vaporizatœr] *nm* atomizer.

varappe [varap] *nf* rock climbing.

variable [varjabl] *adj (chiffre)* varying ; *(temps)* changeable.

varicelle [varisɛl] *nf* chickenpox.

varices [varis] *nfpl* varicose veins.

varié, e [varje] *adj (travail)* varied ; *(paysage)* diverse.

variété [varjete] *nf* variety. ❑ **variétés** *nfpl (musique)* easy listening (*sg*).

variole [varjɔl] *nf* smallpox.

vas [va] → aller.

vase [vaz] *nf* mud. ◆ *nm* vase.

vaste [vast] *adj* vast.

vaudra *etc* → valoir.

vautour [votur] *nm* vulture.

veau, x [vo] *nm* calf ; CULIN veal.

vécu, e [veky] *pp* → vivre. ◆ *adj (histoire)* true.

vedette [vədɛt] *nf (acteur, sportif)* star ; *(bateau)* launch.

végétal, e, aux [veʒetal, o] *adj (huile, teinture)* vegetable. ◆ *nm* plant.

végétarien, enne [veʒetarjɛ̃, ɛn] *adj & nm, f* vegetarian.

végétation [veʒetasjɔ̃] *nf* vegetation. ❑ **végétations** *nfpl* MÉD adenoids.

véhicule [veikyl] *nm* vehicle.

veille [vɛj] *nf (jour précédent)* day before, eve ; **la ~ au soir** the evening before.

veillée [veje] *nf (en colonie de vacances)* evening entertainment where children stay up late.

veiller [veje] *vi (rester éveillé)* to stay up ; **veillez à ne rien oublier** make sure you don't forget anything ; **~ sur qqn** to look after sb.

veilleur [vejœr] *nm* : **~ de nuit** night watchman.

veilleuse [vejøz] *nf (lampe)* night

light ; *AUT* sidelight ; *(flamme)* pilot light.

veine [vɛn] *nf ANAT* vein ; avoir de la ~ *fam* to be lucky.

Velcro® [vɛlkro] *nm* Velcro®.

vélo [velo] *nm* bicycle, bike ; faire du ~ to cycle ; ~ de course racing bike ; ~ tout terrain mountain bike.

vélomoteur [velɔmɔtœr] *nm* moped.

velours [vəlur] *nm* velvet ; ~ côtelé corduroy.

velouté [vəlute] *nm* : ~ d'asperge cream of asparagus soup.

vendanges [vɑ̃dɑ̃ʒ] *nfpl* harvest (sg).

vendeur, euse [vɑ̃dœr, øz] *nm, f (de grand magasin)* sales assistant *(Br)*, sales clerk *(Am)* ; *(sur un marché, ambulant)* salesman (f saleswoman).

vendre [vɑ̃dr] *vt* to sell ; ~ qqch à qqn to sell sb sthg ; 'à ~' 'for sale'.

vendredi [vɑ̃drədi] *nm* Friday ; ~ saint Good Friday → samedi.

vénéneux, euse [venenø, øz] *adj* poisonous.

vengeance [vɑ̃ʒɑ̃s] *nf* revenge.

venger [vɑ̃ʒe] : se venger *vp* to get one's revenge.

venimeux, euse [vənimø, øz] *adj* poisonous.

venin [vənɛ̃] *nm* venom.

venir [vənir] *vi* to come ; ~ de to come from ; nous venons d'arriver we've just arrived ; faire ~ qqn *(docteur, réparateur)* to send for sb.

vent [vɑ̃] *nm* wind ; il y a OU il fait du ~ it's windy.

vente [vɑ̃t] *nf* sale ; ~ par correspondance mail order ; ~ aux enchères auction.

ventilateur [vɑ̃tilatœr] *nm* fan.

ventouse [vɑ̃tuz] *nf (en caoutchouc)* suction pad.

ventre [vɑ̃tr] *nm* stomach ; avoir du ~ to have a bit of a paunch.

venu, e [vəny] *pp* → venir.

ver [vɛr] *nm (de fruit)* maggot ; ~ luisant glow worm ; ~ (de terre) (earth)worm.

véranda [verɑ̃da] *nf (vitrée)* conservatory.

verbe [vɛrb] *nm* verb.

verdict [vɛrdikt] *nm* verdict.

verdure [vɛrdyr] *nf* greenery.

véreux, euse [verø, øz] *adj (fruit)* worm-eaten.

verger [vɛrʒe] *nm* orchard.

verglacé, e [vɛrglase] *adj* icy.

verglas [vɛrgla] *nm* (black) ice.

vérification [verifikasjɔ̃] *nf* checking.

vérifier [verifje] *vt* to check.

véritable [veritabl] *adj* real.

vérité [verite] *nf* truth.

vermicelle [vɛrmisɛl] *nm* vermicelli.

verni, e [vɛrni] *adj (chaussure)* patent-leather ; *(meuble)* varnished.

vernis [vɛrni] *nm* varnish ; ~ à ongles nail varnish.

verra *etc* → voir.

verre [vɛr] *nm* glass ; boire OU prendre un ~ to have a drink ; ~ s de contact contact lenses.

verrière [vɛrjɛr] *nf (toit)* glass roof.

verrou [vɛru] *nm* bolt.

verrouiller [vɛruje] *vt (porte)* to bolt.

verrue [vɛry] *nf* wart.

vers [vɛr] *nm* line. ◆ *prép (direction)* towards ; *(époque)* around.

Versailles [vɛrsaj] *n* Versailles.

VERSAILLES

Originally a hunting lodge used by Louis XIII, Versailles was transformed in the middle of the 17th century by Louis XIV into an imposing royal palace with architecture along classical lines. Besides its elaborate gardens with ornamental fountains and pools, it is famous for the *galerie des Glaces*, a 75-metre long room with mirrors on the walls where the treaty of Versailles was signed in 1919 by France, the United States, Great Britain, Italy and Germany, ending the First World War. The palace is located 14 kilometres outside Paris.

versant [vɛrsɑ̃] *nm* side.

verse [vɛrs] : à **verse** *adv* : il pleut à ~ it's pouring down.

Verseau [vɛrso] *nm* Aquarius.

versement [vɛrsəmɑ̃] *nm* payment.

verser [vɛrse] *vt (liquide)* to pour ; *(argent)* to pay.

verseur [vɛrsœr] *adj m* → **bec**.

version [vɛrsjɔ̃] *nf* version ; *(traduction)* translation ; ~ **française** version dubbed into French ; ~ **originale** version in original language.

verso [vɛrso] *nm* back.

vert, e [vɛr, vɛrt] *adj* green ; *(fruit)* unripe ; *(vin)* young. ◆ *nm* green.

vertébrale [vɛrtebral] *adj f* → **colonne**.

vertèbre [vɛrtebr] *nf* vertebra.

vertical, e, aux [vɛrtikal, o] *adj* vertical.

vertige [vɛrtiʒ] *nm* : avoir le ~ to be dizzy.

vessie [vesi] *nf* bladder.

veste [vɛst] *nf* jacket.

vestiaire [vɛstjɛr] *nm (d'un musée, d'un théâtre)* cloakroom.

vestibule [vɛstibyl] *nm* hall.

vestiges [vɛstiʒ] *nmpl* remains.

veston [vɛstɔ̃] *nm* jacket.

vêtements [vɛtmɑ̃] *nmpl* clothes.

vétérinaire [veteriner] *nmf* vet.

veuf, veuve [vœf, vœv] *adj* widowed. ◆ *nm, f* widower (f widow).

veuille *etc* → **vouloir**.

veuve → **veuf**.

veux [vø] → **vouloir**.

vexant, e [vɛksɑ̃, ɑ̃t] *adj* hurtful.

vexer [vɛkse] *vt* to offend. ❑ **se vexer** *vp* to take offence.

VF *abr* = **version française**.

viaduc [vjadyk] *nm* viaduct.

viande [vjɑ̃d] *nf* meat ; ~ **séchée des Grisons** dried salt beef.

vibration [vibrasjɔ̃] *nf* vibration.

vibrer [vibre] *vi* to vibrate.

vice [vis] *nm* vice.

vice versa [vis(e)vɛrsa] *adv* vice versa.

vicieux, euse [visjø, øz] *adj (pervers)* perverted.

victime [viktim] *nf* victim ; *(d'un accident)* casualty.

victoire [viktwar] *nf* victory.

vidange [vidɑ̃ʒ] *nf (d'une auto)* oil change.

vide [vid] *adj* empty. ◆ *nm (espace)* gap ; *(absence d'air)* vacuum ; **sous** ~ *(aliment)* vacuum-packed.

vidéo [video] *adj inv & nf* video.

vidéoconférence [videok5ferɑ̃s] = **visioconférence**.

vide-ordures [vidɔrdyr] *nm inv* rubbish chute *(Br)*, garbage chute *(Am)*.

vide-poches [vidpɔʃ] *nm inv (dans une voiture)* pocket.

vider [vide] *vt* to empty ; *(poulet, poisson)* to gut.

videur [vidœr] *nm (de boîte de nuit)* bouncer.

vie [vi] *nf* life ; **en ~** alive.

vieil → **vieux**.

vieillard [vjejar] *nm* old man.

vieille → **vieux**.

vieillesse [vjejɛs] *nf* old age.

vieillir [vjejir] *vi* to get old ; *(vin)* to age.

viendra *etc* → **venir**.

viens *etc* → **venir**.

vierge [vjɛrʒ] *adj (cassette)* blank. ❏ **Vierge** *nf (signe du zodiaque)* Virgo.

Vietnam [vjɛtnam] *nm* : **le ~** Vietnam.

vieux, vieille [vjø, vjɛj] *(m vieil* [vjɛj], *mpl vieux* [vjø]) *adj* old ; **~ jeu** old-fashioned.

vif, vive [vif, viv] *adj (geste)* sharp ; *(pas)* brisk ; *(regard, couleur)* bright ; *(esprit)* lively.

vigile [viʒil] *nm* watchman.

vigne [viɲ] *nf (plante)* vine ; *(terrain)* vineyard.

vignette [viɲɛt] *nf (automobile)* tax sticker ; *(de médicament)* price sticker *(for reimbursement of cost of medicine by the social security services)*.

vignoble [viɲɔbl] *nm* vineyard.

vigoureux, euse [viguʁø, øz] *adj* sturdy.

vigueur [vigœr] *nf* : **les prix en ~** current prices.

vilain, e [vilɛ̃, ɛn] *adj (méchant)* naughty ; *(laid)* ugly.

villa [vila] *nf* villa.

village [vilaʒ] *nm* village.

ville [vil] *nf (petite, moyenne)* town ; *(importante)* city ; **aller en ~** to go into town.

Villette [vilɛt] *nf* : **(le parc de) la ~** *cultural centre in the north of Paris, including a science museum.*

vin [vɛ̃] *nm* wine ; **~ blanc** white wine ; **~ doux** sweet wine ; **~ rosé** rosé wine ; **~ rouge** red wine ; **~ sec** dry wine ; **~ de table** table wine.

VIN

France is one of the biggest producers of wine in the world. In the main wine-growing areas of Burgundy, Bordeaux, the Loire and Beaujolais, both red and white wines are produced. In Alsace white wine is more common and Provence is known for its rosé wines. French wine is classified according to four categories, the names of which appear on the label : *AOC* (the highest-quality wines with the vineyard of origin identified), *VDQS* (good-quality wine from a certain area), *vins de pays* (table wines with the region of origin identified), and *vins de table* (basic table wines which may be blended and have no mention of where they are produced).

vinaigre [vinɛgr] *nm* vinegar.

vinaigrette [vinɛgrɛt] nf French dressing (Br), vinaigrette.

vingt [vɛ̃] num twenty → **six**.

vingtaine [vɛ̃tɛn] nf : une ~ (de) about twenty.

vingtième [vɛ̃tjɛm] num twentieth → **sixième**.

viol [vjɔl] nm rape.

violemment [vjɔlamɑ̃] adv violently.

violence [vjɔlɑ̃s] nf violence.

violent, e [vjɔlɑ̃, ɑ̃t] adj violent.

violer [vjɔle] vt (personne) to rape.

violet, ette [vjɔlɛ, ɛt] adj & nm purple.

violette [vjɔlɛt] nf violet.

violon [vjɔlɔ̃] nm violin.

violoncelle [vjɔlɔ̃sɛl] nm cello.

violoniste [vjɔlɔnist] nmf violinist.

vipère [vipɛr] nf viper.

virage [viraʒ] nm (sur la route) bend ; (en voiture, à ski) turn.

virement [virmɑ̃] nm (sur un compte) transfer.

virer [vire] vt (argent) to transfer.

virgule [virgyl] nf (entre mots) comma ; (entre chiffres) (decimal) point.

viril, e [viril] adj virile.

virtuelle [virtɥɛl] adj f → **réalité**.

virtuose [virtɥoz] nmf virtuoso.

virus [virys] nm virus.

vis [vis] nf screw.

visa [viza] nm (de séjour) visa.

visage [vizaʒ] nm face.

vis-à-vis [vizavi] : **vis-à-vis de** prép (envers) towards.

viser [vize] vt (cible) to aim at ; (suj : loi) to apply to ; (suj : remarque) to be aimed at.

viseur [vizœr] nm (de carabine) sights (pl) ; (d'appareil photo) viewfinder.

visibilité [vizibilite] nf visibility.

visible [vizibl] adj visible.

visière [vizjɛr] nf (de casquette) peak.

visioconférence [vizjokɔ̃ferɑ̃s], **vidéoconférence** [videokɔ̃ferɑ̃s] nf videoconference.

vision [vizjɔ̃] nf (vue) vision.

visionneuse [vizjɔnøz] nf projector.

visite [vizit] nf visit ; ~ **guidée** guided tour ; ~ **médicale** medical.

visiter [vizite] vt to visit.

visiteur, euse [vizitœr, øz] nm, f visitor.

visqueux, euse [viskø, øz] adj sticky.

visser [vise] vt (vis) to screw in ; (couvercle) to screw on.

visuel, elle [vizɥɛl] adj visual.

vital, e, aux [vital, o] adj vital.

vitalité [vitalite] nf vitality.

vitamine [vitamin] nf vitamin.

vite [vit] adv fast, quickly.

vitesse [vites] nf speed ; TECH (d'une voiture, d'un vélo) gear ; à **toute** ~ at top speed.

vitrail, aux [vitraj, o] nm stained-glass window.

vitre [vitr] nf (de fenêtre) window pane ; (de voiture) window.

vitré, e [vitre] adj (porte) glass.

vitrine [vitrin] nf (de magasin) (shop) window ; (meuble) display cabinet.

vivacité [vivasite] nf vivacity.

vivant, e [vivɑ̃, ɑ̃t] adj (en vie) alive ; (animé) lively.

volumineux

vive [viv] → **vif**. ◆ *excl* : ~ **les vacances!** hurray for the holidays!

vivement [vivmã] *adv* quickly. ◆ *excl* : ~ **demain!** roll on tomorrow!

vivre [vivr] *vi* to live. ◆ *vt (passer)* to experience.

VO *abr* = **version originale**.

vocabulaire [vɔkabylɛr] *nm* vocabulary.

vocales [vɔkal] *adj fpl* → **corde**.

vodka [vɔdka] *nf* vodka.

vœu, x [vø] *nm (souhait)* wish ; **meilleurs ~ x** best wishes.

voici [vwasi] *prép* here is/are.

voie [vwa] *nf (chemin)* road ; *(sur une route)* lane ; *(de gare)* platform ; **'par ~ orale'** to be taken orally' ; ~ **ferrée** railway track (Br), railroad track (Am) ; ~ **sans issue** dead end.

voilà [vwala] *prép* there is/are.

voile [vwal] *nm* veil. ◆ *nf (de bateau)* sail ; **faire de la ~** to go sailing.

voilé, e [vwale] *adj (roue)* buckled.

voilier [vwalje] *nm* sailing boat (Br), sailboat (Am).

voir [vwar] *vt* to see ; **ça n'a rien à ~** that's got nothing to do with it ; **faire ~ qqch à qqn** to show sb sthg. ❏ **se voir** *vp (être visible)* to show ; *(se rencontrer)* to see one another.

voisin, e [vwazɛ̃, in] *adj (ville)* neighbouring ; *(maison)* next-door. ◆ *nm, f* neighbour.

voiture [vwatyr] *nf car* ; *(wagon)* carriage ; ~ **de sport** sports car.

voix [vwa] *nf* voice ; *(vote)* vote ; **à ~ basse** in a low voice ; **à ~ haute** in a loud voice.

vol [vɔl] *nm (groupe d'oiseaux)* flock ; *(trajet en avion)* flight ; *(délit)* theft ; **à ~ d'oiseau** as the crow flies ; **au ~!** stop thief! ; **en ~** *(dans un avion)* during the flight.

volaille [vɔlaj] *nf (oiseau)* fowl ; **de la ~** poultry.

volant [vɔlã] *nm (de voiture)* steering wheel ; *(de nappe, de jupe)* flounce ; *(de badminton)* shuttlecock.

volante [vɔlãt] *adj f* → **soucoupe**.

vol-au-vent [vɔlovã] *nm inv* vol-au-vent.

volcan [vɔlkã] *nm* volcano.

voler [vɔle] *vt (argent, objet)* to steal ; *(personne)* to rob. ◆ *vi (oiseau, avion)* to fly.

volet [vɔlɛ] *nm (de fenêtre)* shutter ; *(d'imprimé)* tear-off section.

voleur, euse [vɔlœr, øz] *nm, f* thief.

volière [vɔljɛr] *nf* aviary.

volley(-ball) [vɔlɛ(bol)] *nm* volleyball.

volontaire [vɔlɔ̃tɛr] *adj (geste, engagement)* deliberate. ◆ *nmf* volunteer.

volontairement [vɔlɔ̃tɛrmã] *adv (exprès)* deliberately.

volonté [vɔlɔ̃te] *nf (énergie)* will ; *(désir)* wish ; **bonne ~** goodwill ; **mauvaise ~** unwillingness.

volontiers [vɔlɔ̃tje] *adv* willingly ; ~**!** *(à table)* yes, please!

volt [vɔlt] *nm* volt.

volume [vɔlym] *nm* volume.

volumineux, euse [vɔlyminø, øz] *adj* bulky.

vomir [vɔmir] *vi* to be sick. ◆ *vt*
to bring up.

vont [vɔ̃] → aller.

vos → votre.

vote [vɔt] *nm* vote.

voter [vɔte] *vi* to vote.

votre [vɔtr] (*pl* **vos** [vo]) *adj* your.

vôtre [votr] : **le vôtre** (*f* la vôtre,
pl les vôtres) *pron* yours ; à la ~!
your good health!

voudra *etc* → vouloir.

vouloir [vulwar] *vt* - 1. (*désirer*) to
want ; **voulez-vous boire quelque
chose?** would you like something
to drink? ; **si tu veux** if you like ;
sans le ~ unintentionally ; **je voudrais ...** I would like ...
- 2. (*accepter*) **tu prends un verre?
- oui, je veux bien** would you like a
drink? - yes, I'd love one ; **veuillez
vous asseoir** please sit down.
- 3. (*dans des expressions*) : **en ~ à
qqn** to have a grudge against sb ;
~ dire to mean.
❑ **s'en vouloir** *vp* : **s'en ~** (de faire
qqch) to be cross with o.s. (for
doing sthg).

voulu, e [vuly] *pp* → vouloir.

vous [vu] *pron (sujet, objet indirect)*
(to) you ; (*réciproque*) each other ;
(*réfléchi*) : **vous ~ êtes lavés?** have
you washed? ; **~ -même** yourself.

ⓘ VOUS

In France, the *vous* form of the
pronoun 'you' is always used between people who meet for the
first time or who hardly know
each other. It is also used between colleagues from different levels in a hierarchy. In professional contexts, it is even
common to continue to use *'vous'*
even when people are on first-name
terms, and in universities it is the
usual form for conversations between professors and students.
The *'vous'* form is also frequently used between parents-in-law
and their sons or daughters-in-
law, even after they have
known each other for many
years.

voûte [vut] *nf* vault.

voûté, e [vute] *adj* (*personne, dos*)
hunched.

vouvoyer [vuvwaje] *vt* : ~ qqn to
address sb as 'vous'.

voyage [vwajaʒ] *nm* (*déplacement*) journey ; (*trajet*) trip ; **bon ~!**
have a good trip! ; **partir en ~** to go
away ; **~ de noces** honeymoon ;
~ organisé package tour.

voyager [vwajaʒe] *vi* to travel.

voyageur, euse [vwajaʒœr, øz]
nm, f traveller.

voyant, e [vwajã, ãt] *adj* (*couleur,
vêtement*) gaudy. ◆ *nm* : ~ **lumineux**
light.

voyelle [vwajɛl] *nf* vowel.

voyons [vwajɔ̃] → voir.

voyou [vwaju] *nm* yob.

vrac [vrak] *nm* : **en ~** (*en désordre*)
higgledy-piggledy ; (*thé*) loose.

vrai, e [vrɛ] *adj* (*exact*) true ; (*véritable*) real.

vraiment [vrɛmã] *adv* really.

vraisemblable [vrɛsɑ̃blabl] *adj*
likely.

VTT *abr* = vélo tout terrain.

vu, e [vy] *pp* → voir. ◆ *prép* in
view of. ◆ *adj* : **être bien/mal ~** (de

qqn *(personne)* to be popular/unpopular (with sb) ; *(attitude)* to be acceptable/unacceptable (to sb) ; ~ **que** seeing as.

vue [vy] *nf (sens)* eyesight ; *(panorama)* view ; *(vision, spectacle)* sight ; **avec ~ sur ...** overlooking ... ; **connaître qqn de ~** to know sb by sight ; **en ~ de faire qqch** with a view to doing sthg ; **à ~ d'œil** visibly.

vulgaire [vylgɛr] *adj (grossier)* vulgar ; *(quelconque)* plain.

W

wagon [vagɔ̃] *nm (de passagers)* carriage *(Br)*, car *(Am)* ; *(de marchandises)* wagon.

wagon-lit [vagɔ̃li] *(pl* **wagons-lits)** *nm* sleeping car.

wagon-restaurant [vagɔ̃rɛstorɑ̃] *(pl* **wagons-restaurants)** *nm* restaurant car.

Walkman® [wɔkman] *nm* personal stereo, Walkman®.

wallon, onne [walɔ̃, ɔn] *adj* Wallon. ❑ **Wallon, onne** *nm, f* Wallon.

Washington [waʃiŋtɔn] *n* Washington D.C.

waters [watɛr] *nmpl* toilet *(sg)*.

waterz(o)oi [waterzɔj] *nm (Belg)* chicken *or* fish with vegetables, cooked in a cream sauce, a Flemish speciality.

watt [wat] *nm* watt.

W-C [vese] *nmpl* toilets.

Web [wɛb] *nm* : **le ~** the Web, the web.

webmestre [wɛbmɛstr], **webmaster** [wɛbmastœr] *nm* webmaster.

week-end, s [wikɛnd] *nm* weekend ; **bon ~!** have a nice weekend!

western [wɛstɛrn] *nm* western.

whisky [wiski] *nm* whisky.

X

xérès [gzeres] *nm* sherry.

xylophone [ksilɔfɔn] *nm* xylophone.

Y

y [i] *adv* **- 1.** *(indique le lieu)* there ; **maintenant que j'y suis** now (that) I'm here.

- 2. *(dedans)* in (it/them) ; **mets-y du sel** put some salt in it.

- 3. *(dessus)* on it/them ; **va voir sur la table si les clefs y sont** go and see if the keys are on the table.

◆ *pron* : **pensez-y** think about it.

yacht [jɔt] *nm* yacht.

yaourt [jaurt] *nm* yoghurt.

yeux → **œil**.

yoga [jɔga] *nm* yoga.

yoghourt [jɔgurt] = **yaourt**.

Yougoslavie [jugoslavi] *nf* : **la ~** Yugoslavia.

Yo-Yo® [jojo] *nm inv* yo-yo.

Z

zapper [zape] *vi* to channel-hop.

zèbre [zɛbr] *nm* zebra.

zéro [zero] *nm* zero ; *SPORT* nil ; *SCOL* nought.

zeste [zɛst] *nm* peel.

zigzag [zigzag] *nm* zigzag ; en ~ *(route)* winding.

zigzaguer [zigzage] *vi (route, voiture)* to zigzag.

zodiaque [zɔdjak] *nm* → signe.

zone [zon] *nf* area ; ~ **bleue** restricted parking zone ; ~ **euro** euro zone ; ~ **piétonne** OU **piétonnière** pedestrian precinct *(Br)*, pedestrian zone *(Am)*.

zoo [zo(o)] *nm* zoo.

zoologique [zɔɔlɔʒik] *adj* → parc.

zut [zyt] *excl* damn!

Conjugaisons Françaises

Légende: *ppr* = participe présent, *pp* = participe passé,
pr ind = présent de l'indicatif, *imp* = imparfait, *fut* = futur,
cond = conditionnel, *pr subj* = présent du subjonctif

acquérir: *pp* acquis,
pr ind acquiers, acquérons,
acquièrent, *imp* acquérais,
fut acquerrai, *pr subj* acquière

aller: *pp* allé, *pr ind* vais, vas,
va, allons, allez, vont,
imp allais, *fut* irai, *cond* irais,
pr subj aille

asseoir: *ppr* asseyant,
pp assis, *pr ind* assieds,
asseyons, *imp* asseyais,
fut assiérai, *pr subj* asseye

atteindre: *ppr* atteignant,
pp atteint, *pr ind* atteins,
atteignons, *imp* atteignais,
pr subj atteigne

avoir: *ppr* ayant, *pp* eu,
pr ind ai, as, a, avons, avez,
ont, *imp* avais, *fut* aurai,
cond aurais, *pr subj* aie, aies,
ait, ayons, ayez, aient

boire: *ppr* buvant, *pp* bu,
pr ind bois, buvons, boivent,
imp buvais, *pr subj* boive

conduire: *ppr* conduisant,
pp conduit, *pr ind* conduis,
conduisons, *imp* conduisais,
pr subj conduise

connaître: *ppr* connaissant,
pp connu, *pr ind* connais,
connaît, connaissons, *imp*
connaissais, *pr subj* connaisse

coudre: *ppr* cousant, *pp*
cousu, *pr ind* couds, cousons,
imp cousais, *pr subj* couse

courir: *pp* couru, *pr ind*
cours, courons, *imp* courais,
fut courrai, *pr subj* coure

couvrir: *pp* couvert,
pr ind couvre, couvrons,
imp couvrais, *pr subj* couvre

craindre: *ppr* craignant,
pp craint, *pr ind* crains,
craignons, *imp* craignais,
pr subj craigne

croire: *ppr* croyant, *pp* cru,
pr ind crois, croyons, croient,
imp croyais, *pr subj* croie

cueillir: *pp* cueilli,
pr ind cueille, cueillons,
imp cueillais, *fut* cueillerai,
pr subj cueille

devoir: *pp* dû, due, *pr ind* dois,
devons, doivent, *imp* devais,
fut devrai, *pr subj* doive

dire: *ppr* disant, *pp* dit,
pr ind dis, disons, dites,
disent, *imp* disais, *pr subj* dise

dormir: *pp* dormi,
pr ind dors, dormons,
imp dormais, *pr subj* dorme

écrire: *ppr* écrivant, *pp* écrit,
pr ind écris, écrivons,
imp écrivais, *pr subj* écrive

essuyer: *pp* essuyé,
pr ind essuie, essuyons,
essuient, *imp* essuyais,
fut essuierai, *pr subj* essuie

être: *ppr* étant, *pp* été,
pr ind suis, es, est, sommes,
êtes, sont, *imp* étais, *fut* serai,
cond serais, *pr subj* sois, sois,
soit, soyons, soyez, soient

faire: *ppr* faisant, *pp* fait,
pr ind fais, fais, fait, faisons,
faites, font, *imp* faisais, *fut*
ferai, *cond* ferais, *pr subj* fasse

falloir: *pp* fallu, *pr ind* faut,
imp fallait, *fut* faudra,
pr subj faille

FINIR: *ppr* finissant, *pp* fini,
pr ind finis, finis, finit,
finissons, finissez, finissent,
imp finissais, finissais,
finissait, finissions, finissiez,
finissaient, *fut* finirai, finiras,
finira, finirons, finirez,
finiront, *cond* finirais, finirais,
finirait, finirions, finiriez,
finiraient, *pr subj* finisse,
finisses, finisse, finissions,
finissiez, finissent

fuir: *ppr* fuyant, *pp* fui,
pr ind fuis, fuyons, fuient,
imp fuyais, *pr subj* fuie

haïr: *ppr* haïssant, *pp* haï,
pr ind hais, haïssons,
imp haïssais, *pr subj* haïsse

joindre: *comme* **atteindre**

lire: *ppr* lisant, *pp* lu,
pr ind lis, lisons, *imp* lisais,
pr subj lise

mentir: *pp* menti,
pr ind mens, mentons,
imp mentais, *pr subj* mente

mettre: *ppr* mettant, *pp* mis,
pr ind mets, mettons,
imp mettais, *pr subj* mette

mourir: *pp* mort, *pr ind*
meurs, mourons, meurent,
imp mourais, *fut* mourrai,
pr subj meure

naître: *ppr* naissant, *pp* né,
pr ind nais, naît, naissons,
imp naissais, *pr subj* naisse

offrir: *pp* offert, *pr ind* offre,
offrons, *imp* offrais,
pr subj offre

paraître: *comme* **connaître**

PARLER: *ppr* parlant, *pp* parlé,
pr ind parle, parles, parle,
parlons, parlez, parlent,
imp parlais, parlais, parlait,
parlions, parliez, parlaient,
fut parlerai, parleras, parlera,
parlerons, parlerez, parleront,
cond parlerais, parlerais,
parlerait, parlerions,
parleriez, parleraient,
pr subj parle, parles, parle,
parlions, parliez, parlent

partir: *pp* parti, *pr ind* pars,
partons, *imp* partais,
pr subj parte

plaire: *ppr* plaisant, *pp* plu,
pr ind plais, plaît, plaisons,
imp plaisais, *pr subj* plaise

pleuvoir: *pp* plu, *pr ind* pleut,
imp pleuvait, *fut* pleuvra,
pr subj pleuve

III

pouvoir: *pp* pu, *pr ind* peux, peux, peut, pouvons, pouvez, peuvent, *imp* pouvais, *fut* pourrai, *pr subj* puisse

prendre: *ppr* prenant, *pp* pris, *pr ind* prends, prenons, prennent, *imp* prenais, *pr subj* prenne

prévoir: *ppr* prévoyant, *pp* prévu, *pr ind* prévois, prévoyons, prévoient, *imp* prévoyais, *fut* prévoirai, *pr subj* prévoie

recevoir: *pp* reçu, *pr ind* reçois, recevons, reçoivent, *imp* recevais, *fut* recevrai, *pr subj* reçoive

RENDRE: *ppr* rendant, *pp* rendu, *pr ind* rends, rends, rend, rendons, rendez, rendent, *imp* rendais, rendais, rendait, rendions, rendiez, rendaient, *fut* rendrai, rendras, rendra, rendrons, rendrez, rendront, *cond* rendrais, rendrais, rendrait, rendrions, rendriez, rendraient, *pr subj* rende, rendes, rende, rendions, rendiez, rendent

résoudre: *ppr* résolvant, *pp* résolu, *pr ind* résous, résolvons, *imp* résolvais, *pr subj* résolve

rire: *ppr* riant, *pp* ri, *pr ind* ris, rions, *imp* riais, *pr subj* rie

savoir: *ppr* sachant, *pp* su, *pr ind* sais, savons, *imp* savais, *fut* saurai, *pr subj* sache

servir: *pp* servi, *pr ind* sers, servons, *imp* servais, *pr subj* serve

sortir: *comme* **partir**

suffire: *ppr* suffisant, *pp* suffi, *pr ind* suffis, suffisons, *imp* suffisais, *pr subj* suffise

suivre: *ppr* suivant, *pp* suivi, *pr ind* suis, suivons, *imp* suivais, *pr subj* suive

taire: *ppr* taisant, *pp* tu, *pr ind* tais, taisons, *imp* taisais, *pr subj* taise

tenir: *pp* tenu, *pr ind* tiens, tenons, tiennent, *imp* tenais, *fut* tiendrai, *pr subj* tienne

vaincre: *ppr* vainquant, *pp* vaincu, *pr ind* vaincs, vainc, vainquons, *imp* vainquais, *pr subj* vainque

valoir: *pp* valu, *pr ind* vaux, valons, *imp* valais, *fut* vaudrai, *pr subj* vaille

venir: *comme* **tenir**

vivre: *ppr* vivant, *pp* vécu, *pr ind* vis, vivons, *imp* vivais, *pr subj* vive

voir: *ppr* voyant, *pp* vu, *pr ind* vois, voyons, voient, *imp* voyais, *fut* verrai, *pr subj* voie

vouloir: *ppr* voulu, *pp* voulu, veux, veux, veut, voulons, voulez, veulent, *imp* voulais, *fut* voudrai, *pr subj* veuille

IRREGULAR ENGLISH VERBS

INFINITIVE	PAST TENSE	PAST PARTICIPLE	INFINITIVE	PAST TENSE	PAST PARTICIPLE
arise	arose	arisen	come	came	come
awake	awoke	awoken	cost	cost	cost
be	was /were	been	creep	crept	crept
			cut	cut	cut
bear	bore	born(e)	deal	dealt	dealt
beat	beat	beaten	dig	dug	dug
begin	began	begun	do	did	done
bend	bent	bent	draw	drew	drawn
bet	bet /betted	bet /betted	dream	dreamed /dreamt	dreamed /dreamt
bid	bid	bid	drink	drank	drunk
bind	bound	bound	drive	drove	driven
bite	bit	bitten	eat	ate	eaten
bleed	bled	bled	fall	fell	fallen
blow	blew	blown	feed	fed	fed
break	broke	broken	feel	felt	felt
breed	bred	bred	fight	fought	fought
bring	brought	brought	find	found	found
build	built	built	fling	flung	flung
burn	burnt /burned	burnt /burned	fly	flew	flown
			forget	forgot	forgotten
burst	burst	burst	freeze	froze	frozen
buy	bought	bought	get	got	got (Am gotten)
can	could	–			
cast	cast	cast	give	gave	given
catch	caught	caught	go	went	gone
choose	chose	chosen	grind	ground	ground

V

INFINITIVE	PAST TENSE	PAST PARTICIPLE
grow	grew	grown
hang	hung /hanged	hung /hanged
have	had	had
hear	heard	heard
hide	hid	hidden
hit	hit	hit
hold	held	held
hurt	hurt	hurt
keep	kept	kept
kneel	knelt /kneeled	knelt /kneeled
know	knew	known
lay	laid	laid
lead	led	led
lean	leant /leaned	leant /leaned
leap	leapt /leaped	leapt /leaped
learn	learnt /learned	learnt /learned
leave	left	left
lend	lent	lent
let	let	let
lie	lay	lain
light	lit /lighted	lit /lighted
lose	lost	lost

INFINITIVE	PAST TENSE	PAST PARTICIPLE
make	made	made
may	might	–
mean	meant	meant
meet	met	met
mow	mowed	mown /mowed
pay	paid	paid
put	put	put
quit	quit /quitted	quit /quitted
read	read	read
rid	rid	rid
ride	rode	ridden
ring	rang	rung
rise	rose	risen
run	ran	run
saw	sawed	sawn
say	said	said
see	saw	seen
seek	sought	sought
sell	sold	sold
send	sent	sent
set	set	set
shake	shook	shaken
shall	should	–
shed	shed	shed
shine	shone	shone

INFINITIVE	PAST TENSE	PAST PARTICIPLE	INFINITIVE	PAST TENSE	PAST PARTICIPLE
shoot	shot	shot	steal	stole	stolen
show	showed	shown	stick	stuck	stuck
shrink	shrank	shrunk	sting	stung	stung
shut	shut	shut	stink	stank	stunk
sing	sang	sung	strike	struck	struck /stricken
sink	sank	sunk			
sit	sat	sat	swear	swore	sworn
sleep	slept	slept	sweep	swept	swept
slide	slid	slid	swell	swelled	swollen /swelled
sling	slung	slung			
smell	smelt /smelled	smelt /smelled	swim	swam	swum
			swing	swung	swung
sow	sowed	sown /sowed	take	took	taken
			teach	taught	taught
speak	spoke	spoken	tear	tore	torn
speed	sped /speeded	sped /speeded	tell	told	told
			think	thought	thought
spell	spelt /spelled	spelt /spelled	throw	threw	thrown
			tread	trod	trodden
spend	spent	spent	wake	woke /waked	woken /waked
spill	spilt /spilled	spilt /spilled			
			wear	wore	worn
spin	spun	spun	weave	wove /weaved	woven /weaved
spit	spat	spat			
split	split	split	weep	wept	wept
spoil	spoiled /spoilt	spoiled /spoilt	win	won	won
			wind	wound	wound
spread	spread	spread	wring	wrung	wrung
spring	sprang	sprung	write	wrote	written
stand	stood	stood			

ENGLISH-FRENCH
ANGLAIS-FRANÇAIS

A

a [stressed eɪ, unstressed ə] indefinite article - **1.** (gen) un (une) ; **a restaurant** un restaurant ; **a chair** une chaise ; **a friend** un ami ; **an apple** une pomme.
- **2.** (instead of the number one) : **a month ago** il y a un mois ; **a thousand** mille ; **four and a half** quatre et demi.
- **3.** (in prices, ratios) : **three times a year** trois fois par an ; **£2 a kilo** 2 livres le kilo.

AA n Br (abbr of Automobile Association) ≃ ACF m.

aback [ə'bæk] adj : **to be taken ~** être déconcerté(e).

abandon [ə'bændən] vt abandonner.

abattoir ['æbətwɑːʳ] n abattoir m.

abbey ['æbɪ] n abbaye f.

abbreviation [ə,briːvɪ'eɪʃn] n abréviation f.

abdomen ['æbdəmən] n abdomen m.

abide [ə'baɪd] vt : **I can't ~ him** je ne peux pas le supporter. ❑ **abide by** vt fus respecter.

ability [ə'bɪlətɪ] n capacité f.

able ['eɪbl] adj compétent(e) ; **to be ~ to do sthg** pouvoir faire qqch.

abnormal [æb'nɔːml] adj anormal(e).

aboard [ə'bɔːd] adv à bord.
◆ prep (ship, plane) à bord de ; (train, bus) dans.

abode [ə'bəʊd] n fml demeure f.

abolish [ə'bɒlɪʃ] vt abolir.

abort [ə'bɔːt] vt (call off) abandonner.

abortion [ə'bɔːʃn] n avortement m ; **to have an ~** se faire avorter.

about [ə'baʊt] adv - **1.** (approximately) environ ; **~ 50** environ 50 ; **at ~ six o'clock** vers 6 h.
- **2.** (referring to place) çà et là ; **to walk ~** se promener.
- **3.** (on the point of) : **to be ~ to do sthg** être sur le point de faire qqch ; **it's ~ to rain** il va pleuvoir.
◆ prep - **1.** (concerning) au sujet de ; **a book ~ Scotland** un livre sur l'Écosse ; **what's it ~?** de quoi s'agit-il? ; **what ~ a drink?** et si on prenait un verre?
- **2.** (referring to place) : **~ the town** dans la ville.

above [ə'bʌv] prep au-dessus de.
◆ adv - (higher) au-dessus ; (more) plus ; **~ all** avant tout.

abroad [ə'brɔːd] adv à l'étranger.

abrupt [ə'brʌpt] adj (sudden) brusque.

abscess ['æbses] n abcès m.

absence ['æbsəns] n absence f.

absent ['æbsənt] adj absent(e).

absent-minded [-'maɪndɪd] adj distrait(e).

absolute ['æbsəluːt] adj absolu(e).

absolutely [adv 'æbsəluːtlɪ, excl ˌæbsə'luːtlɪ] adv vraiment. ◆ excl absolument!

absorb [əb'sɔːb] vt absorber.

absorbed [əb'sɔːbd] adj : to be ~ in sthg être absorbé par qqch.

absorbent [əb'sɔːbənt] adj absorbant(e).

abstain [əb'steɪn] vi s'abstenir ; to ~ from doing sthg s'abstenir de faire qqch.

absurd [əb'sɜːd] adj absurde.

abuse [n ə'bjuːs, vb ə'bjuːz] n (insults) injures fpl, insultes fpl ; (wrong use) abus m ; (maltreatment) mauvais traitements mpl. ◆ vt (insult) injurier, insulter ; (use wrongly) abuser de ; (maltreat) maltraiter.

abusive [ə'bjuːsɪv] adj injurieux(euse).

academic [ˌækə'demɪk] adj (of school) scolaire ; (of college, university) universitaire. ◆ n universitaire mf.

academy [ə'kædəmɪ] n école f ; (of music) conservatoire m ; (military) académie f.

accelerate [ək'seləreɪt] vi accélérer.

accelerator [ək'seləreɪtə'] n accélérateur m.

accent ['æksent] n accent m.

accept [ək'sept] vt accepter.

acceptable [ək'septəbl] adj acceptable.

access ['ækses] n accès m.

accessible [ək'sesəbl] adj accessible.

accessories [ək'sesərɪz] npl accessoires mpl.

accident ['æksɪdənt] n accident m ; by ~ par accident.

accidental [ˌæksɪ'dentl] adj accidentel(elle).

accident insurance n assurance f accidents.

accident-prone adj prédisposé aux accidents.

acclimatize [ə'klaɪmətaɪz] vi s'acclimater.

accommodate [ə'kɒmədeɪt] vt loger.

accommodation [əˌkɒmə'deɪʃn] n logement m.

accommodations [əˌkɒmə'deɪʃnz] npl Am = accommodation.

accompany [ə'kʌmpənɪ] vt accompagner.

accomplish [ə'kʌmplɪʃ] vt accomplir.

accord [ə'kɔːd] n : of one's own ~ de soi-même.

accordance [ə'kɔːdəns] n : in ~ with conformément à.

according to prep selon.

account [ə'kaʊnt] n (at bank, shop) compte m ; (report) compte-rendu m ; to take sthg into ~ prendre qqch en compte ; on no ~ en aucun cas ; on ~ of à cause de. ❏ account for vt fus (explain) expliquer ; (constitute) représenter.

accountant [ə'kaʊntənt] n comptable mf.

account number n numéro m de compte.

accumulate [ə'kjuːmjʊleɪt] vt accumuler.

accurate ['ækjʊrət] adj exact(e).

accuse [ə'kjuːz] vt : to ~ sb of sthg accuser qqn de qqch.

accused [ə'kjuːzd] n : the ~ l'accusé m, -e f.

ace [eɪs] n as m.

ache [eɪk] vi (person) avoir mal. ◆ n douleur f ; my head ~s j'ai mal à la tête.

achieve [ə'tʃiːv] vt (victory, success) remporter ; (aim) atteindre ; (result) obtenir.

acid ['æsɪd] adj acide. ◆ n acide m.

acid house n MUS house f (music).

acid rain n pluies fpl acides.

acknowledge [ək'nɒlɪdʒ] vt (accept) reconnaître ; (letter) accuser réception de.

acne ['æknɪ] n acné f.

acorn ['eɪkɔːn] n gland m.

acoustic [ə'kuːstɪk] adj acoustique.

acquaintance [ə'kweɪntəns] n (person) connaissance f.

acquire [ə'kwaɪəʳ] vt acquérir.

acre ['eɪkəʳ] n = 4 046,9 m², ≃ demi-hectare m.

acrobat ['ækrəbæt] n acrobate mf.

across [ə'krɒs] prep (from one side to the other of) en travers de ; (on other side of) de l'autre côté de. ◆ adv : to walk/drive ~ sthg traverser qqch ; 10 miles ~ 16 km de large ; ~ from en face de.

acrylic [ə'krɪlɪk] n acrylique m.

act [ækt] vi agir ; (in play, film) jouer. ◆ n (action, of play) acte m ; POL loi f ; (performance) numéro m ; to ~ as (serve as) servir de.

action ['ækʃn] n action f ; MIL combat m ; to take ~ agir ; to put sthg into ~ mettre à exécution ; out of ~ (machine, person) hors service.

action movie n film m d'action.

active ['æktɪv] adj actif(ive).

activity [æk'tɪvətɪ] n activité f.

activity holiday n vacances organisées pour enfants, avec activités sportives.

actor ['æktəʳ] n acteur m.

actress ['æktrɪs] n actrice f.

actual ['æktʃʊəl] adj (real) réel(elle) ; (for emphasis) même.

actually ['æktʃʊəlɪ] adv (really) vraiment ; (in fact) en fait.

acupuncture ['ækjʊpʌŋktʃəʳ] n acupuncture f.

acute [ə'kjuːt] adj aigu(ë) ; (feeling) vif (vive).

AD (abbr of Anno Domini) ap. J.-C.

ad [æd] n inf (on TV) pub f ; (in newspaper) petite annonce f.

adapt [ə'dæpt] vt adapter. ◆ vi s'adapter.

adapter [ə'dæptəʳ] n (for foreign plug) adaptateur m ; (for several plugs) prise f multiple.

add [æd] vt ajouter ; (numbers, prices) additionner. ❑ **add up** vt sep additionner. ❑ **add up to** vt fus (total) se monter à.

adder ['ædəʳ] n vipère f.

addict ['ædɪkt] n drogué m, -e f.

◆ *adj* : to be ~ed to sthg être drogué à qqch.

addiction [əˈdɪkʃn] *n* dépendance *f*.

addition [əˈdɪʃn] *n* (*added thing*) ajout *m* ; (*in maths*) addition *f* ; in ~ (to) en plus (de).

additional [əˈdɪʃənl] *adj* supplémentaire.

additive [ˈædɪtɪv] *n* additif *m*.

address [əˈdres] *n* (*on letter*) adresse *f*. ◆ *vt* (*speak to*) s'adresser à ; (*letter*) adresser.

address book *n* carnet *m* d'adresses.

addressee [ˌædreˈsiː] *n* destinataire *mf*.

adequate [ˈædɪkwət] *adj* (*sufficient*) suffisant(e) ; (*satisfactory*) adéquat(e).

adhere [ədˈhɪər] *vi* : to ~ to (*stick to*) adhérer à ; (*obey*) respecter.

adhesive [ədˈhiːsɪv] *adj* adhésif(ive). ◆ *n* adhésif *m*.

adjacent [əˈdʒeɪsənt] *adj* (*room*) contigu(ë) ; (*street*) adjacent(e).

adjective [ˈædʒɪktɪv] *n* adjectif *m*.

adjoining [əˈdʒɔɪnɪŋ] *adj* (*rooms*) contigu(ë).

adjust [əˈdʒʌst] *vt* régler ; (*price*) ajuster. ◆ *vi* : to ~ to s'adapter à.

adjustable [əˈdʒʌstəbl] *adj* réglable.

adjustment [əˈdʒʌstmənt] *n* réglage ; (*to price*) ajustement *m*.

administration [ədˌmɪnɪˈstreɪʃn] *n* administration *f* ; *Am* (*government*) gouvernement *m*.

administrator [ədˈmɪnɪstreɪtər] *n* administrateur *m*, -trice *f*.

admire [ədˈmaɪər] *vt* admirer.

admission [ədˈmɪʃn] *n* (*permission to enter*) admission *f* ; (*entrance cost*) entrée *f*.

admission charge *n* entrée *f*.

admit [ədˈmɪt] *vt* admettre ; to ~ to sthg admettre OR reconnaître qqch ; '~s one' (*on ticket*) 'valable pour une personne'.

adolescent [ˌædəˈlesnt] *n* adolescent *m*, -e *f*.

adopt [əˈdɒpt] *vt* adopter.

adopted [əˈdɒptɪd] *adj* adopté(e).

adorable [əˈdɔːrəbl] *adj* adorable.

adore [əˈdɔːr] *vt* adorer.

adult [ˈædʌlt] *n* adulte *mf*. ◆ *adj* (*entertainment, films*) pour adultes ; (*animal*) adulte.

adult education *n* enseignement *m* pour adultes.

adultery [əˈdʌltəri] *n* adultère *m*.

advance [ədˈvɑːns] *n* avance *f*. ◆ *adj* (*payment*) anticipé(e). ◆ *vt* & *vi* avancer ; to give sb ~ warning prévenir qqn.

advance booking *n* réservation *f* à l'avance.

advanced [ədˈvɑːnst] *adj* (*student*) avancé(e) ; (*level*) supérieur(e).

advantage [ədˈvɑːntɪdʒ] *n* avantage *m* ; to take ~ of profiter de.

adventure [ədˈventʃər] *n* aventure *f*.

adventurous [ədˈventʃərəs] *adj* aventureux(euse).

adverb [ˈædvɜːb] *n* adverbe *m*.

adverse [ˈædvɜːs] *adj* défavorable.

advert [ˈædvɜːt] = **advertisement**.

advertise [ˈædvətaɪz] *vt (product, event)* faire de la publicité pour.

advertisement [ədˈvɜːtɪsmənt] *n (on TV, radio)* publicité *f* ; *(in newspaper)* annonce *f*.

advice [ədˈvaɪs] *n* conseils *mpl* ; a piece of ~ un conseil.

advisable [ədˈvaɪzəbl] *adj* conseillé(e).

advise [ədˈvaɪz] *vt* conseiller ; to ~ sb to do sthg conseiller à qqn de faire qqch ; to ~ sb against doing sthg déconseiller à qqn de faire qqch.

advocate [*n* ˈædvəkət, *vb* ˈædvəkeɪt] *n* JUR avocat *m*, -e *f*. ◆ *vt* préconiser.

aerial [ˈeərɪəl] *n* antenne *f*.

aerobics [eəˈrəʊbɪks] *n* aérobic *m*.

aeroplane [ˈeərəpleɪn] *n* avion *m*.

aerosol [ˈeərəsɒl] *n* aérosol *m*.

affair [əˈfeə] *n* affaire *f* ; *(love affair)* liaison *f*.

affect [əˈfekt] *vt (influence)* affecter.

affection [əˈfekʃn] *n* affection *f*.

affectionate [əˈfekʃnət] *adj* affectueux(euse).

affluent [ˈæfluənt] *adj* riche.

afford [əˈfɔːd] *vt* : can you ~ to go on holiday? peux-tu te permettre de partir en vacances? ; I can't ~ it je n'en ai pas les moyens ; I can't ~ the time je n'ai pas le temps.

affordable [əˈfɔːdəbl] *adj* abordable.

afloat [əˈfləʊt] *adj* à flot.

afraid [əˈfreɪd] *adj* : to be ~ of avoir peur de ; I'm ~ so j'en ai as-

peur ; I'm ~ not j'ai bien peur que non.

after [ˈɑːftə] *prep & adv* après. ◆ *conj* après que ; a quarter ~ ten *Am* dix heures et quart ; to be ~ *(in search of)* chercher ; ~ all après tout. ❑ **afters** *npl* dessert *m*.

aftercare [ˈɑːftəkeə] *n* postcure *f*.

aftereffects [ˈɑːftərɪˌfekts] *npl* suites *fpl*.

afternoon [ˌɑːftəˈnuːn] *n* après-midi *m inv* ou *f inv* ; good ~! bonjour!

afternoon tea *n* le thé de cinq heures.

aftershave [ˈɑːftəʃeɪv] *n* après-rasage *m*.

aftersun [ˈɑːftəsʌn] *n* après-soleil *m*.

afterwards [ˈɑːftəwədz] *adv* après.

again [əˈgen] *adv* encore, à nouveau ; ~ and ~ à plusieurs reprises ; never ... ~ ne ... plus jamais.

against [əˈgenst] *prep* contre ; ~ the law contraire à la loi.

age [eɪdʒ] *n* âge *m* ; under ~ mineur *m*, -e *f* ; I haven't seen him for ~s *(inf)* ça fait une éternité que je ne l'ai pas vu.

aged [eɪdʒd] *adj* : ~ eight âgé de huit ans.

age group *n* tranche *f* d'âge.

age limit *n* limite *f* d'âge.

agency [ˈeɪdʒənsɪ] *n* agence *f*.

agenda [əˈdʒendə] *n* ordre *m* du jour.

agent [ˈeɪdʒənt] *n* agent *m*.

aggression [əˈgreʃn] *n* violence *f*.

aggressive [ə'gresɪv] adj agressif(ive).

agile [Br 'ædʒaɪl, Am 'ædʒəl] adj agile.

agitated ['ædʒɪteɪtɪd] adj agité(e).

ago [ə'gəʊ] adv : a month ~ il y a un mois ; how long ~? il y a combien de temps?

agonizing ['ægənaɪzɪŋ] adj déchirant(e).

agony ['ægənɪ] n (physical) douleur f atroce ; (mental) angoisse f.

agree [ə'griː] vi être d'accord ; (correspond) concorder ; it doesn't ~ with me (food) ça ne me réussit pas ; to ~ to sthg accepter qqch ; to ~ to do sthg accepter de faire qqch ; we ~d to meet at six o'clock nous avons décidé de nous retrouver à 6 h. ❑ **agree on** vt fus (time, price) se mettre d'accord sur.

agreed [ə'griːd] adj (price) convenu(e) ; to be ~ (person) être d'accord.

agreement [ə'griːmənt] n accord m.

agriculture ['ægrɪkʌltʃə'] n agriculture f.

ahead [ə'hed] adv (in front) devant ; go straight ~ allez tout droit ; the months ~ les mois à venir ; to be ~ (winning) être en tête ; ~ of (in front of) devant ; (in time) avant ; ~ of schedule en avance.

aid [eɪd] n aide f. ◆ vt aider ; in ~ of au profit de ; with the ~ of à l'aide de.

AIDS [eɪdz] n SIDA m.

ailment ['eɪlmənt] n fml mal m.

aim [eɪm] n (purpose) but m. ◆ vt (gun, camera, hose) braquer. ◆ vi :

to ~ (at) viser ; to ~ to do sthg avoir pour but de faire qqch.

air [eə'] n air m. ◆ vt (room) aérer. ◆ adj (terminal, travel) aérien(enne) ; by ~ par avion.

airbed ['eəbed] n matelas m pneumatique.

airborne ['eəbɔːn] adj (plane) en vol.

air-conditioned [-kən'dɪʃnd] adj climatisé(e).

air-conditioning [-kən'dɪʃnɪŋ] n climatisation f.

aircraft ['eəkraːft] (pl inv) n avion m.

airforce ['eəfɔːs] n armée f de l'air.

air freshener [-ˌfreʃnə'] n désodorisant m.

airhostess ['eəˌhəʊstɪs] n hôtesse f de l'air.

airletter ['eəˌletə'] n aérogramme m.

airline ['eəlaɪn] n compagnie f aérienne.

airliner ['eəˌlaɪnə'] n avion m de ligne.

airmail ['eəmeɪl] n poste f aérienne ; by ~ par avion.

airplane ['eəpleɪn] n Am avion m.

airport ['eəpɔːt] n aéroport m.

airsick ['eəsɪk] adj : to be ~ avoir le mal de l'air.

air steward n steward m.

air stewardess n hôtesse f de l'air.

air traffic control n contrôle m aérien.

aisle [aɪl] n (in plane) couloir m ; (in cinema, supermarket) allée f ; (in church) bas-côté m.

aisle seat n fauteuil m côté couloir.

ajar [ə'dʒaːʳ] adj entrebâillé(e).

alarm [ə'laːm] n alarme f. ◆ vt alarmer.

alarm clock n réveil m.

alarmed [ə'laːmd] adj (door, car) protégé par une alarme.

alarming [ə'laːmɪŋ] adj alarmant(e).

album ['ælbəm] n album m.

alcohol ['ælkəhɒl] n alcool m.

alcohol-free adj sans alcool.

alcoholic [ælkə'hɒlɪk] adj (drink) alcoolisé(e). ◆ n alcoolique mf.

alcoholism ['ælkəhɒlɪzm] n alcoolisme m.

alcove ['ælkəʊv] n renfoncement m.

ale [eɪl] n bière f.

alert [ə'lɜːt] adj vigilant(e). ◆ vt alerter.

A-level n Br ≃ baccalauréat m.

algebra ['ældʒɪbrə] n algèbre f.

alias ['eɪlɪəs] adv alias m.

alibi ['ælɪbaɪ] n alibi m.

alien ['eɪlɪən] n (foreigner) étranger m, -ère f ; (from outer space) extraterrestre mf.

alight [ə'laɪt] adj (on fire) en feu. ◆ vi fml (from train, bus) : to ~ (from) descendre (de).

align [ə'laɪn] vt aligner.

alike [ə'laɪk] adj semblable. ◆ adv de la même façon ; to look ~ se ressembler.

alive [ə'laɪv] adj (living) vivant(e).

☞ **all** [ɔːl] adj - 1. (with singular noun) tout (toute) ; ~ **the money** tout l'argent ; ~ **the time** tout le temps ; ~ **day** toute la journée.

- 2. (with plural noun) tous (toutes) ; ~ **the houses** toutes les maisons.

◆ adv - 1. (completely) complètement ; ~ **alone** tout seul (toute seule).

- 2. (in scores) : **it's two** ~ ça fait deux partout.

- 3. (in phrases) : ~ **but empty** presque vide ; ~ **over** (finished) terminé(e).

◆ pron - 1. (everything) tout ; **is that** ~? (in shop) ce sera tout ? ; ~ **of the work** tout le travail ; **the best of** ~ le meilleur de tous.

- 2. (everybody) : ~ **of the guests** tous les invités ; ~ **of us went** nous y sommes tous allés.

- 3. (in phrases) : **can I help you at** ~? puis-je vous aider en quoi que ce soit? ; **in** ~ en tout.

Allah ['ælə] n Allah m.

allege [ə'ledʒ] vt prétendre.

allergic [ə'lɜːdʒɪk] adj : **to be** ~ **to** être allergique à.

allergy ['ælədʒɪ] n allergie f.

alleviate [ə'liːvɪeɪt] vt (pain) alléger.

alley ['ælɪ] n (narrow street) ruelle f.

alligator ['ælɪgeɪtəʳ] n alligator m.

all-in adj Br (inclusive) tout compris.

all-night adj (bar, petrol station) ouvert la nuit.

allocate ['æləkeɪt] vt attribuer.

allow [ə'laʊ] vt (permit) autoriser ; (time, money) prévoir ; **to** ~ **sb to do sthg** autoriser qqn à faire qqch ; **to be** ~**ed to do sthg** avoir le droit de faire qqch. ❑ **allow for** vt fus tenir compte de.

allowance [ə'lauəns] n (state benefit) allocation f ; (for expenses) indemnité f ; (pocket money) argent m de poche.

all right adj pas mal (inv). ◆ adv (satisfactorily) bien ; (yes, okay) d'accord ; **is everything ~?** est-ce que tout va bien? ; **is it ~ if I smoke?** cela ne vous dérange pas si je fume? ; **are you ~?** ça va? ; **how are you? - I'm ~** comment vas-tu? - bien.

ally ['ælaɪ] n allié m, -e f.

almond ['ɑːmənd] n (nut) amande f.

almost ['ɔːlməust] adv presque ; **we ~ missed the train** nous avons failli rater le train.

alone [ə'ləun] adj & adv seul(e) ; **to leave sb ~** (in peace) laisser qqn tranquille ; **to leave sthg ~** laisser qqch tranquille.

along [ə'lɒŋ] prep le long de. ◆ adv : **to walk ~** se promener ; **to bring sthg ~** apporter qqch ; **all ~** (knew, thought) depuis le début ; **~ with** avec.

alongside [ə,lɒŋ'saɪd] prep à côté de.

aloud [ə'laud] adv à haute voix, à voix haute.

alphabet ['ælfəbet] n alphabet m.

Alps [ælps] npl : **the ~** les Alpes fpl.

already [ɔːl'redɪ] adv déjà.

also ['ɔːlsəu] adv aussi.

altar ['ɔːltər] n autel m.

alter ['ɔːltər] vt modifier.

alteration [,ɔːltə'reɪʃn] n (to plan, timetable) modification f ; (to house) aménagement m.

alternate [Br ɔːl'tɜːnət, Am 'ɔːltərnət] adj : **on ~ days** tous les deux jours, un jour sur deux.

alternative [ɔːl'tɜːnətɪv] adj (accommodation, route) autre ; (medicine, music, comedy) alternatif(ive). ◆ n choix m.

alternatively [ɔːl'tɜːnətɪvlɪ] adv ou bien.

although [ɔːl'ðəu] conj bien que (+ subjunctive).

altitude ['æltɪtjuːd] n altitude f.

altogether [,ɔːltə'geðər] adv (completely) tout à fait ; (in total) en tout.

aluminium [,æljʊ'mɪnɪəm] n Br aluminium m.

aluminum [ə'luːmɪnəm] Am = **aluminium**.

always ['ɔːlweɪz] adv toujours.

Alzheimer's disease ['ælts,haɪməz-] n maladie f d'Alzheimer.

am [æm] → **be**.

a.m. (abbr of ante meridiem) : **at 2 ~** à 2 h du matin.

amateur ['æmətər] n amateur m.

amazed [ə'meɪzd] adj stupéfait(e).

amazing [ə'meɪzɪŋ] adj extraordinaire.

ambassador [æm'bæsədər] n ambassadeur m, -drice f.

amber ['æmbər] adj (traffic lights) orange (inv) ; (jewellery) d'ambre.

ambiguous [æm'bɪgjʊəs] adj ambigu(ë).

ambition [æm'bɪʃn] n ambition f.

ambitious [æm'bɪʃəs] *adj (person)* ambitieux(euse).

ambulance ['æmbjʊləns] *n* ambulance *f.*

ambush ['æmbʊʃ] *n* embuscade *f.*

amenities [ə'mi:nətɪz] *npl* équipements *mpl.*

America [ə'merɪkə] *n* l'Amérique *f.*

American [ə'merɪkən] *adj* américain(e). ◆ *n (person)* Américain(e).

amiable ['eɪmɪəbl] *adj* aimable.

ammunition [æmjʊ'nɪʃn] *n* munitions *fpl.*

amnesia [æm'ni:zɪə] *n* amnésie *f.*

among(st) [ə'mʌŋ(st)] *prep* parmi ; *(when sharing)* entre.

amount [ə'maʊnt] *n (quantity)* quantité *f* ; *(sum)* montant *m.* ❏ **amount to** *vt fus (total)* se monter à.

amp [æmp] *n* ampère *m* ; a 13-~ plug une prise 13 ampères.

ample ['æmpl] *adj (time)* largement assez de.

amplifier ['æmplɪfaɪə'] *n* amplificateur *m.*

amputate ['æmpjʊteɪt] *vt* amputer.

amuse [ə'mju:z] *vt (make laugh)* amuser ; *(entertain)* occuper.

amusement arcade [ə'mju:zmənt-] *n* galerie *f* de jeux.

amusement park [ə'mju:zmənt-] *n* parc *m* d'attractions.

amusements [ə'mju:zmənts] *npl* distractions *fpl.*

amusing [ə'mju:zɪŋ] *adj* amusant(e).

an [*stressed* æn, *unstressed* ən] → **a.**

anaemic [ə'ni:mɪk] *adj Br (person)* anémique.

anaesthetic [ænɪs'θetɪk] *n Br* anesthésie *f.*

analgesic [ænæl'dʒi:sɪk] *n* analgésique *m.*

analyse *Br,* **-yze** *Am* ['ænəlaɪz] *vt* analyser.

analyst ['ænəlɪst] *n (psychoanalyst)* psychanalyste *mf.*

analyze ['ænəlaɪz] *Am* = **analyse.**

anarchy ['ænəkɪ] *n* anarchie *f.*

anatomy [ə'nætəmɪ] *n* anatomie *f.*

ancestor ['ænsestə'] *n* ancêtre *mf.*

anchor ['æŋkə'] *n* ancre *f.*

anchovy ['æntʃəvɪ] *n* anchois *m.*

ancient ['eɪnʃənt] *adj* ancien(enne).

and [*strong form* ænd, *weak form* ənd, ən] *conj* et ; more ~ more de plus en plus ; ~ you? et toi? ; a hundred ~ one cent un ; to try ~ do sthg essayer de faire qqch ; to go ~ see aller voir.

anecdote ['ænɪkdəʊt] *n* anecdote *f.*

anemic [ə'ni:mɪk] *Am* = **anaemic.**

anesthetic [ænɪs'θetɪk] *Am* = **anaesthetic.**

angel ['eɪndʒl] *n* ange *m.*

anger ['æŋgə'] *n* colère *f.*

angina [æn'dʒaɪnə] *n* angine *f* de poitrine.

angle ['æŋgl] *n* angle *m* ; at an ~ en biais.

angler ['æŋglə'] *n* pêcheur *m* (à la ligne).

angling ['æŋglɪŋ] n pêche f (à la ligne).

angry ['æŋgrɪ] adj en colère ; (words) violent(e) ; **to get ~** (with sb) se mettre en colère (contre qqn).

animal ['ænɪml] n animal m.

aniseed ['ænɪsiːd] n anis m.

ankle ['æŋkl] n cheville f.

annex ['æneks] n (building) annexe f.

anniversary [ˌænɪ'vɜːsərɪ] n anniversaire m (d'un événement).

announce [ə'naʊns] vt annoncer.

announcement [ə'naʊnsmənt] n annonce f.

announcer [ə'naʊnsə] n (on TV, radio) présentateur m, -trice f.

annoy [ə'nɔɪ] vt agacer.

annoyed [ə'nɔɪd] adj agacé(e) ; **to get ~** (with) s'énerver (contre).

annoying [ə'nɔɪɪŋ] adj agaçant(e).

annual ['ænjʊəl] adj annuel(elle).

anonymous [ə'nɒnɪməs] adj anonyme.

anorak ['ænəræk] n anorak m.

another [ə'nʌðə] adj & pron un autre (une autre) ; **can I have ~ (one)?** puis-je en avoir un autre? ; **to help one ~** s'entraider ; **to talk to one ~** se parler ; **one after ~** l'un après l'autre (l'une après l'autre).

answer ['ɑːnsə] n réponse f ; (solution) solution f. ◆ vt répondre à. ◆ vi répondre ; **to ~ the door** aller répondre à la porte. ❑ **answer back** vi répondre.

answering machine ['ɑːnsər-ɪŋ-] = answerphone.

answerphone ['ɑːnsəfəʊn] n répondeur m.

ant [ænt] n fourmi f.

Antarctic [æn'tɑːktɪk] n : **the ~** l'Antarctique f.

antenna [æn'tenə] n Am (aerial) antenne f.

anthem ['ænθəm] n hymne m.

antibiotics [ˌæntɪbaɪ'ɒtɪks] npl antibiotiques mpl.

anticipate [æn'tɪsɪpeɪt] vt (expect) s'attendre à ; (guess correctly) anticiper.

anticlimax [ˌæntɪ'klaɪmæks] n déception f.

anticlockwise [ˌæntɪ'klɒkwaɪz] adv Br dans le sens inverse des aiguilles d'une montre.

antidote ['æntɪdəʊt] n antidote m.

antifreeze ['æntɪfriːz] n antigel m.

antihistamine [ˌæntɪ'hɪstəmɪn] n antihistaminique m.

antiperspirant [ˌæntɪ'pɜːspərənt] n déodorant m.

antique [æn'tiːk] n antiquité f.

antique shop n magasin m d'antiquités.

antiseptic [ˌæntɪ'septɪk] n antiseptique m.

antisocial [ˌæntɪ'səʊʃl] adj (person) sauvage ; (behaviour) antisocial(e).

antlers ['æntləz] npl bois mpl.

anxiety [æŋ'zaɪətɪ] n (worry) anxiété f.

anxious ['æŋkʃəs] adj (worried) anxieux(euse) ; (eager) impatient(e).

☞

any ['enɪ] *adj* - **1.** (in questions) du, de l' (de la), des (pl) ; **is there ~ milk left?** est-ce qu'il reste du lait ? ; **have you got ~ money?** as-tu de l'argent ?
- **2.** (in negatives) de, d' ; **I haven't got ~ money** je n'ai pas d'argent ; **we don't have ~ rooms** nous n'avons plus de chambres libres.
- **3.** (no matter which) n'importe quel (n'importe quelle) ; **take ~ one you like** prends celui qui te plaît.
◆ *pron* - **1.** (in questions) en ; **I'm looking for a hotel - are there ~ nearby?** je cherche un hôtel - est-ce qu'il y en a par ici ?
- **2.** (in negatives) en ; **I don't want ~ (of them)** je n'en veux aucun ; **I don't want ~ (of it)** je n'en veux pas.
- **3.** (no matter which one) n'importe lequel (n'importe laquelle) ; **you can sit at ~ of the tables** vous pouvez vous asseoir à n'importe quelle table.
◆ *adv* - **1.** (in questions) : **is that ~ better?** est-ce que c'est mieux comme ça ? ; **~ other questions?** d'autres questions ?
- **2.** (in negatives) : **he's not ~ better** il ne va pas mieux ; **we can't wait ~ longer** nous ne pouvons plus attendre.

anybody ['enɪ,bɒdɪ] = anyone.

anyhow ['enɪhaʊ] *adv* (carelessly) n'importe comment ; (in any case) de toute façon ; (in spite of that) quand même.

anyone ['enɪwʌn] *pron* (any person) n'importe qui ; (in questions) quelqu'un ; (in negatives) : **there wasn't ~ in** il n'y avait personne.

anything ['enɪθɪŋ] *pron* (no matter what) n'importe quoi ; (in questions) quelque chose ; (in negatives) : **I don't want ~ to eat** je ne veux rien manger ; **have you ~ bigger?** vous n'avez rien de plus grand ?

anyway ['enɪweɪ] *adv* de toute façon ; (in spite of that) quand même.

anywhere ['enɪweə'] *adv* (no matter where) n'importe où ; (in questions) quelque part ; (in negatives) : **I can't find it ~** je ne le trouve nulle part ; **~ else** ailleurs.

apart [ə'pɑːt] *adv* (separated) : **the towns are 5 miles ~** les deux villes sont à 8 km l'une de l'autre ; **to come ~** (break) se casser ; **~ from** à part.

apartheid [ə'pɑːtheɪt] *n* apartheid *m*.

apartment [ə'pɑːtmənt] *n* Am appartement *m*.

apathetic [,æpə'θetɪk] *adj* apathique.

ape [eɪp] *n* singe *m*.

aperitif [ə,perɪ'tiːf] *n* apéritif *m*.

aperture ['æpətʃə'] *n* (of camera) ouverture *f*.

APEX ['eɪpeks] *n* (plane ticket) billet *m* APEX ; Br (train ticket) billet à tarif réduit sur longues distances et pour certains trains seulement, la réservation devant « tre effectuée à l'avance.

apiece [ə'piːs] *adv* chacun(e).

apologetic [ə,pɒlə'dʒetɪk] *adj* : **to be ~** s'excuser.

apologize [ə'pɒlədʒaɪz] *vi* : **to ~ (to sb for sthg)** s'excuser (auprès de qqn de qqch).

apology [ə'pɒlədʒɪ] *n* excuses *fpl*.

apostrophe [ə'pɒstrəfi] *n* apostrophe *f*.

appal [ə'pɔːl] *vt* [Br] horrifier.

appall [ə'pɔːl] [Am] = appal.

appalling [ə'pɔːlɪŋ] *adj* épouvantable.

apparatus [ˌæpə'reɪtəs] *n* appareil *m*.

apparently [ə'pærəntlɪ] *adv* apparemment.

appeal [ə'piːl] *n* JUR appel *m* ; (fundraising campaign) collecte *f*. ◆ *vi* JUR faire appel ; **to ~ to sb for help** demander de l'aide à qqn ; **it doesn't ~ to me** ça ne me dit rien.

appear [ə'pɪə] *vi* (come into view) apparaître ; (seem) sembler ; (in play) jouer ; (before court) comparaître ; **to ~ on TV** passer à la télé ; **it ~s that** il semble que.

appearance [ə'pɪərəns] *n* (arrival) apparition *f* ; (look) apparence *f*.

appendices [ə'pendɪsiːz] *pl* → appendix.

appendicitis [əˌpendɪ'saɪtɪs] *n* appendicite *f*.

appendix [ə'pendɪks] (*pl* -dices) *n* appendice *m*.

appetite [ˈæpɪtaɪt] *n* appétit *m*.

appetizer [ˈæpɪtaɪzə] *n* amuse-gueule *m inv*.

appetizing [ˈæpɪtaɪzɪŋ] *adj* appétissant(e).

applaud [ə'plɔːd] *vt* & *vi* applaudir.

applause [ə'plɔːz] *n* applaudissements *mpl*.

apple [ˈæpl] *n* pomme *f*.

apple crumble *n* dessert consistant en une compote de pommes recouverte de pâte sablée.

apple juice *n* jus *m* de pomme.

apple pie *n* tarte aux pommes recouverte d'une couche de pâte.

apple sauce *n* compote de pommes, accompagnement traditionnel du rôti de porc.

apple tart *n* tarte *f* aux pommes.

appliance [ə'plaɪəns] *n* appareil *m* ; **electrical/domestic ~** appareil électrique/ménager.

applicable [ə'plɪkəbl] *adj* : **to be ~ (to)** s'appliquer (à) ; **if ~** s'il y a lieu.

applicant [ˈæplɪkənt] *n* candidat *m*, -e *f*.

application [ˌæplɪ'keɪʃn] *n* (for job, membership) demande *f*.

application form *n* formulaire *m*.

applications program [ˌæplɪ'keɪʃnz-] *n* COMPUT programme *m* d'application.

apply [ə'plaɪ] *vt* appliquer. ◆ *vi* : **to ~ to sb (for sthg)** (make request) s'adresser à qqn (pour obtenir qqch) ; **to ~ (to sb)** (be applicable) s'appliquer (à qqn) ; **to ~ the brakes** freiner.

appointment [ə'pɔɪntmənt] *n* rendez-vous *m* ; **to have/make an ~ (with)** avoir/prendre rendez-vous (avec) ; **by ~** sur rendez-vous.

appreciable [ə'priːʃəbl] *adj* appréciable.

appreciate [ə'priːʃɪeɪt] *vt* (be grateful for) être reconnaissant de ; (understand) comprendre ; (like, admire) apprécier.

apprehensive [ˌæprɪ'hensɪv] *adj* inquiet(iète).

apprentice [ə'prentɪs] n apprenti m, -e f.

apprenticeship [ə'prentɪʃɪp] n apprentissage m.

approach [ə'prəʊtʃ] n (road) voie f d'accès ; (of plane) descente f ; (to problem, situation) approche f. ◆ vt s'approcher de ; (problem, situation) aborder. ◆ vi (person, vehicle) s'approcher ; (event) approcher.

appropriate [ə'prəʊprɪət] adj approprié(e).

approval [ə'pruːvl] n approbation f.

approve [ə'pruːv] vi : to ~ (of sb/ sthg) approuver (qqn/qqch).

approximate [ə'prɒksɪmət] adj approximatif(ive).

approximately [ə'prɒksɪmətlɪ] adv environ, à peu près.

apricot ['eɪprɪkɒt] n abricot m.

April ['eɪprəl] n avril m → September.

April Fools' Day n le premier avril.

apron ['eɪprən] n (for cooking) tablier m.

apt [æpt] adj (appropriate) approprié(e) ; to be ~ to do sthg avoir tendance à faire qqch.

aquarium [ə'kweərɪəm] n (pl -ria [-rɪə]) n aquarium m.

aquarobics [ˌækwə'rəʊbɪks] n aquagym f.

aqueduct ['ækwɪdʌkt] n aqueduc m.

arbitrary ['ɑːbɪtrərɪ] adj arbitraire.

arc [ɑːk] n arc m.

arcade [ɑː'keɪd] n (for shopping) galerie f marchande ; (of video games) galerie f de jeux.

arch [ɑːtʃ] n arc m.

archaeology [ˌɑːkɪ'ɒlədʒɪ] n archéologie f.

archbishop [ˌɑːtʃ'bɪʃəp] n archevêque m.

archery ['ɑːtʃərɪ] n tir m à l'arc.

archipelago [ˌɑːkɪ'peləgəʊ] n archipel m.

architect ['ɑːkɪtekt] n architecte mf.

architecture ['ɑːkɪtektʃə] n architecture f.

archive n archives fpl.

Arctic ['ɑːktɪk] n : the ~ l'Arctique m.

are [weak form ə, strong form ɑː] → be.

area ['eərɪə] n (region) région f ; (space, zone) aire f ; (surface size) superficie f ; dining ~ coin m de repas.

area code n Am indicatif m de zone.

arena [ə'riːnə] n (at circus) chapiteau m ; (sportsground) stade m.

aren't [ɑːnt] = are not.

Argentina [ˌɑːdʒən'tiːnə] n l'Argentine f.

argue ['ɑːgjuː] vi (quarrel) : to ~ (with sb about sthg) se disputer (avec qqn à propos de qqch) ; to ~ (that) ... soutenir que ...

argument ['ɑːgjʊmənt] n (quarrel) dispute f ; (reason) argument m.

arid ['ærɪd] adj aride.

arise [ə'raɪz] (pt arose, pp arisen [ə'rɪzn]) vi surgir ; to ~ from résulter de.

aristocracy [ˌærɪ'stɒkrəsɪ] n aristocratie f.

arithmetic [əˈrɪθmətɪk] n arithmétique f.

arm [aːm] n bras m ; (of garment) manche f.

arm bands npl (for swimming) bouées fpl (autour des bras).

armchair [aːmtʃeəʳ] n fauteuil m.

armed [aːmd] adj (person) armé(e).

armed forces npl : the ~ les forces fpl armées.

armor [aːmər] Am = armour.

armour [aːməʳ] n Br armure f.

armpit [aːmpɪt] n aisselle f.

arms [aːmz] npl (weapons) armes fpl.

army [aːmɪ] n armée f.

A-road n Br ≃ (route) nationale f.

aroma [əˈrəʊmə] n arôme m.

aromatic [ˌærəˈmætɪk] adj aromatique.

arose [əˈrəʊz] pt → arise.

around [əˈraʊnd] adv (present) dans le coin. ◆ prep autour de ; (approximately) environ ; to get ~ sthg (obstacle) contourner qqch ; at ~ two o'clock vers 2 h du matin ; ~ here (in the area) par ici ; to look ~ (turn head) regarder autour de soi ; (in shop) jeter un coup d'œil ; (in city) faire un tour ; to turn ~ se retourner ; to walk ~ se promener.

arouse [əˈraʊz] vt provoquer.

arrange [əˈreɪndʒ] vt arranger ; (meeting, event) organiser ; to ~ to do sthg (with sb) convenir (avec qqn) de faire qqch.

arrangement [əˈreɪndʒmənt] n (agreement) arrangement m ; (layout) disposition f ; by ~ (tour, service) sur réservation ; to make ~s (to do sthg) faire le nécessaire (pour faire qqch).

arrest [əˈrest] n arrestation f. ◆ vt arrêter ; under ~ en état d'arrestation.

arrival [əˈraɪvl] n arrivée f ; on ~ à l'arrivée ; new ~ (person) nouveau venu m, nouvelle venue f.

arrive [əˈraɪv] vi arriver.

arrogant [ˈærəgənt] adj arrogant(e).

arrow [ˈærəʊ] n flèche f.

arson [ˈaːsn] n incendie m criminel.

art [aːt] n art m. ❏ **arts** npl (humanities) ≃ lettres fpl ; the ~s (fine arts) l'art m.

artefact [ˈaːtɪfækt] n objet m.

artery [ˈaːtərɪ] n artère f.

art gallery n (shop) galerie f d'art ; (museum) musée m d'art.

arthritis [aːˈθraɪtɪs] n arthrite f.

artichoke [ˈaːtɪtʃəʊk] n artichaut m.

article [ˈaːtɪkl] n article m.

articulate [aːˈtɪkjʊlət] adj (person) qui s'exprime bien ; (speech) clair(e).

artificial [ˌaːtɪˈfɪʃl] adj artificiel(elle).

artist [ˈaːtɪst] n artiste mf.

artistic [aːˈtɪstɪk] adj (design) artistique ; (person) artiste.

arts centre n centre m culturel.

arty [ˈaːtɪ] adj pej qui se veut artiste.

☞

as [unstressed əz, stressed æz] adv (in comparisons) : ~ ... ~ aussi ... que ; he's ~ tall ~ I am il est aussi grand que moi ; ~ many ~ autant que ; ~ **much** ~ autant que. ◆ *conj* - **1.** *(referring to time)* comme ; ~ **the plane was coming in** as the land l'avion s'apprêtait à atterrir. - **2.** *(referring to manner)* comme ; **do** ~ **you like** faites comme tu veux ; ~ **expected, ...** comme prévu. - **3.** *(introducing a statement)* comme ; ~ **you know ...** comme tu sais ... - **4.** *(because)* comme. - **5.** *(in phrases)* : ~ **for** quant à ; ~ **from** à partir de ; ~ **if** comme si. ◆ *prep (referring to function, job)* comme ; **I work** ~ **a teacher** je suis professeur.

asap *(abbr of as soon as possible)* dès que possible.

ascent [ə'sent] *n (climb)* ascension *f.*

ascribe [ə'skraɪb] *vt* : **to ~ sthg to sthg** *(situation, success)* imputer qqch à qqn ; **to ~ sthg to sb** *(quality)* attribuer qqch à qqn.

ash [æʃ] *n (from cigarette, fire)* cendre *f* ; *(tree)* frêne *m.*

ashore [ə'ʃɔːr] *adv* à terre.

ashtray ['æʃtreɪ] *n* cendrier *m.*

aside [ə'saɪd] *adv* de côté ; **to move** ~ s'écarter.

ask [ɑːsk] *vt (person)* demander à ; *(question)* poser ; *(request)* demander ; *(invite)* inviter. ◆ *vi* : **to** ~ **about sthg** *(enquire)* se renseigner sur qqch ; **to** ~ **sb sthg** demander qqch à qqn ; **to** ~ **sb about sthg** poser des questions à qqn à propos de qqch ; **to** ~ **sb to do sthg** demander à qqn de faire qqch ; **to** ~ **sb for sthg** demander qqch à qqn. ❑ **ask for** *vt fus* demander.

asleep [ə'sliːp] *adj* endormi(e) ; **to fall** ~ s'endormir.

asparagus [ə'spærəgəs] *n* asperge *f.*

aspect ['æspekt] *n* aspect *m.*

aspirin ['æsprɪn] *n* aspirine *f.*

ass [æs] *n (animal)* âne *m.*

assassinate [ə'sæsɪneɪt] *vt* assassiner.

assault [ə'sɔːlt] *n (on person)* agression *f.* ◆ *vt* agresser.

assemble [ə'sembl] *vt (bookcase, model)* monter. ◆ *vi* se rassembler.

assembly [ə'semblɪ] *n (at school)* réunion quotidienne, avant le début des cours, des élèves d'un établissement.

assembly hall *n* salle de réunion des élèves dans une école.

assembly point *n (at airport, in shopping centre)* point *m* de rassemblement.

assert [ə'sɜːt] *vt* affirmer ; **to** ~ **o.s.** s'imposer.

assess [ə'ses] *vt* évaluer.

assessment [ə'sesmənt] *n* évaluation *f.*

asset ['æset] *n (valuable person, thing)* atout *m.*

assign [ə'saɪn] *vt* : **to** ~ **sthg to sb** *(give)* assigner qqch à qqn ; **to** ~ **sb to do sthg** *(designate)* désigner qqn pour faire qqch.

assignment [ə'saɪnmənt] *n (task)* mission *f* ; SCH devoir *m.*

assist [ə'sɪst] *vt* assister, aider.

assistance [ə'sɪstəns] *n* aide *f* ; **to be of** ~ **(to sb)** être utile (à qqn).

assistant [ə'sɪstənt] *n* assistant *m,* -e *f.*

associate [*n* ə'səʊʃɪət, *vb* ə'səʊʃɪeɪt] *n* associé *m,* -e *f* ; ◆ *vt* : **to** ~ **sb/sthg with** associer qqn/qqch à ; **to be** ~**d with** *(attitude, person)* être associé à.

association [əˌsəʊsɪˈeɪʃn] *n* association *f*.

assorted [əˈsɔːtɪd] *adj* (*sweets, chocolates*) assortis(ties).

assortment [əˈsɔːtmənt] *n* assortiment *m*.

assume [əˈsjuːm] *vt* (*suppose*) supposer ; (*control, responsibility*) assumer.

assurance [əˈʃʊərəns] *n* assurance *f*.

assure [əˈʃʊəʳ] *vt* assurer ; to ~ sb (that) ... assurer qqn que ...

asterisk [ˈæstərɪsk] *n* astérisque *m*.

asthma [ˈæsmə] *n* asthme *m*.

asthmatic [æsˈmætɪk] *adj* asthmatique.

astonished [əˈstɒnɪʃt] *adj* stupéfait(e).

astonishing [əˈstɒnɪʃɪŋ] *adj* stupéfiant(e).

astound [əˈstaʊnd] *vt* stupéfier.

astray [əˈstreɪ] *adv* : to go ~ s'égarer.

astrology [əˈstrɒlədʒɪ] *n* astrologie *f*.

astronomy [əˈstrɒnəmɪ] *n* astronomie *f*.

☞

at [*unstressed* ət, *stressed* æt] *prep* - **1.** (*indicating place, position*) à ; ~ the supermarket au supermarché ; ~ school à l'école ; ~ the hotel à l'hôtel ; ~ home à la maison, chez moi/toi etc ; ~ my mother's chez ma mère.
- **2.** (*indicating direction*) : to throw sthg ~ jeter qqch sur ; to look ~ sb/sthg regarder qqn/qqch ; to smile ~ sb sourire à qqn.
- **3.** (*indicating time*) à ; ~ nine o'clock à 9 h ; ~ night la nuit.
- **4.** (*indicating rate, level, speed*) à ; it works out ~ £5 each ça revient à 5 livres chacun ; ~ 60 km/h à 60 km/h.
- **5.** (*indicating activity*) : to be ~ lunch être en train de déjeuner ; to be good/bad ~ sthg être bon/mauvais en qqch.
- **6.** (*indicating cause*) de ; shocked ~ sthg choqué par qqch ; angry ~ sb fâché contre qqn ; delighted ~ sthg ravi de qqch.

ate [*Br* et, *Am* eɪt] *pt* → **eat**.

atheist [ˈeɪθɪɪst] *n* athée *mf*.

athlete [ˈæθliːt] *n* athlète *mf*.

athletics [æθˈletɪks] *n* athlétisme *m*.

Atlantic [ətˈlæntɪk] *n* : the ~ (Ocean) l'Atlantique *m*, l'océan Atlantique *m*.

atlas [ˈætləs] *n* atlas *m*.

atmosphere [ˈætməsfɪəʳ] *n* atmosphère *f*.

atrocious [əˈtrəʊʃəs] *adj* (*very bad*) atroce.

attach [əˈtætʃ] *vt* attacher ; to ~ sthg to sthg attacher qqch à qqch.

attachment [əˈtætʃmənt] *n* (*device*) accessoire *m*.

attack [əˈtæk] *n* attaque *f* ; (*fit, bout*) crise *f*. ◆ *vt* attaquer.

attacker [əˈtækəʳ] *n* agresseur *m*.

attain [əˈteɪn] *vt fml* atteindre.

attempt [əˈtempt] *n* tentative *f*. ◆ *vt* tenter ; to ~ to do sthg tenter de faire qqch.

attend [əˈtend] *vt* (*meeting, mass*) assister à ; (*school*) aller à. ☐ at-

tend to *vt fus (deal with)* s'occuper de.

attendance [ə'tɛndəns] *n (people at concert, match)* spectateurs *mpl* ; *(at school)* présence *f*.

attendant [ə'tɛndənt] *n (at museum)* gardien *m*, -enne *f* ; *(at petrol station)* pompiste *mf* ; *(at public toilets, cloakroom)* préposé *m*, -e *f*.

attention [ə'tɛnʃn] *n* attention *f* ; **to pay ~ (to)** prêter attention (à).

attic ['ætɪk] *n* grenier *m*.

attitude ['ætɪtjuːd] *n* attitude *f*.

attorney [ə'tɜːnɪ] *n Am* avocat *m*, -e *f*.

attract [ə'trækt] *vt* attirer.

attraction [ə'trækʃn] *n (liking)* attirance *f* ; *(attractive feature)* attrait *m* ; *(of town, resort)* attraction *f*.

attractive [ə'træktɪv] *adj* séduisant(e).

attribute [ə'trɪbjuːt] *vt* : **to ~ sthg to** attribuer qqch à.

aubergine ['əʊbəʒiːn] *n Br* aubergine *f*.

auburn ['ɔːbən] *adj* auburn (inv).

auction ['ɔːkʃn] *n* vente *f* aux enchères.

audience ['ɔːdɪəns] *n (of play, concert, film)* public *m* ; *(of TV)* téléspectateurs *mpl* ; *(of radio)* auditeurs *mpl*.

audio ['ɔːdɪəʊ] *adj* audio (inv).

audio-visual [-'vɪʒʊəl] *adj* audiovisuel(elle).

August ['ɔːgəst] *n* août *m* → September.

aunt [ɑːnt] *n* tante *f*.

au pair [ˌəʊ'peə] *n* jeune fille *f* au pair.

aural ['ɔːrəl] *adj* auditif(ive).

Australia [ɒ'streɪlɪə] *n* l'Australie *f*.

Australian [ɒ'streɪlɪən] *adj* australien(enne). ◆ *n* Australien(enne).

authentic [ɔː'θentɪk] *adj* authentique.

author ['ɔːθə] *n* auteur *m*.

authority [ɔː'θɒrɪtɪ] *n* autorité *f* ; **the authorities** les autorités.

authorization [ˌɔːθəraɪ'zeɪʃn] *n* autorisation *f*.

authorize ['ɔːθəraɪz] *vt* autoriser ; **to ~ sb to do sthg** autoriser qqn à faire qqch.

autobiography [ˌɔːtəbaɪ'ɒgrəfɪ] *n* autobiographie *f*.

autograph ['ɔːtəgrɑːf] *n* autographe *m*.

automatic [ˌɔːtə'mætɪk] *adj (machine)* automatique ; *(fine)* systématique. ◆ *n (car)* voiture *f* à boîte automatique.

automatically [ˌɔːtə'mætɪklɪ] *adv* automatiquement.

automobile ['ɔːtəməbiːl] *n Am* voiture *f*.

autumn ['ɔːtəm] *n* automne *m* ; **in (the) ~** en automne.

auxiliary (verb) [ɔːg'zɪlJərɪ-] *n* auxiliaire *m*.

available [ə'veɪləbl] *adj* disponible.

avalanche ['ævəlɑːnʃ] *n* avalanche *f*.

Ave. *(abbr of avenue)* av.

avenue ['ævənjuː] *n* avenue *f*.

average ['ævərɪdʒ] *adj* moyen(enne). ◆ *n* moyenne *f* ; **on ~** en moyenne.

aversion [ə'vɜːʃn] *n* aversion *f*.

aviation [ˌeɪvɪ'eɪʃn] *n* aviation *f*.

avid ['ævɪd] *adj* avide.

avocado (pear) [ˌævə'kɑːdəʊ-] *n* avocat *m*.

avoid [ə'vɔɪd] *vt* éviter ; **to ~ doing sthg** éviter de faire qqch.

await [ə'weɪt] *vt* attendre.

awake [ə'weɪk] *adj* réveillé(e). ◆ *vi* se réveiller.

award [ə'wɔːd] *n* (*prize*) prix *m*. ◆ *vt* : **to ~ sb sthg** (*prize*) décerner qqch à qqn ; (*damages, compensation*) accorder qqch à qqn.

aware [ə'weə^r] *adj* conscient(e) ; **to be ~ of** être conscient de.

away [ə'weɪ] *adv* (*not at home, in office*) absent(e) ; **to put sthg ~** ranger qqch ; **to look ~** détourner les yeux ; **to turn ~** se détourner ; **to walk/drive ~** s'éloigner ; **to take sthg ~ (from sb)** enlever qqch (à qqn) ; **far ~** loin ; **it's 10 miles ~ (from here)** c'est à une quinzaine de kilomètres (d'ici) ; **it's two weeks ~** c'est dans deux semaines.

awesome ['ɔːsəm] *adj* (*impressive*) impressionnant(e) ; *inf* (*excellent*) génial(e).

awful ['ɔːfəl] *adj* affreux(euse) ; **I feel ~** je ne me sens vraiment pas bien ; **an ~ lot of** énormément de.

awfully ['ɔːflɪ] *adv* (*very*) terriblement.

awkward ['ɔːkwəd] *adj* (*uncomfortable*) inconfortable ; (*movement*) maladroit(e) ; (*shape, size*) peu pratique ; (*embarrassing*) embarrassant(e) ; (*question, task*) difficile.

awning ['ɔːnɪŋ] *n* auvent *m*.

awoke [ə'wəʊk] *pt* → **awake**.

awoken [ə'wəʊkən] *pp* → **awake**.

axe [æks] *n* hache *f*.

axle ['æksl] *n* essieu *m*.

B

BA (*abbr of Bachelor of Arts*) (*titulaire d'une*) licence de lettres.

babble ['bæbl] *vi* marmonner.

baby ['beɪbɪ] *n* bébé *m* ; **to have a ~** avoir un enfant.

baby carriage *n Am* landau *m*.

baby food *n* aliments *mpl* pour bébé.

baby-sit *vi* faire du baby-sitting.

baby wipe *n* lingette *f*.

back [bæk] *adv* en arrière. ◆ *n* dos *m* ; (*of chair*) dossier *m* ; (*of room*) fond *m* ; (*of car*) arrière *m*. ◆ *adj* (*seat, wheels*) arrière (*inv*). ◆ *vi* (*car, driver*) faire marche arrière. ◆ *vt* (*support*) soutenir ; **to arrive ~** rentrer ; **to give sthg ~** rendre qqch ; **to put sthg ~** remettre qqch ; **to stand ~** reculer ; **at the ~ of** derrière ; **in ~ of** *Am* derrière ; **~ to front** devant derrière. ❑ **back up** ◆ *vt sep* (*support*) appuyer. ◆ *vi* (*car, driver*) faire marche arrière.

backache ['bækeɪk] *n* mal *m* au dos.

backbone ['bækbəʊn] *n* colonne *f* vertébrale.

back door *n* porte *f* de derrière.

backfire [ˌbæk'faɪə^r] *vi* (*car*) pétarader.

background ['bækgraʊnd] *n* (*in picture, on stage*) arrière-plan *m* ; (*to situation*) contexte *m* ; (*of person*) milieu *m*.

backlog ['bæklɒg] *n* accumulation *f*.

backpack ['bækpæk] *n* sac *m* à dos.

backpacker ['bækpækə] *n* routard *m*, -e *f*.

back seat *n* siège *m* arrière.

backside [ˌbæk'saɪd] *n inf* fesses *fpl*.

back street *n* ruelle *f*.

backstroke ['bækstrəuk] *n* dos *m* crawlé.

backwards ['bækwədz] *adv (move, look)* en arrière ; *(the wrong way round)* à l'envers.

bacon ['beɪkən] *n* bacon *m* ; ~ and eggs œufs *mpl* frits au bacon.

bacteria [bæk'tɪərɪə] *npl* bactéries *fpl*.

bad [bæd] *(compar* worse, *superl* worst) *adj* mauvais(e) ; *(serious)* grave ; *(naughty)* méchant(e) ; *(rotten, off)* pourri(e) ; to have a ~ back avoir mal au dos ; to have a ~ cold avoir un gros rhume ; to go ~ *(milk, yoghurt)* tourner ; not ~ pas mauvais, pas mal.

badge [bædʒ] *n* badge *m*.

badger ['bædʒə] *n* blaireau *m*.

badly ['bædlɪ] *(compar* worse, *superl* worst) *adv (wash)* mal ; *(seriously)* gravement ; to ~ need sthg avoir sérieusement besoin de qqch.

badly paid [-peɪd] *adj* mal payé(e).

badminton ['bædmɪntən] *n* badminton *m*.

bad-tempered [-'tempəd] *adj (by nature)* qui a un mauvais caractère ; *(in a bad mood)* de mauvaise humeur.

bag [bæg] *n* sac *m* ; *(piece of luggage)* bagage *m* ; a ~ of crisps un paquet de chips.

bagel ['beɪgəl] *n petit pain en couronne.*

baggage ['bægɪdʒ] *n* bagages *mpl*.

baggage allowance *n* franchise *f* de bagages.

baggage reclaim *n* livraison *f* des bagages.

baggy ['bægɪ] *adj* ample.

bagpipes ['bægpaɪps] *npl* cornemuse *f*.

bail [beɪl] *n* caution *f*.

bait [beɪt] *n* appât *m*.

bake [beɪk] *vt* faire cuire (au four). ◆ *n* CULIN gratin *m*.

baked [beɪkt] *adj* cuit au four.

baked beans *npl* haricots *mpl* blancs à la tomate.

baked potato *n* pomme de terre *f* en robe de chambre.

baker ['beɪkə] *n* boulanger(ère) *f* ; ~'s *(shop)* boulangerie *f*.

balance ['bæləns] *n (of person)* équilibre *m* ; *(of bank account)* solde *m* ; *(remainder)* reste *m*. ◆ *vt (object)* maintenir en équilibre.

balcony ['bælkənɪ] *n* balcon *m*.

bald [bɔːld] *adj* chauve.

bale [beɪl] *n* balle *f*.

ball [bɔːl] *n* SPORT balle *f* ; *(in football, rugby)* ballon *m* ; *(in snooker, pool)* boule *f* ; *(of wool, string)* pelote *f* ; *(of paper)* boule *f* ; *(dance)* bal *m* ; on the ~ *fig* vif (vive).

ballerina [ˌbælə'riːnə] *n* ballerine *f*.

ballet ['bæleɪ] *n (dancing)* danse *f* (classique) ; *(work)* ballet *m*.

ballet dancer *n* danseur classique.

balloon [bə'luːn] *n* ballon *m*.

ballot ['bælət] *n* scrutin *m*.

ballpoint pen ['bɔːlpɔɪnt-] *n* stylo *m* (à) bille.

ballroom ['bɔːlrum] n salle f de bal.

ballroom dancing n danse f de salon.

bamboo [bæm'buː] n bambou m.

ban [bæn] n interdiction f. ◆ vt interdire ; **to ~ sb from doing sthg** interdire à qqn de faire qqch.

banana [bə'naːnə] n banane f.

band [bænd] n (musical group) groupe m ; (strip of paper, rubber) bande f.

bandage ['bændɪdʒ] n bandage m, bande f. ◆ vt mettre un bandage sur.

B and B abbr = bed and breakfast.

bandstand ['bændstænd] n kiosque m à musique.

bang [bæŋ] n (of gun) détonation f ; (of door) claquement m. ◆ vt cogner ; (door) claquer ; **to ~ one's head** se cogner la tête.

banger ['bæŋə'] n Br inf (sausage) saucisse f ; **~s and mash** saucisses-purée.

bangle ['bæŋgl] n bracelet m.

bangs [bæŋz] npl Am frange f.

banister ['bænɪstə'] n rampe f.

banjo ['bændʒəʊ] n banjo m.

bank [bæŋk] n (for money) banque f ; (of river, lake) berge f ; (slope) talus m.

bank account n compte m bancaire.

bank book n livret m d'épargne.

bank charges npl frais mpl bancaires.

bank clerk n employé m de banque.

bank draft n traite f bancaire.

banker ['bæŋkə'] n banquier m.

banker's card n carte à présenter, en guise de garantie, par le titulaire d'un compte lorsqu'il paye par chèque.

bank holiday n Br jour m férié.

bank manager n directeur m d'agence bancaire.

bank note n billet m de banque.

bankrupt ['bæŋkrʌpt] adj en faillite.

bank statement n relevé m de compte.

banner ['bænə'] n banderole f.

bannister ['bænɪstə'] = banister.

banquet ['bæŋkwɪt] n (at Indian restaurant etc) menu pour plusieurs personnes.

bap [bæp] n Br petit pain m.

baptize [Br bæp'taɪz, Am 'bæptaɪz] vt baptiser.

bar [baː'] n (pub, in hotel) bar m ; (counter in pub) comptoir m ; (of metal, wood) barre f ; (of chocolate) tablette f. ◆ vt (obstruct) barrer ; **a ~ of soap** une savonnette.

barbecue ['baːbɪkjuː] n barbecue m. ◆ vt faire griller au barbecue.

barbecue sauce n sauce épicée servant à relever viandes et poissons.

barbed wire [baːbd-] n fil m de fer barbelé.

barber ['baːbə'] n coiffeur m (pour hommes) ; **~'s (shop)** salon m de coiffure (pour hommes).

bar code n code-barres m.

bare [beə'] adj (feet, head, arms) nu(e) ; (room, cupboard) vide ; **the ~ minimum** le strict minimum.

barefoot ['beəfut] adv pieds nus.

barely ['beəlɪ] adv à peine.

bargain ['baːgɪn] n affaire f. ◆ vi

(haggle) marchander. □ **bargain for** *vt fus* s'attendre à.

bargain basement *n* sous-sol d'un magasin où sont regroupés les soldes.

barge [ba:dʒ] *n* péniche f. □ **barge in** *vi* faire irruption ; **to ~ in on sb** interrompre qqn.

bark [ba:k] *n* *(of tree)* écorce f. ◆ *vi* aboyer.

barley ['ba:lɪ] *n* orge f.

barmaid ['ba:meɪd] *n* serveuse f.

barman ['ba:mən] *(pl* -men [-mən]*)* *n* barman *m*, serveur *m*.

bar meal *n* repas léger servi dans un bar ou un pub.

barn [ba:n] *n* grange f.

barometer [bə'rɒmɪtəʳ] *n* baromètre *m*.

baron ['bærən] *n* baron *m*.

baroque [bə'rɒk] *adj* baroque.

barracks ['bærəks] *npl* caserne f.

barrage [bæ'ra:ʒ] *n* *(of questions, criticism)* avalanche f.

barrel ['bærəl] *n* *(of beer, wine)* tonneau *m* ; *(of oil)* baril *m* ; *(of gun)* canon *m*.

barren ['bærən] *adj* *(land, soil)* stérile.

barricade [,bærɪ'keɪd] *n* barricade f.

barrier ['bærɪəʳ] *n* barrière f.

barrister ['bærɪstəʳ] *n* *Br* avocat(e).

bartender ['ba:tendəʳ] *n* *Am* barman *m*, serveur *m*.

barter ['ba:təʳ] *vt* faire du troc.

base [beɪs] *n* *(of lamp, pillar, mountain)* pied *m* ; MIL base f. ◆ *vt* : **to ~ sthg on** fonder qqch sur ; **to be ~d** *(located)* être installé(e).

baseball ['beɪsbɔ:l] *n* base-ball *m*.

baseball cap *n* casquette f.

basement ['beɪsmənt] *n* sous-sol *m*.

bases ['beɪsi:z] *pl* → **basis**.

bash [bæʃ] *vt* *inf* : **to ~ one's head** se cogner la tête.

basic ['beɪsɪk] *adj* *(fundamental)* de base ; *(accommodation, meal)* rudimentaire. □ **basics** *npl* : **the ~s** les bases.

basically ['beɪsɪklɪ] *adv* en fait ; *(fundamentally)* au fond.

basil ['bæzl] *n* basilic *m*.

basin ['beɪsn] *n* *(washbasin)* lavabo *m* ; *(bowl)* cuvette f.

basis ['beɪsɪs] *(pl* -ses*)* *n* base f ; **on a weekly ~** une fois par semaine ; **on the ~ of** *(according to)* d'après.

basket ['ba:skɪt] *n* corbeille f ; *(with handle)* panier *m*.

basketball ['ba:skɪtbɔ:l] *n* *(game)* basket(-ball) *m*.

basmati rice [bəz'mæti-] *n* riz *m* basmati.

bass¹ [beɪs] *n* *(singer)* basse f. ◆ *adj* : **a ~ guitar** une basse.

bass² [bæs] *n* *(freshwater fish)* perche f ; *(sea fish)* bar *m*.

bassoon [bə'su:n] *n* basson *m*.

bastard ['ba:stəd] *n* *vulg* salaud *m*.

bat [bæt] *n* *(in cricket, baseball)* batte f ; *(in table tennis)* raquette f ; *(animal)* chauve-souris f.

batch [bætʃ] *n* *(of papers, letters)* liasse f ; *(of people)* groupe *m*.

bath [ba:θ] *n* bain *m* ; *(tub)* baignoire f. ◆ *vt* donner un bain à ; **to have a ~** prendre un bain. □ **baths**

npl Br (public swimming pool) piscine f.

bathe [beɪð] *vi Br (swim)* se baigner ; *Am (have bath)* prendre un bain.

bathrobe ['baːθrəʊb] *n* peignoir m.

bathroom ['baːθrʊm] *n* salle f de bains ; *Am (toilet)* toilettes fpl.

bathroom cabinet *n* armoire f à pharmacie.

bathtub ['baːθtʌb] *n* baignoire f.

baton [bæ'tɒn] *n (of conductor)* baguette f ; *(truncheon)* matraque f.

batter ['bætə'] *n* pâte f. ◆ *vt (wife, child)* battre.

battered ['bætəd] *adj* CULIN cuit dans un enrobage de pâte à frire.

battery ['bætərɪ] *n (for radio, torch etc)* pile f ; *(for car)* batterie f.

battery charger [-ˌtʃɑːdʒə'] *n* chargeur m.

battle ['bætl] *n* bataille f ; *(struggle)* lutte f.

bay [beɪ] *n (on coast)* baie f ; *(for parking)* place f (de stationnement).

bay leaf *n* feuille f de laurier.

bay window *n* fenêtre f en saillie.

B & B *abbr* = bed and breakfast.

BC *(abbr of before Christ)* av. J.-C.

☞——————

be [biː] *(pt* was, were, *pp* been [biːn]) *vi* - **1.** *(exist)* être ; there is/are il y a ; are there any shops near here? y a-t-il des magasins près d'ici? - **2.** *(referring to location)* être ; the hotel is near the airport l'hôtel est OR se trouve près de l'aéroport. - **3.** *(referring to movement)* aller ;

has the postman been? est-ce que le facteur est passé? ; have you ever been to Ireland? êtes-vous déjà allé en Irlande? ; I'll ~ there in ten minutes j'y serai dans dix minutes. - **4.** *(occur)* être ; my birthday is in November mon anniversaire est en novembre. - **5.** *(identifying, describing)* être ; he's a doctor il est médecin ; I'm British je suis britannique ; I'm hot/cold j'ai chaud/froid. - **6.** *(referring to health)* aller ; how are you? comment allez-vous? ; I'm fine je vais bien, ça va ; she's ill elle est malade. - **7.** *(referring to age)* : how old are you? quel âge as-tu? ; I'm 14 (years old) j'ai 14 ans. - **8.** *(referring to cost)* coûter, faire ; how much is it? *(item)* combien ça coûte? ; *(meal, shopping)* ça fait combien? ; it's £10 *(item)* ça coûte 10 livres ; *(meal, shopping)* ça fait 10 livres. - **9.** *(referring to time, dates)* être ; what time is it? quelle heure est-il? ; it's ten o'clock il est dix heures. - **10.** *(referring to measurement)* faire ; it's 2 m wide ça fait 2 m de large ; I'm 6 feet tall je mesure 1 mètre 80. - **11.** *(referring to weather)* faire ; it's hot/cold il fait chaud/froid ; it's going to be nice today il va faire beau aujourd'hui ; it's sunny/windy il y a du soleil/du vent.

◆ *aux vb* - **1.** *(forming continuous tense)* : I'm learning French j'apprends le français ; we've been visiting the museum nous avons visité le musée ; I was eating when ... j'étais en train de manger quand ....

- 2. *(forming passive)* être ; **the flight was delayed** le vol a été retardé.

- 3. *(with infinitive to express order)* : **all rooms are to ~ vacated by 10 a.m.** toutes les chambres doivent être libérées avant 10 h.

- 4. *(with infinitive to express future tense)* : **the race is to start at noon** le départ de la course est prévu pour midi.

- 5. *(in tag questions)* : **it's Monday today isn't it?** c'est lundi aujourd'hui, n'est-ce pas ?

beach [biːtʃ] *n* plage *f*.

bead [biːd] *n (of glass, wood etc)* perle *f*.

beak [biːk] *n* bec *m*.

beaker ['biːkə*] *n* gobelet *m*.

beam [biːm] *n (of light)* rayon *m* ; *(of wood, concrete)* poutre *f*. ◆ *vi (smile)* faire un sourire radieux.

bean [biːn] *n* haricot *m* ; *(of coffee)* grain *m*.

beanbag *n (chair)*.

beansprouts ['biːnsprauts] *npl* germes *mpl* de soja.

bear [beə*] *(pt* **bore**, *pp* **borne**) *n (animal)* ours *m*. ◆ *vt* supporter ; **to ~ left/right** se diriger vers la gauche/la droite.

bearable ['beərəbl] *adj* supportable.

beard [biəd] *n* barbe *f*.

bearer ['beərə*] *n (of cheque)* porteur *m* ; *(of passport)* titulaire *mf*.

bearing ['beərɪŋ] *n (relevance)* rapport *m* ; **to get one's ~s** se repérer.

beast [biːst] *n* bête *f*.

beat [biːt] *(pt* **beat**, *pp* **beaten** ['biːtn]) *n (of heart, pulse)* battement *m* ; *MUS* rythme *m*. ◆ *vt* bat-

tre. ❑ **beat down** ◆ *vi (sun)* taper ; *(rain)* tomber à verse. ◆ *vt sep* : **I ~ him down to £20** je lui ai fait baisser son prix à 20 livres. ❑ **beat up** *vt sep* tabasser.

beautiful ['bjuːtɪful] *adj* beau (belle).

beauty ['bjuːtɪ] *n* beauté *f*.

beauty parlour *n* salon *m* de beauté.

beauty spot *n (place)* site *m* touristique.

beaver ['biːvə*] *n* castor *m*.

became [bɪ'keɪm] *pt* → **become**.

because [bɪ'kɒz] *conj* parce que ; **~ of** à cause de.

beckon ['bekən] *vi* : **to ~ (to)** faire signe (à).

become [bɪ'kʌm] *(pt* **became**, *pp* **become**) *vi* devenir ; **what became of him?** qu'est-il devenu ?

bed [bed] *n* lit *m* ; *(of sea)* fond *m* ; **in ~** au lit ; **to get out of ~** se lever ; **to go to ~** aller au lit, se coucher ; **to go to ~ with sb** coucher avec qqn ; **to make the ~** faire le lit.

bed and breakfast *n Br* ≃ chambre *f* d'hôte *(avec petit déjeuner)*.

BED & BREAKFAST

Dans les zones touristiques des pays anglo-saxons, des particuliers proposent des *B & B* ou s'annoncent *Guest House*. Ils offrent des chambres d'hôte ainsi qu'un petit déjeuner anglais traditionnel (saucisses, œufs, bacon, toast, thé ou café) dont le prix est inclus dans celui de la chambre.

bedclothes ['bedkləʊðz] *npl* draps *mpl* et couvertures.

bedding ['bedɪŋ] *n* draps *mpl* et couvertures.

bed linen *n* draps *mpl* (et taies d'oreiller).

bedroom ['bedrʊm] *n* chambre *f*.

bedside table ['bedsaɪd-] *n* table *f* de nuit OR de chevet.

bedsit ['bed‚sɪt] *n Br* chambre *f* meublée.

bedspread ['bedspred] *n* dessus-de-lit *m inv*, couvre-lit *m*.

bedtime ['bedtaɪm] *n* heure *f* du coucher.

bee [biː] *n* abeille *f*.

beech [biːtʃ] *n* hêtre *m*.

beef [biːf] *n* bœuf *m* ; ~ Wellington morceau de bœuf enveloppé de pâte feuilletée et servi en tranches.

beefburger ['biːf‚bɜːgə'] *n* hamburger *m*.

beehive ['biːhaɪv] *n* ruche *f*.

been [biːn] *pp* → be.

beer [bɪə'] *n* bière *f*.

ⓘ BEER

On peut classer les bières britanniques en deux grandes catégories : les *bitter* et les *lager*. Les *bitter*, ou encore les *heavy* en Écosse, sont de couleur sombre et de goût légèrement amer. Les *lager* sont des bières blondes. Les *real ales* sont des *bitter* stockées dans des barils et fabriquées selon des méthodes et des recettes traditionnelles.

---

beer garden *n* jardin d'un pub, où l'on peut prendre des consommations.

beer mat *n* dessous-de-verre *m*.

beetle ['biːtl] *n* scarabée *m*.

beetroot ['biːtruːt] *n* betterave *f*.

before [bɪ'fɔː'] *adv* avant. ◆ *prep* avant ; *fml (in front of)* devant. ◆ *conj* : ~ it gets too late avant qu'il ne soit trop tard ; ~ doing sthg avant de faire qqch ; the day ~ la veille ; the week ~ last il y a deux semaines.

beforehand [bɪ'fɔːhænd] *adv* à l'avance.

befriend [bɪ'frend] *vt* prendre en amitié.

beg [beg] *vi* mendier. ◆ *vt* : to ~ sb to do sthg supplier qqn de faire qqch ; to ~ for sthg *(for money, food)* mendier qqch.

began [bɪ'gæn] *pt* → begin.

beggar ['begə'] *n* mendiant *m*, -e *f*.

begin [bɪ'gɪn] *(pt* began, *pp* begun) *vt* & *vi* commencer ; to ~ doing OR to do sthg commencer à faire qqch ; to ~ by doing sthg commencer par faire qqch ; to ~ with pour commencer.

beginner [bɪ'gɪnə'] *n* débutant *m*, -e *f*.

beginning [bɪ'gɪnɪŋ] *n* début *m*.

begun [bɪ'gʌn] *pp* → begin.

behalf [bɪ'hɑːf] *n* : on ~ of au nom de.

behave [bɪ'heɪv] *vi* se comporter, se conduire ; to ~ (o.s.) *(be good)* se tenir bien.

behavior [bɪ'heɪvjə'] *Am* = behaviour.

behaviour [bɪ'heɪvjə'] *n* comportement *m*.

behind [bɪ'haɪnd] *adv* derrière ; *(late)* en retard. ◆ *prep* derrière. ◆ *n inf* derrière *m* ; to leave sthg ~ oublier qqch ; to stay ~ rester.

beige [beɪʒ] *adj* beige.

being ['biːɪŋ] *n* être *m*.

belated [bɪ'leɪtɪd] *adj* tardif(ive).

belch [beltʃ] *vi* roter.

Belgian ['beldʒən] *adj* belge. ◆ *n* Belge *mf*.

Belgium ['beldʒəm] *n* la Belgique.

belief [bɪ'liːf] *n* (faith) croyance *f* ; (opinion) opinion *f*.

believe [bɪ'liːv] *vt* croire. ◆ *vi* : to ~ in (God) croire en ; to ~ in doing sthg être convaincu qu'il faut faire qqch.

believer [bɪ'liːvə^r] *n* croyant *m*, -e *f*.

bell [bel] *n* (of church) cloche *f* ; (of phone) sonnerie *f* ; (of door) sonnette *f*.

bellboy ['belbɔɪ] *n* chasseur *m*.

bellow ['beləʊ] *vi* meugler.

belly ['belɪ] *n* inf ventre *m*.

belly button *n* inf nombril *m*.

belong [bɪ'lɒŋ] *vi* (be in right place) être à sa place ; to ~ to (property) appartenir à ; (to club, party) faire partie de.

belongings [bɪ'lɒŋɪŋz] *npl* affaires *fpl*.

below [bɪ'ləʊ] *adv* en bas, en dessous ; (downstairs) au-dessous ; (in text) ci-dessous. ◆ *prep* au-dessous de.

belt [belt] *n* (for clothes) ceinture *f* ; TECH courroie *f*.

bench [bentʃ] *n* banc *m*.

bend [bend] (*pt & pp* bent) *n* (in road) tournant *m* ; (in river, pipe) coude *m*. ◆ *vt* plier. ◆ *vi* (road, river, pipe) faire un coude. ❑ **bend down** *vi* s'incliner. ❑ **bend over** *vi* se pencher.

beneath [bɪ'niːθ] *adv* en dessous, en bas. ◆ *prep* sous.

beneficial [ˌbenɪ'fɪʃl] *adj* bénéfique.

benefit ['benɪfɪt] *n* (advantage) avantage *m* ; (money) allocation *f*. ◆ *vi* : to ~ from profiter de ; for the ~ of dans l'intérêt de.

benign [bɪ'naɪn] *adj* MED bénin(igne).

bent [bent] *pt & pp* → bend.

bereaved [bɪ'riːvd] *adj* en deuil.

beret ['bereɪ] *n* béret *m*.

Bermuda shorts [bə'mjuːdə-] *npl* bermuda *m*.

berry ['berɪ] *n* baie *f*.

berserk [bə'zɜːk] *adj* : to go ~ devenir fou (folle).

berth [bɜːθ] *n* (for ship) mouillage *m* ; (in ship, train) couchette *f*.

beside [bɪ'saɪd] *prep* (next to) à côté de ; that's ~ the point ça n'a rien à voir.

besides [bɪ'saɪdz] *adv* en plus. ◆ *prep* en plus de.

best [best] *adj* meilleur(e). ◆ *adv* le mieux. ◆ *n* : the ~ le meilleur (la meilleure) ; a pint of ~ (beer) ≃ un demi-litre de bière brune ; the ~ thing to do is ... la meilleure chose à faire est ... ; to make the ~ of sthg s'accommoder de qqch ; to do one's ~ faire de son mieux ; '~ before ...' 'à consommer avant ...' ; at ~ au mieux ; all the ~! (at end of letter) amicalement ; (spoken) bonne continuation!

best man *n* garçon *m* d'honneur.

BEST MAN

Dans les pays anglo-saxons, le témoin du marié remet l'anneau de mariage à ce dernier. Pendant le repas de noces la tradition veut aussi qu'il prononce un discours agrémenté de commentaires et de vieilles histoires drôles sur le marié.

best-seller [-'selə] n (book) best-seller m.

bet [bet] (pt & pp bet) n pari m. ◆ vt parier. ◆ vi : to ~ (on) parier (sur), miser (sur) ; I ~ (that) you can't do it je parie que tu ne peux pas le faire.

betray [bɪ'treɪ] vt trahir.

better ['betə'] adj meilleur(e). ◆ adv mieux ; you had ~ ... tu ferais mieux de ... ; to get ~ (in health) aller mieux ; (improve) s'améliorer.

betting ['betɪŋ] n paris mpl.

betting shop [-'betɪŋ] n ≃ PMU m.

between [bɪ'twiːn] prep entre. ◆ adv (in time) entre-temps ; in ~ (in space) entre ; (in time) entre-temps.

beverage ['bevərɪdʒ] n fml boisson f.

beware [bɪ'weə'] vi : to ~ of se méfier de ; '~ of the dog' 'attention, chien méchant'.

bewildered [bɪ'wɪldəd] adj perplexe.

beyond [bɪ'jɒnd] adv au-delà. ◆ prep au-delà de ; ~ reach hors de portée.

biased ['baɪəst] adj partial(e).

bib [bɪb] n (for baby) bavoir m.

bible ['baɪbl] n bible f.

biceps ['baɪseps] n biceps m.

bicycle ['baɪsɪkl] n vélo m.

bicycle path n piste f cyclable.

bicycle pump n pompe f à vélo.

bid [bɪd] (pt & pp bid) n (at auction) enchère f ; (attempt) tentative f. ◆ vt (money) faire une offre de. ◆ vi : to ~ (for) faire une offre (pour).

bidet ['biːdeɪ] n bidet m.

big [bɪg] adj grand(e) ; (problem, book) gros (grosse) ; my ~ brother mon grand frère ; how ~ is it? quelle taille cela fait-il?

bike [baɪk] n inf (bicycle) vélo m ; (motorcycle) moto f ; (moped) Mobylette® f.

biking ['baɪkɪŋ] n : to go ~ faire du vélo.

bikini [bɪ'kiːnɪ] n bikini m.

bikini bottom n bas m de maillot de bain.

bikini top n haut m de maillot de bain.

bilingual [baɪ'lɪŋgwəl] adj bilingue.

bill [bɪl] n (for meal, hotel room) note f ; (for electricity etc) facture f ; Am (bank note) billet m (de banque) ; (at cinema, theatre) programme m ; POL projet m de loi ; can I have the ~ please? l'addition, s'il vous plaît!

billboard ['bɪlbɔːd] n panneau m d'affichage.

billfold ['bɪlfəʊld] n Am portefeuille m.

billiards ['bɪljədz] n billard m.

billion ['bɪljən] n (thousand million) milliard m ; Br (million million) billion m.

bin [bɪn] n (rubbish bin) poubelle f ; (wastepaper bin) corbeille f à papier ; (for bread) huche f ; (on *plane)* compartiment *m* à bagages.

bind [baɪnd] *(pt & pp* bound) *vt (tie up)* attacher.

binding ['baɪndɪŋ] *n (for book)* reliure *f* ; *(for ski)* fixation *f*.

bingo ['bɪŋgəʊ] *n* ≃ loto *m*.

binoculars [bɪ'nɒkjʊləz] *npl* jumelles *fpl*.

biodegradable [ˌbaɪəʊdɪ'greɪdəbl] *adj* biodégradable.

biography [baɪ'ɒgrəfɪ] *n* biographie *f*.

biological [ˌbaɪə'lɒdʒɪkl] *adj* biologique.

biology [baɪ'ɒlədʒɪ] *n* biologie *f*.

biotechnology [ˌbaɪəʊtek'nɒlədʒɪ] *n* biotechnologie *f*.

birch [bɜːtʃ] *n* bouleau *m*.

bird [bɜːd] *n* oiseau *m* ; *Br inf (woman)* nana *f*.

bird-watching [-ˌwɒtʃɪŋ] *n* ornithologie *f*.

Biro® ['baɪərəʊ] *n* stylo *m* (à) bille.

birth [bɜːθ] *n* naissance *f* ; by ~ de naissance ; to give ~ to donner naissance à.

birth certificate *n* extrait *m* de naissance.

birth control *n* contraception *f*.

birthday ['bɜːθdeɪ] *n* anniversaire *m* ; Happy ~! joyeux anniversaire!

birthday card *n* carte *f* d'anniversaire.

birthday party *n* fête *f* d'anniversaire.

birthplace ['bɜːθpleɪs] *n* lieu *m* de naissance.

biscuit ['bɪskɪt] *n Br* biscuit *m* ; *Am (scone)* petit gâteau de pâte non

levée que l'on mange avec de la confiture ou un plat salé.

bishop ['bɪʃəp] *n RELIG* évêque *m* ; *(in chess)* fou *m*.

bistro ['biːstrəʊ] *n* bistrot *m*.

bit [bɪt] *pt → bite.* ◆ *n (piece)* morceau *m*, bout *m* ; *(of drill)* mèche *f* ; *(of bridle)* mors *m* ; a ~ of money un peu d'argent ; to do a ~ of walking marcher un peu ; a ~ un peu ; not a ~ pas du tout ; ~ by ~ petit à petit.

bitch [bɪtʃ] *n vulg (woman)* salope *f* ; *(dog)* chienne *f*.

bite [baɪt] *(pt* bit, *pp* bitten ['bɪtn] *n (when eating)* bouchée *f* ; *(from insect)* piqûre *f* ; *(from snake)* morsure *f*. ◆ *vt* mordre ; *(subj : insect)* piquer ; to have a ~ eat manger un morceau.

bitter ['bɪtə] *adj* amer(ère) ; *(weather, wind)* glacial(e) ; *(argument, conflict)* violent(e). ◆ *n Br (beer)* ≃ bière *f* brune.

bitter lemon *n* Schweppes® *m* au citron.

bizarre [bɪ'zɑː] *adj* bizarre.

black [blæk] *adj* noir(e) ; *(tea)* nature *(inv)*. ◆ *n* noir *m* ; *(person)* Noir *m*, -e *f*. □ **black out** *vi* perdre connaissance.

black and white *adj* noir et blanc *(inv)*.

blackberry ['blækbrɪ] *n* mûre *f*.

blackbird ['blækbɜːd] *n* merle *m*.

blackboard ['blækbɔːd] *n* tableau *m* (noir).

blackcurrant [ˌblæk'kʌrənt] *n* cassis *m*.

black eye *n* œil *m* au beurre noir.

Black Forest gâteau n forêt-noire f.

Black ice n verglas m.

blackmail ['blækmeɪl] n chantage m. ◆ vt faire chanter.

blackout ['blækaʊt] n (power cut) coupure f de courant.

black pepper n poivre m noir.

black pudding n Br boudin m noir.

blacksmith ['blæksmɪθ] n (for horses) maréchal-ferrant m ; (for tools) forgeron m.

bladder ['blædə'] n vessie f.

blade [bleɪd] n (of knife, saw) lame f ; (of propeller, oar) pale f ; (of grass) brin m.

blame [bleɪm] n responsabilité f, faute f. ◆ vt rejeter la responsabilité sur ; to ~ sb for sthg reprocher qqch à qqn ; to ~ sthg on sb rejeter la responsabilité de qqch sur qqn.

bland [blænd] adj (food) fade.

blank [blæŋk] adj (space, page) blanc (blanche) ; (cassette) vierge ; (expression) vide. ◆ n (empty space) blanc m.

blank cheque n chèque m en blanc.

blanket ['blæŋkɪt] n couverture f.

blast [blɑːst] n (explosion) explosion f ; (of air, wind) souffle m. ◆ excl inf zut ! ; at full ~ à fond.

blaze [bleɪz] n (fire) incendie m. ◆ vi (fire) flamber ; (sun, light) resplendir.

blazer ['bleɪzə'] n blazer m.

bleach [bliːtʃ] n eau m de Javel. ◆ vt (hair) décolorer ; (clothes) blanchir à l'eau de Javel.

bleak [bliːk] adj triste.

bleed [bliːd] (pt & pp bled [bled]) vi saigner.

blend [blend] n (of coffee, whisky) mélange m. ◆ vt mélanger.

blender ['blendə'] n mixer m.

bless [bles] vt bénir ; ~ you! (said after sneeze) à tes/vos souhaits!

blessing ['blesɪŋ] n bénédiction f.

blew [bluː] pt → blow.

blind [blaɪnd] adj aveugle. ◆ n (for window) store m. ◆ npl : the ~ les aveugles mpl.

blind corner n virage m sans visibilité.

blindfold ['blaɪndfəʊld] n bandeau m. ◆ vt bander les yeux à.

blind spot n AUT angle m mort.

blink [blɪŋk] vi cligner des yeux.

blinkers ['blɪŋkəz] npl Br œillères fpl.

bliss [blɪs] n bonheur m absolu.

blister ['blɪstə'] n ampoule f.

blizzard ['blɪzəd] n tempête f de neige.

bloated ['bləʊtɪd] adj ballonné(e).

blob [blɒb] n (of cream, paint) goutte f.

block [blɒk] n (of stone, wood, ice) bloc m ; (building) immeuble m ; (in town, city) pâté m de maisons. ◆ vt bloquer ; to have a ~ed(-up) nose avoir le nez bouché. ❑ block up vt sep boucher.

blockage ['blɒkɪdʒ] n obstruction f.

block capitals npl capitales fpl.

block of flats n immeuble m.

bloke [bləʊk] n Br inf type m.

blond [blɒnd] adj blond(e). ◆ n blond m.

blonde [blɒnd] *adj* blond(e). ◆ *n* blonde *f*.

blood [blʌd] *n* sang *m*.

blood donor *n* donneur *m* de sang, donneuse de sang *f*.

blood group *n* groupe *m* sanguin.

blood poisoning *n* septicémie *f*.

blood pressure *n* tension *f* (artérielle) ; **to have high ~** avoir de la tension ; **to have low ~** faire de l'hypotension.

bloodshot ['blʌdʃɒt] *adj* injecté de sang.

blood test *n* analyse *f* de sang.

blood transfusion *n* transfusion *f* (sanguine).

bloody ['blʌdɪ] *adj* ensanglanté(e) ; *Br vulg* (*damn*) foutu(e). ◆ *adv Br vulg* vachement.

Bloody Mary [-'meərɪ] *n* bloody mary *m inv*.

bloom [bluːm] *n* fleur *f*. ◆ *vi* fleurir ; **in ~** en fleur.

blossom ['blɒsəm] *n* fleurs *fpl*.

blot [blɒt] *n* tache *f*.

blotch [blɒtʃ] *n* tache *f*.

blotting paper ['blɒtɪŋ-] *n* papier *m* buvard.

blouse [blauz] *n* chemisier *m*.

blow [bləu] (*vt* blew, *pp* blown) *vt* (*subj* : *wind*) faire s'envoler ; (*whistle, trumpet*) souffler dans ; (*bubbles*) faire. ◆ *vi* souffler ; (*fuse*) sauter. ◆ *n* (*hit*) coup *m*; **to ~ one's nose** se moucher. ❑ **blow up** ◆ *vt sep* (*cause to explode*) faire exploser ; (*inflate*) gonfler. ◆ *vi* (*explode*) exploser.

blow-dry *n* brushing *m*. ◆ *vt* faire un brushing à.

blown [bləun] *pp* → **blow**.

BLT *n* sandwich au bacon, à la laitue et à la tomate.

blue [bluː] *adj* bleu(e) ; (*film*) porno (*inv*). ◆ *n* bleu *m*. ❑ **blues** *n* MUS blues *m*.

bluebell ['bluːbel] *n* jacinthe *f* des bois.

blueberry ['bluːbərɪ] *n* myrtille *f*.

bluebottle ['bluːˌbɒtl] *n* mouche *f* bleue.

blue cheese *n* bleu *m*.

bluff [blʌf] *n* (*cliff*) falaise *f*. ◆ *vi* bluffer.

blunder ['blʌndə'] *n* gaffe *f*.

blunt [blʌnt] *adj* (*knife*) émoussé(e) ; (*pencil*) mal taillé(e) ; *fig* (*person*) brusque.

blurred [blɜːd] *adj* (*vision*) trouble ; (*photo*) flou(e).

blush [blʌʃ] *vi* rougir.

blusher ['blʌʃə'] *n* blush *m*.

blustery ['blʌstərɪ] *adj* venteux (euse).

board [bɔːd] *n* (*plank*) planche *f*; (*notice board*) panneau *m*; (*for games*) plateau *m*; (*blackboard*) tableau *m*; (*of company*) conseil *m*; (*hardboard*) contreplaqué *m*. ◆ *vt* (*plane, ship, bus*) monter dans ; **~ and lodging** pension *f*; **full ~** pension complète ; **half ~** demi-pension ; **on ~** (*plane, ship*) à bord de ; à bord ; (*bus*) dans.

board game *n* jeu *m* de société.

boarding ['bɔːdɪŋ] *n* embarquement *m*.

boarding card *n* carte *f* d'embarquement.

boardinghouse ['bɔːdɪŋhaus, *pl* -hauziz] *n* pension *f* d'embarquement.

boarding school n pensionnat m, internat m.

board of directors n conseil m d'administration.

boast [bəʊst] vi : to ~ (about sthg) se vanter (de qqch).

boat [bəʊt] n (small) canot m ; (large) bateau m ; by ~ en bateau.

bob [bɒb] n (hairstyle) coupe f au carré.

bobby pin ['bɒbɪ-] n Am épingle f à cheveux.

bodice ['bɒdɪs] n corsage m.

body ['bɒdɪ] n corps m ; (of car) carrosserie f ; (organization) organisme m.

bodyguard ['bɒdɪɡɑːd] n garde m du corps.

body piercing n piercing m.

bodywork ['bɒdɪwɜːk] n carrosserie f.

bog [bɒɡ] n marécage m.

bogus ['bəʊɡəs] adj faux (fausse).

boil [bɔɪl] vt (water) faire bouillir ; (kettle) mettre à chauffer ; (food) faire cuire à l'eau. ◆ vi bouillir. ◆ n (on skin) furoncle m.

boiled egg [bɔɪld-] n œuf m à la coque.

boiled potatoes [bɔɪld-] npl pommes de terre fpl à l'eau.

boiler ['bɔɪlə'] n chaudière f.

boiling (hot) ['bɔɪlɪŋ-] adj inf (water) bouillant(e) ; (weather) très chaud(e) ; I'm ~ je crève de chaud.

bold [bəʊld] adj (brave) audacieux(euse).

bollard ['bɒlɑːd] n Br (on road) borne f.

bolt [bəʊlt] n (on door, window)

verrou m ; (screw) boulon m. ◆ vt (door, window) fermer au verrou.

bomb [bɒm] n bombe f. ◆ vt bombarder.

bombard [bɒm'bɑːd] vt bombarder.

bomb scare n alerte f à la bombe.

bond [bɒnd] n (tie, connection) lien m.

bone [bəʊn] n (of person, animal) os m ; (of fish) arête f.

boned [bəʊnd] adj (chicken) désossé(e) ; (fish) sans arêtes.

boneless ['bəʊnləs] adj (chicken, pork) désossé(e).

bonfire ['bɒn,faɪə'] n feu m.

bonnet ['bɒnɪt] n Br (of car) capot m.

bonus ['bəʊnəs] (pl -es) n (extra money) prime f ; (additional advantage) plus m.

bony ['bəʊnɪ] adj (fish) plein d'arêtes ; (chicken) plein(e).

boo [buː] vi siffler.

book [bʊk] n livre m ; (of stamps, tickets) carnet m ; (of matches) pochette f. ◆ vt (reserve) réserver. ❑ **book in** vi (at hotel) se faire enregistrer.

bookable ['bʊkəbl] adj (seats, flight) qu'on peut réserver.

bookcase ['bʊkkeɪs] n bibliothèque f.

booking ['bʊkɪŋ] n (reservation) réservation f.

booking office n bureau m de location.

bookkeeping ['bʊk,kiːpɪŋ] n comptabilité f.

booklet ['bʊklɪt] n brochure f.

bookmaker's ['buk͵meɪkəz] *n (shop)* ≃ PMU *m.*

bookmark ['bukmɑːk] *n* marque-page *m.*

bookshelf ['bukʃelf] *(pl* -shelves [-ʃelvz]*) n (shelf)* étagère *f,* rayon *m ; (bookcase)* bibliothèque *f.*

bookshop ['bukʃɒp] *n* librairie *f.*

bookstall ['bukstɔːl] *n* kiosque *m* à journaux.

bookstore ['bukstɔːr] = **book-shop.**

book token *n* bon *m* d'achat de livres.

boom [buːm] *n (sudden growth)* boom *m.* ◆ *vi (voice, guns)* tonner.

boost [buːst] *vt (profits, production)* augmenter ; *(confidence)* renforcer ; to ~ **sb's spirits** remonter le moral à qqn.

booster ['buːstə'] *n (injection)* rappel *m.*

boot [buːt] *n (shoe)* botte *f ; (for walking, sport)* chaussure *f ; Br (of car)* coffre *m.*

booth [buːð] *n (for telephone)* cabine *f ; (at fairground)* stand *m.*

booze [buːz] *n inf* alcool *m.* ◆ *vi inf* picoler.

bop [bɒp] *n inf (dance)* : to have a ~ guincher.

border ['bɔːdə'] *n (of country)* frontière *f ; (edge)* bord *m.*

bore [bɔːr] *pt →* **bear.** ◆ *n inf (boring person)* raseur *m,* -euse *f ; (boring thing)* corvée *f.* ◆ *vt (person)* ennuyer.

bored [bɔːd] *adj* : to be ~ s'ennuyer.

boredom ['bɔːdəm] *n* ennui *m.*

boring ['bɔːrɪŋ] *adj* ennuyeux (euse).

born [bɔːn] *adj* : to be ~ naître.

borne [bɔːn] *pp →* **bear.**

borough ['bʌrə] *n* municipalité *f.*

borrow ['bɒrəu] *vt* : to ~ sthg (from sb) emprunter qqch (à qqn).

bosom ['buzəm] *n* poitrine *f.*

boss [bɒs] *n* chef *mf.*

bossy ['bɒsɪ] *adj* autoritaire.

botanical garden [bə'tænɪkl-] *n* jardin *m* botanique.

both [bəuθ] *adj* & *pron* les deux. ◆ *adv* : ~ ... and ... à la fois ... et ... ; ~ of them tous les deux.

bother ['bɒðə'] *vt (worry)* inquiéter ; *(annoy)* déranger ; *(pester)* embêter. ◆ *n (trouble)* ennui *m.* ◆ *vi* : don't ~! ne te dérange pas! ; I can't be ~ed je n'ai pas envie.

bottle ['bɒtl] *n* bouteille *f ; (for baby)* biberon *m.*

bottle bank *n* conteneur pour le verre usagé.

bottled ['bɒtld] *adj* en bouteille ; ~ **beer** bière en bouteille ; ~ **water** eau en bouteille.

bottle opener [-͵əupnə'] *n* ouvre-bouteilles *m inv,* décapsuleur *m.*

bottom ['bɒtəm] *adj (lowest)* du bas ; *(last)* dernier(ière) ; *(worst)* plus mauvais(e). ◆ *n (of sea, bag, glass)* fond *m ; (of page, hill, stairs)* bas *m ; (of street, garden)* bout *m ; (buttocks)* derrière *m ;* ~ **floor** rez-de-chaussée *m inv ;* ~ **gear** première *f.*

bought [bɔːt] *pt* & *pp →* **buy.**

boulder ['bəuldə'] *n* rocher *m.*

bounce [bauns] *vi (rebound)* rebondir ; *(jump)* bondir ; **his cheque** ~d il a fait un chèque sans provision.

bouncer

bouncer ['baʊnsə] *n inf* videur *m*.

bouncy ['baʊnsɪ] *adj (person)* dynamique ; *(ball)* qui rebondit.

bound [baʊnd] *pt & pp →* bind. ◆ *vi* bondir. ◆ *adj* : we're ~ to be late nous allons être en retard, c'est sûr ; it's ~ to rain il va certainement pleuvoir ; to be ~ for être en route pour ; *(plane)* être à destination de ; out of ~s interdit *(m)*.

boundary ['baʊndrɪ] *n* frontière *f*.

bouquet [bu'keɪ] *n* bouquet *m*.

bout [baʊt] *n (of illness)* accès *m* ; *(of activity)* période *f*.

boutique [bu:'ti:k] *n* boutique *f*.

bow¹ [baʊ] *n (of head)* salut *m* ; *(of ship)* proue *f*. ◆ *vi* incliner la tête.

bow² [bəʊ] *n (knot)* nœud *m* ; *(weapon)* arc *m* ; MUS archet *m*.

bowels ['baʊəlz] *npl* ANAT intestins *mpl*.

bowl [bəʊl] *n (container)* bol *m* ; *(for fruit, salad)* saladier *m* ; *(for washing up, of toilet)* cuvette *f*. ❑ **bowls** *npl* boules *fpl* (sur gazon).

bowling alley ['bəʊlɪŋ-] *n* bowling *m*.

bow tie [ˌbəʊ-] *n* nœud *m* papillon.

box [bɒks] *n* boîte *f* ; *(on form)* case *f* ; *(in theatre)* loge *f*. ◆ *vi* boxer ; a ~ of chocolates une boîte de chocolats.

boxer ['bɒksə] *n* boxeur *m*.

boxer shorts *npl* caleçon *m*.

boxing ['bɒksɪŋ] *n* boxe *f*.

Boxing Day *n* le 26 décembre.

BOXING DAY

Le 26 décembre, le *Boxing Day*, est un jour férié en Grande-Bretagne. Autrefois, les commerçants et les domestiques recevaient ce jour-là une somme d'argent supplémentaire qu'on appelait le *Christmas Box*. Aujourd'hui encore, les laitiers, les éboueurs ou les enfants qui distribuent le journal le matin reçoivent souvent des étrennes à cette occasion.

boxing gloves *npl* gants *mpl* de boxe.

boxing ring *n* ring *m*.

box office *n* bureau *m* de location.

boy [bɔɪ] *n* garçon *m*. ◆ *excl inf* : (oh) ~! la vache!

boycott ['bɔɪkɒt] *vt* boycotter.

boyfriend ['bɔɪfrend] *n* copain *m*.

boy scout *n* scout *m*.

bra [brɑː] *n* soutien-gorge *m*.

brace [breɪs] *n (for teeth)* appareil *m* (dentaire). ❑ **braces** *npl Br* bretelles *fpl*.

bracelet ['breɪslɪt] *n* bracelet *m*.

bracken ['brækn] *n* fougère *f*.

bracket ['brækɪt] *n (written symbol)* parenthèse *f* ; *(support)* équerre *f*.

brag [bræg] *vi* se vanter.

brain [breɪn] *n* cerveau *m*.

brainy ['breɪnɪ] *adj inf* futé(e).

braised [breɪzd] *adj* braisé(e).

brake [breɪk] *n* frein *m*. ◆ *vi* freiner.

brake light *n* stop *m*.

brake pad *n* plaquette *f* de frein.

brake pedal *n* pédale *f* de frein.

bran [bræn] *n* son *m*.

branch [brɑːntʃ] *n* branche *f* ; *(of company)* filiale *f* ; *(of bank)* agence *f.* ◆ **branch off** *vi* bifurquer.

branch line *n* ligne *f* secondaire.

brand [brænd] *n* marque *f*. ◆ *vt*: to ~ sb (as) étiqueter qqn (comme).

brand-new *adj* tout neuf (toute neuve).

brandy ['brændɪ] *n* cognac *m*.

brash [bræʃ] *adj pej* effronté(e).

brass [brɑːs] *n* laiton *m*.

brass band *n* fanfare *f*.

brasserie ['bræsərɪ] *n* brasserie *f*.

brassiere [Br 'bræsɪə, Am brə'zɪr] *n* soutien-gorge *m*.

brat [bræt] *n inf* sale gosse *mf*.

brave [breɪv] *adj* courageux(euse).

bravery ['breɪvərɪ] *n* courage *m*.

bravo [ˌbrɑː'vəʊ] *excl* bravo!

brawl [brɔːl] *n* bagarre *f*.

Brazil nut *n* noix *f* du Brésil.

breach [briːtʃ] *vt (contract)* rompre.

bread [bred] *n* pain *m* ; ~ and butter pain *m* beurré.

bread bin *n Br* huche *f* à pain.

breadboard ['bredbɔːd] *n* planche *f* à pain.

bread box *Am* = bread bin.

breadcrumbs ['bredkrʌmz] *npl* chapelure *f*.

breaded ['bredɪd] *adj* pané(e).

bread knife *n* couteau *m* à pain.

bread roll *n* petit pain *m*.

breadth [bretθ] *n* largeur *f*.

break [breɪk] *(vt* broke, *pp* broken) *n (interruption)* interruption *f* ;

(rest, pause) pause *f* ; *SCH* récréation *f*. ◆ *vt* casser ; *(rule, law)* ne pas respecter ; *(promise)* manquer à ; *(a record)* battre ; *(news)* annoncer. ◆ *vi* se casser ; *(voice)* se briser ; without a ~ sans interruption ; a lucky ~ un coup de bol ; to ~ one's journey faire étape ; to ~ one's leg se casser une jambe. ❑ **break down** ◆ *vi (car, machine)* tomber en panne. ◆ *vt sep (door, barrier)* enfoncer. ❑ **break in** *vi* entrer par effraction. ❑ **break off** ◆ *vt (detach)* détacher ; *(holiday)* interrompre. ◆ *vi (stop suddenly)* s'interrompre. ❑ **break out** *vi (fire, war, panic)* éclater ; to ~ out in a rash se couvrir de boutons. ❑ **break up** *vi (with spouse, partner)* rompre ; *(meeting, marriage)* prendre fin ; *(school)* finir.

breakage ['breɪkɪdʒ] *n* casse *f*.

breakdown ['breɪkdaʊn] *n (of car)* panne *f* ; *(in communications, negotiations)* rupture *f* ; *(mental)* dépression *f*.

breakdown truck *n* dépanneuse *f*.

breakfast ['brekfəst] *n* petit déjeuner *m* ; to have ~ prendre le petit déjeuner ; to have sthg for ~ prendre qqch au petit déjeuner.

breakfast cereal *n* céréales *fpl*.

break-in *n* cambriolage *m*.

breakwater ['breɪkˌwɔːtə] *n* digue *f*.

breast [brest] *n* sein *m* ; *(of chicken, duck)* blanc *m*.

breastbone ['brestbəʊn] *n* sternum *m*.

breast-feed *vt* allaiter.

breaststroke ['brɛststrəʊk] *n* brasse *f*.

breath [brɛθ] *n* haleine *f* ; *(air inhaled)* inspiration *f* ; out of ~ hors d'haleine ; to go for a ~ of fresh air aller prendre l'air.

Breathalyser ® ['brɛθəlaɪzə'] *n* Br ≃ Alcootest® *m*.

Breathalyzer ['brɛθəlaɪzər] *Am* = Breathalyser®.

breathe [briːð] *vi* respirer. ❑ **breathe in** *vi* inspirer. ❑ **breathe out** *vi* expirer.

breathtaking ['brɛθˌteɪkɪŋ] *adj* à couper le souffle.

breed [briːd] *(pt & pp* **bred** [brɛd]) *n* espèce *f*. ◆ *vt (animals)* élever. ◆ *vi* se reproduire.

breeze [briːz] *n* brise *f*.

breezy ['briːzɪ] *adj (weather, day)* venteux(euse).

brew [bruː] *vt (beer)* brasser ; *(tea, coffee)* faire. ◆ *vi (tea)* infuser ; *(coffee)* se faire.

brewery ['bruərɪ] *n* brasserie *f (usine)*.

bribe [braɪb] *n* pot-de-vin *m*. ◆ *vt* acheter.

bric-a-brac ['brɪkəbræk] *n* bric-à-brac *m inv*.

brick [brɪk] *n* brique *f*.

bricklayer ['brɪkˌleɪə'] *n* maçon *m*.

brickwork ['brɪkwɜːk] *n* maçonnerie *f (en briques)*.

bride [braɪd] *n* mariée *f*.

bridegroom ['braɪdɡrʊm] *n* marié *m*.

bridesmaid ['braɪdzmeɪd] *n* demoiselle *f* d'honneur.

bridge [brɪdʒ] *n* pont *m* ; *(of ship)*

passerelle *f* ; *(card game)* bridge *m*.

brief [briːf] *adj* bref(ève). ◆ *vt* mettre au courant ; in ~ en bref. ❑ **briefs** *npl (for men)* slip *m* ; *(for women)* culotte *f*.

briefcase ['briːfkeɪs] *n* serviette *f*.

briefly ['briːflɪ] *adv* brièvement.

brigade [brɪ'ɡeɪd] *n* brigade *f*.

bright [braɪt] *adj (light, sun, colour)* vif (vive) ; *(weather, room)* clair(e) ; *(clever)* intelligent(e) ; *(lively, cheerful)* gai(e).

brilliant ['brɪljənt] *adj (colour, light, sunshine)* éclatant(e) ; *(idea, person)* brillant(e) ; *inf (wonderful)* génial(e).

brim [brɪm] *n* bord *m* ; it's full to the ~ c'est plein à ras bord.

brine [braɪn] *n* saumure *f*.

bring [brɪŋ] *(pt & pp* **brought** [brɔːt]) *vt* apporter ; *(person)* amener. ❑ **bring along** *vt sep (object)* apporter ; *(person)* amener. ❑ **bring back** *vt sep* rapporter. ❑ **bring in** *vt sep (introduce)* introduire ; *(earn)* rapporter. ❑ **bring out** *vt sep (new product)* sortir. ❑ **bring up** *vt sep (child)* élever ; *(subject)* mentionner ; *(food)* rendre, vomir.

brink [brɪŋk] *n* : on the ~ of au bord de.

brisk [brɪsk] *adj (quick)* vif (vive) ; *(person)* énergique ; *(wind)* frais (fraîche).

bristle ['brɪsl] *n* poil *m*.

Britain ['brɪtn] *n* la Grande-Bretagne,

British ['brɪtɪʃ] *adj* britannique. ◆ *npl* : the ~ les Britanniques *mpl*.

British Rail *n* ≃ la SNCF.

British Telecom [-'telɪkɒm] n ≃ France Télécom.

Briton ['brɪtn] n Britannique mf.

Brittany n la Bretagne.

brittle ['brɪtl] adj cassant(e).

broad [brɔːd] adj large ; (description, outline) général(e) ; (accent) fort(e).

B road n Br ≃ route f départementale.

broad bean n fève f.

broadcast ['brɔːdkɑːst] (pt & pp broadcast) n émission f. ◆ vt diffuser.

broadly ['brɔːdlɪ] adv (in general) en gros ; ~ speaking en gros.

broadsheet ['brɔːdʃiːt] n journal m de qualité.

ⓘ **BROADSHEET/BROADSIDE**

Le terme *Broadsheet* (Grande-Bretagne) ou *Broadside* (États-Unis) désigne les journaux de qualité, imprimés sur des feuilles grand format, qui contiennent des informations sérieuses et des rubriques culturelles, sportives et financières de bon niveau. Leurs lecteurs appartiennent aux classes cultivées de la société, contrairement au lectorat des journaux populaires, les tabloïdes, de format plus petit, qui constituent la presse à sensation.

broccoli ['brɒkəlɪ] n brocoli m.

brochure ['brəʊʃə'] n brochure f.

broiled [brɔɪld] adj Am grillé(e).

broke [brəʊk] pt → break. ◆ adj inf fauché(e).

broken ['brəʊkn] pp → break.

◆ adj cassé(e) ; (English, French) hésitant(e).

bronchitis [brɒŋ'kaɪtɪs] n bronchite f.

bronze [brɒnz] n bronze m.

brooch [brəʊtʃ] n broche f.

brook [brʊk] n ruisseau m.

broom [bruːm] n balai m.

broomstick ['bruːmstɪk] n manche m à balai.

broth [brɒθ] n bouillon m épais.

brother ['brʌðə'] n frère m.

brother-in-law n beau-frère m.

brought [brɔːt] pt & pp → bring.

brow [braʊ] n (forehead) front m ; (eyebrow) sourcil m.

brown [braʊn] adj brun(e) ; (paint, eyes) marron (inv) ; (tanned) bronzé(e). ◆ n brun m ; (paint, eyes) marron m.

brown bread n pain m complet.

brownie ['braʊnɪ] n CULIN petit gâteau au chocolat et aux noix.

Brownie ['braʊnɪ] n ≃ jeannette f.

brown rice n riz m complet.

brown sauce n [Br] sauce épicée servant de condiment.

brown sugar n sucre m roux.

browse [braʊz] vi (in shop) regarder ; to ~ through (book, paper) feuilleter. ◆ vi COMPUT naviguer. ◆ vt (file, document) parcourir ; to ~ a site naviguer sur un site.

browser ['braʊzə'] n COMPUT navigateur m, browser m. ; '~s welcome' 'entrée libre'.

bruise [bruːz] n bleu m.

brunch [brʌntʃ] n brunch m.

brunette [bru:'net] n brune f.

brush [brʌʃ] n brosse f ; (for painting) pinceau m. ◆ vt (clothes) brosser ; (floor) balayer ; to ~ one's hair se brosser les cheveux ; to ~ one's teeth se brosser les dents.

Brussels ['brʌslz] n Bruxelles.

Brussels sprouts npl choux mpl de Bruxelles.

brutal ['bru:tl] adj brutal(e).

BSc n (abbr of Bachelor of Science) (titulaire d'une) licence de sciences.

BT abbr = British Telecom.

bubble ['bʌbl] n bulle f.

bubble bath n bain m moussant.

bubble gum n chewing-gum avec lequel on peut faire des bulles.

bubbly ['bʌblɪ] n inf champ m.

buck [bʌk] n Am inf (dollar) dollar m ; (male animal) mâle m.

bucket ['bʌkɪt] n seau m.

Buckingham Palace ['bʌkɪŋəm-] n le palais de Buckingham.

BUCKINGHAM PALACE

Le palais de Buckingham, construit en 1703 par le duc de Buckingham, est la résidence officielle de la famille royale à Londres, et donc du chef de l'État. La relève de la garde a lieu tous les jours devant les portes du palais.

buckle ['bʌkl] n boucle f. ◆ vt (fasten) boucler. ◆ vi (metal) plier ; (wheel) se voiler.

bud [bʌd] n bourgeon m. ◆ vi bourgeonner.

Buddhist ['bʊdɪst] n bouddhiste mf.

buddy ['bʌdɪ] n inf pote m.

budge [bʌdʒ] vi bouger.

budgerigar ['bʌdʒərɪgɑ:'] n perruche f.

budget ['bʌdʒɪt] adj (holiday, travel) économique. ◆ n budget m. ❑ budget for vt fus : to ~ for doing sthg prévoir de faire qqch.

budgie ['bʌdʒɪ] n Inf perruche f.

buff [bʌf] n inf fana mf.

buffalo ['bʌfələʊ] n buffle m.

buffer ['bʌfə'] n (on train) tampon m.

buffet [Br 'bʊfeɪ, Am bə'feɪ] n buffet m.

buffet car ['bʊfeɪ-] n wagon-restaurant m.

bug [bʌg] n (insect) insecte m ; inf (mild illness) microbe m. ◆ vt inf (annoy) embêter.

buggy ['bʌgɪ] n (pushchair) poussette f ; Am (pram) landau m.

build [bɪld] (pt & pp built) n carrure f. ◆ vt construire. ❑ build up ◆ vi augmenter. ◆ vt sep : to ~ up speed accélérer.

builder ['bɪldə'] n entrepreneur m (en bâtiment).

building ['bɪldɪŋ] n bâtiment m.

building site n chantier m.

building society n Br société d'investissements et de prêts immobiliers.

built [bɪlt] pt & pp → build.

built-in adj encastré(e).

built-up area n agglomération f.

bulb [bʌlb] n (for lamp) ampoule f ; (of plant) bulbe m.

bulge [bʌldʒ] vi être gonflé.

bulk [bʌlk] *n* : the ~ of la majeure partie de ; in ~ en gros.

bulky ['bʌlkɪ] *adj* volumineux (euse).

bull [bʊl] *n* taureau *m*.

bulldog ['bʊldɒg] *n* bouledogue *m*.

bulldozer ['bʊldəʊzə'] *n* bulldozer *m*.

bullet ['bʊlɪt] *n* balle *f*.

bulletin ['bʊlɪtɪn] *n* bulletin *m*.

bullfight ['bʊlfaɪt] *n* corrida *f*.

bull's-eye *n* centre *m* (de la cible).

bully ['bʊlɪ] *n* enfant *qui maltraite ses camarades.* ◆ *vt* tyranniser.

bum [bʌm] *n inf (bottom)* derrière *m* ; *Am inf (tramp)* clodo *m*.

bum bag *n Br* banane *f (sac).*

bumblebee ['bʌmblbi:] *n* bourdon *m*.

bump [bʌmp] *n (lump)* bosse *f* ; *(sound)* bruit *m* sourd ; *(minor accident)* choc *m*. ◆ *vt (head, leg)* cogner. ❑ **bump into** *vt fus (hit)* rentrer dans ; *(meet)* tomber sur.

bumper ['bʌmpə'] *n (on car)* parechocs *m inv* ; *Am (on train)* tampon *m*.

bumpy ['bʌmpɪ] *adj (road)* cahoteux(euse) ; the flight was ~ il y a eu des turbulences pendant le vol.

bun [bʌn] *n (cake)* petit gâteau *m* ; *(bread roll)* petit pain *m* rond ; *(hairstyle)* chignon *m*.

bunch [bʌntʃ] *n (of people)* bande *f* ; *(of flowers)* bouquet *m* ; *(of grapes)* grappe *f* ; *(of bananas)* régime *m* ; *(of keys)* trousseau *m*.

bundle ['bʌndl] *n* paquet *m*.

bung [bʌŋ] *n* bonde *f*.

bungalow ['bʌŋgələʊ] *n* bungalow *m*.

bunion ['bʌnjən] *n* oignon *m (au pied).*

bunk [bʌŋk] *n (berth)* couchette *f*.

bunk beds *npl* lits *mpl* superposés.

bunker ['bʌŋkə'] *n* bunker *m* ; *(for coal)* coffre *m*.

bunny ['bʌnɪ] *n* lapin *m*.

buoy [*Br* bɔɪ, *Am* 'bu:ɪ] *n* bouée *f*.

buoyant ['bɔɪənt] *adj* qui flotte bien.

burden ['bɜ:dn] *n* charge *f*.

bureaucracy [bjʊə'rɒkrəsɪ] *n* bureaucratie *f*.

bureau de change [ˌbjʊərəʊdə'ʃɒndʒ] *n* bureau *m* de change.

burger ['bɜ:gə'] *n* steak *m* haché.

burglar ['bɜ:glə'] *n* cambrioleur *m*, -euse *f*.

burglar alarm *n* système *m* d'alarme.

burglarize ['bɜ:gləraɪz] *Am* = **burgle**.

burglary ['bɜ:glərɪ] *n* cambriolage *m*.

burgle ['bɜ:gl] *vt* cambrioler.

Burgundy *n* la Bourgogne.

burial ['berɪəl] *n* enterrement *m*.

burn [bɜ:n] *(pt & pp* **burnt** *ou* burned) *n* brûlure *f*. ◆ *vt & vi* brûler. ❑ **burn down** ◆ *vt sep* incendier. ◆ *vi* brûler complètement.

burning (hot) ['bɜ:nɪŋ-] *adj* brûlant(e).

Burns' Night [bɜ:nz-] *n* le 25 janvier.

burnt [bɜ:nt] *pt & pp* → **burn**.

burp [bɜ:p] *vi* roter.

burrow ['bʌrəʊ] *n* terrier *m*.

burst [bɜːst] (pt & pp burst) n salve f. ◆ vt faire éclater. ◆ vi éclater ; he ~ into the room il a fait irruption dans la pièce ; to ~ into tears éclater en sanglots ; to ~ open s'ouvrir brusquement.

bury ['beri] vt enterrer.

bus [bʌs] n bus m, autobus m ; by ~ en bus.

bus conductor [-ˌkən'dʌktə*] n receveur m.

bus driver n conducteur m, -trice f d'autobus.

bush [buʃ] n buisson m.

business ['bɪznɪs] n affaires fpl ; (shop, firm, agency) affaire f ; mind your own ~! occupe-toi de tes affaires! ; '~ as usual' 'le magasin reste ouvert'.

business card n carte f de visite.

business class n classe f affaires.

business hours npl (of office) heures fpl de bureau ; (of shop) heures fpl d'ouverture.

businessman ['bɪznɪsmæn] (pl -men [-men]) n homme m d'affaires.

business studies npl études fpl de commerce.

businesswoman ['bɪznɪsˌwʊmən] (pl -women [-ˌwɪmɪn]) n femme f d'affaires.

busker ['bʌskə*] n Br musicien m, -ienne f qui fait la manche.

bus lane n couloir m de bus.

bus pass n carte f d'abonnement (de bus).

bus shelter n Abribus® m.

bus station n gare f routière.

bus stop n arrêt m de bus.

bust [bʌst] n (of woman) poitrine f. ◆ adj : to go ~ inf faire faillite.

bustle ['bʌsl] n (activity) agitation f.

bus tour n voyage m en autocar.

busy ['bɪzɪ] adj occupé(e) ; (day, schedule) chargé(e) ; (street, office) animé(e) ; to be ~ doing sthg être occupé à faire qqch.

busy signal n Am tonalité f occupée.

but [bʌt] conj mais. ◆ prep sauf ; the last ~ one l'avant-dernier m, -ière f ; ~ for sans.

butcher ['butʃə*] n boucher m, -ère f ; ~'s (shop) boucherie f.

butt [bʌt] n (of rifle) crosse f ; (of cigarette, cigar) mégot m.

butter ['bʌtə*] n beurre m. ◆ vt beurrer.

butter bean n haricot m beurre.

buttercup ['bʌtəkʌp] n bouton-d'or m.

butterfly ['bʌtəflaɪ] n papillon m.

butterscotch ['bʌtəskɒtʃ] n caramel dur au beurre.

buttocks ['bʌtəks] npl fesses fpl.

button ['bʌtn] n bouton m ; Am (badge) badge m.

buttonhole ['bʌtnhəʊl] n (hole) boutonnière f.

button mushroom n champignon m de Paris.

buy [baɪ] (pt & pp bought) vt acheter. ◆ n : a good ~ une bonne affaire ; to ~ sthg for sb, to ~ sb sthg acheter qqch à qqn.

buzz [bʌz] vi bourdonner.

buzzer ['bʌzə*] n sonnerie f.

☞

by [baɪ] *prep* - **1.** *(expressing cause, agent)* par ; **he was hit ~ a car** il s'est fait renverser par une voiture ; **a book ~ A.R. Scott** un livre de A.R. Scott.

- **2.** *(expressing method, means)* par ; **~ car/bus on va par voiture/bus ; to pay ~ credit card** payer par carte de crédit ; **to win ~ cheating** gagner en trichant.

- **3.** *(near to, beside)* près de ; **~ the sea** au bord de la mer.

- **4.** *(past)* : **a car went ~ the house** une voiture est passée devant la maison.

- **5.** *(via)* par ; **exit ~ the door on the left** sortez par la porte de gauche.

- **6.** *(with time)* : **be there ~ nine** soyez-y pour neuf heures ; **~ day** le jour ; **~ now** déjà.

- **7.** *(expressing quantity)* : **sold ~ the dozen** vendus à la douzaine ; **prices fell ~ 20%** les prix ont baissé de 20% ; **paid ~ the hour** payé à l'heure.

- **8.** *(expressing meaning)* : **what do you mean ~ that?** qu'entendez-vous par là ?

- **9.** *(in sums, measurements)* par ; **two metres ~ five** deux mètres sur cinq.

- **10.** *(according to)* selon ; **~ law** selon la loi ; **it's fine ~ me** ça me va.

- **11.** *(expressing gradual process)* : **one ~ one** un par un ; **day ~ day** de jour en jour.

- **12.** *(in phrases)* : **~ mistake** par erreur ; **~ oneself** *(alone)* seul ; **~ profession** de métier.

◆ *adv (past)* : **to go ~** passer.

bye(-bye) [baɪ(baɪ)] *excl inf* salut!

bypass ['baɪpɑːs] *n* rocade *f*.

C

C *(abbr of* Celsius, centigrade*)* C. ; *(abbr of* cold*)* F.

cab [kæb] *n (taxi)* taxi *m* ; *(of lorry)* cabine *f*.

cabaret ['kæbəreɪ] *n* spectacle *m* de cabaret.

cabbage ['kæbɪdʒ] *n* chou *m*.

cabin ['kæbɪn] *n* cabine *f* ; *(wooden house)* cabane *f*.

cabin crew *n* équipage *m*.

cabinet ['kæbɪnɪt] *n (cupboard)* meuble *m* (de rangement) ; POL cabinet *m*.

cable ['keɪbl] *n* câble *m*.

cable car *n* téléphérique *m*.

cable television *n* télévision *f* par câble.

cactus ['kæktəs] *(pl* -tuses OR -ti [-taɪ]*) n* cactus *m*.

Caesar salad [ˌsiːzə-] *n* salade de laitue, anchois, olives, croûtons et parmesan.

cafe ['kæfeɪ] *n* café *m*.

cafeteria [ˌkæfɪ'tɪərɪə] *n* cafétéria *f*.

caffeine ['kæfiːn] *n* caféine *f*.

cage [keɪdʒ] *n* cage *f*.

cagoule [kə'guːl] *n Br* K-way® *m inv*.

Cajun ['keɪdʒən] *adj* cajun.

CAJUN

Colonie française originellement installée en Nouvelle Écosse, la communauté cajun a subi un second exil au XVIIIe siècle vers la Louisiane où elle a développé sa propre langue et sa propre culture. La cuisine cajun, en général très relevée, ainsi que la musique populaire cajun, qui utilise essentiellement le violon et l'accordéon, sont très célèbres.

cake [keɪk] n gâteau m.

calculate ['kælkjʊleɪt] vt calculer ; (risks, effect) évaluer.

calculator ['kælkjʊleɪtə'] n calculatrice f.

calendar ['kælɪndə'] n calendrier m.

calf [kɑːf] (pl **calves**) n (of cow) veau m ; (part of leg) mollet m.

call [kɔːl] n (visit) visite f ; (phone call) coup m de fil ; (of bird) cri m ; (at airport) appel m. ◆ vt appeler ; (summon) convoquer ; (meeting) convoquer. ◆ vi (visit) passer ; (phone) appeler ; **to ~ sb sthg** traiter qqn de qqch ; **to be ~ed** s'appeler ; **what is he ~ed?** comment s'appelle-t-il? ; **on ~** (nurse, doctor) de garde ; **to pay sb a ~** rendre visite à qqn ; **this train ~s at ...** ce train desservira les gares de ... ; **who's ~ing?** qui est à l'appareil? ❏ **call back** ◆ vt sep rappeler. ◆ vi (phone again) rappeler ; (visit again) repasser. ❏ **call for** vt fus (come to fetch) passer prendre ; (demand) demander ; (require) exiger. ❏ **call on** vt fus (visit) passer voir ; **to ~ on sb to do sthg** demander à qqn de faire qqch. ❏ **call out** ◆ vt sep (name, winner) annoncer ; (doctor, fire brigade) appeler. ◆ vi crier.

call box n cabine f téléphonique.

caller ['kɔːlə'] n (visitor) visiteur

m, -euse f ; (on phone) personne qui passe un appel téléphonique.

calm [kɑːm] adj calme. ◆ vt calmer. ❏ **calm down** ◆ vt sep calmer. ◆ vi se calmer.

calorie ['kælərɪ] n calorie f.

calves [kɑːvz] pl → **calf**.

camcorder ['kæm,kɔːdə'] n Caméscope® m.

came [keɪm] pt → **come**.

camel ['kæml] n chameau m.

camera ['kæmərə] n appareil m photo ; (for filming) caméra f.

cameraman ['kæmərəmæn] (pl **-men** [-men]) n cameraman m.

camera shop n photographe m.

camisole ['kæmɪsəʊl] n caraco m.

camp [kæmp] n camp m. ◆ vi camper.

campaign [kæm'peɪn] n campagne f. ◆ vi : **to ~ (for/against)** faire campagne (pour/contre).

camp bed n lit m de camp.

camper ['kæmpə'] n (person) campeur m, -euse f ; (van) camping-car m.

camping ['kæmpɪŋ] n : **to go ~** faire du camping.

camping stove n Camping-Gaz® m inv.

campsite ['kæmpsaɪt] n camping m.

can[1] [kæn] n (of food) boîte f ; (of drink) can(n)ette f ; (of oil, paint) bidon m.

can[2] [weak form kən, strong form kæn] (pt & conditional could) aux vb - **1.** (be able to) pouvoir ;

~ you help me? tu peux m'aider? ; I ~ see you je te vois. - **2.** *(know how to)* savoir ; ~ you drive? tu sais conduire? ; I ~ speak French je parle (le) français. - **3.** *(be allowed to)* pouvoir ; you can't smoke here ici il est interdit de fumer ici. - **4.** *(in polite requests)* pouvoir ; ~ you tell me the time? pourriez-vous me donner l'heure? ; I ~ speak to the manager? puis-je parler au directeur? - **5.** *(expressing occasional occurrence)* pouvoir ; it ~ get cold at night il arrive qu'il fasse froid la nuit. - **6.** *(expressing possibility)* pouvoir ; they could be lost il se peut qu'ils se soient perdus.

Canada ['kænədə] *n* le Canada.

Canadian [kə'neɪdjən] *adj* canadien(ienne). ◆ *n* Canadien *m*, -ienne *f*.

canal [kə'næl] *n* canal *m*.

canapé ['kænəpeɪ] *n* canapé *m* *(pour l'apéritif)*.

cancel ['kænsl] *vt* annuler ; *(cheque)* faire opposition à.

cancellation [,kænsə'leɪʃn] *n* annulation *f*.

cancer ['kænsə'] *n* cancer *m*.

candidate ['kændɪdət] *n* candidat *m*, -e *f*.

candle ['kændl] *n* bougie *f*.

candlelit dinner ['kændllɪt-] *n* dîner *m* aux chandelles.

candy ['kændɪ] *n Am (confectionery)* confiserie *f* ; *(sweet)* bonbon *m*.

canister ['kænɪstə'] *n (for tea)* boîte *f* ; *(for gas)* bombe *f*.

canned [kænd] *adj (food)* en boîte ; *(drink)* en can(n)ette.

cannot ['kænɒt] = can not.

canoe [kə'nuː] *n* canoë *m*.

canoeing [kə'nuːɪŋ] *n* : to go ~ faire du canoë.

canopy ['kænəpɪ] *n (over bed etc)* baldaquin *m*.

can't [kɑːnt] = cannot.

canteen [kæn'tiːn] *n* cantine *f*.

canvas ['kænvəs] *n (for tent, bag)* toile *f*.

cap [kæp] *n (hat)* casquette *f* ; *(of pen)* capuchon *m* ; *(of bottle)* capsule *f* ; *(for camera)* cache *m* ; *(contraceptive)* diaphragme *m*.

capable ['keɪpəbl] *adj (competent)* capable ; to be ~ of doing sthg être capable de faire qqch.

capacity [kə'pæsɪtɪ] *n* capacité *f*.

cape [keɪp] *n (of land)* cap *m* ; *(cloak)* cape *f*.

capers ['keɪpəz] *npl* câpres *fpl*.

capital ['kæpɪtl] *n (of country)* capitale *f* ; *(money)* capital *m* ; *(letter)* majuscule *f*.

capital punishment *n* peine *f* capitale.

cappuccino [,kæpʊ'tʃiːnəʊ] *n* cappuccino *m*.

capsicum ['kæpsɪkəm] *n (sweet)* poivron *m* ; *(hot)* piment *m*.

capsize [kæp'saɪz] *vi* chavirer.

capsule ['kæpsjuːl] *n (for medicine)* gélule *f*.

captain ['kæptɪn] *n* capitaine *m* ; *(of plane)* commandant *m*.

caption ['kæpʃn] *n* légende *f*.

capture ['kæptʃə'] *vt* capturer ; *(town, castle)* s'emparer de.

car [kɑː'] *n* voiture *f*.

carafe [kə'ræf] *n* carafe *f*.

caramel ['kærəməl] *n* caramel *m*.

carat ['kærət] *n* carat *m* ; **24-~** gold de l'or à 24 carats.

caravan ['kærəvæn] *n Br* caravane *f*.

caravanning ['kærəvænɪŋ] *n Br* : to go ~ faire du caravaning.

caravan site *n Br* camping *m* pour caravanes.

carbon dioxide [-daɪ'ɒksaɪd] *n* gaz *m* carbonique.

car boot sale *n [Br] brocante en plein air où les coffres des voitures servent d'étal.*

carburetor [ˌkɑːbə'retə⁽ʳ⁾] *Am* = carburettor.

carburettor [ˌkɑːbə'retə⁽ʳ⁾] *n Br* carburateur *m*.

car crash *n* accident *m* de voiture OR de la route.

card [kɑːd] *n* carte *f* ; *(for filing, notes)* fiche *f* ; *(cardboard)* carton *m*.

cardboard ['kɑːdbɔːd] *n* carton *m*.

cardiac arrest [ˌkɑːdɪæk-] *n* arrêt *m* cardiaque.

cardigan ['kɑːdɪgən] *n* cardigan *m*.

cardphone ['kɑːdfəʊn] *n Br* téléphone *m* à carte.

care [keə⁽ʳ⁾] *n (attention)* soin *m* ; *(treatment)* soins *mpl.* ◆ *vi* : I don't ~ ça m'est égal ; to take ~ of s'occuper de ; would you ~ to ...? *fml* voudriez-vous ...? ; **take ~!** expression affectueuse que l'on utilise lorsqu'on quitte quelqu'un ; **with ~** avec soin ; to ~ **about** *(think important)* se soucier de ; *(person)* aimer.

career [kə'rɪə⁽ʳ⁾] *n* carrière *f*.

carefree ['keəfriː] *adj* insouciant(e).

careful ['keəfʊl] *adj (cautious)* prudent(e) ; *(thorough)* soigneux (euse) ; **be ~!** (fais) attention!

carefully ['keəflɪ] *adv (cautiously)* prudemment ; *(thoroughly)* soigneusement.

careless ['keələs] *adj (inattentive)* négligent(e) ; *(unconcerned)* insouciant(e).

caretaker ['keəˌteɪkə⁽ʳ⁾] *n Br* gardien *m*, -ienne *f*.

car ferry *n* ferry *m*.

cargo ['kɑːgəʊ] *(pl -es OR -s) n* cargaison *f*.

car hire *n Br* location *f* de voitures.

caring ['keərɪŋ] *adj* attentionné(e).

carnation [kɑː'neɪʃn] *n* œillet *m*.

carnival ['kɑːnɪvl] *n* carnaval *m*.

carousel [ˌkærə'sel] *n (for luggage)* tapis *m* roulant ; *Am (merrygo-round)* manège *m*.

car park *n Br* parking *m*.

carpenter ['kɑːpəntə⁽ʳ⁾] *n (on building site)* charpentier *m* ; *(for furniture)* menuisier *m*.

carpentry ['kɑːpəntrɪ] *n (on building site)* charpenterie *f* ; *(furniture)* menuiserie *f*.

carpet ['kɑːpɪt] *n (fitted)* moquette *f* ; *(rug)* tapis *m*.

car rental *n Am* location *f* de voitures.

carriage ['kærɪdʒ] *n Br (of train)* wagon *m* ; *(horse-drawn)* calèche *f*.

carriageway ['kærɪdʒweɪ] *n Br* chaussée *f*.

carrier (bag) ['kærɪə⁽ʳ⁾-] *n* sac *m* (en plastique).

carrot ['kærət] *n* carotte *f*.

carrot cake *n* gâteau à la carotte.

carry ['kærɪ] *vt* porter ; *(transport)* transporter ; *(disease)* être porteur de ; *(cash, passport, map)* avoir sur soi. ◆ *vi* porter. ❏ **carry on** ◆ *vi* continuer. ◆ *vt fus (continue)* continuer ; *(conduct)* réaliser ; **to ~ on doing sthg** continuer à faire qqch. ❏ **carry out** *vt sep (work, repairs)* effectuer ; *(plan)* réaliser ; *(promise)* tenir ; *(order)* exécuter.

carrycot ['kærɪkɒt] *n Br* couffin *m*.

carryout ['kærɪaʊt] *n Am & Scot* repas *m* à emporter.

carsick ['kɑːˌsɪk] *adj* malade (en voiture).

cart [kɑːt] *n (for transport)* charrette *f* ; *Am (in supermarket)* caddie *m* ; *inf (video game cartridge)* cartouche *f*.

carton ['kɑːtn] *n (of milk, juice)* carton *m* ; *(of yoghurt)* pot *m*.

cartoon [kɑːˈtuːn] *n (drawing)* dessin *m* humoristique ; *(film)* dessin *m* animé.

cartridge ['kɑːtrɪdʒ] *n* cartouche *f*.

carve [kɑːv] *vt (wood, stone)* sculpter ; *(meat)* découper.

carvery ['kɑːvərɪ] *n restaurant où l'on mange, en aussi grande quantité que l'on veut, de la viande découpée à table.*

car wash *n* station *f* de lavage de voitures.

case [keɪs] *n Br (suitcase)* valise *f* ; *(for glasses, camera)* étui *m* ; *(for jewellery)* écrin *m* ; *(instance, patient)* cas *m* ; *JUR (trial)* affaire *f* ; **in any ~** de toute façon ; **in ~** au cas

où ; **in ~ of** en cas de ; **(just) in ~** au cas où ; **in that ~** dans ce cas.

cash [kæʃ] *n (coins, notes)* argent *m* liquide ; *(money in general)* argent *m* ; **to ~ a cheque** encaisser un chèque ; **to pay ~** payer comptant OR en espèces.

cash desk *n* caisse *f*.

cash dispenser [-ˌdɪˈspensə'] *n* distributeur *m* (automatique) de billets.

cashew (nut) ['kæʃuː-] *n* noix *f* de cajou.

cashier [kæˈʃɪə'] *n* caissier *m*, -ière *f*.

cashmere [kæʃˈmɪə'] *n* cachemire *m*.

cashpoint ['kæʃpɔɪnt] *n Br* distributeur *m* (automatique) de billets.

cash register *n* caisse *f* enregistreuse.

casino [kəˈsiːnəʊ] *(pl -s) n* casino *m*.

casserole ['kæsərəʊl] *n (stew)* ragoût *m* ; *~ (dish)* cocotte *f*.

cassette [kæˈset] *n* cassette *f*.

cassette recorder *n* magnétophone *m*.

cast [kɑːst] *(pt & pp cast) n (actors)* distribution *f* ; *(for broken bone)* plâtre *m*. ◆ *vt (shadow, light, look)* jeter ; **to ~ one's vote** voter ; **to ~ doubt on** jeter le doute sur.

caster sugar *n Br* sucre *m* en poudre.

castle ['kɑːsl] *n* château *m* ; *(in chess)* tour *f*.

casual ['kæʒʊəl] *adj (relaxed)* désinvolte ; *(offhand)* sans-gêne *(inv)* ; *(clothes)* décontracté(e) ; **~ work** travail temporaire.

casualty [ˈkæʒjʊəltɪ] *n (injured)*

blessé m, -e f ; (dead) mort m, -e f ; ~ (ward) urgences fpl.

cat [kæt] n chat m.

catalog ['kætəlɒg] Am = catalogue.

catalogue ['kætəlɒg] n catalogue m.

catapult ['kætəpʌlt] n lance-pierres m inv.

cataract ['kætərækt] n (in eye) cataracte f.

catarrh [kə'tɑːʳ] n catarrhe m.

catastrophe [kə'tæstrəfɪ] n catastrophe f.

catch [kætʃ] (pt & pp caught) vt attraper ; (falling object) rattraper ; (surprise) surprendre ; (hear) saisir ; (attention) attirer. ◆ vi (become hooked) s'accrocher. ◆ vi (of window, door) loquet m ; (snag) hic m. ❑ **catch up** ◆ vt sep rattraper. ◆ vi rattraper son retard ; to ~ up with sb rattraper qqn.

catching ['kætʃɪŋ] adj inf contagieux(ieuse).

category ['kætəgərɪ] n catégorie f.

cater ['keɪtəʳ] : **cater for** vt fus [Br] (needs, tastes) satisfaire ; (anticipate) prévoir.

caterpillar ['kætəpɪləʳ] n chenille f.

cathedral [kə'θiːdrəl] n cathédrale f.

Catholic ['kæθlɪk] adj catholique. ◆ n catholique mf.

Catseyes® ['kætsaɪz] npl Br catadioptres mpl.

cattle ['kætl] npl bétail m.

caught [kɔːt] pt & pp → catch.

cauliflower ['kɒlɪflaʊəʳ] n chou-fleur m.

cauliflower cheese n chou-fleur m au gratin.

cause [kɔːz] n cause f ; (justification) motif m. ◆ vt causer ; to ~ sb to make a mistake faire faire une erreur à qqn.

causeway ['kɔːzweɪ] n chaussée f (aménagée sur l'eau).

caution ['kɔːʃn] n (care) précaution f ; (warning) avertissement m.

cautious ['kɔːʃəs] adj prudent(e).

cave [keɪv] n caverne f. ❑ **cave in** vi s'effondrer.

caviar(e) ['kævɪɑːʳ] n caviar m.

cavity ['kævɪtɪ] n (in tooth) cavité f.

CD n (abbr of compact disc) CD m.

CDI n (abbr of compact disc interactive) CD-I m inv.

CD player n lecteur m laser OR de CD.

cease [siːs] vt & vi fml cesser.

ceasefire ['siːs,faɪəʳ] n cessez-le-feu m inv.

ceilidh ['keɪlɪ] n bal folklorique écossais ou irlandais.

ceiling ['siːlɪŋ] n plafond m.

celebrate ['selɪbreɪt] vt fêter ; (Mass) célébrer. ◆ vi faire la fête.

celebration [,selɪ'breɪʃn] n (event) fête f. ❑ **celebrations** npl (festivities) cérémonies fpl.

celebrity [sɪ'lebrətɪ] n (person) célébrité f.

celeriac [sɪ'lerɪæk] n céleri-rave m.

celery ['selərɪ] n céleri m.

cell [sel] n cellule f.

cellar ['seləʳ] n cave f.

cello ['tʃeləʊ] n violoncelle m.

Cellophane® ['seləfeɪn] n Cellophane® f.

cell phone n téléphone m cellulaire.

Celsius ['selsɪəs] adj Celsius.

cement [sɪ'ment] n ciment m.

cemetery ['semɪtrɪ] n cimetière m.

cent [sent] n Am cent m.

center ['sentə'] Am = **centre**.

centigrade ['sentɪgreɪd] adj centigrade.

centimetre ['sentɪ,miːtə'] n centimètre m.

centipede ['sentɪpiːd] n millepattes m inv.

central ['sentrəl] adj central(e).

central heating n chauffage m central.

central locking ['-lɒkɪŋ] n verrouillage m centralisé.

central reservation n Br terreplein m central.

centre ['sentə'] n Br centre m. ◆ adj Br centrale(e) ; **the ~ of attention** le centre d'attention.

century ['sentʃʊrɪ] n siècle m.

ceramic [sɪ'ræmɪk] adj en céramique. ❏ **ceramics** npl (objects) céramiques fpl.

cereal ['sɪərɪəl] n céréales fpl.

ceremony ['serɪmənɪ] n cérémonie f.

certain ['sɜːtn] adj certain(e) ; **we're ~ to be late** nous allons être en retard, c'est sûr ; **to be ~ of sthg** être certain de qqch ; **to make ~ (that)** s'assurer que.

certainly ['sɜːtnlɪ] adv (without doubt) vraiment ; (of course) bien sûr, certainement.

certificate [sə'tɪfɪkət] n certificat m.

certify ['sɜːtɪfaɪ] vt (declare true) certifier.

chain [tʃeɪn] n chaîne f ; (of islands) chapelet m. ◆ vt : **to ~ sthg to sthg** attacher qqch à qqch (avec une chaîne).

chain store n grand magasin m (à succursales multiples).

chair [tʃeə'] n chaise f ; (armchair) fauteuil m.

chair lift n télésiège m.

chairman ['tʃeəmən] (pl -men [-mən]) n président m.

chairperson ['tʃeə,pɜːsn] n président m, -e f.

chairwoman ['tʃeə,wʊmən] (pl -women [-,wɪmɪn]) n présidente f.

chalet ['ʃæleɪ] n chalet m ; (at holiday camp) bungalow m.

chalk [tʃɔːk] n craie f ; **a piece of ~** une craie.

chalkboard ['tʃɔːkbɔːd] n Am tableau m (noir).

challenge ['tʃælɪndʒ] n défi m. ◆ vt (question) remettre en question ; **to ~ sb (to sthg)** (to fight, competition) défier qqn (à qqch).

chamber ['tʃeɪmbə'] n chambre f.

chambermaid ['tʃeɪmbəmeɪd] n femme f de chambre.

champagne [,ʃæm'peɪn] n champagne m.

champion ['tʃæmpjən] n champion m, -ionne f.

championship ['tʃæmpjənʃɪp] n championnat m.

chance [tʃɑːns] n (luck) hasard m ; (possibility) chance f ; (opportunity) occasion f. ◆ vt : **to ~ it** inf tenter le coup ; **to take a ~** prendre un risque ; **by ~** par hasard ; **on the off ~** à tout hasard.

Chancellor of the Exchequer
[ˌtʃɑːnsələrɒvɪðɪks'tʃekə'] n Br ≃ ministre m des Finances.

chandelier [ˌʃændə'lɪə'] n lustre m.

change [tʃeɪndʒ] n changement m ; (money) monnaie f. ◆ vt changer ; (switch) changer de ; (exchange) échanger. ◆ vi changer ; (change clothes) se changer ; a ~ of clothes des vêtements de rechange ; do you have ~ for a pound? avez-vous la monnaie d'une livre? ; for a ~ pour changer ; to get ~d se changer ; to ~ money changer de l'argent ; to ~ a nappy changer une couche ; to ~ trains/planes changer de train/d'avion ; to ~ a wheel changer une roue ; all ~! (on train) tout le monde descend!

changeable ['tʃeɪndʒəbl] adj (weather) variable.

change machine n monnayeur m.

changing room ['tʃeɪndʒɪŋ-] n (for sport) vestiaire m ; (in shop) cabine f d'essayage.

channel ['tʃænl] n (on TV) chaîne f ; (on radio) station f ; (in sea) chenal m ; (for irrigation) canal m ; the (English) Channel la Manche.

Channel Islands npl : the ~ les îles fpl Anglo-Normandes.

Channel Tunnel n : the ~ le tunnel sous la Manche.

chant [tʃɑːnt] vt RELIG chanter ; (words, slogan) scander.

chaos ['keɪɒs] n chaos m.

chaotic [keɪ'ɒtɪk] adj chaotique.

chap [tʃæp] n Br inf type m.

chapel ['tʃæpl] n chapelle f.

chapped [tʃæpt] adj gercé(e).

chapter ['tʃæptə'] n chapitre m.

character ['kærəktə'] n caractère m ; (in film, book, play) personnage m ; inf (person, individual) individu m.

characteristic [ˌkærəktə'rɪstɪk] adj caractéristique. ◆ n caractéristique f.

charcoal ['tʃɑːkəʊl] n (for barbecue) charbon m de bois.

charge [tʃɑːdʒ] n (cost) frais mpl ; JUR chef m d'accusation. ◆ vt (money, customer) faire payer ; JUR inculper ; (battery) recharger. ◆ vi (ask money) faire payer ; (rush) se précipiter ; to be in ~ (of) être responsable (de) ; to take ~ prendre les choses en main ; to take ~ of prendre en charge ; free of ~ gratuitement ; extra ~ supplément m ; there is no ~ for service le service est gratuit.

char-grilled ['tʃɑːɡrɪld] adj grillé(e).

charity ['tʃærətɪ] n association f caritative ; to give to ~ donner aux œuvres.

charity shop n magasin aux employés bénévoles, dont les bénéfices sont versés à une œuvre.

charm [tʃɑːm] n (attractiveness) charme m. ◆ vt charmer.

charming ['tʃɑːmɪŋ] adj charmant(e).

chart [tʃɑːt] n (diagram) graphique m ; (map) carte f ; the ~s le hit-parade.

chartered accountant [ˌtʃɑːtəd-] n expert-comptable m.

charter flight ['tʃɑːtə-] n vol m charter.

chase [tʃeɪs] n poursuite f. ◆ vt poursuivre.

chat [tʃæt] n conversation f. ◆ vi

causer, bavarder ; **to have a ~ (with)** bavarder (avec). ❏ **chat up** vt sep Br inf baratiner.

château ['ʃætəʊ] n château m.

chatline ['ʃætlaɪn] n (gen) réseau m téléphonique (payant) ; (for sexual encounters) téléphone m rose.

chat room n COMPUT forum m de discussion.

chat show n Br talk-show m.

chatty ['ʃætɪ] adj bavard(e).

chauffeur ['ʃəʊfə'] n chauffeur m.

cheap [tʃiːp] adj bon marché (inv).

cheap day return n Br billet aller-retour dans la journée, sur certains trains seulement.

cheaply ['tʃiːplɪ] adv à bon marché.

cheat [tʃiːt] n tricheur m, -euse f. ◆ vt tricher. ◆ vt : **to ~ sb (out of sthg)** escroquer (qqch à) qqn.

Chechnya ['tʃetʃnɪə] n Tchétchénie f.

check [tʃek] n (inspection) contrôle m ; Am (bill) addition f ; Am (tick) ≃ croix f ; Am = **cheque**. ◆ vt (inspect) contrôler ; (verify) vérifier. ◆ vi vérifier. ❏ **check in** ◆ vt sep (luggage) enregistrer. ◆ vi (at hotel) se présenter à la réception ; (at airport) se présenter à l'enregistrement. ❏ **check off** vt sep cocher. ❏ **check out** ◆ vt sep (pay hotel bill) régler sa note ; (leave hotel) quitter l'hôtel. ❏ **check up** vi : **to ~ up (on sthg)** vérifier (qqch) ; **to ~ up on sb** se renseigner sur qqn.

checked [tʃekt] adj à carreaux.

checkers ['tʃekəz] n Am jeu m de dames.

check-in desk n comptoir m d'enregistrement.

checkout ['tʃekaʊt] n caisse f.

checkpoint ['tʃekpɔɪnt] n poste m de contrôle.

checkroom ['tʃekrʊm] n Am consigne f.

checkup ['tʃekʌp] n bilan m de santé.

cheddar (cheese) ['tʃedə'-] n variété très commune de fromage de vache.

cheek [tʃiːk] n joue f ; **what a ~!** quel culot !

cheeky ['tʃiːkɪ] adj culotté(e).

cheer [tʃɪə'] n acclamation f. ◆ vi applaudir et crier.

cheerful ['tʃɪəfʊl] adj gai(e).

cheerio [,tʃɪərɪ'əʊ] excl Br inf salut !

cheers [tʃɪəz] excl (when drinking) à la tienne/vôtre ! ; Br inf (thank you) merci !

cheese [tʃiːz] n fromage m.

cheeseboard ['tʃiːzbɔːd] n plateau m de fromages.

cheeseburger ['tʃiːz,bɜːgə'] n cheeseburger m.

cheesecake ['tʃiːzkeɪk] n gâteau au fromage blanc.

chef [ʃef] n chef m (cuisinier).

chef's special n spécialité f du chef.

chemical ['kemɪkl] adj chimique. ◆ n produit m chimique.

chemist ['kemɪst] n Br (pharmacist) pharmacien m, -ienne f ; (scientist) chimiste mf ; **~'s** Br (shop) pharmacie f.

chemistry ['kemɪstrɪ] n chimie f.

cheque [tʃek] n Br chèque m ; **to pay by ~** payer par chèque.

chequebook ['tʃekbʊk] n chéquier m, carnet m de chèques.

cheque card n carte à présenter, en guise de garantie, par le titulaire d'un compte lorsqu'il paye par chèque.

cherry ['tʃerɪ] n cerise f.

chess [tʃes] n échecs mpl.

chest [tʃest] n poitrine f ; (box) coffre m.

chestnut ['tʃesnʌt] n châtaigne f. ◆ adj (colour) châtain (inv).

chest of drawers n commode f.

chew [tʃu:] vt mâcher. ◆ n (sweet) bonbon m mou.

chewing gum ['tʃu:ɪŋ-] n chewing-gum m.

chic [ʃi:k] adj chic.

chicken ['tʃɪkɪn] n poulet m.

chickenpox ['tʃɪkɪnpɒks] n varicelle f.

chickpea ['tʃɪkpi:] n pois m chiche.

chicory ['tʃɪkərɪ] n endive f.

chief [tʃi:f] adj (highest-ranking) en chef ; (main) principal(e). ◆ n chef m.

chiefly ['tʃi:flɪ] adv (mainly) principalement ; (especially) surtout.

child [tʃaɪld] (pl children) n enfant mf.

child abuse n mauvais traitements mpl à enfant.

child benefit n Br allocations fpl familiales.

childhood ['tʃaɪldhʊd] n enfance f.

childish ['tʃaɪldɪʃ] adj pej puéril(e).

childminder ['tʃaɪld,maɪndə'] n Br nourrice f.

children ['tʃɪldrən] pl → child.

child seat n (in car) siège m auto.

Chile ['tʃɪlɪ] n le Chili.

chill [tʃɪl] n (illness) coup m de froid. ◆ vt mettre au frais ; there's a ~ in the air il fait un peu froid.

chilled [tʃɪld] adj frais (fraîche) ; 'serve ~' 'servir frais'.

chilli ['tʃɪlɪ] (pl -ies) n (vegetable) piment m ; (dish) chili m con carne.

chilli con carne ['tʃɪlɪkɒn'ka:nɪ] n chili m con carne.

chilly ['tʃɪlɪ] adj froid(e).

chimney ['tʃɪmnɪ] n cheminée f.

chimneypot ['tʃɪmnɪpɒt] n tuyau m de cheminée.

chimpanzee [,tʃɪmpən'zi:] n chimpanzé m.

chin [tʃɪn] n menton m.

China ['tʃaɪnə] n la Chine.

Chinese [,tʃaɪ'ni:z] adj chinois(e). ◆ n (language) chinois m. ◆ npl : the ~ les Chinois mpl ; a ~ restaurant un restaurant chinois.

chip [tʃɪp] n (small piece) éclat m ; (mark) ébréchure f ; (counter) jeton m ; COMPUT puce f. ◆ vt ébrécher. □ **chips** npl Br (French fries) frites fpl ; Am (crisps) chips fpl.

chiropodist [kɪ'rɒpədɪst] n pédicure mf.

chives [tʃaɪvz] npl ciboulette f.

chlorine ['klɔ:ri:n] n chlore m.

choc-ice ['tʃɒkaɪs] n Br Esquimau® m.

chocolate ['tʃɒkələt] n chocolat m. ◆ adj au chocolat.

chocolate biscuit n biscuit m au chocolat.

choice [tʃɔɪs] n choix m. ◆ adj

(*meat, ingredients*) de choix ; the topping of your ~ la garniture de votre choix.

choir ['kwaɪə] *n* chœur *m*.

choke [tʃəʊk] *n AUT* starter *m*. ◆ *vt* (*strangle*) étrangler ; (*block*) boucher. ◆ *vi* s'étrangler.

cholera ['kɒlərə] *n* choléra *m*.

choose [tʃuːz] (*pt* **chose**, *pp* **chosen**) *vt & vi* choisir ; **to ~ to do sthg** choisir de faire qqch.

chop [tʃɒp] *n* (*of meat*) côtelette *f*. ◆ *vt* couper. ❑ **chop down** *vt sep* abattre. ❑ **chop up** *vt sep* couper en morceaux.

chopper ['tʃɒpə] *n inf* (*helicopter*) hélico *m*.

chopping board ['tʃɒpɪŋ-] *n* planche *f* à découper.

choppy ['tʃɒpɪ] *adj* agité(e).

chopsticks ['tʃɒpstɪks] *npl* baguettes *fpl*.

chop suey [ˌtʃɒp'suːɪ] *n* chop suey *m* (*émincé de porc ou de poulet avec riz, légumes et germes de soja*).

chord [kɔːd] *n* accord *m*.

chore [tʃɔː] *n* corvée *f*.

chorus ['kɔːrəs] *n* (*part of song*) refrain *m* ; (*singers*) troupe *f*.

chose [tʃəʊz] *pt* → **choose**.

chosen ['tʃəʊzn] *pp* → **choose**.

Christ [kraɪst] *n* le Christ.

christen ['krɪsn] *vt* (*baby*) baptiser.

Christian ['krɪstʃən] *adj* chrétien(ienne). ◆ *n* chrétien *m*, -ienne *f*.

Christian name *n* prénom *m*.

Christmas ['krɪsməs] *n* Noël *m* ; **Happy ~!** joyeux Noël !

Christmas card *n* carte *f* de vœux.

Christmas carol [-'kærəl] *n* chant *m* de Noël.

Christmas Day *n* le jour de Noël.

Christmas Eve *n* la veille de Noël.

Christmas pudding *n* pudding traditionnel de Noël.

Christmas tree *n* sapin *m* de Noël.

chrome [krəʊm] *n* chrome *m*.

chuck [tʃʌk] *vt inf* (*throw*) balancer ; (*boyfriend, girlfriend*) plaquer. ❑ **chuck away** *vt sep inf* balancer.

chunk [tʃʌŋk] *n* gros morceau *m*.

church [tʃɜːtʃ] *n* église *f* ; **to go to ~** aller à l'église.

churchyard ['tʃɜːtʃjɑːd] *n* cimetière *m*.

chute [ʃuːt] *n* toboggan *m*.

cider ['saɪdə] *n* cidre *m*.

cigar [sɪ'gɑː] *n* cigare *m*.

cigarette [ˌsɪgə'ret] *n* cigarette *f*.

cigarette lighter *n* briquet *m*.

cinema ['sɪnəmə] *n* cinéma *m*.

cinnamon ['sɪnəmən] *n* cannelle *f*.

circle ['sɜːkl] *n* cercle *m* ; (*in theatre*) balcon *m*. ◆ *vt* (*draw circle around*) encercler ; (*move round*) tourner autour de. ◆ *vi* (*plane*) tourner en rond.

circuit ['sɜːkɪt] *n* (*track*) circuit *m* ; (*lap*) tour *m*.

circular ['sɜːkjʊlə] *adj* circulaire. ◆ *n* circulaire *f*.

circulation [ˌsɜːkjʊ'leɪʃn] *n* (*of blood*) circulation *f* ; (*of newspaper, magazine*) tirage *m*.

circumstances ['sɜːkəmstənsɪz] *npl* circonstances *fpl* ; **in** OR **under**

the ~ étant donné les circonstances.

circus ['sɜːkəs] n cirque m.

cistern ['sistən] n (of toilet) réservoir m.

citizen ['sitizn] n (of country) citoyen m, -enne f ; (of town) habitant m, -e f.

city ['siti] n ville f ; **the City** la City.

city centre n centre-ville m.

city hall nm Am mairie f.

civilian [si'viljən] n civil m.

civilized ['sivilaizd] adj civilisé(e).

civil rights [,sivl-] npl droits mpl civiques.

civil servant [,sivl-] n fonctionnaire mf.

civil service [,sivl-] n fonction f publique.

civil war [,sivl-] n guerre f civile.

cl (abbr of centilitre) cl.

claim [kleim] n (assertion) affirmation f ; (demand) revendication f ; (for insurance) demande f d'indemnité. ◆ vt (allege) prétendre ; (benefit, responsibility) revendiquer. ◆ vi (on insurance) faire une demande d'indemnité.

claimant ['kleimənt] n (of benefit) demandeur m, -euse f.

claim form n formulaire m de déclaration de sinistre.

clam [klæm] n palourde f.

clamp [klæmp] n (for car) sabot m de Denver. ◆ vt (car) poser un sabot (de Denver) à.

clap [klæp] vi applaudir.

claret ['klærət] n bordeaux m rouge.

clarinet [,klærə'net] n clarinette f.

clash [klæʃ] n (noise) fracas m ; (confrontation) affrontement m. ◆ vi (colours) jurer ; (events, dates) tomber en même temps.

clasp [klɑːsp] n (fastener) fermoir m. ◆ vt serrer.

class [klɑːs] n classe f ; (teaching period) cours m. ◆ vt : to ~ sb/sthg (as) classer qqn/qqch (comme).

classic ['klæsik] adj classique. ◆ n classique m.

classical ['klæsikl] adj classique.

classical music n musique f classique.

classification [,klæsifi'keiʃn] n classification f ; (category) catégorie f.

classified ads [,klæsifaid-] npl petites annonces fpl.

classroom ['klɑːsrum] n salle f de classe.

claustrophobic [,klɔːstrə'fəubik] adj (person) claustrophobe ; (place) étouffant(e).

claw [klɔː] n (of bird, cat, dog) griffe f ; (of crab, lobster) pince f.

clay [klei] n argile f.

clean [kliːn] vt nettoyer. ◆ adj propre ; (unused) vierge ; I have a ~ driving licence je n'ai jamais eu de contraventions graves ; to ~ one's teeth se laver les dents.

cleaner ['kliːnə'] n (woman) femme f de ménage ; (man) agent m d'entretien ; (substance) produit m d'entretien.

cleanse [klenz] vt nettoyer.

cleanser ['klenzə'] n (for skin) démaquillant m ; (detergent) détergent m.

clear [klɪə'] adj clair(e) ; (glass) transparent(e) ; (easy to see) net (nette) ; (easy to hear) distinct(e) ;

(road, path) dégagé(e). ◆ vt *(road, path)* dégager ; *(jump over)* franchir ; *(declare not guilty)* innocenter ; *(authorize)* autoriser ; *(cheque)* compenser. ◆ vi *(weather, fog)* se lever ; to be ~ *(about sthg)* être sûr *(de qqch)* ; to ~ one's throat s'éclaircir la voix ; to ~ the table débarrasser la table ; ~ soup bouillon m. ❑ **clear up** ◆ vt sep *(room, toys)* ranger ; *(problem, confusion)* éclaircir. ◆ vi *(weather)* s'éclaircir ; *(tidy up)* ranger.

clearance ['klɪərəns] n *(authorization)* autorisation f ; *(free distance)* espace m ; *(for takeoff)* autorisation de décollage.

clearing ['klɪərɪŋ] n clairière f.

clearly ['klɪəlɪ] adv clairement ; *(obviously)* manifestement.

clementine ['klemǝntaɪn] n clémentine f.

clerk [Br klɑːk, Am klɜːrk] n *(in office)* employé m, -e f *(de bureau)* ; Am *(in shop)* vendeur m, -euse f.

clever ['klevǝ] adj *(intelligent)* intelligent(e) ; *(skilful)* adroit(e) ; *(idea, device)* ingénieux(ieuse).

click [klɪk] n déclic m. ◆ vi faire un déclic.

client ['klaɪǝnt] n client m, -e f.

cliff [klɪf] n falaise f.

climate ['klaɪmɪt] n climat m.

climax ['klaɪmæks] n apogée m.

climb [klaɪm] vt *(steps)* monter ; *(hill)* grimper ; *(tree, ladder)* grimper à. ◆ vi grimper ; *(plane)* prendre de l'altitude. ❑ **climb down** ◆ vt fus descendre de. ◆ vi descendre. ❑ **climb up** vt fus *(steps)* monter ; *(hill)* grimper ; *(tree, ladder)* grimper à.

climber ['klaɪmǝ] n *(mountaineer)*

alpiniste mf ; *(rock climber)* varappeur m, -euse f.

climbing ['klaɪmɪŋ] n *(mountaineering)* alpinisme m ; *(rock climbing)* varappe f ; to go ~ *(mountaineering)* faire de l'alpinisme ; *(rock climbing)* faire de la varappe.

climbing frame n Br cage f à poules.

clingfilm ['klɪŋfɪlm] n Br film m alimentaire.

clinic ['klɪnɪk] n clinique f.

clip [klɪp] n *(fastener)* pince f ; *(for paper)* trombone m ; *(for film, programme)* extrait m. ◆ vt *(fasten)* attacher ; *(cut)* couper.

cloak [klǝʊk] n cape f.

cloakroom ['klǝʊkrʊm] n *(for coats)* vestiaire m ; Br *(toilet)* toilettes fpl.

clock [klɒk] n *(small)* pendule f ; *(large)* horloge f ; *(mileometer)* compteur m ; round the ~ 24 heures sur 24.

clockwise ['klɒkwaɪz] adv dans le sens des aiguilles d'une montre.

clog [klɒg] n sabot m. ◆ vt boucher.

close¹ [klǝʊs] adj proche ; *(contact, link)* étroit(e) ; *(examination)* approfondi(e) ; *(race, contest)* serré(e). ◆ adv près ; by tout près ; ~ to *(near)* près de ; *(on the verge of)* au bord de.

close² [klǝʊz] vt fermer. ◆ vi *(door, eyes)* se fermer ; *(shop, office)* fermer ; *(deadline, offer, meeting)* prendre fin. ❑ **close down** vt sep & vi fermer.

closed [klǝʊzd] adj fermé(e).

closely ['klǝʊslɪ] adv *(related)*

étroitement ; *(follow, examine)* de près.

closet ['klɒzɪt] *n Am* placard *m*.

close-up ['kləʊs-] *n* gros plan *m*.

closing time ['kləʊzɪŋ-] *n* heure *f* de fermeture.

clot [klɒt] *n (of blood)* caillot *m*.

cloth [klɒθ] *n (fabric)* tissu *m* ; *(piece of cloth)* chiffon *m*.

clothes [kləʊðz] *npl* vêtements *mpl*.

clothesline ['kləʊðzlaɪn] *n* corde *f* à linge.

clothes peg *n Br* pince *f* à linge.

clothespin ['kləʊðzpɪn] *Am* = clothes peg.

clothes shop *n* magasin *m* de vêtements.

clothing ['kləʊðɪŋ] *n* vêtements *mpl*.

clotted cream [klɒtɪd-] *n* crème fraîche très épaisse, typique du sud-ouest de l'Angleterre.

cloud [klaʊd] *n* nuage *m*.

cloudy ['klaʊdɪ] *adj* nuageux(euse) ; *(liquid)* trouble.

clove [kləʊv] *n (of garlic)* gousse *f*. □ **cloves** *npl (spice)* clous *mpl* de girofle.

clown [klaʊn] *n* clown *m*.

club [klʌb] *n (organization)* club *m* ; *(nightclub)* boîte *f* (de nuit) ; *(stick)* massue *f*. □ **clubs** *npl (in cards)* trèfle *m*.

clubbing ['klʌbɪŋ] *n* : **to go ~** *inf* aller en boîte.

club class *n* classe *f* club.

club sandwich *n Am* sandwich à deux ou plusieurs étages.

club soda *n Am* eau *f* de Seltz.

clue [kluː] *n (information)* indice

m ; *(in crossword)* définition *f* ; **I haven't got a ~!** aucune idée!

clumsy ['klʌmzɪ] *adj (person)* maladroit(e).

clutch [klʌtʃ] *n* embrayage *m*. ◆ *vt* agripper.

cm *(abbr of centimetre)* cm.

c/o *(abbr of care of)* a/s.

Co. *(abbr of company)* Cie.

coach [kəʊtʃ] *n (bus)* car *m*, autocar *m* ; *(of train)* voiture *f* ; SPORT entraîneur *m*, -euse *f*.

coach station *n* gare *f* routière.

coach trip *n Br* excursion *f* en car.

coal [kəʊl] *n* charbon *m*.

coal mine *n* mine *f* de charbon.

coarse [kɔːs] *adj* grossier(ière).

coast [kəʊst] *n* côte *f*.

coaster ['kəʊstə'] *n (for glass)* dessous *m* de verre.

coastguard ['kəʊstgɑːd] *n (person)* garde-côte *m* ; *(organization)* gendarmerie *f* maritime.

coastline ['kəʊstlaɪn] *n* littoral *m*.

coat [kəʊt] *n* manteau *m* ; *(of animal)* pelage *m*. ◆ *vt* : **to ~ sthg (with)** recouvrir qqch (de).

coating ['kəʊtɪŋ] *n (on surface)* couche *f* ; *(on food)* enrobage *m*.

cobbles ['kɒblz] *npl* pavés *mpl*.

cobweb ['kɒbweb] *n* toile *f* d'araignée.

Coca-Cola® [ˌkəʊkə'kəʊlə] *n* Coca-Cola® *m inv*.

cocaine [kəʊ'keɪn] *n* cocaïne *f*.

cock [kɒk] *n (male chicken)* coq *m*.

cockles ['kɒklz] *npl* coques *fpl*.

cockpit ['kɒkpɪt] *n* cockpit *m*.

cockroach ['kɒkrəʊtʃ] *n* cafard *m*.

cocktail ['kɒkteɪl] *n* cocktail *m*.

cocktail party *n* cocktail *m*.

cock-up *n Br (vulg)* : to make a ~ of sthg faire foirer qqch.

cocoa ['kəʊkəʊ] *n (drink)* cacao *m*.

coconut ['kəʊkənʌt] *n* noix *f* de coco.

cod [kɒd] *(pl inv)* *n* morue *f*.

code [kəʊd] *n* code *m* ; *(dialling code)* indicatif *m*.

coeducational [ˌkəʊedju:'keɪʃənl] *adj* mixte.

coffee ['kɒfɪ] *n* café *m* ; **black/ white** ~ café noir/au lait ; **ground/ instant** ~ café moulu/soluble.

coffee bar *n Br* cafétéria *f*.

coffee break *n* pause-café *f*.

coffeepot ['kɒfɪpɒt] *n* cafetière *f*.

coffee shop *n (cafe)* café *m* ; *(in store etc)* cafétéria *f*.

coffee table *n* table *f* basse.

coffin ['kɒfɪn] *n* cercueil *m*.

cog(wheel) ['kɒg(wi:l)] *n* roue *f* dentée.

coil [kɔɪl] *n (of rope)* rouleau *m* ; *Br (contraceptive)* stérilet *m*. ◆ *vt* enrouler.

coin [kɔɪn] *n* pièce *f* (de monnaie).

coinbox ['kɔɪnbɒks] *n Br* cabine *f* (téléphonique) à pièces.

coincide [ˌkəʊɪn'saɪd] *vi* : to ~ (with) coïncider (avec).

coincidence [kəʊ'ɪnsɪdəns] *n* coïncidence *f*.

Coke® [kəʊk] *n* Coca® *m* inv.

colander ['kʌləndə'] *n* passoire *f*.

cold [kəʊld] *adj* froid(e). ◆ *n (illness)* rhume *m* ; *(low temperature)* froid *m* ; **to get** ~ *(food, water, weather)* se refroidir ; *(person)*

avoir froid ; **to catch (a)** ~ attraper un rhume.

cold cuts *Am* = **cold meats.**

cold meats *npl* viandes *fpl* froides.

coleslaw ['kəʊlslɔ:] *n* salade *f* de chou et de carottes râpés à la mayonnaise.

colic ['kɒlɪk] *n* colique *f*.

collaborate [kə'læbəreɪt] *vi* collaborer.

collapse [kə'læps] *vi* s'effondrer.

collar ['kɒlə'] *n (of shirt, coat)* col *m* ; *(of dog, cat)* collier *m*.

collarbone ['kɒləbəʊn] *n* clavicule *f*.

colleague ['kɒli:g] *n* collègue *mf*.

collect [kə'lekt] *vt (gather)* ramasser ; *(information)* recueillir ; *(as a hobby)* collectionner ; *(go and get)* aller chercher ; *(money)* collecter. ◆ *vi (dust, leaves, crowd)* s'amasser. ◆ *adv Am* : **to call (sb)** ~ appeler (qqn) en PCV.

collection [kə'lekʃn] *n (of stamps, coins etc)* collection *f* ; *(of stories, poems)* recueil *m* ; *(of money)* collecte *f* ; *(of mail)* levée *f*.

collector [kə'lektə'] *n (as a hobby)* collectionneur *m*, -euse *f*.

college ['kɒlɪdʒ] *n (school)* école *f* d'enseignement supérieur ; *Br (of university)* organisation indépendante d'étudiants et de professeurs au sein d'une université ; *Am (university)* université *f*.

collide [kə'laɪd] *vi* : **to** ~ **(with)** entrer en collision (avec).

collision [kə'lɪʒn] *n* collision *f*.

cologne [kə'ləʊn] *n* eau *f* de Cologne.

colon ['kəʊlən] n GRAMM deux-points m.

colony ['kɒlənɪ] n colonie f.

color ['kʌlər] Am = colour.

colour ['kʌlə³] n couleur f. ◆ adj (photograph, film) en couleur. ◆ vt (hair, food) colorer. ❑ colour in vt sep colorier.

colour-blind adj daltonien(ienne).

colourful ['kʌləfʊl] adj coloré(e).

colouring ['kʌlərɪŋ] n (of food) colorant m ; (complexion) teint m.

colouring book n album m de coloriages.

colour supplement n supplément m en couleur.

colour television n télévision f couleur.

column ['kɒləm] n colonne f ; (newspaper article) rubrique f.

coma ['kəʊmə] n coma m.

comb [kəʊm] n peigne m. ◆ vt : to ~ one's hair se peigner.

combination [,kɒmbɪ'neɪʃən] n combinaison f.

combine [kəm'baɪn] vt : to ~ sthg (with) combiner qqch (avec).

come [kʌm] (pt came, pp come) vi
- 1. (move) venir ; we came by taxi nous sommes venus en taxi ; ~ and see! venez voir! ; ~ here! viens ici!
- 2. (arrive) arriver ; they still haven't ~ ils ne sont toujours pas arrivés ; to ~ home rentrer chez soi ; 'coming soon' 'prochainement'.
- 3. (in order) : to ~ first (in sequence) venir en premier ; (in competition) se classer premier ; to ~ last (in se-

quence) venir en dernier ; (in competition) se classer dernier.
- 4. (reach) : to ~ down to arriver à ; to ~ up to arriver à.
- 5. (become) : to ~ undone se défaire ; to ~ true se réaliser.
- 6. (be sold) être vendu ; they ~ in packs of six ils sont vendus par paquets de six.

❑ **come across** vt fus tomber sur.

❑ **come along** vi (progress) avancer ; (arrive) arriver ; ~ along! allez!

❑ **come apart** vi tomber en morceaux.

❑ **come back** vi revenir.

❑ **come down** vi (price) baisser.

❑ **come down with** vt fus (illness) attraper.

❑ **come from** vt fus venir de.

❑ **come in** vi (enter) entrer ; (arrive) arriver ; (tide) monter ; ~ in! entrez!

❑ **come off** vi (button, top) tomber ; (succeed) réussir.

❑ **come on** vi (progress) progresser ; ~ on! allez!

❑ **come out** vi sortir ; (stain) partir ; (sun, moon) paraître.

❑ **come over** vi (visit) venir (en visite).

❑ **come round** vi (visit) passer ; (regain consciousness) reprendre connaissance.

❑ **come to** vt fus (subj : bill) s'élever à.

❑ **come up** vi (go upstairs) monter ; (be mentioned) être soulevé ; (happen, arise) se présenter ; (sun, moon) se lever.

❑ **come up with** vt fus (idea) avoir.

comedian [kə'miːdjən] n comique mf.

comedy ['kɒmədɪ] n (TV pro-

gramme, film, play) comédie *f* ; *(humour)* humour *m*.

comfort ['kʌmfət] *n* confort *m* ; *(consolation)* réconfort *m*. ◆ *vt* réconforter.

comfortable ['kʌmftəbl] *adj (chair, shoes, hotel)* confortable ; *(person)* à l'aise ; **to be ~** *(after operation, illness)* aller bien.

comic ['kɒmɪk] *adj* comique. ◆ *n (person)* comique *mf* ; *(magazine)* bande *f* dessinée.

comical ['kɒmɪkl] *adj* comique.

comic strip *n* bande *f* dessinée.

comma ['kɒmə] *n* virgule *f*.

command [kə'mɑːnd] *n (order)* ordre *m* ; *(mastery)* maîtrise *f*. ◆ *vt (order)* commander à ; *(be in charge of)* commander.

commander [kə'mɑːndəʳ] *n (army officer)* commandant *m* ; *Br (in navy)* capitaine *m* de frégate.

commemorate [kə'meməreɪt] *vt* commémorer.

commence [kə'mens] *vi fml* débuter.

comment ['kɒment] *n* commentaire *m*. ◆ *vi* faire des commentaires.

commentary ['kɒməntrɪ] *n (on TV, radio)* commentaire *m*.

commentator ['kɒmənteɪtəʳ] *n (on TV, radio)* commentateur *m*, -trice *f*.

commerce ['kɒmɜːs] *n* commerce *m*.

commercial [kə'mɜːʃl] *adj* commercial(e). ◆ *n* publicité *f*.

commercial break *n* page *f* de publicité.

commission [kə'mɪʃn] *n* commission *f*.

commit [kə'mɪt] *vt (crime, sin)*

commit ; **to ~ o.s. (to doing sthg)** s'engager (à faire qqch) ; **to ~ suicide** se suicider.

committee [kə'mɪtɪ] *n* comité *m*.

commodity [kə'mɒdɪtɪ] *n* marchandise *f*.

common ['kɒmən] *adj* commun(e). ◆ *n Br (land)* terrain *m* communal ; **in ~** *(shared)* en commun.

commonly ['kɒmənlɪ] *adv (generally)* communément.

Common Market *n* Marché *m* commun.

common sense *n* bon sens *m*.

Commonwealth ['kɒmənwelθ] *n* : **the ~** le Commonwealth.

communal ['kɒmjʊnl] *adj (bathroom, kitchen)* commun(e).

communicate [kə'mjuːnɪkeɪt] *vi* : **to ~ (with)** communiquer (avec).

communication [kə,mjuːnɪ'keɪʃn] *n* communication *f*.

communication cord *n Br* sonnette *f* d'alarme.

communist ['kɒmjʊnɪst] *n* communiste *mf*.

community [kə'mjuːnətɪ] *n* communauté *f*.

community centre *n* ≃ foyer *m* municipal.

commute [kə'mjuːt] *vi* faire chaque jour la navette entre son domicile et son travail.

compact [*adj* kəm'pækt, *n* 'kɒmpækt] *adj* compact(e). ◆ *n (for make-up)* poudrier *m* ; *Am (car)* petite voiture *f*.

compact disc player *n* lecteur *m* CD.

company [ˈkʌmpəni] n (business) société f ; (companionship) compagnie f ; (guests) visite f ; to keep sb ~ tenir compagnie à qqn.

company car n voiture f de fonction.

comparatively [kəmˈpærətɪvli] adv (relatively) relativement.

compare [kəmˈpeə] vt : to ~ sthg (with) comparer qqch (à OR avec) ; ~d with par rapport à.

comparison [kəmˈpærɪsn] n comparaison f ; in ~ with par rapport à.

compartment [kəmˈpɑːtmənt] n compartiment m.

compass [ˈkʌmpəs] n (magnetic) boussole f ; (a pair of) ~es un compas.

compatible [kəmˈpætəbl] adj compatible.

compensate [ˈkɒmpenseɪt] vt compenser. ◆ vi : to ~ (for sthg) compenser (qqch) ; to ~ sb for sthg dédommager qqn de qqch.

compensation [ˌkɒmpenˈseɪʃn] n (money) dédommagement m.

compete [kəmˈpiːt] vi : to ~ in participer à ; to ~ with sb for sthg rivaliser avec qqn pour obtenir qqch.

competent [ˈkɒmpɪtənt] adj compétent(e).

competition [ˌkɒmpɪˈtɪʃn] n compétition f ; (contest) concours m ; (between firms) concurrence f ; the ~ (rivals) la concurrence.

competitive [kəmˈpetətɪv] adj (price) compétitif(ive) ; (person) qui a l'esprit de compétition.

competitor [kəmˈpetɪtə] n concurrent m, -e f.

complain [kəmˈpleɪn] vi : to ~ (about) se plaindre (de).

complaint [kəmˈpleɪnt] n (statement) plainte f ; (in shop) réclamation f ; (illness) maladie f.

complement [ˈkɒmplɪˌment] vt compléter.

complete [kəmˈpliːt] adj complet(ète) ; (finished) achevé(e). ◆ vt (finish) achever ; (a form) remplir ; (make whole) compléter ; ~ with équipé(e) de.

completely [kəmˈpliːtli] adv complètement.

complex [ˈkɒmpleks] adj complexe. ◆ n (buildings, mental) complexe m.

complexion [kəmˈplekʃn] n (of skin) teint m.

complicated [ˈkɒmplɪkeɪtɪd] adj compliqué(e).

compliment [n ˈkɒmplɪmənt, vb ˈkɒmplɪˌment] n compliment m. ◆ vt (on dress) faire des compliments à ; (on attitude) féliciter.

complimentary [ˌkɒmplɪˈmentəri] adj (seat, ticket) gratuit(e) ; (words, person) élogieux(ieuse).

compose [kəmˈpəuz] vt composer ; (letter) écrire ; to be ~d of se composer de.

composed [kəmˈpəuzd] adj calme.

composer [kəmˈpəuzə] n compositeur m, -trice f.

composition [ˌkɒmpəˈzɪʃn] n (essay) composition f.

compound [ˈkɒmpaund] n composé m.

comprehensive [ˌkɒmprɪˈhensɪv] adj complet(ète) ; (insurance) tous risques.

comprehensive (school) n Br ≃ CES m.

comprise [kəm'praɪz] vt comprendre.

compromise ['kɒmprəmaɪz] n compromis m.

compulsory [kəm'pʌlsərɪ] adj obligatoire.

computer [kəm'pju:tə] n ordinateur m.

computer game n jeu m électronique.

computerized [kəm'pju:təraɪzd] adj informatisé(e).

computer operator n opérateur m, -trice f de saisie.

computer programmer [-'prəʊɡræmə] n programmeur m, -euse f.

computing [kəm'pju:tɪŋ] n informatique f.

con [kɒn] n inf (trick) arnaque f ; all mod ~s tout confort.

conceal [kən'si:l] vt dissimuler.

conceited [kən'si:tɪd] adj pej suffisant(e).

concentrate ['kɒnsəntreɪt] vi se concentrer. ◆ vt : to be ~d (in one place) être concentré ; to ~ on sthg se concentrer sur qqch.

concentrated ['kɒnsəntreɪtɪd] adj (juice, soup, baby food) concentré(e).

concentration [,kɒnsən'treɪʃn] n concentration f.

concern [kən'sɜːn] vt (be about) traiter de ; (worry) inquiéter ; (involve) concerner. ◆ n (worry) inquiétude f ; (interest) intérêt m ; COMM affaire f ; it's no ~ of yours ça ne te regarde pas ; to be ~ed about s'inquiéter pour ; to be ~ed with (be about) traiter de ; to ~ o.s. with

sthg se préoccuper de qqch ; as far as I'm ~ed en ce qui me concerne.

concerned [kən'sɜːnd] adj (worried) inquiet(iète).

concerning [kən'sɜːnɪŋ] prep concernant.

concert ['kɒnsət] n concert m.

concession [kən'seʃn] n (reduced price) tarif m réduit.

concise [kən'saɪs] adj concis(e).

conclude [kən'klu:d] vt conclure. ◆ vi fml (end) se conclure.

conclusion [kən'klu:ʒn] n conclusion f.

concrete ['kɒŋkri:t] adj (building) en béton ; (path) cimenté(e) ; (idea, plan) concret(ète). ◆ n béton m.

concussion [kən'kʌʃn] n commotion f cérébrale.

condensation [,kɒnden'seɪʃn] n condensation f.

condition [kən'dɪʃn] n (state) état m ; (proviso) condition f ; (illness) maladie f ; on ~ that à condition que (+ subjunctive). ❑ **conditions** npl (circumstances) conditions fpl ; driving ~s conditions atmosphériques.

conditioner [kən'dɪʃnə] n (for hair) après-shampo(o)ing m inv ; (for clothes) assouplissant m.

condo ['kɒndəʊ] Am inf = **condominium**.

condom ['kɒndəm] n préservatif m.

condominium [,kɒndə'mɪnɪəm] n [Am] (flat) appartement m dans un immeuble en copropriété ; (block of flats) immeuble m en copropriété.

conduct [vb kən'dʌkt, n 'kɒndʌkt] vt (investigation, business) mener ;

conductor

MUS diriger. ◆ *n fml (behaviour)* conduite *f* ; to ~ o.s. *fml* se conduire.

conductor [kən'dʌktər] *n MUS* chef *m* d'orchestre ; *(on bus)* receveur *m* ; *Am (on train)* chef *m* de train.

cone [kəʊn] *n (shape)* cône *m* ; *(for ice cream)* cornet *m (biscuit)* ; *(on roads)* cône de signalisation.

confectionery [kən'fekʃnəri] *n* confiserie *f*.

conference ['kɒnfərəns] *n* conférence *f*.

confess [kən'fes] *vi* : to ~ (to) avouer.

confession [kən'feʃn] *n (admission)* aveu *m* ; *RELIG* confession *f*.

confidence ['kɒnfɪdəns] *n (self-assurance)* confiance *f* en soi, assurance *f* ; *(trust)* confiance ; to have ~ in avoir confiance en.

confident ['kɒnfɪdənt] *adj (self-assured)* sûr(e) de soi ; *(certain)* certain(e).

confined [kən'faɪnd] *adj (space)* réduit(e).

confirm [kən'fɜːm] *vt* confirmer.

confirmation [,kɒnfə'meɪʃn] *n* confirmation *f*.

conflict [n 'kɒnflɪkt, vb kən'flɪkt] *n* conflit *m*. ◆ *vi* : to ~ (with) être en contradiction (avec).

conform [kən'fɔːm] *vi* se plier à la règle ; to ~ to se conformer à.

confuse [kən'fjuːz] *vt (person)* dérouter ; to ~ sthg with sthg confondre qqch avec qqch.

confused [kən'fjuːzd] *adj (person)* dérouté(e) ; *(situation)* confus(e).

confusing [kən'fjuːzɪŋ] *adj* déroutant(e).

confusion [kən'fjuːʒn] *n* confusion *f*.

congested [kən'dʒestɪd] *adj (street)* encombré(e).

congestion [kən'dʒestʃn] *n (traffic)* encombrements *mpl*.

congratulate [kən'grætʃʊleɪt] *vt* : to ~ sb (on sthg) féliciter qqn (de qqch).

congratulations [kən,grætʃʊ-'leɪʃənz] *excl* félicitations !

congregate ['kɒŋɡrɪɡeɪt] *vi* se rassembler.

Congress ['kɒŋɡres] *n Am* le Congrès.

conifer ['kɒnɪfər] *n* conifère *m*.

conjunction [kən'dʒʌŋkʃn] *n GRAMM* conjonction *f*.

conjurer ['kʌndʒərər] *n* prestidigitateur *m*, -trice *f*.

connect [kə'nekt] *vt* relier ; *(telephone, machine)* brancher ; *(caller on phone)* mettre en communication. ◆ *vi* : to ~ with *(train, plane)* assurer la correspondance avec ; to ~ sthg with sthg *(associate)* associer qqch à qqch.

connecting flight [kə'nektɪŋ-] *n* correspondance *f*.

connection [kə'nekʃn] *n (link)* rapport *m* ; *(train, plane)* correspondance *f* ; it's a bad ~ *(on phone)* la communication est mauvaise ; a loose ~ *(in machine)* un faux contact ; in ~ with au sujet de.

conquer ['kɒŋkər] *vt (country)* conquérir.

conscience ['kɒnʃəns] *n* conscience *f*.

conscientious [,kɒnʃɪ'enʃəs] *adj* consciencieux(ieuse).

conscious ['kɒnʃəs] *adj (awake)*

conscient(e) ; *(deliberate)* délibéré(e) ; **to be ~ of** *(aware)* être conscient de.

consent [kən'sent] *n* accord *m*.

consequence ['kɒnsɪkwəns] *n (result)* conséquence *f*.

consequently ['kɒnsɪkwəntlɪ] *adv* par conséquent.

conservation [ˌkɒnsə'veɪʃn] *n* protection *f* de l'environnement.

conservative [kən'sɜːvətɪv] *adj* conservateur(trice). □ **Conservative** *adj* conservateur(trice). ◆ *n* conservateur *m*, -trice *f*.

conservatory [kən'sɜːvətrɪ] *n* véranda *f*.

consider [kən'sɪdə'] *vt (think about)* étudier ; *(take into account)* tenir compte de ; *(judge)* considérer ; **to ~ doing sthg** envisager de faire qqch.

considerable [kən'sɪdrəbl] *adj* considérable.

consideration [kənˌsɪdə'reɪʃn] *n (careful thought)* attention *f* ; *(factor)* considération *f* ; **to take sthg into ~** tenir compte de qqch.

considering [kən'sɪdərɪŋ] *prep* étant donné.

consist [kən'sɪst] : **consist in** *vt fus* consister en ; **to ~ in doing sthg** consister à faire qqch. □ **consist of** *vt fus* se composer de.

consistent [kən'sɪstənt] *adj (coherent)* cohérent(e) ; *(worker, performance)* régulier(ière).

consolation [ˌkɒnsə'leɪʃn] *n* consolation *f*.

console ['kɒnsəʊl] *n* console *f*.

consonant ['kɒnsənənt] *n* consonne *f*.

conspicuous [kən'spɪkjʊəs] *adj* qui attire l'attention.

constable ['kʌnstəbl] *n Br* agent *m* de police.

constant ['kɒnstənt] *adj* constant(e).

constantly ['kɒnstəntlɪ] *adv* constamment.

constipated ['kɒnstɪpeɪtɪd] *adj* constipé(e).

constitution [ˌkɒnstɪ'tjuːʃn] *n* constitution *f*.

construct [kən'strʌkt] *vt* construire.

construction [kən'strʌkʃn] *n* construction *f* ; **under ~** en construction.

consul ['kɒnsəl] *n* consul *m*.

consulate ['kɒnsjʊlət] *n* consulat *m*.

consult [kən'sʌlt] *vt* consulter.

consultant [kən'sʌltənt] *n Br (doctor)* spécialiste *mf*.

consume [kən'sjuːm] *vt* consommer.

consumer [kən'sjuːmə'] *n* consommateur *m*, -trice *f*.

contact ['kɒntækt] *n* contact *m*. ◆ *vt* contacter ; **in ~ with** en contact avec.

contact lens *n* verre *m* de contact, lentille *f*.

contagious [kən'teɪdʒəs] *adj* contagieux(ieuse).

contain [kən'teɪn] *vt* contenir.

container [kən'teɪnə'] *n (box etc)* récipient *m*.

contaminate [kən'tæmɪneɪt] *vt* contaminer.

contemporary [kən'tempərərɪ] *adj* contemporain(e). ◆ *n* contemporain *m*, -e *f*.

contend [kən'tend] : **contend with** *vt fus* faire face à.

content [*adj* kən'tent, *n* 'kɒntent]
adj satisfait(e). ◆ *n* (*of vitamins, fibre etc*) teneur *f*. ❏ **contents** *npl* (*things inside*) contenu *m* ; (*at beginning of book*) table *f* des matières.

contest [*n* 'kɒntest, *vb* kən'test] *n* (*competition*) concours *m* ; (*struggle*) lutte *f*. ◆ *vt* (*election, match*) disputer ; (*decision, will*) contester.

context ['kɒntekst] *n* contexte *m*.

continent ['kɒntɪnənt] *n* continent *m* ; **the Continent** *Br* l'Europe *f* continentale.

continental [ˌkɒntɪ'nentl] *adj Br* (*European*) d'Europe continentale.

continental breakfast *n* petit déjeuner *m* à la française.

continental quilt *n Br* couette *f*.

continual [kən'tɪnjuəl] *adj* continuel(elle).

continually [kən'tɪnjuəlɪ] *adv* continuellement.

continue [kən'tɪnjuː] *vt* continuer ; (*start again*) poursuivre, reprendre. ◆ *vi* continuer ; (*start again*) poursuivre, reprendre ; **to ~ doing sthg** continuer à faire qqch ; **to ~ with sthg** poursuivre qqch.

continuous [kən'tɪnjuəs] *adj* (*uninterrupted*) continuel(elle) ; (*unbroken*) continu(e).

continuously [kən'tɪnjuəslɪ] *adv* continuellement.

contraception [ˌkɒntrə'sepʃn] *n* contraception *f*.

contraceptive [ˌkɒntrə'septɪv] *n* contraceptif *m*.

contract [*n* 'kɒntrækt, *vb* kən-'trækt] *n* contrat *m*. ◆ *vt fml* (*illness*) contracter.

contradict [ˌkɒntrə'dɪkt] *vt* contredire.

contrary ['kɒntrərɪ] *n* : **on the ~** au contraire.

contrast [*n* 'kɒntrɑːst, *vb* kən-'trɑːst] *n* contraste *m*. ◆ *vt* mettre en contraste ; **in ~ to** par contraste avec.

contribute [kən'trɪbjuːt] *vt* (*help, money*) apporter. ◆ *vi* : **to ~ to** contribuer à.

contribution [ˌkɒntrɪ'bjuːʃn] *n* contribution *f*.

control [kən'trəʊl] *n* (*power*) contrôle *m* ; (*over emotions*) maîtrise *f* de soi ; (*operating device*) bouton *m* de réglage. ◆ *vt* contrôler ; **to be in ~** contrôler la situation ; **out of ~** impossible à maîtriser ; **everything's under ~** tout va bien ; **to keep under ~** (*dog, child*) tenir. ❏ **controls** *npl* (*of TV, video*) télécommande *f* ; (*of plane*) commandes *fpl*.

control tower *n* tour *f* de contrôle.

controversial [ˌkɒntrə'vɜːʃl] *adj* controversé(e).

convenience [kən'viːnjəns] *n* commodité *f* ; **at your ~** quand cela vous conviendra.

convenient [kən'viːnjənt] *adj* (*suitable*) commode ; (*well-situated*) bien situé(e) ; **would two thirty be ~ ?** est-ce que 14 h 30 vous conviendrait ?

convent ['kɒnvənt] *n* couvent *m*.

conventional [kən'venʃənl] *adj* conventionnel(elle).

conversation [ˌkɒnvə'seɪʃn] *n* conversation *f*.

conversion [kən'vɜːʃn] n (change) transformation f ; (of currency) conversion f ; (to building) aménagement m.

convert [kən'vɜːt] vt (change) transformer ; (currency, person) convertir ; to ~ sthg into transformer qqch en.

converted [kən'vɜːtɪd] adj (barn, loft) aménagé(e).

convertible [kən'vɜːtəbl] n (voiture) décapotable f.

convey [kən'veɪ] vt fml (transport) transporter ; (idea, impression) transmettre.

convict [n 'kɒnvɪkt, vb kən'vɪkt] n détenu m, -e f. ◆ vt : to ~ sb (of) déclarer qqn coupable (de).

convince [kən'vɪns] vt : to ~ sb (of sthg) convaincre OR persuader qqn (de qqch) ; to ~ sb to do sthg convaincre OR persuader qqn de faire qqch.

convoy ['kɒnvɔɪ] n convoi m.

cook [kuk] n cuisinier m, -ière f. ◆ vt (meal) préparer ; (food) cuire. ◆ vi (person) faire la cuisine, cuisiner ; (food) cuire.

cookbook ['kuk,buk] = **cookery book**.

cooker ['kukə'] n cuisinière f.

cookery ['kukərɪ] n cuisine f.

cookery book n livre m de cuisine.

cookie ['kukɪ] n Am biscuit m.

cooking ['kukɪŋ] n cuisine f.

cooking apple n pomme f à cuire.

cooking oil n huile f (alimentaire).

cool [kuːl] adj (temperature) frais (fraîche) ; (calm) calme ; (unfriendly) froid(e) ; inf (great) génial(e).

◆ vt refroidir. ❑ **cool down** vi (food, liquid) refroidir ; (after exercise) se rafraîchir ; (become calmer) se calmer.

cooperate [kəʊ'ɒpəreɪt] vi coopérer.

cooperation [kəʊ,ɒpə'reɪʃn] n coopération f.

cooperative [kəʊ'ɒpərətɪv] adj coopératif(ive).

coordinates [kəʊ'ɔːdɪnəts] npl (clothes) coordonnés mpl.

cope [kəʊp] vi se débrouiller ; to ~ with (problem) faire face à ; (situation) se sortir de.

copilot ['kəʊ,paɪlɒt] n copilote m.

copper ['kɒpə'] n (metal) cuivre m ; Br inf (coins) petite monnaie f.

copy ['kɒpɪ] n copie f ; (of newspaper, book) exemplaire m. ◆ vt copier ; (photocopy) photocopier.

cord(uroy) ['kɔːd(ərɔɪ)] n velours m côtelé.

core [kɔː'] n (of fruit) trognon m.

coriander [,kɒrɪ'ændə'] n coriandre f.

cork [kɔːk] n (in bottle) bouchon m.

corkscrew ['kɔːkskruː] n tire-bouchon m.

corn [kɔːn] n Br (crop) céréales fpl ; Am (maize) maïs m ; (on foot) cor m.

corned beef [,kɔːnd-] n corned-beef m inv.

corner ['kɔːnə'] n coin m ; (bend in road) virage m ; (in football) corner m ; it's just around the ~ c'est tout près.

corner shop n Br magasin m de quartier.

cornflakes ['kɔːnfleɪks] npl corn flakes mpl.

corn-on-the-cob n épi m de maïs.

Cornwall ['kɔːnwɔːl] n Cornouailles f.

corporal ['kɔːpərəl] n caporal m.

corpse [kɔːps] n cadavre m, corps m.

correct [kə'rekt] adj (accurate) correct(e), exact(e) ; (most suitable) bon (bonne). ◆ vt corriger.

correction [kə'rekʃn] n correction f.

correspond [ˌkɒrɪ'spɒnd] vi : to ~ (to) (match) correspondre (à) ; to ~ (with) (exchange letters) correspondre (avec).

corresponding [ˌkɒrɪ'spɒndɪŋ] adj correspondant(e).

corridor ['kɒrɪdɔːʳ] n couloir m.

corrugated iron ['kɒrəgeɪtɪd-] n tôle f ondulée.

corrupt [kə'rʌpt] adj (dishonest) corrompu(e) ; (morally wicked) dépravé(e).

cosmetics [kɒz'metɪks] npl produits mpl de beauté.

cost [kɒst] (pt & pp cost) n coût m. ◆ vt coûter ; how much does it ~? combien est-ce que ça coûte?.

costly ['kɒstlɪ] adj (expensive) coûteux(euse).

costume ['kɒstjuːm] n costume m.

cosy ['kəʊzɪ] adj Br (room, house) douillet(ette).

cot [kɒt] n Br (for baby) lit m d'enfant ; Am (c bed) lit m de camp.

cottage ['kɒtɪdʒ] n petite maison f (à la campagne).

cottage cheese n fromage frais granuleux.

cottage pie n Br hachis m Parmentier.

cotton ['kɒtn] adj en coton. ◆ n (cloth) coton m ; (thread) fil m de coton.

cotton wool n coton m (hydrophile).

couch [kaʊtʃ] n canapé m ; (at doctor's) lit m.

couchette [kuː'ʃet] n couchette f.

cough [kɒf] n toux f. ◆ vi tousser ; to have a ~ tousser.

cough mixture n sirop m pour la toux.

could [kʊd] pt → can.

couldn't ['kʊdnt] = could not.

could've ['kʊdəv] = could have.

council ['kaʊnsl] n conseil m ; (of town) ≃ conseil municipal ; Br (of county) ≃ conseil régional.

council house n Br ≃ HLM m inv or f inv.

councillor ['kaʊnsələʳ] n Br (of town) ≃ conseiller m municipal, conseillère municipale f ; Br (of county) ≃ conseiller m régional, conseillère régionale f.

council tax n Br ≃ impôts mpl locaux.

count [kaʊnt] vt & vi compter. ◆ n (nobleman) comte m. ❑ **count on** vt fus (rely on) compter sur ; (expect) s'attendre à.

counter ['kaʊntəʳ] n (in shop) comptoir m ; (in bank) guichet m ; (in board game) pion m.

counterclockwise [ˌkaʊntə-'klɒkwaɪz] adv Am dans le sens inverse des aiguilles d'une montre.

counterfoil ['kaʊntəfɔɪl] n talon m.

countess ['kaʊntɪs] n comtesse f.

country ['kʌntrɪ] n pays m ; (countryside) campagne f. ◆ adj (pub) de campagne ; (people) de la campagne.

country and western n musique f country.

country house n manoir m.

country road n route f de campagne.

countryside ['kʌntrɪsaɪd] n campagne f.

county ['kaʊntɪ] n comté m.

couple ['kʌpl] n couple m ; a ~ (of) (two) deux ; (a few) deux ou trois.

coupon ['kuːpɒn] n coupon m.

courage ['kʌrɪdʒ] n courage m.

courgette [kɔːˈʒet] n Br courgette f.

courier ['kʊrɪə] n (for holidaymakers) accompagnateur m, -trice f ; (for delivering letters) coursier m, -ière f.

course [kɔːs] n (of meal) plat m ; (at college, of classes) cours mpl ; (of injections) série f ; (of river) cours m ; (of ship, plane) route f ; (for golf) terrain m ; a ~ of treatment un traitement ; of ~ bien sûr ; of ~ not bien sûr que non ; in the ~ of au cours de.

court [kɔːt] n JUR (building, room) tribunal m ; (for tennis) court m ; (for basketball, badminton) terrain m ; (for squash) salle f.

court shoes npl escarpins mpl.

courtyard ['kɔːtjɑːd] n cour f.

cousin ['kʌzn] n cousin m, -e f.

cover ['kʌvə] n (for furniture, car) housse f ; (lid) couvercle m ; (of magazine, blanket, insurance) couverture f. ◆ vt couvrir ; to be ~ed in

être couvert de ; to ~ sthg with sthg recouvrir qqch de qqch ; to take ~ s'abriter. ❑ cover up vt sep (put cover on) couvrir ; (facts, truth) cacher.

cover charge n couvert m.

cover note n Br attestation f provisoire d'assurance.

cow [kaʊ] n (animal) vache f.

coward ['kaʊəd] n lâche mf.

cowboy ['kaʊbɔɪ] n cow-boy m.

crab [kræb] n crabe m.

crack [kræk] n (in cup, glass) fêlure f ; (in wood, wall) fissure f ; (gap) fente f. ◆ vt (cup, glass) fêler ; (wood, wall) fissurer ; (nut, egg) casser ; inf (joke) faire ; (whip) faire claquer. ◆ vi (cup, glass) se fêler ; (wood, wall) se fissurer.

cracker ['krækə] n (biscuit) biscuit m salé ; (for Christmas) papillote contenant un pétard et une surprise, traditionnelle au moment des fêtes.

cradle ['kreɪdl] n berceau m.

craft [krɑːft] n (skill) art m ; (trade) artisanat m ; (boat : pl inv) embarcation f.

craftsman ['krɑːftsmən] (pl -men [-mən]) n artisan m.

cram [kræm] vt : to ~ sthg into entasser qqch dans ; to be crammed with être bourré de.

cramp [kræmp] n crampe f ; stomach ~s crampes d'estomac.

cranberry ['krænbərɪ] n airelle f.

cranberry sauce n sauce f aux airelles.

crane [kreɪn] n (machine) grue f.

crap [kræp] adj vulg de merde, merdique. ◆ n vulg merde f ; to have a ~ chier.

crash [kræʃ] n (accident) accident

m ; *(noise)* fracas m. ◆ vi *(plane)* s'écraser ; *(car)* avoir un accident. ◆ vt : to ~ one's car avoir un accident de voiture. ❑ **crash into** vt fus rentrer dans.

crash helmet n casque m.

crash landing n atterrissage m forcé.

crate [kreɪt] n cageot m.

crawl [krɔːl] vi *(baby, person)* marcher à quatre pattes ; *(insect)* ramper ; *(traffic)* avancer au pas. ◆ n *(swimming stroke)* crawl m.

crawler lane ['krɔːlə-] n Br file f pour véhicules lents.

crayfish ['kreɪfɪʃ] *(pl inv)* n écrevisse f.

crayon ['kreɪɒn] n crayon m de couleur.

craze [kreɪz] n mode f.

crazy ['kreɪzɪ] adj fou (folle) ; to be ~ about être fou de.

crazy golf n golf m miniature.

cream [kriːm] n crème f. ◆ adj *(in colour)* blanc cassé *(inv)*.

cream cheese n fromage m frais.

cream tea n Br goûter se composant de thé et de scones servis avec de la crème et de la confiture.

creamy ['kriːmɪ] adj *(food)* à la crème ; *(texture)* crémeux(euse).

crease [kriːs] n pli m.

creased [kriːst] adj froissé(e).

create [kriː'eɪt] vt créer ; *(interest)* susciter.

creative [kriː'eɪtɪv] adj créatif(ive).

creature ['kriːtʃə-] n être m.

crèche [kreʃ] n Br crèche f, garderie f.

credit [kredɪt] n *(praise)* mérite

m ; *(money)* crédit m ; *(at school, university)* unité f de valeur ; to be in ~ *(account)* être approvisionné. ❑ **credits** npl *(of film)* générique m.

credit card n carte f de crédit ; to pay by ~ payer par carte de crédit ; 'all major ~s accepted' 'on accepte les cartes de crédit'.

creek [kriːk] n *(inlet)* crique f ; Am *(river)* ruisseau m.

creep [kriːp] *(pt & pp crept)* vi *(person)* se glisser. ◆ n inf *(groveller)* lèche-bottes mf inv.

cremate [krɪ'meɪt] vt incinérer.

crematorium [ˌkreməˈtɔːrɪəm] n crématorium m.

crept [krept] pt & pp → creep.

cress [kres] n cresson m.

crest [krest] n *(of hill, wave)* crête f ; *(emblem)* blason m.

crew [kruː] n équipage m.

crew neck n encolure f ras du cou.

crib [krɪb] n Am lit m d'enfant.

cricket ['krɪkɪt] n *(game)* cricket m ; *(insect)* grillon m.

crime [kraɪm] n *(offence)* délit m ; *(illegal activity)* criminalité f.

criminal ['krɪmɪnl] adj criminel(elle). ◆ n criminel, -elle f.

cripple ['krɪpl] n infirme mf. ◆ vt *(subj : disease, accident)* estropier.

crisis ['kraɪsɪs] *(pl crises* ['kraɪsiːz]) n crise f.

crisp [krɪsp] adj *(bacon, pastry)* croustillant(e) ; *(fruit, vegetable)* croquant(e). ❑ **crisps** npl Br chips fpl.

crispy ['krɪspɪ] adj *(bacon, pastry)* croustillant(e) ; *(fruit, vegetable)* croquant(e).

critic ['krɪtɪk] n critique mf.

critical ['krɪtɪkl] adj critique.

criticize ['krɪtɪsaɪz] vt critiquer.

crockery ['krɒkərɪ] n vaisselle f.

crocodile ['krɒkədaɪl] n crocodile m.

crocus ['krəʊkəs] (pl -es) n crocus m.

crooked ['krʊkɪd] adj (bent, twisted) tordu(e).

crop [krɒp] n (kind of plant) culture f ; (harvest) récolte f. □ **crop up** vi se présenter.

cross [krɒs] adj fâché(e). ◆ vt (road, river, ocean) traverser ; (arms, legs) croiser ; Br (cheque) barrer. ◆ vi (intersect) se croiser. ◆ n croix f ; a ~ between (animals) un croisement entre ; (things) un mélange de. □ **cross out** vt sep barrer. □ **cross over** vt fus (road) traverser.

crossbar ['krɒsbɑːʳ] n (of bicycle) barre f ; (of goal) barre transversale.

cross-Channel ferry n ferry m transmanche.

cross-country (running) n cross m.

crossing ['krɒsɪŋ] n (on road) passage m clouté ; (sea journey) traversée f.

crossroads ['krɒsrəʊdz] (pl inv) n croisement m, carrefour m.

crosswalk ['krɒswɔːk] n Am passage m clouté.

crossword (puzzle) ['krɒswɜːd-] n mots croisés mpl.

crotch [krɒtʃ] n entrejambe m.

crouton ['kruːtɒn] n croûton m.

crow [krəʊ] n corbeau m.

crowbar ['krəʊbɑːʳ] n pied-de-biche m.

crowd [kraʊd] n foule f ; (at match) public m.

crowded ['kraʊdɪd] adj (bus) bondé(e) ; (street) plein(e) de monde.

crown [kraʊn] n couronne f ; (of head) sommet m.

Crown Jewels npl joyaux mpl de la couronne.

crucial ['kruːʃl] adj crucial(e).

crude [kruːd] adj grossier(ière).

cruel [krʊəl] adj cruel(elle).

cruelty ['krʊəltɪ] n cruauté f.

cruet (set) ['kruːɪt-] n service m à condiments.

cruise [kruːz] n croisière f. ◆ vi (car) rouler ; (plane) voler ; (ship) croiser.

cruiser ['kruːzəʳ] n bateau m de croisière.

crumb [krʌm] n miette f.

crumble ['krʌmbl] n dessert composé d'une couche de fruits cuits recouverts de pâte sablée. ◆ vi (building) s'écrouler ; (cliff) s'effriter.

crumpet ['krʌmpɪt] n petite crêpe épaisse qui se mange généralement chaude et beurrée.

crunchy ['krʌntʃɪ] adj croquant(e).

crush [krʌʃ] n (drink) jus m de fruit. ◆ vt écraser ; (ice) piler.

crust [krʌst] n croûte f.

crusty ['krʌstɪ] adj croustillant(e).

crutch [krʌtʃ] n (stick) béquille f ; (between legs) = crotch.

cry [kraɪ] n cri m. ◆ vi (weep) pleurer ; (shout) crier. □ **cry out** vi (in pain, horror) pousser un cri.

crystal ['krɪstl] n cristal m.

cub [kʌb] n (animal) petit m.

Cub [kʌb] n ≃ louveteau m.

cube [kjuːb] n (shape) cube m ; (of sugar) morceau m.

cubicle ['kjuːbɪkl] n cabine f.

Cub Scout = Cub.

cuckoo ['kʊkuː] n coucou m.

cucumber ['kjuːkʌmbə'] n concombre m.

cuddle ['kʌdl] n câlin m.

cuddly toy ['kʌdlɪ-] n jouet m en peluche.

cue [kjuː] n (in snooker, pool) queue f (de billard).

cuff [kʌf] n (of sleeve) poignet m ; Am (of trousers) revers m.

cuff links npl boutons mpl de manchette.

cuisine [kwɪ'ziːn] n cuisine f.

cul-de-sac ['kʌldəsæk] n impasse f.

cult [kʌlt] n RELIG culte m. ◆ adj culte.

cultivate ['kʌltɪveɪt] vt cultiver.

cultivated ['kʌltɪveɪtɪd] adj cultivé(e).

cultural ['kʌltʃərəl] adj culturel(elle).

culture ['kʌltʃə'] n culture f.

cumbersome ['kʌmbəsəm] adj encombrant(e).

cumin ['kjuːmɪn] n cumin m.

cunning ['kʌnɪŋ] adj malin(igne).

cup [kʌp] n tasse f ; (trophy, competition) coupe f ; (of bra) bonnet m.

cupboard ['kʌbəd] n placard m.

curator [ˌkjʊə'reɪtə'] n conservateur m, -trice f.

curb [kɜːb] Am = kerb.

curd cheese [ˌkɜːd-] n fromage m blanc battu.

cure [kjʊə'] n remède m. ◆ vt (illness, person) guérir ; (with salt) saler ; (with smoke) fumer ; (by drying) sécher.

curious ['kjʊərɪəs] adj curieux (ieuse).

curl [kɜːl] n (of hair) boucle f. ◆ vt (hair) friser.

curler ['kɜːlə'] n bigoudi m.

curly ['kɜːlɪ] adj frisé(e).

currant ['kʌrənt] n raisin m sec.

currency ['kʌrənsɪ] n (cash) monnaie f ; (foreign) devise f.

current ['kʌrənt] adj actuel(elle). ◆ n courant m.

current account n Br compte m courant.

current affairs npl l'actualité f.

currently ['kʌrəntlɪ] adv actuellement.

curriculum [kə'rɪkjələm] n programme m (d'enseignement).

curriculum vitae [-'viːtaɪ] n Br curriculum vitae m inv.

curried ['kʌrɪd] adj au curry.

curry ['kʌrɪ] n curry m.

curse [kɜːs] vi jurer.

cursor ['kɜːsə'] n curseur m.

curtain ['kɜːtn] n rideau m.

curve [kɜːv] n courbe f. ◆ vi faire une courbe.

curved [kɜːvd] adj courbe.

cushion ['kʊʃn] n coussin m.

custard ['kʌstəd] n crème f anglaise (épaisse).

custom ['kʌstəm] n (tradition) coutume f ; 'thank you for your ~' 'merci de votre visite'.

customary ['kʌstəmrɪ] adj habituel(elle).

customer ['kʌstəmə'] n (of shop) client m, -e f.

customer services n *(department)* service m clients.

customs ['kʌstəmz] n douane f ; **to go through ~** passer à la douane.

customs duty n droit m de douane.

customs officer n douanier m, -ière f.

cut [kʌt] *(pt & pp* cut) n *(in skin)* coupure f ; *(in cloth)* accroc m ; *(reduction)* réduction f ; *(piece of meat)* morceau m ; *(hairstyle, of clothes)* coupe f. ◆ vt couper. ◆ vi couper ; *(reduce)* réduire ; **to ~ one's hand** se couper à la main ; **~ and blow-dry** coupe-brushing f ; **to ~ o.s.** se couper ; **to have one's hair ~** se faire couper les cheveux ; **to ~ the grass** tondre la pelouse ; **to ~ sthg open** ouvrir qqch. ❑ **cut back** vi : **to ~ back (on)** faire des économies (sur). ❑ **cut down** vt sep *(tree)* abattre. ❑ **cut down on** vt fus réduire. ❑ **cut off** vt sep couper ; **I've been ~ off** *(on phone)* j'ai été coupé ; **to be ~ off** *(isolated)* être isolé. ❑ **cut out** ◆ vt sep *(newspaper article, photo)* découper. ◆ vi *(engine)* caler ; **to ~ out smoking** arrêter de fumer ; **~ it out!** inf ça suffit! ❑ **cut up** vt sep couper.

cute [kjuːt] adj mignon(onne).

cut-glass adj en cristal taillé.

cutlery ['kʌtləri] n couverts mpl.

cutlet ['kʌtlɪt] n *(of meat)* côtelette f.

cut-price adj à prix réduit.

cutting ['kʌtɪŋ] n *(from newspaper)* coupure f de presse.

CV n Br *(abbr of* curriculum vitae*)* CV m.

cwt abbr = hundredweight.

cybernaut ['saɪbə,nɔːt] n cybernaute mf.

cyberpet ['saɪbə,pet] n animal m virtuel.

cybersurfer ['saɪbə,sɜːfə'] n cybernaute mf.

cycle ['saɪkl] n *(bicycle)* vélo m ; *(series)* cycle m. ◆ vi aller en vélo.

cycle hire n location f de vélos.

cycle lane n piste f cyclable *(sur la route)*.

cycle path n piste f cyclable.

cycling ['saɪklɪŋ] n cyclisme m ; **to go ~** faire du vélo.

cycling shorts npl cycliste m.

cyclist ['saɪklɪst] n cycliste mf.

cylinder ['sɪlɪndə'] n *(container)* bouteille f ; *(in engine)* cylindre m.

cynical ['sɪnɪkl] adj cynique.

D

dab [dæb] vt *(wound)* tamponner.

dad [dæd] n inf papa m.

daddy ['dædɪ] n inf papa m.

daddy longlegs [-'lɒŋlegz] *(pl* inv*)* n faucheux m.

daffodil ['dæfədɪl] n jonquille f.

daft [dɑːft] adj Br inf idiot(e).

daily ['deɪlɪ] adj quotidien(ienne). ◆ adv quotidiennement. ◆ n : a ~ *(newspaper)* un quotidien.

dairy ['deərɪ] n *(on farm)* laiterie f ; *(shop)* crémerie f.

dairy product n produit m laitier.

daisy ['deɪzɪ] n pâquerette f.

dam [dæm] n barrage m.

damage ['dæmɪdʒ] n dégâts mpl ;

fig (to reputation) tort *m.* ◆ *vt* abîmer ; *fig (reputation)* nuire à ; *fig (chances)* compromettre.

damn [dæm] *excl inf* zut! ◆ *adj inf* sacré(e) ; **I don't give a ~** je m'en fiche pas mal.

damp [dæmp] *adj* humide. ◆ *n* humidité *f.*

damson ['dæmzn] *n petite prune acide.*

dance [dɑːns] *n* danse *f* ; *(social event)* bal *m.* ◆ *vi* danser ; **to have a ~** danser.

dance floor *n (in club)* piste *f* de danse.

dancer ['dɑːnsə'] *n* danseur *m,* -euse *f.*

dancing ['dɑːnsɪŋ] *n* danse *f* ; **to go ~** aller danser.

dandelion ['dændɪlaɪən] *n* pissenlit *m.*

dandruff ['dændrʌf] *n* pellicules *fpl.*

danger ['deɪndʒə'] *n* danger *m* ; **in ~** en danger.

dangerous ['deɪndʒərəs] *adj* dangereux(euse).

Danish ['deɪnɪʃ] *adj* danois(e). ◆ *n (language)* danois *m.*

dare [deə'] *vt* : **to ~ to do sthg** oser faire qqch ; **to ~ sb to do sthg** défier qqn de faire qqch ; **how ~ you!** comment oses-tu!

daring ['deərɪŋ] *adj* audacieux(ieuse).

dark [dɑːk] *adj (room, night)* sombre ; *(colour)* foncé(e) ; *(person)* brun(e) ; *(skin)* foncée. ◆ *n* : **after ~** après la tombée de la nuit ; **the ~** le noir.

dark chocolate *n* chocolat *m* noir.

darkness ['dɑːknɪs] *n* obscurité *f.*

darling ['dɑːlɪŋ] *n* chéri *m,* -e *f.*

dart [dɑːt] *n* fléchette *f.* ❑ **darts** *n (game)* fléchettes *fpl.*

dartboard ['dɑːtbɔːd] *n* cible *f* (de jeu de fléchettes).

dash [dæʃ] *n (of liquid)* goutte *f* ; *(in writing)* tiret *m.* ◆ *vi* se précipiter.

dashboard ['dæʃbɔːd] *n* tableau *m* de bord.

data ['deɪtə] *n* données *fpl.*

database ['deɪtəbeɪs] *n* base *f* de données.

date [deɪt] *n (day)* date *f* ; *(meeting)* rendez-vous *m* ; *Am (person)* petit ami *m,* petite amie *f* ; *(fruit)* datte *f.* ◆ *vt (cheque, letter)* dater ; *(person)* sortir avec. ◆ *vi (become unfashionable)* dater ; **what's the ~?** quel jour sommes-nous? ; **to have a ~ with sb** avoir rendez-vous avec qqn.

date of birth *n* date *f* de naissance.

daughter ['dɔːtə'] *n* fille *f.*

daughter-in-law *n* belle-fille *f.*

dawn [dɔːn] *n* aube *f.*

day [deɪ] *n (of week)* jour *m* ; *(period, working day)* journée *f* ; **what ~ is it today?** quel jour sommes-nous? ; **what a lovely ~!** quelle belle journée! ; **to have a ~ off** avoir un jour de congé ; **to have a ~ out** aller passer une journée quelque part ; **by ~ *(travel)* de jour** ; **the ~ after tomorrow** après-demain ; **the ~ before** la veille ; **the ~ before yesterday** avant-hier ; **the following ~** le jour suivant ; **have a nice ~!** bonne journée!

daylight ['deɪlaɪt] *n* jour *m.*

day return *n Br (railway ticket)*

aller-retour valable pour une journée.

dayshift ['deɪʃɪft] *n* : to be on ~ travailler de jour.

daytime ['deɪtaɪm] *n* journée *f*.

day-to-day *adj (everyday)* quotidien(ienne).

day trip *n* excursion *f (d'une journée).*

dazzle ['dæzl] *vt* éblouir.

dead [ded] *adj (person)* mort(e) ; *(telephone line)* coupé(e). ◆ *adv inf (very)* super ; ~ **in the middle** en plein milieu ; ~ **on time** pile à l'heure ; **it's ~ ahead** c'est droit devant ; '~ **slow**' 'roulez au pas'.

dead end *n (street)* impasse *f*, cul-de-sac *m*.

deadline ['dedlaɪn] *n* date *f* limite.

deaf [def] *adj* sourd(e). ◆ *npl* : **the ~** les sourds *mpl*.

deal [di:l] *(pt & pp* dealt*)* *n (agreement)* marché *m*, affaire *f*. ◆ *vt (cards)* donner ; **a good/bad ~** une bonne/mauvaise affaire ; **a great ~ of** beaucoup de ; **it's a ~!** marché conclu! ❑ **deal in** *vt fus* faire le commerce de. ❑ **deal with** *vt fus (handle)* s'occuper de ; *(be about)* traiter de.

dealer ['di:lə'] *n* COMM marchand *m*, -e *f* ; *(in drugs)* dealer *m*.

dealt [delt] *pt & pp* → deal.

dear [dɪə'] *adj* cher (chère). ◆ *n* : **my ~** *(to friend)* mon cher ; *(to lover)* mon chéri ; **Dear Sir** cher Monsieur ; **Dear Madam** chère Madame ; **Dear John** cher John ; **oh ~!** mon Dieu!

death [deθ] *n* mort *f*.

debate [dɪ'beɪt] *n* débat *m*. ◆ *vt (wonder)* se demander.

debit ['debɪt] *n* débit *m*. ◆ *vt (account)* débiter.

debit card *n* carte *f* de paiement à débit immédiat.

debt [det] *n* dette *f* ; **to be in ~** être endetté.

decaff ['di:kæf] *n inf* déca *m*.

decaffeinated [dɪ'kæfɪneɪtɪd] *adj* décaféiné(e).

decanter [dɪ'kæntə'] *n* carafe *f*.

decay [dɪ'keɪ] *n (of building)* délabrement *m* ; *(of wood)* pourrissement *m* ; *(of tooth)* carie *f*. ◆ *vi (rot)* pourrir.

deceive [dɪ'si:v] *vt* tromper.

decelerate [,di:'seləreɪt] *vi* ralentir.

December [dɪ'sembə'] *n* décembre *m* → September.

decent ['di:snt] *adj (meal, holiday)* vrai(e) ; *(price, salary)* correct(e) ; *(respectable)* décent(e) ; *(kind)* gentil(ille).

decide [dɪ'saɪd] *vt* décider. ◆ *vi (se)* décider ; **to ~ to do sthg** décider de faire qqch. ❑ **decide on** *vt fus* se décider pour.

decimal ['desɪml] *adj* décimal(e).

decimal point *n* virgule *f*.

decision [dɪ'sɪʒn] *n* décision *f* ; **to make a ~** prendre une décision.

decisive [dɪ'saɪsɪv] *adj (person)* décidé(e) ; *(event, factor)* décisif(ive).

deck [dek] *n (of ship)* pont *m* ; *(of bus)* étage *m* ; *(of cards)* jeu *m* (de cartes).

deckchair ['dektʃeə'] *n* chaise *f* longue.

declare [dɪ'kleə'] *vt* déclarer ; **to ~ that** déclarer que ; '**nothing to ~**' 'rien à déclarer'.

decline [dɪ'klaɪn] n déclin m. ◆ vi (get worse) décliner ; (refuse) refuser.

decorate ['dekəreɪt] vt décorer.

decoration [ˌdekə'reɪʃn] n décoration f.

decorator ['dekəreɪtə'] n décorateur m, -trice f.

decrease [n 'diːkriːs, vb dɪ'kriːs] n diminution f. ◆ vi diminuer.

dedicated ['dedɪkeɪtɪd] adj (committed) dévoué(e).

deduce [dɪ'djuːs] vt déduire, conclure.

deduct [dɪ'dʌkt] vt déduire.

deduction [dɪ'dʌkʃn] n déduction f.

deep [diːp] adj profond(e). ◆ adv profond ; the swimming pool is 2 m ~ la piscine fait 2 m de profondeur.

deep end n (of swimming pool) côté le plus profond.

deep freeze n congélateur m.

deep-fried [-'fraɪd] adj frit(e).

deep-pan adj (pizza) à pâte épaisse.

deer [dɪə'] (pl inv) n cerf m.

defeat [dɪ'fiːt] n défaite f. ◆ vt battre.

defect ['diːfekt] n défaut m.

defective [dɪ'fektɪv] adj défectueux(euse).

defence [dɪ'fens] n Br défense f.

defend [dɪ'fend] vt défendre.

defense [dɪ'fens] Am = defence.

deficiency [dɪ'fɪʃnsɪ] n (lack) manque m.

deficit ['defɪsɪt] n déficit m.

define [dɪ'faɪn] vt définir.

definite ['defɪnɪt] adj (clear) net (nette) ; (certain) certain(e).

definite article n article m défini.

definitely ['defɪnɪtlɪ] adv (certainly) sans aucun doute ; I'll ~ come je viens, c'est sûr.

definition [ˌdefɪ'nɪʃn] n définition f.

deflate [dɪ'fleɪt] vt (tyre) dégonfler.

deflect [dɪ'flekt] vt (ball) dévier.

defogger [ˌdiː'fɒgər] n Am dispositif m antibuée.

deformed [dɪ'fɔːmd] adj difforme.

defrost [ˌdiː'frɒst] vt (food) décongeler ; (fridge) dégivrer ; Am (demist) désembuer.

degree [dɪ'griː] n (unit of measurement) degré m ; (qualification) ≃ licence f ; (amount) : a ~ of difficulty une certaine difficulté ; to have a ~ in sthg ≃ avoir une licence de qqch.

dehydrated [ˌdiːhaɪ'dreɪtɪd] adj déshydraté(e).

de-ice [diː'aɪs] vt dégivrer.

de-icer [diː'aɪsə'] n dégivreur m.

dejected [dɪ'dʒektɪd] adj découragé(e).

delay [dɪ'leɪ] n retard m. ◆ vt retarder. ◆ vi tarder ; without ~ sans délai.

delayed [dɪ'leɪd] adj retardé(e).

delegate [n 'delɪgət, vb 'delɪgeɪt] n délégué m, -e f. ◆ vt (person) déléguer.

delete [dɪ'liːt] vt effacer.

deli ['delɪ] n inf = delicatessen.

deliberate [dɪ'lɪbərət] adj (intentional) délibéré(e).

deliberately [dɪ'lɪbərətlɪ] adv (intentionally) délibérément.

delicacy ['delikəsı] n (food) mets m fin.

delicate ['delikət] adj délicat(e).

delicatessen [ˌdelikə'tesn] n épicerie f fine.

delicious [dı'lıʃəs] adj délicieux(ieuse).

delight [dı'laıt] n (feeling) plaisir m. ◆ vt enchanter ; **to take (a) ~ in doing sthg** prendre plaisir à faire qqch.

delighted [dı'laıtıd] adj ravi(e).

delightful [dı'laıtfʊl] adj charmant(e).

deliver [dı'lıvə*] vt (goods) livrer ; (letters, newspaper) distribuer ; (speech, lecture) faire ; (baby) mettre au monde.

delivery [dı'lıvərı] n (of goods) livraison f ; (of letters) distribution f ; (birth) accouchement m.

delude [dı'lu:d] vt tromper.

de luxe [də'lʌks] adj de luxe.

demand [dı'ma:nd] n (request) revendication f, COMM demande f ; (requirement) exigence f. ◆ vt exiger ; **to ~ to do sthg** exiger de faire qqch ; **in ~** demandé.

demanding [dı'ma:ndıŋ] adj astreignant(e).

demerara sugar [deməˈreərə-] n cassonade f.

demist [ˌdi:'mıst] vt Br désembuer.

demister [ˌdi:'mıstə*] n Br dispositif m antibuée.

democracy [dı'mɒkrəsı] n démocratie f.

Democrat ['deməkræt] n Am démocrate mf.

democratic [deməˈkrætık] adj démocratique.

demolish [dı'mɒlıʃ] vt démolir.

demonstrate ['demənstreıt] vt (prove) démontrer ; (machine, appliance) faire une démonstration de. ◆ vi manifester.

demonstration [demən'streıʃn] n (protest) manifestation f ; (proof, of machine) démonstration f.

denial [dı'naıəl] n démenti m.

denim ['denım] n denim m. ❑ **denims** npl jean m.

denim jacket n veste f en jean.

dense [dens] adj dense.

dent [dent] n bosse f.

dental ['dentl] adj dentaire.

dental floss [-flɒs] n fil m dentaire.

dental surgeon n chirurgien-dentiste m.

dental surgery n (place) cabinet m dentaire.

dentist ['dentıst] n dentiste m ; **to go to the ~'s** aller chez le dentiste.

dentures ['dentʃəz] npl dentier m.

deny [dı'naı] vt nier ; (refuse) refuser.

deodorant [di:'əʊdərənt] n déodorant m.

depart [dı'pa:t] vi partir.

department [dı'pa:tmənt] n (of business) service m ; (of government) ministère m ; (of shop) rayon m ; (of school, university) département m.

department store n grand magasin m.

departure [dı'pa:tʃə*] n départ m ; **'~s'** (at airport) 'départs'.

departure lounge n salle f d'embarquement.

depend [dɪ'pend] *vi* : it ~s ça dépend. □ **depend on** *vt fus* dépendre de ; ~ing on selon.

dependable [dɪ'pendəbl] *adj* fiable.

deplorable [dɪ'plɔːrəbl] *adj* déplorable.

deport [dɪ'pɔːt] *vt* expulser.

deposit [dɪ'pɒzɪt] *n* (in bank, substance) dépôt *m* ; (part-payment) acompte *m* ; (against damage) caution *f* ; (on bottle) consigne *f*. ◆ *vt* déposer.

deposit account *n* Br compte *m* sur livret.

depot ['diːpəʊ] *n* Am (for buses, trains) gare *f*.

depressed [dɪ'prest] *adj* déprimé(e).

depressing [dɪ'presɪŋ] *adj* déprimant(e).

depression [dɪ'preʃn] *n* dépression *f*.

deprive [dɪ'praɪv] *vt* : to ~ sb of sthg priver qqn de qqch.

depth [depθ] *n* profondeur *f* ; to be out of one's ~ (when swimming) ne pas avoir pied ; fig perdre pied ; ~ of field (in photography) profondeur de champ.

deputy ['depjʊtɪ] *adj* adjoint(e).

derailment [dɪ'reɪlmənt] *n* déraillement *m*.

derelict ['derəlɪkt] *adj* abandonné(e).

descend [dɪ'send] *vt & vi* descendre.

descendant [dɪ'sendənt] *n* descendant *m*, -e *f*.

descent [dɪ'sent] *n* descente *f*.

describe [dɪ'skraɪb] *vt* décrire.

description [dɪ'skrɪpʃn] *n* description *f*.

desert [*n* 'dezət, *vb* dɪ'zɜːt] *n* désert *m*. ◆ *vt* abandonner.

deserted [dɪ'zɜːtɪd] *adj* désert(e).

deserve [dɪ'zɜːv] *vt* mériter.

design [dɪ'zaɪn] *n* (pattern, art) dessin *m* ; (of machine, building) conception *f*. ◆ *vt* (building, dress) dessiner ; (machine) concevoir ; to be ~ed for être conçu pour.

designer [dɪ'zaɪnə] *n* (of clothes) couturier *m*, -ière *f* ; (of building) architecte *mf* ; (of product) designer *m*. ◆ *adj* (clothes, sunglasses) de marque.

desirable [dɪ'zaɪərəbl] *adj* souhaitable.

desire [dɪ'zaɪə] *n* désir *m*. ◆ *vt* désirer ; it leaves a lot to be ~d ça laisse à désirer.

desk [desk] *n* (in home, office) bureau *m* ; (in school) table *f* ; (at airport) comptoir *m* ; (at hotel) réception *f*.

desktop publishing ['desk‚tɒp-] *n* publication *f* assistée par ordinateur.

despair [dɪ'speə] *n* désespoir *m*.

despatch [dɪ'spætʃ] = **dispatch**.

desperate ['despərət] *adj* désespéré(e) ; to be ~ for sthg avoir absolument besoin de qqch.

despicable [dɪ'spɪkəbl] *adj* méprisable.

despise [dɪ'spaɪz] *vt* mépriser.

despite [dɪ'spaɪt] *prep* malgré.

dessert [dɪ'zɜːt] *n* dessert *m*.

dessertspoon [dɪ'zɜːtspuːn] *n* cuillère *f* à dessert ; (spoonful) cuillerée *f* à dessert.

destination [ˌdestɪ'neɪʃn] *n* destination *f*.

destroy [dɪ'strɔɪ] *vt* détruire.

destruction [dɪ'strʌkʃn] *n* destruction *f*.

detach [dɪ'tætʃ] *vt* détacher.

detached house [dɪ'tætʃt-] *n* maison *f* individuelle.

detail ['diːteɪl] *n* détail *m* ; **in** ~ en détail. ❑ **details** *npl (facts)* renseignements *mpl*.

detailed ['diːteɪld] *adj* détaillé(e).

detect [dɪ'tekt] *vt* détecter.

detective [dɪ'tektɪv] *n* détective *m* ; **a** ~ **story** une histoire policière.

detention [dɪ'tenʃn] *n* SCH retenue *f*.

detergent [dɪ'tɜːdʒənt] *n* détergent *m*.

deteriorate [dɪ'tɪərɪəreɪt] *vi* se détériorer.

determination [dɪˌtɜːmɪ'neɪʃn] *n* détermination *f*.

determine [dɪ'tɜːmɪn] *vt* déterminer.

determined [dɪ'tɜːmɪnd] *adj* déterminé(e) ; **to be** ~ **to do sthg** être déterminé à faire qqch.

deterrent [dɪ'terənt] *n* moyen *m* de dissuasion.

detest [dɪ'test] *vt* détester.

detour ['diːˌtʊər] *n* détour *m*.

deuce [djuːs] *n (in tennis)* égalité *f*.

devastate ['devəsteɪt] *vt* dévaster.

develop [dɪ'veləp] *vt* développer ; *(land)* exploiter ; *(machine, method)* mettre au point ; *(illness, habit)* contracter. ◆ *vi* se développer.

developing country [dɪ'velə-pɪŋ-] *n* pays *m* en voie de développement.

development [dɪ'veləpmənt] *n* développement *m* ; **a housing** ~ une cité.

device [dɪ'vaɪs] *n* appareil *m*.

devil ['devl] *n* diable *m* ; **what the** ~ ...? *inf* que diable ...?

devise [dɪ'vaɪz] *vt* concevoir.

devolution [ˌdiːvə'luːʃn] *n* POL décentralisation *f*.

DEVOLUTION

En 1999, dans le cadre de la décentralisation du pouvoir politique, le gouvernement travailliste a octroyé davantage d'autonomie à l'Écosse, au pays de Galles et à l'Irlande du Nord. Le Parlement écossais, l'Assemblée galloise et l'Assemblée d'Irlande du Nord sont chargés de voter la plupart des lois en matière de politique intérieure. Le Parlement écossais, le plus important de ces trois corps, légifère notamment dans les domaines de la santé, de l'éducation, de la justice, des transports et des affaires rurales. C'est lui qui décide également des augmentations d'impôts.

devoted [dɪ'vəʊtɪd] *adj* dévoué(e).

dew [djuː] *n* rosée *f*.

diabetes [ˌdaɪə'biːtiːz] *n* diabète *m*.

diabetic [ˌdaɪə'betɪk] *adj (person)* diabétique ; *(chocolate)* pour diabétiques. ◆ *n* diabétique *mf*.

diagnosis [ˌdaɪəg'nəʊsɪs] *(pl -oses* [-əʊsiːz]) *n* diagnostic *m*.

diagonal [daɪ'ægənl] *adj* diagonal(e).

diagram ['daɪəgræm] *n* diagramme *m*.

dial ['daɪəl] *n* cadran *m*. ◆ *vt* composer.

dialling code ['daɪəlɪŋ-] *n Br* indicatif *m*.

dialling tone ['daɪəlɪŋ-] *n Br* tonalité *f*.

dial tone *Am* = dialling tone.

diameter [daɪ'æmɪtə'] *n* diamètre *m*.

diamond ['daɪəmənd] *n (gem)* diamant *m*. ❏ **diamonds** *npl (in cards)* carreau *m*.

diaper ['daɪpə'] *n Am* couche *f*.

diarrhoea [ˌdaɪə'rɪə] *n* diarrhée *f*.

diary ['daɪərɪ] *n (for appointments)* agenda *m* ; *(journal)* journal *m*.

dice [daɪs] *(pl inv)* n dé *m*.

diced [daɪst] *adj (food)* coupé(e) en dés.

dictate [dɪk'teɪt] *vt* dicter.

dictation [dɪk'teɪʃn] *n* dictée *f*.

dictator [dɪk'teɪtə'] *n* dictateur *m*.

dictionary ['dɪkʃənrɪ] *n* dictionnaire *m*.

did [dɪd] *pt* → do.

die [daɪ] *(pt & pp* died, *cont* dying ['daɪɪŋ]) *vi* mourir ; **to be dying for sthg** *inf* avoir une envie folle de qqch ; **to be dying to do sthg** *inf* mourir d'envie de faire qqch. ❏ **die away** *vi (sound)* s'éteindre ; *(wind)* tomber. ❏ **die out** *vi* disparaître.

diesel ['diːzl] *n* diesel *m*.

diet ['daɪət] *n (for slimming, health)* régime *m* ; *(food eaten)* alimenta-

tion *f*. ◆ *vi* faire (un) régime. ◆ *adj* de régime.

diet Coke® *n* Coca® *m inv* light.

differ ['dɪfə'] *vi (disagree)* être en désaccord ; **to ~ (from)** *(be dissimilar)* différer (de).

difference ['dɪfrəns] *n* différence *f* ; **it makes no ~** ça ne change rien ; **a ~ of opinion** une divergence d'opinion.

different ['dɪfrənt] *adj* différent(e) ; **to be ~ (from)** être différent (de) ; **a ~ route** un autre itinéraire.

differently ['dɪfrəntlɪ] *adv* différemment.

difficult ['dɪfɪkəlt] *adj* difficile.

difficulty ['dɪfɪkəltɪ] *n* difficulté *f*.

dig [dɪg] *(pt & pp* dug) *vt (hole, tunnel)* creuser ; *(garden, land)* retourner. ◆ *vi* creuser. ❏ **dig out** *vt sep (rescue)* dégager ; *(find)* dénicher. ❏ **dig up** *vt sep (from ground)* déterrer.

digest [dɪ'dʒest] *vt* digérer.

digestion [dɪ'dʒestʃn] *n* digestion *f*.

digestive (biscuit) [dɪ'dʒestɪv-] *n Br* biscuit à la farine complète.

digit ['dɪdʒɪt] *n (figure)* chiffre *m* ; *(finger, toe)* doigt *m*.

digital ['dɪdʒɪtl] *adj* numérique.

dill [dɪl] *n* aneth *m*.

dilute [daɪ'luːt] *vt* diluer.

dim [dɪm] *adj (light)* faible ; *(room)* sombre ; *inf (stupid)* borné(e). ◆ *vt (light)* baisser.

dime [daɪm] *n Am* pièce *f* de dix cents.

dimensions [dɪ'menʃnz] *npl* dimensions *fpl*.

din [dɪn] *n* vacarme *m*.

dine [daɪn] vi dîner. ❑ **dine out** vi dîner dehors.

diner ['daɪnə'] n Am (restaurant) ≃ relais m routier ; (person) dîneur m, -euse f.

dinghy ['dɪŋgɪ] n (with sail) dériveur m ; (with oars) canot m.

dingy ['dɪndʒɪ] adj miteux(euse).

dining car ['daɪnɪŋ-] n wagon-restaurant m.

dining hall ['daɪnɪŋ-] n réfectoire m.

dining room ['daɪnɪŋ-] n salle f à manger.

dinner ['dɪnə'] n (at lunchtime) déjeuner m ; (in evening) dîner m ; **to have ~** (at lunchtime) déjeuner ; (in evening) dîner.

dinner jacket n veste f de smoking.

dinner party n dîner m.

dinner set n service m de table.

dinner suit n smoking m.

dinnertime ['dɪnətaɪm] n (at lunchtime) heure f du déjeuner ; (in evening) heure f du dîner.

dinosaur ['daɪnəsɔː'] n dinosaure m.

dip [dɪp] n (in road, land) déclivité f ; (food) mélange crémeux, souvent à base de mayonnaise, dans lequel on trempe des chips ou des légumes crus. ◆ vt (into liquid) tremper. ◆ vi (road, land) descendre ; **to have a ~** (swim) se baigner ; **to ~ one's headlights** Br se mettre en codes.

diploma [dɪ'pləʊmə] n diplôme m.

dipstick ['dɪpstɪk] n jauge f de niveau d'huile.

direct [dɪ'rekt] adj direct(e). ◆ adv directement. ◆ vt (aim, con-

trol) diriger ; (a question) adresser ; (film, play, TV programme) mettre en scène ; **can you ~ me to the railway station?** pourriez-vous m'indiquer le chemin de la gare?

direction [dɪ'rekʃn] n (of movement) direction f ; **to ask for ~s** demander son chemin. ❑ **directions** npl (instructions) instructions fpl.

directly [dɪ'rektlɪ] adv (exactly) exactement ; (soon) immédiatement.

director [dɪ'rektə'] n (of company) directeur m, -trice f ; (of film, play, TV programme) metteur m en scène ; (organizer) organisateur m, -trice f.

directory [dɪ'rektərɪ] n (of telephone numbers) annuaire m ; COMPUT répertoire m.

directory enquiries n Br renseignements mpl (téléphoniques).

dirt [dɜːt] n crasse f ; (earth) terre f.

dirty ['dɜːtɪ] adj sale ; (joke) cochon(onne).

disability [ˌdɪsə'bɪlətɪ] n handicap m.

disabled [dɪs'eɪbld] adj handicapé(e). ◆ npl : **the ~** les handicapés mpl ; **'~ toilet'** 'toilettes handicapés'.

disadvantage [ˌdɪsəd'vɑːntɪdʒ] n inconvénient m.

disagree [ˌdɪsə'griː] vi ne pas être d'accord ; **to ~ with sb (about)** ne pas être d'accord avec qqn (sur) ; **those mussels ~d with me** ces moules ne m'ont pas réussi.

disagreement [ˌdɪsə'griːmənt] n (argument) désaccord m ; (dissimilarity) différence f.

disappear [ˌdɪsə'pɪə] vi disparaître.

disappearance [ˌdɪsə'pɪərəns] n
disparition f.

disappoint [ˌdɪsə'pɔɪnt] vt décevoir.

disappointed [ˌdɪsə'pɔɪntɪd] adj
déçu(e).

disappointing [ˌdɪsə'pɔɪntɪŋ] adj
décevant(e).

disappointment
[ˌdɪsə'pɔɪntmənt] n déception f.

disapprove [ˌdɪsə'pruːv] vi : to
~ of désapprouver.

disarmament [dɪs'ɑːməmənt] n
désarmement m.

disaster [dɪ'zɑːstə'] n désastre m.

disastrous [dɪ'zɑːstrəs] adj dé-
sastreux(euse).

disc [dɪsk] n Br disque m ; Br (CD)
CD m ; to slip a ~ se déplacer une
vertèbre.

discard [dɪ'skɑːd] vt jeter.

discharge [dɪs'tʃɑːdʒ] vt (prisoner) libérer ; (patient) laisser sortir ;
(smoke, gas) émettre ; (liquid) laisser s'écouler.

discipline ['dɪsɪplɪn] n discipline
f.

disc jockey n disc-jockey m.

disco ['dɪskəʊ] n (place) boîte f (de
nuit) ; (event) soirée f dansante (où
l'on passe des disques).

discoloured [dɪs'kʌləd] adj dé-
coloré(e).

discomfort [dɪs'kʌmfət] n gêne
f.

disconnect [ˌdɪskə'nekt] vt (device, pipe) débrancher ; (telephone,
gas supply) couper.

discontinued [ˌdɪskən'tɪnjuːd]
adj (product) qui ne se fait plus.

discount ['dɪskaʊnt] n remise f.
◆ vt (product) faire une remise sur.

discover [dɪ'skʌvə'] vt découvrir.

discovery [dɪ'skʌvərɪ] n découverte f.

discreet [dɪ'skriːt] adj dis-
cret(ète).

discrepancy [dɪ'skrepənsɪ] n divergence f.

discriminate [dɪ'skrɪmɪneɪt] vi :
to ~ against sb faire de la discrimination envers qqn.

discrimination [dɪˌskrɪmɪ'neɪʃn]
n discrimination f.

discuss [dɪ'skʌs] vt discuter de.

discussion [dɪ'skʌʃn] n discussion f.

disease [dɪ'ziːz] n maladie f.

disembark [ˌdɪsɪm'bɑːk] vi débarquer.

disgrace [dɪs'greɪs] n (shame)
honte f ; it's a ~! c'est une honte!

disgraceful [dɪs'greɪsful] adj
honteux(euse).

disguise [dɪs'gaɪz] n déguisement m. ◆ vt déguiser ; in ~ dégui-
sé.

disgust [dɪs'gʌst] n dégoût m.
◆ vt dégoûter.

disgusting [dɪs'gʌstɪŋ] adj dé-
goûtant(e).

dish [dɪʃ] n plat m ; Am (plate) assiette f ; to do the ~es faire la vaisselle ; '~ of the day' 'plat du jour'.
❑ dish up vt sep servir.

dishcloth ['dɪʃklɒθ] n lavette f.

disheveled [dɪ'ʃevəld] Am
= dishevelled.

dishevelled [dɪ'ʃevəld] adj [Br]
(hair) ébouriffé(e) ; (person) dé-
braillé(e).

dishonest [dɪs'ɒnɪst] *adj* malhonnête.

dish towel *n Am* torchon *m.*

dishwasher ['dɪʃˌwɒʃəʳ] *n (machine)* lave-vaisselle *m inv.*

disinfectant [ˌdɪsɪn'fektənt] *n* désinfectant *m.*

disintegrate [dɪs'ɪntɪɡreɪt] *vi* se désintégrer.

disk [dɪsk] *n Am* = **disc** ; COMPUT disque *m* ; *(floppy)* disquette *f.*

disk drive *n* lecteur *m* (de disquettes).

dislike [dɪs'laɪk] *n* aversion *f.* ◆ *vt* ne pas aimer ; **to take a ~ to sb/sthg** prendre qqn/qqch en grippe.

dislocate ['dɪsləkeɪt] *vt* : **to ~ one's shoulder** se déboîter l'épaule.

dismal ['dɪzml] *adj (weather, place)* lugubre ; *(terrible)* très mauvais(e).

dismantle [dɪs'mæntl] *vt* démonter.

dismay [dɪs'meɪ] *n* consternation *f.*

dismiss [dɪs'mɪs] *vt (not consider)* écarter ; *(from job)* congédier ; *(from classroom)* laisser sortir.

disobedient [ˌdɪsə'biːdjənt] *adj* désobéissant(e).

disobey [ˌdɪsə'beɪ] *vt* désobéir à.

disorder [dɪs'ɔːdəʳ] *n (confusion)* désordre *m* ; *(violence)* troubles *mpl* ; *(illness)* trouble *m.*

disorganized [dɪs'ɔːɡənaɪzd] *adj* désorganisé(e).

dispatch [dɪs'pætʃ] *vt* envoyer.

dispense [dɪs'pens] : **dispense with** *vt fus* se passer de.

dispenser [dɪs'pensəʳ] *n* distributeur *m.*

dispensing chemist [dɪs'pensɪŋ-] *n Br* pharmacie *f.*

disperse [dɪs'pɜːs] *vt* disperser. ◆ *vi* se disperser.

display [dɪs'pleɪ] *n (of goods)* étalage *m* ; *(public event)* spectacle *m* ; *(readout)* affichage *m.* ◆ *vt (goods)* exposer ; *(feeling, quality)* faire preuve de ; *(information)* afficher ; **on ~** exposé.

displeased [dɪs'pliːzd] *adj* mécontent(e).

disposable [dɪs'pəuzəbl] *adj* jetable.

dispute [dɪs'pjuːt] *n (argument)* dispute *f* ; *(industrial)* conflit *m.* ◆ *vt (debate)* débattre (de) ; *(question)* contester.

disqualify [ˌdɪs'kwɒlɪfaɪ] *vt* disqualifier ; **he is disqualified from driving** *Br* on lui a retiré son permis de conduire.

disregard [ˌdɪsrɪ'ɡaːd] *vt* ne pas tenir compte de, ignorer.

disrupt [dɪs'rʌpt] *vt* perturber.

disruption [dɪs'rʌpʃn] *n* perturbation *f.*

dissatisfied [ˌdɪs'sætɪsfaɪd] *adj* mécontent(e).

dissolve [dɪ'zɒlv] *vt* dissoudre. ◆ *vi* se dissoudre.

dissuade [dɪ'sweɪd] *vt* : **to ~ sb from doing sthg** dissuader qqn de faire qqch.

distance ['dɪstəns] *n* distance *f* ; **from a ~** de loin ; **in the ~** au loin.

distant ['dɪstənt] *adj* lointain(e) ; *(reserved)* distant(e).

distilled water [dɪ'stɪld-] *n* eau *f* distillée.

distillery [dɪ'stɪlərɪ] *n* distillerie *f.*

distinct [dɪ'stɪŋkt] *adj (separate)*

distinct(e) ; *(noticeable)* net (net-te).

distinction [dɪ'stɪŋkʃn] *n (difference)* distinction *f* ; *(mark for work)* mention *f* très bien.

distinctive [dɪ'stɪŋktɪv] *adj* distinctif(ive).

distinguish [dɪ'stɪŋgwɪʃ] *vt* distinguer ; **to ~ sthg from sthg** distinguer qqch de qqch.

distorted [dɪ'stɔːtɪd] *adj* déformé(e).

distract [dɪ'strækt] *vt* distraire.

distraction [dɪ'strækʃn] *n* distraction *f*.

distress [dɪ'stres] *n (pain)* souffrance *f* ; *(anxiety)* angoisse *f*.

distressing [dɪ'stresɪŋ] *adj* pénible.

distribute [dɪ'strɪbjuːt] *vt (hand out)* distribuer ; *(spread evenly)* répartir.

distributor [dɪ'strɪbjutəʳ] *n* distributeur *m*.

district [dɪstrɪkt] *n* région *f* ; *(of town)* quartier *m*.

district attorney *n Am* ≃ procureur *m* de la République.

disturb [dɪ'stɜːb] *vt (interrupt, move)* déranger ; *(worry)* inquiéter ; **'do not ~'** 'ne pas déranger'.

disturbance [dɪ'stɜːbəns] *n (violence)* troubles *mpl*.

ditch [dɪtʃ] *n* fossé *m*.

ditto [dɪtəʊ] *adv* idem.

divan [dɪ'væn] *n* divan *m*.

dive [daɪv] *(Am pt -d, Br pt -d)* *n* plongeon *m*. ◆ *vi* plonger.

diver [daɪvəʳ] *n* plongeur *m*, -euse *f*.

diversion [daɪ'vɜːʃn] *n (of traffic)*

deviation *f* ; *(amusement)* distraction *f*.

divert [daɪ'vɜːt] *vt* détourner.

divide [dɪ'vaɪd] *vt* diviser ; *(share out)* partager. ❑ **divide up** *vt sep* diviser ; *(share out)* partager.

diving ['daɪvɪŋ] *n (from diving-board, rock)* plongeon *m* ; *(under sea)* plongée *f* (sous-marine) ; **to go ~** faire de la plongée.

divingboard ['daɪvɪŋbɔːd] *n* plongeoir *m*.

division [dɪ'vɪʒn] *n* division *f* ; *COMM* service *m*.

divorce [dɪ'vɔːs] *n* divorce *m*. ◆ *vt* divorcer de OR d'avec.

divorced [dɪ'vɔːst] *adj* divorcé(e).

DIY *abbr* = **do-it-yourself**.

dizzy ['dɪzɪ] *adj* : **to feel ~** avoir la tête qui tourne.

DJ *n (abbr of disc jockey)* DJ *m*.

do [duː] *(pt* did, *pp* done) *aux vb*
- 1. *(in negatives)* : **don't!** ne fais pas ça! ; **she didn't listen** elle n'a pas écouté.
- 2. *(in questions)* : **did he like it?** est-ce qu'il a aimé? ; **how ~ you do it?** comment fais-tu ça?
- 3. *(referring to previous verb)* : **I eat more than you ~** je mange plus que toi ; **you made a mistake - no I didn't!** tu t'es trompé - non, ce n'est pas vrai! ; **so ~ I** moi aussi.
- 4. *(in question tags)* : **so, you like Scotland, ~ you?** alors, tu aimes bien l'Écosse? ; **the train leaves at five o'clock, doesn't it?** le train part à cinq heures, n'est-ce pas?
- 5. *(for emphasis)* : **I ~ like this bed-**

room j'aime vraiment cette chambre ; ~ **come in!** entrez donc!

◆ vt - **1.** *(perform)* faire ; **to ~ one's homework** faire ses devoirs ; **what is she doing?** qu'est-ce qu'elle fait? ; **what can I ~ for you?** je peux vous aider?

- **2.** *(clean, brush etc)* : **to ~ one's hair** se coiffer ; **to ~ one's make-up** se maquiller ; **to ~ one's teeth** se laver les dents.

- **3.** *(cause)* faire ; **to ~ damage** faire des dégâts ; **to ~ sb good** faire du bien à qqn.

- **4.** *(have as job)* : **what do you ~?** qu'est-ce que vous faites dans la vie?

- **5.** *(provide, offer)* faire ; **we ~ pizzas for under £4** nos pizzas sont à moins de 4 livres.

- **6.** *(study)* faire.

- **7.** *(subj : vehicle)* : **the car was doing 50 mph** la voiture faisait du 80 à l'heure.

- **8.** *inf (visit)* faire ; **we're doing Scotland next week** on fait l'Écosse la semaine prochaine.

◆ vi - **1.** *(behave, act)* faire ; **~ as I say** fais ce que je te dis.

- **2.** *(progress, get on)* : **to ~ well** *(business)* marcher bien ; **I'm not doing very well** ça ne marche pas très bien.

- **3.** *(be sufficient)* aller, être suffisant ; **will £5 ~?** 5 livres, ça ira?

- **4.** *(in phrases)* : **how do you ~?** *(greeting)* enchanté! ; *(answer)* de même! ; **how are you doing?** comment ça va? ; **what has it got to ~ with it?** qu'est-ce que ça a à voir?

◆ n *(party)* fête f, soirée f ; **the ~s and don'ts** les choses à faire et à ne pas faire.

❑ **do out of** vt sep inf : **to ~ sb out of £10** entuber qqn de 10 livres.

❑ **do up** vt sep *(coat, shirt)* boutonner ; *(shoes, laces)* attacher ; *(zip)* remonter ; *(decorate)* refaire.

❑ **do with** vt fus *(need)* : **I could ~ with a drink** un verre ne serait pas de refus.

❑ **do without** vt fus se passer de.

dock [dɒk] n *(for ships)* dock m ; JUR banc m des accusés. ◆ vi arriver à quai.

doctor ['dɒktə^r] n *(of medicine)* docteur m, médecin m ; *(academic)* docteur m ; **to go to the ~'s** aller chez le docteur OR le médecin.

document ['dɒkjumənt] n document m.

documentary [ˌdɒkju'mentərɪ] n documentaire m.

Dodgems® ['dɒdʒəmz] npl Br autos fpl tamponneuses.

dodgy ['dɒdʒɪ] adj Br inf *(plan)* douteux(euse) ; *(machine)* pas très fiable.

does [weak form dəz, strong form dʌz] → **do**.

doesn't ['dʌznt] = **does not**.

dog [dɒg] n chien m.

dog food n nourriture f pour chien.

doggy bag ['dɒgɪ-] n sachet servant aux clients d'un restaurant à emporter les restes de leur repas.

do-it-yourself n bricolage m.

dole [dəʊl] n : **to be on the ~** Br être au chômage.

doll [dɒl] n poupée f.

dollar ['dɒlə^r] n dollar m.

dolphin ['dɒlfɪn] n dauphin m.

dome [dəʊm] n dôme m.

domestic [də'mestɪk] adj *(of*

house) ménager(ère) ; *(of family)* familial(e) ; *(of country)* intérieur(e).

domestic appliance *n* appareil *m* ménager.

domestic flight *n* vol *m* intérieur.

domestic science *n* enseignement *m* ménager.

dominate ['dɒmɪneɪt] *vt* dominer.

dominoes ['dɒmɪnəʊz] *n* dominos *mpl*.

donate [də'neɪt] *vt* donner.

donation [də'neɪʃn] *n* don *m*.

done [dʌn] *pp* → **do**. ◆ *adj (finished)* fini(e) ; *(cooked)* cuit(e).

donkey ['dɒŋkɪ] *n* âne *m*.

don't [dəʊnt] = **do not**.

door [dɔː] *n* porte *f* ; *(of vehicle)* portière *f*.

doorbell ['dɔːbel] *n* sonnette *f*.

doorknob ['dɔːnɒb] *n* bouton *m* de porte.

doorman ['dɔːmən] *(pl* -men) *n* portier *m*.

doormat ['dɔːmæt] *n* paillasson *m*.

doormen ['dɔːmən] *pl* → **doorman**.

doorstep ['dɔːstep] *n* pas *m* de la porte ; *Br (piece of bread)* tranche *f* de pain épaisse.

doorway ['dɔːweɪ] *n* embrasure *f* de la porte.

dope [dəʊp] *n inf (any drug)* dope *f* ; *(marijuana)* herbe *f*.

dormitory ['dɔːmətrɪ] *n* dortoir *m*.

Dormobile® ['dɔːmə,biːl] *n* camping-car *m*.

dosage ['dəʊsɪdʒ] *n* dosage *m*.

dose [dəʊs] *n* dose *f*.

dot [dɒt] *n* point *m* ; **on the ~** *fig* (à l'heure) pile.

dotted line ['dɒtɪd-] *n* ligne *f* pointillée.

double ['dʌbl] *adv* deux fois. ◆ *n* double *m* ; *(alcohol)* double dose *f*. ◆ *vt* & *vi* doubler. ◆ *adj* : **~ three, two, eight** trente-trois, vingt-huit ; **~ 'l' deux « l »** ; to bend sthg **~** plier qqch en deux ; **a ~ whisky** un double whisky. ❏ **doubles** *n* double *m*.

double bed *n* grand lit *m*.

double-breasted [-'brestɪd] *adj* croisé(e).

double cream *n* *Br* crème *f* fraîche épaisse.

double-decker (bus) [-'dekə'-] *n* autobus *m* à impériale.

double doors *npl* porte *f* à deux battants.

double-glazing [-'gleɪzɪŋ] *n* double vitrage *m*.

double room *n* chambre *f* double.

doubt [daʊt] *n* doute *m*. ◆ *vt* douter de ; **I ~ it** j'en doute ; **I ~ she'll be there** je doute qu'elle soit là ; **in ~** incertain ; **no ~** sans aucun doute.

doubtful ['daʊtfʊl] *adj (uncertain)* incertain(e) ; **it's ~ that ...** il est peu probable que ... (+ *subjunctive*).

dough [dəʊ] *n* pâte *f*.

doughnut ['dəʊnʌt] *n* beignet *m*.

dove¹ [dʌv] *n (bird)* colombe *f*.

dove² [dəʊv] *pt Am* → **dive**.

Dover ['dəʊvə'] *n* Douvres.

down [daun] adv - 1. (towards the bottom) vers le bas ; ~ **here** ici en bas ; ~ **there** là en bas ; **to fall** ~ tomber ; **to go** ~ descendre.
- 2. (along) : **I'm going** ~ **to the shops** je vais jusqu'aux magasins.
- 3. (downstairs) : **I'll come** ~ **later** je descendrai plus tard.
- 4. (southwards) : **we're going** ~ **to London** nous descendons à Londres.
- 5. (in writing) : **to write sthg** ~ écrire OR noter qqch.
◆ prep - 1. (towards the bottom of) : **they ran** ~ **the hill** ils ont descendu la colline en courant.
- 2. (along) : le long de ; **I was walking** ~ **the street** je descendais la rue.
◆ adj inf (depressed) cafardeux(euse).
◆ n (feathers) duvet m.

downhill [ˌdaun'hil] adv : **to go** ~ descendre.

Downing Street ['daunɪŋ-] n Downing Street.

downpour ['daunpɔːr] n grosse averse f.

downstairs [ˌdaun'steəz] adj (room) du bas. ◆ adv en bas ; **to go** ~ descendre.

downtown [ˌdaun'taun] adj (hotel) du centre-ville ; (train) en direction du centre-ville. ◆ adv en ville ; ~ **New York** le centre de New York.

down under adv Br inf (in Australia) en Australie.

downwards ['daunwədz] adv vers le bas.

doz. abbr = dozen.

doze [dauz] vi sommeiller.

dozen ['dʌzn] n douzaine f ; **a** ~ **eggs** une douzaine d'œufs.

Dr (abbr of Doctor) Dr.

drab [dræb] adj terne.

draft [drɑːft] n (early version) brouillon m ; (money order) traite f ; Am = **draught**.

drag [dræg] vt (pull along) tirer. ◆ vi (along ground) traîner (par terre) ; **what a** ~ ! inf quelle barbe! ❏ **drag on** vi s'éterniser.

dragonfly ['drægnflaɪ] n libellule f.

drain [dreɪn] n (sewer) égout m ; (in street) bouche f d'égout. ◆ vt (field) drainer ; (tank) vidanger. ◆ vi (vegetables, washing-up) s'égoutter.

draining board ['dreɪnɪŋ-] n égouttoir m.

drainpipe ['dreɪnpaɪp] n tuyau m d'écoulement.

drama ['drɑːmə] n (play) pièce f de théâtre ; (art) théâtre m ; (excitement) drame m.

dramatic [drə'mætɪk] adj (impressive) spectaculaire.

drank [dræŋk] pt → **drink**.

drapes [dreɪps] npl Am rideaux mpl.

drastic ['dræstɪk] adj radical(e) ; (improvement) spectaculaire.

drastically ['dræstɪklɪ] adv radicalement.

draught [drɑːft] n Br (of air) courant m d'air.

draught beer n bière f (à la) pression.

draughts [drɑːfts] n Br dames fpl.

draughty ['drɑːftɪ] adj plein(e) de courants d'air.

draw [drɔː] (pt drew, pp drawn) vt (with pen, pencil) dessiner ; (line) tracer ; (pull) tirer ; (attract) attirer ; (conclusion) tirer ; (comparison) établir. ◆ vi dessiner ; SPORT faire match nul. ◆ n SPORT (result) match m nul ; (lottery) tirage m ; to ~ the curtains (open) ouvrir les rideaux ; (close) tirer les rideaux. ❑ draw out vt sep (money) retirer. ❑ draw up ◆ vt sep (list, plan) établir. ◆ vi (car, bus) s'arrêter.

drawback ['drɔːbæk] n inconvénient m.

drawer [drɔːʳ] n tiroir m.

drawing ['drɔːɪŋ] n dessin m.

drawing pin n Br punaise f.

drawing room n salon m.

drawn [drɔːn] pp → draw.

dreadful ['dredfʊl] adj épouvantable.

dream [driːm] n rêve m. ◆ vt (when asleep) rêver ; (imagine) imaginer. ◆ vi : to ~ (of) rêver (de) ; a ~ house une maison de rêve.

dress [dres] n robe f ; (clothes) tenue f. ◆ vt habiller ; (wound) panser ; (salad) assaisonner. ◆ vi s'habiller ; to be ~ed in être habillé ; to get ~ed s'habiller. ❑ dress up vi s'habiller (élégamment).

dress circle n premier balcon m.

dresser ['dresəʳ] n Br (for crockery) buffet m ; Am (chest of drawers) commode f.

dressing ['dresɪŋ] n (for salad) assaisonnement m ; (for wound) pansement m.

dressing gown n robe f de chambre.

dressing room n SPORT vestiaire m ; (in theatre) loge f.

dressing table n coiffeuse f.

dressmaker ['dres,meɪkəʳ] n couturier m, couturière f.

dress rehearsal n répétition f générale.

drew [druː] pt → draw.

dribble ['drɪbl] vi (liquid) tomber goutte à goutte ; (baby) baver.

drier ['draɪəʳ] = dryer.

drift [drɪft] n (of snow) congère f. ◆ vi (in wind) s'amonceler ; (in water) dériver.

drill [drɪl] n (electric tool) perceuse f ; (manual tool) chignole f ; (of dentist) roulette f. ◆ vt (hole) percer.

drink [drɪŋk] (pt drank, pp drunk) n boisson f ; (alcoholic) verre m. ◆ vt & vi boire ; would you like a ~? voulez-vous quelque chose à boire? ; to have a ~ (alcoholic) prendre un verre.

drinkable ['drɪŋkəbl] adj (safe to drink) potable ; (wine) buvable.

drinking water ['drɪŋkɪŋ-] n eau f potable.

drip [drɪp] n (drop) goutte f ; MED goutte-à-goutte m inv. ◆ vi goutter ; (tap) fuir.

drip-dry adj qui ne se repasse pas.

dripping (wet) ['drɪpɪŋ-] adj trempé(e).

drive [draɪv] (pt drove [drəʊv], pp driven ['drɪvn]) n (journey) trajet m (en voiture) ; (in front of house) allée f. ◆ vt (car, bus, train, passenger) conduire ; (operate, power) faire marcher. ◆ vi (drive car) conduire ; (travel in car) rouler ; **to go for a ~** faire un tour en voiture ; **to ~ sb to do sthg** pousser qqn à faire qqch ; **to ~ sb mad** rendre qqn fou.

drivel ['drɪvl] n bêtises fpl.

driver ['draɪvəʳ] n conducteur m, -trice f.

driver's license Am = driving licence.

driveway ['draɪvweɪ] n allée f.

driving lesson ['draɪvɪŋ-] n leçon f de conduite.

driving licence ['draɪvɪŋ-] n Br permis m de conduire.

driving test ['draɪvɪŋ-] n examen m du permis de conduire.

drizzle ['drɪzl] n bruine f.

drop [drɒp] n (of liquid) goutte f ; (distance down) dénivellation f ; (decrease) chute f. ◆ vt laisser tomber ; (reduce) baisser ; (from vehicle) déposer. ◆ vi (fall) tomber ; (decrease) chuter ; **to ~ a hint that** laisser entendre que ; **to ~ sb a line** écrire un mot à qqn. ❑ **drop in** vi inf passer. ❑ **drop off** vt sep (from vehicle) déposer. ◆ vi (fall asleep) s'endormir ; (fall off) tomber. ❑ **drop out** vi (of college, race) abandonner.

drought [draʊt] n sécheresse f.

drove [drəʊv] pt → drive.

drown [draʊn] vi se noyer.

drug [drʌg] n MED médicament m ; (stimulant) drogue f. ◆ vt droguer.

drug addict n drogué m, -e f.

druggist ['drʌgɪst] n Am pharmacien m, -ienne f.

drum [drʌm] n MUS tambour m ; (container) bidon m.

drummer ['drʌməʳ] n joueur m, -euse f de tambour ; (in band) batteur m, -euse f.

drumstick ['drʌmstɪk] n (of chicken) pilon m.

drunk [drʌŋk] pp → drink. ◆ adj saoul(e), soûl(e). ◆ n ivrogne mf ; **to get ~** se saouler, se soûler.

dry [draɪ] adj sec (sèche) ; (day) sans pluie. ◆ vt (hands, clothes) sécher ; (washing-up) essuyer. ◆ vi sécher ; **to o.s.** se sécher ; **to ~ one's hair** se sécher les cheveux. ❑ **dry up** vi (become dry) s'assécher ; (dry the dishes) essuyer la vaisselle.

dry-clean vt nettoyer à sec.

dry cleaner's n pressing m.

dryer ['draɪəʳ] n (for clothes) séchoir m ; (for hair) séchoir m à cheveux, sèche-cheveux m inv.

dry-roasted peanuts ['-'rəʊstɪd-] npl cacahuètes fpl grillées à sec.

DSS n ministère britannique de la Sécurité sociale.

DTP n (abbr of desktop publishing) PAO f.

dual carriageway ['djuːəl-] n Br route f à quatre voies.

dubbed [dʌbd] adj (film) doublé(e).

dubious ['djuːbjəs] adj (suspect) douteux(euse).

duchess ['dʌtʃɪs] n duchesse f.

duck [dʌk] n canard m. ◆ vi se baisser.

due [djuː] adj (expected) attendu(e) ; (money, bill) dû (due) ; **the**

train is ~ to leave at eight o'clock le départ du train est prévu pour huit heures ; **in ~ course** en temps voulu ; **~ to** en raison de.

duet [djuːˈet] n duo m.

duffel bag [ˈdʌfl-] n sac m marin.

duffel coat [ˈdʌfl-] n duffel-coat m.

dug [dʌg] pt & pp → dig.

duke [djuːk] n duc m.

dull [dʌl] adj (not bright) terne ; (boring) ennuyeux(euse) ; (weather) maussade ; (pain) sourd(e).

dumb [dʌm] adj inf (stupid) idiot(e) ; (unable to speak) muet(ette).

dummy [ˈdʌmɪ] n Br (of baby) tétine f ; (for clothes) mannequin m.

dump [dʌmp] n (for rubbish) dépotoir m ; inf (town) trou m ; inf (room, flat) taudis m. ◆ vt (drop carelessly) laisser tomber ; (get rid of) se débarrasser de.

dumpling [ˈdʌmplɪŋ] n boulette de pâte cuite à la vapeur et servie avec les ragoûts.

dune [djuːn] n dune f.

dungarees [ˌdʌŋgəˈriːz] npl Br (for work) bleu m (de travail) ; (fashion item) salopette f ; Am (jeans) jean m.

dungeon [ˈdʌndʒən] n cachot m.

duplicate [ˈdjuːplɪkət] n double m.

during [ˈdjʊərɪŋ] prep pendant, durant.

dusk [dʌsk] n crépuscule m.

dust [dʌst] n poussière f. ◆ vt épousseter.

dustbin [ˈdʌstbɪn] n Br poubelle f.

dustcart [ˈdʌstkaːt] n Br camion m des éboueurs.

duster [ˈdʌstə] n chiffon m (à poussière).

dustman [ˈdʌstmən] (pl -men [-mən]) n Br éboueur m.

dustpan [ˈdʌstpæn] n pelle f.

dusty [ˈdʌstɪ] adj poussiéreux(euse).

duty [ˈdjuːtɪ] n (moral obligation) devoir m ; (tax) droit m ; **to be on ~** être de service ; **to be off ~** ne pas être de service. ❑ **duties** npl (job) fonctions fpl.

duty chemist's n pharmacie f de garde.

duty-free adj détaxé(e). ◆ n articles mpl détaxés.

duvet [ˈduːveɪ] n couette f.

DVD (abbr of Digital Video or Versatile Disc) n DVD m.

DVD-ROM (abbr of Digital Video or Versatile Disc read only memory) n DVD-ROM m.

dwarf [dwɔːf] (pl dwarves [dwɔːvz]) n nain m, naine f.

dwelling [ˈdwelɪŋ] n fml logement m.

dye [daɪ] n teinture f. ◆ vt teindre.

dying [ˈdaɪɪŋ] cont → die.

dynamite [ˈdaɪnəmaɪt] n dynamite f.

dynamo [ˈdaɪnəməʊ] (pl -s) n (on bike) dynamo f.

dyslexic [dɪsˈleksɪk] adj dyslexique.

E

E (*abbr of east*) E.

E111 *n* formulaire *m* E111.

each [iːtʃ] *adj* chaque. ◆ *pron* chacun *m*, -e *f* ; ~ one chacun ; **to know ~ other** se connaître ; **one ~** un chacun ; **one of ~** un de chaque.

eager ['iːgə'] *adj* enthousiaste ; **to be ~ to do sthg** vouloir à tout prix faire qqch.

eagle ['iːgl] *n* aigle *m*.

ear [ɪə'] *n* oreille *f* ; (*of corn*) épi *m*.

earache ['ɪəreɪk] *n* : **to have ~** avoir mal aux oreilles.

earl [ɜːl] *n* comte *m*.

early ['ɜːlɪ] *adv* de bonne heure, tôt ; (*before usual or arranged time*) tôt. ◆ *adj* en avance ; **in ~ June** au début du mois de juin ; **at the earliest** au plus tôt ; **~ on** tôt ; **to have an ~ night** se coucher tôt.

earn [ɜːn] *vt* (*money*) gagner ; (*praise*) s'attirer ; (*success*) remporter ; **to ~ a living** gagner sa vie.

earnings ['ɜːnɪŋz] *npl* revenus *mpl*.

earphones ['ɪəfəʊnz] *npl* écouteurs *mpl*.

earplugs ['ɪəplʌgz] *npl* (*wax*) boules *fpl* Quiès®.

earrings ['ɪərɪŋz] *npl* boucles *fpl* d'oreille.

earth [ɜːθ] *n* terre *f* ; **how on ~ ...?** comment diable ...?

earthenware ['ɜːθnweə'] *adj* en terre cuite.

earthquake ['ɜːθkweɪk] *n* tremblement *m* de terre.

ease [iːz] *n* facilité *f*. ◆ *vt* (*pain*)

soulager ; (*problem*) arranger ; **at ~** à l'aise ; **with ~** facilement. ❑ **ease off** *vi* (*pain, rain*) diminuer.

easily ['iːzɪlɪ] *adv* facilement ; (*by far*) de loin.

east [iːst] *n* est *m*. ◆ *adv* (*fly, walk*) vers l'est ; (*be situated*) à l'est ; **in the ~ of England** à OR dans l'est de l'Angleterre ; **the East** (*Asia*) l'Orient *m*.

eastbound ['iːstbaʊnd] *adj* en direction de l'est.

Easter ['iːstə'] *n* Pâques *m*.

eastern ['iːstən] *adj* oriental(e), est (*inv*). ❑ **Eastern** *adj* (*Asian*) oriental(e).

Eastern Europe *n* l'Europe *f* de l'Est.

eastwards ['iːstwədz] *adv* vers l'est.

easy ['iːzɪ] *adj* facile ; **to take it ~** ne pas s'en faire.

easygoing [,iːzɪ'gəʊɪŋ] *adj* facile à vivre.

eat [iːt] (*pt* ate [*Br* et, *Am* eɪt], *pp* eaten ['iːtn]) *vt & vi* manger. ❑ **eat out** *vi* manger dehors.

ebony ['ebənɪ] *n* ébène *f*.

e-business *n* (*company*) cyberentreprise *f* ; (*trade*) cybercommerce *m*, commerce *m* électronique.

EC *n* (*abbr of European Community*) CE *f*.

e-cash *n* argent *m* virtuel OR électronique.

ECB (*abbr of European Central bank*) *n* BCE *f*.

eccentric [ɪk'sentrɪk] *adj* excentrique.

echo ['ekəʊ] (*pl* -es) *n* écho *m*. ◆ *vi* résonner.

eco-friendly *adj* qui respecte l'environnement.

ecology [ɪ'kɒlədʒɪ] *n* écologie *f.*

ecological *adj* écologique.

e-commerce *n* commerce *m* électronique, cybercommerce *m.*

economic [ˌiːkə'nɒmɪk] *adj* économique. □ **economics** *n* économie *f.*

economical [ˌiːkə'nɒmɪkl] *adj (car, system)* économique ; *(person)* économe.

economize [ɪ'kɒnəmaɪz] *vi* faire des économies.

economy [ɪ'kɒnəmɪ] *n* économie *f.*

economy class *n* classe *f* touriste.

economy size *adj* taille économique *(inv).*

ecstasy ['ekstəsɪ] *n (great joy)* extase *f* ; *(drug)* ecstasy *f.*

eczema ['eksɪmə] *n* eczéma *m.*

edge [edʒ] *n* bord *m* ; *(of knife)* tranchant *m.*

edible ['edɪbl] *adj* comestible.

Edinburgh ['edɪnbrə] *n* Édimbourg.

Edinburgh Festival *n* : the ~ le festival d'Édimbourg.

edition [ɪ'dɪʃn] *n (of book, newspaper)* édition *f* ; *(of TV programme)* diffusion *f.*

editor ['edɪtə] *n (of newspaper, magazine)* rédacteur *m*, -trice *f* en chef ; *(of film)* monteur *m*, -euse *f.*

editorial [ˌedɪ'tɔːrɪəl] *n* éditorial *m.*

educate ['edʒʊkeɪt] *vt* instruire.

education [ˌedʒʊ'keɪʃn] *n* éducation *f.*

Le système éducatif, en Grande-Bretagne comme aux États-Unis comprend principalement deux niveaux : primaire et secondaire. L'école primaire *(primary school* en Grande-Bretagne, *grade school* aux États-Unis) accueille les enfants de la 1re à la 6e, ou pour la Grande-Bretagne, une année de préparation en *Reception* avant l'entrée en 1e. En Grande Bretagne, on va à l'école secondaire *(secondary school)* entre 11 et 16 ans et on en sort généralement après avoir passé le GCSE *(General Certificate of Secondary Education).* Les élèves qui veulent continuer doivent avoir réussi 5 matières pour pouvoir se présenter (vers 18 ans) aux *A-levels* qui leur permettent d'entrer à l'université. Aux États-Unis, il existe une étape intermédiaire de deux à trois ans entre le primaire et le secondaire, appelée *middle school* ou *junior high school.* Les élèves entrent à la *high school,* l'étape secondaire, à l'âge de 14 ans environ. Ils y restent quatre ans (de la 9e à la 12e) et sortent diplômés de l'école secondaire à 18 ans.

eel [iːl] *n* anguille *f.*

effect [ɪ'fekt] *n* effet *m* ; **to put sthg into** ~ mettre qqch en application ; **to take** ~ prendre effet.

effective [ɪ'fektɪv] *adj* efficace ; *(law, system)* en vigueur.

effectively [ɪ'fektɪvlɪ] *adv (successfully)* efficacement ; *(in fact)* effectivement.

efficient [ɪ'fɪʃənt] *adj* efficace.

effort ['efət] *n* effort *m* ; **to make an ~ to do sthg** faire un effort pour faire qqch ; **it's not worth the ~** ça ne vaut pas la peine.

EFTPOS ['eftpɒs] (*abbr of* **electronic funds transfer at point of sale**) *n* transfert électronique de fonds au point de vente.

e.g. *adv* p. ex.

egg [eg] *n* œuf *m*.

egg cup *n* coquetier *m*.

egg mayonnaise *n* œuf *m* mayonnaise.

eggplant ['egplɑːnt] *n* Am aubergine *f*.

egg white *n* blanc *m* d'œuf.

egg yolk *n* jaune *m* d'œuf.

eiderdown ['aɪdədaun] *n* édredon *m*.

eight [eɪt] *num* huit → **six**.

eighteen [‚eɪ'tiːn] *num* dix-huit → **six**.

eighteenth [‚eɪ'tiːnθ] *num* dix-huitième → **sixth**.

eighth [eɪtθ] *num* huitième → **sixth**.

eightieth ['eɪtɪɪθ] *num* quatre-vingtième → **sixth**.

eighty ['eɪtɪ] *num* quatre-vingt(s) → **six**.

Eire ['eərə] *n* l'Eire *f*, l'Irlande *f*.

Eisteddfod [aɪ'stedfəd] *n* festival culturel gallois.

either[1] ['aɪðə‿, 'iːðə‿] *adj* : **~ side will do** n'importe lequel des deux livres fera l'affaire.

either[2] *pron* : **I'll take ~ (of them)** je prendrai n'importe lequel ; **I don't like ~ (of them)** je n'aime ni l'un ni l'autre.

either[3] *adv* : **I can't ~** je ne peux pas non plus ; **~ ... or soit ...** soit, ou ... ou ; **on ~ side** des deux côtés.

eject [ɪ'dʒekt] *vt* (*cassette*) éjecter.

elaborate [ɪ'læbrət] *adj* compliqué(e).

elastic [ɪ'læstɪk] *n* élastique *m*.

elastic band *n* Br élastique *m*.

elbow ['elbəu] *n* (*of person*) coude *m*.

elder ['eldə‿] *adj* aîné(e).

elderly ['eldəlɪ] *adj* âgé(e). ◆ *npl* : **the ~** les personnes *fpl* âgées.

eldest ['eldɪst] *adj* aîné(e).

elect [ɪ'lekt] *vt* élire ; **to ~ to do sthg** fml (*choose*) choisir de faire qqch.

election [ɪ'lekʃn] *n* élection *f*.

ⓘ **ELECTION**

Les élections présidentielles américaines, dont les dates sont fixées par la Constitution, ont lieu tous les quatre ans. Le Président est élu par de grands électeurs, eux-mêmes élus au suffrage universel. Il n'a pas le droit de renouveler plus d'une fois son mandat. Les élections générales britanniques sont organisées tous les cinq ans mais le Premier ministre peut les provoquer à tout moment de la législature. L'abstention est autorisée en Grande-Bretagne comme aux États-Unis.

---

electric [ɪ'lektrɪk] *adj* électrique.

electrical goods [ɪ'lektrɪkl-] *npl* appareils *mpl* électriques.

electric blanket *n* couverture *f* chauffante.

electric drill *n* perceuse *f* électrique.

electric fence n clôture f électrifiée.

electrician [ˌɪlek'trɪʃn] n électricien m, -ienne f.

electricity [ˌɪlek'trɪsətɪ] n électricité f.

electric shock n décharge f électrique.

electrocute [ɪ'lektrəkjuːt] vt électrocuter.

electronic [ˌɪlek'trɒnɪk] adj électronique.

elegant ['elɪgənt] adj élégant(e).

element ['elɪmənt] n élément m ; (amount) part f ; (of fire, kettle) résistance f ; the ~s (weather) les éléments.

elementary [ˌelɪ'mentərɪ] adj élémentaire.

elephant ['elɪfənt] n éléphant m.

elevator ['elɪveɪtə'] n Am ascenseur m.

eleven [ɪ'levn] num onze → **six**.

eleventh [ɪ'levnθ] num onzième → **sixth**.

eligible ['elɪdʒəbl] adj admissible.

eliminate [ɪ'lɪmɪneɪt] vt éliminer.

Elizabethan [ɪˌlɪzə'biːθn] adj élisabéthain(e) (deuxième moitié du XVIe siècle).

elm [elm] n orme m.

else [els] adv : I don't want anything ~ je ne veux rien d'autre ; anything ~? désirez-vous autre chose? ; everyone ~ tous les autres ; nobody ~ personne d'autre ; nothing ~ rien d'autre ; somebody ~ quelqu'un d'autre ; something ~ autre chose ; somewhere ~ ailleurs ; what ~? quoi d'autre? ; what ~ is there to do? qu'est-ce qu'il y a d'autre à faire? ; who ~? qui d'autre? ; or ~ sinon.

elsewhere [els'weə'] adv ailleurs.

e-mail n mail m, courrier m électronique. ◆ vt : to ~ sb envoyer un e-mail à qqn.

e-mail address n adresse f électronique/e-mail.

embankment [ɪm'bæŋkmənt] n (next to river) berge f ; (next to road, railway) talus m.

embark [ɪm'bɑːk] vi (board ship) embarquer.

embarrass [ɪm'bærəs] vt embarrasser.

embarrassed [ɪm'bærəst] adj embarrassé(e).

embarrassing [ɪm'bærəsɪŋ] adj embarrassant(e).

embarrassment [ɪm'bærəsmənt] n embarras m.

embassy ['embəsɪ] n ambassade f.

emblem ['embləm] n emblème m.

embrace [ɪm'breɪs] vt serrer dans ses bras.

embroidered [ɪm'brɔɪdəd] adj brodé(e).

embroidery [ɪm'brɔɪdərɪ] n broderie f.

emerald ['emərəld] n émeraude f.

emerge [ɪ'mɜːdʒ] vi émerger.

emergency [ɪ'mɜːdʒənsɪ] n urgence f. ◆ adj d'urgence ; in an ~ en cas d'urgence.

emergency exit n sortie f de secours.

emergency landing n atterrissage m forcé.

emergency services npl services mpl d'urgence.

emigrate ['emigreit] vi émigrer.

emit [ı'mıt] vt émettre.

emotion [ı'məuʃn] n émotion f.

emotional [ı'məuʃənl] adj (situation) émouvant(e) ; (person) émotif(ive).

emphasis ['emfəsıs] (pl -ases [-əsi:z]) n accent m.

emphasize ['emfəsaız] vt souligner.

empire ['empaıə'] n empire m.

employ [ım'plɔı] vt employer.

employed [ım'plɔıd] adj employé(e).

employee [ım'plɔıi:] n employé m, -e f.

employer [ım'plɔıə'] n employeur m, -euse f.

employment [ım'plɔımənt] n emploi m.

employment agency n agence f de placement.

empty ['emptı] adj vide ; (threat, promise) vain(e). ◆ vt vider.

EMU (abbr of Economic and Monetary Union) n UEM f.

emulsion (paint) [ı'mʌlʃn-] n émulsion f.

enable [ı'neıbl] vt : to ~ sb to do sthg permettre à qqn de faire qqch.

enamel [ı'næml] n émail m.

enclose [ın'kləuz] vt (surround) entourer ; (with letter) joindre.

enclosed [ın'kləuzd] adj (space) clos(e).

encounter [ın'kauntə'] vt rencontrer.

encourage [ın'kʌrıdʒ] vt encou-

rager ; to ~ sb to do sthg encourager qqn à faire qqch.

encouragement [ın'kʌrıdʒmənt] n encouragement m.

encryption [en'krıpʃn] n COMPUT cryptage m. ; TV codage m, encodage m.

encyclopedia [ın,saıklə'pi:djə] n encyclopédie f.

end [end] n (furthest point) bout m ; (of book, list, year, holiday) fin f ; (purpose) but m. ◆ vt (story, evening, holiday) finir, terminer ; (war, practice) mettre fin à. ◆ vi finir, se terminer ; at the ~ of April (à la) fin avril ; to come to an ~ se terminer ; to put an ~ to sthg mettre fin à qqch ; for days on ~ pendant des journées entières ; in the ~ finalement ; to make ~s meet arriver à joindre les deux bouts. ❏ **end up** vi finir.

endangered species [ın-'deındʒəd-] n espèce f en voie de disparition.

ending ['endıŋ] n (of story, film, book) fin f ; GRAMM terminaison f.

endive ['endaıv] n (curly) frisée f ; (chicory) endive f.

endless ['endlıs] adj sans fin.

endorsement [ın'dɔːsmənt] n (of driving licence) contravention indiquée sur le permis de conduire.

endurance [ın'djuərəns] n endurance f.

endure [ın'djuə'] vt endurer.

enemy ['enımı] n ennemi m, -e f.

energy ['enədʒı] n énergie f.

enforce [ın'fɔːs] vt (law) appliquer.

engaged [ın'geıdʒd] adj (to be married) fiancé(e) ; Br (phone) occupé(e) ; (toilet) occupé(e) ; **to get ~** se fiancer.

engaged tone n Br tonalité f 'occupé'.

engagement [ɪn'geɪdʒmənt] n (to marry) fiançailles fpl ; (appointment) rendez-vous m.

engagement ring n bague f de fiançailles.

engine ['endʒɪn] n (of vehicle) moteur m ; (of train) locomotive f.

engineer [ˌendʒɪ'nɪəʳ] n ingénieur m.

engineering [ˌendʒɪ'nɪərɪŋ] n ingénierie f.

engineering works npl (on railway line) travaux mpl.

England ['ɪŋglənd] n l'Angleterre f.

English ['ɪŋglɪʃ] adj anglais(e). ◆ n (language) anglais m. ◆ npl : **the ~** les Anglais mpl.

English breakfast n petit déjeuner anglais traditionnel composé de bacon, d'œufs, de saucisses et de toasts, accompagné de thé ou de café.

English Channel n : **the ~** la Manche.

Englishman ['ɪŋglɪʃmən] (pl -men [-mən]) n Anglais m.

Englishwoman ['ɪŋglɪʃˌwʊmən] (pl -women [-ˌwɪmɪn]) n Anglaise f.

engrave [ɪn'greɪv] vt graver.

engraving [ɪn'greɪvɪŋ] n gravure f.

enjoy [ɪn'dʒɔɪ] vt aimer ; **to ~ doing sthg** aimer faire qqch ; **to ~ o.s.** s'amuser ; **~ your meal!** bon appétit!

enjoyable [ɪn'dʒɔɪəbl] adj agréable.

enjoyment [ɪn'dʒɔɪmənt] n plaisir m.

enlargement [ɪn'lɑːdʒmənt] n (of photo) agrandissement m.

enormous [ɪ'nɔːməs] adj énorme.

enough [ɪ'nʌf] adj assez de. ◆ pron & adv assez ; **~ time** assez de temps ; **is that ~?** ça suffit? ; **it's not big ~** ça n'est pas assez gros ; **to have had ~ (of)** en avoir assez (de).

enquire [ɪn'kwaɪəʳ] vi se renseigner.

enquiry [ɪn'kwaɪərɪ] n (investigation) enquête f ; **to make an ~** demander un renseignement ; 'Enquiries' 'Renseignements'.

enquiry desk n accueil m.

enrol [ɪn'rəʊl] vi Br s'inscrire.

enroll [ɪn'rəʊl] Am = **enrol**.

en suite bathroom [ˌɒn'swiːt-] n salle f de bains particulière.

ensure [ɪn'ʃʊəʳ] vt assurer.

entail [ɪn'teɪl] vt entraîner.

enter ['entəʳ] vt entrer dans ; (college) entrer à ; (competition) s'inscrire à ; (on form) inscrire. ◆ vi entrer ; (in competition) s'inscrire.

enterprise ['entəpraɪz] n entreprise f.

entertain [ˌentə'teɪn] vt (amuse) divertir.

entertainer [ˌentə'teɪnəʳ] n fantaisiste mf.

entertaining [ˌentə'teɪnɪŋ] adj amusant(e).

entertainment [ˌentə'teɪnmənt] n divertissement m.

enthusiasm [ɪn'θjuːzɪæzm] n enthousiasme m.

enthusiast [ɪn'θju:zɪæst] n passionné m, -e f.

enthusiastic [ɪn.θju:zɪ'æstɪk] adj enthousiaste.

entire [ɪn'taɪə] adj entier(ière).

entirely [ɪn'taɪəlɪ] adv entièrement.

entitle [ɪn'taɪtl] vt : to ~ sb to do sthg autoriser qqn à faire qqch ; this ticket ~s you to a free drink ce ticket vous donne droit à une consommation gratuite.

entrance ['entrəns] n entrée f.

entrance fee n entrée f.

entry ['entrɪ] n entrée f ; (in competition) objet m soumis ; 'no ~' (sign on door) 'entrée interdite' ; (road sign) 'sens interdit'.

envelope ['envələup] n enveloppe f.

envious ['envɪəs] adj envieux(ieuse).

environment [ɪn'vaɪərənmənt] n milieu m, cadre m ; the ~ l'environnement m.

environmental [ɪn.vaɪərən'mentl] adj de l'environnement.

environmentally friendly [ɪn.vaɪərən'mentəlɪ-] adj qui préserve l'environnement.

envy ['envɪ] vt envier.

epic ['epɪk] n épopée f.

epidemic [.epɪ'demɪk] n épidémie f.

epileptic [.epɪ'leptɪk] adj épileptique ; ~ fit crise f d'épilepsie.

episode ['epɪsəud] n épisode m.

equal ['i:kwəl] adj égal(e). ◆ vt égaler ; to be ~ to être égal à.

equality [ɪ'kwɒlətɪ] n égalité f.

equalize ['i:kwəlaɪz] vi égaliser.

equally ['i:kwəlɪ] adv (pay, treat) pareil ; (share) en parts égales ; (at the same time) en même temps ; they're ~ good ils sont aussi bons l'un que l'autre.

equation [ɪ'kweɪʒn] n équation f.

equator [ɪ'kweɪtə] n : the ~ l'équateur m.

equip [ɪ'kwɪp] vt : to ~ sb/sthg with équiper qqn/qqch de.

equipment [ɪ'kwɪpmənt] n équipement m.

equipped [ɪ'kwɪpt] adj : to be ~ with être équipé(e) de.

equivalent [ɪ'kwɪvələnt] adj équivalent(e). ◆ n équivalent m.

erase [ɪ'reɪz] vt (letter, word) effacer, gommer.

eraser [ɪ'reɪzə] n gomme f.

erect [ɪ'rekt] adj (person, posture) droit(e). ◆ vt (tent) monter ; (monument) élever.

erotic [ɪ'rɒtɪk] adj érotique.

errand ['erənd] n course f.

erratic [ɪ'rætɪk] adj irrégulier(ière).

error ['erə] n erreur f.

escalator ['eskəleɪtə] n Escalator® m.

escalope ['eskələp] n escalope f panée.

escape [ɪ'skeɪp] n fuite f. ◆ vi s'échapper ; to ~ from (from prison) s'échapper de ; (from danger) échapper à.

escort [n 'eskɔːt, vb ɪ'skɔːt] n (guard) escorte f. ◆ vt escorter.

especially [ɪ'speʃəlɪ] adv (in particular) surtout ; (on purpose) exprès ; (very) particulièrement.

esplanade [,esplə'neɪd] n esplanade f.

essay ['eseɪ] n (at school, university) dissertation f.

essential [ɪ'senʃl] adj (indispensable) essentiel(ielle). ❏ **essentials** npl the ~s l'essentiel m ; **the bare ~s** le strict minimum.

essentially [ɪ'senʃlɪ] adv essentiellement.

establish [ɪ'stæblɪʃ] vt établir.

establishment [ɪ'stæblɪʃmənt] n établissement m.

estate [ɪ'steɪt] n (land in country) propriété f ; (for housing) lotissement m ; Br (car) = **estate car**.

estate agent n Br agent m immobilier.

estate car n Br break m.

estimate [n 'estɪmət, vb 'estɪmeɪt] n (guess) estimation f ; (from builder, plumber) devis m. ◆ vt estimer.

estuary ['estjʊərɪ] n estuaire m.

ethnic minority ['eθnɪk-] n minorité f ethnique.

e-trade n cybercommerce m, commerce m électronique.

EU (abbr of European Union) n UE f ; ~ **policy** la politique de l'Union Européenne, la politique communautaire.

euro n euro m.

euro area n zone f euro.

euro cent n centime m (d'euro).

Eurocheque ['jʊərəʊ,tʃek] n eurochèque m.

Europe ['jʊərəp] n l'Europe f.

European [,jʊərə'pɪən] adj européen(enne). ◆ n Européen m, -enne f.

European Central Bank n Banque f centrale européenne.

European Commission n Commission f des communautés européennes.

European Community n Communauté f européenne.

European Union n Union f européenne.

Eurostar® ['jʊərəʊstɑː] n Eurostar® m.

euro zone n zone f euro.

evacuate [ɪ'vækjʊeɪt] vt évacuer.

evade [ɪ'veɪd] vt (person) échapper à ; (issue, responsibility) éviter.

eve [iːv] n : **on the ~ of** à la veille de.

even ['iːvn] adj (uniform, flat) régulier(ière) ; (equal) égal(e) ; (number) pair(e). ◆ adv même (in comparisons) encore ; ~ **bigger** encore plus grand ; **to break ~** rentrer dans ses frais ; ~ **so** quand même ; ~ **though** même si.

evening ['iːvnɪŋ] n soir m ; (event, period) soirée f ; **good ~!** bonsoir! ; **in the ~** le soir.

evening classes npl cours mpl du soir.

evening dress n (formal clothes) tenue f de soirée ; (of woman) robe f du soir.

evening meal n repas m du soir.

event [ɪ'vent] n événement m ; SPORT épreuve f ; **in the ~ of** fml dans l'éventualité de.

eventual [ɪ'ventʃʊəl] adj final(e).

eventually [ɪ'ventʃʊəlɪ] adv finalement.

ever ['evəʳ] adv jamais ; **have you been to Wales?** êtes-vous déjà allé au pays de Galles? ; **he was ~ so angry** il était vraiment en colère ; **for ~** (eternally) pour toujours ; (for a long time) un temps fou ; **hardly ~**

pratiquement jamais ; ~ since depuis, depuis, depuis que.

every ['evrɪ] *adj* chaque ; ~ **day** tous les jours, chaque jour ; ~ **other day** un jour sur deux ; one in ~ ten un sur dix ; we make ~ **effort** ... nous faisons tout notre possible ... ; ~ **so often** de temps en temps.

everybody ['evrɪ,bɒdɪ] = **everyone**.

everyday ['evrɪdeɪ] *adj* quotidien(ienne).

everyone ['evrɪwʌn] *pron* tout le monde.

everyplace ['evrɪ,pleɪs] *Am* = **everywhere**.

everything ['evrɪθɪŋ] *pron* tout.

everywhere ['evrɪweə'] *adv* partout.

evidence ['evɪdəns] *n* preuve *f*.

evident ['evɪdənt] *adj* évident(e).

evidently ['evɪdəntlɪ] *adv* manifestement.

evil ['iːvl] *adj* mauvais(e). ◆ *n* mal *m*.

ex [eks] *n inf* (wife, husband, partner) ex *mf*.

exact [ɪg'zækt] *adj* exact(e) ; '~ **fare ready please**' 'faites l'appoint'.

exactly [ɪg'zæktlɪ] *adv* & *excl* exactement.

exaggerate [ɪg'zædʒəreɪt] *vt* & *vi* exagérer.

exaggeration [ɪg,zædʒə'reɪʃn] *n* exagération *f*.

exam [ɪg'zæm] *n* examen *m* ; **to take an** ~ passer un examen.

examination [ɪg,zæmɪ'neɪʃn] *n* examen *m*.

examine [ɪg'zæmɪn] *vt* examiner.

example [ɪg'zɑːmpl] *n* exemple *m*.

exceed [ɪk'siːd] *vt* dépasser.

excellent ['eksələnt] *adj* excellent(e).

except [ɪk'sept] *prep* & *conj* sauf, à part ; ~ **for** sauf, à part ; '~ **for access**' 'sauf riverains' ; '~ **for loading**' 'sauf livraisons'.

exception [ɪk'sepʃn] *n* exception *f*.

exceptional [ɪk'sepʃnəl] *adj* exceptionnel(elle).

excerpt [ek'sɜːpt] *n* extrait *m*.

excess [ɪk'ses, *before noun* 'ekses] *adj* excédentaire. ◆ *n* excès *m*.

excess baggage *n* excédent *m* de bagages.

excess fare *n Br* supplément *m*.

excessive [ɪk'sesɪv] *adj* excessif(ive).

exchange [ɪks'tʃeɪndʒ] *n* (of telephones) central *m* téléphonique ; (of students) échange *m* scolaire. ◆ *vt* échanger ; **to** ~ **sthg for sthg** échanger qqch contre qqch ; **to be on an** ~ prendre part à un échange scolaire.

exchange rate *n* taux *m* de change.

excited [ɪk'saɪtɪd] *adj* excité(e).

excitement [ɪk'saɪtmənt] *n* excitation *f* ; (exciting thing) animation *f*.

exciting [ɪk'saɪtɪŋ] *adj* passionnant(e).

exclamation mark [eksklə'meɪʃn-] *n Br* point *m* d'exclamation.

exclamation point [eksklə'meɪʃn-] *Am* = **exclamation mark**.

exclude [ɪk'sklu:d] *vt* exclure.

excluding [ɪk'sklu:dɪŋ] *prep* sauf, à l'exception de.

exclusive [ɪk'sklu:sɪv] *adj (high-class)* chic ; *(sole)* exclusif(ive). ◆ *n* exclusivité *f* ; ~ of VAT TVA non comprise.

excursion [ɪk'skɜ:ʃn] *n* excursion *f*.

excuse [*n* ɪk'skju:s, *vb* ɪk'skju:z] *n* excuse *f* ◆ *vt (forgive)* excuser ; *(let off)* dispenser ; ~ me! excusez-moi!

ex-directory *adj Br* sur la liste rouge.

execute ['eksɪkju:t] *vt (kill)* exécuter.

executive [ɪg'zekjʊtɪv] *adj (room)* pour cadres. ◆ *n (person)* cadre *m*.

exempt [ɪg'zempt] *adj* : ~ from exempt(e) de.

exemption [ɪg'zempʃn] *n* exemption *f*.

exercise ['eksəsaɪz] *n* exercice *m*. ◆ *vi* faire de l'exercice ; to do ~s faire des exercices.

exercise book *n* cahier *m*.

exert [ɪg'zɜ:t] *vt* exercer.

exhaust [ɪg'zɔ:st] *vt* épuiser. ◆ *n* : ~ (pipe) pot *m* d'échappement.

exhausted [ɪg'zɔ:stɪd] *adj* épuisé(e).

exhibit [ɪg'zɪbɪt] *n (in museum, gallery)* objet *m* exposé. ◆ *vt* exposer.

exhibition [,eksɪ'bɪʃn] *n (of art)* exposition *f*.

exist [ɪg'zɪst] *vi* exister.

existence [ɪg'zɪstəns] *n* existence *f* ; to be in ~ exister.

existing [ɪg'zɪstɪŋ] *adj* existant(e).

exit ['eksɪt] *n* sortie *f*. ◆ *vi* sortir.

exotic [ɪg'zɒtɪk] *adj* exotique.

expand [ɪk'spænd] *vi* se développer.

expect [ɪk'spekt] *vt* s'attendre à ; *(await)* attendre ; to ~ to do sthg compter faire qqch ; to ~ sb to do sthg *(require)* attendre de qqn qu'il fasse qqch ; to be ~ing *(be pregnant)* être enceinte.

expedition [,ekspɪ'dɪʃn] *n* expédition *f*.

expel [ɪk'spel] *vt (from school)* renvoyer.

expense [ɪk'spens] *n* dépense *f* ; at the ~ of *fig* aux dépens de. ❏ expenses *npl (of business trip)* frais *mpl*.

expensive [ɪk'spensɪv] *adj* cher (chère).

experience [ɪk'spɪərɪəns] *n* expérience *f*. ◆ *vt* connaître.

experienced [ɪk'spɪərɪənst] *adj* expérimenté(e).

experiment [ɪk'sperɪmənt] *n* expérience *f*. ◆ *vi* expérimenter.

expert ['ekspɜ:t] *adj (advice)* d'expert. ◆ *n* expert *m*.

expire [ɪk'spaɪə'] *vi* expirer.

expiry date [ɪk'spaɪərɪ-] *n* date *f* d'expiration.

explain [ɪk'spleɪn] *vt* expliquer.

explanation [,eksplə'neɪʃn] *n* explication *f*.

explode [ɪk'spləʊd] *vi* exploser.

exploit [ɪk'splɔɪt] *vt* exploiter.

explore [ɪk'splɔ:'] *vt (place)* explorer.

explosion [ɪk'spləʊʒn] *n* explosion *f*.

explosive [ɪk'spləusɪv] *n* explosif *m*.

export [*n* 'ekspɔːt, *vb* ɪk'spɔːt] *n* exportation *f*. ◆ *vt* exporter.

exposed [ɪk'spəuzd] *adj (place)* exposé(e).

exposure [ɪk'spəuʒə°] *n (photograph)* pose *f* ; *MED* exposition *f* au froid ; *(to heat, radiation)* exposition *f*.

express [ɪk'spres] *adj (letter, delivery)* exprès ; *(train)* express. ◆ *n (train)* express *m*. ◆ *vt* exprimer. ◆ *adv* en exprès.

expression [ɪk'spreʃn] *n* expression *f*.

expresso [ɪk'spresəu] *n* expresso *m*.

expressway [ɪk'spresweɪ] *n Am* autoroute *f*.

extend [ɪk'stend] *vt* prolonger ; *(hand)* tendre. ◆ *vi* s'étendre.

extension [ɪk'stenʃn] *n (of building)* annexe *f* ; *(for phone)* poste *m* ; *(for permit, essay)* prolongation *f*.

extension lead *n* rallonge *f*.

extensive [ɪk'stensɪv] *adj (damage)* important(e) ; *(area)* vaste ; *(selection)* large.

extent [ɪk'stent] *n (of damage, knowledge)* étendue *f* ; **to a certain ~** jusqu'à un certain point ; **to what ~ ...?** dans quelle mesure ...?

exterior [ɪk'stɪərɪə°] *adj* extérieur(e). ◆ *n* extérieur *m*.

external [ɪk'stɜːnl] *adj* externe.

extinct [ɪk'stɪŋkt] *adj (species)* disparu(e) ; *(volcano)* éteint(e).

extinction [ɪk'stɪŋkʃn] *n* extinction *f*.

extinguish [ɪk'stɪŋgwɪʃ] *vt* éteindre.

extinguisher [ɪk'stɪŋgwɪʃə°] *n* extincteur *m*.

extortionate [ɪk'stɔːʃnət] *adj* exorbitant(e).

extra ['ekstrə] *adj* supplémentaire. ◆ *n (bonus)* plus *m* ; *(optional thing)* option *f*. ◆ *adv (especially)* encore plus ; **to pay ~** payer un supplément ; **~ charge** supplément *m* ; **~ large** XL. ❑ **extras** *npl (in price)* suppléments *mpl*.

extract [*n* 'ekstrækt, *vb* ɪk'strækt] *n* extrait *m*. ◆ *vt* extraire.

extraordinary [ɪk'strɔːdnrɪ] *adj* extraordinaire.

extravagant [ɪk'strævəgənt] *adj (wasteful)* dépensier(ière) ; *(expensive)* coûteux(euse).

extreme [ɪk'striːm] *adj* extrême. ◆ *n* extrême *m*.

extremely [ɪk'striːmlɪ] *adv* extrêmement.

extrovert ['ekstrəvɜːt] *n* extraverti *m*, -e *f*.

eye [aɪ] *n* œil *m* ; *(of needle)* chas *m*. ◆ *vt* lorgner ; **to keep an ~ on** surveiller.

eyebrow ['aɪbrau] *n* sourcil *m*.

eyeglasses ['aɪglɑːsɪz] *npl* lunettes *fpl*.

eyelash ['aɪlæʃ] *n* cil *m*.

eyelid ['aɪlɪd] *n* paupière *f*.

eyeliner ['aɪˌlaɪnə°] *n* eye-liner *m*.

eye shadow *n* ombre *f* à paupières.

eyesight ['aɪsaɪt] *n* vue *f*.

eye test *n* examen *m* des yeux.

eyewitness ['aɪ'wɪtnɪs] *n* témoin *m* oculaire.

F

F (*abbr of Fahrenheit*) F.

fabric ['fæbrɪk] *n* tissu *m*.

fabulous ['fæbjʊləs] *adj* fabuleux(euse).

facade [fə'sɑːd] *n* façade *f*.

face [feɪs] *n* visage *m* ; (*expression*) mine *f* ; (*of cliff, mountain*) face *f* ; (*of clock, watch*) cadran *m*. ◆ *vt* faire face à ; (*facts*) regarder en face ; **to be ~d with** être confronté à. ❑ **face up to** *vt fus* faire face à.

facecloth ['feɪsklɒθ] *n Br* ≃ gant *m* de toilette.

facial ['feɪʃl] *n* soins *mpl* du visage.

facilitate [fə'sɪlɪteɪt] *vt fml* faciliter.

facilities [fə'sɪlɪtɪz] *npl* équipements *mpl*.

facsimile [fæk'sɪmɪlɪ] *n* (*fax*) fax *m*.

fact [fækt] *n* fait *m* ; **in ~** en fait.

factor ['fæktə] *n* facteur *m* ; (*of suntan lotion*) indice *m* (de protection).

factory ['fæktərɪ] *n* usine *f*.

faculty ['fæklti] *n* (*at university*) faculté *f*.

fade [feɪd] *vi* (*light, sound*) baisser ; (*flower*) faner ; (*jeans, wallpaper*) se décolorer.

faded ['feɪdɪd] *adj* (*jeans*) délavé(e).

fag [fæg] *n Br inf* (*cigarette*) clope *f*.

fail [feɪl] *vt* (*exam*) rater, échouer à. ◆ *vi* échouer ; (*engine*) tomber

en panne ; **to ~ to do sthg** (*not do*) ne pas faire qqch.

failing ['feɪlɪŋ] *n* défaut *m*. ◆ *prep* : **~ that** à défaut.

failure ['feɪljə] *n* échec *m* ; (*person*) raté *m*, -e *f* ; (*act of neglecting*) manquement *m*.

faint [feɪnt] *vi* s'évanouir. ◆ *adj* (*sound*) faible ; (*colour*) pâle ; (*outline*) vague ; **to feel ~** se sentir mal ; **I haven't the ~est idea** je n'en ai pas la moindre idée.

fair [feə] *n* (*funfair*) fête *f* foraine ; (*trade fair*) foire *f*. ◆ *adj* (*just*) juste ; (*quite good*) assez bon (bonne) ; (*skin*) clair(e) ; (*person, hair*) blond(e) ; (*weather*) beau (belle) ; **a ~ number of** un nombre assez important de ; **~ enough!** d'accord!

fairground ['feəgraʊnd] *n* champ *m* de foire.

fair-haired [-'heəd] *adj* blond(e).

fairly ['feəlɪ] *adv* (*quite*) assez.

fairy ['feərɪ] *n* fée *f*.

fairy tale *n* conte *m* de fées.

faith [feɪθ] *n* (*confidence*) confiance *f* ; (*religious*) foi *f*.

faithfully ['feɪθfʊlɪ] *adv* : **Yours ~** ≃ veuillez agréer mes salutations distinguées.

fake [feɪk] *n* (*painting etc*) faux *m*. ◆ *vt* imiter.

fall [fɔːl] (*pt fell, pp fallen* ['fɔːln]) *vi* tomber ; (*decrease*) chuter. ◆ *n* chute *f* ; *Am* (*autumn*) automne *m* ; **to ~ asleep** s'endormir ; **to ~ ill** tomber malade ; **to ~ in love** tomber amoureux. ❑ **falls** *npl* (*waterfall*) chutes *fpl*. ❑ **fall behind** *vi* (*with work, rent*) être en retard. ❑ **fall down** *vi* tomber. ❑ **fall off** *vi* tomber. ❑ **fall out** *vi* (*hair, teeth*) tomber ; (*argue*) se brouiller. ❑ **fall**

over *vi* tomber. ❏ **fall through** *vi* échouer.

false [fɔ:ls] *adj* faux (fausse).

false alarm *n* fausse alerte *f*.

false teeth *npl* dentier *m*.

fame [feɪm] *n* renommée *f*.

familiar [fəˈmɪljəʳ] *adj* familier(ière) ; **to be ~ with** (know) connaître.

family [ˈfæmlɪ] *n* famille *f*. ◆ *adj* (size) familial(e) ; (film) tous publics ; (holiday) en famille.

family planning clinic [-ˈplæ-nɪŋ-] *n* centre *m* de planning familial.

family room *n* (at hotel) chambre *f* familiale ; (at pub, airport) salle réservée aux familles avec de jeunes enfants.

famine [ˈfæmɪn] *n* famine *f*.

famished [ˈfæmɪʃt] *adj* inf affamé(e).

famous [ˈfeɪməs] *adj* réputé(e).

fan [fæn] *n* (held in hand) éventail *m* ; (electric) ventilateur *m* ; (enthusiast) fana *mf* ; (supporter) fan *mf*.

fan belt *n* courroie *f* de ventilateur.

fancy [ˈfænsɪ] *adj* (elaborate) recherché(e). ◆ *vt* inf (feel like) avoir envie de ; **~ him** il me plaît ; **~ (that)!** ça alors !

fancy dress *n* déguisement *m*.

fantastic [fænˈtæstɪk] *adj* fantastique.

fantasy [ˈfæntəsɪ] *n* (dream) fantasme *m*.

FAQ [fak, ɛfeɪˈkju:] (abbr of frequently asked questions) *n* COMPUT foire *f* aux questions, FAQ *f*.

far [fɑ:ʳ] (compar **further**, superl **furthest**) *adv* loin ; (in degree) bien, beaucoup. ◆ *adj* (end, side) autre ;

how ~ is it to Paris? à combien sommes-nous de Paris ? ; **as ~ as** (place) jusqu'à ; **as ~ as I'm concerned** en ce qui me concerne ; **as ~ as I know** pour autant que je sache ; **~ better** beaucoup mieux ; **by ~** de loin ; **so ~** (until now) jusqu'ici ; **to go too ~** (behave unacceptably) aller trop loin.

farce [fɑ:s] *n* (ridiculous situation) farce *f*.

fare [feəʳ] *n* (on bus, train etc) tarif *m* ; fml (food) nourriture *f*. ◆ *vi* se débrouiller.

Far East *n* : **the ~** l'Extrême-Orient *m*.

farm [fɑ:m] *n* ferme *f*.

farmer [ˈfɑ:məʳ] *n* fermier *m*, -ière *f*.

farmhouse [ˈfɑ:mhaʊs, pl -haʊ-zɪz] *n* ferme *f*.

farming [ˈfɑ:mɪŋ] *n* agriculture *f*.

farmland [ˈfɑ:mlænd] *n* terres *fpl* cultivées.

farmyard [ˈfɑ:mjɑ:d] *n* cour *f* de ferme.

farther [ˈfɑ:ðəʳ] compar → **far**.

farthest [ˈfɑ:ðəst] superl → **far**.

fascinating [ˈfæsɪneɪtɪŋ] *adj* fascinant(e).

fascination [ˌfæsɪˈneɪʃn] *n* fascination *f*.

fashion [ˈfæʃn] *n* (trend, style) mode *f* ; (manner) manière *f* ; **to be in ~** être à la mode.

fashionable [ˈfæʃnəbl] *adj* à la mode.

fashion show *n* défilé *m* de mode.

fast [fɑ:st] *adv* (quickly) vite ; (securely) solidement. ◆ *adj* rapide ; (clock) avancer ; **~ asleep**

profondément endormi ; a ~ train un (train) rapide.

fasten ['fɑːsnə] *vt* attacher ; *(coat, door)* fermer.

fastener ['fɑːsnə] *n (on jewellery)* fermoir *m* ; *(zip)* fermeture f Éclair® ; *(press stud)* bouton-pression *m*.

fast food *n* fast-food *m*.

fat [fæt] *adj (person)* gros (grosse) ; *(meat)* gras (grasse). ◆ *n (on body)* graisse f ; *(on meat)* gras *m* ; *(for cooking)* matière f grasse ; *(chemical substance)* lipides *mpl*.

fatal ['feɪtl] *adj (accident, disease)* mortel(elle).

fat-free *adj* sans matières grasses.

father ['fɑːðə] *n* père *m*.

Father Christmas *n Br* le père Noël.

father-in-law *n* beau-père *m*.

fattening ['fætnɪŋ] *adj* qui fait grossir.

fatty ['fætɪ] *adj* gras (grasse).

faucet ['fɔːsɪt] *n Am* robinet *m*.

fault ['fɔːlt] *n (responsibility)* faute f ; *(defect)* défaut *m* ; it's your ~ c'est de ta faute.

faulty ['fɔːltɪ] *adj* défectueux(euse).

favor ['feɪvər] *Am* = favour.

favour ['feɪvər] *n Br (kind act)* faveur f. ◆ *vt (prefer)* préférer ; to be in ~ of être en faveur de ; to do sb a ~ rendre un service à qqn.

favourable ['feɪvrəbl] *adj* favorable.

favourite ['feɪvrɪt] *adj* préféré(e). ◆ *n* préféré *m*, -e f.

fawn [fɔːn] *adj* fauve.

fax [fæks] *n* fax *m*. ◆ *vt (document)* faxer ; *(person)* envoyer un fax à.

fear [fɪə*r*] *n* peur f. ◆ *vt (be afraid of)* avoir peur de ; for ~ of de peur de.

feast [fiːst] *n (meal)* festin *m*.

feather ['feðə] *n* plume f.

feature ['fiːtʃə] *n (characteristic)* caractéristique f ; *(of face)* trait *m* ; *(in newspaper)* article *m* de fond ; *(on radio, TV)* reportage *m*. ◆ *vt (subj : film)* : 'featuring ...' 'avec ...'.

feature film *n* long métrage *m*.

Feb *(abbr of February)* fév.

February ['februərɪ] *n* février *m* → September.

fed [fed] *pt & pp* → feed.

fed up *adj* : to be ~ avoir le cafard ; to be ~ with en avoir assez de.

fee [fiː] *n (to doctor)* honoraires *mpl* ; *(for membership)* cotisation f.

feeble ['fiːbl] *adj* faible.

feed [fiːd] *(pt & pp* fed) *vt* nourrir ; *(insert)* insérer.

feel [fiːl] *(pt & pp* felt) *vt (touch)* toucher ; *(experience)* sentir ; *(think)* penser. ◆ *vi (touch)* toucher *m*. ◆ *vi* se sentir ; it ~s cold il fait froid ; it ~s strange ça fait drôle ; to ~ hot/cold avoir chaud/froid ; to ~ like sthg *(fancy)* avoir envie de qqch ; to ~ up to doing sthg se sentir le courage de faire qqch.

feeling ['fiːlɪŋ] *n (emotion)* sentiment *m* ; *(sensation)* sensation f ; *(belief)* opinion f ; to hurt sb's ~s blesser qqn.

feet [fiːt] *pl* → foot.

fell [fel] *pt* → fall. ◆ *vt (tree)* abattre.

fellow ['feləʊ] *n (man)* homme *m*. ◆ *adj* : ~ students camarades *mpl* de classe.

felt [felt] pt & pp → feel. ◆ n feutre m.

felt-tip pen n (stylo-)feutre m.

female ['fiːmeɪl] adj féminin(e) ; (animal) femelle f. ◆ n (animal) femelle f.

feminine ['femɪnɪn] adj féminin(e).

feminist ['femɪnɪst] n féministe mf.

fence [fens] n barrière f.

fencing ['fensɪŋ] n SPORT escrime f.

fend [fend] vi : to ~ for o.s. se débrouiller tout seul.

fender ['fendə'] n (for fireplace) pare-feu m inv ; Am (on car) aile f.

fennel ['fenl] n fenouil m.

fern [fɜːn] n fougère f.

ferocious [fə'rəʊʃəs] adj féroce.

ferry ['ferɪ] n ferry m.

fertile ['fɜːtaɪl] adj (land) fertile.

fertilizer ['fɜːtɪlaɪzə'] n engrais m.

festival ['festəvl] n (of music, arts etc) festival m ; (holiday) fête f.

feta cheese ['fetə-] n feta f.

fetch [fetʃ] vt (object) apporter ; (go and get) aller chercher ; (be sold for) rapporter.

fete [feɪt] n fête f.

fever ['fiːvə'] n fièvre f ; to have a ~ avoir de la fièvre.

feverish ['fiːvərɪʃ] adj fiévreux(euse).

few [fjuː] adj peu de. ◆ pron peu ; the first ~ times les premières fois ; a ~ quelques, quelques-uns ; quite a ~ of them pas mal d'entre eux.

fewer ['fjuːə'] adj moins de. ◆ pron : ~ than ten items moins de dix articles.

fiancé [fɪ'ɒnseɪ] n fiancé m.

fiancée [fɪ'ɒnseɪ] n fiancée f.

fib [fɪb] n inf bobard m.

fiber ['faɪbə'] Am = fibre.

fibre ['faɪbə'] n [Br] fibre f ; (in food) fibres fpl.

fibreglass ['faɪbəglɑːs] n fibre f de verre.

fickle ['fɪkl] adj capricieux(ieuse).

fiction ['fɪkʃn] n fiction f.

fiddle ['fɪdl] n (violin) violon m. ◆ vi : to ~ with sthg tripoter qqch.

fidget ['fɪdʒɪt] vi remuer.

field [fiːld] n champ m ; (for sport) terrain m ; (subject) domaine m.

field glasses npl jumelles fpl.

fierce [fɪəs] adj féroce ; (storm) violent(e) ; (heat) torride.

fifteen [ˌfɪf'tiːn] num quinze → six.

fifteenth [ˌfɪf'tiːnθ] num quinzième → sixth.

fifth [fɪfθ] num cinquième → sixth.

fiftieth [ˌfɪftɪəθ] num cinquantième → sixth.

fifty [ˈfɪftɪ] num cinquante → six.

fig [fɪg] n figue f.

fight [faɪt] (pt & pp fought) n bagarre f ; (argument) dispute f ; (struggle) lutte f. ◆ vt se battre avec OR contre ; (combat) combattre. ◆ vi se battre ; (quarrel) se disputer ; (struggle) lutter ; to have a ~ with sb se battre avec qqn. ❑ **fight back** vi riposter. ❑ **fight off** vt sep (attacker) repousser ; (illness) lutter contre.

fighting ['faɪtɪŋ] n bagarre f ; (military) combats mpl.

figure [Br 'fɪgə', Am 'fɪgjər] n (digit, statistic) chiffre m ; (number)

file

nombre m ; (of person) silhouette f ; (diagram) figure f. ❏ **figure out** vt sep comprendre.

file [faɪl] n dossier m ; COMPUT fichier m ; (tool) lime f. ◆ vt (complaint, petition) déposer ; (nails) limer ; in single ~ en file indienne.

filing cabinet [ˈfaɪlɪŋ-] n classeur m (meuble).

fill [fɪl] vt remplir ; (tooth) plomber ; to ~ sthg with remplir qqch de. ❏ **fill in** vt sep (form) remplir. ❏ **fill out** vt sep = **fill in**. ❏ **fill up** vt sep remplir.

filled roll [fɪld-] n petit pain m garni.

fillet [ˈfɪlɪt] n filet m.

fillet steak n filet m de bœuf.

filling [ˈfɪlɪŋ] n (of cake, sandwich) garniture f ; (in tooth) plombage m. ◆ adj nourrissant(e).

filling station n stationservice f.

film [fɪlm] n (at cinema) film m ; (for camera) pellicule f. ◆ vt filmer.

film star n vedette f de cinéma.

filter [ˈfɪltə'] n filtre m.

filthy [ˈfɪlθɪ] adj dégoûtant(e).

fin [fɪn] n (of fish) nageoire f ; Am (of swimmer) palme f.

final [ˈfaɪnl] adj (last) dernier (ière) ; (decision, offer) final(e). ◆ n finale f.

finalist [ˈfaɪnəlɪst] n finaliste m.

finally [ˈfaɪnəlɪ] adv enfin.

finance [n ˈfaɪnæns, vb faɪˈnæns] n (money) financement m ; (profession) finance f. ◆ vt financer. ❏ finances npl finances fpl.

financial [fɪˈnænʃl] adj financier(ière).

find [faɪnd] (pt & pp **found**) vt

trouver ; (find out) découvrir. ◆ n trouvaille f ; to ~ the time to do sthg trouver le temps de faire qqch. ❏ **find out** vt sep (fact, truth) découvrir. ◆ vi : to ~ out about sthg (learn) apprendre qqch ; (get information) se renseigner sur qqch.

fine [faɪn] adv (thinly) fin ; (well) très bien. ◆ n amende f. ◆ vt donner une amende à. ◆ adj (good) excellent(e) ; (weather, day) beau (belle) ; (satisfactory) bien ; (thin) fin(e) ; to be ~ (in health) aller bien.

fine art n beaux-arts mpl.

finger [ˈfɪŋgə'] n doigt m.

fingernail [ˈfɪŋgəneɪl] n ongle m (de la main).

fingertip [ˈfɪŋgətɪp] n bout m de doigt.

finish [ˈfɪnɪʃ] n fin f ; (of race) arrivée f ; (on furniture) fini m. ◆ vt finir, terminer. ◆ vi se terminer ; (in race) finir ; to ~ doing sthg finir de faire qqch. ❏ **finish off** vt sep finir, terminer. ❏ **finish up** vi finir, terminer.

fir [fɜ:'] n sapin m.

fire [faɪə'] n feu m ; (out of control) incendie m ; (device) appareil m de chauffage. ◆ vt (gun) tirer ; (from job) renvoyer ; on ~ en feu ; to catch ~ prendre feu ; to make a ~ faire du feu.

fire alarm n alarme f d'incendie.

fire brigade n Br pompiers mpl.

fire department Am = **fire brigade**.

fire engine n voiture f de pompiers.

fire escape n escalier m de secours.

fire exit *n* issue *f* de secours.

fire extinguisher *n* extincteur *m*.

fire hazard *n* : to be a ~ présenter un risque d'incendie.

fireman ['faɪəmən] *(pl* **-men** [-mən]) *n* pompier *m*.

fireplace ['faɪəpleɪs] *n* cheminée *f*.

fire regulations *npl* consignes *fpl* d'incendie.

fire station *n* caserne *f* de pompiers.

firewood ['faɪəwʊd] *n* bois *m* de chauffage.

firework display ['faɪəwɜːk-] *n* feu *m* d'artifice.

fireworks ['faɪəwɜːks] *npl (rockets)* feux *mpl* d'artifice.

firm [fɜːm] *adj* ferme ; *(structure)* solide. ◆ *n* société *f*.

first [fɜːst] *adj* premier(ère). ◆ *adv (in order)* en premier ; *(at the start)* premièrement, d'abord ; *(for the first time)* pour la première fois. ◆ *pron* premier *m*, -ière *f*. ◆ *n (event)* première *f* ; ~ *(gear)* première *f* ; ~ **thing (in the morning)** à la première heure ; **for the** ~ **time** pour la première fois ; **the** ~ **of January** le premier janvier ; **at** ~ au début ; ~ **of all** premièrement, tout d'abord.

first aid *n* premiers secours *mpl*.

first-aid kit *n* trousse *f* de premiers secours.

first class *n (mail)* tarif *m* normal ; *(on train, plane, ship)* première classe *f*.

first-class *adj (stamp)* au tarif normal ; *(ticket)* de première classe ; *(very good)* excellent(e).

first floor *n Br* premier étage *m* ; *Am* rez-de-chaussée *m inv*.

firstly ['fɜːstlɪ] *adv* premièrement.

First Minister *n (in Scottish Parliament)* président *m* du Parlement écossais.

First Secretary *n (in Welsh Assembly)* président *m* de l'Assemblée galloise.

First World War *n* : **the** ~ la Première Guerre mondiale.

fish [fɪʃ] *(pl inv) n* poisson *m*. ◆ *vi* pêcher.

fish and chips *n* poisson *m* frit et frites.

 FISH & CHIPS

Le *Fish & Chips* est un plat à emporter traditionnel dans les îles Britanniques. Il s'agit de poisson pané frit accompagné de frites, le tout enveloppé dans du papier journal. Dans les magasins *Fish & Chips*, on peut également trouver d'autres sortes de fritures, comme des saucisses, du poulet, du boudin noir, des tourtes à la viande. Les Fish & Chips se mangent en général dans la rue, directement dans l'emballage.

fishcake ['fɪʃkeɪk] *n* croquette *f* de poisson.

fisherman ['fɪʃəmən] *(pl* **-men** [-mən]) *n* pêcheur *m*.

fish farm *n* établissement *m* piscicole.

fish fingers *npl Br* bâtonnets *mpl* de poisson pané.

fishing ['fɪʃɪŋ] *n* pêche *f* ; **to go** ~ aller à la pêche.

fishing boat *n* bâteau *m* de pêche.

fishing rod *n* canne *f* à pêche.

fishmonger's ['fɪʃˌmʌŋɡəz] *n* (shop) poissonnerie *f*.

fish sticks *Am* = fish fingers.

fist [fɪst] *n* poing *m*.

fit [fɪt] *adj* (healthy) en forme. ◆ *vt* (subj: clothes, shoes) aller à ; (a lock, kitchen, bath) installer ; (insert) insérer. ◆ *vi* aller. ◆ *n* (of coughing, anger) crise *f* ; (epileptic) crise *f* d'épilepsie ; it's a good ~ (clothes) c'est la bonne taille ; to be ~ for sthg (suitable) être bon pour qqch ; ~ to eat comestible ; it doesn't ~ (jacket, skirt) ça ne va pas ; (object) ça ne rentre pas ; to get ~ se remettre en forme ; to keep ~ garder la forme. ❑ **fit in** ◆ *vt sep* (find time to do) caser. ◆ *vi* (belong) s'intégrer.

fitness ['fɪtnɪs] *n* (health) forme *f*.

fitted carpet [ˌfɪtəd-] *n* moquette *f*.

fitted sheet [ˌfɪtəd-] *n* drap-housse *m*.

fitting room ['fɪtɪŋ-] *n* cabine *f* d'essayage.

five [faɪv] *num* cinq → **six**.

fiver ['faɪvər] *n* Br inf cinq livres *fpl* ; (note) billet *m* de cinq livres.

fix [fɪks] *vt* (attach, decide on) fixer ; (mend) réparer ; (drink, food) préparer ; (arrange) arranger. ❑ **fix up** *vt sep* : to ~ sb up with sthg obtenir qqch pour qqn.

fixture ['fɪkstʃər] *n* SPORT rencontre *f* ; ~s and fittings équipements *mpl*.

fizzy ['fɪzɪ] *adj* pétillant(e).

flag [flæɡ] *n* drapeau *m*.

flake [fleɪk] *n* (of snow) flocon *m*. ◆ *vi* s'écailler.

flame [fleɪm] *n* flamme *f*.

flammable ['flæməbl] *adj* inflammable.

flan [flæn] *n* tarte *f*.

flannel ['flænl] *n* (material) flanelle *f* ; Br (for face) ≃ gant *m* de toilette. ❑ **flannels** *npl* pantalon *m* de flanelle.

flap [flæp] *n* rabat *m*. ◆ *vt* (wings) battre de.

flapjack ['flæpdʒæk] *n* Br pavé à l'avoine.

flare [fleər] *n* (signal) signal *m* lumineux.

flared [fleəd] *adj* (trousers) à pattes d'éléphant ; (skirt) évasé(e).

flash [flæʃ] *n* (of light) éclair *m* ; (for camera) flash *m*. ◆ *vi* (lamp) clignoter ; a ~ of lightning un éclair ; to ~ one's headlights faire un appel de phares.

flashlight ['flæʃlaɪt] *n* lampe *f* électrique, torche *f*.

flask [flɑːsk] *n* (Thermos) Thermos® *f* ; (hip flask) flasque *f*.

flat [flæt] *adj* plat(e) ; (surface) plan(e) ; (battery) à plat ; (drink) éventé(e) ; (rate, fee) fixe. ◆ *adv* à plat. ◆ *n* Br (apartment) appartement *m* ; a ~ (tyre) un pneu à plat ; ~ out (run) à fond ; (work) d'arrache-pied.

flatter ['flætər] *vt* flatter.

flavor ['fleɪvər] *Am* = flavour.

flavour ['fleɪvər] *n* [Br] goût *m* ; (of ice cream) parfum *m*.

flavoured ['fleɪvəd] *adj* aromatisé(e).

flavouring ['fleɪvərɪŋ] *n* arôme *m*.

flaw [flɔː] *n* défaut *m*.

flea [fliː] *n* puce *f*.

flea market *n* marché *m* aux puces.

fleece [fliːs] *n (material)* fourrure *f* polaire.

fleet [fliːt] *n* flotte *f*.

flesh [fleʃ] *n* chair *f*.

flew [fluː] *pt* → fly.

flex [fleks] *n* cordon *m* électrique.

flexible ['fleksəbl] *adj* flexible.

flick [flɪk] *vt (a switch)* appuyer sur ; *(with finger)* donner une chiquenaude à. □ **flick through** *vt fus* feuilleter.

flies [flaɪz] *npl (of trousers)* braguette *f*.

flight [flaɪt] *n* vol *m* ; a ~ (of stairs) une volée de marches.

flight attendant *n (female)* hôtesse *f* de l'air ; *(male)* steward *m*.

flimsy ['flɪmzɪ] *adj (object)* fragile ; *(clothes)* léger(ère).

fling [flɪŋ] *(pt & pp* flung) *vt* jeter.

flint [flɪnt] *n (of lighter)* pierre *f*.

flip-flop [flɪp-] *n Br (shoe)* tong *f*.

flirt [flɜːt] *vi* : to ~ (with sb) flirter (avec qqn).

float [fləʊt] *n (for swimming)* planche *f* ; *(for fishing)* bouchon *m* ; *(in procession)* char *m*. ◆ *vi* flotter.

flock [flɒk] *n (of sheep)* troupeau *m* ; *(of birds)* vol *m*. ◆ *vi (people)* affluer.

flood [flʌd] *n* inondation *f*. ◆ *vt* inonder. ◆ *vi* déborder.

floodlight ['flʌdlaɪt] *n* projecteur *m*.

floor [flɔːr] *n (of room)* plancher *m*, sol *m* ; *(storey)* étage *m* ; *(of nightclub)* piste *f*.

floorboard ['flɔːbɔːd] *n* latte *f* (de plancher).

flop [flɒp] *n inf (failure)* fiasco *m*.

floppy disk ['flɒpɪ-] *n* disquette *f*.

floral ['flɔːrəl] *adj (pattern)* à fleurs.

Florida Keys ['flɒrɪdə-] *npl* îles *au large de la Floride.*

florist's ['flɒrɪsts] *n (shop)* fleuriste *m*.

flour ['flaʊər] *n* farine *f*.

flow [fləʊ] *n* courant *m*. ◆ *vi* couler.

flower ['flaʊər] *n* fleur *f*.

flowerbed ['flaʊəbed] *n* parterre *m* de fleurs.

flowerpot ['flaʊəpɒt] *n* pot *m* de fleurs.

flown [fləʊn] *pp* → fly.

flu [fluː] *n* grippe *f*.

fluent ['fluːənt] *adj* : to be ~ in French, to speak ~ French parler couramment français.

fluff [flʌf] *n (on clothes)* peluches *fpl*.

flume [fluːm] *n* toboggan *m*.

flung [flʌŋ] *pt & pp* → fling.

flunk [flʌŋk] *vt Am inf (exam)* rater.

fluorescent [fluə'resənt] *adj* fluorescent(e).

flush [flʌʃ] *vt* : to ~ the toilet tirer la chasse d'eau.

flute [fluːt] *n* flûte *f*.

fly [flaɪ] *(pt* flew, *pp* flown) *n (insect)* mouche *f* ; *(of trousers)* braguette *f*. ◆ *vt (plane, helicopter)* piloter ; *(airline)* voyager avec ; *(transport)* transporter (par avion). ◆ *vi* voler ; *(passenger)* voyager en avion ; *(pilot a plane)* piloter ; *(flag)* flotter.

fly-drive *n* formule *f* avion plus voiture.

flying ['flaɪɪŋ] *n* voyages *mpl* en avion.

flyover ['flaɪˌəʊvə] *n Br* saut-de-mouton *m*.

flysheet ['flaɪʃiːt] *n* auvent *m*.

foal [fəʊl] *n* poulain *m*.

foam [fəʊm] *n* mousse *f*.

focus ['fəʊkəs] *n (of camera)* mise *f* au point. ◆ *vi (with camera, binoculars)* faire la mise au point ; **in** ~ net ; **out of** ~ flou.

fog [fɒɡ] *n* brouillard *m*.

fogbound ['fɒɡbaʊnd] *adj* bloqué(e) par le brouillard.

foggy ['fɒɡɪ] *adj* brumeux(euse).

fog lamp *n* feu *m* de brouillard.

foil [fɔɪl] *n (thin metal)* papier *m* aluminium.

fold [fəʊld] *n* pli *m*. ◆ *vt* plier ; *(wrap)* envelopper ; **to** ~ **one's arms** (se) croiser les bras. ❏ **fold up** *vi (chair, bed, bicycle)* se plier.

folder ['fəʊldə] *n* chemise *f* (cartonnée).

foliage ['fəʊlɪdʒ] *n* feuillage *m*.

folk [fəʊk] *npl (people)* gens *mpl*. ◆ *n* ~ **(music)** folk *m*. ❏ **folks** *npl inf (relatives)* famille *f*.

follow ['fɒləʊ] *vt & vi* suivre ; **~ed by** *(in time)* suivi par OR de ; **as** ~**s** comme suit. ❏ **follow on** *vi (come later)* suivre.

following ['fɒləʊɪŋ] *adj* suivant(e). ◆ *prep* après.

fond [fɒnd] *adj* : **to be** ~ **of** aimer beaucoup.

fondue ['fɒnduː] *n (with cheese)*

fondue *f* (savoyarde) ; *(with meat)* fondue bourguignonne.

food [fuːd] *n* nourriture *f* ; *(type of food)* aliment *m*.

food poisoning [-ˌpɔɪznɪŋ] *n* intoxication *f* alimentaire.

food processor [-ˌprəʊsesə] *n* robot *m* ménager.

foodstuffs ['fuːdstʌfs] *npl* denrées *fpl* alimentaires.

fool [fuːl] *n (idiot)* idiot *m*, -e *f* ; *(pudding)* mousse *f*. ◆ *vt* tromper.

foolish ['fuːlɪʃ] *adj* idiot(e), bête.

foot [fʊt] *(pl feet)* *n* pied *m* ; *(of animal)* patte *f* ; *(measurement)* = 30,48 cm, pied ; **by** ~ à pied ; **on** ~ à pied.

football ['fʊtbɔːl] *n Br (soccer)* football *m* ; *Am (American football)* football *m* américain ; *(ball)* ballon *m* de football.

footballer ['fʊtbɔːlə] *n Br* footballeur *m*, -euse *f*.

football pitch *n Br* terrain *m* de football.

footbridge ['fʊtbrɪdʒ] *n* passerelle *f*.

footpath ['fʊtpɑːθ, *pl* -pɑːðz] *n* sentier *m*.

footprint ['fʊtprɪnt] *n* empreinte *f* de pas.

footstep ['fʊtstep] *n* pas *m*.

footwear ['fʊtweə] *n* chaussures *fpl*.

☞

for [fɔː] *prep* - **1.** *(expressing purpose, reason, destination)* pour ; **this book is** ~ **you** ce livre est pour toi ; **a ticket** ~ **Manchester** un billet pour Manchester ; **a town famous** ~ **its wine** une ville réputée pour son vin ; **what did you do that** ~? pourquoi as-tu fait ça? ; what's it ~? ça sert à quoi? ; **to go ~ a walk** aller se promener ; '~ **sale**' 'à vendre'.

- **2.** *(during)* pendant ; **I've lived here ~ ten years** j'habite ici depuis dix ans, ça fait dix ans que j'habite ici ; **we talked ~ hours** on a parlé pendant des heures.

- **3.** *(by, before)* pour ; **I'll do it ~ to-morrow** je le ferai pour demain.

- **4.** *(on the occasion of)* pour ; **I got socks ~ Christmas** on m'a offert des chaussettes pour Noël ; **what's ~ dinner?** qu'est-ce qu'il y a pour OR à dîner?

- **5.** *(on behalf of)* pour ; **to do sthg ~ sb** faire qqch pour qqn.

- **6.** *(with time and space)* pour ; **there's no room ~ your suitcase** il n'y a pas de place pour ta valise ; **it's time ~ dinner** c'est l'heure du dîner ; **have you got time ~ a drink?** tu as le temps de prendre un verre?

- **7.** *(expressing distance)* pendant, sur ; **road works ~ 20 miles** travaux sur 32 kilomètres.

- **8.** *(expressing price)* : **I bought it ~ five pounds** je l'ai payé cinq livres.

- **9.** *(expressing meaning)* : **what's the French ~ 'boy'?** comment dit-on « boy » en français?.

- **10.** *(with regard to)* pour ; **it's warm ~ November** il fait chaud pour novembre ; **it's easy ~ you** c'est facile pour toi ; **it's too far ~ us to walk** c'est trop loin pour y aller à pied.

forbid [fə'bɪd] *(pt* -**bade** [-'beɪd]*, pp* -**bidden)** *vt* interdire, défendre ; **to ~ sb to do sthg** interdire OR défendre à qqn de faire qqch.

forbidden [fə'bɪdn] *adj* interdit(e), défendu(e).

force [fɔːs] *n* force f. ◆ *vt (push)* mettre de force ; *(lock, door)* forcer ; **to ~ sb to do sthg** forcer qqn à faire qqch ; **to ~ one's way through** se frayer un chemin ; **the ~s** les forces armées.

ford [fɔːd] *n* gué m.

forecast ['fɔːkɑːst] *n* prévision f.

forecourt ['fɔːkɔːt] *n* devant m.

forefinger ['fɔːˌfɪŋɡə] *n* index m.

foreground ['fɔːɡraʊnd] *n* premier plan m.

forehead ['fɔːhed] *n* front m.

foreign ['fɒrən] *adj* étranger (ère) ; *(travel, visit)* à l'étranger.

foreign currency *n* devises fpl (étrangères).

foreigner ['fɒrənə] *n* étranger m, -ère f.

foreign exchange *n* change m.

Foreign Secretary *n Br* ministre m des Affaires étrangères.

foreman ['fɔːmən] *(pl* -**men** [-mən]*)* *n (of workers)* contremaître m.

forename ['fɔːneɪm] *n fml* prénom m.

foresee [fɔː'siː] *(pt* -**saw** [-'sɔː]*, pp* -**seen** [-'siːn]*)* *vt* prévoir.

forest ['fɒrɪst] *n* forêt f.

forever [fə'revə] *adv (eternally)* (pour) toujours ; *(continually)* continuellement.

forgave [fə'ɡeɪv] *pt* → **forgive**.

forge [fɔːdʒ] *vt (copy)* contrefaire.

forgery ['fɔːdʒərɪ] *n* contrefaçon f.

forget [fə'ɡet] *(pt* -**got**, *pp* -**got-ten)** *vt & vi* oublier ; **to ~ about sthg**

oublier qqch ; to ~ how to do sthg oublier comment faire qqch ; to ~ to do sthg oublier de faire qqch ; ~ it! laisse tomber!

forgetful [fə'getful] adj distrait(e).

forgive [fə'gɪv] (pt -gave, pp -given [-'gɪvn]) vt pardonner.

forgot [fə'gɒt] pt → forget.

forgotten [fə'gɒtn] pp → forget.

fork [fɔːk] n (for eating with) fourchette f ; (for gardening) fourche f ; (of road, path) embranchement m.

form [fɔːm] n (type, shape) forme f ; (piece of paper) formulaire m ; SCH classe f. ◆ vt former. ◆ vi se former ; off ~ pas en forme ; on ~ en forme ; to ~ part of faire partie de.

formal ['fɔːml] adj (occasion) officiel(ielle) ; (language, word) soutenu(e) ; (person) solennel(elle) ; ~ dress tenue f de soirée.

formality [fɔː'mælətɪ] n formalité f ; it's just a ~ ça n'est qu'une formalité.

format ['fɔːmæt] n format m.

former ['fɔːmə'] adj (previous) précédent(e) ; (first) premier(ière). ◆ n : the ~ celui-là (celle-là), le premier (la première).

formerly ['fɔːməlɪ] adv autrefois.

formula ['fɔːmjʊlə] (pl -as OR -ae [-iː]) n formule f.

fort [fɔːt] n fort m.

forthcoming [fɔːθ'kʌmɪŋ] adj (future) à venir.

fortieth ['fɔːtɪɪθ] num quarantième → sixth.

fortnight ['fɔːtnaɪt] n Br quinzaine f, quinze jours mpl.

fortunate ['fɔːtʃnət] adj chanceux(euse).

fortunately ['fɔːtʃnətlɪ] adv heureusement.

fortune ['fɔːtʃuːn] n (money) fortune f ; (luck) chance f ; it costs a ~ inf ça coûte une fortune.

forty ['fɔːtɪ] num quarante → six.

forward ['fɔːwəd] adv en avant. ◆ n SPORT avant m. ◆ vt (letter) faire suivre ; (goods) expédier ; to look ~ to sthg attendre qqch avec impatience ; I'm looking ~ to seeing you il me tarde de vous voir.

forwarding address ['fɔːwədɪŋ-] n adresse f de réexpédition.

fought [fɔːt] pt & pp → fight.

foul [faʊl] adj (unpleasant) infect(e). ◆ n faute f.

found [faʊnd] pt & pp → find. ◆ vt fonder.

foundation (cream) [faʊn'deɪʃn-] n fond de teint m.

foundations [faʊn'deɪʃnz] npl fondations fpl.

fountain ['faʊntɪn] n fontaine f.

fountain pen n stylo m (à) plume.

four [fɔː'] num quatre → six.

fourteen [fɔː'tiːn] num quatorze → six.

fourteenth [fɔː'tiːnθ] num quatorzième → sixth.

fourth [fɔːθ] num quatrième → sixth.

four-wheel drive n quatre-quatre m inv.

fowl [faʊl] (pl inv) n volaille f.

fox [fɒks] n renard m.

foyer ['fɔɪeɪ] n hall m.

fraction ['frækʃn] n fraction f.

fracture ['fræktʃə'] *n* fracture *f.*
◆ *vt* fracturer.

fragile ['frædʒaıl] *adj* fragile.

fragment ['frægmənt] *n* fragment *m.*

fragrance ['freıgrəns] *n* parfum *m.*

frail [freıl] *adj* fragile.

frame [freım] *n* (of window, door) encadrement *m ; (of bicycle, bed, for photo)* cadre *m ; (of glasses)* monture *f ; (of tent)* armature *f.* ◆ *vt (photo, picture)* encadrer.

France [fraıns] *n* la France.

frank [fræŋk] *adj* franc (franche).

frankfurter ['fræŋkfɜ:tə'] *n* saucisse *f* de Francfort.

frankly ['fræŋklı] *adv* franchement.

frantic ['fræntık] *adj (person)* fou (folle) ; *(activity, pace)* frénétique.

fraud [frɔ:d] *n (crime)* fraude *f.*

freak [fri:k] *adj* insolite. ◆ *n inf (fanatic)* fana *mf.*

freckles ['freklz] *npl* taches *fpl* de rousseur.

free [fri:] *adj* libre ; *(costing nothing)* gratuit(e) ; *(prisoner)* libérer. ◆ *adv (without paying)* gratuitement ; ~ of charge gratuitement ; to be ~ to do sthg être libre de faire qqch.

freedom ['fri:dəm] *n* liberté *f.*

freefone ['fri:fəʊn] *n Br* ≃ numéro *m* vert.

free gift *n* cadeau *m.*

free house *n Br* pub non lié à une brasserie particulière.

free kick *n* coup franc *m.*

freelance ['fri:la:ns] *adj* indépendant(e), free-lance *(inv).*

freely ['fri:lı] *adv* librement ; ~ available facile à se procurer.

free period *n* SCH heure *f* libre.

freepost ['fri:pəʊst] *n* port *m* payé.

free-range *adj (chicken)* fermier(ière) ; *(eggs)* de ferme.

free time *n* temps *m* libre.

freeway ['fri:weı] *n Am* autoroute *f.*

freeze [fri:z] *(pt* froze, *pp* frozen) *vt (food)* congeler ; *(prices)* geler. ◆ *vi* geler. ◆ *v impers:* it's freezing il gèle.

freezer ['fri:zə'] *n (deep freeze)* congélateur *m ; (part of fridge)* freezer *m.*

freezing ['fri:zıŋ] *adj (temperature, water)* glacial(e) ; *(person, hands)* gelé(e).

freezing point *n :* below ~ au-dessous de zéro.

freight [freıt] *n* fret *m.*

French [frentʃ] *adj* français(e). ◆ *n (language)* français *m.* ◆ *npl :* the ~ les Français *mpl.*

French bean *n* haricot *m* vert.

French bread *n* baguette *f.*

French dressing *n (in UK)* vinaigrette *f ; (in US)* assaisonnement pour salade à base de mayonnaise et de ketchup.

French fries *npl* frites *fpl.*

Frenchman ['frentʃmən] *(pl* -men [-mən]) *n* Français *m.*

French windows *npl* porte-fenêtre *f.*

Frenchwoman ['frentʃ,wʊmən] *(pl* -women [-,wımın]) *n* Française *f.*

frequency ['fri:kwənsı] *n* fréquence *f.*

frequent ['fri:kwǝnt] *adj* fréquent(e).

frequently ['fri:kwǝntlı] *adv* fréquemment.

fresh [freʃ] *adj (food, flowers, weather)* frais (fraîche) ; *(refreshing)* rafraîchissant(e) ; *(water)* doux (douce) ; *(recent)* récent(e) ; *(new)* nouveau(elle) ; **to get some ~ air** prendre l'air.

fresh cream *n* crème *f* fraîche.

freshen ['freʃn] : **freshen up** *vi* se rafraîchir.

freshly ['freʃlı] *adv* fraîchement.

Fri *(abbr of Friday)* ven.

Friday ['fraıdı] *n* vendredi → **Saturday**.

fridge [frıdʒ] *n* réfrigérateur *m*.

fried egg [fraıd-] *n* œuf *m* sur le plat.

fried rice [fraıd-] *n* riz *m* cantonais.

friend [frend] *n* ami *m*, -e *f* ; **to be ~s with sb** être ami avec qqn ; **to make ~s with sb** se lier d'amitié avec qqn.

friendly ['frendlı] *adj* aimable ; **to be ~ with sb** être ami avec qqn.

friendship ['frendʃıp] *n* amitié *f*.

fries [fraız] = **French fries**.

fright [fraıt] *n* peur *f* ; **to give sb a ~** faire peur à qqn.

frighten ['fraıtn] *vt* faire peur à.

frightened ['fraıtnd] *adj (scared)* effrayé(e) ; **to be ~ (that) ...** *(worried)* avoir peur que ... (+ *subjunctive*) ; **to be ~ of** avoir peur de.

frightening ['fraıtnıŋ] *adj* effrayant(e).

frightful ['fraıtful] *adj (very bad)* horrible.

frilly ['frılı] *adj* à volants.

fringe [frındʒ] *n* frange *f*.

frisk [frısk] *vt* fouiller.

fritter ['frıtǝr] *n* beignet *m*.

fro [frǝu] *adv* → **to**.

frog [frɒg] *n* grenouille *f*.

from [frɒm] *prep* - 1. *(expressing origin, source)* de ; **I'm ~ England** je suis anglais ; **I bought it ~ a supermarket** je l'ai acheté dans un supermarché ; **the train ~ Manchester** le train en provenance de Manchester.
- 2. *(expressing removal, deduction)* de ; **~ away ~ home** loin de chez soi ; **to take sthg (away) ~ sb** prendre qqch à qqn ; **10 % will be deducted ~ the total** 10 % seront retranchés du total.
- 3. *(expressing distance)* de ; **five miles ~ London** à huit kilomètres de Londres ; **it's not far ~ here** ce n'est pas loin (d'ici).
- 4. *(expressing position)* de ; **~ here you can see the valley** d'ici on voit la vallée.
- 5. *(expressing starting time)* à partir de ; **open ~ nine to five** ouvert de neuf heures à dix-sept heures ; **~ next year** à partir de l'année prochaine.
- 6. *(expressing change)* de ; **the price has gone up ~ £1 to £2** le prix est passé d'une livre à deux livres.
- 7. *(expressing range)* de ; **tickets are ~ £10** les billets les moins chers commencent à 10 livres ; **it could take ~ two to six months** ça peut prendre de deux à six mois.
- 8. *(as a result of)* de ; **I'm tired ~ walking** je suis fatigué d'avoir marché.

- **9.** *(expressing protection)* de ; **sheltered ~** à l'abri du vent.
- **10.** *(in comparisons)* **different ~** différent de.

---

fromage frais [ˌfrɔmaːʒ'frɛ] *n* fromage *m* blanc.

front [frʌnt] *adj (row, part)* de devant ; *(seat, wheel)* avant *(inv).* ◆ *n (of dress, queue)* devant *m* ; *(of car, train, plane)* avant *m* ; *(of building)* façade *f* ; *(of weather front)* front *m* ; *(by the sea)* front *m* de mer ; **in ~** *(further forward)* devant ; *(in vehicle)* à l'avant ; **~ of** devant.

front door *n* porte *f* d'entrée.

frontier [frʌn'tɪə] *n* frontière *f*.

front page *n* une *f*.

front seat *n* siège *m* avant.

frost [frɒst] *n (on ground)* givre *m* ; *(cold weather)* gelée *f*.

frosty ['frɒstɪ] *adj (morning, weather)* glacial(e).

froth [frɒθ] *n (on beer)* mousse *f* ; *(on sea)* écume *f*.

frown [fraun] *n* froncement *m* de sourcils. ◆ *vi* froncer les sourcils.

froze [frəuz] *pt* → **freeze**.

frozen ['frəuzn] *pp* → **freeze**. ◆ *adj* gelé(e) ; *(food)* surgelé(e).

fruit [fruːt] *n (food)* fruits *mpl* ; *(variety, single fruit)* fruit *m* ; **a piece of ~** un fruit ; **~s of the forest** fruits des bois.

fruit cake *n* cake *m*.

fruit juice *n* jus *m* de fruit.

fruit machine *n Br* machine *f* à sous.

fruit salad *n* salade *f* de fruits.

frustrating [frʌ'streɪtɪŋ] *adj* frustrant(e).

frustration [frʌ'streɪʃn] *n* frustration *f*.

fry [fraɪ] *vt* (faire) frire.

frying pan ['fraɪɪŋ-] *n* poêle *f* (à frire).

ft *abbr* = **foot**, **feet**.

fudge [fʌdʒ] *n* caramel *m*.

fuel [fjuəl] *n (petrol)* carburant *m* ; *(coal, gas)* combustible *m*.

fuel pump *n* pompe *f* d'alimentation.

fulfil [ful'fɪl] *vt [Br]* remplir ; *(promise)* tenir ; *(instructions)* obéir à.

fulfill [ful'fɪl] *Am* = **fulfil**.

full [ful] *adj* plein(e) ; *(hotel, train, name)* complet(ète) ; *(maximum)* maximum ; *(week)* chargé(e) ; *(flavour)* riche. ◆ *adv (directly)* en plein ; **I'm ~ (up)** je n'en peux plus ; **at ~ speed** à toute vitesse ; **in ~** *(pay)* intégralement ; *(write)* en toutes lettres.

full board *n* pension *f* complète.

full-cream milk *n* lait *m* entier.

full-length *adj (skirt, dress)* long (longue).

full moon *n* pleine lune *f*.

full stop *n* point *m*.

full-time *adj & adv* à temps plein.

fully ['fulɪ] *adv* entièrement ; *(understand)* tout à fait ; **~ booked** complet.

fully-licensed *adj* habilité à vendre tous types d'alcools.

fumble ['fʌmbl] *vi (search clumsily)* farfouiller ; *(in the dark)* tâtonner.

fun [fʌn] *n* : **it's good ~** c'est très amusant ; **to have ~** s'amuser ; **to make ~ of** se moquer de.

function ['fʌŋkʃn] n (role) fonction f ; (formal event) réception f. ◆ vi fonctionner.

fund [fʌnd] n (of money) fonds m. ◆ vt financer. ❑ **funds** npl fonds mpl.

fundamental [ˌfʌndə'mentl] adj fondamental(e).

funeral ['fjuːnərəl] n enterrement m.

funfair ['fʌnfeəʳ] n fête f foraine.

funky ['fʌŋkɪ] adj inf funky (inv).

funnel ['fʌnl] n (for pouring) entonnoir m ; (on ship) cheminée f.

funny ['fʌnɪ] adj (amusing) drôle ; (strange) bizarre ; to feel ~ (ill) ne pas être dans son assiette.

fur [fɜːʳ] n fourrure f.

furious ['fjʊərɪəs] adj furieux (ieuse).

furnished ['fɜːnɪʃt] adj meublé(e).

furnishings ['fɜːnɪʃɪŋz] npl mobilier m.

furniture ['fɜːnɪtʃəʳ] n meubles mpl ; a piece of ~ un meuble.

furry ['fɜːrɪ] adj (animal) à fourrure ; (toy) en peluche ; (material) pelucheux(euse).

further ['fɜːðəʳ] compar → far. ◆ adv plus loin ; (more) plus. ◆ adj (additional) autre ; until ~ notice jusqu'à nouvel ordre.

furthermore [ˌfɜːðə'mɔːʳ] adv de plus.

furthest ['fɜːðɪst] superl → far. ◆ adj le plus éloigné (la plus éloignée). ◆ adv le plus loin.

fuse [fjuːz] n (of plug) fusible m ; (on bomb) détonateur m. ◆ vi : the plug has ~d les plombs ont sauté.

fuse box n boîte f à fusibles.

fuss [fʌs] n histoires fpl.

fussy ['fʌsɪ] adj (person) difficile.

future ['fjuːtʃəʳ] n avenir m ; GRAMM futur m. ◆ adj futur(e) ; in ~ à l'avenir.

G

g (abbr of gram) g.

gable ['geɪbl] n pignon m.

gadget ['gædʒɪt] n gadget m.

Gaelic ['geɪlɪk] n gaélique m.

gag [gæg] n inf (joke) histoire f drôle.

gain [geɪn] vt gagner ; (weight, speed, confidence) prendre ; (subj: clock, watch) avancer de. ◆ vi (benefit) y gagner. ◆ n gain m.

gale [geɪl] n grand vent m.

gallery ['gælərɪ] n (public) musée m ; (private, at theatre) galerie f.

gallon ['gælən] n Br = 4,546 l, Am = 3,79 l, gallon m.

gallop ['gæləp] vi galoper.

gamble ['gæmbl] n coup m de poker. ◆ vi (bet money) jouer.

gambling ['gæmblɪŋ] n jeu m.

game [geɪm] n jeu m ; (of football, tennis, cricket) match m ; (of chess, cards, snooker) partie f ; (wild animals, meat) gibier m. ❑ **games** n SCH sport m. ◆ npl (sporting event) jeux mpl.

gammon ['gæmən] n jambon cuit, salé ou fumé.

gang [gæŋ] n (of criminals) gang m ; (of friends) bande f.

gangster ['gæŋstəʳ] n gangster m.

gaol [dʒeɪl] Br = **jail**.

gap [gæp] n (space) espace m ;

(crack) interstice *m* ; *(of time)* intervalle *m* ; *(difference)* fossé *m*.

garage ['gæra:ʒ, 'gærɪdʒ] *n* garage *m* ; *Br (for petrol)* station-service *f*.

GARAGE SALE

Les *garage sales* sont très populaires aux États-Unis. Quand les gens veulent se débarrasser de certains objets personnels tels des livres, des vêtements, des meubles, ou des outils. Ils organisent une vente dans leur garage, leur maison, leur jardin ou encore dans la rue devant chez eux. Ces ventes sont annoncées dans la presse locale ou par petites affiches collées dans les points stratégiques du quartier.

garbage ['ga:bɪdʒ] *n Am (refuse)* ordures *fpl*.

garbage can *n Am* poubelle *f*.

garbage truck *n Am* camion-poubelle *m*.

garden ['ga:dn] *n* jardin *m*. ◆ *vi* faire du jardinage. ❑ **gardens** *npl (public park)* jardin *m* public.

garden centre *n* jardinerie *f*.

gardener ['ga:dnə] *n* jardinier *m*, -ière *f*.

gardening ['ga:dnɪŋ] *n* jardinage *m*.

garden peas *npl* petits pois *mpl*.

garlic ['ga:lɪk] *n* ail *m*.

garlic bread *n* pain aillé et beurré servi chaud.

garlic butter *n* beurre *m* d'ail.

garment ['ga:mənt] *n* vêtement *m*.

garnish ['ga:nɪʃ] *n (for decoration)*

garniture *f* ; *(sauce)* sauce servant à relever un plat. ◆ *vt* garnir.

gas [gæs] *n* gaz *m inv* ; *Am (petrol)* essence *f*.

gas cooker *n Br* cuisinière *f* à gaz.

gas cylinder *n* bouteille *f* de gaz.

gas fire *n Br* radiateur *m* à gaz.

gasket ['gæskɪt] *n* joint *m* (d'étanchéité).

gas mask *n* masque *m* à gaz.

gasoline ['gæsəliːn] *n Am* essence *f*.

gasp [ga:sp] *vi (in shock)* avoir le souffle coupé.

gas pedal *n Am* accélérateur *m*.

gas station *n Am* station-service *f*.

gas stove *Br* = gas cooker.

gas tank *n Am* réservoir *m* (à essence).

gasworks ['gæswɜːks] *(pl inv)* *n* usine *f* à gaz.

gate [geɪt] *n (to garden, at airport)* porte *f* ; *(to building)* portail *m* ; *(to field)* barrière *f*.

gâteau ['gætəʊ] *(pl -x [-z])* *n Br* gros gâteau à la crème.

gateway ['geɪtweɪ] *n (entrance)* portail *m*.

gather ['gæðə] *vt (belongings)* ramasser ; *(information)* recueillir ; *(speed)* prendre ; *(understand)* déduire. ◆ *vi* se rassembler.

gaudy ['gɔːdɪ] *adj* voyant(e).

gauge [geɪdʒ] *n* jauge *f* ; *(of railway track)* écartement *m*. ◆ *vt (calculate)* évaluer.

gauze [gɔːz] *n* gaze *f*.

gave [geɪv] *pt* → give.

gay [geɪ] *adj (homosexual)* homo-sexuel(elle).

gaze [geɪz] *vi :* to ~ at regarder fixement.

GB *(abbr of Great Britain)* G-B.

GCSE *n* examen de fin de premier cycle.

gear [gɪə] *n (wheel)* roue *f* dentée ; *(speed)* vitesse *f* ; *(belongings)* affaires *fpl* ; *(equipment)* équipement *m* ; *(clothes)* tenue *f* ; in ~ en prise.

gearbox ['gɪəbɒks] *n* boîte *f* de vitesses.

gear lever *n* levier *m* de vitesse.

gear shift *Am* = gear lever.

gear stick *Br* = gear lever.

geek ['giːk] *n inf* débile *mf* ; a movie/computer ~ un dingue de cinéma/d'informatique.

geese [giːs] *pl* → goose.

gel [dʒel] *n* gel *m*.

gelatine [ˌdʒelə'tiːn] *n* gélatine *f*.

gem [dʒem] *n* pierre *f* précieuse.

gender ['dʒendə] *n* genre *m*.

general ['dʒenərəl] *adj* général(e). ◆ *n* général *m* ; in ~ en général.

general anaesthetic *n* anesthésie *f* générale.

general election *n* élections *fpl* législatives.

generally ['dʒenərəlɪ] *adv* généralement.

general practitioner [-præk'tɪʃənə] *n (médecin)* généraliste *m*.

general store *n* bazar *m*.

generate ['dʒenəreɪt] *vt (cause)* susciter ; *(electricity)* produire.

generation [ˌdʒenə'reɪʃn] *n* génération *f*.

generator ['dʒenəreɪtə] *n* générateur *m*.

generosity [ˌdʒenə'rɒsətɪ] *n* générosité *f*.

generous ['dʒenərəs] *adj* généreux(euse).

genetically [dʒɪ'netɪklɪ] *adv* génétiquement ; ~ modified génétiquement modifié(e) ; ~ modified organism organisme *m* génétiquement modifié.

genetic code *n* code *m* génétique.

genitals ['dʒenɪtlz] *npl* parties *fpl* génitales.

genius ['dʒiːnjəs] *n* génie *m*.

gentle ['dʒentl] *adj* doux (douce) ; *(movement, breeze)* léger(ère).

gentleman ['dʒentlmən] *(pl* -men [-mən]) *n* monsieur *m* ; *(with good manners)* gentleman *m* ; 'gentlemen' *(men's toilets)* 'messieurs'.

gently ['dʒentlɪ] *adv (carefully)* doucement.

gents [dʒents] *n Br* toilettes *fpl* pour hommes.

genuine ['dʒenjuɪn] *adj (authentic)* authentique ; *(sincere)* sincère.

geographical [dʒɪə'græfɪkl] *adj* géographique.

geography [dʒɪ'ɒgrəfɪ] *n* géographie *f*.

geology [dʒɪ'ɒlədʒɪ] *n* géologie *f*.

geometry [dʒɪ'ɒmətrɪ] *n* géométrie *f*.

Georgian ['dʒɔːdʒən] *adj (architecture etc)* georgien(ienne) ; *(du règne des rois George I-IV, 1714-1830).*

geranium [dʒɪ'reɪnjəm] *n* géranium *m*.

German ['dʒɜːmən] *adj* allemand(e). ◆ *n (person)* Allemand *m*, -e *f* ; *(language)* allemand *m*.

German measles *n* rubéole *f*.

Germany ['dʒɜːmənɪ] *n* l'Allemagne *f*.

germs [dʒɜːmz] *npl* germes *mpl*.

gesture ['dʒestʃə'] *n (movement)* geste *m*.

☞

get [get] *(pt & pp* **got**, *Am pp* **gotten)** *vt* - 1. *(obtain)* obtenir ; *(buy)* acheter ; **she got a job** elle a trouvé un travail.
- 2. *(receive)* recevoir ; **I got a book for Christmas** on m'a offert OR j'ai eu un livre pour Noël.
- 3. *(train, plane, bus* etc*)* prendre.
- 4. *(fetch)* aller chercher ; **could you ~ me the manager?** *(in shop)* pourriez-vous m'appeler le directeur? ; *(on phone)* pourriez-vous me passer le directeur?
- 5. *(illness)* attraper ; **I've got a cold** j'ai un rhume.
- 6. *(cause to become)* : **to ~ sthg done** faire faire qqch ; **can I ~ my car repaired here?** est-ce que je peux faire réparer ma voiture ici?
- 7. *(ask, tell)* : **to ~ sb to do sthg** faire faire qqch à qqn.
- 8. *(move)* : **I can't ~ it through the door** je n'arrive pas à le faire passer par la porte.
- 9. *(understand)* comprendre, saisir.
- 10. *(time, chance)* avoir ; **we didn't ~ the chance to see everything** nous n'avons pas pu tout voir.
- 11. *(idea, feeling)* avoir.
- 12. *(phone)* répondre à.
- 13. *(in phrases)* : **you ~ a lot of rain here in winter** il pleut beaucoup ici en hiver, have.

◆ *vi* - 1. *(become)* : **to ~ lost** se perdre ; **to ~ ready** se préparer ; **it's getting late** il se fait tard ; **~ lost!** *inf* fiche le camp!
- 2. *(in particular state, position)* : **to ~ into trouble** s'attirer des ennuis ; **how do you ~ to Luton from here?** comment va-t-on à Luton? ; **to ~ into the car** monter dans la voiture.
- 3. *(arrive)* arriver ; **when does the train ~ here?** à quelle heure arrive le train?
- 4. *(in phrases)* : **to ~ to do sthg** avoir l'occasion de faire qqch.

◆ *aux vb* : **to ~ delayed** être retardé ; **to ~ killed** se faire tuer.

❑ **get back** *vi (return)* rentrer.

❑ **get in** *vi (arrive)* arriver ; *(enter)* entrer.

❑ **get off** *vi (leave train, bus)* descendre ; *(depart)* partir.

❑ **get on** *vi (enter train, bus)* monter ; *(in relationship)* s'entendre ; *(progress)* : **how are you getting on?** comment t'en sors?

❑ **get out** *vi (of car, bus, train)* descendre.

❑ **get through** *vi (on phone)* obtenir la communication.

❑ **get up** *vi* se lever.

get-together *n inf* réunion *f*.

ghastly ['gɑːstlɪ] *adj inf* affreux(euse).

gherkin ['gɜːkɪn] *n* cornichon *m*.

ghetto blaster ['getəʊ,blɑːstə'] *n inf* grand radiocassette portatif.

ghost [gəʊst] *n* fantôme *m*.

giant ['dʒaɪənt] *adj* géant(e). ◆ *n (in stories)* géant *m*, -e *f*.

giblets ['dʒɪblɪts] *npl* abats *mpl* de volaille.

giddy ['gɪdɪ] *adj* : to feel ~ avoir la tête qui tourne.

gift [gɪft] *n* cadeau *m* ; *(talent)* don *m*.

gifted ['gɪftɪd] *adj* doué(e).

gift shop *n* boutique *f* de cadeaux.

gift voucher *n* Br chèque-cadeau *m*.

gig [gɪg] *n inf (concert)* concert *m*.

gigantic [dʒaɪ'gæntɪk] *adj* gigantesque.

giggle ['gɪgl] *vi* glousser.

gimmick ['gɪmɪk] *n* astuce *f*.

gin [dʒɪn] *n* gin *m* ; ~ **and tonic** gin tonic.

ginger ['dʒɪndʒə^r] *n* gingembre *m*. ♦ *adj (colour)* roux (rousse).

ginger ale *n* boisson gazeuse non alcoolisée au gingembre, souvent utilisée en cocktail.

ginger beer *n* boisson gazeuse non alcoolisée au gingembre.

gingerbread ['dʒɪndʒəbred] *n* pain *m* d'épice.

gipsy ['dʒɪpsɪ] *n* gitan *m*, -e *f*.

giraffe [dʒɪ'rɑːf] *n* girafe *f*.

girl [gɜːl] *n* fille *f*.

girlfriend ['gɜːlfrend] *n* copine *f*, amie *f*.

girl guide *n* Br éclaireuse *f*.

girl scout *Am* = **girl guide**.

giro ['dʒaɪrəʊ] *n (system)* virement *m* bancaire.

give [gɪv] *(pt* **gave**, *pp* **given** ['gɪvn]*) vt* donner ; *(a smile)* faire ; *(a look)* jeter ; *(speech)* faire ; *(attention, time)* consacrer ; **to ~ sb sthg** donner qqch à qqn ; *(as present)* offrir qqch à qqn ; *(news, message)* transmettre qqch à qqn ; **to ~ sthg a push** pousser qqch ; **to ~ sb a kiss**

embrasser qqn ; ~ **or take a few days** à quelques jours près. ❑ **give away** *vt sep (get rid of)* donner ; *(reveal)* révéler. ❑ **give back** *vt sep* rendre. ❑ **give in** *vi* céder. ❑ **give off** *vt fus (smell)* exhaler ; *(gas)* émettre. ❑ **give out** *vt sep (distribute)* distribuer. ❑ **give up** *vt sep (cigarettes, chocolate)* renoncer à ; *(seat)* laisser. ♦ *vi (admit defeat)* abandonner ; **to ~ up (smoking)** arrêter de fumer.

glacier ['glæsjə^r] *n* glacier *m*.

glad [glæd] *adj* content(e) ; **to be ~ to do sthg** faire qqch volontiers OR avec plaisir.

gladly ['glædlɪ] *adv (willingly)* volontiers, avec plaisir.

glamorous ['glæmərəs] *adj (woman)* séduisant(e) ; *(job, place)* prestigieux(ieuse).

glance [glɑːns] *n* coup *m* d'œil. ♦ *vi* : **to ~** jeter un coup d'œil à.

gland [glænd] *n* glande *f*.

glandular fever ['glændjʊlə-] *n* mononucléose *f* infectieuse.

glare [gleə^r] *vi (person)* jeter des regards mauvais ; *(sun, light)* être éblouissant(e).

glass [glɑːs] *n* verre *m*. ♦ *adj* en verre ; *(door)* vitré(e). ❑ **glasses** *npl* lunettes *fpl*.

glassware ['glɑːsweə^r] *n* verrerie *f*.

glen [glen] *n* Scot vallée *f*.

glider ['glaɪdə^r] *n* planeur *m*.

glimpse [glɪmps] *vt* apercevoir.

glitter ['glɪtə^r] *vi* scintiller.

globalization [,gləʊbəlaɪ'zeɪʃn] *n* mondialisation *f*.

global warming [,gləʊbl'wɔːmɪŋ] *n* réchauffement *m* de la planète.

globe [gləʊb] *n (with map)* globe *m* *(terrestre)* ; **the ~** *(Earth)* le globe.

gloomy ['gluːmɪ] *adj (room, day)* lugubre ; *(person)* triste.

glorious ['glɔːrɪəs] *adj (weather, sight)* splendide ; *(victory, history)* glorieux(euse).

glory ['glɔːrɪ] *n* gloire *f*.

gloss [glɒs] *n (shine)* brillant *m*, lustre *m* ; **~** *(paint)* peinture *f* brillante.

glossary ['glɒsərɪ] *n* glossaire *f*.

glossy ['glɒsɪ] *adj* sur papier glacé.

glove [glʌv] *n* gant *m*.

glove compartment *n* boîte *f* à gants.

glow [gləʊ] *n* lueur *f*. ◆ *vi* briller.

glucose ['gluːkəʊs] *n* glucose *m*.

glue [gluː] *n* colle *f*. ◆ *vt* coller.

GM *(abbr of genetically modified)* *adj* génétiquement modifié(e).

gnat [næt] *n* moustique *m*.

gnaw [nɔː] *vt* ronger.

GNVQ *(abbr of general national vocational qualification)* *n* diplôme sanctionnant deux années d'études professionnelles à la fin du secondaire, ≃ baccalauréat *m* professionnel.

☞

go [gəʊ] *(pt* went, *pp* gone, *pl* goes) *vi* - **1.** *(move, travel)* aller ; **to ~ for a walk** aller se promener ; **to ~ and do sthg** aller faire qqch ; **to ~ home** rentrer chez soi ; **to ~ to Spain** aller en Espagne ; **to ~ by bus** prendre le bus ; **to ~ swimming** aller nager. - **2.** *(leave)* partir, s'en aller ; **when**

does the bus ~? quand part le bus ? ; **~ away!** allez vous-en! - **3.** *(become)* devenir ; **she went pale** elle a pâli ; **the milk has gone sour** le lait a tourné. - **4.** *(expressing future tense)* : **to be going to do sthg** aller faire qqch. - **5.** *(function)* marcher ; **the car won't ~** la voiture ne veut pas démarrer. - **6.** *(stop working)* tomber en panne ; *(break)* se casser ; **the fuse has gone** les plombs ont sauté. - **7.** *(time)* passer. - **8.** *(progress)* aller, se passer ; **to ~ well** aller bien, bien se passer. - **9.** *(bell, alarm)* se déclencher. - **10.** *(match)* aller ensemble ; **to ~ with** aller (bien) avec ; **red wine doesn't ~ with fish** le vin rouge ne va pas bien avec le poisson. - **11.** *(be sold)* se vendre ; **'everything must ~'** 'tout doit partir'. - **12.** *(fit)* rentrer. - **13.** *(lead)* aller ; **where does this path ~?** où va ce chemin ? - **14.** *(belong)* aller. - **15.** *(in phrases)* : **to let ~ of sthg** *(drop)* lâcher qqch ; **to ~** *Am* *(to take away)* à emporter ; **there are two weeks to ~** il reste deux semaines.

◆ *n* - **1.** *(turn)* tour *m* ; **it's your ~** c'est ton tour, c'est à toi. - **2.** *(attempt)* coup *m* ; **to have a ~ at sthg** essayer qqch ; **'50p a ~'** *(for game)* '50p la partie'.

❑ **go ahead** *vi (begin)* y aller ; *(take place)* avoir lieu.

❑ **go back** *vi (return)* retourner.

❑ **go down** *vi (decrease)* baisser ; *(sun)* se coucher ; *(tyre)* se dégonfler.

❏ **go down with** vt fus inf (illness) attraper.

❏ **go in** vi entrer.

❏ **go off** vi (alarm, bell) se déclencher ; (food) se gâter ; (milk) tourner ; (light, heating) s'éteindre.

❏ **go on** vi (happen) se passer ; (light, heating) rester allumé ; (continue) : **to ~ on doing sthg** continuer à faire qqch ; **go on!** allez!

❏ **go out** vi (leave house) sortir ; (light, fire, cigarette) s'éteindre ; (have relationship) : **to ~ out with sb** sortir avec qqn ; **to ~ out for a meal** dîner dehors.

❏ **go over** vt fus (check) vérifier.

❏ **go round** vi (revolve) tourner.

❏ **go through** vt fus (experience) vivre ; (spend) dépenser ; (search) fouiller.

❏ **go up** vi (increase) augmenter.

❏ **go without** vt fus se passer de.

goal [gəʊl] n but m ; (posts) buts mpl.

goalkeeper ['gəʊl,kiːpə'] n gardien m (de but).

goalpost ['gəʊlpəʊst] n poteau m (de but).

goat [gəʊt] n chèvre f.

gob [gɒb] n Br inf (mouth) gueule f.

god [gɒd] n dieu m. ❏ **God** n Dieu m.

goddaughter ['gɒd,dɔːtə'] n filleule f.

godfather ['gɒd,faːðə'] n parrain m.

godmother ['gɒd,mʌðə'] n marraine f.

gods [gɒdz] npl : **the ~** (in theatre) Br inf le poulailler.

godson ['gɒdsʌn] n filleul m.

goes [gəʊz] → **go**.

goggles ['gɒglz] npl (for swimming) lunettes fpl de natation ; (for skiing) lunettes fpl de ski.

going ['gəʊɪŋ] adj (available) disponible ; **the ~ rate** le tarif en vigueur.

go-kart [-kaːt] n kart m.

gold [gəʊld] n or m. ◆ adj en or.

goldfish ['gəʊldfɪʃ] (pl inv) n poisson m rouge.

gold-plated [-'pleɪtɪd] adj plaqué(e) or.

golf [gɒlf] n golf m.

golf ball n balle f de golf.

golf club n club m de golf.

golf course n terrain m de golf.

golfer ['gɒlfə'] n joueur m, -euse f de golf.

gone [gɒn] pp → **go**. ◆ prep Br (past) : **it's ~ ten** il est dix heures passées.

good [gʊd] (compar better, superl best) adj bon (bonne) ; (kind) gentil(ille) ; (well-behaved) sage. ◆ n bien m ; **the weather is ~** il fait beau ; **to have a ~ time** s'amuser ; **to be ~ at sthg** être bon en qqch ; **a ~ ten minutes** dix bonnes minutes ; **in ~ time** à temps ; **to make ~ sthg** (damage) payer qqch ; (loss) compenser qqch ; **for ~** pour de bon ; **for the ~ of** pour le bien de ; **to do sb ~** faire du bien à qqn ; **it's no ~** (there's no point) ça ne sert à rien ; **~ afternoon!** bonjour! ; **~ evening!** bonsoir! ; **~ morning!** bonjour! ; **~ night!** bonne nuit! ❏ **goods** npl marchandises fpl.

goodbye [,gʊd'baɪ] excl au revoir!

Good Friday n le Vendredi saint.

good-looking [-'lʊkɪŋ] adj beau (belle).

goose [gu:s] (pl **geese**) n oie f.

gooseberry ['gʊzbərɪ] n groseille f à maquereau.

gorge [gɔ:dʒ] n gorge f.

gorgeous ['gɔ:dʒəs] adj (day, countryside) splendide ; (meal) délicieux(ieuse) ; inf (good-looking) canon (inv).

gorilla [gə'rɪlə] n gorille m.

gossip ['gɒsɪp] vi (about someone) cancaner ; (chat) bavarder. ◆ n (about someone) commérages mpl ; to have a ~ (chat) bavarder.

gossip column n échos mpl.

got [gɒt] pt & pp → get.

gotten ['gɒtn] pp Am → get.

goujons ['gu:dʒɒnz] npl fines lamelles de poisson enrobées de pâte à crêpe et frites.

goulash ['gu:læʃ] n goulasch m.

gourmet ['gʊəmeɪ] n gourmet m. ◆ adj (food, restaurant) gastronomique.

govern ['gʌvən] vt (country) gouverner ; (city) administrer.

government ['gʌvnmənt] n gouvernement m.

gown [gaʊn] n (dress) robe f.

GP abbr = general practitioner.

grab [græb] vt saisir ; (person) attraper.

graceful ['greɪsfʊl] adj gracieux(ieuse).

grade [greɪd] n (quality) qualité f ; (in exam) note f ; Am (year at school) année f.

gradient ['greɪdjənt] n pente f.

gradual ['grædʒʊəl] adj graduel(elle), progressif(ive).

gradually ['grædʒʊəlɪ] adv graduellement, progressivement.

graduate [n 'grædʒʊət, vb 'grædʒʊeɪt] n (from university) ≃ licencié m, -e f ; Am (from high school) ≃ bachelier m, -ière f. ◆ vi (from university) ≃ obtenir sa licence ; Am (from high school) ≃ obtenir son baccalauréat.

graduate school n Am troisième m cycle d'université.

GRADUATE SCHOOL

Aux États-Unis, de nombreux étudiants, après avoir obtenu leur licence (bachelor's degree), poursuivent leurs études dans un établissement appelé graduate school. Ils peuvent y préparer une maîtrise (master's degree), qu'on obtient généralement au bout d'un an. Ensuite, l'étudiant peut opter pour une thèse de troisième cycle : les études de doctorat (Ph.D.) durent deux ou trois ans. Pour être admis dans une graduate school, il faut passer un examen national, le GRE. Bien que la poursuite des études après la licence coûte cher, il faut avoir un diplôme de second ou même de troisième cycle si l'on veut un emploi dans de nombreux secteurs d'activité.

graduation [,grædʒʊ'eɪʃn] n remise f des diplômes.

graffiti [grə'fi:tɪ] n graffiti mpl.

grain [greɪn] n grain m ; (crop) céréales fpl.

gram [græm] n gramme m.

grammar ['græmə'] n grammaire f.

grammar school n (in UK) école secondaire publique, plus sélective et plus traditionnelle que les autres.

gramme [græm] = gram.

gramophone ['græməfəʊn] n gramophone m.

gran [græn] n Br inf mamie f.

grand [grænd] adj (impressive) grandiose. ◆ n inf (£1,000) mille livres fpl ; ($1,000) mille dollars mpl.

grandchild ['græntʃaɪld] (pl -children [-.tʃɪldrən]) n (boy) petit-fils m ; (girl) petite-fille f ; **grandchildren** petits-enfants mpl.

granddad ['grændæd] n inf papi m.

granddaughter ['græn.dɔ:tə'] n petite-fille f.

grandfather ['grænd.fɑ:ðə'] n grand-père m.

grandma ['grænmɑː] n inf mamie f.

grandmother ['græn.mʌðə'] n grand-mère f.

grandpa ['grænpɑː] n inf papi m.

grandparents ['græn.peərənts] npl grands-parents mpl.

grandson ['grænsʌn] n petit-fils m.

granite ['grænɪt] n granit m.

granny ['grænɪ] n inf mamie f.

grant [grɑːnt] n POL subvention f ; (for university) bourse f. ◆ vt fml (give) accorder ; **to take sthg for ~ed** considérer qqch comme un fait acquis ; **he takes her for ~ed** il ne se rend pas compte de tout ce qu'elle fait pour lui.

grape [greɪp] n raisin m.

grapefruit ['greɪpfruːt] n pamplemousse m.

grapefruit juice n jus m de pamplemousse.

graph [grɑːf] n graphique m.

graph paper n papier m millimétré.

grasp [grɑːsp] vt saisir.

grass [grɑːs] n herbe f ; **'keep off the ~'** 'pelouse interdite'.

grasshopper ['grɑːs.hɒpə'] n sauterelle f.

grate [greɪt] n grille f de foyer.

grated ['greɪtɪd] adj râpé(e).

grateful ['greɪtfʊl] adj reconnaissant(e).

grater ['greɪtə'] n râpe f.

gratitude ['grætɪtjuːd] n gratitude f.

gratuity [grə'tjuːɪtɪ] n fml pourboire m.

grave¹ [greɪv] adj (mistake, news) grave ; (concern) sérieux(ieuse). ◆ n tombe f.

grave² [grɑːv] adj (accent) grave.

gravel ['grævl] n gravier m ; (smaller) gravillon m.

graveyard ['greɪvjɑːd] n cimetière m.

gravity ['grævətɪ] n gravité f.

gravy ['greɪvɪ] n jus m de viande.

gray [greɪ] Am = grey.

graze [greɪz] vt (injure) égratigner.

grease [griːs] n graisse f.

greaseproof paper [griːs.pruːf-] n Br papier m sulfurisé.

greasy ['griːsɪ] adj (tools, clothes) graisseux(euse) ; (food, skin, hair) gras (grasse).

great [greɪt] adj grand(e) ; (very

good) super *(inv)*, génial(e) ; (that's)
~! (c'est) super OR génial!.
Great Britain *n* la Grande-
Bretagne.

GREAT BRITAIN

La Grande-Bretagne est formée
de l'Angleterre, de l'Écosse et du
pays de Galles. À ne pas confondre avec le Royaume-Uni qui in-
clut en plus l'Irlande du Nord, ni
avec les îles Britanniques, qui
englobent également la république d'Irlande, les Orcades,
l'Île de Man, les Shetlands et les
îles Anglo-Normandes.

great-grandfather *n* arrière-
grand-père *m*.
great-grandmother *n* arrière-
grand-mère *f*.
greatly ['greɪtlɪ] *adv (a lot)* beaucoup ; *(very)* très.
greed [griːd] *n (for food)* glouton-
nerie *f* ; *(for money)* avidité *f*.
greedy ['griːdɪ] *adj (for food)*
glouton(onne) ; *(for money)* avide.
green [griːn] *adj* vert(e) ; *(person,
product)* écolo ; *inf (inexperienced)*
jeune. ◆ *n (colour)* vert *m* ; *(in village)* terrain *m* communal ; *(on
golf course)* green *m*. ◻ **greens** *npl
(vegetables)* légumes *mpl* verts.
green beans *npl* haricots *mpl*
verts.
green card *n Br (for car)* carte *f*
verte ; *Am (work permit)* carte *f* de
séjour.

GREEN CARD

La « carte verte » (bien qu'elle
ait maintenant changé de couleur) désigne le document admi-

nistratif qui permet à une personne étrangère de séjourner et
de travailler aux États-Unis. De
nombreuses démarches admi-
nistratives sont nécessaires à son
obtention. Les candidats à ce
permis de séjour doivent être
apparentés à un citoyen américain, ou bien employés par une
entreprise américaine, ou encore être susceptibles d'investir
une importante somme d'argent aux États-Unis.

green channel *n* dans un port ou
un aéroport, sortie réservée aux voyageurs n'ayant rien à déclarer.
greengage ['griːngeɪdʒ] *n* reine-
claude *f*.
greengrocer's ['griːnɡrəʊsəz] *n
(shop)* magasin *m* de fruits et de
légumes.
greenhouse ['griːnhaʊs, *pl* -haʊ-
zɪz] *n* serre *f*.
greenhouse effect *n* effet *m*
de serre.
green light *n* feu *m* vert.
green pepper *n* poivron *m*
vert.
green salad *n* salade *f* verte.
greet [griːt] *vt* saluer.
greeting ['griːtɪŋ] *n* salut *m*.
grenade [grə'neɪd] *n* grenade *f*.
grew [gruː] *pt* → grow.
grey [greɪ] *adj* gris(e). ◆ *n* gris *m* ;
to go ~ grisonner.
greyhound ['greɪhaʊnd] *n* lévrier
m.

GREYHOUND BUS

Voyager en autocar est le
moyen de transport le moins
cher pour parcourir les États-
Unis. Les cars de la compagnie

Greyhound sont les seuls à couvrir tout le pays. On en trouve également dans plusieurs villes du Canada et du Mexique. Ce réseau est d'autant plus important qu'il dessert certaines régions qui ne sont pas accessibles par avion.

grid [grɪd] n (grating) grille f ; (on map etc) quadrillage m.

grief [griːf] n chagrin m ; **to come to ~** (person) échouer.

grieve [griːv] vi être en deuil.

grill [grɪl] n (on cooker, over fire) gril m ; (part of restaurant) grill m. ◆ vt (faire) griller.

grille [grɪl] n AUT calandre f.

grilled [grɪld] adj grillé(e).

grim [grɪm] adj (expression) sévère ; (place, news) sinistre.

grimace ['grɪməs] n grimace f.

grimy ['graɪmɪ] adj crasseux(euse).

grin [grɪn] n grand sourire m. ◆ vi faire un grand sourire.

grind [graɪnd] (pt & pp ground) vt (pepper, coffee) moudre.

grip [grɪp] n (hold) prise f ; (of tyres) adhérence f ; (handle) poignée f ; (bag) sac m de voyage. ◆ vt (hold) saisir.

gristle ['grɪsl] n nerfs mpl.

groan [grəʊn] n (of pain) gémissement m. ◆ vi (in pain) gémir ; (complain) ronchonner.

groceries ['grəʊsərɪz] npl épicerie f.

grocer's ['grəʊsəz] n (shop) épicerie f.

grocery ['grəʊsərɪ] n (shop) épicerie f.

groin [grɔɪn] n aine f.

groove [gruːv] n rainure f.

groovy ['gruːvɪ] adj inf (excellent) super, génial(e). ; (fashionable) branché(e).

grope [grəʊp] vi tâtonner.

gross [grəʊs] adj (weight, income) brut(e).

grossly ['grəʊslɪ] adv (extremely) extrêmement.

grotty ['grɒtɪ] adj Br inf minable.

ground [graʊnd] pt & pp → grind. ◆ n (surface of earth) sol m ; (soil) terre f ; SPORT terrain m. ◆ adj (coffee) moulu(e). ◆ vt : **to be ~ed** (plane) être interdit de vol ; **on the ~** par terre. ❑ **grounds** npl (of building) terrain m ; (of coffee) marc m ; (reason) motif m.

ground floor n rez-dechaussée m.

groundsheet ['graʊndʃiːt] n tapis m de sol.

group [gruːp] n groupe m.

grouse [graʊs] (pl inv) n (bird) grouse f.

grovel ['grɒvl] vi ramper.

grow [grəʊ] (pt grew, pp grown) vi (person, animal) grandir ; (plant) pousser ; (increase) augmenter ; (become) devenir. ◆ vt (plant, crop) cultiver ; (beard) laisser pousser ; **to ~ old** vieillir. ❑ **grow up** vi grandir.

growl [graʊl] vi (dog) grogner.

grown [grəʊn] pp → grow.

grown-up adj adulte. ◆ n adulte mf, grande personne f.

growth [grəʊθ] n (increase) augmentation f ; MED excroissance f.

grub [grʌb] n inf (food) bouffe f.

grubby ['grʌbɪ] adj inf pas net (nette).

grudge [grʌdʒ] n : **to bear sb a ~**

en vouloir à qqn. ◆ vt : to ~sb sthg envier qqch à qqn.

grueling ['gruəlɪŋ] Am = gruelling.

gruelling ['gruəlɪŋ] adj Br exténuant(e).

gruesome ['gru:səm] adj macabre.

grumble ['grʌmbl] vi (complain) grommeler.

grumpy ['grʌmpɪ] adj inf grognon(onne).

grunge [grʌndʒ] n inf (dirt) crasse f ; (music, fashion) grunge m.

grunt [grʌnt] vi (pig) grogner ; (person) pousser un grognement.

guarantee [ˌgærən'ti:] n garantie f. ◆ vt garantir.

guard [gɑːd] n (of prisoner) gardien m, -ienne f ; (of politician, palace) garde m ; Br (on train) chef m de train ; (protective cover) protection f. ◆ vt (watch over) garder ; to be on one's ~ être sur ses gardes.

guess [ges] vt (essayer de) deviner. ◆ n : to have a ~ (at sthg) (essayer de) deviner (qqch) ; I ~ (so) je suppose (que oui).

guest [gest] n invité m, -e f ; (in hotel) client m, -e f.

guesthouse ['gesthaʊs, pl -haʊzɪz] n pension f de famille.

guestroom ['gestrʊm] n chambre f d'amis.

guidance ['gaɪdəns] n conseils mpl.

guide [gaɪd] n (for tourists) guide mf ; (guidebook) guide m (touristique). ◆ vt conduire. ❏ Guide n Br ≃ éclaireuse f.

guidebook ['gaɪdbʊk] n guide m (touristique).

guide dog n chien m d'aveugle.

guided tour ['gaɪdɪd-] n visite f guidée.

guidelines ['gaɪdlaɪnz] npl lignes fpl directrices.

guilt [gɪlt] n culpabilité f.

guilty ['gɪltɪ] adj coupable.

guinea pig ['gɪnɪ-] n cochon m d'Inde.

guitar [gɪ'tɑːʳ] n guitare f.

guitarist [gɪ'tɑːrɪst] n guitariste mf.

gulf [gʌlf] n (of sea) golfe m.

Gulf War n : the ~ la guerre du Golfe.

gull [gʌl] n mouette f.

gullible ['gʌləbl] adj crédule.

gulp [gʌlp] n goulée f.

gum [gʌm] n (chewing gum) chewing-gum m ; (bubble gum) chewing-gum avec lequel on peut faire des bulles ; (adhesive) gomme f. ❏ gums npl (in mouth) gencives fpl.

gun [gʌn] n (pistol) revolver m ; (rifle) fusil m ; (cannon) canon m.

gunfire ['gʌnfaɪəʳ] n coups mpl de feu.

gunshot ['gʌnʃɒt] n coup m de feu.

gust [gʌst] n rafale f.

gut [gʌt] n inf (stomach) estomac m. ❏ guts npl inf (intestines) boyaux mpl ; (courage) cran m.

gutter ['gʌtəʳ] n (beside road) rigole f ; (of house) gouttière f.

guy [gaɪ] n inf (man) type m. ❏ guys npl Am inf (people) : you ~s vous.

Guy Fawkes Night [-'fɔːks-] n le 5 novembre.

guy rope *n* corde *f* de tente.

gym [dʒɪm] *n* gymnase *m* ; *(school lesson)* gym *f*.

gymnast ['dʒɪmnæst] *n* gymnaste *mf*.

gymnastics [dʒɪm'næstɪks] *n* gymnastique *f*.

gym shoes *npl* tennis *mpl* en toile.

gynaecologist [ˌgaɪnə'kɒlədʒɪst] *n* gynécologue *mf*.

gypsy ['dʒɪpsɪ] = gipsy.

H

H *(abbr of hot)* C ; *(abbr of hospital)* H.

habit ['hæbɪt] *n* habitude *f*.

hacksaw ['hæksɔ:] *n* scie *f* à métaux.

had [hæd] *pt & pp* → **have**.

haddock ['hædək] *(pl inv)* *n* églefin *m*.

hadn't ['hædnt] = had not.

haggis ['hægɪs] *n* plat typique écossais consistant en une panse de brebis farcie, le plus souvent accompagné de pommes de terre et de navets en purée.

haggle ['hægl] *vi* marchander.

hail [heɪl] *n* grêle *f*. ♦ *v impers* grêler.

hailstone ['heɪlstəun] *n* grêlon *m*.

hair [heəʳ] *n* *(on head)* cheveux *mpl* ; *(on skin)* poils *mpl* ; *(individual hair on head)* cheveu *m* ; *(individual hair on skin, of animal)* poil *m* ; **to have one's ~ cut** se faire couper les cheveux.

hairband ['heəbænd] *n* bandeau *m*.

hairbrush ['heəbrʌʃ] *n* brosse *f* à cheveux.

hairclip ['heəklɪp] *n* barrette *f*.

haircut ['heəkʌt] *n* *(style)* coupe *f* (de cheveux) ; **to have a ~** se faire couper les cheveux.

hairdo ['heədu:] *(pl -s)* *n* coiffure *f*.

hairdresser ['heəˌdresəʳ] *n* coiffeur *m*, -euse *f* ; **~'s** *(salon)* salon *m* de coiffure ; **to go to the ~'s** aller chez le coiffeur.

hairdryer ['heəˌdraɪəʳ] *n* sèche-cheveux *m inv*.

hair gel *n* gel *m* coiffant.

hairgrip ['heəgrɪp] *n* Br épingle *f* à cheveux.

hairpin bend ['heəpɪn-] *n* virage *m* en épingle à cheveux.

hair remover [-rɪˌmu:vəʳ] *n* crème *f* dépilatoire.

hair slide n barrette f.

hairspray ['heəspreɪ] n laque f.

hairstyle ['heəstaɪl] n coiffure f.

hairy ['heərɪ] adj poilu(e).

half [Br hɑːf, Am hæf] (pl **halves**) ◆ n moitié f ; (of match) mi-temps f inv ; (half pint) ≃ demi m ; (child's ticket) demi-tarif m. ◆ adv à moitié. ◆ adj : ~ a day une demi-journée ; **four and a** ~ quatre et demi ; ~ **past seven** sept heures et demie ; ~ **as big as** moitié moins grand que ; **an hour and a** ~ une heure et demie ; **an hour** une demi-heure ; ~ **a dozen** une demi-douzaine.

half board n demi-pension f.

half-day n demi-journée f.

half fare n demi-tarif m.

half portion n demi-portion f.

half-price adj à moitié prix.

half term n Br vacances fpl de mi-trimestre.

halfway [hɑːf'weɪ] adv (in space) à mi-chemin ; (in time) à la moitié.

halibut ['hælɪbət] (pl inv) n flétan m.

hall [hɔːl] n (of house) entrée f ; (building, large room) salle f ; (country house) manoir m.

hallmark ['hɔːlmɑːk] n (on silver, gold) poinçon m.

hallo [hə'ləʊ] = **hello**.

hall of residence n résidence f universitaire.

Halloween [ˌhæləʊ'iːn] n Halloween f.

HALLOWEEN

La tradition dit que le soir d'*Halloween*, célébré le 31 octobre, est le soir des fantômes et des sorcières. Cette fête fait en général la joie des enfants, qui se déguisent pour l'occasion et rendent visite à leurs voisins en jouant à *trick or treat* : ils menacent les gens de leur jouer un tour si ces derniers ne leur donnent pas un peu d'argent ou quelques friandises. En Grande-Bretagne et aux États-Unis, on fabrique traditionnellement des lanternes taillées en forme de visage dans des citrouilles.

---

halt [hɔːlt] vi s'arrêter. ◆ n : **to come to a** ~ s'arrêter.

halve [Br hɑːv, Am hæv] vt (reduce) réduire de moitié ; (cut) couper en deux.

halves [Br hɑːvz, Am hævz] pl → **half**.

ham [hæm] n (meat) jambon m.

hamburger ['hæmbɜːgə'] n steak m haché ; Am (mince) viande f hachée.

hamlet ['hæmlɪt] n hameau m.

hammer ['hæmə'] n marteau m. ◆ vt (nail) enfoncer à coups de marteau.

hammock ['hæmək] n hamac m.

hamper ['hæmpə'] n panier m.

hamster ['hæmstə'] n hamster m.

hamstring ['hæmstrɪŋ] n tendon m du jarret.

hand [hænd] n main f ; (of clock, watch, dial) aiguille f ; **to give sb a** ~ donner un coup de main à qqn ; **to get out of** ~ échapper à tout contrôle ; **by** ~ à la main ; **in** ~ (money) devant soi ; on the one ~ d'un côté ; on the other ~ d'un autre côté. ❏ **hand in** *vt sep* remettre. ❏ **hand out** *vt sep* distribuer. ❏ **hand over** *vt sep (give)* remettre.

handbag ['hændbæg] *n* sac *m* à main.

handbasin ['hændbeɪsn] *n* lavabo *m*.

handbook ['hændbʊk] *n* guide *m*.

handbrake ['hændbreɪk] *n* frein *m* à main.

hand cream *n* crème *f* pour les mains.

handcuffs ['hændkʌfs] *npl* menottes *fpl*.

handful ['hændfʊl] *n* poignée *f*.

handicap ['hændɪkæp] *n* handicap *m*.

handicapped ['hændɪkæpt] *adj* handicapé(e). ◆ *npl*: **the ~** les handicapés *mpl*.

handkerchief ['hæŋkətʃɪf] *(pl* -chiefs OR -chieves) *n* mouchoir *m*.

handle ['hændl] *n (of door, window, suitcase)* poignée *f* ; *(of knife, pan)* manche *m* ; *(of bucket)* anse *f*. ◆ *vt (touch)* manipuler ; *(deal with)* s'occuper de ; *(crisis)* faire face à ; '~ with care' 'fragile'.

handlebars ['hændlbɑːz] *npl* guidon *m*.

hand luggage *n* bagages *mpl* à main.

handmade [ˌhænd'meɪd] *adj* fait à la main.

handout ['hændaʊt] *n (leaflet)* prospectus *m*.

handrail ['hændreɪl] *n* rampe *f*.

handset ['hændset] *n* combiné *m* ; 'please replace the ~' 'raccrochez'.

handshake ['hændʃeɪk] *n* poignée *f* de main.

handsome ['hænsəm] *adj* beau (belle).

handstand ['hændstænd] *n* équilibre *m* sur les mains.

handwriting ['hændˌraɪtɪŋ] *n* écriture *f*.

handy ['hændɪ] *adj (useful)* pratique ; *(person)* adroit(e) ; *(near)* tout près ; **to come in ~** *inf* être utile.

hang [hæŋ] *(pt & pp* hung, *pt & pp sense 2* hanged) *vt* suspendre, accrocher ; *(execute)* pendre. ◆ *vi* pendre. ◆ *n*: **to get the ~ of sthg** attraper le coup pour faire qqch. ❏ **hang about** *vi Br inf* traîner. ❏ **hang around** *inf* = hang about. ❏ **hang down** *vi* pendre. ❏ **hang on** *vi inf (wait)* attendre. ❏ **hang out** ◆ *vt sep (washing)* étendre. ◆ *vi inf* traîner. ❏ **hang up** *vi (on phone)* raccrocher.

hanger ['hæŋə'] *n* cintre *m*.

hang gliding *n* deltaplane *m*.

hangover ['hæŋˌəʊvə'] *n* gueule *f* de bois.

hankie ['hæŋkɪ] *n inf* mouchoir *m*.

happen ['hæpən] *vi* arriver ; **I happened to be there** je me trouvais là par hasard.

happily ['hæpɪlɪ] *adv (luckily)* heureusement.

happiness ['hæpɪnɪs] *n* bonheur *m*.

happy ['hæpɪ] *adj* heureux(euse) ; **to be ~ about sthg** être content de qqch ; **to be ~ to do sthg** *(willing)* être heureux de faire qqch ; **to be ~ with** sthg être content de qqch.

happy hour n inf période, généralement en début de soirée, où les boissons sont moins chères.

harassment ['hærəsmənt] n harcèlement m.

harbor ['hɑ:bər] Am = **harbour**.

harbour ['hɑ:bə'] n Br port m.

hard [hɑ:d] adj dur(e) ; (winter) rude ; (water) calcaire. ◆ adv (listen) avec attention ; (work) dur ; (hit, rain) fort ; **to try ~** faire de son mieux.

hardback ['hɑ:dbæk] n livre m relié.

hardboard ['hɑ:dbɔ:d] n panneau m de fibres.

hard-boiled egg [-bɔɪld-] n œuf m dur.

hard disk n disque m dur.

hardly ['hɑ:dlɪ] adv à peine ; **~ ever** presque jamais.

hardship ['hɑ:dʃɪp] n (conditions) épreuves fpl ; (difficult circumstance) épreuve f.

hard shoulder n Br bande f d'arrêt d'urgence.

hard up adj inf fauché(e).

hardware ['hɑ:dweə'] n (tools, equipment) quincaillerie f ; COMPUT hardware m.

hardwearing [,hɑ:d'weərɪŋ] adj Br résistant(e).

hardworking [,hɑ:d'wɜ:kɪŋ] adj travailleur(euse).

hare [heə'] n lièvre m.

harm [hɑ:m] n mal m. ◆ vt (person) faire du mal à ; (chances, reputation) nuire à ; (fabric) endommager.

harmful ['hɑ:mful] adj nuisible.

harmless ['hɑ:mlɪs] adj inoffensif(ive).

harmonica [hɑ:'mɒnɪkə] n harmonica m.

harmony ['hɑ:mənɪ] n harmonie f.

harness ['hɑ:nɪs] n harnais m.

harp [hɑ:p] n harpe f.

harsh [hɑ:ʃ] adj (severe) rude ; (cruel) dur(e) ; (sound, voice) discordant(e).

harvest ['hɑ:vɪst] n (time of year, crops) récolte f ; (of wheat) moisson f ; (of grapes) vendanges fpl.

has [weak form həz, strong form hæz] → **have**.

hash browns [hæʃ-] npl Am croquettes fpl de pommes de terre aux oignons.

hasn't ['hæznt] = **has not**.

hassle ['hæsl] n inf embêtement m.

hastily ['heɪstɪlɪ] adv sans réfléchir.

hasty ['heɪstɪ] adj hâtif(ive).

hat [hæt] n chapeau m.

hatch [hætʃ] n (for food) passe-plat m inv. ◆ vi (egg) éclore.

hatchback ['hætʃ,bæk] n (car) cinq portes f.

hatchet ['hætʃɪt] n hachette f.

hate [heɪt] n haine f. ◆ vt détester ; **to ~ doing sthg** détester faire qqch.

hatred ['heɪtrɪd] n haine f.

haul [hɔ:l] vt traîner. ◆ n : **a long ~** un long trajet.

haunted ['hɔ:ntɪd] adj hanté(e).

have [hæv] (*pt* & *pp* **had**) *aux vb*
- **1.** (*to form perfect tenses*) avoir/être ; **I ~ finished** j'ai terminé ; **~ you been there? - No, I haven't** tu y es allé? - Non ; **we had already left** nous étions déjà partis.
- **2.** (*must*) : **to ~ (got) to do sthg** devoir faire qqch ; **I ~ to go** je dois y aller, il faut que j'y aille ; **do you ~ to pay?** est-ce que c'est payant?
◆ *vt* - **1.** (*possess*) : **to ~ (got)** avoir ; **do you ~** OR **~ you got a double room?** avez-vous une chambre double? ; **she has (got) brown hair** elle a les cheveux bruns, elle est brune.
- **2.** (*experience*) avoir ; **to ~ a cold** avoir un rhume, être enrhumé ; **we had a great time** on s'est beaucoup amusés.
- **3.** (*replacing other verbs*) : **to ~ breakfast** prendre le petit déjeuner ; **to ~ lunch** déjeuner ; **to ~ a drink** boire OR prendre un verre ; **to ~ a shower** prendre une douche ; **to ~ a swim** nager ; **to ~ a walk** faire une promenade.
- **4.** (*feel*) avoir ; **I ~ no doubt about it** je n'ai aucun doute là-dessus.
- **5.** (*cause to be*) : **to ~ sthg done** faire faire qqch ; **to ~ one's hair cut** se faire couper les cheveux.
- **6.** (*be treated in a certain way*) : **I've had my wallet stolen** on m'a volé mon portefeuille.

haversack ['hævəsæk] *n* sac m à dos.

havoc ['hævək] *n* chaos m.

hawk [hɔːk] *n* faucon m.

hawker ['hɔːkə'] *n* démarcheur m, -euse f.

hay [heɪ] *n* foin m.

hay fever *n* rhume m des foins.

haystack ['heɪˌstæk] *n* meule f de foin.

hazard ['hæzəd] *n* risque m.

hazardous ['hæzədəs] *adj* dangereux(euse).

hazard warning lights *npl Br* feux *mpl* de détresse.

haze [heɪz] *n* brume f.

hazel ['heɪzl] *adj* noisette (*inv*).

hazelnut ['heɪzl,nʌt] *n* noisette f.

hazy ['heɪzɪ] *adj* (*misty*) brumeux(euse).

he [hiː] *pron* il ; **~'s tall** il est grand.

head [hed] *n* tête f ; (*of page*) haut m ; (*of table*) bout m ; (*of company, department*) chef m ; (*head teacher*) directeur m (d'école) ; (*of beer*) mousse f. ◆ *vt* (*list*) être en tête de ; (*organization*) être à la tête de. ◆ *vi* se diriger ; **£10 a ~** 10 livres par personne ; **~s or tails?** pile ou face? ❑ **head for** *vt fus* se diriger vers.

headache ['hedeɪk] *n* (*pain*) mal de tête m ; **to have a ~** avoir mal à la tête.

heading ['hedɪŋ] *n* titre m.

headlamp ['hedlæmp] *Br* = **headlight**.

headlight ['hedlaɪt] *n* phare m.

headline ['hedlaɪn] *n* (*in newspaper*) gros titre m ; (*on TV, radio*) titre m.

headmaster [,hed'mɑːstə'] *n* directeur m (d'école).

headmistress [,hed'mɪstrɪs] *n* directrice f (d'école).

head of state *n* chef m d'État.

headphones ['hedfəunz] *npl* casque m (à écouteurs).

headquarters [,hed'kwɔːtəz] *npl* siège m.

headrest ['hedrest] n appui-tête m.

headroom ['hedrum] n hauteur f.

headscarf ['hedskɑːf] (pl -scarves [-skɑːvz]) n foulard m.

head start n longueur f d'avance.

head teacher n directeur m (d'école).

head waiter n maître m d'hôtel.

heal [hiːl] vt (person) guérir ; (wound) cicatriser. ◆ vi cicatriser.

health [helθ] n santé f ; to be in good ~ être en bonne santé ; to be in poor ~ être en mauvaise santé ; your (very) good ~! à la vôtre!

health centre n centre m médico-social.

health food n produits mpl diététiques.

health food shop n magasin m de produits diététiques.

health insurance n assurance f maladie.

healthy ['helθɪ] adj (person) en bonne santé ; (skin, food) sain(e).

heap [hiːp] n tas m ; ~s of inf (people, objects) des tas de ; (time, money) plein de.

hear [hɪəʳ] (pt & pp heard [hɜːd]) vt entendre ; (news) apprendre. ◆ vi entendre ; to ~ about sth entendre parler de qqch ; to ~ from sb avoir des nouvelles de qqn ; to have heard of avoir entendu parler de.

hearing ['hɪərɪŋ] n (sense) ouïe f ; (at court) audience f ; to be hard of ~ être dur d'oreille.

hearing aid n audiophone m.

heart [hɑːt] n cœur m ; to know

sth (off) by ~ savoir OR connaître qqch par cœur ; to lose ~ perdre courage. ❑ **hearts** npl (in cards) cœur m.

heart attack n crise f cardiaque.

heartbeat ['hɑːtbiːt] n battements mpl de cœur.

heartburn ['hɑːtbɜːn] n brûlures fpl d'estomac.

heart condition n : to have a ~ être cardiaque.

hearth [hɑːθ] n foyer m.

hearty ['hɑːtɪ] adj (meal) copieux(ieuse).

heat [hiːt] n chaleur f ; (of oven) température f. ❑ **heat up** vt sep réchauffer.

heater ['hiːtəʳ] n (for room) appareil m de chauffage ; (for water) chauffe-eau m inv.

heath [hiːθ] n lande f.

heather ['heðəʳ] n bruyère f.

heating ['hiːtɪŋ] n chauffage m.

heat wave n canicule f.

heave [hiːv] vt (push) pousser avec effort ; (pull) tirer avec effort.

Heaven ['hevn] n le paradis.

heavily ['hevɪlɪ] adv (smoke, drink) beaucoup ; (rain) à verse.

heavy ['hevɪ] adj lourd(e) ; (rain) battant(e) ; how ~ is it? ça pèse combien? ; to be a ~ smoker être un grand fumeur.

heavy cream n Am crème f fraîche épaisse.

heavy goods vehicle n Br poids lourd m.

heavy industry n industrie f lourde.

heavy metal n heavy metal m.

heckle ['hekl] vt interrompre bruyamment.

hectic ['hektɪk] *adj* mouvementé(e).

hedge [hedʒ] *n* haie *f*.

hedgehog ['hedʒhɒg] *n* hérisson *m*.

heel [hiːl] *n* talon *m*.

hefty ['heftɪ] *adj* (person) costaud ; (fine) gros (grosse).

height [haɪt] *n* hauteur *f* ; (of person) taille *f* ; at the ~ of the season en pleine saison ; what ~ is it? ça fait quelle hauteur?

heir [eəʳ] *n* héritier *m*.

heiress ['eərɪs] *n* héritière *f*.

held [held] *pt & pp* = hold.

helicopter ['helɪkɒptəʳ] *n* hélicoptère *m*.

he'll [hiːl] = he will.

hell [hel] *n* enfer *m*.

hello [hə'ləʊ] *excl* (as greeting) bonjour! ; (on phone) allô! ; (to attract attention) ohé!

helmet ['helmɪt] *n* casque *m*.

help [help] *n* aide *f*. ◆ *vt* aider. ◆ *vi* être utile. ◆ *excl* à l'aide!, au secours! ; I can't ~ it je ne peux pas m'en empêcher ; to ~ sb (to) do sthg aider qqn à faire qqch ; to ~ o.s. (to sthg) se servir (de qqch) ; can I ~ you? (in shop) je peux vous aider? ❑ **help out** *vi* aider.

help desk *n* service *m* d'assistance technique, help-desk *f*.

helper ['helpəʳ] *n* (assistant) aide *mf* ; Am (cleaning woman) femme *f* de ménage ; Am (cleaning man) agent *m* d'entretien.

helpful ['helpful] *adj* (person) serviable ; (useful) utile.

helping ['helpɪŋ] *n* portion *f*.

helpless ['helplɪs] *adj* impuissant(e).

hem [hem] *n* ourlet *m*.

hemophiliac [ˌhiːmə'fɪliæk] *n* hémophile *m*.

hemorrhage ['hemərɪdʒ] *n* hémorragie *f*.

hen [hen] *n* poule *f*.

hepatitis [ˌhepə'taɪtɪs] *n* hépatite *f*.

her [hɜːʳ] *adj* son (sa), ses (pl). ◆ *pron* la ; (after prep) elle ; I know ~ je la connais ; it's ~ c'est elle ; send it to ~ envoie-le lui ; tell ~ dis-(le) lui ; he's worse than ~ il est pire qu'elle.

herb [hɜːb] *n* herbe *f* ; ~s fines herbes *fpl*.

herbal tea ['hɜːbl-] *n* tisane *f*.

herd [hɜːd] *n* troupeau *m*.

here [hɪəʳ] *adv* ici ; ~'s your book voici ton livre ; ~ you are voilà.

heritage ['herɪtɪdʒ] *n* patrimoine *m*.

hernia ['hɜːnjə] *n* hernie *f*.

hero ['hɪərəʊ] (pl -es) *n* héros *m*.

heroin ['herəʊɪn] *n* héroïne *f*.

heroine ['herəʊɪn] *n* héroïne *f*.

heron ['herən] *n* héron *m*.

herring ['herɪŋ] *n* hareng *m*.

hers [hɜːz] *pron* le sien (la sienne) ; these shoes are ~ ces chaussures sont à elle ; a friend of ~ un ami à elle.

herself [hɜː'self] *pron* (reflexive) se ; (after prep) elle ; she did it ~ elle l'a fait elle-même.

hesitant ['hezɪtənt] *adj* hésitant(e).

hesitate ['hezɪteɪt] *vi* hésiter.

hesitation [ˌhezɪ'teɪʃn] *n* hésitation *f*.

heterosexual [ˌhetərəʊ'sekʃʊəl]

adj hétérosexuel(elle). ◆ *n* hétérosexuel *m*, -elle *f*.

hey [heɪ] *excl inf* hé !

HGV *abbr* = **heavy goods vehicle**.

hi [haɪ] *excl inf* salut !

hiccup ['hɪkʌp] *n* : **to have (the) ~s** avoir le hoquet.

hide [haɪd] (*pt* **hid** [hɪd], *pp* **hidden** [hɪdn]) *vt* cacher. ◆ *vi* se cacher. ◆ *n* (*of animal*) peau *f*.

hideous ['hɪdɪəs] *adj* (*ugly*) hideux(euse) ; (*unpleasant*) atroce.

hi-fi ['haɪfaɪ] *n* chaîne *f* (hi-fi).

high [haɪ] *adj* haut(e) ; (*number, temperature, standard*) élevé(e) ; (*speed*) grand(e) ; (*risk*) important(e) ; (*winds*) fort(e) ; (*good*) bon (bonne) ; (*sound, voice*) aigu(ë) ; *inf* (*from drugs*) défoncé(e). ◆ *n* (*weather front*) anticyclone *m*. ◆ *adv* haut ; **how ~ is it?** ça fait combien de haut ? ; **it's 10 metres ~** ça fait 10 mètres de haut OR de hauteur.

high chair *n* chaise *f* haute.

high-class *adj* de luxe.

Higher ['haɪər] *n* examen de fin d'études secondaires en Écosse.

higher education *n* enseignement *m* supérieur.

high heels *npl* talons *mpl* hauts.

high jump *n* saut *m* en hauteur.

Highland Games ['haɪlənd-] *npl* jeux *mpl* écossais.

Highlands ['haɪləndz] *npl* : **the ~** les Highlands *fpl* (*région montagneuse du nord de l'Écosse*).

highlight ['haɪlaɪt] *n* (*best part*) temps *m* fort. ◆ *vt* (*emphasize*) mettre en relief. ❏ **highlights** *npl* (*of football match etc*) temps *mpl* forts ; (*in hair*) mèches *fpl*.

highly ['haɪlɪ] *adv* (*extremely*) extrêmement ; (*very well*) très bien ; **to think ~ of sb** penser du bien de qqn.

high-pitched [-'pɪtʃt] *adj* aigu(ë).

high-rise *adj* : **~ block of flats** tour *f*.

high school *n* établissement d'enseignement secondaire.

high season *n* haute saison *f*.

high-speed train *n* (train) rapide *m*.

high street *n Br* rue *f* principale.

high tide *n* marée *f* haute.

highway ['haɪweɪ] *n Am* (*between towns*) autoroute *f* ; *Br* (*any main road*) route *f*.

Highway Code *n Br* code *m* de la route.

hijack ['haɪdʒæk] *vt* détourner.

hijacker ['haɪdʒækər] *n* (*of plane*) pirate *m* de l'air.

hike [haɪk] *n* randonnée *f*. ◆ *vi* faire une randonnée.

hiking ['haɪkɪŋ] *n* : **to go ~** faire de la randonnée.

hilarious [hɪ'leərɪəs] *adj* hilarant(e).

hill [hɪl] *n* colline *f*.

hillwalking ['hɪlwɔːkɪŋ] *n* randonnée *f*.

hilly ['hɪlɪ] *adj* vallonné(e).

him [hɪm] *pron* le ; (*after prep*) lui ; **I know ~** je le connais ; **it's ~** c'est lui ; **it's worse than ~** elle est pire que lui.

himself [hɪm'self] *pron* (*reflexive*) se ; (*after prep*) lui ; **he did it ~** il l'a fait lui-même.

hinder ['hɪndə'] vt gêner.

Hindu ['hɪndu:] (pl -s) adj hindou(e). ◆ n (person) hindou m, -e f.

hinge [hɪndʒ] n charnière f ; (of door) gond m.

hint [hɪnt] n (indirect suggestion) allusion f ; (piece of advice) conseil m ; (slight amount) soupçon m. ◆ vi : to ~ at sthg faire allusion à qqch.

hip [hɪp] n hanche f.

hippopotamus [ˌhɪpə'pɒtəməs] n hippopotame m.

hippy ['hɪpɪ] n hippie mf.

hire ['haɪə'] vt louer ; for~ (boats) à louer ; (taxi) libre. □ **hire out** vt sep louer.

hire car n Br voiture f de location.

hire purchase n Br achat m à crédit.

his [hɪz] adj son (sa), ses (pl). ◆ pron le sien (la sienne) ; these shoes are ~ ces chaussures sont à lui ; a friend of ~ un ami à lui.

historical [hɪ'stɒrɪkəl] adj historique.

history ['hɪstərɪ] n histoire f ; (record) antécédents mpl.

hit [hɪt] (pt & pp hit) vt frapper ; (collide with) heurter ; (bang) cogner ; (a target) atteindre. ◆ n (record, play, film) succès m ; COMPUT visite f (d'un site Internet).

hit-and-run adj (accident) avec délit de fuite.

hitch [hɪtʃ] n (problem) problème m. ◆ vi faire du stop. ◆ vt : to ~ a lift se faire prendre en stop.

hitchhike ['hɪtʃhaɪk] vi faire du stop.

hitchhiker ['hɪtʃhaɪkə'] n auto-stoppeur m, -euse f.

hive [haɪv] n (of bees) ruche f.

HIV-positive adj séropositif(ive).

hoarding ['hɔ:dɪŋ] n Br (for adverts) panneau m publicitaire.

hoarse [hɔ:s] adj enroué(e).

hoax [həʊks] n canular m.

hob [hɒb] n plaque f (chauffante).

hobby ['hɒbɪ] n passe-temps m inv.

hockey ['hɒkɪ] n (on grass) hockey m sur gazon ; Am (ice hockey) hockey m (sur glace).

hoe [həʊ] n binette f.

hold [həʊld] (pt & pp held) vt tenir ; (organize) organiser ; (contain) contenir ; (possess) avoir. ◆ vi (weather, offer) se maintenir ; (on telephone) patienter. ◆ n (grip) prise f ; (of ship, aircraft) cale f ; to ~ sb prisoner retenir qqn prisonnier ; ~ the line, please ne quittez pas, je vous prie. □ **hold back** vt sep (restrain) retenir ; (keep secret) cacher. □ **hold on** vi (wait) patienter ; to ~ on to sthg (grip) s'accrocher à qqch. □ **hold out** vt sep (hand) tendre. □ **hold up** vt sep (delay) retarder.

holdall ['həʊldɔ:l] n Br fourretout m inv.

holder ['həʊldə'] n (of passport, licence) titulaire mf.

holdup ['həʊldʌp] n (delay) retard m.

hole [həʊl] n trou m.

holiday ['hɒlɪdeɪ] n Br (period of time) vacances fpl ; (day) jour m férié. ◆ vi Br passer les vacances ;

to be on ~ être en vacances ; to go on ~ partir en vacances.

holidaymaker ['hɒlɪdɪˌmeɪkə'] n Br vacancier m, -ière f.

holiday pay n Br congés mpl payés.

hollow ['hɒləʊ] adj creux (creuse).

holly ['hɒlɪ] n houx m.

Hollywood ['hɒlɪwʊd] n Hollywood m.

holy ['həʊlɪ] adj saint(e).

home [həʊm] n maison f ; (own country) pays m natal ; (own town) ville f natale ; (for old people) maison f de retraite. ◆ adv à la maison, chez soi. ◆ adj (not foreign) national(e) ; (cooking, life) familial(e) ; at ~ (in one's house) à la maison, chez soi ; to make o.s. at ~ faire comme chez soi ; to go ~ rentrer chez soi ; ~ address adresse f personnelle ; ~ number numéro m personnel.

home help n Br aide f ménagère.

homeless ['həʊmlɪs] npl : the ~ les sans-abri mpl.

homemade [ˌhəʊm'meɪd] adj (food) fait à la maison.

homeopathic [ˌhəʊmɪəʊ'pæθɪk] adj homéopathique.

Home Secretary n ministre de l'Intérieur britannique.

homesick ['həʊmsɪk] adj qui a le mal du pays.

homework ['həʊmwɜːk] n devoirs mpl.

homosexual [ˌhɒmə'sekʃʊəl] adj homosexuel(elle). ◆ n homosexuel m, -elle f.

honest ['ɒnɪst] adj honnête.

honestly ['ɒnɪstlɪ] adv honnêtement.

honey ['hʌnɪ] n miel m.

honeymoon ['hʌnɪmuːn] n lune f de miel.

honor ['ɒnə'] Am = honour.

honour ['ɒnə'] n Br honneur m.

honourable ['ɒnrəbl] adj honorable.

hood [hʊd] n (of jacket, coat) capuche f ; (on convertible car) capote f ; Am (car bonnet) capot m.

hoof [huːf] n sabot m.

hook [hʊk] n crochet m ; (for fishing) hameçon m ; off the ~ (telephone) décroché.

hooligan ['huːlɪgən] n vandale m.

hoop [huːp] n cerceau m.

hoot [huːt] vi (driver) klaxonner.

Hoover® ['huːvə'] n Br aspirateur m.

hop [hɒp] vi sauter.

hope [həʊp] n espoir m. ◆ vt espérer ; to ~ to do sthg espérer faire qqch ; I ~ so je l'espère.

hopeful ['həʊpfʊl] adj (optimistic) plein d'espoir.

hopefully ['həʊpfəlɪ] adv (with luck) avec un peu de chance.

hopeless ['həʊplɪs] adj inf (useless) nul (nulle) ; (without any hope) désespéré(e).

horizon [hə'raɪzn] n horizon m.

horizontal [ˌhɒrɪ'zɒntl] adj horizontal(e).

horn [hɔːn] n (of car) Klaxon® m ; (on animal) corne f.

horoscope ['hɒrəskəʊp] n horoscope m.

horrible ['hɒrəbl] adj horrible.

horrid ['hɒrɪd] adj affreux(euse).

horrific [hɒˈrɪfɪk] *adj* horrible.

hors d'œuvre *n* hors-d'œuvre *m inv*.

horse [hɔːs] *n* cheval *m*.

horseback [ˈhɔːsbæk] *n* : on ~ à cheval.

horse chestnut *n* marron *m* d'Inde.

horsepower [ˈhɔːsˌpaʊə] *n* cheval-vapeur *m*.

horse racing *n* courses *fpl* (de chevaux).

horseradish (sauce) [ˈhɔːsˌrædɪʃ-] *n* sauce piquante au raifort accompagnant traditionnellement le rosbif.

horse riding *n* équitation *f*.

horseshoe [ˈhɔːsʃuː] *n* fer *m* à cheval.

hosepipe [ˈhəʊzpaɪp] *n* tuyau *m*.

hosiery [ˈhəʊzɪərɪ] *n* bonneterie *f*.

hospitable [hɒˈspɪtəbl] *adj* accueillant(e).

hospital [ˈhɒspɪtl] *n* hôpital *m* ; in ~ à l'hôpital.

hospitality [ˌhɒspɪˈtælətɪ] *n* hospitalité *f*.

host [həʊst] *n* (of party, event) hôte *m* (qui reçoit) ; (of show, TV programme) animateur *m*, -trice *f*.

hostage [ˈhɒstɪdʒ] *n* otage *m*.

hostel [ˈhɒstl] *n* (youth hostel) auberge *f* de jeunesse.

hostess [ˈhəʊstes] *n* hôtesse *f*.

host family *n* famille *f* d'accueil.

hostile [Br ˈhɒstaɪl, Am ˈhɒstl] *adj* hostile.

hostility [hɒˈstɪlətɪ] *n* hostilité *f*.

hot [hɒt] *adj* chaud(e) ; (spicy) épicé(e) ; **to be** ~ (person) avoir

chaud ; **it's** ~ (weather) il fait chaud.

hot chocolate *n* chocolat *m* chaud.

hot-cross bun *n* petite brioche aux raisins et aux épices que l'on mange à Pâques.

hot dog *n* hot dog *m*.

hotel [həʊˈtel] *n* hôtel *m*.

hot line *n* ligne directe ouverte vingt-quatre heures sur vingt-quatre.

hotplate [ˈhɒtpleɪt] *n* plaque *f* chauffante.

hotpot [ˈhɒtpɒt] *n* ragoût de viande garni de pommes de terre en lamelles.

hot-water bottle *n* bouillotte *f*.

hour [ˈaʊə] *n* heure *f* ; **I've been waiting for** ~**s** ça fait des heures que j'attends.

hourly [ˈaʊəlɪ] *adv* toutes les heures. ◆ *adj* : ~ **flights** un vol toute les heures.

house [*n* haʊs, *pl* ˈhaʊzɪz, *vb* haʊz] *n* maison *f* ; SCH au sein d'un lycée, groupe d'élèves affrontant d'autres « houses », notamment dans des compétitions sportives ; MUS = **house music**. ◆ *vt* (person) loger.

household [ˈhaʊshəʊld] *n* ménage *m*.

housekeeping [ˈhaʊsˌkiːpɪŋ] *n* ménage *m*.

House of Commons *n* Br Chambre *f* des communes.

House of Lords *n* Br Chambre *f* des lords.

Houses of Parliament *npl* Parlement *m* britannique.

HOUSES OF PARLIAMENT

Le Parlement britannique, connu également comme étant le palais de Westminster, est constitué de deux chambres : celle des Communes et celle des Lords. Les édifices dans lesquels elles se trouvent actuellement ont été construits au milieu du xixe siècle pour remplacer l'ancien palais détruit par un incendie en 1834. La Chambre des lords avait déjà vu son pouvoir diminuer en 1911, et la situation s'accentue depuis quelques années.

housewife ['hauswaɪf] (*pl* -wives [-waɪvz]) *n* femme *f* au foyer.

house wine *n* ≃ vin *m* en pichet.

housework ['hauswɜːk] *n* ménage *m*.

housing ['hauzɪŋ] *n* logement *m*.

housing estate *n Br* cité *f*.

housing project *Am* = housing estate.

hovercraft ['hɒvəkrɑːft] *n* hovercraft *m*.

hoverport ['hɒvəpɔːt] *n* hoverport *m*.

how [hau] *adv* - **1.** *(asking about way or manner)* comment ; ~ do you get there? comment y vaton? ; tell me ~ to do it dis-moi comment faire.
- **2.** *(asking about health, quality)* comment ; ~ are you? comment allez-vous? ; ~ are you doing? comment ça va? ; ~ are things? comment ça va? ; ~ do you do? enchanté (de faire votre connaissance).

- **3.** *(asking about degree, amount)* : ~ far is it? c'est loin? ; ~ long have you been waiting? ça fait combien de temps que vous attendez? ; ~ many ...? combien de ...? ; ~ much is it? combien est-ce que ça coûte? ; ~ old are you? quel âge as-tu?
- **4.** *(in phrases)* : ~ about a drink? si on prenait un verre? ; ~ lovely! que c'est joli!

however [hau'evə'] *adv* cependant ; ~ hard I try malgré tous mes efforts.

howl [haul] *vi* hurler.

HP *abbr* = hire purchase.

HQ *n (abbr of headquarters)* QG *m*.

hubcap ['hʌbkæp] *n* enjoliveur *m*.

hug [hʌg] *vt* serrer dans ses bras.
◆ *n* : to give sb a ~ serrer qqn dans ses bras.

huge [hjuːdʒ] *adj* énorme.

hum [hʌm] *vi (machine)* vrombir ; *(bee)* bourdonner ; *(person)* chantonner.

human ['hjuːmən] *adj* humain(e).
◆ *n* : ~ (being) (être) humain *m*.

humanities [hjuː'mænətɪz] *npl* lettres *fpl* et sciences humaines.

human rights *npl* droits *mpl* de l'homme.

humble ['hʌmbl] *adj* humble.

humid ['hjuːmɪd] *adj* humide.

humidity [hjuː'mɪdətɪ] *n* humidité *f*.

humiliating [hjuː'mɪlɪeɪtɪŋ] *adj* humiliant(e).

humiliation [hjuː,mɪlɪ'eɪʃn] *n* humiliation *f*.

hummus ['huməs] *n* houmous *m*.

humor

humor ['hju:mər] *Am* = humour.

humorous ['hju:mərəs] *adj* humoristique.

humour ['hju:mə'] *n* humour *m* ; a sense of ~ le sens de l'humour.

hump [hʌmp] *n* bosse *f*.

hunch [hʌntʃ] *n* intuition *f*.

hundred ['hʌndrəd] *num* cent ; a ~ cent.

hundredth ['hʌndrətθ] *num* centième → sixth.

hung [hʌŋ] *pt & pp* → hang.

hunger ['hʌŋgə'] *n* faim *f*.

hungry ['hʌŋgrɪ] *adj* : to be ~ avoir faim.

hunt [hʌnt] *n Br (for foxes)* chasse *f* au renard. ◆ *vt & vi* chasser ; to ~ (for sthg) *(search)* chercher partout (qqch).

hunting ['hʌntɪŋ] *n (for wild animals)* chasse *f* ; *Br (for foxes)* chasse *f* au renard.

hurl [hɜ:l] *vt* lancer violemment.

hurricane ['hʌrɪkən] *n* ouragan *m*.

hurry ['hʌrɪ] *vt (person)* presser. ◆ *vi* se dépêcher. ◆ *n* : to be in a ~ être pressé ; to do sthg in a ~ faire qqch à la hâte. ❑ **hurry up** *vi* se dépêcher.

hurt [hɜ:t] *(pt & pp* **hurt)** *vt* faire mal à ; *(emotionally)* blesser. ◆ *vi* faire mal ; to ~ o.s. se faire mal ; my head ~s j'ai mal à la tête ; to ~ one's leg se blesser à la jambe.

husband ['hʌzbənd] *n* mari *m*.

hustle ['hʌsl] *n* : ~ and bustle agitation *f*.

hut [hʌt] *n* hutte *f*.

hyacinth ['haɪəsɪnθ] *n* jacinthe *f*.

hydrofoil ['haɪdrəfɔɪl] *n* hydrofoil *m*.

hygiene ['haɪdʒi:n] *n* hygiène *f*.

hygienic [haɪ'dʒi:nɪk] *adj* hygiénique.

hymn [hɪm] *n* hymne *m*.

hypermarket ['haɪpə,mɑ:kɪt] *n* hypermarché *m*.

hyphen ['haɪfn] *n* trait *m* d'union.

hypocrite ['hɪpəkrɪt] *n* hypocrite *mf*.

hypodermic needle [,haɪpə-'dɜ:mɪk-] *n* aiguille *f* hypodermique.

hysterical [hɪs'terɪkl] *adj (person)* hystérique ; *inf (very funny)* tordant(e).

I [aɪ] *pron* je, j' ; *(stressed)* moi ; my friend and I mon ami et moi.

ice [aɪs] *n* glace *f* ; *(on road)* verglas *m*.

iceberg ['aɪsbɜ:g] *n* iceberg *m*.

iceberg lettuce *n* laitue *f* iceberg.

icebox ['aɪsbɒks] *n Am (fridge)* réfrigérateur *m*.

ice-cold *adj* glacé(e).

ice cream *n* crème *f* glacée, glace *f*.

ice cube *n* glaçon *m*.

ice hockey *n* hockey *m* sur glace.

ice lolly *n Br* sucette *f* glacée.

ice rink *n* patinoire *f*.

ice skates *npl* patins *mpl* à glace.

ice-skating *n* patinage *m* (sur glace) ; to go ~ faire du patinage.

icicle ['aɪsɪkl] n glaçon m.

icing ['aɪsɪŋ] n glaçage m.

icing sugar n sucre m glace.

icy ['aɪsɪ] adj (covered with ice) recouvert(e) de glace ; (road) verglacé(e) ; (very cold) glacé(e).

I'd [aɪd] = I would, I had.

ID abbr = identification.

ID card n carte f d'identité.

idea [aɪ'dɪə] n idée f ; I've no ~ je n'en ai aucune idée.

ideal [aɪ'dɪəl] adj idéal(e). ◆ n idéal m.

ideally [aɪ'dɪəlɪ] adv idéalement ; (in an ideal situation) dans l'idéal.

identical [aɪ'dentɪkl] adj identique.

identification [aɪ,dentɪfɪ'keɪʃn] n (document) pièce f d'identité.

identify [aɪ'dentɪfaɪ] vt identifier.

identity [aɪ'dentətɪ] n identité f.

idiom ['ɪdɪəm] n expression f idiomatique.

idiot ['ɪdɪət] n idiot m, -e f.

idle ['aɪdl] adj (lazy) paresseux (euse) ; (not working) désœuvré(e). ◆ vi (engine) tourner au ralenti.

idol ['aɪdl] n (person) idole f.

idyllic [ɪ'dɪlɪk] adj idyllique.

i.e. (abbr of id est) c-à-d.

if [ɪf] conj si ; ~ I were you si j'étais toi ; ~ not (otherwise) sinon.

ignition [ɪg'nɪʃn] n AUT allumage m.

ignorant ['ɪgnərənt] adj ignorant(e) ; pej (stupid) idiot(e).

ignore [ɪg'nɔːr] vt ignorer.

ill [ɪl] adj malade ; (bad) mauvais(e) ; ~ luck malchance f.

I'll [aɪl] = I will, I shall.

illegal [ɪ'liːgl] adj illégal(e).

illegible [ɪ'ledʒəbl] adj illisible.

illegitimate [,ɪlɪ'dʒɪtɪmət] adj illégitime.

illiterate [ɪ'lɪtərət] adj illettré(e).

illness ['ɪlnɪs] n maladie f.

illuminate [ɪ'luːmɪneɪt] vt illuminer.

illusion [ɪ'luːʒn] n illusion f.

illustration [,ɪlə'streɪʃn] n illustration f.

I'm [aɪm] = I am.

image ['ɪmɪdʒ] n image f.

imaginary [ɪ'mædʒɪnrɪ] adj imaginaire.

imagination [ɪ,mædʒɪ'neɪʃn] n imagination f.

imagine [ɪ'mædʒɪn] vt imaginer.

imitate ['ɪmɪteɪt] vt imiter.

imitation [,ɪmɪ'teɪʃn] n imitation f. ◆ adj : ~ leather Skaï® m.

immaculate [ɪ'mækjʊlət] adj impeccable.

immature [,ɪmə'tjʊər] adj immature.

immediate [ɪ'miːdjət] adj immédiat(e).

immediately [ɪ'miːdjətlɪ] adv (at once) immédiatement. ◆ conj Br dès que.

immense [ɪ'mens] adj immense.

immersion heater [ɪ'mɜːʃn-] n chauffe-eau m inv électrique.

immigrant ['ɪmɪgrənt] n immigré m, -e f.

immigration [,ɪmɪ'greɪʃn] n immigration f.

imminent ['ɪmɪnənt] adj imminent(e).

immune [ɪ'mjuːn] adj : to be ~ to MED être immunisé(e) contre.

immunity [ɪ'mjuːnətɪ] n MED immunité f.

immunize ['ɪmjuːnaɪz] vt immuniser.

impact ['ɪmpækt] n impact m.

impair [ɪm'peə'] vt affaiblir.

impatient [ɪm'peɪʃnt] adj impatient(e) ; **to be ~ to do sthg** être impatient de faire qqch.

imperative [ɪm'perətɪv] n GRAMM impératif m.

imperfect [ɪm'pɜːfɪkt] n GRAMM imparfait m.

impersonate [ɪm'pɜːsəneɪt] vt (for amusement) imiter.

impertinent [ɪm'pɜːtɪnənt] adj impertinent(e).

implement [n 'ɪmplɪmənt, vb 'ɪmplɪment] n outil m. ◆ vt mettre en œuvre.

implication [ˌɪmplɪ'keɪʃn] n implication f.

imply [ɪm'plaɪ] vt sous-entendre.

impolite [ˌɪmpə'laɪt] adj impoli(e).

import [n 'ɪmpɔːt, vb ɪm'pɔːt] n importation f. ◆ vt importer.

importance [ɪm'pɔːtns] n importance f.

important [ɪm'pɔːtnt] adj important(e).

impose [ɪm'pəʊz] vt imposer ; **to ~ sthg on** imposer qqch à, abuser.

impossible [ɪm'pɒsəbl] adj impossible.

impractical [ɪm'præktɪkl] adj irréaliste.

impress [ɪm'pres] vt impressionner.

impression [ɪm'preʃn] n impression f.

impressive [ɪm'presɪv] adj impressionnant(e).

improbable [ɪm'prɒbəbl] adj improbable.

improper [ɪm'prɒpə'] adj (incorrect) mauvais(e) ; (illegal) abusif(ive) ; (rude) déplacé(e).

improve [ɪm'pruːv] vt améliorer. ◆ vi s'améliorer. ❑ **improve on** vt fus améliorer.

improvement [ɪm'pruːvmənt] n amélioration f.

improvise ['ɪmprəvaɪz] vi improviser.

impulse ['ɪmpʌls] n impulsion f ; **on ~** sur un coup de tête.

impulsive [ɪm'pʌlsɪv] adj impulsif(ive).

☞
in [ɪn] prep - 1. (expressing place, position) dans ; **it comes ~ a box** c'est présenté dans une boîte ; **~ the street** dans la rue ; **~ hospital** à l'hôpital ; **~ Scotland** en Écosse ; **~ Sheffield** à Sheffield ; **~ the rain** sous la pluie ; **~ the middle** au milieu.
- 2. (participating in) dans ; **who's ~ the play?** qui joue dans la pièce?
- 3. (expressing arrangement) : **~ a row/circle** en rang/cercle ; **they come ~ packs of three** ils sont vendus par paquets de trois.
- 4. (during) : **~ April** en avril ; **~ summer** en été ; **~ the morning** le matin ; **ten o'clock ~ the morning** dix heures (du matin) ; **~ 1994** en 1994.
- 5. (within) en ; (after) dans ; **she did it ~ ten minutes** elle a fait en dix minutes ; **it'll be ready ~ an hour** ce sera prêt dans une heure.
- 6. (expressing means) : **to write ~ ink** écrire à l'encre ; **~ writing par**

écrit ; they were talking ~ English ils parlaient (en) anglais.
- **7.** *(wearing)* en.
- **8.** *(expressing state)* en ; ~ a hurry pressé ; **to be ~ pain** souffrir ; ~ **ruins** en ruine.
- **9.** *(with regard to)* de ; **a rise ~ prices** une hausse des prix ; **to be 50 metres ~ length** faire 50 mètres de long.
- **10.** *(with numbers)* : **one ~ ten** un sur dix.
- **11.** *(expressing age)* : **she's ~ her twenties** elle a une vingtaine d'années.
- **12.** *(with colours)* : **it comes ~ green or blue** nous l'avons en vert ou en bleu.
- **13.** *(with superlatives)* de ; **the best ~ the world** le meilleur du monde.
◆ *adv* - **1.** *(inside)* dedans ; **you can go ~ now** vous pouvez entrer maintenant.
- **2.** *(at home, work)* là ; **she's not ~** elle n'est pas là.
- **3.** *(train, bus, plane)* : **the train's not ~ yet** le train n'est pas encore arrivé.
- **4.** *(tide)* : **the tide is ~** la marée est haute.
◆ *adj inf (fashionable)* à la mode.

inability [,ɪnə'bɪlətɪ] *n* : ~ **(to do sth)** incapacité *f* (à faire qqch).

inaccessible [,ɪnək'sesəbl] *adj* inaccessible.

inaccurate [ɪn'ækjʊrət] *adj* inexact(e).

inadequate [ɪn'ædɪkwət] *adj (insufficient)* insuffisant(e).

inappropriate [,ɪnə'prəʊprɪət] *adj* inapproprié(e).

inauguration [ɪ,nɔ:gjʊ'reɪʃn] *n* inauguration *f*.

incapable [ɪn'keɪpəbl] *adj* : **to be ~ of doing sth** être incapable de faire qqch.

incense ['ɪnsens] *n* encens *m*.

incentive [ɪn'sentɪv] *n* motivation *f*.

inch [ɪntʃ] *n* = 2,5 cm, pouce *m*.

incident ['ɪnsɪdənt] *n* incident *m*.

incidentally [,ɪnsɪ'dentəlɪ] *adv* à propos.

incline ['ɪnklaɪn] *n* pente *f*.

inclined [ɪn'klaɪnd] *adj* incliné(e) ; **to be ~ to do sth** avoir tendance à faire qqch.

include [ɪn'klu:d] *vt* inclure.

included [ɪn'klu:dɪd] *adj (in price)* compris(e) ; **to be ~ in sth** être compris dans qqch.

including [ɪn'klu:dɪŋ] *prep* y compris.

inclusive [ɪn'klu:sɪv] *adj* : **from the 8th to the 16th ~** du 8 au 16 inclus ; ~ **of VAT** TVA comprise.

income ['ɪŋkʌm] *n* revenu *m*.

income support *n Br* allocation *f* supplémentaire pour les faibles revenus.

income tax *n* impôt *m* sur le revenu.

incoming ['ɪn,kʌmɪŋ] *adj (train, plane)* à l'arrivée ; *(phone call)* de l'extérieur.

incompetent [ɪn'kɒmpɪtənt] *adj* incompétent(e).

incomplete [,ɪnkəm'pli:t] *adj* incomplet(ète).

inconsiderate [,ɪnkən'sɪdərət] *adj* qui manque de tact.

inconsistent [,ɪnkən'sɪstənt] *adj* incohérent(e).

incontinent [ɪn'kɒntɪnənt] *adj* incontinent(e).

inconvenient [ˌɪnkən'viːnjənt] *adj (place)* mal situé(e) ; *(time)* it's ~ ça tombe mal.

incorporate [ɪn'kɔːpəreɪt] *vt* incorporer.

incorrect [ˌɪnkə'rekt] *adj* incorrect(e).

increase [*n* 'ɪnkriːs, *vb* ɪn'kriːs] *n* augmentation *f.* ◆ *vt & vi* augmenter ; an ~ in sthg une augmentation de qqch.

increasingly [ɪn'kriːsɪŋlɪ] *adv* de plus en plus.

incredible [ɪn'kredəbl] *adj* incroyable.

incredibly [ɪn'kredəblɪ] *adv (very)* incroyablement.

incur [ɪn'kɜː] *vt (expenses)* engager ; *(fine)* recevoir.

indecisive [ˌɪndɪ'saɪsɪv] *adj* indécis(e).

indeed [ɪn'diːd] *adv (for emphasis)* en effet ; *(certainly)* certainement ; very big ~ vraiment très grand.

indefinite [ɪn'defɪnɪt] *adj (time, number)* indéterminé(e) ; *(answer, opinion)* vague.

indefinitely [ɪn'defɪnɪtlɪ] *adv (closed, delayed)* indéfiniment.

independence [ˌɪndɪ'pendəns] *n* indépendance *f.*

independent [ˌɪndɪ'pendənt] *adj* indépendant(e).

independently [ˌɪndɪ'pendəntlɪ] *adv* indépendamment.

independent school *n Br* école *f* privée.

index ['ɪndeks] *n (of book)* index *m* ; *(in library)* fichier *m.*

index finger *n* index *m.*

Indian ['ɪndjən] *adj* indien(ienne). ◆ *n* Indien *m,* -ienne *f* ; an ~ restaurant un restaurant indien.

indicate ['ɪndɪkeɪt] *vi AUT* mettre son clignotant. ◆ *vt* indiquer.

indicator ['ɪndɪkeɪtə'] *n AUT* clignotant *m.*

indifferent [ɪn'dɪfrənt] *adj* indifférent(e).

indigestion [ˌɪndɪ'dʒestʃn] *n* indigestion *f.*

indigo ['ɪndɪgəʊ] *adj* indigo *(inv).*

indirect [ˌɪndɪ'rekt] *adj* indirect(e).

individual [ˌɪndɪ'vɪdʒʊəl] *adj* individuel(elle). ◆ *n* individu *m.*

individually [ˌɪndɪ'vɪdʒʊəlɪ] *adv* individuellement.

indoor ['ɪndɔː'] *adj (swimming pool)* couvert(e) ; *(sports)* en salle.

indoors [ɪn'dɔːz] *adv* à l'intérieur.

indulge [ɪn'dʌldʒ] *vi* : to ~ in se permettre.

industrial [ɪn'dʌstrɪəl] *adj* industriel(elle).

industrial estate *n Br* zone *f* industrielle.

industry ['ɪndəstrɪ] *n* industrie *f.*

inedible [ɪn'edɪbl] *adj (unpleasant)* immangeable ; *(unsafe)* non comestible.

inefficient [ˌɪnɪ'fɪʃnt] *adj* inefficace.

inequality [ˌɪnɪ'kwɒlətɪ] *n* inégalité *f.*

inevitable [ɪn'evɪtəbl] *adj* inévitable.

inevitably [ɪn'evɪtəblɪ] *adv* inévitablement.

inexpensive [ˌɪnɪk'spensɪv] *adj* bon marché *(inv).*

infamous ['ɪnfəməs] *adj* notoire.

infant ['ɪnfənt] n (baby) nourrisson m ; (young child) jeune enfant m.

infant school n Br maternelle f (de 5 à 7 ans).

infatuated [ɪn'fætjʊeɪtɪd] adj : to be ~ with être entiché(e) de.

infected [ɪn'fektɪd] adj infecté(e).

infectious [ɪn'fekʃəs] adj infectieux(ieuse).

inferior [ɪn'fɪərɪə] adj inférieur(e).

infinite ['ɪnfɪnət] adj infini(e).

infinitely ['ɪnfɪnətlɪ] adv infiniment.

infinitive [ɪn'fɪnɪtɪv] n infinitif m.

infinity [ɪn'fɪnətɪ] n infini m.

infirmary [ɪn'fɜːmərɪ] n (hospital) hôpital m.

inflamed [ɪn'fleɪmd] adj MED enflammé(e).

inflammation [ˌɪnflə'meɪʃn] n MED inflammation f.

inflatable [ɪn'fleɪtəbl] adj gonflable.

inflate [ɪn'fleɪt] vt gonfler.

inflation [ɪn'fleɪʃn] n (of prices) inflation f.

inflict [ɪn'flɪkt] vt infliger.

in-flight adj en vol.

influence ['ɪnfluəns] vt influencer. ◆ n : ~ (on) influence f (sur).

inform [ɪn'fɔːm] vt informer.

informal [ɪn'fɔːml] adj (occasion, dress) simple.

information [ˌɪnfə'meɪʃn] n informations fpl, renseignements mpl ; a piece of ~ une information.

information desk n bureau m des renseignements.

information office n bureau m des renseignements.

informative [ɪn'fɔːmətɪv] adj instructif(ive).

infuriating [ɪn'fjʊərɪeɪtɪŋ] adj exaspérant(e).

ingenious [ɪn'dʒiːnjəs] adj ingénieux(ieuse).

ingredient [ɪn'griːdjənt] n ingrédient m.

inhabit [ɪn'hæbɪt] vt habiter.

inhabitant [ɪn'hæbɪtənt] n habitant m, -e f.

inhale [ɪn'heɪl] vi inspirer.

inhaler [ɪn'heɪlə] n inhalateur m.

inherit [ɪn'herɪt] vt hériter (de).

inhibition [ˌɪnhɪ'bɪʃn] n inhibition f.

initial [ɪ'nɪʃl] adj initial(e). ◆ vt parapher. ❑ **initials** npl initiales fpl.

initially [ɪ'nɪʃəlɪ] adv initialement.

initiative [ɪ'nɪʃətɪv] n initiative f.

injection [ɪn'dʒekʃn] n injection f.

injure ['ɪndʒə] vt blesser ; to ~ one's arm se blesser au bras ; to ~ o.s. se blesser.

injured ['ɪndʒəd] adj blessé(e).

injury ['ɪndʒərɪ] n blessure f.

ink [ɪŋk] n encre f.

inland [adj 'ɪnlənd, adv ɪn'lænd] adj intérieur(e). ◆ adv vers l'intérieur des terres.

Inland Revenue n Br ≃ fisc m.

inner ['ɪnə] adj intérieur(e).

inner city n quartiers proches du centre, généralement synonymes de problèmes sociaux.

inner tube n chambre f à air.

innocence ['ɪnəsəns] n innocence f.

innocent ['ɪnəsənt] adj innocent(e).

inoculate [ɪ'nɒkjuleɪt] vt : to ~ sb (against sthg) vacciner qqn (contre qqch).

inoculation [ɪ,nɒkju'leɪʃn] n vaccination f.

input ['ɪnput] vt COMPUT entrer.

inquire [ɪn'kwaɪə[r]] = enquire.

inquiry [ɪn'kwaɪərɪ] = enquiry.

insane [ɪn'seɪn] adj fou (folle).

insect ['ɪnsekt] n insecte m.

insect repellent [-rə'pelənt] n produit m anti-insectes.

insensitive [ɪn'sensətɪv] adj insensible.

insert [ɪn'sɜːt] vt introduire.

inside [ɪn'saɪd] prep à l'intérieur de, dans. ◆ adv à l'intérieur. ◆ adj (internal) intérieur(e). ◆ n : the ~ (interior) intérieur m ; to go ~ entrer ; ~ out (clothes) à l'envers.

inside lane n [AUT] (in UK) voie f de gauche ; (in Europe, US) voie f de droite.

inside leg n hauteur f à l'entre-jambe.

insight ['ɪnsaɪt] n (glimpse) aperçu m.

insignificant [,ɪnsɪg'nɪfɪkənt] adj insignifiant(e).

insinuate [ɪn'sɪnjʊeɪt] vt insinuer.

insist [ɪn'sɪst] vi insister ; to ~ on doing sthg tenir à faire qqch.

insole ['ɪnsəʊl] n semelle f intérieure.

insolent ['ɪnsələnt] adj insolent(e).

insomnia [ɪn'sɒmnɪə] n insomnie f.

inspect [ɪn'spekt] vt (object) inspecter ; (ticket, passport) contrôler.

inspection [ɪn'spekʃn] n (of object) inspection f ; (of ticket, passport) contrôle m.

inspector [ɪn'spektə[r]] n (on bus, train) contrôleur m, -euse f ; (in police force) inspecteur m, -trice f.

inspiration [,ɪnspə'reɪʃn] n inspiration f.

instal [ɪn'stɔːl] Am = install.

install [ɪn'stɔːl] vt Br installer.

installment [ɪn'stɔːlmənt] Am = instalment.

instalment [ɪn'stɔːlmənt] n (payment) acompte m ; (episode) épisode m.

instance ['ɪnstəns] n exemple m.

instant ['ɪnstənt] adj (results, success) immédiat(e) ; (food) instantané(e). ◆ n (moment) instant m.

instant coffee n café m instantané OR soluble.

instead [ɪn'sted] adv plutôt ; ~ of au lieu de ; ~ of sb à la place de qqn.

instep ['ɪnstep] n cou-de-pied m.

instinct ['ɪnstɪŋkt] n instinct m.

institute ['ɪnstɪtjuːt] n institut m.

institution [,ɪnstɪ'tjuːʃn] n institution f.

instructions [ɪn'strʌkʃnz] npl (for use) mode m d'emploi.

instructor [ɪn'strʌktə[r]] n moniteur m, -trice f.

instrument ['ɪnstrʊmənt] n instrument m.

insufficient [,ɪnsə'fɪʃnt] adj insuffisant(e).

insulating tape [ˈɪnsjʊleɪtɪŋ-] *n* chatterton *m*.

insulation [ˌɪnsjʊˈleɪʃn] *n (material)* isolant *m*.

insulin [ˈɪnsjʊlɪn] *n* insuline *f*.

insult [*n* ˈɪnsʌlt, *vb* ɪnˈsʌlt] *n* insulte *f*. ◆ *vt* insulter.

insurance [ɪnˈʃʊərəns] *n* assurance *f*.

insurance certificate *n* attestation *f* d'assurance.

insurance company *n* compagnie *f* d'assurance.

insurance policy *n* police *f* d'assurance.

insure [ɪnˈʃʊə] *vt* assurer.

insured [ɪnˈʃʊəd] *adj* : to be ~ être assuré(e).

intact [ɪnˈtækt] *adj* intact(e).

intellectual [ˌɪntəˈlektjʊəl] *adj* intellectuel(elle). ◆ *n* intellectuel *m*, -elle *f*.

intelligence [ɪnˈtelɪdʒəns] *n* intelligence *f*.

intelligent [ɪnˈtelɪdʒənt] *adj* intelligent(e).

intend [ɪnˈtend] *vt* : to ~ to do sthg avoir l'intention de faire qqch ; to be ~ed to do sthg être destiné à faire qqch.

intense [ɪnˈtens] *adj* intense.

intensity [ɪnˈtensɪtɪ] *n* intensité *f*.

intensive [ɪnˈtensɪv] *adj* intensif(ive).

intensive care *n* réanimation *f*.

intent [ɪnˈtent] *adj* : to be ~ on doing sthg être déterminé(e) à faire qqch.

intention [ɪnˈtenʃn] *n* intention *f*.

intentional [ɪnˈtenʃənl] *adj* intentionnel(elle).

intentionally [ɪnˈtenʃənəlɪ] *adv* intentionnellement.

interchange [ˈɪntətʃeɪndʒ] *n (on motorway)* échangeur *m*.

Intercity® [ˌɪntəˈsɪtɪ] *n Br système de trains rapides reliant les grandes villes en Grande-Bretagne*.

intercom [ˈɪntəkɒm] *n* Interphone® *m*.

interest [ˈɪntrəst] *n* intérêt *m* ; *(pastime)* centre *m* d'intérêt. ◆ *vt* intéresser ; to take an ~ in sthg s'intéresser à qqch.

interested [ˈɪntrəstɪd] *adj* intéressé(e) ; to be ~ in sthg être intéressé par qqch.

interesting [ˈɪntrəstɪŋ] *adj* intéressant(e).

interest rate *n* taux *m* d'intérêt.

interfere [ˌɪntəˈfɪə] *vi (meddle)* se mêler des affaires d'autrui ; to ~ with sthg *(damage)* toucher à qqch.

interference [ˌɪntəˈfɪərəns] *n (on TV, radio)* parasites *mpl*.

interior [ɪnˈtɪərɪə] *adj* intérieur(e). ◆ *n* intérieur *m*.

intermediate [ˌɪntəˈmiːdjət] *adj* intermédiaire.

intermission [ˌɪntəˈmɪʃn] *n (at cinema, theatre)* entracte *m*.

internal [ɪnˈtɜːnl] *adj (not foreign)* intérieur(e) ; *(on the inside)* interne.

internal flight *n* vol *m* intérieur.

international [ˌɪntəˈnæʃənl] *adj* international(e).

international flight n vol m
international.

internet, Internet ['ɪntənet] n
internet m.

internet café, Internet café
n cybercafé m.

Internet Service Provider n
fournisseur m d'accès.

interpret [ɪn'tɜːprɪt] vi servir
d'interprète.

interpreter [ɪn'tɜːprɪtə'] n interprète mf.

interrogate [ɪn'terəgeɪt] vt interroger.

interrupt [ɪntə'rʌpt] vt interrompre.

intersection [ɪntə'sekʃn] n (of
roads) carrefour m, intersection f.

interval ['ɪntəvl] n intervalle m ;
Br (at cinema, theatre) entracte m.

intervene [ɪntə'viːn] vi (person)
intervenir ; (event) avoir lieu.

interview ['ɪntəvjuː] n (on TV, in
magazine) interview f ; (for job) entretien m. ◆ vt (on TV, in magazine) interviewer ; (for job) faire
passer un entretien à.

interviewer ['ɪntəvjuːə'] n (on
TV, in magazine) intervieweur m,
-euse f.

intestine [ɪn'testɪn] n intestin m.

intimate ['ɪntɪmət] adj intime.

intimidate [ɪn'tɪmɪdeɪt] vt intimider.

into ['ɪntu] prep (inside) dans ;
(against) dans, contre ; (concerning)
sur ; 4 ~ 20 goes 5 (times) 20 divisé
par 4 égale 5 ; to translate ~ French
traduire en français ; to change
~ sthg se transformer en qqch ; to
be ~ sthg inf (like) être un fan de
qqch.

intolerable [ɪn'tɒlrəbl] adj intolérable.

intranet, Intranet ['ɪntrənet] n
intranet m.

intransitive [ɪn'trænzətɪv] adj
intransitif(ive).

intricate ['ɪntrɪkət] adj compli-
qué(e).

intriguing [ɪn'triːgɪŋ] adj fasci-
nant(e).

introduce [ˌɪntrə'djuːs] vt présenter ; I'd like to ~ you to Fred j'aimerais vous présenter Fred.

introduction [ˌɪntrə'dʌkʃn] n (to
book, programme) introduction f ;
(to person) présentation f.

introverted ['ɪntrəvɜːtɪd] adj in-
troverti(e).

intruder [ɪn'truːdə'] n intrus m,
-e f.

intuition [ˌɪntjuː'ɪʃn] n intuition
f.

invade [ɪn'veɪd] vt envahir.

invalid [adj ɪn'vælɪd, n 'ɪnvəlɪd]
adj (ticket, cheque) non valable. ◆ n
invalide mf.

invaluable [ɪn'væljʊəbl] adj
inestimable.

invariably [ɪn'veərɪəblɪ] adv in-
variablement.

invasion [ɪn'veɪʒn] n invasion f.

invent [ɪn'vent] vt inventer.

invention [ɪn'venʃn] n invention
f.

inventory ['ɪnvntrɪ] n (list) inventaire m ; Am (stock) stock m.

inverted commas [ɪn'vɜːtɪd-]
npl guillemets mpl.

invest [ɪn'vest] vt investir. ◆ vi :
to ~ in sthg investir dans qqch.

investigate [ɪn'vestɪgeɪt] vt enquêter sur.

investigation [ɪnˌvestɪ'geɪʃn] n enquête f.

investment [ɪn'vestmənt] n (of money) investissement m.

invisible [ɪn'vɪzɪbl] adj invisible.

invitation [ˌɪnvɪ'teɪʃn] n invitation f.

invite [ɪn'vaɪt] vt inviter ; to ~ sb to do sthg (ask) inviter qqn à faire qqch ; to ~ sb round inviter qqn chez soi.

invoice [ˈɪnvɔɪs] n facture f.

involve [ɪn'vɒlv] vt (entail) impliquer ; what does it ~? en quoi est-ce que cela consiste? ; to be ~d in sthg (scheme, activity) prendre part à qqch ; (accident) être impliqué dans qqch.

involved [ɪn'vɒlvd] adj : what's ~? qu'est-ce que cela implique?

inwards [ˈɪnwədz] adv vers l'intérieur.

IOU n reconnaissance f de dette.

IQ n QI m.

Ireland [ˈaɪələnd] n l'Irlande f.

iris [ˈaɪərɪs] (pl -es) n (flower) iris m.

Irish [ˈaɪrɪʃ] adj irlandais(e). ◆ n (language) irlandais m. ◆ npl : the ~ les Irlandais mpl.

Irish coffee n irish-coffee m.

Irishman [ˈaɪrɪʃmən] (pl -men [-mən]) n Irlandais m.

Irishwoman [ˈaɪrɪʃˌwʊmən] (pl -women [-ˌwɪmɪn]) n Irlandaise f.

iron [ˈaɪən] n fer m ; (for clothes) fer m à repasser. ◆ vt repasser.

ironic [aɪ'rɒnɪk] adj ironique.

ironing board [ˈaɪənɪŋ-] n planche f à repasser.

ironmonger's [ˈaɪənˌmʌŋɡəz] n Br quincaillier m.

irrelevant [ɪ'reləvənt] adj hors de propos.

irresistible [ˌɪrɪ'zɪstəbl] adj irrésistible.

irrespective [ˌɪrɪ'spektɪv] : irrespective of prep indépendamment de.

irresponsible [ˌɪrɪ'spɒnsəbl] adj irresponsable.

irrigation [ˌɪrɪ'geɪʃn] n irrigation f.

irritable [ˈɪrɪtəbl] adj irritable.

irritate [ˈɪrɪteɪt] vt irriter.

irritating [ˈɪrɪteɪtɪŋ] adj irritant(e).

IRS n Am ≃ fisc m.

is [ɪz] → **be**.

island [ˈaɪlənd] n île f ; (in road) refuge m.

isle [aɪl] n île f.

isolated [ˈaɪsəleɪtɪd] adj isolé(e).

ISP n abbr of Internet Service Provider.

issue [ˈɪʃuː] n (problem, subject) problème m ; (of newspaper, magazine) numéro m. ◆ vt (statement) faire ; (passport, document) délivrer ; (stamps, bank notes) émettre.

☞

it [ɪt] pron - 1. (referring to specific thing : subject) il (elle) ; (direct object) le (la), l' ; (indirect object) lui ; ~'s big il est grand ; she missed ~ elle l'a manqué ; give ~ to me donne-le moi ; tell me about ~ parlez-m'en ; we went to ~ nous y sommes allés.
- 2. (nonspecific) ce, c' ; ~'s nice here c'est joli ici ; ~'s me c'est moi ; who is ~? qui est-ce?
- 3. (used impersonally) : ~'s hot il

fait chaud ; ~'s six o'clock il est six heures ; ~'s Sunday nous sommes dimanche.

Italian [ɪ'tæljən] adj italien(ienne). ◆ n (person) Italien m, -ienne f ; (language) italien m.

Italy ['ɪtəlɪ] n l'Italie f.

itch [ɪtʃ] vi : my arm ~es mon bras me démange.

item ['aɪtəm] n (object) article m, objet m ; (of news, on agenda) question f, point m.

itemized bill ['aɪtəmaɪzd-] n facture f détaillée.

its [ɪts] adj son (sa), ses (pl).

it's [ɪts] = it is, it has.

itself [ɪt'self] pron (reflexive) se ; (after prep) lui (elle) ; **the house ~ is fine** la maison elle-même n'a rien.

I've [aɪv] = I have.

ivory ['aɪvərɪ] n ivoire m.

ivy ['aɪvɪ] n lierre m.

J

jab [dʒæb] n Br inf (injection) piqûre f.

jack [dʒæk] n (for car) cric m ; (playing card) valet m.

jacket ['dʒækɪt] n (garment) veste f ; (of book) jaquette f ; (of potato) peau f.

jacket potato n pomme de terre f en robe des champs.

jack-knife vi se mettre en travers de la route.

Jacuzzi® [dʒə'ku:zɪ] n Jacuzzi® m.

jade [dʒeɪd] n jade m.

jail [dʒeɪl] n prison f.

jam [dʒæm] n (food) confiture f ; (of traffic) embouteillage m. ◆ vt (pack tightly) entasser. ◆ vi (get stuck) se coincer ; **the roads are jammed** les routes sont bouchées.

jam-packed [-'pækt] adj inf bourré(e) à craquer.

Jan. [dʒæn] (abbr of January) janv.

January ['dʒænjʊərɪ] n janvier m → September.

jar [dʒɑ:ʳ] n pot m.

javelin ['dʒævlɪn] n javelot m.

jaw [dʒɔ:] n mâchoire f.

jazz [dʒæz] n jazz m.

jealous ['dʒeləs] adj jaloux(ouse).

jeans [dʒi:nz] npl jean m.

Jeep® [dʒi:p] n Jeep® f.

Jello® ['dʒeləʊ] n Am gelée f.

jelly ['dʒelɪ] n gelée f.

jellyfish ['dʒelɪfɪʃ] (pl inv) n méduse f.

jeopardize ['dʒepədaɪz] vt mettre en danger.

jerk [dʒɜːk] n (movement) secousse f ; inf (idiot) abruti m, -e f.

jersey ['dʒɜːzɪ] (pl -s) n (garment) pull m.

jet [dʒet] n jet m ; (for gas) brûleur m.

jet lag n décalage m horaire.

jet-ski n scooter m des mers.

jetty ['dʒetɪ] n jetée f.

Jew [dʒuː] n Juif m, -ive f.

jewel ['dʒuːəl] n joyau m, pierre f précieuse. ❑ **jewels** npl (jewellery) bijoux mpl.

jeweler's ['dʒuːələz] Am = **jeweller's**.

jeweller's ['dʒuːələz] n Br bijouterie f.

jewellery ['dʒuːəlrɪ] n Br bijoux mpl.

jewelry ['dʒuːəlrɪ] Am = **jewellery**.

Jewish ['dʒuːɪʃ] adj juif(ive).

jigsaw (puzzle) ['dʒɪgsɔː-] n puzzle m.

jingle ['dʒɪŋgl] n (of advert) jingle m.

job [dʒɒb] n (regular work) emploi m ; (task, function) travail m ; to lose one's ~ perdre son travail.

job centre n Br agence f pour l'emploi.

jockey ['dʒɒkɪ] (pl -s) n jockey m.

jog [dʒɒg] vt pousser. ◆ vi courir, faire du jogging. ◆ n : to go for a ~ faire du jogging.

jogging ['dʒɒgɪŋ] n jogging m ; to go ~ faire du jogging.

join [dʒɔɪn] vt (club, organization) adhérer à ; (fasten together) joindre ; (other people) rejoindre ; (connect) relier ; (participate in) participer à ; to ~ a queue faire la queue.

❑ **join in** vt fus participer à. ◆ vi participer.

joint [dʒɔɪnt] adj commun(e). ◆ n (of body) articulation f ; Br (of meat) rôti m ; (in structure) joint m.

joke [dʒəʊk] n plaisanterie f. ◆ vi plaisanter.

joker ['dʒəʊkə'] n (playing card) joker m.

jolly ['dʒɒlɪ] adj (cheerful) gai(e). ◆ adv Br inf (very) drôlement.

jolt [dʒəʊlt] n secousse f.

jot [dʒɒt] : **jot down** vt sep noter.

journal ['dʒɜːnl] n (professional magazine) revue f ; (diary) journal m (intime).

journalist ['dʒɜːnəlɪst] n journaliste mf.

journey ['dʒɜːnɪ] (pl -s) n voyage m.

joy [dʒɔɪ] n joie f.

joypad ['dʒɔɪpæd] n (of video game) boîtier de commandes de jeu vidéo.

joyrider ['dʒɔɪraɪdə'] n personne qui vole une voiture pour aller faire un tour.

joystick ['dʒɔɪstɪk] n (of video game) manette f (de jeux).

judge [dʒʌdʒ] n juge m. ◆ vt (competition) arbitrer ; (evaluate) juger.

judg(e)ment ['dʒʌdʒmənt] n jugement m.

judo ['dʒuːdəʊ] n judo m.

jug [dʒʌg] n (for water) carafe f ; (for milk) pot m.

juggernaut ['dʒʌgənɔːt] n Br poids m lourd.

juggle ['dʒʌgl] vi jongler.

juice [dʒuːs] n jus m ; (fruit) ~ jus m de fruit.

juicy ['dʒuːsɪ] adj (food) juteux(euse).

jukebox ['dʒuːkbɒks] *n* juke-box *m* inv.

Jul. *(abbr of July)* juill.

July [dʒuː'laɪ] *n* juillet *m* → **September**.

FOURTH OF JULY

Le 4 juillet, jour de l'Indépendance, est une des fêtes fédérales les plus importantes des États-Unis. Parmi les festivités organisées, on peut citer les grandes parades et les feux d'artifice aux couleurs de la nation (rouge, blanc et bleu). Les rues sont décorées dans les mêmes coloris et le drapeau américain flotte un peu partout. Nombreux sont ceux qui sortent de la ville pour aller pique-niquer en famille et manger dans le respect de la tradition, des hot dogs et de la pastèque.

jumble sale ['dʒʌmbl-] *n Br* vente *f* de charité.

jumbo ['dʒʌmbəʊ] *adj inf (big)* énorme.

jumbo jet *n* jumbo-jet *m*.

jump [dʒʌmp] *n* bond *m*. ◆ *vi* sauter ; *(with fright)* sursauter ; *(increase)* faire un bond. ◆ *vt Am (train, bus)* prendre sans payer ; **to ~ the queue** *Br* ne pas attendre son tour.

jumper ['dʒʌmpə'] *n Br (pullover)* pull-over *m* ; *Am (dress)* robe *f* chasuble.

jump leads *npl* câbles *mpl* de démarrage.

junction ['dʒʌŋkʃn] *n* embranchement *m*.

June [dʒuːn] *n* juin *m* → **September**.

jungle ['dʒʌŋgl] *n* jungle *f*.

junior ['dʒuːnjə'] *adj (of lower rank)* subalterne ; *Am (after name)* junior. ◆ *n (younger person)* cadet *m*, -ette *f*.

junior school *n Br* école *f* primaire.

junk [dʒʌŋk] *n inf (unwanted things)* bric-à-brac *m* inv.

junk food *n inf* cochonneries *fpl*.

junkie ['dʒʌŋkɪ] *n inf* drogué *m*, -e *f*.

junk shop *n* magasin *m* de brocante.

jury ['dʒʊərɪ] *n* jury *m*.

just [dʒʌst] *adj & adv* juste ; **I'm ~ coming** j'arrive tout de suite ; **we were ~ leaving** nous étions sur le point de partir ; **to be ~ about to do sthg** être sur le point de faire qqch ; **to have ~ done sthg** venir de faire qqch ; **as good (as)** tout aussi bien (que) ; **~ about (almost)** pratiquement, presque ; **only ~** tout juste ; **~ a minute!** une minute!

justice ['dʒʌstɪs] *n* justice *f*.

justify ['dʒʌstɪfaɪ] *vt* justifier.

jut [dʒʌt] : **jut out** *vi* faire saillie.

juvenile ['dʒuːvənaɪl] *adj (young)* juvénile ; *(childish)* enfantin(e).

K

kangaroo [,kæŋgə'ruː] *n* kangourou *m*.

karaoke *n* karaoké *m*.

karate [kə'rɑːtɪ] *n* karaté *m*.

kebab [kɪ'bæb] *n* : **(shish) ~** brochette *f* de viande ; **(doner) ~ ≃**

sandwich m grec (viande de mouton servie en tranches fines dans du pita, avec salade et sauce).

keel ['kiːl] n quille f.

keen [kiːn] adj (enthusiastic) passionné(e) ; (hearing) fin(e) ; (eyesight) perçant(e) ; to be ~ on aimer beaucoup ; to be ~ to do sthg tenir à faire qqch.

keep [kiːp] (pt & pp kept) vt garder ; (promise, record, diary) tenir ; (delay) retarder. ◆ vi (food) se conserver ; (remain) rester ; to ~ (on) doing sthg (continuously) continuer à faire qqch ; (repeatedly) ne pas arrêter de faire qqch ; to ~ sb from doing sthg empêcher qqn de faire qqch ; ~ back! n'approchez pas! ; '~ in lane!' 'conservez votre file' ; '~ left' 'serrez à gauche' ; 'off the grass!' 'pelouse interdite' ; '~ out!' 'entrée interdite' ; '~ your distance!' 'gardez vos distances' ; to ~ clear (of) ne pas s'approcher de (de). ❑ keep up ◆ vt sep (maintain) maintenir ; (continue) continuer. ◆ vi : to ~ up (with) suivre.

keep-fit n Br gymnastique f.

kennel ['kenl] n niche f.

kept [kept] pt & pp → keep.

kerb [kɜːb] n Br bordure f du trottoir.

kerosene ['kerəsiːn] n Am kérosène m.

ketchup ['ketʃəp] n ketchup m.

kettle ['ketl] n bouilloire f ; to put the ~ on mettre la bouilloire à chauffer.

key [kiː] n clé f, clef f ; (of piano, typewriter) touche f ; (of map) légende f. ◆ adj clé, clef.

keyboard ['kiːbɔːd] n clavier m.

keyhole ['kiːhəʊl] n serrure f.

keypad ['kiːpæd] n pavé m numérique.

key ring n porte-clefs m inv, porte-clés m inv.

kg (abbr of kilogram) kg.

kick [kɪk] n (of foot) coup m de pied. ◆ vt (ball) donner un coup de pied dans ; (person) donner un coup de pied à.

kickoff ['kɪkɒf] n coup m d'envoi.

kid [kɪd] n inf gamin m, -e f. ◆ vi (joke) blaguer.

kidnap ['kɪdnæp] vt kidnapper.

kidnaper ['kɪdnæpər] Am = kidnapper.

kidnapper ['kɪdnæpə'] n Br kidnappeur m, -euse f.

kidney ['kɪdnɪ] (pl -s) n (organ) rein m ; (food) rognon m.

kidney bean n haricot m rouge.

kill [kɪl] vt tuer ; my feet are ~ing me! mes pieds me font souffrir le martyre!

killer ['kɪlə'] n tueur m, -euse f.

kilo ['kiːləʊ] (pl -s) n kilo m.

kilogram ['kɪlə,græm] n kilogramme m.

kilometre ['kɪlə,miːtə'] n kilomètre m.

kilt [kɪlt] n kilt m.

kind [kaɪnd] adj gentil(ille). ◆ n genre m ; ~ of Am inf plutôt.

kindergarten ['kɪndə,gɑːtn] n jardin m d'enfants.

kindly ['kaɪndlɪ] adv : would you ~ ...? auriez-vous l'amabilité de ...?

kindness ['kaɪndnɪs] n gentillesse f.

king [kɪŋ] n roi m.

kingfisher ['kɪŋfɪʃə'] n martin-pêcheur m.

king prawn n gamba f.

king-size bed n ≃ lit m en 160 cm.

kiosk ['kiːɒsk] n (for newspapers etc) kiosque m ; Br (phone box) cabine f (téléphonique).

kipper ['kɪpə'] n hareng m saur.

kiss [kɪs] n baiser m. ◆ vt embrasser.

kiss of life n bouche-à-bouche m inv.

kit [kɪt] n (set) trousse f ; (clothes) tenue f ; (for assembly) kit m.

kitchen ['kɪtʃɪn] n cuisine f.

kitchen unit n élément m (de cuisine).

kite [kaɪt] n (toy) cerf-volant m.

kitten ['kɪtn] n chaton m.

kitty ['kɪtɪ] n (of money) cagnotte f.

kiwi fruit ['kiːwiː-] n kiwi m.

Kleenex® ['kliːneks] n Kleenex® m.

km (abbr of kilometre) km.

km/h (abbr of kilometres per hour) km/h.

knack [næk] n : to have the ~ of doing sthg avoir le chic pour faire qqch.

knackered ['nækəd] adj Br inf crevé(e).

knapsack ['næpsæk] n sac m à dos.

knee [niː] n genou m.

kneecap ['niːkæp] n rotule f.

kneel [niːl] (pt & pp knelt [nelt]) vi (be on one's knees) être à genoux ; (go down on one's knees) s'agenouiller.

knew [njuː] pt → know.

knickers ['nɪkəz] npl Br (underwear) culotte f.

knife [naɪf] (pl knives) n couteau m.

knight [naɪt] n (in history) chevalier m ; (in chess) cavalier m.

knit [nɪt] vt tricoter.

knitted ['nɪtɪd] adj tricoté(e).

knitting ['nɪtɪŋ] n tricot m.

knitting needle n aiguille f à tricoter.

knitwear ['nɪtweə'] n lainages mpl.

knives [naɪvz] pl → knife.

knob [nɒb] n bouton m.

knock [nɒk] n (at door) coup m. ◆ vt (hit) cogner. ◆ vi (at door etc) frapper. ❑ **knock down** vt sep (pedestrian) renverser ; (building) démolir ; (price) baisser. ❑ **knock out** vt sep (make unconscious) assommer ; (of competition) éliminer. ❑ **knock over** vt sep renverser.

knocker ['nɒkə'] n (on door) heurtoir m.

knot [nɒt] n nœud m.

know [nəʊ] (pt knew, pp known) vt savoir ; (person, place) connaître ; to get to ~ sb faire connaissance avec qqn ; to ~ about sthg (understand) s'y connaître en qqch ; (have heard) être au courant de qqch ; to ~ how to do sthg savoir (comment) faire qqch ; to ~ of connaître ; to be ~ as être appelé ; to let sb ~ sthg informer qqn de qqch ; you ~ (for emphasis) tu sais.

knowledge ['nɒlɪdʒ] n connaissance f ; to my ~ pour autant que je sache.

known [nəʊn] pp → know.

knuckle ['nʌkl] n (of hand) articulation *f* du doigt ; *(of pork)* jarret *m*.

Kosovar [kɔsɔva'ʀ] *n* kosovar *mf*.

Kosovo [kɔsɔvɔ] *n* Kosovo *m*.

L

l (abbr of litre) l.

L (abbr of learner) en Grande-Bretagne, lettre apposée à l'arrière d'une voiture et signalant que le conducteur est en conduite accompagnée.

lab [læb] *n inf* labo *m*.

label ['leɪbl] *n* étiquette *f*.

labor ['leɪbər] *Am* = labour.

laboratory [*Br* lə'bɒrətrɪ, *Am* 'læbrə,tɔːrɪ] *n* laboratoire *m*.

labour ['leɪbə'] *n Br* travail *m* ; in ~ MED en travail.

labourer ['leɪbərə'] *n* ouvrier *m*, -ière *f*.

Labour Party *n Br* parti *m* travailliste.

labour-saving *adj* qui fait gagner du temps.

lace [leɪs] *n (material)* dentelle *f* ; *(for shoe)* lacet *m*.

lace-ups *npl* chaussures *fpl* à lacets.

lack [læk] *n* manque *m*. ◆ *vt* manquer de. ◆ *vi* : to be ~ing faire défaut.

lacquer ['lækə'] *n* laque *f*.

lad [læd] *n inf (boy)* gars *m*.

ladder ['lædə'] *n* échelle *f* ; *Br (in tights)* maille *f* filée.

ladies ['leɪdɪz] *n Br (toilet)* toilettes *fpl* pour dames.

ladies room *Am* = ladies.

ladieswear ['leɪdɪz,weə'] *n* vêtements *mpl* pour femme.

ladle ['leɪdl] *n* louche *f*.

lady ['leɪdɪ] *n* dame *f*.

ladybird ['leɪdɪbɜːd] *n* coccinelle *f*.

lag [læg] *vi* traîner ; to ~ behind traîner.

lager ['lɑːgə'] *n* bière *f* blonde.

lagoon [lə'guːn] *n* lagune *f*.

laid [leɪd] *pt & pp* → lay.

lain [leɪn] *pp* → lie.

lake [leɪk] *n* lac *m*.

lamb [læm] *n* agneau *m*.

lamb chop *n* côtelette *f* d'agneau.

lame [leɪm] *adj* boiteux(euse).

lamp [læmp] *n* lampe *f* ; *(in street)* réverbère *m*.

lamppost ['læmppəust] *n* réverbère *m*.

lampshade ['læmpʃeɪd] *n* abat-jour *m* inv.

land [lænd] *n* terre *f* ; *(nation)* pays *m*. ◆ *vi* atterrir ; *(passengers)* débarquer.

landing ['lændɪŋ] *n (of plane)* atterrissage *m* ; *(on stairs)* palier *m*.

landlady ['lænd,leɪdɪ] *n (of house)* propriétaire *f* ; *(of pub)* patronne *f*.

landlord ['lændlɔːd] *n (of house)* propriétaire *m* ; *(of pub)* patron *m*.

landmark ['lændmɑːk] *n* point *m* de repère.

landscape ['lændskeɪp] *n* paysage *m*.

landslide ['lændslaɪd] *n* glissement *m* de terrain.

lane [leɪn] *n (in town)* ruelle *f* ; *(in country)* chemin *m* ; *(on road, motorway)* file *f*, voie *f* ; 'get in ~'

panneau indiquant aux automobilistes de se placer dans la file appropriée.

language ['læŋgwɪdʒ] *n (of a people, country)* langue *f*; *(system, words)* langage *m*.

lap [læp] *n (of person)* genoux *mpl*; *(of race)* tour *m* (de piste).

lapel [lə'pel] *n* revers *m*.

lapse [læps] *vi (passport)* être périmé(e); *(membership)* prendre fin.

lard [laːd] *n* saindoux *m*.

larder ['laːdə] *n* garde-manger *m inv*.

large [laːdʒ] *adj* grand(e); *(person, problem, sum)* gros (grosse).

largely ['laːdʒlɪ] *adv* en grande partie.

large-scale *adj* à grande échelle.

lark [laːk] *n* alouette *f*.

laryngitis [ˌlærɪn'dʒaɪtɪs] *n* laryngite *f*.

lasagne [lə'zænjə] *n* lasagne(s) *fpl*.

laser ['leɪzə] *n* laser *m*.

lass [læs] *n inf (girl)* nana *f*.

last [laːst] *adj* dernier(ière). ◆ *adv (most recently)* pour la dernière fois; *(at the end)* en dernier. ◆ *pron* : the ~ to come le dernier arrivé; the ~ but one l'avant-dernier; the day before ~ avant-hier; ~ year l'année dernière; at ~ enfin.

lastly ['laːstlɪ] *adv* enfin.

last-minute *adj* de dernière minute.

latch [lætʃ] *n* loquet *m*; the door is on the ~ la porte n'est pas fermée à clef.

late [leɪt] *adj (not on time)* en retard; *(after usual time)* tardif(ive). ◆ *adv (not on time)* en retard; *(after*

usual time) tard; in the ~ afternoon en fin d'après-midi; in ~ June fin juin; my ~ wife feue ma femme.

lately ['leɪtlɪ] *adv* dernièrement.

late-night *adj (chemist, supermarket)* ouvert(e) tard.

later ['leɪtə] *adj (train)* qui part plus tard. ◆ *adv* : ~ (on) plus tard, ensuite; at a ~ date plus tard.

latest ['leɪtɪst] *adj* : the ~ *(in series)* le plus récent (la plus récente); the ~ fashion la dernière mode; at the ~ au plus tard.

lather ['laːðə] *n* mousse *f*.

Latin ['lætɪn] *n (language)* latin *m*.

Latin America *n* l'Amérique *f* latine.

Latin American *adj* latino-américain(e). ◆ *n* Latino-Américain *m*, -e *f*.

latitude ['lætɪtjuːd] *n* latitude *f*.

latter ['lætə] *n* : the ~ ce dernier (cette dernière), celui-ci (celle-ci).

laugh [laːf] *n* rire *m*. ◆ *vi* rire; to have a ~ *Br inf (have fun)* s'éclater, rigoler. ❑ **laugh at** *vt fus* se moquer de.

laughter ['laːftə] *n* rires *mpl*.

launch [lɔːntʃ] *vt (boat)* mettre à la mer; *(new product)* lancer.

laund(e)rette [lɔːn'dret] *n* laverie *f* automatique.

laundry ['lɔːndrɪ] *n (washing)* lessive *f*; *(shop)* blanchisserie *f*.

lavatory ['lævətrɪ] *n* toilettes *fpl*.

lavender ['lævəndə] *n* lavande *f*.

lavish ['lævɪʃ] *adj (meal)* abondant(e); *(decoration)* somptueux(euse).

law [lɔː] *n* loi *f*; *(study)* droit *m*; to be against the ~ être illégal.

lawn [lɔːn] *n* pelouse *f*, gazon *m*.

lawnmower ['lɔːn,məʊəʳ] *n* tondeuse *f* (à gazon).

lawyer ['lɔːjəʳ] *n* (*in court*) avocat *m*, -e *f*; (*solicitor*) notaire *m*.

laxative ['læksətɪv] *n* laxatif *m*.

lay [leɪ] (*pt & pp* laid) *pt* → lie. ◆ *vt* (*place*) mettre, poser; (*egg*) pondre; to ~ the table mettre la table. ❑ **lay off** *vt sep* (*worker*) licencier. ❑ **lay on** *vt sep* (*transport, entertainment*) organiser; (*food*) fournir. ❑ **lay out** *vt sep* (*display*) disposer.

lay-by (*pl* lay-bys) *n* aire *f* de stationnement.

layer ['leɪəʳ] *n* couche *f*.

layman ['leɪmən] (*pl* -men [-mən]) *n* profane *m*.

layout ['leɪaʊt] *n* (*of building, streets*) disposition *f*.

lazy ['leɪzɪ] *adj* paresseux(euse).

lb *abbr* = pound.

lead¹ [liːd] (*pt & pp* led) *vt* (*take*) conduire; (*team, company*) diriger; (*race, demonstration*) être en tête de. ◆ *vi* (*be winning*) mener. ◆ *n* (*for dog*) laisse *f*; (*cable*) cordon *m*; to ~ sb to do sthg amener qqn à faire qqch; to ~ to mener à; to ~ the way montrer le chemin; to be in the ~ (*in race, match*) être en tête.

lead² [led] *n* (*metal*) plomb *m*; (*for pencil*) mine *f*. ◆ *adj* en plomb.

leaded petrol ['ledɪd-] *n* essence *f* au plomb.

leader ['liːdəʳ] *n* (*person in charge*) chef *m*; (*in race*) premier *m*, -ière *f*.

leadership ['liːdəʃɪp] *n* (*position*) direction *f*.

lead-free [led-] *adj* sans plomb.

leading ['liːdɪŋ] *adj* (*most important*) principal(e).

lead singer [liːd-] *n* chanteur *m*, -euse *f*.

leaf [liːf] (*pl* leaves) *n* feuille *f*.

leaflet ['liːflɪt] *n* dépliant *m*.

league [liːg] *n* ligue *f*.

leak [liːk] *n* fuite *f*. ◆ *vi* fuir.

lean [liːn] (*pt & pp* leant [lent], -ed) *adj* (*meat*) maigre; (*person, animal*) mince. ◆ *vi* (*person*) se pencher; (*object*) être penché. ◆ *vt* : to ~ sthg against sthg appuyer qqch contre qqch; to ~ on s'appuyer sur; to ~ forward se pencher en avant; to ~ over se pencher.

leap [liːp] (*pt & pp* leapt [lept], -ed) *vi* (*jump*) sauter, bondir.

leap year *n* année *f* bissextile.

learn [lɜːn] (*pt & pp* learnt OR -ed) *vt* apprendre; to ~ (how) to do sthg apprendre à faire qqch; to ~ about sthg apprendre qqch.

learner (driver) ['lɜːnəʳ-] *n* conducteur *m* débutant, conductrice débutante *f* (*qui n'a pas encore son permis*).

learnt [lɜːnt] *pt & pp* → learn.

lease [liːs] *n* bail *m*. ◆ *vt* louer; to ~ sthg from sb louer qqch à qqn (*à un propriétaire*); to ~ sthg to sb louer qqch à qqn (*à un locataire*).

leash [liːʃ] *n* laisse *f*.

least [liːst] *adv* (*with verb*) le moins. ◆ *adj* le moins de. ◆ *pron* : (the) ~ le moins ; at ~ au moins ; the ~ expensive le moins cher (la moins chère).

leather ['leðəʳ] *n* cuir *m*. ❑ **leathers** *npl* (*of motorcyclist*) tenue *f* de motard.

leave [liːv] (*pt & pp* left) *vt* laisser; (*place, person, job*) quitter. ◆ *vi* partir. ◆ *n* (*time off work*) congé *m*; to ~ a message laisser un

message. ❑ **leave behind** vt sep
laisser. ❑ **leave out** vt sep omettre.

leaves [li:vz] pl → **leaf**.

lecture ['lektʃə*] n (at conference)
exposé m ; (at university) cours m
(magistral).

lecturer ['lektʃərə*] n conféren-
cier m, -ière f.

lecture theatre n amphithéâtre m.

led [led] pt & pp → **lead** ¹.

ledge [ledʒ] n rebord m.

leek [li:k] n poireau m.

left [left] pt & pp → **leave**. ◆ adj
(not right) gauche. ◆ adv à gauche.
◆ n gauche f ; on the ~ (direction) à
gauche ; there are none → il n'en
reste plus.

left-hand adj (lane) de gauche ;
(side) gauche.

left-hand drive n conduite f à
gauche.

left-handed [-ˈhændɪd] adj (person) gaucher(ère).

left-luggage locker n Br consigne f automatique.

left-luggage office n Br consigne f.

left-wing adj de gauche.

leg [leg] n (of person, trousers) jambe f ; (of animal) patte f ; (of table,
chair) pied m ; ~ of lamb gigot m
d'agneau.

legal ['li:gl] adj (procedure, language) juridique ; (lawful) légal(e).

legal aid n assistance f judiciaire.

legalize ['li:gəlaɪz] vt légaliser.

legal system n système m judiciaire.

legend ['ledʒənd] n légende f.

leggings ['legɪŋz] npl caleçon m.

legible ['ledʒɪbl] adj lisible.

legislation [ˌledʒɪsˈleɪʃn] n législation f.

legitimate [lɪˈdʒɪtɪmət] adj légitime.

leisure [Br ˈleʒə*, Am ˈliːʒər] n loisir m.

leisure centre n centre m de
loisirs.

leisure pool n piscine avec tobog-
gans, vagues, etc.

lemon ['lemən] n citron m.

lemonade [ˌleməˈneɪd] n limonade f.

lemon curd [-kɜːd] n Br crème f
au citron.

lemon juice n jus m de citron.

lemon sole n limande-sole f.

lemon tea n thé m au citron.

lend [lend] (pt & pp lent) vt prêter ; to ~ sb sthg prêter qqch à qqn.

length [leŋθ] n longueur f ; (in
time) durée f.

lengthen ['leŋθən] vt allonger.

lens [lenz] n (of camera) objectif
m ; (of glasses) verre m ; (contact
lens) lentille f.

lent [lent] pt & pp → **lend**.

Lent [lent] n le carême.

lentils ['lentlz] npl lentilles fpl.

leopard ['lepəd] n léopard m.

leopard-skin adj léopard (inv).

leotard ['li:əta:d] n justaucorps
m.

leper ['lepə*] n lépreux m, -euse f.

lesbian ['lezbɪən] adj lesbien(ienne). ◆ n lesbienne f.

less [les] adj moins de. ◆ adv
& prep moins ; ~ than 20 moins de
20.

lesson ['lesn] n (class) leçon f.

let [let] (pt & pp let) vt (allow) laisser ; *(rent out)* louer ; **to ~ sb do sthg** laisser qqn faire qqch ; **to ~ go of sthg** lâcher qqch ; **to ~ sb have sthg** donner qqch à qqn ; **to ~ sb know sthg** apprendre qqch à qqn ; **~'s go!** allons-y! ; **'to ~'** *(for rent)* 'à louer'. ❑ **let in** *vt sep (allow to enter)* faire entrer. ❑ **let off** *vt sep (excuse)* excuser ; **to ~ sb off sthg** dispenser qqn de qqch ; **can you ~ me off at the station?** pouvez-vous me déposer à la gare? : **let out** *vt sep (allow to go out)* laisser sortir.

letdown ['letdaʊn] *n inf* déception *f*.

lethargic [lə'θɑːdʒɪk] *adj* léthargique.

letter ['letə'] *n* lettre *f*.

letterbox ['letəbɒks] *n [Br]* boîte *f* à OR aux lettres.

lettuce ['letɪs] *n* laitue *f*.

leuk(a)emia [luːˈkiːmɪə] *n* leucémie *f*.

level ['levl] *adj (horizontal)* horizontal(e) ; *(flat)* plat(e). ◆ *n* niveau *m* ; **to be ~ with** être au même niveau que.

level crossing *n Br* passage *m* à niveau.

lever [*Br* 'liːvə', *Am* 'levər] *n* levier *m*.

liability [ˌlaɪə'bɪlətɪ] *n* responsabilité *f*.

liable ['laɪəbl] *adj* : **to be ~ to do sthg** *(likely)* risquer de faire qqch ; **to be ~ for sthg** *(responsible)* être responsable de qqch.

liaise [lɪ'eɪz] *vi* : **to ~ with** assurer la liaison avec.

liar ['laɪə'] *n* menteur *m*, -euse *f*.

liberal ['lɪbərəl] *adj* libéral(e).

liberate ['lɪbəreɪt] *vt* libérer.

liberty ['lɪbətɪ] *n* liberté *f*.

librarian [laɪ'breərɪən] *n* bibliothécaire *mf*.

library ['laɪbrərɪ] *n* bibliothèque *f*.

lice [laɪs] *npl* poux *mpl*.

licence ['laɪsəns] *n Br (official document)* permis *m*, autorisation *f* ; *(for television)* redevance *f*. ◆ *vt Am* = **license**.

license ['laɪsəns] *vt Br* autoriser. ◆ *n Am* = **licence**.

licensed ['laɪsənst] *adj (restaurant, bar)* autorisé(e) à vendre des boissons alcoolisées.

licensing hours ['laɪsənsɪŋ-] *npl Br* heures d'ouverture des pubs.

lick [lɪk] *vt* lécher.

lid [lɪd] *n* couvercle *m*.

lie [laɪ] *(pt* lay, *pp* lain, *cont* lying)*. *n* mensonge *m*. ◆ *vi (tell lie : pt & pp* lied*)* mentir ; *(be horizontal)* être allongé ; *(lie down)* s'allonger ; *(be situated)* se trouver ; **to tell ~s** mentir, dire des mensonges ; **to ~ about sthg** mentir sur qqch. ❑ **lie down** *vi (on bed, floor)* s'allonger.

lieutenant [*Br* lef'tenənt, *Am* luː'tenənt] *n* lieutenant *m*.

life [laɪf] *(pl* lives*)* *n* vie *f*.

life assurance *n* assurance-vie *f*.

life belt *n* bouée *f* de sauvetage.

lifeboat ['laɪfbəʊt] *n* canot *m* de sauvetage.

lifeguard ['laɪfgɑːd] *n* maître *m* nageur.

life jacket *n* gilet *m* de sauvetage.

lifelike ['laɪflaɪk] *adj* ressemblant(e).

life preserver [-prɪ'zɜːvər] *n [Am] (life belt)* bouée *f* de sauvetage ; *(life jacket)* gilet *m* de sauvetage.

life-size adj grandeur nature (inv).

lifespan ['laɪfspæn] n espérance f de vie.

lifestyle ['laɪfstaɪl] n mode m de vie.

lift [lɪft] n Br (elevator) ascenseur m. ◆ vt (raise) soulever. ◆ vi se lever ; to give sb a ~ emmener qqn (en voiture) ; to ~ one's head lever la tête. ☐ **lift up** vt sep soulever.

light [laɪt] (pt & pp lit OR -ed) adj léger(ère) ; (not dark) clair(e) ; (traffic) fluide. ◆ n lumière f ; (of car, bike) feu m ; (headlight) phare m ; (cigarette) (cigarette) légère f. ◆ vt (fire, cigarette) allumer ; (room, stage) éclairer ; have you got a ~? (for cigarette) avez-vous du feu? ; to set ~ to sthg mettre le feu à qqch. ☐ **lights** (traffic lights) feu m rouge. ☐ **light up** ◆ vt sep (house, road) éclairer. ◆ vi inf (light a cigarette) allumer une cigarette.

light bulb n ampoule f.

lighter ['laɪtə'] n (for cigarettes) briquet m.

light-hearted [-'hɑːtɪd] adj gai(e).

lighthouse ['laɪthaʊs, pl -hauzɪz] n phare m.

lighting ['laɪtɪŋ] n éclairage m.

light meter n posemètre m.

lightning ['laɪtnɪŋ] n foudre f ; flash of ~ éclair m.

lightweight ['laɪtweɪt] adj (clothes, object) léger(ère).

like [laɪk] vt aimer. ◆ prep comme ; it's not ~ him ça ne lui ressemble pas ; to ~ doing sthg aimer faire qqch ; what's it ~? c'est com-

ment? ; to look ~ sb/sthg ressembler à qqn/qqch ; I'd ~ to sit down j'aimerais m'asseoir ; I'd ~ a double room je voudrais une chambre double.

likelihood ['laɪklɪhʊd] n probabilité f.

likely ['laɪklɪ] adj probable.

likeness ['laɪknɪs] n ressemblance f.

likewise ['laɪkwaɪz] adv de même.

lilac ['laɪlək] adj lilas.

Lilo® ['laɪləʊ] (pl -s) n Br matelas m pneumatique.

lily ['lɪlɪ] n lis m.

lily of the valley n muguet m.

limb [lɪm] n membre m.

lime [laɪm] n (fruit) citron m vert ; ~ (juice) jus m de citron vert.

limestone ['laɪmstəʊn] n calcaire m.

limit ['lɪmɪt] n limite f. ◆ vt limiter.

limited ['lɪmɪtɪd] adj (restricted) limité(e) ; (in company name) ≃ SARL.

limp [lɪmp] adj mou (molle). ◆ vi boiter.

line [laɪn] n ligne f ; (row) rangée f ; (of vehicles, people) file f ; Am (queue) queue f ; (of poem, song) vers m ; (rope, string) corde f ; (railway track) voie f ; (of business, work) domaine m ; (type of product) gamme f. ◆ vt (coat, drawers) doubler ; in ~ (aligned) aligné ; it's a bad ~ (on phone) la communication est mauvaise ; the ~ is engaged (on phone) la ligne est occupée ; to drop sb a ~ inf écrire un mot à qqn ; to stand in ~ Am faire la queue. ☐ **line**

up ◆ vt sep (arrange) aligner. ◆ vi s'aligner.

lined [laɪnd] adj (paper) réglé(e).

linen ['lɪnɪn] n (cloth) lin m ; (tablecloths, sheets) linge m (de maison).

liner ['laɪnər] n (ship) paquebot m.

linesman ['laɪnzmən] (pl -men [-mən]) n juge m de touche.

linger ['lɪŋgər] vi s'attarder.

lingerie ['læŋʒərɪ] n lingerie f.

lining ['laɪnɪŋ] n (of coat, jacket) doublure f ; (of brake) garniture f.

link [lɪŋk] n (connection) lien m. ◆ vt relier ; rail ~ liaison f ferroviaire ; road ~ liaison routière.

lino ['laɪnəʊ] n Br lino m.

lion ['laɪən] n lion m.

lioness ['laɪənes] n lionne f.

lip [lɪp] n lèvre f.

lip salve [-sælv] n pommade f pour les lèvres.

lipstick ['lɪpstɪk] n rouge m à lèvres.

liqueur [lɪ'kjʊər] n liqueur f.

liquid ['lɪkwɪd] n liquide m.

liquor ['lɪkər] n Am alcool m.

liquorice ['lɪkərɪs] n réglisse f.

lisp [lɪsp] n : to have a ~ zézayer.

list [lɪst] n liste f. ◆ vt faire la liste de.

listen ['lɪsn] vi : to ~ (to) écouter.

listener ['lɪsnər] n (to radio) auditeur m, -trice f.

lit [lɪt] pt & pp → light.

liter ['liːtər] Am = litre.

literally ['lɪtərəlɪ] adv littéralement.

literary ['lɪtərərɪ] adj littéraire.

literature ['lɪtrətʃər] n littérature f ; (printed information) documentation f.

litre ['liːtər] n Br litre m.

litter ['lɪtər] n (rubbish) détritus mpl.

litterbin ['lɪtəbɪn] n Br poubelle f.

little ['lɪtl] adj petit(e) ; (not much) peu de. ◆ pron & adv peu ; as ~ as possible aussi peu que possible ; ~ by ~ petit à petit, peu à peu ; a ~ un peu.

little finger n petit doigt m.

live¹ [lɪv] vi (have home) habiter ; (be alive, survive) vivre ; I ~ in Luton j'habite (à) Luton ; to ~ with sb vivre avec qqn. ❑ **live together** vi vivre ensemble.

live² [laɪv] adj (alive) vivant(e) ; (performance) live (inv) ; (programme) en direct ; (wire) sous tension. ◆ adv en direct.

lively ['laɪvlɪ] adj (person) vif (vive) ; (place, atmosphere) animé(e).

liver ['lɪvər] n foie m.

lives [laɪvz] pl → life.

living ['lɪvɪŋ] adj vivant(e). ◆ n : to earn a ~ gagner sa vie ; what do you do for a ~? que faites-vous dans la vie?

living room n salle f de séjour.

lizard ['lɪzəd] n lézard m.

load [ləʊd] n chargement m. ◆ vt charger ; ~s of inf des tonnes de.

loaf [ləʊf] (pl loaves) n : a ~ (of bread) un pain.

loan [ləʊn] n (money given) prêt m ; (money borrowed) emprunt m. ◆ vt prêter.

loathe [ləʊð] vt détester.

loaves [ləʊvz] pl → loaf.

lobby ['lɒbɪ] n (hall) hall m.

lobster ['lɒbstər] n homard m.

local ['ləʊkl] adj local(e). ◆ n Br

inf (pub) bistrot *m* du coin ; *Am inf (train)* omnibus *m* ; *Am inf (bus)* bus *m* local ; **the ~s** les gens *mpl* du coin.

local anaesthetic *n* anesthésie *f* locale.

local call *n* communication *f* locale.

local government *n* l'administration *f* locale.

locate [*Br* ləʊ'keɪt, *Am* 'ləʊkeɪt] *vt (find)* localiser ; **to be ~d** se situer.

location [ləʊ'keɪʃn] *n* emplacement *m*.

loch [lɒk] *n Scot* lac *m*.

lock [lɒk] *n (on door, drawer)* serrure *f* ; *(for bike)* antivol *m* ; *(on canal)* écluse *f*. ◆ *vt (door, window, car)* verrouiller, fermer à clef ; *(keep safely)* enfermer. ◆ *vi (become stuck)* se bloquer. ❑ **lock in** *vt sep* enfermer. ❑ **lock out** *vt sep* enfermer dehors. ❑ **lock up** ◆ *vt sep (imprison)* enfermer. ◆ *vi* fermer à clef.

locker ['lɒkə'] *n* casier *m*.

locker room *n Am* vestiaire *m*.

locket ['lɒkɪt] *n* médaillon *m*.

locum ['ləʊkəm] *n (doctor)* remplaçant *m*, -e *f*.

lodge [lɒdʒ] *n (in mountains)* chalet *m*. ◆ *vi (stay)* loger ; *(get stuck)* se loger.

lodger ['lɒdʒə'] *n* locataire *mf*.

lodgings ['lɒdʒɪŋz] *npl* chambre *f* meublée.

log [lɒg] *n (piece of wood)* bûche *f*. ❑ **log on** *vi COMPUT* ouvrir une session. ❑ **log off** *vi COMPUT* fermer une session.

logic ['lɒdʒɪk] *n* logique *f*.

logical ['lɒdʒɪkl] *adj* logique.

logo ['ləʊgəʊ] *n (pl -s)* logo *m*.

loin [lɔɪn] *n* filet *m*.

loiter ['lɔɪtə'] *vi* traîner.

lollipop ['lɒlɪpɒp] *n* sucette *f*.

lolly ['lɒlɪ] *n inf (lollipop)* sucette *f* ; *Br (ice lolly)* Esquimau® *m*.

London ['lʌndən] *n* Londres.

Londoner ['lʌndənə'] *n* Londonien *m*, -ienne *f*.

lonely ['ləʊnlɪ] *adj (person)* solitaire ; *(place)* isolé(e).

long [lɒŋ] *adj* long (longue). ◆ *adv* longtemps ; **will you be ~?** en as-tu pour longtemps? ; **it's 2 metres ~** cela fait 2 mètres de long ; **it's two hours ~** ça dure deux heures ; **how ~ is it?** *(in length)* ça fait combien de long? ; *(journey, film)* ça dure combien? ; **a ~ time** longtemps ; **all day ~** toute la journée ; **as ~ as** du moment que, tant que ; **no ~er**, **not any ~er** je ne peux plus attendre ; **so ~!** *inf* salut! ❑ **long for** *vt fus* attendre avec impatience.

long-distance *adj (phone call)* interurbain(e).

long drink *n* long drink *m*.

long-haul *adj* long-courrier.

longitude ['lɒndʒɪtju:d] *n* longitude *f*.

long jump *n* saut *m* en longueur.

long-life *adj (milk, fruit juice)* longue conservation *(inv)* ; *(battery)* longue durée *(inv)*.

longsighted [ˌlɒŋ'saɪtɪd] *adj* hypermétrope.

long-term *adj* à long terme.

longwearing [ˌlɒŋ'weərɪŋ] *adj Am* résistant(e).

loo [lu:] *n (pl -s) Br inf* cabinets *mpl*.

look [luk] *n (glance)* regard *m* ; *(appearance)* apparence *f*, air *m*. ◆ *vi* regarder ; *(seem)* avoir l'air ; **to ~ onto** *(building, room)* donner sur ; **to have a ~** regarder ; **(good) ~s** beauté *f* ; **I'm just ~ing** *(in shop)* je regarde ; **~ out!** attention! ❑ **look after** *vt fus* s'occuper de. ❑ **look at** *vt fus* regarder. ❑ **look for** *vt fus* chercher. ❑ **look forward to** *vt fus* attendre avec impatience. ❑ **look out for** *vt fus* essayer de repérer. ❑ **look round** ◆ *vt fus* faire le tour de. ◆ *vt* regarder. ❑ **look up** *vt sep (in dictionary, phone book)* chercher.

loony ['lu:nɪ] *n inf* cinglé *m*, -e *f*.

loop [lu:p] *n* boucle *f*.

loose [lu:s] *adj (joint, screw)* lâche ; *(tooth)* qui bouge ; *(sheets of paper)* volant(e) ; *(sweets)* en vrac ; *(clothes)* ample ; **to let sb/sthg ~** lâcher qqn/qqch.

loosen ['lu:sn] *vt* desserrer.

lop-sided [-'saɪdɪd] *adj* de travers.

lord [lɔːd] *n* lord *m*.

lorry ['lɒrɪ] *n Br* camion *m*.

lorry driver *n Br* camionneur *m*.

lose [lu:z] *(pt & pp* lost*) vt* perdre ; *(subj : watch, clock)* retarder de. ◆ *vi* perdre ; **to ~ weight** perdre du poids.

loser ['lu:zə'] *n (in contest)* perdant *m*, -e *f*.

loss [lɒs] *n* perte *f*.

lost [lɒst] *pt & pp* → lose. ◆ *adj* perdu(e) ; **to get ~** *(lose way)* se perdre.

lost-and-found office *Am* = lost property office.

lost property office *n Br* bureau *m* des objets trouvés.

lot [lɒt] *n (group)* paquet *m* ; *(at auction)* lot *m* ; *Am (car park)* parking *m*. ◆ **the ~** *(everything)* tout ; **a ~ (of)** beaucoup (de) ; **~s (of)** beaucoup (de).

lotion ['ləʊʃn] *n* lotion *f*.

lottery ['lɒtərɪ] *n* loterie *f*.

loud [laʊd] *adj (voice, music, noise)* fort(e) ; *(colour, clothes)* voyant(e).

loudspeaker [ˌlaʊd'spi:kə'] *n* haut-parleur *m*.

lounge [laʊndʒ] *n (in house)* salon *m* ; *(at airport)* salle *f* d'attente.

lounge bar *n Br* salon dans un pub, plus confortable et plus cher que le « public bar ».

lousy ['laʊzɪ] *adj inf (poor-quality)* minable.

lout [laʊt] *n* brute *f*.

love [lʌv] *n* amour *m* ; *(in tennis)* zéro *m*. ◆ *vt (sport, food, film etc)* aimer beaucoup ; **to ~ doing sthg** adorer faire qqch ; **to be in ~ (with)** être amoureux(euse) de ; **~ from** *(in letter)* affectueusement.

love affair *n* liaison *f*.

lovely ['lʌvlɪ] *adj (very beautiful)* adorable ; *(very nice)* très agréable.

lover ['lʌvə'] *n (sexual partner)* amant *m*, maîtresse *f* ; *(enthusiast)* amoureux *m*, -euse *f*.

loving ['lʌvɪŋ] *adj* aimant(e).

low [ləʊ] *adj* bas (basse) ; *(level, speed, income)* faible ; *(standard, quality, opinion)* mauvais(e) ; *(depressed)* déprimé(e). ◆ *n (area of low pressure)* dépression *f* ; **we're ~ on petrol** nous sommes à court d'essence.

low-alcohol *adj* à faible teneur en alcool.

low-calorie adj basses calories.

low-cut adj décolleté(e).

lower ['ləʊə'] adj inférieur(e). ◆ vt abaisser, baisser.

lower sixth n Br ≃ première f.

low-fat adj (crisps, yoghurt) allégé(e).

low tide n marée f basse.

loyal ['lɔɪəl] adj loyal(e).

loyalty ['lɔɪəltɪ] n loyauté f.

lozenge ['lɒzɪndʒ] n (sweet) pastille f.

L-plate n Br plaque signalant que le conducteur du véhicule est en conduite accompagnée.

Ltd (abbr of limited) ≃ SARL.

lubricate ['lu:brɪkeɪt] vt lubrifier.

luck [lʌk] n chance f ; bad ~ malchance f ; good ~! bonne chance! ; with ~ avec un peu de chance.

luckily ['lʌkɪlɪ] adv heureusement.

lucky ['lʌkɪ] adj (person) chanceux(euse) ; (event, situation, escape) heureux(euse) ; (number, colour) porte-bonheur (inv) ; to be ~ avoir de la chance.

ludicrous ['lu:dɪkrəs] adj ridicule.

lug [lʌg] vt inf traîner.

luggage ['lʌgɪdʒ] n bagages mpl.

luggage compartment n compartiment m à bagages.

luggage locker n casier m de consigne automatique.

luggage rack n (on train) filet m à bagages.

lukewarm ['lu:kwɔ:m] adj tiède.

lull [lʌl] n (in storm) accalmie f ; (in conversation) pause f.

lullaby ['lʌləbaɪ] n berceuse f.

luminous ['lu:mɪnəs] adj lumineux(euse).

lump [lʌmp] n (of mud, butter) motte f ; (of sugar, coal) morceau m ; (on body) bosse f ; MED grosseur f.

lump sum n somme f globale.

lumpy ['lʌmpɪ] adj (sauce) grumeleux(euse) ; (mattress) défoncé(e).

lunatic ['lu:nətɪk] n fou m, folle f.

lunch [lʌntʃ] n déjeuner m ; to have ~ déjeuner.

lunch hour n heure f du déjeuner.

lunchtime ['lʌntʃtaɪm] n heure f du déjeuner.

lung [lʌŋ] n poumon m.

lunge [lʌndʒ] vi : to ~ at se précipiter sur.

lure [ljʊə'] vt attirer.

lurk [lɜ:k] vi (person) se cacher.

lush [lʌʃ] adj luxuriant(e).

lust [lʌst] n désir m.

luxurious [lʌg'ʒʊərɪəs] adj luxueux(euse).

luxury ['lʌkʃərɪ] adj de luxe. ◆ n luxe m.

lying ['laɪɪŋ] cont → lie.

lyrics ['lɪrɪks] npl paroles fpl.

M

m (abbr of metre) m. ◆ abbr = mile.

M Br (abbr of motorway) ≃ A ; (abbr of medium) M.

MA n (abbr of Master of Arts) (titulaire d'une) maîtrise de lettres.

mac [mæk] n Br inf (coat) imper m.

macaroni [,mækə'rəʊnɪ] n macaronis mpl.

macaroni cheese n macaronis mpl au gratin.

machine [mə'ʃiːn] n machine f.

machinegun [mə'ʃiːngʌn] n mitrailleuse f.

machinery [mə'ʃiːnərɪ] n machinerie f.

machine-washable adj lavable en machine.

mackerel [ˈmækrəl] (pl inv) n maquereau m.

mackintosh [ˈmækɪntɒʃ] n Br imperméable m.

mad [mæd] adj fou (folle) ; (angry) furieux(ieuse) ; to be ~ about inf être fou de ; like ~ comme un fou.

Madam [ˈmædəm] n (form of address) Madame.

mad cow disease n inf maladie f de la vache folle.

made [meɪd] pt & pp → make.

made-to-measure adj sur mesure (inv).

madness [ˈmædnɪs] n folie f.

magazine [,mægə'ziːn] n magazine m, revue f.

maggot [ˈmægət] n asticot m.

magic [ˈmædʒɪk] n magie f.

magician [mə'dʒɪʃn] n (conjurer) magicien m, -ienne f.

magistrate [ˈmædʒɪstreɪt] n magistrat m.

magnet [ˈmægnɪt] n aimant m.

magnetic [mægˈnetɪk] adj magnétique.

magnificent [mægˈnɪfɪsənt] adj (very good) excellent(e) ; (very beautiful) magnifique.

magnifying glass [ˈmægnɪfaɪɪŋ-] n loupe f.

mahogany [mə'hɒgənɪ] n acajou m.

maid [meɪd] n domestique f.

maiden name [ˈmeɪdn-] n nom m de jeune fille.

mail [meɪl] n (letters) courrier m ; (system) poste f. ◆ vt Am (parcel, goods) envoyer par la poste ; (letter) poster.

mailbox [ˈmeɪlbɒks] n [Am] boîte f aux AM OR à lettres.

mailman [ˈmeɪlmən] (pl -men [-mən]) n Am facteur m.

mail order n vente f par correspondance.

main [meɪn] adj principal(e).

main course n plat m principal.

mainland [ˈmeɪnlənd] n : the ~ le continent.

main line n (of railway) grande ligne f.

mainly [ˈmeɪnlɪ] adv principalement.

main road n grande route f.

mains [meɪnz] npl : the ~ le secteur.

main street n Am rue f principale.

maintain [meɪn'teɪn] vt (keep) maintenir ; (car, house) entretenir.

maintenance [ˈmeɪntənəns] n (of car, machine) entretien m ; (money) pension f alimentaire.

maisonette [,meɪzə'net] n Br duplex m.

maize [meɪz] n maïs m.

major [ˈmeɪdʒə'] adj (important) majeur(e) ; (most important) principal(e). ◆ n MIL commandant m. ◆ vi Am : to ~ in se spécialiser en.

majority [mə'dʒɒrɪtɪ] n majorité
f.

major road n route f principale.

👉

make [meɪk] (pt & pp made) vt
- 1. (produce) faire ; (manufacture)
fabriquer ; **to be made of** être en ;
to ~ lunch/supper préparer le
déjeuner/le dîner ; **made in Japan**
fabriqué au Japon.
- 2. (perform, do) faire ; (decision)
prendre ; **to ~ a mistake** faire une
erreur, se tromper ; **to ~ a phone
call** passer un coup de fil.
- 3. (cause to be) rendre ; **to ~ sthg
better** améliorer qqch ; **to ~ sb happy** rendre qqn heureux.
- 4. (cause to do, force) faire ; **to ~ sb
do sthg** faire faire qqch à qqn ; **it
made her laugh** ça l'a fait rire.
- 5. (amount to, total) faire ; **that ~s
£5** ça fait 5 livres.
- 6. (calculate) : **I ~ it £4** d'après mes
calculs, ça fait 4 livres ; **I ~ it seven
o'clock** il est sept heures (à ma
montre).
- 7. (money) gagner ; (profit) faire.
- 8. inf (arrive in time for) : **we didn't
~ the 10 o'clock train** nous n'avons
pas réussi à avoir le train de 10
heures.
- 9. (friend, enemy) se faire.
- 10. (have qualities for) faire ; **this
would ~ a lovely bedroom** ça ferait
une très jolie chambre.
- 11. (bed) faire.
- 12. (in phrases) : **to ~ do** se débrouiller ; **to ~ good** (damage) compenser ; **to ~ it** (arrive in time) arriver
à temps ; (be able to go) se libérer.
◆ n (of product) marque f.
❑ **make out** vt sep (cheque, receipt)
établir ; (see, hear) distinguer.

❑ **make up** vt sep (invent) inventer ;
(comprise) comprendre, constituer ;
(difference) apporter.
❑ **make up for** vt fus compenser.

makeshift ['meɪkʃɪft] adj de fortune.

make-up n (cosmetics) maquillage m.

malaria [mə'leərɪə] n malaria f.

male [meɪl] adj mâle. ◆ n mâle m.

malfunction [mæl'fʌŋkʃn] vi fml
mal fonctionner.

malignant [mə'lɪgnənt] adj (disease, tumour) malin(igne).

mall [mɔːl] n (shopping centre) centre m commercial.

 MALL

Le Mall est un immense espace
aménagé, situé au centre de
Washington, qui s'étend du Capi-
tole au mémorial de Lincoln.
On y trouve les différents musées du Smithsonian Institute,
plusieurs musées d'art, la Maison-Blanche, le monument de
Washington et le mémorial de
Jefferson. On peut également
voir le Wall à l'extrémité ouest,
où sont inscrits les noms des soldats morts pendant la guerre du
Viêt Nam.

mallet ['mælɪt] n maillet m.

maltreat [ˌmæl'triːt] vt maltraiter.

malt whisky n whisky m au
malt.

mammal ['mæml] n mammifère
m.

man [mæn] (pl men) n homme m.
◆ vt (phones, office) assurer la permanence de.

manage ['mænɪdʒ] vt (company, business) diriger ; (task) arriver à faire. ◆ vi (cope) y arriver, se débrouiller ; **can you ~ Friday?** est-ce que vendredi vous irait? ; **to ~ to do sthg** réussir à faire qqch.

management ['mænɪdʒmənt] n direction f.

manager ['mænɪdʒə'] n (of business, bank, shop) directeur m, -trice f ; (of sports team) manager m.

manageress [ˌmænɪdʒə'res] n (of business, bank, shop) directrice f.

managing director ['mænɪdʒɪŋ-] n directeur m général, directrice générale f.

mandarin ['mændərɪn] n mandarine f.

mane [meɪn] n crinière f.

maneuver [mə'nuːvər] Am = **manœuvre**.

mangetout [ˌmɒnʒ'tuː] n mange-tout m inv.

mangle ['mæŋgl] vt déchiqueter.

mango ['mæŋgəʊ] (pl -es OR -s) n mangue f.

Manhattan [mæn'hætən] n Manhattan m.

MANHATTAN

Manhattan est le district situé au cœur de la ville de New York. Il se divise en trois quartiers appelés Downtown, Midtown et Uptown. On y trouve des lieux très connus tels que Central Park, la 5ᵉ Avenue, Broadway, la statue de la Liberté, Greenwich Village ainsi que des gratte-ciels aussi célèbres que l'Empire State Building ou le Chrysler Building. La Manhattan

Skyline est la fameuse vue des gratte-ciel de New York dont faisaient partie les tours jumelles du World Trade Center avant qu'elles ne soient détruites par l'attentat terroriste du 11 septembre 2001.

manhole ['mænhəʊl] n regard m.

maniac ['meɪnɪæk] n inf fou m, folle f.

manicure ['mænɪkjʊə'] n soins mpl des mains.

manifold ['mænɪfəʊld] n AUT tubulure f.

manipulate [mə'nɪpjʊleɪt] vt manipuler.

mankind [ˌmæn'kaɪnd] n hommes mpl, humanité f.

manly ['mænlɪ] adj viril(e).

man-made adj (synthetic) synthétique.

manner ['mænə'] n (way) manière f. ◆ **manners** npl manières fpl.

manoeuvre [mə'nuːvə'] n Br manœuvre f. ◆ vt Br manœuvrer.

manor ['mænə'] n manoir m.

mansion ['mænʃn] n manoir m.

manslaughter ['mænˌslɔːtə'] n homicide m involontaire.

mantelpiece ['mæntlpiːs] n cheminée f.

manual ['mænjʊəl] adj manuel(elle). ◆ n (book) manuel m.

manufacture [ˌmænjʊ'fæktʃə'] n fabrication f. ◆ vt fabriquer.

manufacturer [ˌmænjʊ'fæktʃərə'] n fabricant m, -e f.

manure [mə'njʊə'] n fumier m.

many ['menɪ] (compar **more**, superl **most**) adj beaucoup de. ◆ pron

map 162

beaucoup ; there aren't as ~ people this year il n'y a pas autant de gens cette année ; I don't have ~ je n'en ai pas beaucoup ; how ~? combien ? ; how ~ beds are there? combien y a-t-il de lits ? ; so ~ tant de ; too ~ trop ; there are too ~ people il y a trop de monde.

map [mæp] *n* carte *f*.

maple syrup *n* sirop *m* d'érable.

Mar. *abbr* = March.

marathon ['mærəθn] *n* marathon *m*.

marble ['maːbl] *n (stone)* marbre *m* ; *(glass ball)* bille *f*.

march [maːtʃ] *n (demonstration)* marche *f*. ◆ *vi (walk quickly)* marcher d'un pas vif.

March [maːtʃ] *n* mars *m* → September.

mare [meə^r] *n* jument *f*.

margarine [,maːdʒə'riːn] *n* margarine *f*.

margin ['maːdʒɪn] *n* marge *f*.

marina [mə'riːnə] *n* marina *f*.

marinated ['mærɪneɪtɪd] *adj* mariné(e).

marital status ['mærɪtl-] *n* situation *f* de famille.

mark [maːk] *n* marque *f* ; SCH note *f*. ◆ *vt* marquer ; *(correct)* noter ; *(gas)* ~ five thermostat cinq.

marker pen ['maːkə-] *n* marqueur *m*.

market ['maːkɪt] *n* marché *m*.

marketing ['maːkɪtɪŋ] *n* marketing *m*.

marketplace ['maːkɪtpleɪs] *n (place)* place *f* du marché.

markings ['maːkɪŋz] *npl (on road)* signalisation *f* horizontale.

marmalade ['maːməleɪd] *n* confiture *f* d'oranges.

marquee [maː'kiː] *n* grande tente *f*.

marriage ['mærɪdʒ] *n* mariage *m*.

married ['mærɪd] *adj* marié(e) ; **to get** ~ se marier.

marrow ['mærəu] *n (vegetable)* courge *f*.

marry ['mærɪ] *vt* épouser. ◆ *vi* se marier.

marsh [maːʃ] *n* marais *m*.

martial arts [,maːʃl-] *npl* arts *mpl* martiaux.

marvellous ['maːvələs] *adj* Br merveilleux(euse).

marvelous ['maːvələs] *Am* = **marvellous**.

marzipan ['maːzɪpæn] *n* pâte *f* d'amandes.

mascara [mæs'kaːrə] *n* mascara *m*.

masculine ['mæskjulɪn] *adj* masculin(e).

mashed potatoes [mæʃt-] *npl* purée *f* (de pommes de terre).

mask [maːsk] *n* masque *m*.

masonry ['meɪsnrɪ] *n* maçonnerie *f*.

mass [mæs] *n (large amount)* masse *f* ; RELIG messe *f* ; **~es (of)** *inf (lots)* des tonnes (de).

massacre ['mæsəkə^r] *n* massacre *m*.

massage [Br 'mæsaːʒ, Am mə'saːʒ ; RELIG messe *f*. ◆ *vt* masser.

masseur [mæ'sɜː^r] *n* masseur *m*.

masseuse [mæ'sɜːz] *n* masseuse *f*.

massive ['mæsɪv] *adj* massif(ive).

mast [maːst] *n* mât *m*.

master ['mɑːstə] n maître m. ◆ vt (skill, language) maîtriser.

masterpiece ['mɑːstəpiːs] n chef-d'œuvre m.

mat [mæt] n (small rug) carpette f ; (on table) set m de table.

match [mætʃ] n (for lighting) allumette f ; (game) match m. ◆ vt (in colour, design) aller avec ; (be the same as) correspondre à ; (be as good as) égaler. ◆ vi (in colour, design) aller ensemble.

matchbox ['mætʃbɒks] n boîte f d'allumettes.

matching ['mætʃɪŋ] adj assorti(e).

mate [meɪt] n inf (friend) pote m ; Br (form of address) mon vieux. ◆ vi s'accoupler.

material [mə'tɪərɪəl] n matériau m ; (cloth) tissu m. ❏ **materials** npl (equipment) matériel m.

maternity leave [mə'tɜːnɪtɪ-] n congé m de maternité.

maternity ward [mə'tɜːnɪtɪ-] n maternité f.

math [mæθ] Am = maths.

mathematics [,mæθə'mætɪks] n mathématiques fpl.

maths [mæθs] n Br maths fpl.

matinée ['mætɪneɪ] n matinée f.

matt [mæt] adj mat(e).

matter ['mætə] n (issue, situation) affaire f ; (physical material) matière f. ◆ vi importer ; it doesn't ~ ça ne fait rien ; no ~ what happens quoi qu'il arrive ; there's something the ~ with my car ma voiture a quelque chose qui cloche ; what's the ~? qu'est-ce qui se passe? ; as a ~ of course naturellement ; as a ~ of fact en fait.

mattress ['mætrɪs] n matelas m.

mature [mə'tjʊə] adj (person, behaviour) mûr(e) ; (cheese) fait(e) ; (wine) arrivé(e) à maturité.

mauve [məʊv] adj mauve.

max. [mæks] (abbr of maximum) max.

maximum ['mæksɪməm] adj maximum. ◆ n maximum m.

☞ ────────────────

may [meɪ] aux vb - 1. (expressing possibility) : it ~ be done as follows on peut procéder comme suit ; it ~ rain il se peut qu'il pleuve ; they ~ have got lost ils se sont peut-être perdus.

- 2. (expressing permission) pouvoir ; - I smoke? est-ce que je peux fumer? ; you ~ sit, if you wish vous pouvez vous asseoir, si vous voulez.

- 3. (when conceding a point) : it ~ be a long walk, but it's worth it ça fait peut-être loin à pied, mais ça vaut le coup.

May [meɪ] n mai m → September.

maybe ['meɪbiː] adv peut-être.

mayonnaise [,meɪə'neɪz] n mayonnaise f.

mayor [meə] n maire m.

mayoress ['meərɪs] n maire m.

maze [meɪz] n labyrinthe m.

me [miː] pron me ; (after prep) moi ; she knows ~ elle me connaît ; it's ~ c'est moi ; send it to ~ envoie-le-moi ; tell ~ dis-moi ; he's worse than ~ il est pire que moi.

meadow ['medəʊ] n pré m.

meal [miːl] n repas m.

mealtime ['miːltaɪm] n heure f du repas.

mean [miːn] (pt & pp meant) vt (miserly, unkind) mesquin(e). ◆ vt *(signify, matter)* signifier ; *(intend, subj : word)* vouloir dire ; **I don't ~ it** je ne le pense pas vraiment ; **to ~ to do sthg** avoir l'intention de faire qqch ; **to be meant to do sthg** être censé faire qqch ; **it's meant to be good** il paraît que c'est bon.

meaning ['mi:nɪŋ] *n (of word, phrase)* sens *m*.

meaningless ['mi:nɪŋlɪs] *adj* qui n'a aucun sens.

means [mi:nz] *(pl inv)* ◆ *n* moyen *m*. ◆ *npl (money)* moyens *m* ; **by all ~!** bien sûr! ; **by ~ of** au moyen de.

meant [ment] *pt & pp* → **mean**.

meantime ['mi:n,taɪm] : **in the meantime** *adv* pendant ce temps, entre-temps.

meanwhile ['mi:n,waɪl] *adv (at the same time)* pendant ce temps ; *(in the time between)* en attendant.

measles ['mi:zlz] *n* rougeole *f*.

measure ['meʒə'] *vt* mesurer. ◆ *n* mesure *f* ; *(of alcohol)* dose *f* ; **the room ~s 10 m²** la pièce fait 10 m².

measurement ['meʒəmənt] *n* mesure *f*.

meat [mi:t] *n* viande *f* ; **red ~** viande rouge ; **white ~** viande blanche.

meatball ['mi:tbɔ:l] *n* boulette *f* de viande.

mechanic [mɪ'kænɪk] *n* mécanicien *m*, -ienne *f*.

mechanical [mɪ'kænɪkl] *adj (device)* mécanique.

mechanism ['mekənɪzm] *n* mécanisme *m*.

medal ['medl] *n* médaille *f*.

media ['mi:djə] *n or npl* : **the ~** les médias *mpl*.

Medicaid ['medɪkeɪd] *n Am assistance médicale aux personnes sans ressources.*

MEDICAID/MEDICARE

Comme les États-Unis ne disposent pas d'un programme fédéral de santé publique, on a créé en 1965, les programmes d'assistance médicale Medicaid et Medicare afin de procurer une assurance maladie aux personnes pauvres, âgées ou handicapées. Medicaid concerne les personnes démunies âgées de moins de 65 ans, tandis que Medicare s'applique aux personnes âgées de plus de 65 ans. Ces programmes sont financés à la fois par le gouvernement fédéral et par les États. Ils suscitent des controverses politiques et sociales en raison de l'augmentation continue du nombre des bénéficiaires et du coût croissant qu'ils représentent pour les budgets fédéraux et régionaux.

medical ['medɪkl] *adj* médical(e). ◆ *n* visite *f* médicale.

Medicare ['medɪkeə'] *n Am programme fédéral d'assistance médicale pour personnes âgées.*

medication [,medɪ'keɪʃn] *n* médicaments *mpl*.

medicine ['medsɪn] *n (substance)* médicament *m* ; *(science)* médecine *f*.

medicine cabinet *n* armoire *f* à pharmacie.

medieval [,medɪ'i:vl] *adj* médiéval(e).

mediocre [,mi:dɪ'əʊkə'] *adj* médiocre.

Mediterranean [‚medɪtə'reɪnjən] *n* : the ~ (region) les pays *mpl* méditerranéens.

medium ['miːdjəm] *adj* moyen (enne) ; (wine) demi-sec.

medium-dry *adj* demi-sec.

medium-sized [-saɪzd] *adj* de taille moyenne.

medley ['medlɪ] *n* : ~ of seafood plateau *m* de fruits de mer.

meet [miːt] (*pt & pp* met) *vt* rencontrer ; (by arrangement) retrouver ; (go to collect) aller chercher ; (need, requirement) répondre à ; (cost, expenses) prendre en charge. ◆ *vi* se rencontrer ; (by arrangement) se retrouver ; (intersect) se croiser. ❑ **meet up** *vi* se retrouver. ❑ **meet with** *vt fus* (problems, resistance) rencontrer ; *Am* (by arrangement) retrouver.

meeting ['miːtɪŋ] *n* (for business) réunion *f*.

meeting point *n* (at airport, station) point *m* rencontre.

melody ['melədɪ] *n* mélodie *f*.

melon ['melən] *n* melon *m*.

melt [melt] *vi* fondre.

member ['membə^r] *n* membre *m*.

Member of Congress [-'kɒŋgres] *n* membre *m* du Congrès.

Member of Parliament *n* ≃ député *m*.

Member of the Scottish Parliament *n* membre *m* du Parlement écossais.

membership ['membəʃɪp] *n* adhésion *f* ; (members) membres *mpl*.

memorial [mɪ'mɔːrɪəl] *n* mémorial *m*.

memorize ['meməraɪz] *vt* mémoriser.

memory ['memərɪ] *n* mémoire *f* ; (thing remembered) souvenir *m*.

men [men] *pl* → **man**.

menacing ['menəsɪŋ] *adj* menaçant(e).

mend [mend] *vt* réparer.

menopause ['menəpɔːz] *n* ménopause *f*.

men's room *n Am* toilettes *fpl* (pour hommes).

menstruate ['menstrʊeɪt] *vi* avoir ses règles.

menswear ['menzweə^r] *n* vêtements *mpl* pour hommes.

mental ['mentl] *adj* mental(e).

mentally handicapped ['mentəlɪ-] *adj* handicapé(e) mental(e). ◆ *npl* : the ~ les handicapés *mpl* mentaux.

mentally ill ['mentəlɪ-] *adj* malade (mentalement).

mention ['menʃn] *vt* mentionner ; don't ~ it! de rien !

menu ['menjuː] *n* menu *m* ; children's ~ menu enfant.

merchandise ['mɜːtʃəndaɪz] *n* marchandises *fpl*.

merchant marine [‚mɜːtʃəntmə'riːn] *Am* = **merchant navy**.

merchant navy [‚mɜːtʃənt-] *n Br* marine *f* marchande.

mercy ['mɜːsɪ] *n* pitié *f*.

mere [mɪə^r] *adj* simple ; it costs a ~ £5 ça ne coûte que 5 livres.

merely ['mɪəlɪ] *adv* seulement.

merge [mɜːdʒ] *vi* (rivers, roads) se rejoindre.

merger ['mɜːdʒə^r] *n* fusion *f*.

meringue [mə'ræŋ] *n* (egg white)

meringue *f* ; *(cake)* petit gâteau meringué.

merit ['merɪt] *n* mérite *m* ; *(in exam)* ≃ mention *f* bien.

merry ['merɪ] *adj* gai(e) ; Merry Christmas! joyeux Noël!

merry-go-round *n* manège *m*.

mess [mes] *n (untidiness)* désordre *m* ; *(difficult situation)* pétrin *m* ; in a ~ *(untidy)* en désordre. ❑ **mess about** *vi inf (have fun)* s'amuser ; *(behave foolishly)* faire l'imbécile ; to ~ about with sthg *(interfere)* tripoter qqch. ❑ **mess up** *vt sep inf (ruin, spoil)* ficher en l'air.

message ['mesɪdʒ] *n* message *m*.

messenger ['mesɪndʒə'] *n* messager *m*, -ère *f*.

messy ['mesɪ] *adj* en désordre.

met [met] *pt & pp* → meet.

metal ['metl] *adj* en métal. ◆ *n* métal *m*.

metalwork ['metəlwɜːk] *n (craft)* ferronnerie *f*.

meter ['miːtə'] *n (device)* compteur *m* ; *Am* = metre.

method ['meθəd] *n* méthode *f*.

methodical [mɪ'θɒdɪkl] *adj* méthodique.

meticulous [mɪ'tɪkjʊləs] *adj* méticuleux(euse).

metre ['miːtə'] *n Br* mètre *m*.

metric ['metrɪk] *adj* métrique.

Mexican ['meksɪkn] *adj* mexicain(e). ◆ *n* Mexicain *m*, -e *f*.

Mexico ['meksɪkəʊ] *n* le Mexique.

mg *(abbr of milligram)* mg.

miaow [miː'aʊ] *vi Br* miauler.

mice [maɪs] *pl* → mouse.

microchip ['maɪkrəʊtʃɪp] *n* puce *f*.

microphone ['maɪkrəfəʊn] *n* microphone *m*, micro *m*.

microscope ['maɪkrəskəʊp] *n* microscope *m*.

microwave (oven) ['maɪkrəweɪv-] *n* four au micro-ondes, micro-ondes *m inv*.

midday [mɪd'deɪ] *n* midi *m*.

middle ['mɪdl] *n* milieu *m*. ◆ *adj (central)* du milieu ; in the ~ of the road au milieu de la route ; in the ~ of April à la mi-avril ; to be in the ~ of doing sthg être en train de faire qqch.

middle-aged *adj* d'âge moyen.

middle-class *adj* bourgeois(e).

Middle East *n* : the ~ le Moyen-Orient.

middle name *n* deuxième prénom *m*.

midge [mɪdʒ] *n* moucheron *m*.

midget ['mɪdʒɪt] *n* nain *m*, naine *f*.

midnight ['mɪdnaɪt] *n (twelve o'clock)* minuit *m* ; *(middle of the night)* milieu *m* de la nuit.

midsummer ['mɪd'sʌmə'] *n* : in ~ en plein été.

midway [mɪd'weɪ] *adv (in space)* à mi-chemin ; *(in time)* au milieu.

midweek [*adj* 'mɪdwiːk, *adv* mɪd'wiːk] *adj* de milieu de semaine. ◆ *adv* en milieu de semaine.

midwife ['mɪdwaɪf] *(pl* -wives [-waɪvz]*) n* sage-femme *f*.

midwinter ['mɪd'wɪntə'] *n* : in ~ en plein hiver.

☞

might [maɪt] *aux vb* - **1.** *(expressing possibility)* : they ~ still come il se peut encore qu'ils viennent ; they

~ have been killed ils seraient peut-être morts.
- **2.** *fml (expressing permission)* pouvoir ; ~ I have a few words? puis-je vous parler un instant?
- **3.** *(when conceding a point)* : it ~ be expensive, but it's good quality c'est peut-être cher, mais c'est de la bonne qualité.
- **4.** *(would)* : I hoped you ~ come too j'espérais que vous viendriez aussi.

migraine ['miːɡreɪn, 'maɪɡreɪn] *n* migraine *f*.

mild [maɪld] *adj* doux (douce) ; *(pain, illness)* léger(ère). ◆ *n Br (beer)* bière moins riche en houblon et plus forte que la « bitter ».

mile [maɪl] *n* = 1,609 km, mile *m* ; it's ~s away c'est à des kilomètres.

mileage ['maɪlɪdʒ] *n* ≃ kilométrage *m*.

mileometer [maɪ'lɒmɪtər] *n* ≃ compteur *m* (kilométrique).

military ['mɪlɪtrɪ] *adj* militaire.

milk [mɪlk] *n* lait *m*. ◆ *vt (cow)* traire.

milk chocolate *n* chocolat *m* au lait.

milkman ['mɪlkmən] *(pl* -men [-mən]) *n* laitier *m*.

milk shake *n* milk-shake *m*.

milky ['mɪlkɪ] *adj (tea, coffee)* avec beaucoup de lait.

mill [mɪl] *n* moulin *m* ; *(factory)* usine *f*.

milligram ['mɪlɪɡræm] *n* milligramme *m*.

millilitre ['mɪlɪˌliːtər] *n* millilitre *m*.

millimetre ['mɪlɪˌmiːtər] *n* millimètre *m*.

million ['mɪljən] *n* million *m* ; ~s of *fig* des millions de.

millionaire [ˌmɪljə'neər] *n* millionnaire *mf*.

mime [maɪm] *vi* faire du mime.

min. [mɪn] *(abbr of minute)* min., mn ; *(abbr of minimum)* min.

mince [mɪns] *n Br* viande *f* hachée.

mincemeat ['mɪnsmiːt] *n (sweet filling)* mélange de fruits secs et d'épices utilisé en pâtisserie ; *Am (mince)* viande *f* hachée.

mince pie *n* tartelette de Noël, fourrée avec un mélange de fruits secs et d'épices.

mind [maɪnd] *n* esprit *m* ; *(memory)* mémoire *f*. ◆ *vt (be careful of)* faire attention à ; *(look after)* garder. ◆ *vi* : I don't ~ ça m'est égal ; it slipped my ~ ça m'est sorti de l'esprit ; to my ~ à mon avis ; to bear sthg in ~ garder qqch en tête ; to change one's ~ changer d'avis ; to have sthg in ~ avoir qqch en tête ; to have sthg on one's ~ être préoccupé par qqch ; to make one's ~ up se décider ; do you ~ waiting? est-ce que ça vous gêne d'attendre? ; do you ~ if...? ça vous dérange si...? ; I wouldn't ~ a drink je boirais bien quelque chose ; '~ the gap!' *(on underground)* annonce indiquant aux usagers du métro de faire attention à l'espace entre le quai et la rame ; never ~! *(don't worry)* ça ne fait rien!

mine[1] [maɪn] *pron* le mien (la mienne) ; these shoes are ~ ces chaussures sont à moi ; a friend of ~ un ami à moi.

mine² [maɪn] n (bomb, for coal etc) mine f.

miner ['maɪnə'] n mineur m.

mineral ['mɪnərəl] n minéral m.

mineral water n eau f minérale.

minestrone [ˌmɪnɪ'strəʊnɪ] n minestrone m.

miniature ['mɪnɪtʃə'] adj miniature. ◆ n (bottle) bouteille f miniature.

minibar ['mɪnibɑː'] n minibar m.

minibus ['mɪnibʌs] (pl -es) n minibus m.

minicab ['mɪnikæb] n Br radiotaxi m.

minimal ['mɪnɪml] adj minimal(e).

minimum ['mɪnɪməm] adj minimum. ◆ n minimum m.

miniskirt ['mɪniskɜːt] n minijupe f.

minister ['mɪnɪstə'] n (in government) ministre m ; (in church) pasteur m.

ministry ['mɪnɪstrɪ] n (of government) ministère m.

minor ['maɪnə'] adj mineur(e). ◆ n fml mineur m, -e f.

minority [maɪ'nɒrətɪ] n minorité f.

minor road n route f secondaire.

mint [mɪnt] n (sweet) bonbon m à la menthe ; (plant) menthe f.

minus ['maɪnəs] prep moins ; it's ~ 10 (degrees C) il fait moins 10 (degrés Celsius).

minuscule ['mɪnəskjuːl] adj minuscule.

minute¹ [mɪnɪt] n minute f ; any

~ d'une minute à l'autre ; just a ~! (une) minute!

minute² [maɪ'njuːt] adj minuscule.

minute steak [ˌmɪnɪt-] n entrecôte f minute.

miracle ['mɪrəkl] n miracle m.

miraculous [mɪ'rækjʊləs] adj miraculeux(euse).

mirror ['mɪrə'] n miroir m, glace f ; (on car) rétroviseur m.

misbehave [ˌmɪsbɪ'heɪv] vi (person) se conduire mal.

miscarriage [ˌmɪs'kærɪdʒ] n fausse couche f.

miscellaneous [ˌmɪsə'leɪnjəs] adj divers(es).

mischievous ['mɪstʃɪvəs] adj espiègle.

misconduct [ˌmɪs'kɒndʌkt] n mauvaise conduite f.

miser ['maɪzə'] n avare mf.

miserable ['mɪzrəbl] adj (unhappy) malheureux(euse) ; (place, news) sinistre ; (weather) épouvantable ; (amount) misérable.

misery ['mɪzərɪ] n (unhappiness) malheur m ; (poor conditions) misère f.

misfire [ˌmɪs'faɪə'] vi (car) avoir des ratés.

misfortune [mɪs'fɔːtʃuːn] n (bad luck) malchance f.

mishap ['mɪshæp] n mésaventure f.

misjudge [ˌmɪs'dʒʌdʒ] vt mal juger.

mislay [ˌmɪs'leɪ] (pt & pp -laid) vt égarer.

mislead [ˌmɪs'liːd] (pt & pp -led) vt tromper.

miss [mɪs] vt rater ; (regret absence

of) regretter. ◆ *vi* manquer son but ; I ~ **him** il me manque. ❑ **miss out** ◆ *vt sep (by accident)* oublier ; *(deliberately)* omettre. ◆ *vi* rater quelque chose.

Miss [mɪs] *n* Mademoiselle.

missile [Br 'mɪsaɪl, Am 'mɪsl] *n (weapon)* missile *m* ; *(thing thrown)* projectile *m*.

missing ['mɪsɪŋ] *adj (lost)* manquant(e) ; **there are two ~** il en manque deux.

missing person *n* personne *f* disparue.

mission ['mɪʃn] *n* mission *f*.

missionary ['mɪʃənrɪ] *n* missionnaire *mf*.

mist [mɪst] *n* brume *f*.

mistake [mɪ'steɪk] *n* erreur *f*. ◆ *vt (misunderstand)* mal comprendre ; **by ~** par erreur ; **to make a ~** faire une erreur ; **to ~ sb/sthg for** prendre qqn/qqch pour.

Mister ['mɪstə[r]] *n* Monsieur.

mistook [mɪ'stʊk] *pt* → **mistake**.

mistress ['mɪstrɪs] *n* maîtresse *f*.

mistrust [mɪs'trʌst] *vt* se méfier de.

misty ['mɪstɪ] *adj* brumeux(euse).

misunderstanding [ˌmɪsʌndə-'stændɪŋ] *n (misinterpretation)* malentendu *m* ; *(quarrel)* discussion *f*.

misuse [ˌmɪs'juːs] *n* usage *m* abusif.

mitten ['mɪtn] *n* moufle *f* ; *(without fingers)* mitaine *f*.

mix [mɪks] *vt* mélanger ; *(drink)* préparer. ◆ *n (for cake, sauce)* préparation *f* ; **to ~ sthg with sthg** mélanger qqch avec OR et qqch. ❑ **mix up** *vt sep (confuse)* confondre ; *(put into disorder)* mélanger.

mixed [mɪkst] *adj (school)* mixte.

mixed grill *n* mixed grill *m*.

mixed salad *n* salade *f* mixte.

mixed vegetables *npl* légumes *mpl* variés.

mixer ['mɪksə[r]] *n (for food)* mixe(u)r *m* ; *(drink)* boisson accompagnant les alcools dans la préparation des cocktails.

mixture ['mɪkstʃə[r]] *n* mélange *m*.

mix-up *n inf* confusion *f*.

ml *(abbr of millilitre)* ml.

mm *(abbr of millimetre)* mm.

moan [məʊn] *vi (in pain, grief)* gémir ; *inf (complain)* rouspéter.

mobile ['məʊbaɪl] *adj* mobile.

mobile phone *n* téléphone *m* mobile.

mock [mɒk] *adj* faux (fausse). ◆ *vt* se moquer de. ◆ *n Br (exam)* examen *m* blanc.

mode [məʊd] *n* mode *m*.

model ['mɒdl] *n* modèle *m* ; *(small copy)* modèle *m* réduit ; *(fashion model)* mannequin *m*.

moderate ['mɒdərət] *adj* modéré(e).

modern ['mɒdən] *adj* moderne.

modernized ['mɒdənaɪzd] *adj* modernisé(e).

modern languages *npl* langues *fpl* vivantes.

modest ['mɒdɪst] *adj* modeste.

modify ['mɒdɪfaɪ] *vt* modifier.

mohair ['məʊheə[r]] *n* mohair *m*.

moist [mɔɪst] *adj* moite ; *(cake)* moelleux(euse).

moisture ['mɔɪstʃə[r]] *n* humidité *f*.

moisturizer ['mɔɪstʃəraɪzə[r]] *n* crème *f* hydratante.

molar ['məʊlə[r]] *n* molaire *f*.

mold [məʊld] *Am* = mould.

mole [məʊl] *n (animal)* taupe *f* ; *(spot)* grain *m* de beauté.

molest [mə'lest] *vt (child)* abuser de ; *(woman)* agresser.

mom [mɒm] *n Am inf* maman *f*.

moment ['məʊmənt] *n* moment *m* ; at the ~ en ce moment ; for the ~ pour le moment.

Mon. *abbr* = Monday.

monarchy ['mɒnəkɪ] *n* : the ~ *(royal family)* la famille royale.

monastery ['mɒnəstrɪ] *n* monastère *m*.

Monday ['mʌndɪ] *n* lundi *m* → Saturday.

money ['mʌnɪ] *n* argent *m*.

money belt *n* ceinture *f* porte-feuille.

money order *n* mandat *m*.

mongrel ['mʌŋɡrəl] *n* bâtard *m*.

monitor ['mɒnɪtə'] *n (computer screen)* moniteur *m*. ◆ *vt (check, observe)* contrôler.

monk [mʌŋk] *n* moine *m*.

monkey ['mʌŋkɪ] *(pl* monkeys*) n* singe *m*.

monkfish ['mʌŋkfɪʃ] *n* lotte *f*.

monopoly [mə'nɒpəlɪ] *n* monopole *m*.

monorail ['mɒnəʊreɪl] *n* monorail *m*.

monotonous [mə'nɒtənəs] *adj* monotone.

monsoon [mɒn'suːn] *n* mousson *f*.

monster ['mɒnstə'] *n* monstre *m*.

month [mʌnθ] *n* mois *m* ; every ~ tous les mois ; in a ~'s time dans un mois.

monthly ['mʌnθlɪ] *adj* mensuel(le). ◆ *adv* tous les mois.

monument ['mɒnjumənt] *n* monument *m*.

mood [muːd] *n* humeur *f* ; to be in a (bad) ~ être de mauvaise humeur ; to be in a good ~ être de bonne humeur.

moody ['muːdɪ] *adj (bad-tempered)* de mauvaise humeur ; *(changeable)* lunatique.

moon [muːn] *n* lune *f*.

moonlight ['muːnlaɪt] *n* clair *m* de lune.

moor [mɔː'] *n* lande *f*. ◆ *vt* amarrer.

mop [mɒp] *n (for floor)* balai *m* à franges. ◆ *vt (floor)* laver. ❏ **mop up** *vt sep (clean up)* éponger.

moped ['məʊped] *n* Mobylette® *f*.

moral ['mɒrəl] *adj* moral(e). ◆ *n (lesson)* morale *f*.

morality [mə'rælɪtɪ] *n* moralité *f*.

☞

more [mɔː'] *adj* - 1. *(a larger amount of)* plus de, davantage de ; there are ~ tourists than usual il y a plus de touristes que d'habitude. - 2. *(additional)* encore de ; are there any ~ cakes? est-ce qu'il y a encore des gâteaux? ; I'd like two ~ bottles je voudrais deux autres bouteilles ; there's no ~ wine il n'y a plus de vin. - 3. *(in phrases)* : ~ and more de plus en plus de.
◆ *adv* - 1. *(in comparatives)* plus ; it's ~ difficult than before c'est plus difficile qu'avant ; speak ~ clearly parlez plus clairement.

- 2. *(to a greater degree)* plus ; we ought to go to the cinema ~ nous devrions aller plus souvent au cinéma.

- 3. *(in phrases)* : not ... any ~ ne ... plus ; I don't go there any ~ je n'y vais plus ; once ~ encore une fois, une fois de plus ; ~ or less plus ou moins ; we'd be ~ than happy to help nous serions enchantés de vous aider.

◆ *pron* - 1. *(a larger amount)* plus, davantage ; I've got ~ than you j'en ai plus que toi ; ~ than 20 types of pizza plus de 20 sortes de pizza.

- 2. *(an additional amount)* encore ; is there any ~? est-ce qu'il y en a encore? ; there's no ~ il n'y en a plus.

moreover [mɔːˈrəʊvəʳ] *adv fml* de plus.

morning [ˈmɔːnɪŋ] *n* matin *m* ; *(period)* matinée *f* ; two o'clock in the ~ deux heures du matin ; good ~! bonjour! ; in the ~ *(early in the day)* le matin ; *(tomorrow morning)* demain matin.

morning-after pill *n* pilule *f* du lendemain.

morning sickness *n* nausées *fpl* matinales.

moron [ˈmɔːrɒn] *n inf (idiot)* abruti *m*, -e *f*.

mortgage [ˈmɔːgɪdʒ] *n* prêt *m* immobilier.

mosaic [məˈzeɪɪk] *n* mosaïque *f*.

Moslem [ˈmɒzləm] = **Muslim**.

mosque [mɒsk] *n* mosquée *f*.

mosquito [məˈskiːtəʊ] *(pl* -es*) n* moustique *m*.

mosquito net *n* moustiquaire *f*.

moss [mɒs] *n* mousse *f*.

most [məʊst] *adj* - 1. *(the majority of)* la plupart de ; ~ people agree la plupart des gens sont d'accord.

- 2. *(the largest amount of)* le plus de ; I drank (the) ~ beer c'est moi qui ai bu le plus de bière.

◆ *adv* - 1. *(in superlatives)* le plus (la plus) ; the ~ expensive hotel in town l'hôtel le plus cher de la ville.

- 2. *(to the greatest degree)* le plus ; I like this one ~ c'est celui-ci que j'aime le plus.

- 3. *fml (very)* très ; they were ~ welcoming ils étaient très accueillants.

◆ *pron* - 1. *(the majority)* la plupart ; ~ of the villages la plupart des villages ; ~ of the journey la plus grande partie du voyage.

- 2. *(the largest amount)* le plus ; she earns (the) ~ c'est elle qui gagne le plus.

- 3. *(in phrases)* : at ~ au plus, au maximum ; to make the ~ of sthg profiter de qqch au maximum.

mostly [ˈməʊstlɪ] *adv* principalement.

MOT *n Br (test)* ≃ contrôle *m* technique *(annuel)*.

moth [mɒθ] *n* papillon *m* de nuit ; *(in clothes)* mite *f*.

mother [ˈmʌðəʳ] *n* mère *f*.

mother-in-law *n* belle-mère *f*.

mother-of-pearl *n* nacre *f*.

motif [məʊˈtiːf] *n* motif *m*.

motion [ˈməʊʃn] *n* mouvement *m*. ◆ *vi* : to ~ to sb faire signe à qqn.

motionless [ˈməʊʃənlɪs] *adj* immobile.

motivate [ˈməʊtɪveɪt] *vt* motiver.

motive [ˈməʊtɪv] *n* motif *m*.

motor ['məʊtə] n moteur m.

motorbike ['məʊtəbaɪk] n moto f.

motorboat ['məʊtəbəʊt] n canot m à moteur.

motorcar ['məʊtəkɑːʳ] n automobile f.

motorcycle ['məʊtəˌsaɪkl] n motocyclette f.

motorcyclist ['məʊtəˌsaɪklɪst] n motocycliste mf.

motorist ['məʊtərɪst] n automobiliste mf.

motor racing n course f automobile.

motorway ['məʊtəweɪ] n Br autoroute f.

motto ['mɒtəʊ] (pl -s) n devise f.

mould [məʊld] n [Br] (shape) moule m ; (substance) moisissure f. ◆ vt Br mouler.

mouldy ['məʊldɪ] adj (Br) moisi(e).

mound [maʊnd] n (hill) butte f ; (pile) tas m.

mount [maʊnt] n (for photo) support m ; (mountain) mont m. ◆ vt monter. ◆ vi (increase) augmenter.

mountain ['maʊntɪn] n montagne f.

mountain bike n VTT m.

mountaineer [ˌmaʊntɪ'nɪəʳ] n alpiniste mf.

mountaineering [ˌmaʊntɪ'nɪərɪŋ] n : to go ~ faire de l'alpinisme.

mountainous ['maʊntɪnəs] adj montagneux(euse).

Mount Rushmore [-'rʌʃmɔːʳ] n le mont Rushmore.

MOUNT RUSHMORE

Ce gigantesque bas-relief représente les portraits, une hauteur de 28 m, des présidents Washington, Jefferson, Lincoln et Theodore Roosevelt. Il a été sculpté au marteau piqueur sur un versant du mont Rushmore (Dakota du Sud). C'est un monument national qui attire de nombreux touristes.

mourning ['mɔːnɪŋ] n : to be in ~ être en deuil.

mouse [maʊs] (pl mice) n souris f.

moussaka [muːˈsɑːkə] n moussaka f.

mousse [muːs] n mousse f.

moustache [məˈstɑːʃ] n Br moustache f.

mouth [maʊθ] n bouche f ; (of animal) gueule f ; (of cave, tunnel) entrée f ; (of river) embouchure f.

mouthful ['maʊθfʊl] n (of food) bouchée f ; (of drink) gorgée f.

mouthpiece ['maʊθpiːs] n (of telephone) microphone m ; (of musical instrument) embouchure f.

mouthwash ['maʊθwɒʃ] n bain m de bouche.

move [muːv] n (change of house) déménagement m ; (movement) mouvement m ; (in games) coup m ; (turn to play) tour m ; (course of action) démarche f. ◆ vt (shift) déplacer ; (arm, head) bouger ; (emotionally) émouvoir. ◆ vi (shift) bouger ; (person) se déplacer ; to ~ (house) déménager ; to make a ~ (leave) partir, y aller. ❑ **move along** vi se déplacer. ❑ **move in** vi (to house) emménager. ❑ **move off** vi (train, car) partir. ❑ **move on** vi *(after stopping)* repartir. ❑ **move out** vi *(from house)* déménager. ❑ **move over** vi se pousser. ❑ **move up** vi se pousser.

movement ['muːvmənt] n mouvement m.

movie ['muːvɪ] n film m.

movie theater n Am cinéma m.

moving ['muːvɪŋ] adj *(emotionally)* émouvant(e).

mow [məʊ] vt : **to ~ the lawn** tondre la pelouse.

mozzarella [ˌmɒtsə'relə] n mozzarelle f.

MP n *(abbr of Member of Parliament)* ≃ député m.

mph *(abbr of miles per hour)* miles à l'heure.

Mr ['mɪstər] abbr M.

Mrs ['mɪsɪz] abbr Mme.

Ms [mɪz] *(abbr)* Les femmes peuvent utiliser au lieu de madame ou mademoiselle pour éviter la distinction entre femmes mariées et célibataires.

MSc n *(abbr of Master of Science)* *(titulaire d'une)* maîtrise de sciences.

MSP n abbr of Member of the Scottish Parliament.

☞

much [mʌtʃ] *(compar* **more**, *superl* **most**) adj beaucoup de ; **I haven't got ~ money** je n'ai pas beaucoup d'argent ; **as ~ food as you can eat** autant de nourriture que tu peux en avaler ; **how ~ time is left?** combien de temps reste-t-il? ; **they have so ~ money** ils ont tant d'argent ; **we have too ~ work** nous avons trop de travail.

◆ adv - 1. *(to a great extent)* beaucoup, bien ; **it's ~ better** c'est bien OR beaucoup mieux ; **I like it very ~** j'aime beaucoup ça ; **it's not ~ good** inf ce n'est pas terrible ; **thank you very ~** merci beaucoup.

- 2. *(often)* beaucoup, souvent ; **we don't go there ~** nous n'y allons pas souvent.

◆ pron beaucoup ; **I haven't got ~** je n'en ai pas beaucoup ; **as ~ as you like** autant que tu voudras ; **how ~ is it?** c'est combien?

muck [mʌk] n *(dirt)* boue f. ❑ **muck about** vi Br inf *(have fun)* s'amuser ; *(behave foolishly)* faire l'imbécile. ❑ **muck up** vt sep Br inf saloper.

mud [mʌd] n boue f.

muddle ['mʌdl] n : **to be in a ~** *(confused)* ne plus s'y retrouver ; *(in a mess)* être en désordre.

muddy ['mʌdɪ] adj boueux(euse).

mudguard ['mʌdgɑːd] n garde-boue m inv.

muesli ['mjuːzlɪ] n muesli m.

muffin ['mʌfɪn] n *(roll)* petit pain rond ; *(cake)* sorte de grosse madeleine ronde.

muffler ['mʌflər] n Am *(silencer)* silencieux m.

mug [mʌg] n *(cup)* grande tasse f. ◆ vt *(attack)* agresser.

mugging ['mʌgɪŋ] n agression f.

muggy ['mʌgɪ] adj lourd(e).

mule [mjuːl] n mule f.

multicoloured ['mʌltɪˌkʌləd] adj multicolore.

multiple ['mʌltɪpl] adj multiple.

multiplex cinema ['mʌltɪpleks-] n cinéma m multisalles.

multiplication [ˌmʌltɪplɪˈkeɪʃn]
n multiplication *f*.

multiply [ˈmʌltɪplaɪ] *vt* multiplier. ◆ *vi* se multiplier.

multistorey (car park) [ˌmʌltɪ-
ˈstɔːrɪ-] *n* parking *m* à plusieurs niveaux.

multivitamin [ˈmʌltɪˌvɪtəmɪn,
Am ˈmʌltɪˌvaɪtəmɪn] *n* multivitami-
ne *f*.

mum [mʌm] *n Br inf* maman *f*.

mummy [ˈmʌmɪ] *n Br inf* (mother)
maman *f*.

mumps [mʌmps] *n* oreillons *mpl*.

munch [mʌntʃ] *vt* mâcher.

municipal [mjuːˈnɪsɪpl] *adj* mu-
nicipal(e).

mural [ˈmjʊərəl] *n* peinture *f*
murale.

murder [ˈmɜːdə] *n* meurtre *m*.
◆ *vt* assassiner.

murderer [ˈmɜːdərə] *n* meurtrier
m, -ière *f*.

muscle [ˈmʌsl] *n* muscle *m*.

museum [mjuːˈziːəm] *n* musée
m.

mushroom [ˈmʌʃrʊm] *n* champignon *m*.

music [ˈmjuːzɪk] *n* musique *f*.

musical [ˈmjuːzɪkl] *adj* musi-
cal(e) ; (person) musicien(ienne).
◆ *n* comédie *f* musicale.

musical instrument *n* instrument *m* de musique.

musician [mjuːˈzɪʃn] *n* musicien
m, -ienne *f*.

Muslim [ˈmʊzlɪm] *adj* musul-
man(e). ◆ *n* musulman *m*, -e *f*.

mussels [ˈmʌslz] *npl* moules *fpl*.

must [mʌst] *aux vb* devoir. ◆ *n
inf*: it's a ~ c'est un must ; I ~ go je
dois y aller, il faut que j'y aille.

you ~ have seen it tu l'as sûrement
vu ; you ~ see that film il faut que tu
voies ce film ; you ~ be joking! tu
plaisantes!

mustache [ˈmʌstæʃ] *Am* = moustache.

mustard [ˈmʌstəd] *n* moutarde *f*.

mustn't [ˈmʌsənt] = must not.

mutter [ˈmʌtə] *vt* marmonner.

mutual [ˈmjuːtʃʊəl] *adj* (feeling)
mutuel(elle) ; (friend, interest) com-
mun(e).

muzzle [ˈmʌzl] *n* (for dog) muselière *f*.

my [maɪ] *adj* mon (ma), mes (*pl*).

myself [maɪˈself] *pron* (reflexive)
me ; (after prep) moi ; I washed ~ je
me suis lavé ; I did it ~ je l'ai fait
moi-même.

mysterious [mɪˈstɪərɪəs] *adj* mys-
térieux(ieuse).

mystery [ˈmɪstərɪ] *n* mystère *m*.

myth [mɪθ] *n* mythe *m*.

N

N (abbr of North) N.

nag [næg] *vt* harceler.

nail [neɪl] *n* (of finger, toe) ongle
m ; (metal) clou *m*. ◆ *vt* (fasten)
clouer.

nailbrush [ˈneɪlbrʌʃ] *n* brosse *f* à
ongles.

nail file *n* lime *f* à ongles.

nail scissors *npl* ciseaux *mpl* à
ongles.

nail varnish *n* vernis *m* à ongles.

nail varnish remover [-rəˈmuː-
və] *n* dissolvant *m*.

naive [naɪ'iːv] *adj* naïf(ïve).

naked ['neɪkɪd] *adj* (person) nu(e).

name [neɪm] *n* nom *m*. ◆ *vt* nommer ; (date, price) fixer ; first ~ prénom *m* ; last ~ nom de famille ; what's your ~? comment vous appelez-vous ? ; my ~ is ... je m'appelle ...

namely ['neɪmlɪ] *adv* c'est-à-dire.

nanny ['nænɪ] *n* (childminder) nurse *f* ; *inf* (grandmother) mamie *f*.

nap [næp] *n* : to have a ~ faire un petit somme.

napkin ['næpkɪn] *n* serviette *f* (de table).

nappy ['næpɪ] *n* couche *f*.

narcotic [nɑː'kɒtɪk] *n* stupéfiant *m*.

narrow ['nærəʊ] *adj* étroit(e). ◆ *vi* se rétrécir.

narrow-minded [-'maɪndɪd] *adj* borné(e).

nasty ['nɑːstɪ] *adj* méchant(e), mauvais(e).

nation ['neɪʃn] *n* nation *f*.

national ['næʃənl] *adj* national(e). ◆ *n* (person) ressortissant *m*, -e *f*.

national anthem *n* hymne *m* national.

National Health Service *n* ≃ Sécurité *f* sociale.

National Insurance *n* Br cotisations *fpl* sociales.

nationality [ˌnæʃə'nælətɪ] *n* nationalité *f*.

national park *n* parc *m* national.

NATIONAL PARK

Les parcs nationaux aux États-Unis sont de grands espaces naturels ouverts au public et protégés pour conserver l'intégrité du paysage, les plus connus étant Yellowstone et Yosemite. On peut y faire du camping.

nationwide ['neɪʃənwaɪd] *adj* national(e).

native ['neɪtɪv] *adj* local(e). ◆ *n* natif *m*, -ive *f* ; to be a ~ speaker of English être anglophone ; my ~ country mon pays natal.

NATIVE AMERICAN

Les tribus d'aborigènes qui peuplaient les États-Unis avant l'arrivée des Européens possédaient chacune leur propre langue et leur propre mode de vie. Entre le XVIIᵉ et le XIXᵉ siècle, elles durent défendre leurs terres contre les colons européens, le plus souvent par la force. De nombreux Amérindiens trouvèrent la mort au combat ou après avoir contracté des maladies importées d'Europe. On força également un grand nombre d'entre eux à vivre dans des réserves, territoires qui leur étaient spécialement assignés. Tout au long du XXᵉ siècle, le gouvernement des États-Unis tenta de donner plus de droits aux minorités ethniques natives américaines. Cette période a vu se développer un intérêt croissant pour leur histoire et leur culture traditionnelle.

NATO ['neɪtəʊ] *n* OTAN *f*.

natural ['nætʃrəl] adj naturel(elle).

natural gas n gaz m naturel.

naturally ['nætʃrəlɪ] adv (of course) naturellement.

natural yoghurt n yaourt m nature.

nature ['neɪtʃə'] n nature f.

nature reserve n réserve f naturelle.

naughty ['nɔːtɪ] adj (child) vilain(e).

nausea ['nɔːzɪə] n nausée f.

navigate ['nævɪgeɪt] vi naviguer ; (in car) lire la carte.

navy ['neɪvɪ] n marine f. ◆ adj : ~ (blue) (bleu) marine (inv).

NB (abbr of nota bene) NB.

near [nɪə'] adv près. ◆ adj proche. ◆ prep : ~ (to) (près de) ; in the ~ future dans un proche avenir.

nearby [nɪə'baɪ] adv tout près, à proximité. ◆ adj proche.

nearly ['nɪəlɪ] adv presque ; I ~ fell over j'ai failli tomber.

neat [niːt] adj (room) rangé(e) ; (writing etc) soigné(e) ; (whisky etc) pur(e).

neatly ['niːtlɪ] adv soigneusement.

necessarily [ˌnesə'serɪlɪ, Br'nesəsrəlɪ] adv : not ~ pas forcément.

necessary ['nesəsrɪ] adj nécessaire ; it is ~ to do sthg il faut faire qqch.

necessity [nɪ'sesətɪ] n nécessité f. ❑ **necessities** npl strict minimum m.

neck [nek] n cou m ; (of garment) encolure f.

necklace ['neklɪs] n collier m.

nectarine ['nektərɪn] n nectarine f.

need [niːd] n besoin m. ◆ vt avoir besoin de ; **to ~ to do sthg** avoir besoin de faire qqch ; **we ~ to be back by ten** il faut que nous soyons rentrés pour dix heures.

needle ['niːdl] n aiguille f ; (for record player) pointe f.

needlework ['niːdlwɜːk] n couture f.

needn't ['niːdənt] = need not.

needy ['niːdɪ] adj dans le besoin.

negative ['negətɪv] adj négatif(ive). ◆ n (in photography) négatif m ; GRAMM négation f.

neglect [nɪ'glekt] vt négliger.

negligence ['neglɪdʒəns] n négligence f.

negotiations [nɪˌgəʊʃɪ'eɪʃnz] npl négociations fpl.

negro ['niːgrəʊ] (pl -es) n nègre m, négresse f.

neighbor Am = neighbour.

neighbour ['neɪbə'] n voisin m, -e f.

neighbourhood ['neɪbəhʊd] n Br voisinage f.

neighbouring ['neɪbərɪŋ] adj voisin(e).

neither ['naɪðə'] adj : ~ bag is big enough aucun des deux sacs n'est assez grand. ◆ pron. ◆ conj : do I moi non plus ; ~ ... nor ... ni ... ni ...

neon light ['niːɒn-] n néon m.

nephew ['nefjuː] n neveu m.

nerve [nɜːv] n nerf m ; (courage) cran m ; **what a ~!** quel culot!

nervous ['nɜːvəs] adj nerveux(euse).

nervous breakdown n dépression f nerveuse.

nest [nest] *n* nid *m*.

net [net] *n* filet *m*. ◆ *adj* net (nette).

netball ['netbɔːl] *n* sport féminin proche du basket-ball.

netiquette ['netiket] *n* nétiquette *f*.

net surfer *n* internaute *mf*.

nettle ['netl] *n* ortie *f*.

network ['netwɜːk] *n* réseau *m*.

neurotic [ˌnjʊəˈrɒtɪk] *adj* névrosé(e).

neutral ['njuːtrəl] *adj* neutre. ◆ *n* AUT : **in ~** au point mort.

never ['nevər] *adv* (ne ...) jamais ; **she's ~ late** elle n'est jamais en retard ; **~ mind !** ça ne fait rien !

nevertheless [ˌnevəðəˈles] *adv* cependant, pourtant.

new [njuː] *adj* nouveau(elle) ; *(brand new)* neuf (neuve).

New Age traveller *n* voyageur *m* New Age.

newly ['njuːlɪ] *adv* récemment.

new potatoes *npl* pommes de terre *fpl* nouvelles.

news [njuːz] *n (information)* nouvelle *f*, nouvelles *fpl* ; *(on TV, radio)* informations *fpl* ; **a piece of ~** une nouvelle.

newsagent ['njuːzeɪdʒənt] *n* marchand *m* de journaux.

newspaper ['njuːzˌpeɪpər] *n* journal *m*.

New Year *n* le nouvel an ; **Happy ~!** bonne année !

New Year's Day *n* le jour de l'an.

New Year's Eve *n* la Saint-Sylvestre.

New Zealand [-ˈziːlənd] *n* la Nouvelle-Zélande.

next [nekst] *adj* prochain(e) ; *(room, house)* d'à côté. ◆ *adv* ensuite, après ; *(on next occasion)* la prochaine fois ; **when does the ~ bus leave?** quand part le prochain bus? ; **the week after ~** dans deux semaines ; **the ~ week** la semaine suivante ; **~ to** *(by the side of)* à côté de.

next door *adv* à côté.

next of kin [-kɪn] *n* plus proche parent *m*.

NHS *abbr* = **National Health Service**.

nib [nɪb] *n* plume *f*.

nibble ['nɪbl] *vt* grignoter.

nice [naɪs] *adj (pleasant)* bon (bonne) ; *(pretty)* joli(e) ; *(kind)* gentil(ille) ; **to have a ~ time** se plaire ; **~ to see you!** (je suis) content de te voir!

nickel ['nɪkl] *n (metal)* nickel *m* ; *Am (coin)* pièce *f* de cinq cents.

nickname ['nɪkneɪm] *n* surnom *m*.

niece [niːs] *n* nièce *f*.

night [naɪt] *n* nuit *f* ; *(evening)* soir *m* ; **at ~** la nuit ; *(in evening)* le soir.

nightclub ['naɪtklʌb] *n* boîte *f* (de nuit).

nightdress ['naɪtdres] *n* chemise *f* de nuit.

nightie ['naɪtɪ] *n inf* chemise *f* de nuit.

nightlife ['naɪtlaɪf] *n* vie *f* nocturne.

nightly ['naɪtlɪ] *adv* toutes les nuits ; *(every evening)* tous les soirs.

nightmare ['naɪtmeər] *n* cauchemar *m*.

night safe *n* coffre *m* de nuit.

night school n cours mpl du soir.

nightshift ['naɪtʃɪft] n : to be on ~ travailler de nuit.

nil [nɪl] n zéro m.

Nile [naɪl] n : the ~ le Nil.

nine [naɪn] num neuf → **six**.

nineteen [ˌnaɪn'tiːn] num dix-neuf ; ~ ninety-five dix-neuf cent quatre-vingt-quinze → **six**.

nineteenth [ˌnaɪn'tiːnθ] num dix-neuvième → **sixth**.

ninetieth ['naɪntɪəθ] num quatre-vingt-dixième → **sixth**.

ninety ['naɪntɪ] num quatre-vingt-dix → **six**.

ninth [naɪnθ] num neuvième → **sixth**.

nip [nɪp] vt (pinch) pincer.

nipple ['nɪpl] n mamelon m.

no [nəʊ] adv non. ◆ adj pas de, aucun(e) ; I've got ~ money left je n'ai plus d'argent.

noble ['nəʊbl] adj noble.

nobody ['nəʊbədɪ] pron personne ; there's ~ in il n'y a personne.

nod [nɒd] vi (in agreement) faire signe que oui.

noise [nɔɪz] n bruit m.

noisy ['nɔɪzɪ] adj bruyant(e).

nominate ['nɒmɪneɪt] vt nommer.

nonalcoholic [ˌnɒnælkə'hɒlɪk] adj non alcoolisé(e).

none [nʌn] pron aucun m, -e f ; ~ of us aucun d'entre nous.

nonetheless [ˌnʌnðə'les] adv néanmoins.

nonfiction [ˌnɒn'fɪkʃn] n ouvrages mpl non romanesques.

non-iron adj : 'non-iron' 'repassage interdit'.

nonsense ['nɒnsəns] n bêtises fpl.

nonsmoker n non-fumeur m, -euse f.

nonstick [ˌnɒn'stɪk] adj (saucepan) antiadhésif(ive).

nonstop [ˌnɒn'stɒp] adj (flight) direct ; (talking, arguing) continuel(elle). ◆ adv (fly, travel) sans escale ; (rain) sans arrêt.

noodles ['nuːdlz] npl nouilles fpl.

noon [nuːn] n midi m.

no one = **nobody**.

nor [nɔːʳ] conj ni ; ~ do I moi non plus, neither.

normal ['nɔːml] adj normal(e).

normally ['nɔːməlɪ] adv normalement.

north [nɔːθ] n nord m. ◆ adv (fly, walk) vers le nord ; (be situated) au nord ; in the ~ of England au OR dans le nord de l'Angleterre.

North America n l'Amérique f du Nord.

northbound ['nɔːθbaʊnd] adj en direction du nord.

northeast [ˌnɔːθ'iːst] n nord-est m.

northern ['nɔːðən] adj du nord.

Northern Ireland n l'Irlande f du Nord.

North Pole n pôle m Nord.

North Sea n mer f du Nord.

northwards ['nɔːθwədz] adv vers le nord.

northwest [ˌnɔːθ'west] n nord-ouest m.

nose [nəʊz] n nez m.

nosebleed ['nəʊzbliːd] n : to have a ~ saigner du nez.

nostril ['nɒstrəl] n narine f.

nosy ['nəʊzɪ] adj (trop) curieux(ieuse).

not [nɒt] adv ne ... pas ; she's ~ there elle n'est pas là ; ~ yet pas encore ; ~ at all (pleased, interested) pas du tout ; (in reply to thanks) je vous en prie.

notably ['nəʊtəblɪ] adv (in particular) notamment.

note [nəʊt] n (message) mot m ; (in music, comment) note f ; (bank note) billet m. ◆ vt (notice) remarquer ; (write down) noter ; to take ~s prendre des notes.

notebook ['nəʊtbʊk] n calepin m, carnet m.

noted ['nəʊtɪd] adj célèbre, réputé(e).

notepaper ['nəʊtpeɪpə'] n papier m à lettres.

nothing ['nʌθɪŋ] pron rien ; he did ~ il n'a rien fait ; ~ new/interesting rien de nouveau/d'intéressant.

notice ['nəʊtɪs] vt remarquer. ◆ n avis m ; to take ~ of faire OR prêter attention à ; to hand in one's ~ donner sa démission.

noticeable ['nəʊtɪsəbl] adj perceptible.

notice board n panneau m d'affichage.

notion ['nəʊʃn] n notion f.

notorious [nəʊ'tɔːrɪəs] adj notoire.

nougat ['nuːgɑː] n nougat m.

nought [nɔːt] n zéro m.

noun [naʊn] n nom m.

nourishment ['nʌrɪʃmənt] n nourriture f.

novel ['nɒvl] n roman m. ◆ adj original(e).

novelist ['nɒvəlɪst] n romancier m, -ière f.

November [nə'vembə'] n novembre m → **September**.

now [naʊ] adv (at this time) maintenant. ◆ conj : ~ (that) maintenant que ; just ~ en ce moment ; right ~ (at the moment) en ce moment ; (immediately) tout de suite ; by ~ déjà, maintenant ; from ~ on dorénavant, à partir de maintenant.

nowadays ['naʊədeɪz] adv de nos jours.

nowhere ['nəʊweə'] adv nulle part.

nozzle ['nɒzl] n embout m.

nuclear ['njuːklɪə'] adj nucléaire ; (bomb) atomique.

nude [njuːd] adj nu(e).

nudge [nʌdʒ] vt pousser du coude.

nuisance ['njuːsns] n : It's a real ~! c'est vraiment embêtant! ; he's such a ~! il est vraiment casse-pieds!

numb [nʌm] adj engourdi(e).

number ['nʌmbə'] n (numeral) chiffre m ; (of telephone, house) numéro m ; (quantity) nombre m. ◆ vt numéroter.

numberplate ['nʌmbəpleɪt] n plaque f d'immatriculation.

numeral ['njuːmərəl] n chiffre m.

numerous ['njuːmərəs] adj nombreux(euses).

nun [nʌn] n religieuse f.

nurse [nɜːs] n infirmière f. ◆ vt (look after) soigner ; male ~ infirmier m.

nursery ['nɜːsərɪ] n (in house) nursery f ; (for plants) pépinière f.

nursery (school) n école f maternelle.

nursery slope n piste f pour débutants, ≃ piste verte.

nursing ['nɜːsɪŋ] n métier m d'infirmière.

nut [nʌt] n (to eat) fruit m sec (noix, noisette etc) ; (of metal) écrou m.

nutcrackers ['nʌtˌkrækəz] npl casse-noix m inv.

nutmeg ['nʌtmeg] n noix f de muscade.

NVQ (abbr of National Vocational Qualification) n examen sanctionnant une formation professionnelle.

nylon ['naɪlɒn] n Nylon® m. ◆ adj en Nylon®.

O

oak [əʊk] n chêne m. ◆ adj en chêne.

OAP abbr = old age pensioner.

oar [ɔː] n rame f.

oatcake ['əʊtkeɪk] n galette f d'avoine.

oath [əʊθ] n (promise) serment m.

oatmeal ['əʊtmiːl] n flocons mpl d'avoine.

oats [əʊts] npl avoine f.

obedient [ə'biːdjənt] adj obéissant(e).

obey [ə'beɪ] vt obéir à.

object [n 'ɒbdʒɪkt, vb əb'dʒekt] n (thing) objet m ; (purpose) but m ; GRAMM complément m d'objet.
◆ vi : to ~ (to) protester (contre).

objection [əb'dʒekʃn] n objection f.

objective [əb'dʒektɪv] n objectif m.

obligation [ˌɒblɪ'geɪʃn] n obligation f.

obligatory [ə'blɪɡətrɪ] adj obligatoire.

oblige [ə'blaɪdʒ] vt : to ~ sb to do sthg obliger qqn à faire qqch.

oblique [ə'bliːk] adj oblique.

oblong ['ɒblɒŋ] adj rectangulaire. ◆ n rectangle m.

obnoxious [əb'nɒkʃəs] adj (person) odieux(ieuse) ; (smell) infect(e).

obscene [əb'siːn] adj obscène.

obscure [əb'skjʊə] adj obscur(e).

observant [əb'zɜːvnt] adj observateur(trice).

observation [ˌɒbzə'veɪʃn] n observation f.

observe [əb'zɜːv] vt (watch, see) observer.

obsessed [əb'sest] adj obsédé(e).

obsession [əb'seʃn] n obsession f.

obsolete ['ɒbsəliːt] adj obsolète.

obstacle ['ɒbstəkl] n obstacle m.

obstinate ['ɒbstənət] adj obstiné(e).

obstruct [əb'strʌkt] vt obstruer.

obstruction [əb'strʌkʃn] n obstacle m.

obtain [əb'teɪn] vt obtenir.

obtainable [əb'teɪnəbl] adj que l'on peut obtenir.

obvious ['ɒbvɪəs] adj évident(e).

obviously ['ɒbvɪəslɪ] adv (of course) évidemment ; (clearly) manifestement.

occasion [əˈkeɪʒn] n (instance, opportunity) occasion f ; (important event) événement m.

occasional [əˈkeɪʒənl] adj occasionnel(elle).

occasionally [əˈkeɪʒnəlɪ] adv occasionnellement.

occupant [ˈɒkjupənt] n occupant m, -e f.

occupation [ˌɒkjuˈpeɪʃn] n (job) profession f ; (pastime) occupation f.

occupied [ˈɒkjupaɪd] adj (toilet) occupé(e).

occupy [ˈɒkjupaɪ] vt occuper.

occur [əˈkɜː] vi (happen) arriver, avoir lieu ; (exist) exister.

occurrence [əˈkʌrəns] n événement m.

ocean [ˈəʊʃn] n océan m ; the ~ Am (sea) la mer.

o'clock [əˈklɒk] adv : three ~ trois heures.

Oct. (abbr of October) oct.

October [ɒkˈtəʊbər] n octobre m → September.

octopus [ˈɒktəpəs] n pieuvre f.

odd [ɒd] adj (strange) étrange, bizarre ; (number) impair(e) ; (not matching) dépareillé(e) ; I have the ~ cigarette je fume de temps en temps ; 60 ~ miles environ 60 miles ; some ~ bits of paper quelques bouts de papier ; ~ jobs petits boulots mpl.

odds [ɒdz] npl (in betting) cote f ; (chances) chances fpl ; ~ and ends des bricoles fpl.

odor [ˈəʊdər] Am = odour.

odour [ˈəʊdər] n Br odeur f.

☞

of [ɒv] prep - 1. (gen) de ; a group ~ schoolchildren un groupe d'écoliers ; a love ~ art la passion de l'art.
- 2. (expressing amount) de ; a piece ~ cake un morceau de gâteau ; a fall ~ 20% une baisse de 20% ; a town ~ 50,000 people une ville de 50 000 habitants.
- 3. (made from) en ; a house ~ stone une maison en pierre ; it's made ~ wood c'est en bois.
- 4. (referring to time) : the summer ~ 1969 l'été 1969 ; the 26th ~ August le 26 août.
- 5. (indicating cause) de ; he died ~ cancer il est mort d'un cancer.
- 6. (on the part of) : that's very kind ~ you c'est très aimable à vous OR de votre part.
- 7. Am (in telling the time) : it's ten ~ four il est quatre heures moins dix.

☞

off [ɒf] adv - 1. (away) : to drive ~ démarrer ; to get ~ (from bus, train, plane) descendre ; we're ~ to Austria next week nous partons pour l'Autriche la semaine prochaine.
- 2. (expressing removal) : to cut sthg ~ couper qqch ; to take sthg ~ enlever OR ôter qqch.
- 3. (so as to stop working) : to turn sthg ~ (TV, radio) éteindre qqch ; (tap) fermer ; (engine) couper.
- 4. (expressing distance or time away) : it's 10 miles ~ c'est à 16 kilomètres ; it's two months ~ c'est dans deux mois ; it's a long way ~ c'est loin.
- 5. (not at work) en congé ; I'm tak-

ing a week = je prends une semaine de congé.

◆ *prep* - 1. *(away from)* de ; **to get ~ sth** descendre de qqch ; **~ the coast** au large de la côte ; **just ~ the main road** tout près de la grand-route.

- 2. *(indicating removal)* de ; **take the lid ~ the jar** enlève le couvercle du pot ; **they've taken £20 ~ the price** ils ont retranché 20 livres du prix normal.

- 3. *(absent from)* : **to be ~ work** ne pas travailler.

- 4. *inf (from)* à ; **I bought it ~ her** je le lui ai acheté.

- 5. *inf (no longer liking)* : **I'm ~ my food** je n'ai pas d'appétit.

◆ *adj* - 1. *(meat, cheese)* avarié(e) ; *(milk)* tourné(e) ; *(beer)* éventé(e).

- 2. *(not working)* éteint(e) ; *(engine)* coupé(e).

- 3. *(cancelled)* annulé(e).

- 4. *(not available)* pas disponible ; **the soup's ~** il n'y a plus de soupe.

offence [ə'fens] *n [Br] (crime)* délit *m* ; **to cause sb ~** *(upset)* offenser qqn.

offend [ə'fend] *vt (upset)* offenser.

offender [ə'fendə'] *n (criminal)* délinquant *m*, -e *f*.

offense [ə'fens] *Am* = **offence**.

offensive [ə'fensɪv] *adj (language, behaviour)* choquant(e) ; *(person)* très déplaisant(e).

offer ['ɒfə'] *n* offre *f*. ◆ *vt* offrir ; **on ~** *(at reduced price)* en promotion ; **to ~ to do sth** offrir OR proposer de faire qqch ; **to ~ sb sthg** offrir qqch à qqn.

office ['ɒfɪs] *n (room)* bureau *m*.

office block *n* immeuble *m* de bureaux.

officer ['ɒfɪsə'] *n (MIL)* officier *m* ; *(policeman)* agent *m*.

official [ə'fɪʃl] *adj* officiel(ielle). ◆ *n* fonctionnaire *mf*.

officially [ə'fɪʃəlɪ] *adv* officiellement.

off-licence *n Br* magasin autorisé à vendre des boissons alcoolisées à emporter.

off-peak *adj (train, ticket)* ≃ de période bleue.

off-season *n* basse saison *f*.

offshore ['ɒfʃɔː'] *adj (breeze)* de terre.

off side *n (for right-hand drive)* côté *m* droit ; *(for left-hand drive)* côté gauche.

off-the-peg *adj* de prêt-à-porter.

often ['ɒfn, 'ɒftn] *adv* souvent ; **how ~ do you go to the cinema?** tu vas souvent au cinéma? ; **how ~ do the buses run?** quelle est la fréquence des bus? ; **every so ~** de temps en temps.

oh [əʊ] *excl* oh là!

oil [ɔɪl] *n* huile *f* ; *(fuel)* pétrole *m* ; *(for heating)* mazout *m*.

oil rig *n* plate-forme *f* pétrolière.

oily ['ɔɪlɪ] *adj (cloth, hands)* graisseux(euse) ; *(food)* gras (grasse).

ointment ['ɔɪntmənt] *n* pommade *f*.

OK [əʊ'keɪ] *adj inf (of average quality)* pas mal *(inv)*. ◆ *adv inf (expressing agreement)* d'accord ; *(satisfactorily, well)* bien ; **is everything ~?** est-ce que tout va bien? ; **are you ~?** ça va?

okay [əʊ'keɪ] = **OK**.

old [əʊld] *adj* vieux (vieille) ; *(for-*

mer) ancien(ienne) ; **how ~ are you?** quel âge as-tu ? ; **I'm 36 years ~** j'ai 36 ans ; **to get ~** vieillir.

old age *n* vieillesse *f*.

old age pensioner *n* retraité *m*, -e *f*.

olive ['ɒlɪv] *n* olive *f*.

olive oil *n* huile *f* d'olive.

omelette ['ɒmlɪt] *n* omelette *f* ; **mushroom ~** omelette aux champignons.

ominous ['ɒmɪnəs] *adj* inquiétant(e).

omit [ə'mɪt] *vt* omettre.

☞

on [ɒn] *prep* - **1.** *(expressing position, location)* sur ; **it's ~ the table** il est sur la table ; **~ my right** à OR sur ma droite ; **~ the right** à droite ; **we stayed ~ a farm** nous avons séjourné dans une ferme ; **a hotel ~ the boulevard Saint-Michel** un hôtel (sur le) boulevard Saint-Michel ; **the exhaust ~ the car** l'échappement de la voiture. - **2.** *(with means of transport)* : **~ the train/plane** dans le train/l'avion ; **to get ~ a bus** monter dans un bus. - **3.** *(expressing means, method)* : **~ foot** à pied ; **~ TV/the radio** à la télé/la radio ; **~ the piano** au piano. - **4.** *(using)* : **it runs ~ unleaded petrol** elle marche à l'essence sans plomb ; **to be ~ medication** être sous traitement. - **5.** *(about)* : **a book ~ Germany** un livre sur l'Allemagne. - **6.** *(expressing time)* : **~ arrival** à mon/leur arrivée ; **~ Tuesday** mardi ; **~ 25th August** le 25 août. - **7.** *(with regard to)* : **to spend time ~ sthg** consacrer du temps à qqch ;

the effect ~ Britain l'effet sur la Grande-Bretagne. - **8.** *(describing activity, state)* en ; **~ holiday** en vacances ; **~ offer** en réclame ; **~ sale** en vente. - **9.** *(in phrases)* : **do you have any money ~ you?** *inf* tu as de l'argent sur toi ? ; **the drinks are ~ me** c'est ma tournée.
◆ *adv* - **1.** *(in place, covering)* : **to have sthg ~** *(clothes, hat)* porter qqch ; **put the lid ~** mets le couvercle ; **to put one's clothes ~** s'habiller, mettre ses vêtements. - **2.** *(film, play, programme)* : **the news is ~** il y a les informations à la télé ; **what's ~ at the cinema?** qu'est-ce qui passe au cinéma ? - **3.** *(with transport)* : **to get ~** monter. - **4.** *(functioning)* : **to turn sthg ~** *(TV, radio)* allumer ; *(tap)* ouvrir ; *(engine)* mettre en marche. - **5.** *(taking place)* : **how long is the festival ~?** combien de temps dure le festival ? - **6.** *(further forward)* : **to drive ~** continuer à rouler. - **7.** *(in phrases)* : **to have sthg ~** avoir qqch de prévu.
◆ *adj (TV, radio, light)* allumé(e) ; *(tap)* ouvert(e) ; *(engine)* en marche.

once [wʌns] *adv (one time)* une fois ; *(in the past)* jadis. ◆ *conj* une fois que, dès que ; **at ~** *(immediately)* immédiatement ; *(at the same time)* en même temps ; **for ~** pour une fois ; **~ more** une fois de plus.

oncoming ['ɒn,kʌmɪŋ] *adj (traffic)* venant en sens inverse.

one [wʌn] *num (the number 1)* un. ◆ *adj (only)* seul(e). ◆ *pron* un

person) un (une) ; *fml* (*you*) on ;
thirty-~ trente et un ; **~ fifth** un cinquième ; **I like that ~** j'aime bien
celui-là ; **I'll take this ~** je prends
celui-ci ; **which ~?** lequel ? ; **the ~ I
told you about** celui dont je t'ai parlé ; **~ of my friends** un de mes amis ;
~ (*in past, future*) un jour.

oneself [wʌn'self] *pron (reflexive)*
se ; (*after prep*) soi.

one-way *adj* (*street*) à sens unique ; (*ticket*) aller (*inv*).

onion [ˈʌnjən] *n* oignon *m*.

only [ˈəʊnlɪ] *adj* seul(e). ◆ *adv*
seulement, ne ... que ; **an ~ child**
un enfant unique ; **the ~ one** le
seul (la seule) ; **I ~ want one** je n'en
veux qu'un ; **we've ~ just arrived**
nous venons juste d'arriver ;
there's ~ just enough il y en a tout
juste assez ; **not ~** non seulement.

onto [ˈɒntʊ] *prep (with verbs of
movement)* sur.

onward [ˈɒnwəd] *adv* = **onwards**.
◆ *adj* : **the ~ journey** la fin du parcours.

onwards [ˈɒnwədz] *adv* (*forwards*) en avant ; **from now ~** à partir de maintenant, dorénavant ;
from October ~ à partir d'octobre.

opaque [əʊˈpeɪk] *adj* opaque.

open [ˈəʊpn] *adj* ouvert(e) ;
(*space*) dégagé(e) ; (*honest*) franc
(franche). ◆ *vt* ouvrir. ◆ *vi* (*door,
window, lock*) s'ouvrir ; (*shop, office, bank*) ouvrir ; (*start*) commencer ; **are you ~ at the weekend?**
(*shop*) êtes-vous ouverts le week-
end ? ; **wide ~** grand ouvert ; **in the
~ (air)** en plein air. ❏ **open onto** *vt
fus* donner sur. ❏ **open up** *vi* ouvrir.

open-air *adj* en plein air.

opening [ˈəʊpnɪŋ] *n* (*gap*) ouverture *f* ; (*beginning*) début *m* ; (*opportunity*) occasion *f*.

opening hours *npl* heures *fpl*
d'ouverture.

open-minded [-ˈmaɪndɪd] *adj*
tolérant(e).

open-plan *adj* paysagé(e).

Open University *n Br* : **the ~**
centre *m* national d'enseignement
à distance.

OPEN UNIVERSITY

L'Open University, ou OU, université britannique ouverte à
tous, permet à des personnes
déjà dans la vie active de suivre
des cours par correspondance,
généralement à temps partiel.
Aux cours diffusés par la radio et
la télévision s'ajoutent des séan-
ces d'enseignement organisées
localement.

opera [ˈɒprə] *n* opéra *m*.

opera house *n* opéra *m*.

operate [ˈɒpəreɪt] *vt* (*machine*)
faire fonctionner. ◆ *vi* (*work*)
fonctionner ; **to ~ on sb** opérer
qqn.

operating room [ˈɒpəreɪtɪŋ-]
Am = **operating theatre**.

operating theatre [ˈɒpəreɪtɪŋ-]
n Br salle *f* d'opération.

operation [ˌɒpəˈreɪʃn] *n* opération *f* ; **to be in ~** (*law, system*) être
appliqué ; **to have an ~** se faire
opérer.

operator [ˈɒpəreɪtə] *n* (*on phone*)
opérateur *m*, -trice *f*.

opinion [əˈpɪnjən] *n* opinion *f* ; **in
my ~** à mon avis.

opponent [əˈpəʊnənt] *n* adversaire *mf*.

opportunity [ˌɒpə'tjuːnəti] *n* occasion *f*.

oppose [ə'pəʊz] *vt* s'opposer à.

opposed [ə'pəʊzd] *adj* : to be ~ to sthg être opposé(e) à qqch.

opposite ['ɒpəzɪt] *adj* opposé(e) ; *(building)* d'en face. ◆ *prep* en face de. ◆ *n* : the ~ (of) le contraire (de).

opposition [ˌɒpə'zɪʃn] *n (objections)* opposition *f* ; SPORT adversaire *mf*.

opt [ɒpt] *vt* : to ~ to do sthg choisir de faire qqch.

optician's [ɒp'tɪʃns] *n (shop)* opticien *m*.

optimist ['ɒptɪmɪst] *n* optimiste *mf*.

optimistic [ˌɒptɪ'mɪstɪk] *adj* optimiste.

option ['ɒpʃn] *n (alternative)* choix *m* ; *(optional extra)* option *f*.

optional ['ɒpʃənl] *adj* optionnel(elle).

or [ɔː] *conj* ou ; *(after negative)* ni.

oral ['ɔːrəl] *adj* oral(e). ◆ *n (exam)* oral *m*.

orange ['ɒrɪndʒ] *adj* orange *(inv)*. ◆ *n (fruit)* orange *f* ; *(colour)* orange *m*.

orange juice *n* jus *m* d'orange.

orange squash *n Br* orangeade *f*.

orbit ['ɔːbɪt] *n* orbite *f*.

orchard ['ɔːtʃəd] *n* verger *m*.

orchestra ['ɔːkɪstrə] *n* orchestre *m*.

ordeal [ɔː'diːl] *n* épreuve *f*.

order ['ɔːdə] *n* ordre *m* ; *(in restaurant, for goods)* commande *f*. ◆ *vt (command)* ordonner ; *(food, taxi, goods)* commander. ◆ *vi (in restaurant)* commander ; **in** ~ **to** do

sthg de façon à OR afin de faire qqch ; **out of** ~ *(not working)* en panne ; **in working** ~ en état de marche ; **to** ~ **sb to do sthg** ordonner à qqn de faire qqch.

order form *n* bon *m* de commande.

ordinary ['ɔːdɪnrɪ] *adj* ordinaire.

oregano [ˌɒrɪ'ɡɑːnəʊ] *n* origan *m*.

organ ['ɔːɡən] *n* MUS orgue *m* ; *(in body)* organe *m*.

organic [ɔː'ɡænɪk] *adj (food)* biologique.

organization [ˌɔːɡənaɪ'zeɪʃn] *n* organisation *f*.

organize ['ɔːɡənaɪz] *vt* organiser.

organizer ['ɔːɡənaɪzə] *n (person)* organisateur *m*, -trice *f* ; *(diary)* organiseur *m*.

oriental [ˌɔːrɪ'entl] *adj* oriental(e).

orientate ['ɔːrɪentɪt] *vt* : to ~ o.s. s'orienter.

origin ['ɒrɪdʒɪn] *n* origine *f*.

original [ə'rɪdʒənl] *adj (first)* d'origine ; *(novel)* original(e).

originally [ə'rɪdʒənəlɪ] *adv (formerly)* à l'origine.

originate [ə'rɪdʒəneɪt] *vi* : to ~ from venir de.

ornament ['ɔːnəmənt] *n (object)* bibelot *m*.

ornamental [ˌɔːnə'mentl] *adj* décoratif(ive).

orphan ['ɔːfn] *n* orphelin *m*, -e *f*.

orthodox ['ɔːθədɒks] *adj* orthodoxe.

ostentatious [ˌɒsten'teɪʃəs] *adj* ostentatoire.

ostrich ['ɒstrɪtʃ] *n* autruche *f*.

other ['ʌðə] *adj* autre. ◆ *pron* autre *mf*. ◆ *adv* : ~ than à part ; the ~ (one) l'autre ; the ~ day l'autre jour ; one after the ~ l'un après l'autre.

otherwise ['ʌðəwaɪz] *adv (or else)* autrement, sinon ; *(apart from that)* à part ça ; *(differently)* autrement.

otter ['ɒtə'] *n* loutre *f*.

ought [ɔːt] *aux vb* devoir ; you ~ to have gone tu aurais dû y aller ; you ~ to see a doctor tu devrais voir un médecin ; the car ~ to be ready by Friday la voiture devrait être prête vendredi.

ounce [aʊns] *n (unit of measurement)* = 28,35 g, once *f*.

our [aʊə'] *adj* notre, nos *(pl)*.

ours ['aʊəz] *pron* le nôtre (la nôtre) ; this is ~ c'est à nous ; a friend of ~ un ami à nous.

ourselves [aʊə'selvz] *pron (reflexive, after prep)* nous ; we did it ~ nous l'avons fait nous-mêmes.

☞

out [aʊt] *adj (light, cigarette)* éteint(e).
♦ *adv* - 1. *(outside)* dehors ; to get ~ (of) sortir (de) ; to go ~ (de) ; it's cold ~ il fait froid dehors. - 2. *(not at home, work)* dehors ; to be ~ être sorti ; to go ~ sortir. - 3. *(so as to be extinguished)* : to turn sthg ~ éteindre qqch ; put your cigarette ~ éteignez votre cigarette. - 4. *(expressing removal)* : to fall ~ tomber ; to take sthg ~ (of) sortir qqch (de) ; *(money)* retirer qqch (de). - 5. *(outwards)* : to stick ~ dépasser. - 6. *(expressing distribution)* : to hand sthg ~ distribuer qqch. - 7. *(wrong)* faux (fausse) ; the bill's £10 ~ il y a une erreur de 10 livres dans l'addition.

- 8. *(in phrases)* : stay ~ of the sun évitez le soleil ; made ~ of wood en bois ; five ~ of ten women cinq femmes sur dix ; I'm ~ of cigarettes je n'ai plus de cigarettes.

outbreak ['aʊtbreɪk] *n (of disease)* épidémie *f*.

outburst ['aʊtbɜːst] *n* explosion *f*.

outcome ['aʊtkʌm] *n* résultat *m*.

outdated [,aʊt'deɪtɪd] *adj* démodé(e).

outdo [,aʊt'duː] *vt* surpasser.

outdoor ['aʊtdɔː'] *adj (swimming pool)* en plein air ; *(activities)* de plein air.

outdoors [aʊt'dɔːz] *adv* en plein air, dehors ; to go ~ sortir.

outer ['aʊtə'] *adj* extérieur(e).

outer space *n* l'espace *m*.

outfit ['aʊtfɪt] *n (clothes)* tenue *f*.

outing ['aʊtɪŋ] *n* sortie *f*.

outlet ['aʊtlet] *n (pipe)* sortie *f*.

outline ['aʊtlaɪn] *n (shape)* contour *m* ; *(description)* grandes lignes *fpl*.

outlook ['aʊtlʊk] *n (for future)* perspective *f* ; *(of weather)* prévision *f* ; *(attitude)* conception *f*.

out-of-date *adj (old-fashioned)* démodé(e) ; *(passport, licence)* périmé(e).

outpatients' (department) ['aʊt,peɪʃnts-] *n* service *m* des consultations externes.

output ['aʊtpʊt] *n (of factory)* production *f* ; COMPUT *(printout)* sortie *f* papier.

outrage ['aʊtreɪdʒ] *n* atrocité *f*.

outrageous [aʊt'reɪdʒəs] *adj* scandaleux(euse).

outright [,aʊt'raɪt] *adv (tell, deny)*

franchement ; *(own)* complètement.

outside [adv ˌaʊtˈsaɪd, adj, prep
& n ˈaʊtsaɪd] *adv* dehors. ◆ *prep* en
dehors de ; *(door)* de l'autre côté
de ; *(in front of)* devant. ◆ *adj* exté-
rieur(e). ◆ *n* : the ~ *(of building, car,
container)* l'extérieur *m* ; an ~ line
une ligne extérieure ; ~ of *[Am]* en
dehors de.

outside lane *n* AUT *(in UK)* voie
f de droite ; *(in Europe, US)* voie *f*
de gauche.

outsize [ˈaʊtsaɪz] *adj (clothes)*
grande taille *(inv)*.

outskirts [ˈaʊtskɜːts] *npl (of
town)* périphérie *f*, banlieue *f*.

outstanding [ˌaʊtˈstændɪŋ] *adj
(remarkable)* remarquable ; *(problem)* à régler ; *(debt)* impayé(e).

outward [ˈaʊtwəd] *adj (journey)*
aller *(inv)* ; *(external)* extérieur(e).

outwards [ˈaʊtwədz] *adv* vers
l'extérieur.

oval [ˈəʊvl] *adj* ovale.

ovation [əʊˈveɪʃn] *n* ovation *f*.

oven [ˈʌvn] *n* four *m*.

oven glove *n* gant *m* de cuisine.

ovenproof [ˈʌvnpruːf] *adj* qui va
au four.

oven-ready *adj* prêt(e) à mettre
au four.

☞

over [ˈəʊvə] *prep* - **1.** *(above)* au-
dessus de ; a bridge ~ the river un
pont sur la rivière.
- **2.** *(across)* par-dessus ; to walk
~ sthg traverser qqch (à pied) ; it's
just ~ the road c'est juste de l'autre
côté de la route ; a view ~ the
square une vue sur la place.
- **3.** *(covering)* sur ; put a plaster

~ the wound mettez un pansement
sur la plaie.
- **4.** *(more than)* plus de ; it cost
~ £1,000 ça a coûté plus de 1 000
livres.
- **5.** *(during)* pendant ; ~ the past
two years ces deux dernières années.
- **6.** *(with regard to)* sur ; an argument ~ the price une dispute au sujet du prix.
◆ *adv* - **1.** *(downwards)* : to fall ~
tomber ; to lean ~ se pencher.
- **2.** *(referring to position, movement)* : to fly ~ to Canada aller au
Canada en avion ; ~ here ici ;
~ there là-bas.
- **3.** *(round to other side)* : to turn sthg
~ retourner qqch.
- **4.** *(more than)* : children aged 12 and ~
les enfants de 12 ans et plus OR
au-dessus.
- **5.** *(remaining)* : how many are there
(left) ~? combien en reste-t-il ?
- **6.** *(to one's house)* chez soi ; to
come ~ venir à la maison ; to invite
sb ~ for dinner inviter qqn à dîner
(chez soi).
- **7.** *(in phrases)* : all ~ *(finished)* fi-
ni(e), terminé(e) ; all ~ the world/
country dans le monde/pays entier.
◆ *adj (finished)* : to be ~ être fini(e),
être terminé(e).

overall [adv ˌəʊvəˈrɔːl, n ˈəʊvərɔːl]
adv (in general) en général. ◆ *n* Br
(coat) blouse *f* ; Am *(boiler suit)*
bleu *m* de travail ; how much does it
cost ~? combien est-ce que ça coû-
te en tout ?. **: overalls** *npl* Br *(boiler
suit)* bleu *m* de travail ; Am *(dungarees)* salopette *f*.

overboard [ˈəʊvəbɔːd] *adv* par-
dessus bord.

overbooked [ˌəʊvəˈbʊkt] *adj* surréservé(e).

overcame [ˌəʊvəˈkeɪm] *pt →* **overcome**.

overcast [ˌəʊvəˈkɑːst] *adj* couvert(e).

overcharge [ˌəʊvəˈtʃɑːdʒ] *vt* (*customer*) faire payer trop cher à.

overcoat [ˈəʊvəkəʊt] *n* pardessus *m*.

overcome [ˌəʊvəˈkʌm] (*pt* -came, *pp* -come) *vt* vaincre.

overcooked [ˌəʊvəˈkʊkt] *adj* trop cuit(e).

overcrowded [ˌəʊvəˈkraʊdɪd] *adj* bondé(e).

overdo [ˌəʊvəˈduː] (*pt* -did, *pp* -done) *vt* (*exaggerate*) exagérer ; to ~ it se surmener.

overdone [ˌəʊvəˈdʌn] *pp →* **overdo**. ◆ *adj* (*food*) trop cuit(e).

overdose [ˈəʊvədəʊs] *n* overdose *f*.

overdraft [ˈəʊvədrɑːft] *n* découvert *m*.

overdue [ˌəʊvəˈdjuː] *adj* en retard.

over easy *adj Am* (*egg*) cuit(e) des deux côtés.

overexposed [ˌəʊvərɪkˈspəʊzd] *adj* (*photograph*) surexposé(e).

overflow [*vb* ˌəʊvəˈfləʊ, *n* ˈəʊvəfləʊ] *vi* déborder. ◆ *n* (*pipe*) trop-plein *m*.

overgrown [ˌəʊvəˈɡrəʊn] *adj* (*garden*, *path*) envahi(e) par les mauvaises herbes.

overhaul [ˌəʊvəˈhɔːl] *n* révision *f*.

overhead [*adj* ˈəʊvəhed, *adv* ˌəʊvəˈhed] *adj* aérien(ienne). ◆ *adv* au-dessus.

overhear [ˌəʊvəˈhɪə] (*pt & pp* -heard) *vt* entendre par hasard.

overheat [ˌəʊvəˈhiːt] *vi* surchauffer.

overland [ˈəʊvəlænd] *adv* par voie de terre.

overlap [ˌəʊvəˈlæp] *vi* se chevaucher.

overleaf [ˌəʊvəˈliːf] *adv* au verso, au dos.

overload [ˌəʊvəˈləʊd] *vt* surcharger.

overlook [*vb* ˌəʊvəˈlʊk, *n* ˈəʊvəlʊk] *vt* (*subj : building, room*) donner sur ; (*miss*) oublier. ◆ *n* : (*scenic*) ~ *Am* point *m* de vue.

overnight [*adv* ˌəʊvəˈnaɪt *adj* ˈəʊvənaɪt] *adv* (*during the night*) pendant la nuit ; (*until next day*) pour la nuit. ◆ *adj* (*train, journey*) de nuit.

overnight bag *n* sac *m* de voyage.

overpass [ˈəʊvəpɑːs] *n* saut-de-mouton *m*.

overpowering [ˌəʊvəˈpaʊərɪŋ] *adj* (*heat*) accablant(e) ; (*smell*) suffocant(e).

oversaw [ˌəʊvəˈsɔː] *pt →* **oversee**.

overseas [*adv* ˌəʊvəˈsiːz, *adj* ˈəʊvəsiːz] *adv* à l'étranger. ◆ *adj* étranger(ère) ; (*holiday*) à l'étranger.

oversee [ˌəʊvəˈsiː] (*pt* -saw, *pp* -seen) *vt* (*supervise*) superviser.

overshoot [ˌəʊvəˈʃuːt] (*pt & pp* -shot) *vt* (*turning, motorway exit*) manquer.

oversight [ˈəʊvəsaɪt] *n* oubli *m*.

oversleep [ˌəʊvəˈsliːp] (*pt & pp*

-slept) *vi* ne pas se réveiller à temps.

overtake [ˌəʊvəˈteɪk] (*pt* **-took,** *pp* **-taken**) *vt & vi* doubler ; 'no overtaking' 'dépassement interdit'.

overtime [ˈəʊvətaɪm] *n* heures *fpl* supplémentaires.

overtook [ˌəʊvəˈtʊk] *pt* → **overtake**.

overture [ˈəʊvəˌtjʊə] *n* ouverture *f*.

overturn [ˌəʊvəˈtɜːn] *vi* se retourner.

overweight [ˌəʊvəˈweɪt] *adj* trop gros (grosse).

overwhelm [ˌəʊvəˈwelm] *vt* *(with joy)* combler ; *(with sadness)* accabler.

owe [əʊ] *vt* devoir ; **to ~ sb sthg** devoir qqch à qqn ; **owing to** en raison de.

owl [aʊl] *n* chouette *f*.

own [əʊn] *adj* propre. ◆ *vt* avoir, posséder. ◆ *pron* : **a room of my ~** une chambre pour moi tout seul ; **on my ~** (tout) seul ; **to get one's ~ back** prendre sa revanche. ❑ **own up** *vi* : **to ~ up (to sthg)** avouer (qqch).

owner [ˈəʊnə] *n* propriétaire *mf*.

ownership [ˈəʊnəʃɪp] *n* propriété *f*.

ox [ɒks] (*pl* **oxen** [ˈɒksən]) *n* bœuf *m*.

oxtail soup [ˈɒksteɪl-] *n* soupe *f* à la queue de bœuf.

oxygen [ˈɒksɪdʒən] *n* oxygène *m*.

oyster [ˈɔɪstə] *n* huître *f*.

oz *abbr* = ounce.

ozone-friendly [ˈəʊzəʊn-] *adj* qui préserve la couche d'ozone.

P

p (*abbr of* page) p. ◆ *abbr* = **penny, pence.**

pace [peɪs] *n* *(speed)* vitesse *f*, allure *f* ; *(step)* pas *m*.

pacemaker [ˈpeɪsˌmeɪkə] *n* *(for heart)* pacemaker *m*.

Pacific [pəˈsɪfɪk] *n* : **the ~** *(Ocean)* le Pacifique, l'océan *m* Pacifique.

pacifier [ˈpæsɪfaɪə] *n* *Am (for baby)* tétine *f*.

pacifist [ˈpæsɪfɪst] *n* pacifiste *mf*.

pack [pæk] *n* *(packet)* paquet *m* ; *Br (of cards)* paquet, jeu *m* ; *(rucksack)* sac *m* à dos. ◆ *vt* emballer ; *(suitcase, bag)* faire. ◆ *vi (for journey)* faire ses valises ; **a ~ of lies** un tissu de mensonges ; **to ~ sthg into sthg** entasser qqch dans qqch ; **to ~ one's bags** faire ses valises. ❑ **pack up** *vi* **1.** *(pack suitcase)* faire sa valise ; *(tidy up)* ranger ; *Br inf (machine, car)* tomber en rade.

package [ˈpækɪdʒ] *n* *(parcel)* paquet *m* ; *COMPUT* progiciel *m*. ◆ *vt* emballer.

package holiday *n* voyage à prix forfaitaire incluant transport et hébergement.

packaging [ˈpækɪdʒɪŋ] *n* *(material)* emballage *m*.

packed [pækt] *adj* *(crowded)* bondé(e).

packed lunch *n* panier-repas *m*.

packet [ˈpækɪt] *n* paquet *m* ; **it cost a ~** *Br inf* ça a coûté un paquet.

packing [ˈpækɪŋ] *n* *(material)* emballage *m* ; **to do one's ~** *(for journey)* faire ses valises.

pad

190

pad [pæd] n (of paper) bloc m ; (of cloth, cotton wool) tampon m ; **knee ~** genouillère f.

padded ['pædɪd] adj (jacket, seat) rembourré(e).

padded envelope n enveloppe f matelassée.

paddle ['pædl] n (pole) pagaie f. ◆ vi (wade) barboter ; (in canoe) pagayer.

paddling pool ['pædlɪŋ-] n pataugeoire f.

padlock ['pædlɒk] n cadenas m.

page [peɪdʒ] n page f. ◆ vt (call) appeler (par haut-parleur) ; '**paging Mr Hill**' 'on demande M. Hill'.

paid [peɪd] pt & pp ➝ **pay**. ◆ adj (holiday, work) payé(e).

pain [peɪn] n douleur f ; **to be in ~** (physical) souffrir ; **he's such a ~!** inf il est vraiment pénible ! ❑ **pains** npl (trouble) peine f.

painful ['peɪnfʊl] adj douloureux(euse).

painkiller ['peɪn,kɪlə'] n analgésique m.

paint [peɪnt] n peinture f. ◆ vt & vi peindre ; **to ~ one's nails** se mettre du vernis à ongles.

paintbrush ['peɪntbrʌʃ] n pinceau m.

painter ['peɪntə'] n peintre m.

painting ['peɪntɪŋ] n peinture f.

pair [peə'] n (of two things) paire f ; **in ~s** par deux ; **a ~ of pliers** une pince ; **a ~ of scissors** une paire de ciseaux ; **a ~ of shorts** un short ; **a ~ of tights** un collant ; **a ~ of trousers** un pantalon.

pajamas [pə'dʒɑːməz] Am = pyjamas.

Pakistan [Br ,pɑːkɪ'stɑːn, Am ,pækɪ'stæn] n le Pakistan.

Pakistani [Br ,pɑːkɪ'stɑːnɪ, Am ,pækɪ'stænɪ] adj pakistanais(e). ◆ n (person) Pakistanais m, -e f.

pakora [pə'kɔːrə] npl petits beignets de légumes épicés (spécialité indienne généralement servie en hors-d'œuvre avec une sauce elle-même épicée).

pal [pæl] n inf pote m.

palace ['pælɪs] n palais m.

palatable ['pælətəbl] adj (food, drink) bon (bonne).

palate ['pælət] n palais m.

pale [peɪl] adj pâle.

pale ale n bière f blonde légère.

palm [pɑːm] n (of hand) paume f ; **(tree)** palmier m.

palpitations [,pælpɪ'teɪʃnz] npl palpitations fpl.

pamphlet ['pæmflɪt] n brochure f.

pan [pæn] n (saucepan) casserole f ; (frying pan) poêle f.

pancake ['pænkeɪk] n crêpe f.

pancake roll n rouleau m de printemps.

panda ['pændə] n panda m.

panda car n Br voiture f de patrouille.

pane [peɪn] n (large) vitre f ; (small) carreau m.

panel ['pænl] n (of wood) panneau m ; (group of experts) comité m ; (on TV, radio) invités mpl.

paneling ['pænəlɪŋ] Am = panelling.

panelling ['pænəlɪŋ] n Br lambris m.

panic ['pænɪk] (pt & pp -**ked**, cont -**king**) n panique f. ◆ vi paniquer.

panniers ['pænɪəz] npl (for bicycle) sacoches fpl.

panoramic [ˌpænəˈræmɪk] adj panoramique.

pant [pænt] vi haleter.

panties ['pæntɪz] npl inf culotte f.

pantomime ['pæntəmaɪm] n Br spectacle de Noël.

Ces spectacles de Noël, s'inspirant généralement de contes traditionnels, sont des sortes de comédies musicales comiques destinées aux enfants. Le héros doit, selon la tradition, être joué par une jeune actrice, alors que le rôle comique, celui de la vieille dame, est tenu par un acteur.

pantry ['pæntrɪ] n garde-manger m inv.

pants [pænts] npl Br (underwear) slip m ; Am (trousers) pantalon m.

panty hose ['pæntɪ-] npl Am collant m.

papadum ['pæpədəm] n galette indienne très fine et croustillante.

paper ['peɪpə] n (material) papier m ; (newspaper) journal m ; (exam) épreuve f. ◆ adj en papier ; (cup, plate) en carton. ◆ vt tapisser ; **a piece of ~** (sheet) une feuille de papier ; (scrap) un bout de papier. ❑ **papers** npl (documents) papiers mpl.

paperback ['peɪpəbæk] n livre m de poche.

paper bag n sac m en papier.

paperboy ['peɪpəbɔɪ] n livreur m de journaux.

paper clip n trombone m.

papergirl ['peɪpəgɜːl] n livreuse f de journaux.

paper shop n marchand m de journaux.

paperweight ['peɪpəweɪt] n presse-papiers m inv.

paprika ['pæprɪkə] n paprika m.

paracetamol [ˌpærəˈsiːtəmɒl] n paracétamol m.

parachute ['pærəʃuːt] n parachute m.

parade [pəˈreɪd] n (procession) parade f ; (of shops) rangée f de magasins.

paradise ['pærədaɪs] n paradis m.

paraffin ['pærəfɪn] n paraffine f.

paragraph ['pærəgrɑːf] n paragraphe m.

parallel ['pærəlel] adj : **~ (to)** parallèle (à).

paralysed ['pærəlaɪzd] adj Br paralysé(e).

paralyzed ['pærəlaɪzd] Am = paralysed.

paramedic [ˌpærəˈmedɪk] n aide-soignant m, -e f.

paranoid ['pærənɔɪd] adj paranoïaque.

parasite ['pærəsaɪt] n parasite m.

parasol ['pærəsɒl] n (above table, on beach) parasol m ; (hand-held) ombrelle f.

parcel ['pɑːsl] n paquet m.

parcel post n : **to send sthg by ~** envoyer qqch par colis postal.

pardon ['pɑːdn] excl : **pardon?** pardon? ; **~ (me)!** pardon!, excusez-moi! ; **I beg your ~!** (apologizing) je vous demande pardon! ; **I beg your ~?** (asking for repetition) je vous demande pardon?

parent ['peərənt] n (father) père

m ; *(mother)* mère *f* ; **~s parents**
mpl.

parish ['pærɪʃ] *n (of church)* paroisse *f* ; *(village area)* commune *f*.

park [pɑːk] *n* parc *m*. ◆ *vt (vehicle)*
garer. ◆ *vi* se garer.

park and ride *n système de contrôle de la circulation qui consiste à se garer à l'extérieur des grandes villes, puis à utiliser des navettes pour aller au centre.*

parking ['pɑːkɪŋ] *n* stationnement *m* ; **'no ~' 'stationnement interdit'**, **'défense de stationner'**.

parking brake *n Am* frein *m* à main.

parking lot *n Am* parking *m*.

parking meter *n* parcmètre *m*.

parking space *n* place *f* de parking.

parking ticket *n* contravention *f (pour stationnement interdit)*.

parkway ['pɑːkweɪ] *n Am voie principale dont le terre-plein central est planté d'arbres, de fleurs, etc.*

parliament ['pɑːləmənt] *n* parlement *m*.

Parmesan (cheese) [pɑːmɪ'zæn-] *n* parmesan *m*.

parrot ['pærət] *n* perroquet *m*.

parsley ['pɑːslɪ] *n* persil *m*.

parsnip ['pɑːsnɪp] *n* panais *m*.

parson ['pɑːsn] *n* pasteur *m*.

part [pɑːt] *n* partie *f* ; *(of machine, car)* pièce *f* ; *(in play, film)* rôle *m* ; *Am (in hair)* raie *f*. ◆ *adv (partly)* en partie. ◆ *vi (couple)* se séparer ; **in this ~ of France** dans cette partie de la France ; **to form ~ of sthg** faire partie de qqch ; **to play a ~ in sthg** jouer un rôle dans qqch ; **to take ~ in sthg** prendre part à qqch ; **for my ~** pour ma part ; **for the most ~**

dans l'ensemble ; **in these ~s** dans cette région.

partial ['pɑːʃl] *adj* partiel(ielle) ;
to be ~ to sthg avoir un faible pour qqch.

participant [pɑː'tɪsɪpənt] *n* participant *m*, -e *f*.

participate [pɑː'tɪsɪpeɪt] *vi* : **to ~ (in)** participer (à).

particular [pə'tɪkjʊlə] *adj* particulier(ière) ; *(fussy)* difficile ; **in ~** en particulier ; **nothing in ~** rien de particulier. ❏ **particulars** *npl (details)* coordonnées *fpl*.

particularly [pə'tɪkjʊlɪ] *adv* particulièrement.

parting ['pɑːtɪŋ] *n Br (in hair)* raie *f*.

partition [pɑː'tɪʃn] *n (wall)* cloison *f*.

partly ['pɑːtlɪ] *adv* en partie.

partner ['pɑːtnə] *n (husband, wife)* conjoint *m*, -e *f* ; *(lover)* compagnon *m*, compagne *f* ; *(in game, dance)* partenaire *mf* ; COMM associé *m*, -e *f*.

partnership ['pɑːtnəʃɪp] *n* association *f*.

partridge ['pɑːtrɪdʒ] *n* perdrix *f*.

part-time *adj* & *adv* à temps partiel.

party ['pɑːtɪ] *n (for fun)* fête *f* ; POL parti *m* ; *(group of people)* groupe *m* ; **to have a ~** organiser une fête.

pass [pɑːs] *vt* passer ; *(move past)* passer devant ; *(person in street)* croiser ; *(test, exam)* réussir ; *(overtake)* dépasser, doubler ; *(law)* voter. ◆ *vi* passer ; *(overtake)* dépasser, doubler ; *(in test, exam)* réussir. ◆ *n (document)* laissez-passer *m inv* ; *(in mountain)* col *m* ; *(in exam)* mention *f* passable ;

SPORT passe f ; **to ~ sb sthg** passer qqch à qqn. ❏ **pass by** ◆ *vt fus (building, window etc)* passer devant. ◆ *vi* passer. ❏ **pass on** *vt sep (message)* faire passer. ❏ **pass out** *vi (faint)* s'évanouir. ❏ **pass up** *vt sep (opportunity)* laisser passer.

passable ['pɑːsəbl] *adj (road)* praticable ; *(satisfactory)* passable.

passage ['pæsɪdʒ] *n* passage *m* ; *(sea journey)* traversée f.

passageway ['pæsɪdʒweɪ] *n* passage *m*.

passenger ['pæsɪndʒəʳ] *n* passager *m*, -ère f.

passerby [,pɑːsə'baɪ] *n* passant *m*, -e f.

passion ['pæʃn] *n* passion f.

passionate ['pæʃənət] *adj* passionné(e).

passive ['pæsɪv] *n* GRAMM passif *m*.

passport ['pɑːspɔːt] *n* passeport *m*.

passport control *n* contrôle *m* des passeports.

passport photo *n* photo f d'identité.

password ['pɑːswɜːd] *n* mot *m* de passe.

past [pɑːst] *adj (earlier, finished)* passé(e) ; *(last)* dernier(ière) ; *(former)* ancien(ienne). ◆ *prep (further than)* après ; *(in front of)* devant. ◆ *n (former time)* passé *m*. ◆ *adv* : **to go ~** passer devant ; **~ (tense)** GRAMM passé *m* ; **the ~ month** le mois dernier ; **the ~ few days** ces derniers jours ; **twenty ~ four** quatre heures vingt ; **she walked ~ the window** elle est passée devant la fenêtre ; **in the ~** autrefois.

pasta ['pæstə] *n* pâtes fpl.

paste [peɪst] *n (spread)* pâte f ; *(glue)* colle f.

pastel ['pæstl] *n* pastel *m*.

pasteurized ['pɑːstʃəraɪzd] *adj* pasteurisé(e).

pastille ['pæstɪl] *n* pastille f.

pastime ['pɑːstaɪm] *n* passe-temps *m inv*.

pastry ['peɪstrɪ] *n (for pie)* pâte f ; *(cake)* pâtisserie f.

pasture ['pɑːstʃəʳ] *n* pâturage *m*.

pat [pæt] *vt* tapoter.

patch [pætʃ] *n (for clothes)* pièce f ; *(of colour, damp)* tache f ; MED patch *m* ; *(for skin)* pansement *m* ; *(for eye)* bandeau *m* ; **a bad ~** *fig* une mauvaise passe.

pâté ['pæteɪ] *n* pâté *m*.

patent [Br 'peɪtən, Am 'pætənt] *n* brevet *m*.

path [pɑːθ] *n (in country)* sentier *m* ; *(in garden, park)* allée f.

pathetic [pə'θetɪk] *adj pej (useless)* minable.

patience ['peɪʃns] *n (quality)* patience f ; Br *(card game)* patience f, réussite f.

patient ['peɪʃnt] *adj* patient(e). ◆ *n* patient *m*, -e f.

patio ['pætɪəʊ] *n* patio *m*.

patriotic [Br pætrɪ'ɒtɪk, Am ,peɪtrɪ'ɒtɪk] *adj (person)* patriote ; *(song)* patriotique.

patrol [pə'trəʊl] *vt* patrouiller dans. ◆ *n (group)* patrouille f.

patrol car *n* voiture f de patrouille.

patron ['peɪtrən] *n fml (customer)* client *m*, -e f ; **'~s only'** 'réservé aux clients'.

patronizing ['pætrənaızıŋ] adj condescendant(e).

pattern ['pætn] n dessin m ; (for sewing) patron m.

patterned ['pætənd] adj à motifs.

pause [pɔːz] n pause f. ◆ vi faire une pause.

pavement ['peɪvmənt] n Br (beside road) trottoir m ; Am (roadway) chaussée f.

pavilion [pə'vɪljən] n pavillon m.

paving stone ['peɪvɪŋ-] n pavé m.

paw [pɔː] n patte f.

pawn [pɔːn] vt mettre en gage. ◆ n (in chess) pion m.

pay [peɪ] (pt & pp paid) vt & vi payer. ◆ n (salary) paie f ; I paid £30 for these shoes j'ai payé ces chaussures 30 livres ; to ~ sb for sthg payer qqn pour qqch ; to ~ money into an account verser de l'argent on un compte ; to ~ attention (to) faire attention (à) ; to ~ sb a visit rendre visite à qqn ; to ~ by credit card payer OR régler par carte de crédit. ❑ **pay back** vt sep rembourser. ❑ **pay for** vt insep (purchase) payer. ❑ **pay in** vt sep (cheque, money) déposer sur un compte. ❑ **pay out** vt sep (money) verser. ❑ **pay up** vi payer.

payable ['peɪəbl] adj payable ; ~ to (cheque) à l'ordre de.

payment ['peɪmənt] n paiement m.

payphone ['peɪfəun] n téléphone m public.

PC n (abbr of personal computer) PC m. ◆ abbr Br = police constable.

PE n (abbr of physical education) EPS f.

pea [piː] n petit pois m.

peace [piːs] n (no anxiety) tranquillité f ; (no war) paix f ; to leave sb in ~ laisser qqn tranquille ; ~ and quiet tranquillité.

peaceful ['piːsful] adj (place, day) tranquille ; (demonstration) pacifique.

peach [piːtʃ] n pêche f.

peacock ['piːkɒk] n paon m.

peak [piːk] n (of mountain) sommet m ; (of hat) visière f ; fig (highest point) point m culminant.

peak hours npl (of traffic) heures fpl de pointe ; (for telephone, electricity) période f de pointe.

peak rate n tarif m normal.

peanut ['piːnʌt] n cacah(o)uète f.

peanut butter n beurre m de cacah(o)uète.

pear [peə'] n poire f.

pearl [pɜːl] n perle f.

peasant ['peznt] n paysan m, -anne f.

pebble ['pebl] n galet m.

pecan pie ['piːkæn-] n tarte f aux noix de pécan.

peck [pek] vi picorer.

peculiar [pɪ'kjuːljə'] adj (strange) bizarre ; to be ~ to (exclusive) être propre à.

peculiarity [pɪˌkjuːlɪ'ærətɪ] n (special feature) particularité f.

pedal ['pedl] n pédale f. ◆ vi pédaler.

pedalo ['pedələu] n pédalo m.

pedestrian [pɪ'destrɪən] n piéton m.

pedestrian crossing n passage *m* clouté, passage *m* (pour) piétons.

pedestrianized [pɪ'destrɪənaɪzd] *adj* piétonnier(ière).

pedestrian precinct *n Br* zone *f* piétonnière.

pedestrian zone *Am* = **pedestrian precinct**.

pee [piː] *vi inf* faire pipi. ◆ *n* : to have a ~ *inf* faire pipi.

peel [piːl] *n (of banana)* peau *f* ; *(of apple, onion)* pelure *f* ; *(of orange, lemon)* écorce *f*. ◆ *vt (fruit, vegetables)* éplucher, peler. ◆ *vi (paint)* s'écailler ; *(skin)* peler.

peep [piːp] *n* : to have a ~ jeter un coup d'œil.

peer [pɪəʳ] *vi* regarder attentivement.

peg [peg] *n (for tent)* piquet *m* ; *(hook)* patère *f* ; *(for washing)* pince *f* à linge.

pelican crossing *n* [pelikən-] *n Br* passage clouté où l'arrêt des véhicules peut être commandé par les piétons en appuyant sur un bouton.

pelvis ['pelvɪs] *n* bassin *m*.

pen [pen] *n (ballpoint pen)* stylo *m* (à) bille ; *(fountain pen)* stylo *m* (à) plume ; *(for animals)* enclos *m*.

penalty ['penltɪ] *n (fine)* amende *f* ; *(in football)* penalty *m*.

pence [pens] *npl* pence *mpl* ; it costs 20 ~ ça coûte 20 pence.

pencil ['pensl] *n* crayon *m*.

pencil case *n* trousse *f*.

pencil sharpener *n* taille-crayon *m*.

pendant ['pendənt] *n (on necklace)* pendentif *m*.

pending ['pendɪŋ] *prep fml* en attendant.

penetrate ['penɪtreɪt] *vt* pénétrer dans.

penfriend ['penfrend] *n* correspondant *m*, -e *f*.

penguin ['peŋgwɪn] *n* pingouin *m*.

penicillin [ˌpenɪ'sɪlɪn] *n* pénicilline *f*.

peninsula [pə'nɪnsjulə] *n* péninsule *f*.

penis ['piːnɪs] *n* pénis *m*.

penknife ['pennaɪf] *(pl* -knives) *n* canif *m*.

penny ['penɪ] *(pl* pennies) *n (in UK)* penny *m* ; *(in US)* cent *m*.

pension ['penʃn] *n (for retired people)* retraite *f* ; *(for disabled people)* pension *f*.

pensioner ['penʃənəʳ] *n* retraité *m*, -e *f*.

penthouse ['penthaus, *pl* -hauzɪz] *n* appartement *m* de luxe au dernier étage d'un immeuble.

penultimate [pe'nʌltɪmət] *adj* avant-dernier(ière).

people ['piːpl] *npl* personnes *fpl* ; *(in general)* gens *mpl*. ◆ *n (nation)* peuple *m* ; the ~ *(citizens)* la population ; French ~ les Français *mpl*.

people carrier *n* monospace *m*.

pepper ['pepəʳ] *n (spice)* poivre *m* ; *(sweet vegetable)* poivron *m* ; *(hot vegetable)* piment *m*.

peppermint ['pepəmɪnt] *adj* à la menthe. ◆ *n (sweet)* bonbon *m* à la menthe.

pepper pot *n* poivrière *f*.

per [pɜːʳ] *prep* par ; 80p ~ kilo 80 pence le kilo ; ~ person par personne ; three times ~ week trois fois par semaine ; £20 ~ night 20 livres la nuit.

perceive [pə'si:v] vt percevoir.

per cent adv pour cent.

percentage [pə'sentɪdʒ] n pourcentage m.

perch [pɜːtʃ] n perchoir m.

percolator ['pɜːkəleɪtə'] n cafetière f à pression.

perfect [adj & n 'pɜːfɪkt, vb pə'fekt] adj parfait(e). ◆ vt perfectionner. ◆ n : the ~ (tense) le parfait.

perfection [pə'fekʃn] n : to do sthg to ~ faire qqch à la perfection.

perfectly ['pɜːfɪktlɪ] adv parfaitement.

perform [pə'fɔːm] vt (task, operation) exécuter ; (play) jouer ; (concert) donner. ◆ vi (actor, band) jouer ; (singer) chanter.

performance [pə'fɔːməns] n (of play) représentation f ; (of film) séance f ; (by actor, musician) interprétation f ; (of car) performances fpl.

performer [pə'fɔːmə'] n artiste mf.

perfume ['pɜːfjuːm] n parfum m.

perhaps [pə'hæps] adv peut-être.

perimeter [pə'rɪmɪtə'] n périmètre m.

period ['pɪərɪəd] n (of time) période f ; SCH heure f ; (menstruation) règles fpl ; (of history) époque f ; Am (full stop) point m. ◆ adj (costume, furniture) d'époque ; sunny ~s éclaircies fpl.

periodic [ˌpɪərɪ'ɒdɪk] adj périodique.

period pains npl règles fpl douloureuses.

periphery [pə'rɪfərɪ] n périphérie f.

perishable ['perɪʃəbl] adj périssable.

perk [pɜːk] n avantage m en nature.

perm [pɜːm] n permanente f. ◆ vt : to have one's hair ~ed se faire faire une permanente.

permanent ['pɜːmənənt] adj permanent(e).

permanent address n adresse f permanente.

permanently ['pɜːmənəntlɪ] adv en permanence.

permissible [pə'mɪsəbl] adj fml autorisé(e).

permission [pə'mɪʃn] n permission f, autorisation f.

permit [vb pə'mɪt, n 'pɜːmɪt] vt (allow) permettre, autoriser. ◆ n permis m ; to ~ sb to do sthg permettre à qqn de faire qqch, autoriser qqn à faire qqch.

perpendicular [ˌpɜːpən'dɪkjulə'] adj perpendiculaire.

persevere [ˌpɜːsɪ'vɪə'] vi persévérer.

persist [pə'sɪst] vi persister ; to ~ in doing sthg persister à faire qqch.

persistent [pə'sɪstənt] adj persistant(e) ; (person) obstiné(e).

person ['pɜːsn] (pl people) n personne f ; she's an interesting ~ c'est quelqu'un d'intéressant ; in ~ en personne.

personal ['pɜːsənl] adj personnel(elle) ; (life) privé(e) ; (rude) désobligeant(e) ; (question) indiscret(ète) ; a ~ friend un ami intime.

personal assistant n secrétaire *m* particulier, secrétaire particulière *f*.

personal belongings *npl* objets *mpl* personnels.

personal computer *n* PC *m*.

personality [ˌpɜːsəˈnælətɪ] *n* personnalité *f*.

personally [ˈpɜːsnəlɪ] *adv* personnellement.

personal property *n* objets *mpl* personnels.

personal stereo *n* baladeur *m*, Walkman® *m*.

personnel [ˌpɜːsəˈnel] *npl* personnel *m*.

perspective [pəˈspektɪv] *n* (*of drawing*) perspective *f*; (*opinion*) point *m* de vue.

perspiration [ˌpɜːspəˈreɪʃn] *n* transpiration *f*.

persuade [pəˈsweɪd] *vt* : to ~ sb (to do sthg) persuader qqn (de faire qqch); to ~ sb that ... persuader qqn que ...

persuasive [pəˈsweɪsɪv] *adj* persuasif(ive).

pervert [ˈpɜːvɜːt] *n* pervers *m*, -e *f*.

pessimist [ˈpesɪmɪst] *n* pessimiste *mf*.

pessimistic [ˌpesɪˈmɪstɪk] *adj* pessimiste.

pest [pest] *n* (*insect, animal*) nuisible *m*; *inf* (*person*) casse-pieds *mf inv*.

pester [ˈpestə] *vt* harceler.

pesticide [ˈpestɪsaɪd] *n* pesticide *m*.

pet [pet] *n* animal *m* (domestique); the teacher's ~ le chouchou du professeur.

petal [ˈpetl] *n* pétale *m*.

pet food *n* nourriture *f* pour animaux (domestiques).

petition [pɪˈtɪʃn] *n* (*letter*) pétition *f*.

petrified [ˈpetrɪfaɪd] *adj* (*frightened*) pétrifié(e) de peur.

petrol [ˈpetrəl] *n Br* essence *f*.

petrol gauge *n Br* jauge *f* à essence.

petrol pump *n Br* pompe *f* à essence.

petrol station *n Br* station-service *f*.

petrol tank *n Br* réservoir *m* d'essence.

pet shop *n* animalerie *f*.

petticoat [ˈpetɪkəʊt] *n* jupon *m*.

petty [ˈpetɪ] *adj pej* (*person, rule*) mesquin(e).

petty cash *n* caisse *f* des dépenses courantes.

pew [pjuː] *n* banc *m* (d'église).

pewter [ˈpjuːtə] *adj* en étain.

PG (*abbr of parental guidance*) sigle indiquant qu'un film peut être vu par des enfants sous contrôle de leurs parents.

pharmacist [ˈfɑːməsɪst] *n* pharmacien *m*, -ienne *f*.

pharmacy [ˈfɑːməsɪ] *n* (*shop*) pharmacie *f*.

phase [feɪz] *n* phase *f*.

PhD *n* doctorat *m* de troisième cycle.

pheasant [ˈfeznt] *n* faisan *m*.

phenomena [fɪˈnɒmɪnə] *pl* → phenomenon.

phenomenal [fɪˈnɒmɪnl] *adj* phénoménal(e).

phenomenon [fɪˈnɒmɪnən] (*pl* -mena) *n* phénomène *m*.

Philippines ['fɪlɪpiːnz] *npl* : the ~ les Philippines *fpl*.

philosophy [fɪ'lɒsəfɪ] *n* philosophie *f*.

phlegm [flem] *n* glaire *f*.

phone [fəʊn] *n* téléphone *m*. ♦ *vt Br* téléphoner à. ♦ *vi Br* téléphoner ; to be on the ~ (talking) être au téléphone ; (connected) avoir le téléphone. ❑ **phone up** ♦ *vt sep* téléphoner à. ♦ *vi* téléphoner.

phone book *n* annuaire *m* (téléphonique).

phone booth *n* cabine *f* téléphonique.

phone box *n Br* cabine *f* téléphonique.

phone call *n* coup *m* de téléphone.

phonecard ['fəʊnkɑːd] *n* Télécarte® *f*.

phone number *n* numéro *m* de téléphone.

photo ['fəʊtəʊ] *n* photo *f* ; to take a ~ of sb/sthg prendre qqn/qqch en photo.

photo album *n* album *m* (de) photos.

photocopier [,fəʊtəʊ'kɒpɪə'] *n* photocopieuse *f*.

photocopy ['fəʊtəʊ,kɒpɪ] *n* photocopie *f*. ♦ *vt* photocopier.

photograph ['fəʊtəgrɑːf] *n* photographie *f*. ♦ *vt* photographier.

photographer [fə'tɒgrəfə'] *n* photographe *mf*.

photography [fə'tɒgrəfɪ] *n* photographie *f*.

phrase [freɪz] *n* expression *f*.

phrasebook ['freɪzbʊk] *n* guide *m* de conversation.

physical ['fɪzɪkl] *adj* physique. ♦ *n* visite *f* médicale.

physical education *n* éducation *f* physique.

physics ['fɪzɪks] *n* physique *f*.

physiotherapy [,fɪzɪəʊ'θerəpɪ] *n* kinésithérapie *f*.

pianist ['pɪənɪst] *n* pianiste *mf*.

piano [pɪ'ænəʊ] (*pl* -s) *n* piano *m*.

pick [pɪk] *vt* (select) choisir ; (fruit, flowers) cueillir. ♦ *n* (pickaxe) pioche *f* ; to ~ a fight chercher la bagarre ; to ~ one's nose se mettre les doigts dans le nez ; to take one's ~ faire son choix. ❑ **pick on** *vt fus* s'en prendre à. ❑ **pick out** *vt sep* (select) choisir ; (see) repérer. ❑ **pick up** ♦ *vt sep* (fallen object) ramasser ; (fallen person) relever ; (collect) passer prendre ; (skill, language) apprendre ; (hitchhiker) prendre ; (collect in car) aller chercher ; *inf* (woman, man) draguer. ♦ *vi* (improve) reprendre.

pickaxe ['pɪkæks] *n* pioche *f*.

pickle ['pɪkl] *n Br* (food) pickles *mpl* ; *Am* (gherkin) cornichon *m*.

pickled onion ['pɪkld-] *n* oignon *m* au vinaigre.

pickpocket ['pɪk,pɒkɪt] *n* pickpocket *m*.

pick-up (truck) *n* pick-up *m inv*.

picnic ['pɪknɪk] *n* pique-nique *m*.

picnic area *n* aire *f* de pique-nique.

picture ['pɪktʃə'] *n* (painting) tableau *m* ; (drawing) dessin *m* ; (photograph) photo *f* ; (in book, on TV) image *f* ; (film) film *m*. ❑ **pictures** *npl* : the ~s *Br* le cinéma.

picture frame *n* cadre *m*.

picturesque [ˌpɪktʃəˈresk] *adj* pittoresque.

pie [paɪ] *n (savoury)* tourte *f*; *(sweet)* tarte *f*.

piece [piːs] *n* morceau *m*; *(component, in chess)* pièce *f*; a ~ of furniture un meuble; a 20p ~ une pièce de 20 pence; a ~ of advice un conseil; to fall to ~s tomber en morceaux; in one ~ *(intact)* intact; *(unharmed)* sain et sauf.

pier [pɪə] *n* jetée *f*.

pierce [pɪəs] *vt* percer; to have one's ears ~d se faire percer les oreilles.

pig [pɪg] *n* cochon *m*, porc *m*; *inf (greedy person)* goinfre *mf*.

pigeon [ˈpɪdʒɪn] *n* pigeon *m*.

pigeonhole [ˈpɪdʒɪnhəʊl] *n* casier *m*.

pigtail [ˈpɪgteɪl] *n* natte *f*.

pike [paɪk] *n (fish)* brochet *m*.

pilau rice [ˈpɪlaʊ-] *n* riz *m* pilaf.

pilchard [ˈpɪltʃəd] *n* pilchard *m*.

pile [paɪl] *n (heap)* tas *m*; *(neat stack)* pile *f*. ◆ *vt* entasser; *(neatly)* empiler; ~s of *inf (a lot)* des tas de. ❑ **pile up** ◆ *vt sep* entasser; *(neatly)* empiler. ◆ *vi (accumulate)* s'entasser.

piles [paɪlz] *npl* MED hémorroïdes *fpl*.

pileup [ˈpaɪlʌp] *n* carambolage *m*.

pill [pɪl] *n* pilule *f*.

pillar [ˈpɪlə] *n* pilier *m*.

pillar box *n* *Br* boîte *f* aux lettres.

pillion [ˈpɪljən] *n* : to ride ~ monter derrière.

pillow [ˈpɪləʊ] *n (for bed)* oreiller *m*; *Am (on chair, sofa)* coussin *m*.

pillowcase [ˈpɪləʊkeɪs] *n* taie *f* d'oreiller.

pilot [ˈpaɪlət] *n* pilote *m*.

pilot light *n* veilleuse *f*.

pimple [ˈpɪmpl] *n* bouton *m*.

pin [pɪn] *n (for sewing)* épingle *f*; *(drawing pin)* punaise *f*; *(safety pin)* épingle *f* de nourrice; *Am (brooch)* broche *f*; *Am (badge)* badge *m*. ◆ *vt* épingler; a two-~ plug une prise à deux fiches; to have ~s and needles avoir des fourmis.

pinafore [ˈpɪnəfɔː] *n (apron)* tablier *m*; *Br (dress)* robe *f* chasuble.

pinball [ˈpɪnbɔːl] *n* flipper *m*.

pincers [ˈpɪnsəz] *npl (tool)* tenailles *fpl*.

pinch [pɪntʃ] *vt (squeeze)* pincer; *Br inf (steal)* piquer. ◆ *n (of salt)* pincée *f*.

pine [paɪn] *n* pin *m*. ◆ *adj* en pin.

pineapple [ˈpaɪnæpl] *n* ananas *m*.

pink [pɪŋk] *adj* rose. ◆ *n* rose *m*.

pinkie [ˈpɪŋkɪ] *n* *Am* petit doigt *m*.

PIN number *n* code *m* confidentiel.

pint [paɪnt] *n (in UK)* = 0,568 l, ≃ demi-litre *m*; *(in US)* = 0,473 l, ≃ demi-litre *m*; a ~ *(of beer)* un verre de bière de 0,568 l.

pip [pɪp] *n* pépin *m*.

pipe [paɪp] *n (for smoking)* pipe *f*; *(for gas, water)* tuyau *m*.

pipe cleaner *n* cure-pipe *m*.

pipeline [ˈpaɪplaɪn] *n (for gas)* gazoduc *m*; *(for oil)* oléoduc *m*.

pipe tobacco *n* tabac *m* pour pipe.

pirate [ˈpaɪrət] *n* pirate *m*.

piss [pɪs] *vi vulg* pisser. ◆ *n*: to

have a ~ *vulg* pisser ; **it's ~ing down** *vulg* il pleut comme vache qui pisse.

pissed [pɪst] *adj Br vulg (drunk)* bourré(e) ; *Am vulg (angry)* en rogne.

pissed off *adj vulg* : **to be ~** en avoir ras le bol.

pistachio [pɪ'stɑːʃɪəʊ] *n* pistache *f*. ◆ *adj (flavour)* à la pistache.

pistol ['pɪstl] *n* pistolet *m*.

piston ['pɪstən] *n* piston *m*.

pit [pɪt] *n (hole)* trou *m* ; *(coalmine)* mine *f* ; *(for orchestra)* fosse *f* ; *Am (in fruit)* noyau *m*.

pitch [pɪtʃ] *n Br* SPORT terrain *m*. ◆ *vt (throw)* jeter ; **to ~ a tent** monter une tente.

pitcher ['pɪtʃə'] *n (large jug)* cruche *f* ; *Am (small jug)* pot *m*.

pitfall ['pɪtfɔːl] *n* piège *m*.

pith [pɪθ] *n (of orange)* peau *f* blanche.

pitta (bread) ['pɪtə-] *n* pita *f*.

pitted ['pɪtɪd] *adj (olives)* dénoyauté(e).

pity ['pɪtɪ] *n (compassion)* pitié *f* ; **to have ~ on sb** avoir pitié de qqn ; **it's a ~ (that)** ... c'est dommage que ... ; **what a ~!** quel dommage !

pivot ['pɪvət] *n* pivot *m*.

pizza ['piːtsə] *n* pizza *f*.

pizzeria [ˌpiːtsə'riːə] *n* pizzeria *f*.

Pl. *(abbr of* Place*)* Pl.

placard ['plækɑːd] *n* placard *m*.

place [pleɪs] *n (location)* endroit *m* ; *(house)* maison *f* ; *(flat)* appartement *m* ; *(seat, position, in race, list)* place *f* ; *(at table)* couvert *m*. ◆ *vt (put)* placer ; *(an order)* passer ; **at my ~** *(house, flat)* chez moi ; **in the first ~** premièrement ; **to take**

~ avoir lieu ; **to take sb's ~** *(replace)* prendre la place de qqn ; **all over the ~** partout ; **in ~ of** au lieu de ; **to ~ a bet** parier.

place mat *n* set *m* (de table).

placement ['pleɪsmənt] *n (work experience)* stage *m* (en entreprise).

place of birth *n* lieu *m* de naissance.

plague [pleɪg] *n* peste *f*.

plaice [pleɪs] *n* carrelet *m*.

plain [pleɪn] *adj (not decorated)* uni(e) ; *(simple)* simple ; *(yoghurt)* nature *(inv)* ; *(clear)* clair(e) ; *(paper)* non réglé(e) ; *pej (not attractive)* quelconque. ◆ *n* plaine *f*.

plain chocolate *n* chocolat *m* à croquer.

plainly ['pleɪnlɪ] *adv (obviously)* manifestement ; *(distinctly)* clairement.

plait [plæt] *n* natte *f*. ◆ *vt* tresser.

plan [plæn] *n* plan *m*, projet *m* ; *(drawing)* plan. ◆ *vt (organize)* organiser ; **have you any ~s for tonight?** as-tu quelque chose de prévu pour ce soir? ; **according to ~** comme prévu ; **to ~ to do sthg, to ~ on doing sthg** avoir l'intention de faire qqch.

plane [pleɪn] *n (aeroplane)* avion *m* ; *(tool)* rabot *m*.

planet ['plænɪt] *n* planète *f*.

plank [plæŋk] *n* planche *f*.

plant [plɑːnt] *n* plante *f* ; *(factory)* usine *f*. ◆ *vt* planter.

plaque [plɑːk] *n (plate)* plaque *f* ; *(on teeth)* plaque *f* dentaire.

plaster ['plɑːstə'] *n Br (for cut)* pansement *m* ; *(for walls)* plâtre *m* ; **in ~** *(arm, leg)* dans le plâtre.

plaster cast *n* plâtre *m*.

plastic ['plæstɪk] n plastique m.
◆ adj en plastique.

plastic bag n sac m (en) plastique.

Plasticine® ['plæstɪsiːn] n Br pâte f à modeler.

plate [pleɪt] n assiette f ; (for serving food) plat m ; (of metal, glass) plaque f.

plateau ['plætəʊ] n plateau m.

plate-glass adj fait(e) d'une seule vitre.

platform ['plætfɔːm] n (at railway station) quai m ; (raised structure) plate-forme f.

platinum ['plætɪnəm] n platine m.

platter ['plætə'] n (of food) plateau m.

play [pleɪ] vt (sport, game) jouer à ; (musical instrument) jouer de ; (piece of music, role) jouer ; (opponent) jouer contre ; (CD, tape, record) passer. ◆ vi jouer. ◆ n (in theatre) pièce f (de théâtre) ; (on TV) dramatique f. ❑ **play back** vt sep repasser. ❑ **play up** vi (machine, car) faire des siennes.

player ['pleɪə'] n joueur m, -euse f ; piano ~ pianiste mf.

playful ['pleɪfʊl] adj joueur(euse).

playground ['pleɪgraʊnd] n (in school) cour f de récréation ; (in park etc) aire f de jeux.

playing card ['pleɪɪŋ-] n carte f à jouer.

playing field ['pleɪɪŋ-] n terrain m de sport.

playroom ['pleɪrʊm] n salle f de jeux.

playschool ['pleɪskuːl] = playgroup.

playtime ['pleɪtaɪm] n récréation f.

playwright ['pleɪraɪt] n auteur m dramatique.

plc Br (abbr of public limited company) ≃ SARL.

pleasant ['plezənt] adj agréable.

please [pliːz] adv s'il te/vous plaît. ◆ vt faire plaisir à ; yes ~! oui, s'il te/vous plaît! ; whatever you ~ ce que vous voulez ; '~ shut the door' 'veuillez fermer la porte'.

pleased [pliːzd] adj content(e) ; to be ~ with être content de ; ~ to meet you! enchanté(e)!

pleasure ['pleʒə'] n plaisir m ; with ~ avec plaisir, volontiers ; it's a ~! je vous en prie!

pleat [pliːt] n pli m.

pleated ['pliːtɪd] adj plissé(e).

plentiful ['plentɪfʊl] adj abondant(e).

plenty ['plentɪ] pron : there's ~ il y en a largement assez ; ~ of beaucoup de.

pliers ['plaɪəz] npl pince f.

plonk [plɒŋk] n Br inf (wine) pinard m.

plot [plɒt] n (scheme) complot m ; (of story, film, play) intrigue f ; (of land) parcelle f de terrain.

plough [plaʊ] n Br charrue f. ◆ vt Br labourer.

ploughman's (lunch) ['plaʊmənz-] n Br assiette composée de fromage et de pickles accompagnés de pain, généralement servie dans les pubs.

plow [plaʊ] Am = plough.

ploy [plɔɪ] n ruse f.

pluck [plʌk] vt (eyebrows) épiler ; (chicken) plumer.

plug

plug [plʌg] n (electrical) prise f (de courant) ; (for bath, sink) bonde f. ❏ **plug in** vt sep brancher.

plughole ['plʌghəʊl] n bonde f.

plum [plʌm] n prune f.

plumber ['plʌmə^r] n plombier m.

plumbing ['plʌmɪŋ] n (pipes) plomberie f.

plump [plʌmp] adj dodu(e).

plunge [plʌndʒ] vi (fall, dive) plonger ; (decrease) dégringoler.

plunger ['plʌndʒə^r] n (for unblocking pipe) déboucheur m à ventouse.

pluperfect (tense) [ˌpluːˈpɜːfɪkt-] n : **the ~** le plus-que-parfait.

plural ['plʊərəl] n pluriel m ; **in the ~** au pluriel.

plus [plʌs] prep plus. ◆ adj : 30 ~ 30 ou plus.

plush [plʌʃ] adj luxueux(euse).

plywood ['plaɪwʊd] n contreplaqué m.

p.m. (abbr of post meridiem) : 3 ~ 15 h.

PMT n (abbr of premenstrual tension) syndrome m prémenstruel.

pneumatic drill [njuːˈmætɪk-] n marteau m piqueur.

pneumonia [njuːˈməʊnjə] n pneumonie f.

poached egg [pəʊtʃt-] n œuf m poché.

poached salmon [pəʊtʃt-] n saumon m poché.

poacher ['pəʊtʃə^r] n braconnier m.

PO Box n (abbr of Post Office Box) BP f.

pocket ['pɒkɪt] n poche f ; (on car

door) vide-poche m. ◆ adj (camera, calculator) de poche.

pocketbook ['pɒkɪtbʊk] n (notebook) carnet m ; Am (handbag) sac m à main.

pocket money n Br argent m de poche.

podiatrist [pəˈdaɪətrɪst] n Am pédicure mf.

poem ['pəʊɪm] n poème m.

poet ['pəʊɪt] n poète m.

poetry ['pəʊɪtrɪ] n poésie f.

point [pɔɪnt] n point m ; (tip) pointe f ; (place) endroit m ; (moment) moment m ; (purpose) but m ; Br (for plug) prise f. ◆ vi : to ~ to (with finger) montrer du doigt ; (arrow, sign) pointer vers ; **five ~ seven** cinq virgule sept ; **what's the ~?** à quoi bon? ; **there's no ~** ça ne sert à rien ; **to be on the ~ of doing sthg** être sur le point de faire qqch. ❏ **points** npl Br (on railway) aiguillage m. ❏ **point out** vt sep (object, person) montrer ; (fact, mistake) signaler.

pointed ['pɔɪntɪd] adj (in shape) pointu(e).

pointless ['pɔɪntlɪs] adj inutile.

point of view n point m de vue.

poison ['pɔɪzn] n poison m. ◆ vt empoisonner.

poisoning ['pɔɪznɪŋ] n empoisonnement m.

poisonous ['pɔɪznəs] adj (food, gas, substance) toxique ; (snake, spider) venimeux(euse) ; (plant, mushroom) vénéneux(euse).

poke [pəʊk] vt pousser.

poker ['pəʊkə^r] n (card game) poker m.

pop socks

polar bear ['pəʊlə-] n ours m blanc OR polaire.

pole [pəʊl] n poteau m.

police [pə'liːs] npl : the ~ la police.

police car n voiture f de police.

police force n police f.

policeman [pə'liːsmən] (pl -men [-mən]) n policier m.

police officer n policier m.

police station n poste m de police, commissariat m.

policewoman [pə'liːs,wʊmən] (pl -women [-,wɪmɪn]) n femme f policier.

policy ['pɒləsɪ] n (approach, attitude) politique f ; (for insurance) police f.

policy-holder n assuré m, -e f.

polio ['pəʊlɪəʊ] n polio f.

polish ['pɒlɪʃ] n (for shoes) cirage m ; (for floor, furniture) cire f. ◆ vt cirer.

polite [pə'laɪt] adj poli(e).

political [pə'lɪtɪkl] adj politique.

politician [,pɒlɪ'tɪʃn] n homme m politique, femme f politique.

politics ['pɒlətɪks] n politique f.

poll [pəʊl] n (survey) sondage m ; the ~s (election) les élections.

pollen ['pɒlən] n pollen m.

pollute [pə'luːt] vt polluer.

pollution [pə'luːʃn] n pollution f.

polo neck ['pəʊləʊ-] n Br (jumper) pull m à col roulé.

polyester [,pɒlɪ'estər] n polyester m.

polystyrene [,pɒlɪ'staɪriːn] n polystyrène m.

polytechnic [,pɒlɪ'teknɪk] n en Grande-Bretagne, établissement supérieur ; depuis 1993, la plupart ont acquis le statut d'université.

polythene bag ['pɒlɪθiːn-] n sac m (en) plastique.

pomegranate ['pɒmɪ,grænɪt] n grenade f.

pompous ['pɒmpəs] adj prétentieux(ieuse).

pond [pɒnd] n mare f ; (in park) bassin m.

pony ['pəʊnɪ] n poney m.

ponytail ['pəʊnɪteɪl] n queue-de-cheval f.

pony-trekking [-,trekɪŋ] n Br randonnée f à dos de poney.

poodle ['puːdl] n caniche m.

pool [puːl] n (for swimming) piscine f ; (of water, blood, milk) flaque f ; (small pond) mare f ; (game) billard m américain. ❑ **pools** npl Br : the ~s ≃ le loto sportif.

poor [pɔːr] adj pauvre ; (bad) mauvais(e). ◆ npl : the ~ les pauvres mpl.

poorly ['pɔːlɪ] adj Br (ill) malade. ◆ adv mal.

pop [pɒp] n (music) pop f. ◆ vt inf (put) mettre. ◆ vi (balloon) éclater ; my ears popped mes oreilles se sont débouchées. ❑ **pop in** vi Br (visit) faire un saut.

popcorn ['pɒpkɔːn] n pop-corn m inv.

Pope [pəʊp] n : the ~ le pape.

pop group n groupe m pop.

poplar (tree) ['pɒplə-] n peuplier m.

pop music n pop f.

popper ['pɒpər] n Br bouton-pression m.

poppy ['pɒpɪ] n coquelicot m.

Popsicle® ['pɒpsɪkl] n Am sucette f glacée.

pop socks npl mi-bas mpl.

pop star n pop star f.

popular ['pɒpjʊlə'] adj populaire.

popularity [ˌpɒpjʊ'lærətɪ] n popularité f.

populated ['pɒpjʊleɪtɪd] adj peuplé(e).

population [ˌpɒpjʊ'leɪʃn] n population f.

porcelain ['pɔːsəlɪn] n porcelaine f.

porch [pɔːtʃ] n (entrance) porche m ; Am (outside house) véranda f.

pork [pɔːk] n porc m.

pork chop n côte f de porc.

pornographic [ˌpɔːnə'græfɪk] adj pornographique.

porridge ['pɒrɪdʒ] n porridge m.

port [pɔːt] n port m ; (drink) porto m.

portable ['pɔːtəbl] adj portable.

porter ['pɔːtə'] n (at hotel, museum) portier m ; (at station, airport) porteur m.

portion ['pɔːʃn] n portion f.

portrait ['pɔːtreɪt] n portrait m.

pose [pəʊz] vt (problem) poser ; (threat) représenter ♦ vi (for photo) poser.

posh [pɒʃ] adj inf chic.

position [pə'zɪʃn] n position f ; (place, situation, job) situation f ; '~ closed' (in bank, post office etc) 'guichet fermé'.

positive ['pɒzətɪv] adj positif(ive) ; (certain, sure) certain(e).

possess [pə'zes] vt posséder.

possession [pə'zeʃn] n possession f.

possessive [pə'zesɪv] adj possessif(ive).

possibility [ˌpɒsə'bɪlətɪ] n possibilité f.

possible ['pɒsəbl] adj possible ; it's ~ that we may be late il se peut que nous soyons en retard ; would it be ~ ...? serait-il possible ...? ; as much as ~ autant que possible ; if ~ si possible.

possibly ['pɒsəblɪ] adv (perhaps) peut-être.

post [pəʊst] n (system) poste f ; (letters and parcels, delivery) courrier m ; (pole) poteau m ; fml (job) poste m. ♦ vt poster ; by ~ par la poste ; COMPUT (message, question, advertisement) envoyer sur Internet.

postage ['pəʊstɪdʒ] n affranchissement m ; ~ and packing frais de port et d'emballage ; ~ paid port payé.

postage stamp n fml timbre-poste m.

postal order ['pəʊstl-] n mandat m postal.

postbox ['pəʊstbɒks] n Br boîte f aux OR à lettres.

postcard ['pəʊstkɑːd] n carte f postale.

postcode ['pəʊstkəʊd] n Br code m postal.

poster ['pəʊstə'] n poster m ; (for advertising) affiche f.

post-free adv en port payé.

postgraduate [ˌpəʊst'grædʒʊət] n étudiant m, -e f.

Post-it (note)® n Post-it® m.

postman ['pəʊstmən] (pl -men [-mən]) n facteur m.

postmark ['pəʊstmɑːk] n cachet m de la poste.

post office n (building) bureau

m de poste ; **the Post Office** *Br* la poste.

postpone [ˌpəʊst'pəʊn] *vt* reporter.

posture ['pɒstʃə'] *n* posture *f*.

postwoman ['pəʊst‚wʊmən] (*pl* **-women** [-‚wɪmɪn]) *n* factrice *f*.

pot [pɒt] *n* (*for cooking*) marmite *f* ; (*for jam, paint*) pot *m* ; (*for coffee*) cafetière *f* ; (*for tea*) théière *f* ; (*fam*) (*cannabis*) herbe *f* ; **a ~ of tea** une théière.

potato [pə'teɪtəʊ] (*pl* **-es**) *n* pomme *f* de terre.

potato salad *n* salade *f* de pommes de terre.

potential [pə'tenʃl] *adj* potentiel(ielle). ◆ *n* possibilités *fpl*.

pothole ['pɒthəʊl] *n* (*in road*) nid-de-poule *m*.

pot plant *n* plante *f* d'appartement.

potted ['pɒtɪd] *adj* (*meat, fish*) en terrine ; (*plant*) en pot.

pottery ['pɒtərɪ] *n* (*clay objects*) poteries *fpl* ; (*craft*) poterie *f*.

potty ['pɒtɪ] *n* pot *m* (de chambre).

pouch [paʊtʃ] *n* (*for money*) bourse *f*.

poultry ['pəʊltrɪ] *n* & *npl* (*meat, animals*) volaille *f*.

pound [paʊnd] *n* (*unit of money*) livre *f* ; (*unit of weight*) ≃ livre *f* = 453,6 grammes. ◆ *vi* (*heart*) battre fort.

pour [pɔː'] *vt* verser. ◆ *vi* (*flow*) couler à flot ; **it's ~ing** (*with rain*) il pleut à verse. □ **pour out** *vt sep* (*drink*) verser.

poverty ['pɒvətɪ] *n* pauvreté *f*.

powder ['paʊdə'] *n* poudre *f*.

power ['paʊə'] *n* pouvoir *m* ;

(*strength, force*) puissance *f* ; (*energy*) énergie *f* ; (*electricity*) courant *m*. ◆ *vt* faire marcher ; **to be in ~** être au pouvoir.

power cut *n* coupure *f* de courant.

power failure *n* panne *f* de courant.

powerful ['paʊəfʊl] *adj* puissant(e).

power point *n* *Br* prise *f* de courant.

power station *n* centrale *f* électrique.

power steering *n* direction *f* assistée.

practical ['præktɪkl] *adj* pratique.

practically ['præktɪklɪ] *adv* pratiquement.

practice ['præktɪs] *n* (*training*) entraînement *m* ; (*of doctor*) cabinet *m* ; (*of lawyer*) étude *f* ; (*regular activity, custom*) pratique *f*. ◆ *vt Am* = **practise**.

practise ['præktɪs] *vt* (*sport, technique*) s'entraîner à ; (*music*) s'exercer à. ◆ *vi* (*train*) s'entraîner ; (*of music*) s'exercer ; (*doctor, lawyer*) exercer. ◆ *n Am* = **practice**.

praise [preɪz] *n* éloge *m*. ◆ *vt* louer.

pram [præm] *n Br* landau *m*.

prank [præŋk] *n* farce *f*.

prawn [prɔːn] *n* crevette *f* (rose).

prawn cocktail *n* hors-d'œuvre froid à base de crevettes et de mayonnaise au ketchup.

prawn cracker *n* beignet de crevette.

pray [preɪ] *vi* prier ; **to ~ for good weather** prier pour qu'il fasse beau.

prayer [preə'] *n* prière *f*.

precarious [prɪ'keərɪəs] *adj* précaire.

precaution [prɪ'kɔːʃn] *n* précaution *f*.

precede [prɪ'siːd] *vt fml* précéder.

preceding [prɪ'siːdɪŋ] *adj* précédent(e).

precinct ['priːsɪŋkt] *n* Br (for shopping) quartier *m* ; Am (area of town) circonscription *f* administrative.

precious ['preʃəs] *adj* précieux(ieuse).

precious stone *n* pierre *f* précieuse.

precipice ['presɪpɪs] *n* précipice *m*.

precise [prɪ'saɪs] *adj* précis(e).

precisely [prɪ'saɪslɪ] *adv* précisément.

predecessor ['priːdɪsesər] *n* prédécesseur *m*.

predicament [prɪ'dɪkəmənt] *n* situation *f* difficile.

predict [prɪ'dɪkt] *vt* prédire.

predictable [prɪ'dɪktəbl] *adj* prévisible.

prediction [prɪ'dɪkʃn] *n* prédiction *f*.

preface ['prefɪs] *n* préface *f*.

prefect ['priːfekt] *n* Br (at school) élève choisi parmi les plus âgés pour prendre en charge la discipline.

prefer [prɪ'fɜːr] *vt* : to ~ sthg (to) préférer qqch (à) ; to ~ to do sthg préférer faire qqch.

preferable ['prefrəbl] *adj* préférable.

preferably ['prefrəblɪ] *adv* de préférence.

preference ['prefərəns] *n* préférence *f*.

prefix ['priːfɪks] *n* préfixe *m*.

pregnancy ['pregnənsɪ] *n* grossesse *f*.

pregnant ['pregnənt] *adj* enceinte.

prejudice ['predʒʊdɪs] *n* préjugé *m*.

prejudiced ['predʒʊdɪst] *adj* plein(e) de préjugés.

preliminary [prɪ'lɪmɪnərɪ] *adj* préliminaire.

premature ['premətjʊər] *adj* prématuré(e).

premier ['premjər] *adj* le plus prestigieux (la plus prestigieuse). ◆ *n* Premier ministre *m*.

premiere ['premɪeər] *n* première *f*.

premises ['premɪsɪz] *npl* locaux *mpl*.

premium ['priːmjəm] *n (for insurance)* prime *f*.

premium-quality *adj (meat)* de première qualité.

preoccupied [priː'ɒkjʊpaɪd] *adj* préoccupé(e).

prepacked [priː'pækt] *adj* préemballé(e).

prepaid ['priːpeɪd] *adj (envelope)* pré-timbré(e).

preparation [prepə'reɪʃn] *n* préparation *f*. ❑ **preparations** *npl (arrangements)* préparatifs *mpl*.

preparatory school [prɪ'pærətrɪ-] *n (in UK)* école *f* primaire privée ; *(in US)* école privée qui prépare à l'enseignement supérieur.

prepare [prɪ'peər] *vt* préparer. ◆ *vi* se préparer.

prepared [prɪ'peəd] *adj* prêt(e) ; to be ~ to do sthg être prêt à faire qqch.

preposition [ˌprepəˈzɪʃn] n préposition f.

prep school [prep-] = **preparatory school**.

prescribe [prɪˈskraɪb] vt prescrire.

prescription [prɪˈskrɪpʃn] n (paper) ordonnance f ; (medicine) médicaments mpl.

presence [ˈprezns] n présence f ; in sb's ~ en présence de qqn.

present [adj & n ˈpreznt, vb prɪˈzent] adj (in attendance) présent(e) ; (current) actuel(elle). ◆ n (gift) cadeau m. ◆ vt présenter ; (give) remettre ; (problem) poser ; the ~ (tense) GRAMM le présent ; at ~ actuellement ; to ~ sb to sb présenter qqn à qqn.

presentable [prɪˈzentəbl] adj présentable.

presentation [ˌpreznˈteɪʃn] n présentation f ; (ceremony) remise f.

presenter [prɪˈzentəʳ] n présentateur m, -trice f.

presently [ˈprezntlɪ] adv (soon) bientôt ; (now) actuellement.

preservation [ˌprezəˈveɪʃn] n conservation f.

preservative [prɪˈzɜːvətɪv] n conservateur m.

preserve [prɪˈzɜːv] n (jam) confiture f. ◆ vt conserver ; (peace, dignity) préserver.

president [ˈprezɪdənt] n président m.

press [pres] vt (push) presser, appuyer sur ; (iron) repasser. ◆ n : the ~ la presse ; to ~ sb to do sthg presser qqn de faire qqch.

press conference n conférence f de presse.

press-stud n bouton-pression m.

press-up n pompe f.

pressure [ˈpreʃəʳ] n pression f.

pressure cooker n Cocotte-Minute® f.

prestigious [preˈstɪdʒəs] adj prestigieux(ieuse).

presumably [prɪˈzjuːməblɪ] adv vraisemblablement.

presume [prɪˈzjuːm] vt (assume) supposer.

pretend [prɪˈtend] vt : to ~ to do sthg faire semblant de faire qqch.

pretentious [prɪˈtenʃəs] adj prétentieux(ieuse).

pretty [ˈprɪtɪ] adj (attractive) joli(e). ◆ adv inf (quite) assez ; (very) très.

prevent [prɪˈvent] vt empêcher ; to ~ sb/sthg from doing sthg empêcher qqn/qqch de faire qqch.

prevention [prɪˈvenʃn] n prévention f.

preview [ˈpriːvjuː] n (of film) avant-première f ; (short description) aperçu m.

previous [ˈpriːvjəs] adj (earlier) antérieur(e) ; (preceding) précédent(e).

previously [ˈpriːvjəslɪ] adv auparavant.

price [praɪs] n prix m. ◆ vt : to be ~d at coûter.

priceless [ˈpraɪslɪs] adj (expensive) hors de prix ; (valuable) inestimable.

price list n tarif m.

pricey [ˈpraɪsɪ] adj inf chérot.

prick [prɪk] vt piquer.

prickly [ˈprɪklɪ] adj (plant, bush) épineux(euse).

prickly heat n boutons mpl de chaleur.

pride [praɪd] n (satisfaction) fierté f ; (self-respect, arrogance) orgueil m. ◆ vt : to ~ o.s. on sthg être fier de qqch.

priest [priːst] n prêtre m.

primarily ['praɪmərɪlɪ] adv principalement.

primary school ['praɪmərɪ-] n école f primaire.

prime [praɪm] adj (chief) principal(e) ; (beef, cut) de premier choix ; ~ quality qualité supérieure.

prime minister n Premier ministre m.

primitive ['prɪmɪtɪv] adj primitif(ive).

primrose ['prɪmrəʊz] n primevère f.

prince [prɪns] n prince m.

princess [prɪnˈses] n princesse f.

principal ['prɪnsəpl] adj principal(e). ◆ n (of school) directeur m, -trice f ; (of university) doyen m, -enne f.

principle ['prɪnsəpl] n principe m ; in ~ en principe.

print [prɪnt] n (words) caractères mpl ; (photo) tirage m ; (of painting) reproduction f ; (mark) empreinte f. ◆ vt (book, newspaper) imprimer ; (publish) publier ; (write) écrire (en caractères d'imprimerie) ; (photo) tirer ; out of ~ épuisé. ❑ **print out** vt sep imprimer.

printed matter ['prɪntɪd-] n imprimés mpl.

printer ['prɪntə'] n (machine) imprimante f ; (person) imprimeur m.

printout ['prɪntaʊt] n sortie f papier.

prior ['praɪə'] adj (previous) précédent(e) ; ~ to fml avant.

priority [praɪˈɒrətɪ] n priorité f ; to have ~ over avoir la priorité sur.

prison ['prɪzn] n prison f.

prisoner ['prɪznə'] n prisonnier m, -ière f.

prisoner of war n prisonnier m de guerre.

prison officer n gardien m de prison.

privacy ['prɪvəsɪ] n intimité f.

private ['praɪvɪt] adj privé(e) ; (bathroom, lesson) particulier(ière) ; (confidential) confidentiel(ielle) ; (place) tranquille. ◆ n MIL (simple) soldat m ; in ~ en privé.

private health care n assurance-maladie f privée.

private property n propriété f privée.

private school n école f privée.

privilege ['prɪvɪlɪdʒ] n privilège m ; it's a ~ ! c'est un honneur !

prize [praɪz] n prix m.

prize-giving [-ˌgɪvɪŋ] n remise f des prix.

pro [prəʊ] (pl -s) n inf (professional) pro mf. ❑ **pros** npl : the ~s and cons le pour et le contre.

probability [ˌprɒbəˈbɪlətɪ] n probabilité f.

probable ['prɒbəbl] adj probable.

probably ['prɒbəblɪ] adv probablement.

probation officer [prəˈbeɪʃn-] n ≃ agent m de probation.

problem ['prɒbləm] n problème m ; no ~ ! inf pas de problème !

procedure [prə'si:dʒə'] n procédure f.

proceed [prə'si:d] vi (fml) (continue) continuer ; (act) procéder ; (advance) avancer.

proceeds ['prəʊsi:dz] npl recette f.

process ['prəʊses] n (series of events) processus m ; (method) procédé m ; to be in the ~ of doing sthg être en train de faire qqch.

processed cheese ['prəʊsest-] n (for spreading) fromage m à tartiner ; (in slices) fromage en tranches.

procession [prə'seʃn] n procession f.

prod [prɒd] vt (poke) pousser.

produce [vb prə'dju:s, n 'prɒdju:s] vt produire ; (cause) provoquer. ◆ n produits mpl (alimentaires).

producer [prə'dju:sə'] n producteur m, -trice f.

product ['prɒdʌkt] n produit m.

production [prə'dʌkʃn] n production f.

productivity [ˌprɒdʌk'tɪvətɪ] n productivité f.

profession [prə'feʃn] n profession f.

professional [prə'feʃənl] adj professionel(elle). ◆ n professionnel m, -elle f.

professor [prə'fesə'] n (in UK) professeur m (d'université) ; (in US) ≃ maître m de conférences.

profile ['prəʊfaɪl] n (silhouette, outline) profil m ; (description) portrait m.

profit ['prɒfɪt] n profit m. ◆ vi : to ~ (from) profiter (de).

profitable ['prɒfɪtəbl] adj profitable.

profiteroles [prə'fɪtərəʊlz] npl profiteroles fpl.

profound [prə'faʊnd] adj profond(e).

program ['prəʊgræm] n COMPUT programme m ; Am = programme. ◆ vt COMPUT programmer.

programme ['prəʊgræm] n [Br] (of events, booklet) programme m ; (on TV, radio) émission f.

progress [n 'prəʊgres, vb prə'gres] n (improvement) progrès m ; (forward movement) progression f. ◆ vi (work, talks, student) progresser ; (day, meeting) avancer ; to make ~ (improve) faire des progrès ; (in journey) avancer ; in ~ en progrès.

progressive [prə'gresɪv] adj (forward-looking) progressiste.

prohibit [prə'hɪbɪt] vt interdire ; 'smoking strictly ~ed' 'défense absolue de fumer'.

project ['prɒdʒekt] n projet m.

projector [prə'dʒektə'] n projecteur m.

prolong [prə'lɒŋ] vt prolonger.

prom [prɒm] n Am (dance) bal m (d'étudiants).

promenade [ˌprɒmə'nɑ:d] n Br (by the sea) promenade f.

prominent ['prɒmɪnənt] adj (person) important(e) ; (teeth, chin) proéminent(e).

promise ['prɒmɪs] n promesse f. ◆ vt & vi promettre ; to show ~ promettre ; I ~ (that) I'll come je promets que je viendrai ; to ~ sb sthg promettre qqch à qqn ; to ~ to do sthg promettre de faire qqch.

promising ['promɪsɪŋ] *adj* prometteur(euse).

promote [prə'məʊt] *vt* promouvoir.

promotion [prə'məʊʃn] *n* promotion *f*.

prompt [prɒmpt] *adj* rapide. ◆ *adv* : at six o'clock ~ à six heures pile.

prone [prəʊn] *adj* : to be ~ to sthg être sujet à qqch ; to be ~ to do sthg avoir tendance à faire qqch.

prong [prɒŋ] *n* (of fork) dent *f*.

pronoun ['prəʊnaʊn] *n* pronom *m*.

pronounce [prə'naʊns] *vt* prononcer.

pronunciation [prə,nʌnsɪ'eɪʃn] *n* prononciation *f*.

proof [pru:f] *n* (evidence) preuve *f* ; 12% ~ 12 degrés.

prop [prɒp] : **prop up** *vt sep* soutenir.

propeller [prə'pelə'] *n* hélice *f*.

proper ['prɒpə'] *adj* (suitable) adéquat(e) ; (correct) bon (bonne) ; (behaviour) correct(e).

properly ['prɒpəlɪ] *adv* correctement.

property ['prɒpətɪ] *n* propriété *f*.

proportion [prə'pɔːʃn] *n* (part, amount) partie *f* ; (ratio, in art) proportion *f*.

proposal [prə'pəʊzl] *n* proposition *f*.

propose [prə'pəʊz] *vt* proposer. ◆ *vi* : to ~ to sb demander qqn en mariage.

proposition [,prɒpə'zɪʃn] *n* proposition *f*.

proprietor [prə'praɪətə'] *n fml* propriétaire *f*.

prose [prəʊz] *n* (not poetry) prose *f* ; SCH thème *m*.

prosecution [,prɒsɪ'kjuːʃn] *n* JUR (charge) accusation *f*.

prospect [prɒspekt] *n* (possibility) possibilité *f* ; I don't relish the ~ cette perspective ne m'enchante guère. ❑ **prospects** *npl* (for the future) perspectives *fpl*.

prospectus [prə'spektəs] (*pl* -es) *n* prospectus *m*.

prosperous ['prɒspərəs] *adj* prospère.

prostitute ['prɒstɪtjuːt] *n* prostituée *f*.

protect [prə'tekt] *vt* protéger ; to ~ sb/sthg from protéger qqn/qqch contre OR de ; to ~ sb/sthg against protéger qqn/qqch contre OR de.

protection [prə'tekʃn] *n* protection *f*.

protection factor *n* (of suntan lotion) indice *m* de protection.

protective [prə'tektɪv] *adj* protecteur(trice).

protein ['prəʊtiːn] *n* protéines *fpl*.

protest [*n* 'prəʊtest, *vb* prə'test] *n* (complaint) protestation *f* ; (demonstration) manifestation *f*. ◆ *vt* Am (complain) protester ne m'enchante contre. ◆ *vi* : to ~ (against) protester (contre).

Protestant ['prɒtɪstənt] *n* protestant *m*, -e *f*.

protester [prə'testə'] *n* manifestant *m*, -e *f*.

protrude [prə'truːd] *vi* dépasser.

proud [praʊd] *adj* fier (fière) ; to be ~ of être fier de.

prove [pruːv] (*pp* -d OR **proven** ['pruːvn]) *vt* prouver ; (turn out to be) se révéler.

proverb ['prɒvɜːb] *n* proverbe *m*.

provide [prə'vaɪd] *vt* fournir ; to ~ sb with sthg (*information, equipment*) fournir qqch à qqn. ❏ **provide for** *vt fus (person)* subvenir aux besoins de.

provided (that) [prə'vaɪdɪd-] *conj* pourvu que.

providing (that) [prə'vaɪdɪŋ-] = provided (that).

province ['prɒvɪns] *n* province *f*.

provisional [prə'vɪʒənl] *adj* provisoire.

provisions [prə'vɪʒnz] *npl* provisions *fpl*.

provocative [prə'vɒkətɪv] *adj* provocant(e).

provoke [prə'vəʊk] *vt* provoquer.

prowl [praʊl] *vi* rôder.

prune [pruːn] *n* pruneau *m*. ◆ *vt (tree, bush)* tailler.

PS (*abbr of* postscript) P.-S.

psychiatrist [saɪ'kaɪətrɪst] *n* psychiatre *mf*.

psychic ['saɪkɪk] *adj* doué(e) de seconde vue.

psychological [ˌsaɪkə'lɒdʒɪkl] *adj* psychologique.

psychologist [saɪ'kɒlədʒɪst] *n* psychologue *mf*.

psychology [saɪ'kɒlədʒɪ] *n* psychologie *f*.

psychotherapist [ˌsaɪkəʊ-'θerəpɪst] *n* psychothérapeute *mf*.

pt *abbr* = pint.

PTO (*abbr of* please turn over) TSVP.

pub [pʌb] *n* pub *m*.

PUB

Le pub joue un rôle très important dans la vie sociale des Britanniques, qui le fréquentent assidûment le vendredi et le samedi soir. C'est le principal lieu de rencontre dans les communautés rurales. L'accès pour les mineurs y est limité mais les règles changent d'un pub à l'autre. Les horaires d'ouverture sont soumis à une régulation moins stricte qu'auparavant et, de nos jours, la majorité des pubs ouvrent de 11 heures du matin à 11 heures du soir. Ce sont des lieux où on peut également se restaurer, en particulier à midi en demandant le plat du jour.

puberty ['pjuːbətɪ] *n* puberté *f*.

public ['pʌblɪk] *adj* public(ique). ◆ *n* : the ~ le public ; in ~ en public.

publican ['pʌblɪkən] *n Br* patron *m*, -onne *f* de pub.

publication [ˌpʌblɪ'keɪʃn] *n* publication *f*.

public bar *n Br* bar *m (salle moins confortable et moins chère que le 'lounge bar' ou le 'saloon bar')*.

public convenience *n Br* toilettes *fpl* publiques.

public footpath *n Br* sentier *m* public.

public holiday *n* jour *m* férié.

public house *n Br fml* pub *m*.

publicity [pʌb'lɪsɪtɪ] *n* publicité *f*.

public school *n (in UK)* école *f* privée ; *(in US)* école *f* publique.

public telephone *n* téléphone *m* public.

public transport n transports mpl en commun.

publish ['pʌblɪʃ] vt publier.

publisher ['pʌblɪʃə'] n (person) éditeur m, -trice f ; (company) maison f d'édition.

publishing ['pʌblɪʃɪŋ] n (industry) édition f.

pub lunch n repas de midi servi dans un pub.

pudding ['pudɪŋ] n (sweet dish) pudding m ; Br (course) dessert m.

puddle ['pʌdl] n flaque f.

puff [pʌf] n (of breathe heavily) souffler. ◆ n (of air, smoke) bouffée f ; to ~ at (cigarette, pipe) tirer sur.

puff pastry n pâte f à choux.

pull [pul] vt tirer ; (trigger) appuyer sur. ◆ vi tirer. ◆ n : to give sthg a ~ tirer sur qqch. ; to ~ a face faire une grimace ; to ~ a muscle se froisser un muscle ; 'pull' (on door) 'tirez'. ❑ **pull apart** vt sep (book) mettre en pièces ; (machine) démonter. ❑ **pull down** vt sep (blind) baisser ; (demolish) démolir. ❑ **pull in** vi (train) entrer en gare ; (car) se ranger. ❑ **pull out** ◆ vt sep (tooth, cork, plug) enlever. ◆ vi (train) partir ; (car) déboîter ; (withdraw) se retirer. ❑ **pull over** vi (car) se ranger. ❑ **pull up** ◆ vt sep (socks, trousers, sleeve) remonter. ◆ vi (stop) s'arrêter.

pulley ['puli] (pl -s) n poulie f.

pull-out n Am (beside road) aire f de stationnement.

pullover ['pul,əuvə'] n pull(-over) m.

pulpit ['pulpɪt] n chaire f.

pulse [pʌls] n MED pouls m.

pump [pʌmp] n pompe f.

❑ **pumps** npl (sports shoes) tennis mpl. ❑ **pump up** vt sep gonfler.

pumpkin ['pʌmpkɪn] n potiron m.

pun [pʌn] n jeu m de mots.

punch [pʌntʃ] n (blow) coup m de poing ; (drink) punch m. ◆ vt (hit) donner un coup de poing à ; (ticket) poinçonner.

punctual ['pʌŋktʃʊəl] adj ponctuel(elle).

punctuation [,pʌŋktʃʊ'eɪʃn] n ponctuation f.

puncture ['pʌŋktʃə'] n crevaison f. ◆ vt crever.

punish ['pʌnɪʃ] vt : to ~ sb (for sthg) punir qqn (de OR pour qqch.).

punishment ['pʌnɪʃmənt] n punition f.

punk [pʌŋk] n (person) punk mf ; (music) punk m.

punnet ['pʌnɪt] n Br barquette f.

pupil ['pju:pl] n (student) élève mf ; (of eye) pupille f.

puppet ['pʌpɪt] n marionnette f.

puppy ['pʌpɪ] n chiot m.

purchase ['pɜːtʃəs] vt fml acheter. ◆ n fml achat m.

pure [pjuə'] adj pur(e).

puree ['pjuəreɪ] n purée f.

purely ['pjuəlɪ] adv purement.

purity ['pjuərətɪ] n pureté f.

purple ['pɜːpl] adj violet(ette).

purpose ['pɜːpəs] n (reason) motif m ; (use) usage m ; on ~ exprès.

purr [pɜː'] vi ronronner.

purse [pɜːs] n Br (for money) porte-monnaie m inv ; Am (handbag) sac m à main.

pursue [pə'sju:] vt poursuivre.

pus [pʌs] n pus m.

push [puʃ] vt (shove) pousser ;

(button) appuyer sur, presser ; *(product)* promouvoir. ◆ **n** : to give sb/sthg a ~ pousser qqn/qqch ; to ~ sb into doing sthg pousser qqn à faire qqch ; 'push' *(on door)* 'poussez'. ❑ **push in** vi *(in queue)* se faufiler. ❑ **push off** vi inf *(go away)* dégager.

push-button telephone n téléphone m à touches.

pushchair ['pʊʃtʃeər] n Br poussette f.

pushed [pʊʃt] adj inf : to be ~ *(for time)* être pressé(e).

push-ups npl pompes fpl.

☞

put [pʊt] *(pt & pp put)* vt *(place)* poser, mettre ; *(responsibility)* rejeter ; *(express)* exprimer ; *(write)* mettre, écrire ; *(a question)* poser ; *(estimate)* estimer ; to ~ a child to bed mettre un enfant au lit ; to ~ money into sthg mettre de l'argent dans qqch. ❑ **put aside** vt sep *(money)* mettre de côté. ❑ **put away** vt sep *(tidy up)* ranger. ❑ **put back** vt sep *(replace)* remettre ; *(postpone)* repousser ; *(clock, watch)* retarder. ❑ **put down** vt sep *(on floor, table)* poser ; *(passenger)* déposer ; Br *(animal)* piquer ; *(deposit)* verser. ❑ **put forward** vt sep avancer. ❑ **put in** vt sep *(insert)* introduire ; *(install)* installer ; *(in container, bags)* mettre dedans. ❑ **put off** vt sep *(postpone)* reporter ; *(distract)* distraire ; *(repel)* dégoûter ; *(passenger)* déposer. ❑ **put on** vt sep *(clothes, make-up, CD)* mettre ; *(weight)* prendre ; *(television, light, radio)* allumer ;

(play, show) monter ; to ~ on weight grossir ; to ~ the kettle on mettre la bouilloire à chauffer. ❑ **put out** vt sep *(cigarette, fire, light)* éteindre ; *(publish)* publier ; *(arm, leg)* étendre ; *(hand)* tendre ; *(inconvenience)* déranger ; to ~ one's back out se déplacer une vertèbre. ❑ **put together** vt sep *(assemble)* monter ; *(combine)* réunir. ❑ **put up** vt sep *(building)* construire ; *(statue)* ériger ; *(tent)* monter ; *(umbrella)* ouvrir ; *(a notice)* afficher ; *(price, rate)* augmenter ; *(provide with accommodation)* loger. ◆ vi Br *(in hotel)* descendre. ❑ **put up with** vt fus supporter.

putting green ['pʌtɪŋ-] n green m.

putty ['pʌtɪ] n mastic m.

puzzle ['pʌzl] n *(game)* casse-tête m inv ; *(jigsaw)* puzzle m ; *(mystery)* énigme f. ◆ vt rendre perplexe.

puzzling ['pʌzlɪŋ] adj déconcertant(e).

pylon ['paɪlən] n pylône m.

pyramid ['pɪrəmɪd] n pyramide f.

Pyrenees [ˌpɪrə'niːz] npl : the ~ les Pyrénées fpl.

Q

quail [kweɪl] n caille f.

quail's eggs npl œufs mpl de caille.

quaint [kweɪnt] adj pittoresque.

qualification [ˌkwɒlɪfɪ'keɪʃn] n *(diploma)* diplôme m ; *(ability)* qualification f.

qualified ['kwɒlɪfaɪd] *adj* qualifié(e).

qualify ['kwɒlɪfaɪ] *vi (for competition)* se qualifier ; *(pass exam)* obtenir un diplôme.

quality ['kwɒlətɪ] *n* qualité f. ◆ *adj* de qualité.

quarantine ['kwɒrəntiːn] *n* quarantaine f.

quarrel ['kwɒrəl] *n* dispute f. ◆ *vi* se disputer.

quarry ['kwɒrɪ] *n* carrière f.

quart [kwɔːt] *n (in UK)* = 1,136 litres, ≃ litre m ; *(in US)* = 0,946 litre, ≃ litre.

quarter ['kwɔːtər] *n (fraction)* quart m ; *Am (coin)* pièce f de 25 cents ; *(4 ounces)* = 0,1134 kg, ≃ quart ; *(three months)* trimestre m ; *(part of town)* quartier m ; (a) - to five *Br* cinq heures moins le quart ; (a) - of five *Am* cinq heures moins le quart ; (a) - past five *Br* cinq heures et quart ; (a) - after five *Am* cinq heures et quart ; (a) - of an hour un quart d'heure.

quarterpounder [ˌkwɔːtə-'paʊndər] *n* steak haché épais.

quartet [kwɔːˈtet] *n (group)* quatuor m.

quartz [kwɔːts] *adj (watch)* à quartz.

quay [kiː] *n* quai m.

queasy ['kwiːzɪ] *adj inf* : to feel - avoir mal au cœur.

queen [kwiːn] *n* reine f ; *(in cards)* dame f.

queer [kwɪər] *adj (strange)* bizarre ; *inf (ill)* patraque ; *inf (homosexual)* homo.

quench [kwentʃ] *vt* : to - one's thirst étancher sa soif.

query ['kwɪərɪ] *n* question f.

question ['kwestʃn] *n* question f. ◆ *vt (person)* interroger ; it's out of the - c'est hors de question.

question mark *n* point m d'interrogation.

questionnaire [ˌkwestʃə'neər] *n* questionnaire m.

queue [kjuː] *n Br* queue f. ◆ *vi Br* faire la queue. ❑ **queue up** *vi Br* faire la queue.

quiche [kiːʃ] *n* quiche f.

quick [kwɪk] *adj* rapide. ◆ *adv* rapidement, vite.

quickly ['kwɪklɪ] *adv* rapidement, vite.

quid [kwɪd] *(pl inv)* *n Br inf (pound)* livre f.

quiet ['kwaɪət] *adj* silencieux(ieuse) ; *(calm, peaceful)* tranquille. ◆ *n* calme m ; in a - voice à voix basse ; keep -! chut!, taisez-vous! ; to keep - *(not say anything)* se taire ; to keep - about sthg ne pas parler de qqch.

quieten ['kwaɪətn] : **quieten down** *vi* se calmer.

quietly ['kwaɪətlɪ] *adv* silencieusement ; *(calmly)* tranquillement.

quilt [kwɪlt] *n (duvet)* couette f ; *(eiderdown)* édredon m.

quince [kwɪns] *n* coing m.

quirk [kwɜːk] *n* bizarrerie f.

quit [kwɪt] *(pt & pp quit)* *vi (resign)* démissionner ; *(give up)* abandonner. ◆ *vt Am (school, job)* quitter ; to - doing sthg arrêter de faire qqch.

quite [kwaɪt] *adv (fairly)* assez ; *(completely)* tout à fait ; not - pas tout à fait ; - a lot (of) pas mal (de).

quiz [kwɪz] *(pl -zes)* *n* jeu m *(basé*

sur des questions de culture générale).

quota ['kwəʊtə] n quota m.

quotation [kwəʊ'teɪʃn] n (phrase) citation f ; (estimate) devis m.

quotation marks npl guillemets mpl.

quote [kwəʊt] vt (phrase, writer) citer ; (price) indiquer. ◆ n (phrase) citation f ; (estimate) devis m.

R

rabbit ['ræbɪt] n lapin m.

rabies ['reɪbiːz] n rage f.

RAC n ≈ ACF m.

race [reɪs] n (competition) course f ; (ethnic group) race f. ◆ vi (compete) faire la course ; (go fast) aller à toute vitesse ; (engine) s'emballer. ◆ vt faire la course avec.

racecourse ['reɪskɔːs] n champ m de courses.

racehorse ['reɪshɔːs] n cheval m de course.

racetrack ['reɪstræk] n (for horses) champ m de courses.

racial ['reɪʃl] adj racial(e).

racing ['reɪsɪŋ] n : (horse) ~ courses fpl (de chevaux).

racing car n voiture f de course.

racism ['reɪsɪzm] n racisme m.

racist ['reɪsɪst] n raciste mf.

rack [ræk] n (for bottles) casier m ; (for coats) portemanteau m ; (for plates) égouttoir m ; (luggage) ~ (on car) galerie f ; (on bike) porte-bagages m inv ; ~ of lamb carré m d'agneau.

racket ['rækɪt] n raquette f ; (noise) raffut m.

racquet ['rækɪt] n raquette f.

radar ['reɪdɑːʳ] n radar m.

radiation [ˌreɪdɪ'eɪʃn] n radiations fpl.

radiator ['reɪdɪeɪtəʳ] n radiateur m.

radical ['rædɪkl] adj radical(e).

radii ['reɪdɪaɪ] pl → radius.

radio ['reɪdɪəʊ] (pl -s) n radio f. ◆ vt (person) appeler par radio ; on the ~ à la radio.

radioactive [ˌreɪdɪəʊ'æktɪv] adj radioactif(ive).

radio alarm n radio-réveil m.

radish ['rædɪʃ] n radis m.

radius ['reɪdɪəs] (pl radii) n rayon m.

raffle ['ræfl] n tombola f.

raft [rɑːft] n (of wood) radeau m ; (inflatable) canot m pneumatique.

rafter ['rɑːftəʳ] n chevron m.

rag [ræg] n (old cloth) chiffon m.

rage [reɪdʒ] n rage f.

raid [reɪd] n (attack) raid m ; (by police) descente f ; (robbery) hold-up m inv. ◆ vt (subj: police) faire une descente dans ; (subj: thieves) faire un hold-up dans.

rail [reɪl] n (bar) barre f ; (for curtain) tringle f ; (on stairs) rampe f ; (for train, tram) rail m. ◆ adj (transport, network) ferroviaire ; (travel) en train ; by ~ en train.

railcard ['reɪlkɑːd] n Br carte f de réduction des chemins de fer pour jeunes et retraités.

railings ['reɪlɪŋz] npl grille f.

railroad ['reɪlrəʊd] Am = railway.

railway ['reɪlweɪ] n (system) chemin m de fer ; (track) voie f ferrée.

railway line n (route) ligne f de chemin de fer ; (track) voie f ferrée.

railway station n gare f.

rain [reɪn] n pluie f. ◆ v impers pleuvoir ; it's ~ing il pleut.

rainbow ['reɪnbəʊ] n arc-en-ciel m.

raincoat ['reɪnkəʊt] n imperméable m.

raindrop ['reɪndrɒp] n goutte f de pluie.

rainfall ['reɪnfɔːl] n précipitations fpl.

rainy ['reɪnɪ] adj pluvieux(ieuse).

raise [reɪz] vt (lift) lever ; (increase) augmenter ; (money) collecter ; (child, animals) élever ; (question, subject) soulever. ◆ n Am (pay increase) augmentation f.

raisin ['reɪzn] n raisin m sec.

rake [reɪk] n râteau m.

rally ['rælɪ] n (public meeting) rassemblement m ; (motor race) rallye m ; (in tennis, badminton, squash) échange m.

ram [ræm] n (sheep) bélier m. ◆ vt percuter.

ramble ['ræmbl] n randonnée f.

ramp [ræmp] n (slope) rampe f ; (in road) ralentisseur m ; Am (to freeway) bretelle f d'accès ; 'ramp' Br (bump) panneau annonçant une dénivellation due à des travaux.

ran [ræn] pt → run.

ranch [rɑːntʃ] n ranch m.

rancid ['rænsɪd] adj rance.

random ['rændəm] adj (choice, number) aléatoire. ◆ n : at ~ au hasard.

rang [ræŋ] pt → ring.

range [reɪndʒ] n (of radio, telescope) portée f ; (of prices, temperatures, ages) éventail m ; (of goods, services) gamme f ; (of hills, mountains) chaîne f ; (for shooting) champ m de tir ; (cooker) fourneau m. ◆ vi (vary) varier.

ranger ['reɪndʒəʳ] n (of park, forest) garde m forestier.

rank [ræŋk] n grade m. ◆ adj (smell, taste) ignoble.

ransom ['rænsəm] n rançon f.

rap [ræp] n (music) rap m.

rape [reɪp] n viol m. ◆ vt violer.

rapid ['ræpɪd] adj rapide. ❏ rapids npl rapides mpl.

rapidly ['ræpɪdlɪ] adv rapidement.

rapist ['reɪpɪst] n violeur m.

rare [reəʳ] adj rare ; (meat) saignant(e).

rarely ['reəlɪ] adv rarement.

rash [ræʃ] n éruption f cutanée. ◆ adj imprudent(e).

raspberry ['rɑːzbərɪ] n framboise f.

rat [ræt] n rat m.

ratatouille [rætə'tuːɪ] n ratatouille f.

rate [reɪt] n (level) taux m ; (charge) tarif m ; (speed) vitesse f. ◆ vt (consider) considérer ; (deserve) mériter ; ~ of exchange taux de change ; at any ~ en tout cas ; at this ~ à ce rythme-là.

rather ['rɑːðəʳ] adv plutôt ; I'd ~ stay in je préférerais ne pas sortir ; I'd ~ not j'aimerais mieux pas ; would you ~ ...? préférerais-tu ...? ; ~ a lot of pas mal de ; ~ than plutôt que.

ratio ['reɪʃɪəʊ] (pl -s) n rapport m.

ration ['ræʃn] n (share) ration f. ❑ **rations** npl (food) vivres mpl.

rational ['ræʃnl] adj rationnel(el-le).

rattle ['rætl] n (of baby) hochet m. ◆ vi faire du bruit.

rave [reɪv] n (party) rave f, rave-party.

raven ['reɪvn] n corbeau m.

ravioli [ˌrævɪ'əʊlɪ] n ravioli(s) mpl.

raw [rɔː] adj cru(e) ; (sugar) non raffiné(e) ; (silk) sauvage.

raw material n matière f pre-mière.

ray [reɪ] n rayon m.

razor ['reɪzə] n rasoir m.

razor blade n lame f de rasoir.

Rd (abbr of Road) Rte.

re [riː] prep concernant.

RE n (abbr of religious educa-tion) instruction f religieuse.

reach [riːtʃ] vt atteindre ; (contact) joindre ; (agreement, decision) par-venir à. ◆ n : out of ~ hors de por-tée ; within ~ of the beach à proxi-mité de la plage. ❑ **reach out** vi : to ~ out (for) tendre le bras (vers).

react [rɪ'ækt] vi réagir.

reaction [rɪ'ækʃn] n réaction f.

read [riːd] (pt & pp **read** [red]) vt li-re ; (subj : sign, note) dire ; (subj : meter, gauge) indiquer. ◆ vi lire ; to ~ about sthg apprendre qqch dans les journaux. ❑ **read out** vt sep lire à haute voix.

reader ['riːdə'] n lecteur m, -trice f.

readily ['redɪlɪ] adv (willingly) vo-lontiers ; (easily) facilement.

reading ['riːdɪŋ] n (of books, pa-pers) lecture f ; (of meter, gauge) données fpl.

reading matter n lecture f.

ready ['redɪ] adj prêt(e) ; to be ~ (prepared) être prêt pour qqch ; to be ~ to do sthg être prêt à faire qqch ; to get ~ se préparer ; to get sthg ~ préparer qqch.

ready cash n liquide m.

ready-cooked [-kʊkt] adj pré-cuit(e).

ready-to-wear adj de prêt à porter.

real ['rɪəl] adj vrai(e) ; (world) réel(elle). ◆ adv Am vraiment, très.

real ale n Br bière rousse de fabri-cation traditionnelle, fermentée en fûts.

real estate n immobilier m.

realistic [rɪə'lɪstɪk] adj réaliste.

reality [rɪ'ælətɪ] n réalité f ; in ~ en réalité.

realize ['rɪəlaɪz] vt (become aware of) se rendre compte de ; (know) savoir ; (ambition, goal) réaliser.

really ['rɪəlɪ] adv vraiment ; not ~ pas vraiment.

realtor ['rɪəltər] n Am agent m immobilier.

rear [rɪə'] adj arrière (inv). ◆ n (back) arrière m.

rearrange [ˌrɪə'reɪndʒ] vt (room, furniture) réarranger ; (meeting) dé-placer.

rearview mirror ['rɪəvjuː-] n rétroviseur m.

rear-wheel drive n traction f arrière.

reason ['riːzn] n raison f; for some ~ pour une raison ou pour une autre.

reasonable ['riːznəbl] adj raisonnable.

reasonably ['riːznəblɪ] adv (quite) assez.

reasoning ['riːznɪŋ] n raisonnement m.

reassure [ˌriːə'ʃɔː] vt rassurer.

reassuring [ˌriːə'ʃɔːrɪŋ] adj rassurant(e).

rebate ['riːbeɪt] n rabais m.

rebel [n 'rebl, vb rɪ'bel] n rebelle mf. ◆ vi se rebeller.

rebound [rɪ'baʊnd] vi (ball etc) rebondir.

rebuild [ˌriː'bɪld] (pt & pp rebuilt [ˌriː'bɪlt]) vt reconstruire.

rebuke [rɪ'bjuːk] vt réprimander.

recall [rɪ'kɔːl] vt (remember) se souvenir de.

receipt [rɪ'siːt] n reçu m; on ~ of à réception de.

receive [rɪ'siːv] vt recevoir.

receiver [rɪ'siːvə] n (of phone) combiné m.

recent ['riːsnt] adj récent(e).

recently ['riːsntlɪ] adv récemment.

receptacle [rɪ'septəkl] n fml récipient m.

reception [rɪ'sepʃn] n réception f; (welcome) accueil m.

reception desk n réception f.

receptionist [rɪ'sepʃənɪst] n réceptionniste mf.

recess ['riːses] n (in wall) renfoncement m; Am SCH récréation f.

recession [rɪ'seʃn] n récession f.

recipe ['resɪpɪ] n recette f.

recite [rɪ'saɪt] vt (poem) réciter; (list) énumérer.

reckless ['rekləs] adj imprudent(e).

reckon ['rekn] vt inf (think) penser. ❑ **reckon on** vt fus compter sur. ❑ **reckon with** vt fus (expect) s'attendre à.

reclaim [rɪ'kleɪm] vt (baggage) récupérer.

reclining seat [rɪ'klaɪnɪŋ-] n siège m inclinable.

recognition [ˌrekəg'nɪʃn] n reconnaissance f.

recognize ['rekəgnaɪz] vt reconnaître.

recollect [ˌrekə'lekt] vt se rappeler.

recommend [ˌrekə'mend] vt recommander; to ~ sb to do sthg recommander à qqn de faire qqch.

recommendation [ˌrekəmen'deɪʃn] n recommandation f.

reconsider [ˌriːkən'sɪdə] vt reconsidérer.

reconstruct [ˌriːkən'strʌkt] vt reconstruire.

record [n 'rekɔːd, vb rɪ'kɔːd] n MUS disque m; (best performance, highest level) record m; (account) rapport m. ◆ vt enregistrer.

recorded delivery [rɪ'kɔːdɪd-] n Br: to send sthg (by) ~ envoyer qqch en recommandé.

recorder [rɪ'kɔːdə] n (tape recorder) magnétophone m; (instrument) flûte f à bec.

recording [rɪ'kɔːdɪŋ] n enregistrement m.

record player n tourne-disque m.

record shop n disquaire m.

recover [rɪˈkʌvəʳ] vt & vi récupérer.

recovery [rɪˈkʌvərɪ] n (from illness) guérison f.

recovery vehicle n Br dépanneuse f.

recreation [ˌrekrɪˈeɪʃn] n récréation f.

recreation ground n terrain m de jeux.

recruit [rɪˈkruːt] n recrue f. ◆ vt recruter.

rectangle [ˈrektæŋgl] n rectangle m.

rectangular [rekˈtæŋgjʊləʳ] adj rectangulaire.

recycle [ˌriːˈsaɪkl] vt recycler.

red [red] adj rouge ; (hair) roux (rousse). ◆ n (colour) rouge m ; in the ~ (bank account) à découvert.

red cabbage n chou m rouge.

Red Cross n Croix-Rouge f.

redcurrant [ˈredkʌrənt] n groseille f.

redecorate [ˌriːˈdekəreɪt] vt refaire.

redhead [ˈredhed] n rouquin m, -e f.

red-hot adj (metal) chauffé(e) à blanc.

redial [ˌriːˈdaɪəl] vi recomposer le numéro.

redirect [ˌriːdɪˈrekt] vt (letter) réexpédier ; (traffic, plane) dérouter.

red pepper n poivron m rouge.

reduce [rɪˈdjuːs] vt réduire ; (make cheaper) solder. ◆ vi Am (slim) maigrir.

reduced price [rɪˈdjuːst-] n prix m réduit.

reduction [rɪˈdʌkʃn] n réduction f.

redundancy [rɪˈdʌndənsɪ] n Br licenciement m.

redundant [rɪˈdʌndənt] adj Br : to be made ~ être licencié(e).

red wine n vin m rouge.

reed [riːd] n (plant) roseau m.

reef [riːf] n écueil m.

reek [riːk] vi puer.

reel [riːl] n (of thread) bobine f ; (on fishing rod) moulinet m.

refectory [rɪˈfektərɪ] n réfectoire m.

refer [rɪˈfɜːʳ] : refer to vt fus faire référence à ; (consult) se référer à.

referee [ˌrefəˈriː] n SPORT arbitre m.

reference [ˈrefrəns] n (mention) allusion f ; (letter for job) référence f. ◆ adj (book) de référence ; with ~ to suite à.

referendum [ˌrefəˈrendəm] n référendum m.

refill [n ˈriːfɪl, vb ˌriːˈfɪl] n (for pen) recharge f ; inf (drink) autre verre m. ◆ vt remplir.

refinery [rɪˈfaɪnərɪ] n raffinerie f.

reflect [rɪˈflekt] vt & vi réfléchir.

reflection [rɪˈflekʃn] n (image) reflet m.

reflector [rɪˈflektəʳ] n réflecteur m.

reflex [ˈriːfleks] n réflexe m.

reflexive [rɪˈfleksɪv] adj réfléchi(e).

reform [rɪˈfɔːm] n réforme f. ◆ vt réformer.

refresh [rɪˈfreʃ] vt rafraîchir.

refreshing [rɪˈfreʃɪŋ] adj rafraîchissant(e) ; (change) agréable.

refreshments [rɪ'freʃmənts] npl rafraîchissements mpl.

refrigerator [rɪ'frɪdʒəreɪtə] n réfrigérateur m.

refugee [ˌrefju'dʒi:] n réfugié m, -e f.

refund [n 'ri:fʌnd, vb rɪ'fʌnd] n remboursement m. ◆ vt rembourser.

refundable [rɪ'fʌndəbl] adj remboursable.

refusal [rɪ'fju:zl] n refus m.

refuse¹ [rɪ'fju:z] vt & vi refuser ; to ~ to do sthg refuser de faire qqch.

refuse² ['refju:s] n fml ordures fpl.

refuse collection ['refju:s-] n fml ramassage m des ordures.

regard [rɪ'gɑ:d] vt (consider) considérer. ◆ n: with ~ to concernant ; as ~s en ce qui concerne. ❏ regards npl (in greetings) amitiés fpl ; give them my ~s transmettez-leur mes amitiés.

regarding [rɪ'gɑ:dɪŋ] prep concernant.

regardless [rɪ'gɑ:dlɪs] adv quand même ; ~ of sans tenir compte de.

reggae ['regeɪ] n reggae m.

regiment ['redʒɪmənt] n régiment m.

region ['ri:dʒən] n région f ; in the ~ of environ.

regional ['ri:dʒənl] adj régional(e).

register ['redʒɪstə] n (official list) registre m. ◆ vt (record officially) enregistrer ; (subj: machine, gauge) indiquer. ◆ vi (at hotel) se présenter à la réception ; (put one's name down) s'inscrire.

registered ['redʒɪstəd] adj (letter, parcel) recommandé(e).

registration [ˌredʒɪ'streɪʃn] n (for course, at conference) inscription f.

registration (number) n (of car) numéro m d'immatriculation.

registry office ['redʒɪstrɪ-] n bureau m de l'état civil.

regret [rɪ'gret] n regret m. ◆ vt regretter ; to ~ doing sthg regretter d'avoir fait qqch ; we ~ any inconvenience caused nous vous prions de nous excuser pour la gêne occasionnée.

regrettable [rɪ'gretəbl] adj regrettable.

regular ['regjʊlə] adj régulier(ière) ; (normal, in size) normal(e). ◆ n (customer) habitué m, -e f.

regularly ['regjʊləlɪ] adv régulièrement.

regulate ['regjʊleɪt] vt régler.

regulation [ˌregjʊ'leɪʃn] n (rule) réglementation f.

rehearsal [rɪ'hɜ:sl] n répétition f.

rehearse [rɪ'hɜ:s] vt répéter.

reign [reɪn] n règne m. ◆ vi (monarch) régner.

reimburse [ˌri:ɪm'bɜ:s] vt fml rembourser.

reindeer ['reɪnˌdɪə] n (pl inv) renne m.

reinforce [ˌri:ɪn'fɔ:s] vt renforcer.

reinforcements [ˌri:ɪn'fɔ:smənts] npl renforts mpl.

reins [reɪnz] npl (for horse) rênes mpl ; (for child) harnais m.

reject [rɪ'dʒekt] vt (proposal, request) rejeter ; (applicant, coin) refuser.

rejection [rɪ'dʒekʃn] n (of proposal, request) rejet m ; (of applicant) refus m.

rejoin [ˌriː'dʒɔɪn] vt (motorway) rejoindre.

relapse [rɪ'læps] n rechute f.

relate [rɪ'leɪt] vt (connect) lier.
♦ vi : to ~ to (be connected with) être lié à ; (concern) concerner.

related [rɪ'leɪtɪd] adj (of same family) apparenté(e) ; (connected) lié(e).

relation [rɪ'leɪʃn] n (member of family) parent m, -e f ; (connection) lien m, rapport m ; in ~ to au sujet de. ❑ relations npl rapports mpl.

relationship [rɪ'leɪʃnʃɪp] n relations fpl ; (connection) relation f.

relative ['relətɪv] adj relatif(ive).
♦ n parent m, -e f.

relatively ['relətɪvlɪ] adv relativement.

relax [rɪ'læks] vi se détendre.

relaxation [ˌriːlæk'seɪʃn] n détente f.

relaxed [rɪ'lækst] adj détendu(e).

relaxing [rɪ'læksɪŋ] adj reposant(e).

relay ['riːleɪ] n (race) relais m.

release [rɪ'liːs] vt (set free) relâcher ; (let go of) lâcher ; (record, film) sortir ; (brake, catch) desserrer. ♦ n (record, film) nouveauté f.

relegate ['relɪgeɪt] vt : to be ~d SPORT être relégué à la division inférieure.

relevant ['reləvənt] adj (connected) en rapport ; (important) important(e) ; (appropriate) approprié(e).

reliable [rɪ'laɪəbl] adj (person, machine) fiable.

relic ['relɪk] n relique f.

relief [rɪ'liːf] n (gladness) soulagement m ; (aid) assistance f.

relief road n itinéraire m de délestage.

relieve [rɪ'liːv] vt (pain, headache) soulager.

relieved [rɪ'liːvd] adj soulagé(e).

religion [rɪ'lɪdʒn] n religion f.

religious [rɪ'lɪdʒəs] adj religieux(ieuse).

relish ['relɪʃ] n (sauce) condiment m.

reluctant [rɪ'lʌktənt] adj réticent(e).

rely [rɪ'laɪ] : rely on vt fus (trust) compter sur ; (depend on) dépendre de.

remain [rɪ'meɪn] vi rester. ❑ remains npl restes mpl.

remainder [rɪ'meɪndər] n reste m.

remaining [rɪ'meɪnɪŋ] adj restant(e) ; to be ~ rester.

remark [rɪ'mɑːk] n remarque f.
♦ vt faire remarquer.

remarkable [rɪ'mɑːkəbl] adj remarquable.

remedy ['remədɪ] n remède m.

remember [rɪ'membər] vt se rappeler, se souvenir de ; (not forget) ne pas oublier. ♦ vi se souvenir ; to ~ doing sthg se rappeler avoir fait qqch ; to ~ to do sthg penser à faire qqch.

remind [rɪ'maɪnd] vt : to ~ sb of sthg rappeler qqch à qqn ; to ~ sb to do sthg rappeler à qqn de faire qqch.

reminder [rɪ'maɪndər] n rappel m.

remittance [rɪ'mɪtns] n versement m.

remote [rɪ'məut] adj (isolated) éloigné(e) ; (chance) faible.

remote control n télécommande f.

removal [rɪ'muːvl] n enlèvement m.

removal van n camion m de déménagement.

remove [rɪ'muːv] vt enlever.

renew [rɪ'njuː] vt (licence, membership) renouveler ; (library book) prolonger l'emprunt de.

renovate ['renəveɪt] vt rénover.

renowned [rɪ'naund] adj renommé(e).

rent [rent] n loyer m. ◆ vt louer.

rental ['rentl] n location f.

repaid [riː'peɪd] pt & pp → repay.

repair [rɪ'peəʳ] vt réparer. ◆ n : in good ~ en bon état. ❑ repairs npl réparations mpl.

repay [riː'peɪ] (pt & pp repaid) vt (money) rembourser ; (favour, kindness) rendre.

repayment [rɪ'peɪmənt] n remboursement m.

repeat [rɪ'piːt] vt répéter. ◆ n (on TV, radio) rediffusion f.

repetition [ˌrepɪ'tɪʃn] n répétition f.

repetitive [rɪ'petɪtɪv] adj répétitif(ive).

replace [rɪ'pleɪs] vt remplacer ; (put back) replacer.

replacement [rɪ'pleɪsmənt] n remplacement m.

replay ['riːpleɪ] n (rematch) match m rejoué ; (on TV) ralenti m.

reply [rɪ'plaɪ] n réponse f. ◆ vt & vi répondre.

report [rɪ'pɔːt] n (account) rapport m ; (in newspaper, on TV, radio) reportage m ; Br SCH bulletin m. ◆ vt (announce) annoncer ; (theft, disappearance) signaler ; (person) dénoncer. ◆ vi (give account) faire un rapport ; (for newspaper, TV, radio) faire un reportage ; to ~ to sb (go to) se présenter à qqn.

reporter [rɪ'pɔːtəʳ] n reporter m.

represent [ˌreprɪ'zent] vt représenter.

representative [ˌreprɪ'zentətɪv] n représentant m, -e f.

repress [rɪ'pres] vt réprimer.

reprieve [rɪ'priːv] n (delay) sursis m.

reprimand ['reprɪmɑːnd] vt réprimander.

reproach [rɪ'prəutʃ] vt : to ~ sb for sthg reprocher qqch à qqn.

reproduction [ˌriːprə'dʌkʃn] n reproduction f.

reptile ['reptaɪl] n reptile m.

republic [rɪ'pʌblɪk] n république f.

Republican [rɪ'pʌblɪkən] n républicain m, -e f. ◆ adj républicain(e).

repulsive [rɪ'pʌlsɪv] adj repoussant(e).

reputable ['repjʊtəbl] adj qui a bonne réputation.

reputation [ˌrepjʊ'teɪʃn] n réputation f.

request [rɪ'kwest] n demande f. ◆ vt demander ; to ~ sb to do sthg demander à qqn de faire qqch ; available on ~ disponible sur demande.

require [rɪ'kwaɪəʳ] vt (subj : person) avoir besoin de ; (subj : situa *tion*) exiger ; **to be ~d to do sthg** être tenu de faire qqch.

requirement [rɪ'kwaɪəmənt] *n* besoin *m*.

rescue ['reskjuː] *vt* secourir.

research [rɪ'sɜːtʃ] *n* (*scientific*) recherche *f* ; (*studying*) recherches *fpl*.

resemblance [rɪ'zembləns] *n* ressemblance *f*.

resemble [rɪ'zembl] *vt* ressembler à.

resent [rɪ'zent] *vt* ne pas apprécier.

reservation [ˌrezə'veɪʃn] *n* (*booking*) réservation *f* ; (*doubt*) réserve *f* ; **to make a ~** réserver.

reserve [rɪ'zɜːv] *n* SPORT remplaçant *m*, -e *f* ; (*for wildlife*) réserve *f*. ◆ *vt* réserver.

reserved [rɪ'zɜːvd] *adj* réservé(e).

reservoir ['rezəvwɑː'] *n* réservoir *m*.

reset [ˌriː'set] (*pt & pp* reset) *vt* (*meter, device*) remettre à zéro ; (*watch*) remettre à l'heure.

residence ['rezɪdəns] *n fml* résidence *f* ; **place of ~** domicile *m*.

residence permit *n* permis *m* de séjour.

resident ['rezɪdənt] *n* (*of country*) résident *m*, -e *f* ; (*of hotel*) pensionnaire *mf* ; (*of area, house*) habitant *m*, -e *f* ; **'~s only'** (*for parking*) 'réservé aux résidents'.

residential [ˌrezɪ'denʃl] *adj* (*area*) résidentiel(ielle).

residue ['rezɪdjuː] *n* restes *mpl*.

resign [rɪ'zaɪn] *vi* démissionner. ◆ *vt* : **to ~ o.s. to sthg** se résigner à qqch.

resignation [ˌrezɪg'neɪʃn] *n* (*from job*) démission *f*.

resilient [rɪ'zɪliənt] *adj* résistant(e).

resist [rɪ'zɪst] *vt* résister à ; **I can't ~ cream cakes** je ne peux pas résister aux gâteaux à la crème ; **to ~ doing sthg** résister à l'envie de faire qqch.

resistance [rɪ'zɪstəns] *n* résistance *f*.

resit [ˌriː'sɪt] (*pt & pp* resat) *vt* repasser.

resolution [ˌrezə'luːʃn] *n* résolution *f*.

resolve [rɪ'zɒlv] *vt* résoudre.

resort [rɪ'zɔːt] *n* (*for holidays*) station *f* ; **as a last ~** en dernier recours. ❑ **resort to** *vt fus* recourir à ; **to ~ to doing sthg** en venir à faire qqch.

resource [rɪ'sɔːs] *n* ressource *f*.

resourceful [rɪ'sɔːsful] *adj* ingénieux(ieuse).

respect [rɪ'spekt] *n* respect *m* ; (*aspect*) égard *m*. ◆ *vt* respecter ; **in some ~s** à certains égards ; **with ~ to** en ce qui concerne.

respectable [rɪ'spektəbl] *adj* respectable.

respective [rɪ'spektɪv] *adj* respectif(ive).

respond [rɪ'spɒnd] *vi* répondre.

response [rɪ'spɒns] *n* réponse *f*.

responsibility [rɪˌspɒnsə'bɪlətɪ] *n* responsabilité *f*.

responsible [rɪ'spɒnsəbl] *adj* responsable ; **to be ~ for** (*accountable*) être responsable de.

rest [rest] *n* (*relaxation*) repos *m* ; (*support*) appui *m*. ◆ *vi* (*relax*) se reposer ; **the ~** (*remainder*) le restant, le reste ; **to have a ~** se reposer ; **to ~ against** reposer contre.

restaurant ['restərɒnt] n restaurant m.

restaurant car n Br wagon-restaurant m.

restful ['restful] adj reposant(e).

restless ['restlɪs] adj (bored, impatient) impatient(e) ; (fidgety) agité(e).

restore [rɪ'stɔːr] vt restaurer.

restrain [rɪ'streɪn] vt retenir.

restrict [rɪ'strɪkt] vt restreindre.

restricted [rɪ'strɪktɪd] adj restreint(e).

restriction [rɪ'strɪkʃn] n limitation f.

rest room n Am toilettes fpl.

result [rɪ'zʌlt] n résultat m. ◆ vi : to ~ in aboutir à ; as a ~ of à cause de.

resume [rɪ'zjuːm] vi reprendre.

résumé ['rezjumeɪ] n (summary) résumé m ; Am (curriculum vitae) curriculum vitae m inv.

retail ['riːteɪl] n détail m. ◆ vt (sell) vendre au détail. ◆ vi : to ~ at se vendre (à).

retailer ['riːteɪlər] n détaillant m, -e f.

retail price n prix m de détail.

retain [rɪ'teɪn] vt fml conserver.

retaliate [rɪ'tælɪeɪt] vi riposter.

retire [rɪ'taɪər] vi (stop working) prendre sa retraite.

retired [rɪ'taɪəd] adj retraité(e).

retirement [rɪ'taɪəmənt] n retraite f.

retreat [rɪ'triːt] vi se retirer. ◆ n (place) retraite f.

retrieve [rɪ'triːv] vt récupérer.

return [rɪ'tɜːn] n retour m ; Br (ticket) aller-retour m. ◆ vt (put

back) remettre ; (give back) rendre ; (ball, serve) renvoyer. ◆ vi revenir ; (go back) retourner. ◆ adj (journey) de retour ; to ~ sthg to sb (give back) rendre qqch à qqn ; by ~ of post Br par retour du courrier ; many happy ~s! bon anniversaire! ; in ~ (for) en échange (de).

return flight n vol m retour.

return ticket n Br billet m aller-retour.

reunite [ˌriːjuː'naɪt] vt réunir.

reveal [rɪ'viːl] vt révéler.

revelation [ˌrevə'leɪʃn] n révélation f.

revenge [rɪ'vendʒ] n vengeance f.

reverse [rɪ'vɜːs] adj inverse. ◆ n AUT marche arrière ; (of document) verso m ; (of coin) revers m. ◆ vt (car) mettre en marche arrière ; (decision) annuler. ◆ vi (car, driver) faire marche arrière ; the ~ (opposite) l'inverse ; in ~ order en ordre inverse ; to ~ the charges Br téléphoner en PCV.

reverse-charge call n Br appel m en PCV.

review [rɪ'vjuː] n (of book, record, film) critique f ; (examination) examen m. ◆ vt Am (for exam) réviser.

revise [rɪ'vaɪz] vt & vi réviser.

revision [rɪ'vɪʒn] n Br (for exam) révision f.

revive [rɪ'vaɪv] vt (person) ranimer ; (economy, custom) relancer.

revolt [rɪ'vəʊlt] n révolte f.

revolting [rɪ'vəʊltɪŋ] adj dégoûtant(e).

revolution [ˌrevə'luːʃn] n révolution f.

revolutionary [revə'luːʃnərɪ] adj révolutionnaire.

revolver [rɪ'vɒlvə] n revolver m.

revolving door [rɪ'vɒlvɪŋ-] n porte f à tambour.

revue [rɪ'vjuː] n revue f.

reward [rɪ'wɔːd] n récompense f. ◆ vt récompenser.

rewind [,riː'waɪnd] (pt & pp **rewound**) vt rembobiner.

rheumatism ['ruːmətɪzm] n rhumatisme m.

rhinoceros [raɪ'nɒsərəs] (pl inv OR -es) n rhinocéros m.

rhubarb ['ruːbɑːb] n rhubarbe f.

rhyme [raɪm] n (poem) poème m. ◆ vi rimer.

rhythm ['rɪðm] n rythme m.

rib [rɪb] n côte f.

ribbon ['rɪbən] n ruban m.

rice [raɪs] n riz m.

rice pudding n riz m au lait.

rich [rɪtʃ] adj riche. ◆ npl : the ~ les riches mpl ; to be ~ in sthg être riche en qqch.

ricotta cheese [rɪ'kɒtə-] n ricotta f.

rid [rɪd] vt : to get ~ of se débarrasser de.

ridden ['rɪdn] pp → ride.

riddle ['rɪdl] n (puzzle) devinette f ; (mystery) énigme f.

ride [raɪd] (pt rode, pp ridden) n promenade f. ◆ vt (horse) monter. ◆ vi (on bike) aller en OR à vélo ; (on horse) aller à cheval ; (on bus) aller en bus ; can you ~ a bike? est-ce que tu sais faire du vélo? ; to ~ horses monter à cheval ; can you ~ (a horse)? est-ce que tu sais monter à cheval? ; to go for a ~ (in car) faire un tour en voiture.

rider ['raɪdə] n (on horse) cavalier m, -ière f ; (on bike) cycliste mf ; (on motorbike) motard m, -e f.

ridge [rɪdʒ] n (of mountain) crête f ; (raised surface) arête f.

ridiculous [rɪ'dɪkjʊləs] adj ridicule.

riding ['raɪdɪŋ] n équitation f.

riding school n école f d'équitation.

rifle ['raɪfl] n carabine f.

rig [rɪg] n (oilrig at sea) plate-forme f pétrolière ; (on land) derrick m. ◆ vt (fix) truquer.

right [raɪt] adj - 1. (correct) bon (bonne) ; to be ~ avoir raison ; to be ~ to do sthg avoir raison de faire qqch ; have you got the ~ time? avez-vous l'heure exacte? ; is this the ~ way? est-ce que c'est la bonne route? ; that's ~! c'est exact! - 2. (fair) juste ; that's not ~! ce n'est pas juste! - 3. (on the right) droit(e) ; the ~ side of the road le côté droit de la route. ◆ n - 1. (side) : the ~ la droite. - 2. (entitlement) droit m ; to have the ~ to do sthg avoir le droit de faire qqch. ◆ adv - 1. (towards the right) à droite. - 2. (correctly) bien, comme il faut ; am I pronouncing it ~? est-ce que je le prononce bien? - 3. (for emphasis) : ~ here ici même ; ~ at the top tout en haut ; I'll be ~ back je reviens tout de suite ; ~ away immédiatement.

right angle n angle m droit.

right-hand adj (side) droit(e) ; (lane) de droite.

right-hand drive n conduite f à droite.

right-handed [-'hændɪd] adj (person) droitier(ière) ; (implement) pour droitiers.

rightly ['raɪtlɪ] adv (correctly) correctement ; (justly) à juste titre.

right of way n AUT priorité f ; (path) chemin m public.

right-wing adj de droite.

rigid ['rɪdʒɪd] adj rigide.

rim [rɪm] n (of cup) bord m ; (of glasses) monture f ; (of wheel) jante f.

rind [raɪnd] n (of fruit) peau f ; (of bacon) couenne f ; (of cheese) croûte f.

ring [rɪŋ] (pt rang, pp rung) n (for finger, curtain) anneau m ; (with gem) bague f ; (circle) cercle m ; (sound) sonnerie f ; (on cooker) brûleur m ; (electric) plaque f ; (for boxing) ring m ; (in circus) piste f. ◆ vt Br (make phone call to) appeler ; (church bell) sonner. ◆ vi (bell, telephone) sonner ; Br (make phone call) appeler ; to give sb a ~ (phone call) appeler ; to ~ the bell (of house, office) sonner. ❑ ring back vt sep & vi Br rappeler. ❑ ring off vi Br raccrocher. ❑ ring up vt sep & vi Br appeler.

ringing tone ['rɪŋɪŋ-] n sonnerie f.

ring road n boulevard m périphérique.

rink [rɪŋk] n patinoire f.

rinse [rɪns] vt rincer. ❑ rinse out vt sep rincer.

riot ['raɪət] n émeute f.

rip [rɪp] n déchirure f. ◆ vt déchirer. ◆ vi se déchirer. ❑ rip up vt sep déchirer.

ripe [raɪp] adj mûr(e) ; (cheese) à point.

ripen ['raɪpn] vi mûrir.

rip-off n inf arnaque f.

rise [raɪz] (pt rose, pp risen ['rɪzn]) vi (move upwards) s'élever ; (sun, moon, stand up) se lever ; (increase) augmenter. ◆ n (increase) augmentation f ; Br (pay increase) augmentation (de salaire) ; (slope) montée f, côte f.

risk [rɪsk] n risque m. ◆ vt risquer ; to take a ~ prendre un risque ; at your own ~ à vos risques et périls ; to ~ doing sthg prendre le risque de faire qqch ; to ~ it tenter le coup.

risky ['rɪskɪ] adj risqué(e).

risotto [rɪ'zɒtəʊ] (pl -s) n risotto m.

ritual ['rɪtʃʊəl] n rituel m.

rival ['raɪvl] adj rival(e). ◆ n rival m, -e f.

river ['rɪvə'] n rivière f ; (flowing into sea) fleuve m.

river bank n berge f.

riverside ['rɪvəsaɪd] n berge f.

roach [rəʊtʃ] n Am (cockroach) cafard m.

road [rəʊd] n route f ; (in town) rue f ; by ~ par la route.

road book n guide m routier.

road map n carte f routière.

road safety n sécurité f routière.

roadside ['rəʊdsaɪd] n : the ~ le bord de la route.

road sign n panneau m routier.

road tax n ≃ vignette f.

roadway ['rəʊdweɪ] n chaussée f.

road works npl travaux mpl.

roam [rəʊm] vi errer.

roar [rɔːʳ] n (of aeroplane) grondement m ; (of crowd) hurlements mpl. ◆ vi (lion) rugir ; (person) hurler.

roast [rəust] n rôti m. ◆ vt faire rôtir. ◆ adj rôti(e) ; ~ beef rosbif m ; ~ chicken poulet m rôti ; ~ lamb rôti d'agneau ; ~ pork rôti de porc ; ~ potatoes pommes de terre fpl au four.

rob [rɒb] vt (house, bank) cambrioler ; (person) voler ; to ~ sb of sthg voler qqch à qqn.

robber ['rɒbəʳ] n voleur m, -euse f.

robbery ['rɒbərɪ] n vol m.

robe [rəub] n Am (bathrobe) peignoir m.

robin ['rɒbɪn] n rouge-gorge m.

robot ['rəubɒt] n robot m.

rock [rɒk] n (boulder) rocher m ; Am (stone) pierre f ; (substance) roche f ; (music) rock m ; Br (sweet) sucre m d'orge. ◆ vt (baby, boat) bercer ; on the ~s (drink) avec des glaçons.

rock climbing n varappe f ; to go ~ faire de la varappe.

rocket ['rɒkɪt] n (missile) roquette f ; (space rocket, firework) fusée f.

rocking chair ['rɒkɪŋ-] n rocking-chair m.

rock 'n' roll [ˌrɒkən'rəul] n rock m.

rocky ['rɒkɪ] adj rocheux(euse).

rod [rɒd] n (pole) barre f ; (for fishing) canne f.

rode [rəud] pt → ride.

role [rəul] n rôle m.

roll [rəul] n (of bread) petit pain m ; (of film, paper) rouleau m. ◆ vi rouler. ◆ vt faire rouler ; (cigarette) rouler. ❑ roll over vi se retourner.

❑ roll up vt sep (map, carpet) rouler ; (sleeves, trousers) remonter.

Rollerblades® ['rəuləbleɪd] n rollers mpl, patins mpl en ligne.

rollerblading ['rəuləbleɪdɪŋ] n roller m ; to go ~ faire du roller.

roller coaster ['rəulə ˌkəustəʳ] n montagnes fpl russes.

roller skate ['rəulə-] n patin m à roulettes.

roller-skating ['rəulə-] n patin m à roulettes ; to go ~ faire du patin à roulettes.

rolling pin ['rəulɪŋ-] n rouleau m à pâtisserie.

Roman Catholic n catholique mf.

romance [rəu'mæns] n (love) amour m ; (love affair) liaison f ; (novel) roman m d'amour.

romantic [rəu'mæntɪk] adj romantique.

romper suit ['rɒmpə-] n barboteuse f.

roof [ruːf] n toit m ; (of cave, tunnel) plafond m.

roof rack n galerie f.

room [ruːm, rum] n (in building) pièce f ; (larger) salle f ; (bedroom, in hotel) chambre f ; (space) place f.

room number n numéro m de chambre.

room service n service m dans les chambres.

room temperature n température f ambiante.

roomy ['ruːmɪ] adj spacieux(ieuse).

root [ruːt] n racine f.

rope [rəup] n corde f. ◆ vt attacher avec une corde.

rose [rəʊz] pt → **rise**. ◆ n (flower) rose f.

rosé ['rəʊzeɪ] n rosé m.

rosemary ['rəʊzmərɪ] n romarin m.

rot [rɒt] vi pourrir.

rota ['rəʊtə] n roulement m.

rotate [rəʊ'teɪt] vi tourner.

rotten ['rɒtn] adj pourri(e) ; I feel ~ (ill) je ne me sens pas bien du tout.

rough [rʌf] adj (surface, skin, cloth) rugueux(euse) ; (road, ground) accidenté(e) ; (sea, crossing) agité(e) ; (person) dur(e) ; (approximate) approximatif(ive) ; (conditions) rude ; (area, town) mal fréquenté(e) ; (wine) ordinaire. ◆ n (on golf course) rough m ; to have a ~ time en baver.

roughly ['rʌflɪ] adv (approximately) à peu près ; (push, handle) rudement.

round [raʊnd] adj rond(e).

☞

round [raʊnd] n - 1. (of drinks) tournée f ; (of sandwiches) ensemble de sandwiches au pain de mie.
- 2. (of toast) tranche f.
- 3. (of competition) manche f.
- 4. (in golf) partie f ; (in boxing) round m.
- 5. (of policeman, postman, milkman) tournée f.
◆ adv - 1. (in a circle) : to go ~ tourner ; to spin ~ pivoter.
- 2. (surrounding) : all (the way) ~ tout autour.
- 3. (near) : ~ about aux alentours.
- 4. (to someone's house) : to ask some friends ~ inviter des amis

(chez soi) ; we went ~ to her place nous sommes allés chez elle.
- 5. (continuously) : all year ~ toute l'année.
◆ prep - 1. (surrounding, circling) autour de ; we walked ~ the lake nous avons fait le tour du lac à pied ; to go ~ the corner tourner au coin.
- 2. (visiting) : to go ~ a museum visiter un musée ; to show sb ~ sthg faire visiter qqch à qqn.
- 3. (approximately) environ ; ~ (about) 100 environ 100 ; ~ ten o'clock vers dix heures.
- 4. (near) aux alentours de ; ~ here par ici.
- 5. (in phrases) : it's just ~ the corner (nearby) c'est tout près ; ~ the clock 24 heures sur 24.
❑ **round off** vt sep (meal, day) terminer.

roundabout ['raʊndəbaʊt] n Br (in road) rond-point m ; (in playground) tourniquet m ; (at fairground) manège m.

rounders ['raʊndəz] n Br sport proche du base-ball, pratiqué par les enfants.

round trip n aller-retour m.

route [ruːt] n (way) route f ; (of bus, train, plane) trajet m. ◆ vt (change course of) détourner.

routine [ruː'tiːn] n (usual behaviour) habitudes fpl ; pej (drudgery) routine f. ◆ adj de routine.

row[1] [rəʊ] n rangée f. ◆ vt (boat) faire avancer à la rame. ◆ vi ramer ; in a ~ (in succession) à la file, de suite.

row[2] [raʊ] n (argument) dispute f ; inf (noise) raffut m ; to have a ~ se disputer.

rowboat ['rəʊbəʊt] *Am* = **rowing boat**.

rowdy ['raʊdɪ] *adj* chahuteur(euse).

rowing ['rəʊɪŋ] *n* aviron *m*.

rowing boat *n Br* canot *m* à rames.

royal ['rɔɪəl] *adj* royal(e).

royal family *n* famille *f* royale.

royalty ['rɔɪəltɪ] *n* famille *f* royale.

RRP (*abbr of* recommended retail price) prix *m* conseillé.

rub [rʌb] *vt & vi* frotter ; **to ~ one's eyes/arm** se frotter les yeux/le bras ; **my shoes are rubbing** mes chaussures me font mal. ❑ **rub in** *vt sep* (*lotion, oil*) faire pénétrer en frottant. ❑ **rub out** *vt sep* effacer.

rubber ['rʌbə] *adj* en caoutchouc. ◆ *n* (*material*) caoutchouc *m* ; *Br* (*eraser*) gomme *f* ; *Am inf* (*condom*) capote *f*.

rubber band *n* élastique *m*.

rubber gloves *npl* gants *mpl* en caoutchouc.

rubber ring *n* bouée *f*.

rubbish ['rʌbɪʃ] *n* (*refuse*) ordures *fpl* ; *inf* (*worthless thing*) camelote *f* ; *inf* (*nonsense*) idioties *fpl*.

rubbish bin *n Br* poubelle *f*.

rubbish dump *n Br* décharge *f*.

rubble ['rʌbl] *n* décombres *mpl*.

ruby ['ru:bɪ] *n* rubis *m*.

rucksack ['rʌksæk] *n* sac *m* à dos.

rudder ['rʌdə] *n* gouvernail *m*.

rude [ru:d] *adj* grossier(ière) ; (*picture*) obscène.

rug [rʌg] *n* carpette *f* ; *Br* (*blanket*) couverture *f*.

rugby ['rʌgbɪ] *n* rugby *m*.

ruin ['ru:ɪn] *vt* gâcher. ❑ **ruins** *npl* (*of building*) ruines *fpl*.

ruined ['ru:ɪnd] *adj* (*building*) en ruines ; (*meal, holiday*) gâché(e) ; (*clothes*) abîmé(e).

rule [ru:l] *n* règle *f*. ◆ *vt* (*country*) diriger ; **to be the ~** (*normal*) être la règle ; **against the ~s** contre les règles ; **as a ~** en règle générale. ❑ **rule out** *vt sep* exclure.

ruler ['ru:lə] *n* (*of country*) dirigeant *m*, -e *f* ; (*for measuring*) règle *f*.

rum [rʌm] *n* rhum *m*.

rumor ['ru:mər] *Am* = **rumour**.

rumour ['ru:mə] *n Br* rumeur *f*.

rump steak [ˌrʌmp-] *n* rumsteck *m*.

☞

run [rʌn] (*pt* **ran**, *pp* **run**) *vi* - **1.** (*on foot*) courir.
- **2.** (*train, bus*) circuler ; **the bus ~s every hour** il y a un bus toutes les heures ; **the train is running an hour late** le train a une heure de retard.
- **3.** (*operate*) marcher, fonctionner ; **to ~ on sthg** marcher à qqch.
- **4.** (*liquid, tap, nose*) couler.
- **5.** (*river*) couler ; **to ~ through** (*river, road*) traverser ; **the path ~s along the coast** le sentier longe la côte.
- **6.** (*play*) se jouer.
- **7.** (*colour, dye, clothes*) déteindre.
◆ *vt* - **1.** (*on foot*) courir.
- **2.** (*compete in*) : **to ~ a race** participer à une course.
- **3.** (*business, hotel*) gérer.
- **4.** (*bus, train*) : **they run a shuttle bus service** ils assurent une navette.
- **5.** (*take in car*) conduire ; **I'll ~ you**

runaway

home je vais te ramener (en voiture).
- **6.** (bath, water) faire couler.
◆ n - **1.** (on foot) course f ; **to go for a** ~ courir.
- **2.** (in car) tour m ; **to go for a** ~ aller faire un tour (en voiture).
- **3.** (for skiing) piste f.
- **4.** Am (in tights) maille f filée.
- **5.** (in phrases) : **in the long** ~ à la longue.
❑ **run away** vi s'enfuir.
❑ **run down**
◆ vt sep (run over) écraser ; (criticize) critiquer.
◆ vi (battery) se décharger.
❑ **run into** vt fus (meet) tomber sur ; (hit) rentrer dans ; (problem, difficulty) se heurter à.
❑ **run out** vi (supply) s'épuiser.
❑ **run out of** vt fus manquer de.
❑ **run over** vt sep (hit) écraser.

runaway ['rʌnəweɪ] n fugitif m, -ive f.

rung [rʌŋ] pp ➝ **ring**. ◆ n (of ladder) barreau m.

runner ['rʌnər] n (person) coureur m, -euse f ; (for door, drawer) glissière f ; (for sledge) patin m.

runner bean n haricot m à rames.

runner-up (pl runners-up) n second m, -e f.

running ['rʌnɪŋ] n SPORT course f ; (management) gestion f. ◆ adj : **three days** ~ trois jours d'affilée OR de suite ; **to go** ~ courir.

running water n eau f courante.

runny ['rʌnɪ] adj (omelette) baveux(euse) ; (sauce) liquide ; (nose, eye) qui coule.

runway ['rʌnweɪ] n piste f.

rural ['rʊərəl] adj rural(e).

rush [rʌʃ] n (hurry) précipitation f ; (of crowd) ruée f. ◆ vi se précipiter. ◆ vt (meal, work) expédier ; (goods) envoyer d'urgence ; (injured person) transporter d'urgence ; **to be in a** ~ être pressé ; **there's no** ~! rien ne presse! ; **don't** ~ **me!** ne me bouscule pas!

rush hour n heure f de pointe.

Russia ['rʌʃə] n la Russie.

rust [rʌst] n rouille f. ◆ vi rouiller.

rustic ['rʌstɪk] adj rustique.

rustle ['rʌsl] vi bruire.

rustproof ['rʌstpruːf] adj inoxydable.

rusty ['rʌstɪ] adj rouillé(e).

RV n Am (abbr of recreational vehicle) mobile home m.

rye [raɪ] n seigle m.

rye bread n pain m de seigle.

S

S (abbr of south, small) S.

saccharin ['sækərɪn] n saccharine f.

sachet ['sæʃeɪ] n sachet m.

sack [sæk] n (bag) sac m. ◆ vt virer ; **to get the** ~ se faire virer.

sacrifice ['sækrɪfaɪs] n sacrifice m.

sad [sæd] adj triste.

saddle ['sædl] n selle f.

saddlebag ['sædlbæg] n sacoche f.

sadly ['sædlɪ] adv (unfortunately) malheureusement ; (unhappily) tristement

sadness ['sædnɪs] n tristesse f.

s.a.e. n Br (abbr of stamped addressed envelope) enveloppe timbrée avec adresse pour la réponse.

safari park [sə'fɑːrɪ-] n parc m animalier.

safe [seɪf] adj (activity, sport) sans danger ; (vehicle, structure) sûr(e) ; (after accident) sain et sauf (saine et sauve) ; (in safe place) en sécurité. ◆ n (for money, valuables) coffre-fort m ; a ~ place un endroit sûr ; (have a) ~ journey! bon voyage! ; ~ and sound sain et sauf.

safe-deposit box n coffre m.

safely ['seɪflɪ] adv (not dangerously) sans danger ; (arrive) sans encombre ; (out of harm) en lieu sûr.

safety ['seɪftɪ] n sécurité f.

safety belt n ceinture f de sécurité.

safety pin n épingle f de nourrice.

sag [sæg] vi s'affaisser.

sage [seɪdʒ] n (herb) sauge f.

said [sed] pt & pp → say.

sail [seɪl] n voile f. ◆ vi naviguer ; (depart) prendre la mer. ◆ vt: to ~ a boat piloter un bateau ; to set ~ prendre la mer.

sailboat ['seɪlbəʊt] Am = sailing boat.

sailing ['seɪlɪŋ] n voile f ; (departure) départ m ; to go ~ faire de la voile.

sailing boat n voilier m.

sailor ['seɪlə'] n marin m.

saint [seɪnt] n saint m, -e f.

Saint Patrick's Day [-'pætrɪks-] n la Saint-Patrick.

SAINT PATRICK'S DAY

Le 17 mars, jour de la Saint-Patrick, c'est la fête nationale des Irlandais, qui est célébrée bien sûr par ces derniers mais aussi par la diaspora irlandaise disséminée dans le monde entier. De grands défilés sont organisés dans les rues de Dublin et de New York. Il est traditionnel de porter sur soi une feuille de trèfle, la plante symbole de l'Irlande, ou de s'habiller en vert, la couleur nationale du pays.

sake [seɪk] n : for my/their ~ pour moi/eux ; for God's ~! bon sang!

salad ['sæləd] n salade f.

salad bar n Br (area in restaurant) dans un restaurant, buffet de salades en self-service.

salad bowl n saladier m.

salad cream n Br mayonnaise liquide utilisée en assaisonnement pour salades.

salad dressing n vinaigrette f.

salami [sə'lɑːmɪ] n salami m.

salary ['sælərɪ] n salaire m.

sale [seɪl] n (selling) vente f ; (at reduced prices) soldes mpl ; 'for ~' 'à vendre' ; on ~ en vente. ❑ **sales** npl COMM ventes fpl ; **the ~s** (at reduced prices) les soldes.

sales assistant ['seɪlz-] n vendeur m, -euse f.

salesclerk ['seɪlzklɜːrk] Am = sales assistant.

salesman ['seɪlzmən] (pl -men [-mən]) n (in shop) vendeur m ; (rep) représentant m.

sales rep(resentative) n représentant m, -e f.

saleswoman ['seɪlz,wʊmən] (pl -women [-,wɪmɪn]) n vendeuse f.

saliva [sə'laɪvə] n salive f.

salmon ['sæmən] (pl inv) n saumon m.

salon ['sælɒn] n (hairdresser's) salon m de coiffure.

saloon [sə'luːn] n Br (car) berline f ; Am (bar) saloon m ; ~ (bar) Br salon m (salle de pub, généralement plus confortable et plus chère que le "public bar").

salopettes [sælə'pets] npl combinaison f de ski.

salt [sɔːlt, sɒlt] n sel m.

saltcellar ['sɔːlt,selə'] n Br salière f.

salted peanuts ['sɔːltɪd-] npl cacahuètes fpl salées.

salt shaker [-,ʃeɪkə'] Am = saltcellar.

salty ['sɔːltɪ] adj salé(e).

salute [sə'luːt] n salut m. ◆ vi saluer.

same [seɪm] adj même. ◆ pron : the ~ (unchanged) le même (la même) ; (in comparisons) la même chose, pareil ; they dress the ~ ils s'habillent de la même façon ; I'll have the ~ as her je prendrai la même chose qu'elle ; you've got the ~ as me tu as le même livre que moi ; it's all the ~ to me ça m'est égal.

samosa [sə'məʊsə] n sorte de beignet triangulaire garni de légumes et/ou de viande épicés (spécialité indienne).

sample ['sɑːmpl] n échantillon m. ◆ vt (food, drink) goûter.

sanctions ['sæŋkʃnz] npl POL. sanctions fpl.

sanctuary ['sæŋktʃʊərɪ] n (for birds, animals) réserve f.

sandal ['sændl] n sandale f.

sandcastle ['sænd,kɑːsl] n château m de sable.

sandpaper ['sænd,peɪpə'] n papier m de verre.

sandwich ['sænwɪdʒ] n sandwich m.

sandwich bar n ≃ snack(-bar) m.

sandy ['sændɪ] adj (beach) de sable ; (hair) blond(e).

sang [sæŋ] pt → sing.

sanitary ['sænɪtrɪ] adj sanitaire ; (hygienic) hygiénique.

sanitary napkin Am = sanitary towel.

sanitary towel n Br serviette f hygiénique.

sank [sæŋk] pt → sink.

sapphire ['sæfaɪə'] n saphir m.

sarcastic [sɑː'kæstɪk] adj sarcastique.

sardine [sɑː'diːn] n sardine f.

SASE n Am (abbr of self-addressed stamped envelope) enveloppe timbrée avec adresse pour la réponse.

sat [sæt] pt & pp → sit.

Sat. (abbr of Saturday) sam.

satchel ['sætʃəl] n cartable m.

satellite ['sætəlaɪt] n satellite m.

satellite dish n antenne f parabolique.

satellite TV n télé f par satellite.

satin ['sætɪn] n satin m.

satisfaction [,sætɪs'fækʃn] n satisfaction f.

satisfactory [,sætɪs'fæktərɪ] adj satisfaisant(e).

satisfied ['sætɪsfaɪd] *adj* satisfait(e).

satisfy ['sætɪsfaɪ] *vt* satisfaire.

satsuma [ˌsæt'suːmə] *n* Br mandarine *f*.

saturate ['sætʃəreɪt] *vt* tremper.

Saturday ['sætədɪ] *n* samedi *m* ; it's ~ on est samedi ; ~ morning samedi matin ; on ~ samedi ; on ~s le samedi ; last ~ samedi dernier ; this ~ samedi ; next ~ samedi prochain ; ~ week, a week on ~ samedi en huit.

sauce [sɔːs] *n* sauce *f*.

saucepan ['sɔːspən] *n* casserole *f*.

saucer ['sɔːsə^r] *n* soucoupe *f*.

sauna ['sɔːnə] *n* sauna *m*.

sausage ['sɒsɪdʒ] *n* saucisse *f*.

sausage roll *n* friand *m* à la saucisse.

sauté [Br 'səʊteɪ, Am səʊ'teɪ] *adj* sauté(e).

savage ['sævɪdʒ] *adj* féroce.

save [seɪv] *vt* (*rescue*) sauver ; (*money*) économiser ; (*time, space*) gagner ; (*reserve*) garder ; SPORT arrêter ; COMPUT sauvegarder. ◆ *n* arrêt *m*. ❑ **save up** *vi* : to ~ up (for sthg) économiser (pour qqch).

saver ['seɪvə^r] *n* Br (*ticket*) billet *m* à tarif réduit.

savings ['seɪvɪŋz] *npl* économies *fpl*.

savings and loan association *n* Am société *d'investissements et de prêts immobiliers*.

savings bank *n* caisse *f* d'épargne.

savory ['seɪvərɪ] Am = **savoury**.

savoury ['seɪvərɪ] *adj* Br (*not sweet*) salé(e).

saw [sɔː] (Br pt -ed, pp sawn, Am & pt & pp -ed) pt → **see**. ◆ *n* (tool) scie *f*. ◆ *vt* scier.

sawdust ['sɔːdʌst] *n* sciure *f*.

sawn [sɔːn] pp → **saw**.

saxophone ['sæksəfəʊn] *n* saxophone *m*.

say [seɪ] (pt & pp said) *vt* dire ; (*subj* : *clock, sign, meter*) indiquer. ◆ *n* : to have a ~ in sthg avoir son mot à dire dans qqch ; could you ~ that again? tu pourrais répéter ça? ; ~ we met at nine? disons qu'on se retrouve à neuf heures? ; what did you ~? qu'avez-vous dit?

saying ['seɪɪŋ] *n* dicton *m*.

scab [skæb] *n* croûte *f*.

scaffolding ['skæfəldɪŋ] *n* échafaudage *m*.

scald [skɔːld] *vt* ébouillanter.

scale [skeɪl] *n* échelle *f* ; MUS gamme *f* ; (*of fish, snake*) écaille *f* ; (*in kettle*) tartre *m*. ❑ **scales** *npl* (*for weighing*) balance *f*.

scallion ['skæljən] *n* Am oignon *m* blanc.

scallop ['skɒləp] *n* coquille *f* Saint-Jacques.

scalp [skælp] *n* cuir *m* chevelu.

scampi ['skæmpɪ] *n* scampi *mpl*.

scan [skæn] *vt* (*consult quickly*) parcourir. ◆ *n* MED scanner *m*.

scandal ['skændl] *n* (*disgrace*) scandale *m* ; (*gossip*) ragots *mpl*.

scar [skɑː^r] *n* cicatrice *f*.

scarce ['skeəs] *adj* rare.

scarcely ['skeəslɪ] *adv* (*hardly*) à peine.

scare [skeə^r] *vt* effrayer.

scarecrow ['skeəkrəʊ] *n* épouvantail *m*.

scared ['skeəd] *adj* effrayé(e).

scarf ['skɑːf] n (pl **scarves**) n écharpe f ; (silk, cotton) foulard m.

scarlet ['skaːlət] adj écarlate.

scarves [skaːvz] pl → **scarf**.

scary ['skeərɪ] adj inf effrayant(e).

scatter ['skætə] vt éparpiller.
◆ vi s'éparpiller.

scene [siːn] n (in play, film, book) scène f ; (of crime, accident) lieux mpl ; (view) vue f ; the music ~ le monde de la musique ; **to make a ~** faire une scène.

scenery ['siːnərɪ] n (countryside) paysage m ; (in theatre) décor m.

scenic ['siːnɪk] adj pittoresque.

scent [sent] n odeur f ; (perfume) parfum m.

sceptical ['skeptɪkl] adj Br sceptique.

schedule [Br 'ʃedjuːl, Am 'skedʒul] n (of work, things to do) planning m ; (timetable) horaire m ; (of prices) barème m. ◆ vt (plan) planifier ; **according to ~** comme prévu ; **behind ~** en retard ; **on ~** (at expected time) à l'heure (prévue).

scheduled flight [Br 'ʃedjuːld-, Am 'skedʒuld-] n vol m régulier.

scheme [skiːm] n (plan) plan m ; pej (dishonest plan) combine f.

scholarship ['skɒləʃɪp] n (award) bourse f d'études.

school [skuːl] n école f ; (university department) faculté f ; (university) université f. ◆ adj (age, holiday, report) scolaire ; **at ~** à l'école.

schoolbag ['skuːlbæg] n cartable m.

schoolbook ['skuːlbʊk] n manuel m scolaire.

schoolboy ['skuːlbɔɪ] n écolier

school bus n car m de ramassage scolaire.

schoolchild ['skuːltʃaɪld] (pl -children [-tʃɪldrən]) n élève mf.

schoolgirl ['skuːlgɜːl] n écolière f.

schoolmaster ['skuːl,maːstə] n Br maître m d'école, instituteur m.

schoolmistress ['skuːl,mɪstrɪs] n Br maîtresse f d'école, institutrice f.

schoolteacher ['skuːl,tiːtʃə] n instituteur m, -trice f.

school uniform n uniforme m scolaire.

science ['saɪəns] n science f ; SCH sciences fpl.

science fiction n science-fiction f.

scientific [,saɪən'tɪfɪk] adj scientifique.

scientist ['saɪəntɪst] n scientifique mf.

scissors ['sɪzəz] npl : (a pair of) ~ (une paire de) ciseaux mpl.

scone [skɒn] n petit gâteau rond, souvent aux raisins secs, que l'on mange avec du beurre et de la confiture.

scoop [skuːp] n (for ice cream) cuillère f à glace ; (of ice cream) boule f ; (in media) scoop m.

scooter ['skuːtə] n (motor vehicle) scooter m.

scope [skəʊp] n (possibility) possibilités fpl ; (range) étendue f.

scorch [skɔːtʃ] vt brûler.

score [skɔː] n score m. ◆ vt SPORT marquer ; (in test) obtenir. ◆ vi SPORT marquer.

scorn [skɔːn] n mépris m.

Scorpio [ˈskɔːpɪəʊ] n Scorpion m.

scorpion [ˈskɔːpjən] n scorpion m.

Scot [skɒt] n Écossais m, -e f.

scotch [skɒtʃ] n scotch m.

Scotch broth n potage à base de mouton, de légumes et d'orge.

Scotch tape® n Am Scotch® m.

Scotland [ˈskɒtlənd] n l'Écosse f.

Scotsman [ˈskɒtsmən] (pl -men [-mən]) n Écossais m.

Scotswoman [ˈskɒtswʊmən] (pl -women [-ˌwɪmɪn]) n Écossaise f.

Scottish [ˈskɒtɪʃ] adj écossais(e).

scout [skaʊt] n (boy scout) scout m.

SCOUTS

En 1908, le Britannique lord Baden-Powell fonde la *Scouting Association* en vue de développer le sens des responsabilités et l'aventure chez les jeunes. Depuis, en Grande-Bretagne comme aux États-Unis, les scouts, jeunes garçons de 11 à 16 ans, apprennent à s'organiser en groupes sous les ordres d'un adulte. Ils acquièrent des notions de premiers secours et des techniques de survie en extérieur. Avant 11 ans, les garçons peuvent s'inscrire dans un Club Scout. Les filles peuvent rejoindre des organisations parallèles, appelées *Brownies* ou *Girl Guides*.

scowl [skaʊl] vi se renfrogner.

scrambled eggs [ˌskræmbld-] npl œufs mpl brouillés.

scrap [skræp] n (of paper, cloth) bout m ; (old metal) ferraille f.

scrapbook [ˈskræpbʊk] n album m (pour coupures de journaux, collages, etc).

scrape [skreɪp] vt (rub) gratter ; (scratch) érafler.

scrap paper n Br brouillon m.

scratch [skrætʃ] n éraflure f. ◆ vt érafler ; (rub) gratter ; **to be up to ~** être à la hauteur ; **to start from ~** partir de zéro.

scratch paper Am = scrap paper.

scream [skriːm] n cri m perçant. ◆ vi (person) hurler.

screen [skriːn] n écran m ; (hall in cinema) salle f. ◆ vt (film) projeter ; (TV programme) diffuser.

screening [ˈskriːnɪŋ] n (of film) projection f.

screen wash n liquide m lave-glace.

screw [skruː] n vis f. ◆ vt visser.

screwdriver [ˈskruːˌdraɪvə'] n tournevis m.

scribble [ˈskrɪbl] vi gribouiller.

script [skrɪpt] n (of play, film) script m.

scrub [skrʌb] vt brosser.

scruffy [ˈskrʌfɪ] adj peu soigné(e).

scuba diving [ˈskuːbə-] n plongée f (sous-marine).

sculptor [ˈskʌlptə'] n sculpteur m.

sculpture [ˈskʌlptʃə'] n sculpture f.

sea [siː] n mer f ; **by ~** par mer ; **by the ~** au bord de la mer.

seafood [ˈsiːfuːd] n poissons mpl et crustacés.

seafront [ˈsiːfrʌnt] n front m de mer.

seagull [ˈsiːgʌl] n mouette f.

seal [siːl] n (animal) phoque m ; (on bottle, container) joint m d'étanchéité ; (official mark) cachet m. ◆ vt (envelope) cacheter ; (container) fermer.

seam [siːm] n (in clothes) couture f.

search [sɜːtʃ] n recherche f. ◆ vt fouiller. ◆ vi : to ~ for chercher.

search engine n COMPUT moteur m de recherche.

seashell ['siːʃel] n coquillage m.

seashore ['siːʃɔːʳ] n rivage m.

seasick ['siːsɪk] adj : to be ~ avoir le mal de mer.

seaside ['siːsaɪd] n : the ~ le bord de mer.

seaside resort n station f balnéaire.

season ['siːzn] n saison f. ◆ vt (food) assaisonner ; in ~ (fruit, vegetables) de saison ; (holiday) en saison haute ; out of ~ hors saison.

seasoning ['siːznɪŋ] n assaisonnement m.

season ticket n abonnement m.

seat [siːt] n siège m ; (in theatre, cinema) fauteuil m ; (ticket, place) place f. ◆ vt (subj : building, vehicle) contenir.

seat belt n ceinture f de sécurité.

seaweed ['siːwiːd] n algues fpl.

secluded [sɪ'kluːdɪd] adj retiré(e).

second ['sekənd] n seconde f. ◆ num second(e), deuxième ; **sixth** ; ~ **gear** seconde f. ❑ **seconds** npl (goods) articles mpl de second choix ; inf (of food) rab m.

secondary school ['sekəndrɪ-]

n école secondaire comprenant collège et lycée.

second-class adj (ticket) de seconde (classe) ; (stamp) tarif lent ; (inferior) de qualité inférieure.

second-hand adj d'occasion.

Second World War n : the ~ la Seconde Guerre mondiale.

secret ['siːkrɪt] adj secret(ète). ◆ n secret m.

secretary [Br 'sekrətrɪ, Am 'sekrəterɪ] n secrétaire m.

Secretary of State n Am ministre m des Affaires étrangères ; Br ministre m.

section ['sekʃn] n section f.

sector ['sektəʳ] n secteur m.

secure [sɪ'kjʊəʳ] adj (safe) en sécurité ; (place, building) sûr(e) ; (firmly fixed) qui tient bien ; (free from worry) sécurisé(e). ◆ vt (fix) attacher ; fml (obtain) obtenir.

security [sɪ'kjʊərətɪ] n sécurité f.

security guard n garde m.

sedative ['sedətɪv] n sédatif m.

seduce [sɪ'djuːs] vt séduire.

see [siː] (pt saw, pp seen) vt voir ; (accompany) raccompagner. ◆ vi voir ; I ~ (understand) je vois ; to ~ if one can do sthg voir si on peut faire qqch ; to ~ to sthg (deal with) s'occuper de qqch ; (repair) réparer qqch ; ~ you later! à plus tard! ; ~ you (soon)! à bientôt! ; ~ **p 14** voir p. 14. ❑ **see off** vt sep (say goodbye to) dire au revoir à.

seed [siːd] n graine f.

seeing (as) ['siːɪŋ-] conj vu que.

seek [siːk] (pt & pp sought) vt fml (look for) rechercher ; (request) demander.

seem [siːm] vi sembler. ◆ v impers : it ~s (that) ... il semble que

... ; she ~s nice elle a l'air sympathique.

seen [si:n] *pp* → see.

seesaw ['si:so:] *n* bascule *f*.

segment ['segmənt] *n (of fruit)* quartier *m*.

seize [si:z] *vt* saisir. ❑ **seize up** *vi (machine)* se gripper ; *(leg)* s'ankyloser ; *(back)* se bloquer.

seldom ['seldəm] *adv* rarement.

select [sɪ'lekt] *vt* sélectionner, choisir. ◆ *adj* sélect(e).

selection [sɪ'lekʃn] *n* choix *m*.

self-assured [ˌselfə'ʃuəd] *adj* sûr(e) de soi.

self-catering [ˌself'keɪtərɪŋ] *adj (flat)* indépendant(e) *(avec cuisine)* ; a ~ holiday des vacances *fpl* en location.

self-confident [ˌself-] *adj* sûr(e) de soi.

self-conscious [ˌself-] *adj* mal à l'aise.

self-contained [ˌselfkən'teɪnd] *adj (flat)* indépendant(e).

self-defence [ˌself-] *n* autodéfense *f*.

self-employed [ˌself-] *adj* indépendant(e).

selfish ['selfɪʃ] *adj* égoïste.

self-raising flour [ˌself'reɪzɪŋ-] *n Br* farine *f* à gâteaux.

self-rising flour [ˌself'raɪzɪŋ-] *Am* = self-raising flour.

self-service [ˌself-] *adj* en self-service.

sell [sel] *(pt & pp* sold) *vt* vendre. ◆ *vi* se vendre ; it ~s for £20 ça se vend 20 livres ; to ~ sb sthg vendre qqch à qqn.

sell-by date *n* date *f* limite de vente.

seller ['selə] *n (person)* vendeur *m*, -euse *f*.

Sellotape® ['seləteɪp] *n Br* ≃ Scotch® *m*.

semester [sɪ'mestə] *n* semestre *m*.

semicircle ['semɪˌsɜːkl] *n* demicercle *m*.

semicolon [ˌsemɪ'kəʊlən] *n* point-virgule *m*.

semidetached [ˌsemɪdɪ'tætʃt] *adj (houses)* jumeaux(elles).

semifinal [ˌsemɪ'faɪnl] *n* demi-finale *f*.

seminar ['semɪnɑ:] *n* séminaire *m*.

semolina [ˌseməˈli:nə] *n* semoule *f*.

send [send] *(pt & pp* sent) *vt* envoyer ; to ~ sthg to sb envoyer qqch à qqn. ❑ **send back** *vt sep* renvoyer. ❑ **send off** *vt sep (letter, parcel)* expédier ; SPORT expulser. ◆ *vi* : to ~ off for sthg commander qqch par correspondance.

sender ['sendə] *n* expéditeur *m*, -trice *f*.

senile ['si:naɪl] *adj* sénile.

senior ['si:njə] *adj (high-ranking)* haut placé(e) ; *(higher-ranking)* plus haut placé(e). ◆ *n Br* SCH grand *m*, -e *f* ; *Am* SCH ≃ élève *mf* de terminale.

senior citizen *n* personne *f* âgée.

sensation [sen'seɪʃn] *n* sensation *f*.

sensational [sen'seɪʃənl] *adj* sensationnel(elle).

sense [sens] *n* sens *m* ; *(common sense)* bon sens ; *(usefulness)* utilité *f*. ◆ *vt* sentir ; there's no ~ in waiting ça ne sert à rien d'attendre ;

to make ~ avoir un sens ; ~ of direction sens de l'orientation ; ~ of humour sens de l'humour.
sensible ['sensəbl] *adj (person)* sensé(e) ; *(clothes, shoes)* pratique.
sensitive ['sensɪtɪv] *adj* sensible.
sent [sent] *pt* → send.
sentence ['sentəns] *n* GRAMM phrase *f* ; *(for crime)* sentence *f*. ◆ *vt* condamner.
sentimental [ˌsentɪ'mentl] *adj* sentimental(e).
Sep. *(abbr of September)* sept.
separate [*adj* 'seprət, *vb* 'sepəreɪt] *adj* séparé(e) ; *(different)* distinct(e). ◆ *vt* séparer. ◆ *vi* se séparer. ❑ **separates** *npl* Br coordonnés *mpl*.
separately ['seprətlɪ] *adv* séparément.
separation [ˌsepə'reɪʃn] *n* séparation *f*.
September [sep'tembə'] *n* septembre *m* ; at the beginning of ~ début septembre ; at the end of ~ fin septembre ; during ~ en septembre ; every ~ tous les ans en septembre ; in ~ en septembre ; last ~ en septembre (dernier) ; next ~ en septembre de l'année prochaine ; this ~ en septembre (prochain) ; 2 ~ 1994 *(in letters etc)* le 2 septembre 1994.
septic ['septɪk] *adj* infecté(e).
septic tank *n* fosse *f* septique.
sequel ['si:kwəl] *n (to book, film)* suite *f*.
sequence ['si:kwəns] *n (series)* suite *f* ; *(order)* ordre *m*.
sequin ['si:kwɪn] *n* paillette *f*.
sergeant ['sɑ:dʒənt] *n (in police force)* brigadier *m* ; *(in army)* sergent *m*.

serial ['sɪərɪəl] *n* feuilleton *m*.
series ['sɪəri:z] *(pl inv) n* série *f*.
serious ['sɪərɪəs] *adj* sérieux(ieuse) ; *(illness, injury)* grave.
seriously ['sɪərɪəslɪ] *adv* sérieusement ; *(wounded, damaged)* gravement.
sermon ['sɜ:mən] *n* sermon *m*.
servant ['sɜ:vənt] *n* domestique *mf*.
serve [sɜ:v] *vt & vi* servir. ◆ *n* SPORT service *m* ; to ~ as *(be used for)* servir de ; the town is ~d by two airports la ville est desservie par deux aéroports ; '~s two' *(on packaging, menu)* 'pour deux personnes' ; it ~s you right *(c'est)* bien fait pour toi.
service ['sɜ:vɪs] *n* service *m* ; *(of car)* révision *f*. ◆ *vt (car)* réviser ; '~ not included' 'service non compris' ; to be of ~ to sb *fml* être utile à qqn. ❑ **services** *npl (on motorway)* aire *f* de service.
service area *n* aire *f* de service.
service charge *n* service *m*.
service department *n* atelier *m* de réparation.
service provider *n* COMPUT fournisseur *m* d'accès, provider *m*.
service station *n* station-service *f*.
serviette [ˌsɜ:vɪ'et] *n* serviette *f* (de table).
serving ['sɜ:vɪŋ] *n (helping)* part *f*.
serving spoon *n* cuillère *f* de service.
sesame seeds ['sesəmɪ-] *npl* graines *fpl* de sésame.
session ['seʃn] *n* séance *f*.

☞

set [set] (*pt & pp* set) *adj* - 1. *(price, time)* fixe ; a ~ lunch un menu. - 2. *(text, book)* au programme. - 3. *(situated)* situé(e).

◆ *n* - 1. *(of keys, tools)* jeu *m* ; a chess ~ un jeu d'échecs. - 2. *(TV)*: a (TV) ~ un poste (de télé), une télé. - 3. *(in tennis)* set *m*. - 4. SCH groupe *m* de niveau. - 5. *(of play)* décor *m*. - 6. *(at hairdresser's)*: a shampoo and ~ un shampo(o)ing et mise en plis.

◆ *vt* - 1. *(put)* poser ; to ~ the table mettre la table OR le couvert. - 2. *(cause to be)*: to ~ a machine going mettre une machine en marche ; to ~ fire to sthg mettre le feu à qqch. - 3. *(clock, alarm, controls)* régler ; ~ the alarm for 7 a.m. mets le réveil à (sonner pour) 7 h. - 4. *(price, time)* fixer. - 5. *(a record)* établir. - 6. *(homework, essay)* donner. - 7. *(play, film, story)*: to be ~ se passer, se dérouler.

◆ *vi* - 1. *(sun)* se coucher. - 2. *(glue, jelly)* prendre.

❑ **set down** *vt sep* Br *(passengers)* déposer.

❑ **set off**

◆ *vt sep* *(alarm)* déclencher.

◆ *vi* *(on journey)* se mettre en route.

❑ **set out**

◆ *vt sep* *(arrange)* disposer.

◆ *vi* *(on journey)* se mettre en route.

❑ **set up** *vt sep* *(barrier)* mettre en place ; *(equipment)* installer.

set meal *n* menu *m*.

set menu *n* menu *m*.

settee [se'ti:] *n* canapé *m*.

setting ['setɪŋ] *n* *(on machine)* réglage *m* ; *(surroundings)* décor *m*.

settle ['setl] *vt* régler ; *(stomach, nerves)* calmer. ◆ *vi* *(start to live)* s'installer ; *(come to rest)* se poser ; *(sediment, dust)* se déposer. ❑ **settle down** *vi* *(calm down)* se calmer ; *(sit comfortably)* s'installer. ❑ **settle up** *vi* *(pay bill)* régler.

settlement ['setlmənt] *n* *(agreement)* accord *m* ; *(place)* colonie *f*.

seven ['sevn] *num* sept → **six**.

seventeen [,sevn'ti:n] *num* dix-sept → **six**.

seventeenth [,sevn'ti:nθ] *num* dix-septième → **sixth**.

seventh ['sevnθ] *num* septième → **sixth**.

seventieth ['sevntjəθ] *num* soixante-dixième → **sixth**.

seventy ['sevntɪ] *num* soixante-dix → **six**.

several ['sevrəl] *adj & pron* plusieurs.

severe [sɪ'vɪə] *adj* *(conditions, illness)* grave ; *(person, punishment)* sévère ; *(pain)* aigu(uë).

sew [səʊ] *(pp* sewn) *vt & vi* coudre.

sewage ['su:ɪdʒ] *n* eaux *fpl* usées.

sewing ['səʊɪŋ] *n* couture *f*.

sewing machine *n* machine *f* à coudre.

sewn [səʊn] *pp* → **sew**.

sex [seks] *n* *(gender)* sexe *m* ; *(sexual intercourse)* rapports *mpl* sexuels ; to have ~ with sb coucher avec qqn.

sexist ['seksɪst] *n* sexiste *mf*.

sexual ['sekʃʊəl] adj sexuel(elle).

sexy ['seksɪ] adj sexy (inv).

shabby ['ʃæbɪ] adj (clothes, room) miteux(euse) ; (person) pauvrement vêtu(e).

shade [ʃeɪd] n (shadow) ombre f ; (lampshade) abat-jour m inv ; (of colour) teinte f. ◆ vt (protect) abriter. ❏ shades npl inf (sunglasses) lunettes fpl noires OR de soleil.

shadow ['ʃædəʊ] n ombre f.

shady ['ʃeɪdɪ] adj (place) ombragé(e) ; inf (person, deal) louche.

shaft [ʃɑːft] n (of machine) axe m ; (of lift) cage f.

shake [ʃeɪk] (pt shook, pp shaken ['ʃeɪkn]) vt secouer. ◆ vi trembler ; to ~ hands (with sb) échanger une poignée de mains (avec qqn) ; to ~ one's head secouer la tête.

🕮

shall [weak form ʃəl, strong form ʃæl] aux vb - 1. (expressing future) : I ~ be ready soon je serai bientôt prêt.
- 2. (in questions) : ~ I buy some wine? je t'achète du vin? ; ~ we listen to the radio? si on écoutait la radio? ; where ~ we go? où est-ce qu'on va?
- 3. fml (expressing order) : payment ~ be made within a week le paiement devra être effectué sous huitaine.

shallot [ʃə'lɒt] n échalote f.

shallow ['ʃæləʊ] adj peu profond(e).

shallow end n (of swimming pool) côté le moins profond.

shambles ['ʃæmblz] n désordre m.

shame [ʃeɪm] n honte f ; it's a ~

c'est dommage ; **what a ~!** quel dommage!

shampoo [ʃæm'puː] (pl -s) n shampo(o)ing m.

shandy ['ʃændɪ] n panaché m.

shape [ʃeɪp] n forme f ; **to be in good ~** être en forme ; **to be in bad ~** ne pas être en forme.

share [ʃeəʳ] n (part) part f ; (in company) action f. ◆ vt partager. ❏ share out vt sep partager.

shark [ʃɑːk] n requin m.

sharp [ʃɑːp] adj (knife, razor) aiguisé(e) ; (pointed) pointu(e) ; (clear) net (nette) ; (quick, intelligent) vif (vive) ; (rise, change, bend) brusque ; (painful) aigu(uë) ; (food, taste) acide. ◆ adv : **at ten o'clock ~** à dix heures pile.

sharpen ['ʃɑːpn] vt (pencil) tailler ; (knife) aiguiser.

shatter ['ʃætəʳ] vt (break) briser. ◆ vi se fracasser.

shattered ['ʃætəd] adj Br inf (tired) crevé(e).

shave [ʃeɪv] vt raser. ◆ vi se raser. ◆ n : **to have a ~** se raser ; **to ~ one's legs** se raser les jambes.

shaver ['ʃeɪvəʳ] n rasoir m électrique.

shaving brush ['ʃeɪvɪŋ-] n blaireau m.

shaving foam ['ʃeɪvɪŋ-] n mousse f à raser.

shawl [ʃɔːl] n châle m.

she [ʃiː] pron elle ; **~'s tall** elle est grande.

sheaf [ʃiːf] (pl sheaves) n (of paper, notes) liasse f.

shears [ʃɪəz] npl sécateur m.

sheaves [ʃiːvz] pl → sheaf.

shed [ʃed] (*pt* & *pp* shed) *n* remise f. ◆ *vt* (*tears, blood*) verser.

she'd [weak form ʃɪd, strong form ʃiːd] = she had, she would.

sheep [ʃiːp] (*pl inv*) *n* mouton m.

sheepdog [ˈʃiːpdɒg] *n* chien m de berger.

sheepskin [ˈʃiːpskɪn] *adj* en peau de mouton.

sheer [ʃɪəʳ] *adj* (*pure, utter*) pur(e) ; (*cliff*) abrupt(e) ; (*stockings*) fin(e).

sheet [ʃiːt] *n* (*for bed*) drap m ; (*of paper*) feuille f ; (*of glass, metal, wood*) plaque f.

shelf [ʃelf] (*pl* shelves) *n* étagère f ; (*in shop*) rayon m.

shell [ʃel] *n* (*of egg, nut*) coquille f ; (*on beach*) coquillage m ; (*of animal*) carapace f ; (*bomb*) obus m.

she'll [ʃiːl] = she will, she shall.

shellfish [ˈʃelfɪʃ] *n* (*food*) fruits *mpl* de mer.

shelter [ˈʃeltəʳ] *n* abri m. ◆ *vt* abriter. ◆ *vi* s'abriter ; **to take ~** s'abriter.

sheltered [ˈʃeltəd] *adj* abrité(e).

shelves [ʃelvz] *pl* → shelf.

shepherd [ˈʃepəd] *n* berger m.

shepherd's pie [ˈʃepədz-] *n* ≃ hachis m Parmentier.

sheriff [ˈʃerɪf] *n* (*in US*) shérif m.

sherry [ˈʃerɪ] *n* xérès m.

she's [ʃiːz] = she is, she has.

shield [ʃiːld] *n* bouclier m. ◆ *vt* protéger.

shift [ʃɪft] *n* (*change*) changement m ; (*period of work*) équipe f. ◆ *vt* déplacer. ◆ *vi* (*move*) se déplacer ; (*change*) changer.

shin [ʃɪn] *n* tibia m.

shine [ʃaɪn] (*pt* & *pp* shone) *vi* briller. ◆ *vt* (*shoes*) astiquer ; (*torch*) braquer.

shiny [ˈʃaɪnɪ] *adj* brillant(e).

ship [ʃɪp] *n* bateau m ; (*larger*) navire m ; **by ~** par bateau.

shipwreck [ˈʃɪprek] *n* (*accident*) naufrage m ; (*wrecked ship*) épave f.

shirt [ʃɜːt] *n* chemise f.

shit [ʃɪt] *n vulg* merde f.

shiver [ˈʃɪvəʳ] *vi* frissonner.

shock [ʃɒk] *n* choc m. ◆ *vt* (*surprise*) stupéfier ; (*horrify*) choquer ; **to be in ~** MED être en état de choc.

shocking [ˈʃɒkɪŋ] *adj* (*very bad*) épouvantable.

shoe [ʃuː] *n* chaussure f.

shoelace [ˈʃuːleɪs] *n* lacet m.

shoe polish *n* cirage m.

shoe repairer's [-rɪˌpeərəz] *n* cordonnerie f.

shoe shop *n* magasin m de chaussures.

shone [ʃɒn] *pt* & *pp* → shine.

shook [ʃʊk] *pt* → shake.

shoot [ʃuːt] (*pt* & *pp* shot) *vt* (*kill*) tuer ; (*injure*) blesser ; (*gun*) tirer un coup de ; (*arrow*) décocher ; (*film*) tourner. ◆ *n* (*of plant*) pousse f. ◆ *vi* tirer ; **to ~ past** passer en trombe.

shop [ʃɒp] *n* magasin m ; (*small*) boutique f. ◆ *vi* faire les courses.

shop assistant *n* Br vendeur m, -euse f.

shop floor *n* atelier m.

shopkeeper [ˈʃɒpˌkiːpəʳ] *n* commerçant m, -e f.

shoplifter [ˈʃɒpˌlɪftəʳ] *n* voleur m, -euse f à l'étalage.

shopper [ˈʃɒpəʳ] *n* acheteur m, -euse f.

shopping [ˈʃɒpɪŋ] n courses fpl, achats mpl ; to do the ~ faire les courses ; to go ~ aller faire des courses.

shopping bag n sac m à provisions.

shopping basket n panier m à provisions.

shopping centre n centre m commercial.

shopping list n liste f des courses.

shopping mall n centre m commercial.

shop steward n délégué m syndical, déléguée syndicale f.

shop window n vitrine f.

shore [ʃɔːʳ] n rivage m ; on ~ à terre.

short [ʃɔːt] adj court(e) ; (not tall) petit(e). ◆ adv (cut) court. ◆ n Br (drink) alcool m fort ; (film) courtmétrage m ; to be ~ of sthg (time, money) manquer de qqch ; to be ~ for sthg (be the abbreviation of) être l'abréviation de qqch ; to be ~ of breath être hors d'haleine ; in (en) bref. ❏ **shorts** npl (short trousers) short m ; Am (underpants) caleçon m.

shortage [ˈʃɔːtɪdʒ] n manque m.

shortbread [ˈʃɔːtbred] n ≃ sablé m au beurre.

short-circuit vi se mettre en court-circuit.

shortcrust pastry [ˈʃɔːtkrʌst-] n pâte f brisée.

short cut n raccourci m.

shorten [ˈʃɔːtn] vt (in time) écourter ; (in length) raccourcir.

shorthand [ˈʃɔːthænd] n sténographie f.

shortly [ˈʃɔːtlɪ] adv (soon) bientôt ; ~ before peu avant.

shortsighted [ˌʃɔːtˈsaɪtɪd] adj myope.

short-sleeved [-ˌsliːvd] adj à manches courtes.

short story n nouvelle f.

shot [ʃɒt] pt & pp → **shoot**. ◆ n (of gun) coup m de feu ; (in football) tir m ; (in tennis, golf etc) coup m ; (photo) photo f ; (in film) plan m ; inf (attempt) essai m ; (drink) petit verre m.

shotgun [ˈʃɒtgʌn] n fusil m de chasse.

should [ʃʊd] aux vb - 1. (expressing desirability) : we ~ leave now nous devrions OR il faudrait partir maintenant.
- 2. (asking for advice) : ~ I go too? est-ce que je dois y aller aussi?
- 3. (expressing probability) : she ~ be home soon elle devrait être bientôt rentrée.
- 4. (ought to) : they ~ have won the match ils auraient dû gagner le match.
- 5. fml (in conditionals) : ~ you need anything, call reception si vous avez besoin de quoi que ce soit, appelez la réception.
- 6. fml (expressing wish) : I ~ like to come with you j'aimerais bien venir avec vous.

shoulder [ˈʃəʊldəʳ] n épaule f ; Am (of road) bande f d'arrêt d'urgence.

shoulder pad n épaulette f.

shouldn't [ˈʃʊdnt] = should not.

should've [ˈʃʊdəv] = should have.

shout [ʃaʊt] n cri m. ◆ vt & vi crier. ❏ shout out vt sep crier.

shove [ʃʌv] vt (push) pousser ; (put carelessly) flanquer.

shovel [ʃʌvl] n pelle f.

show [ʃəʊ] (pp -ed OR shown) n (on TV, radio) émission f ; (at theatre) spectacle m ; (exhibition) exposition f. ◆ vt montrer ; (accompany) accompagner ; (film, TV programme) passer. ◆ vi (be visible) se voir ; (film) passer, être à l'affiche ; to ~ sthg to sb montrer qqch à qqn ; to ~ sb how to do sthg montrer à qqn comment faire qqch. ❏ show off vi faire l'intéressant. ❏ show up vi (come along) arriver ; (be visible) se voir.

shower [ʃaʊəʳ] n (for washing) douche f ; (of rain) averse f. ◆ vi prendre une douche ; to have a ~ prendre une douche.

shower gel n gel m douche.

shower unit n cabine f de douche.

showing [ʃəʊɪŋ] n (of film) séance f.

shown [ʃəʊn] pp → show.

showroom [ʃəʊrʊm] n salle f d'exposition.

shrank [ʃræŋk] pt → shrink.

shrimp [ʃrɪmp] n crevette f.

shrine [ʃraɪn] n lieu m saint.

shrink [ʃrɪŋk] (pt shrank, pp shrunk) n inf (psychoanalyst) psy mf. ◆ vi (clothes) rapetisser.

shrub [ʃrʌb] n arbuste m.

shrug [ʃrʌg] n haussement m d'épaules. ◆ vi hausser les épaules.

shrunk [ʃrʌŋk] pp → shrink.

shuffle [ʃʌfl] vt (cards) battre. ◆ vi (cards) battre les cartes.

shut [ʃʌt] (pt & pp shut) adj fermé(e). ◆ vt fermer. ◆ vi (door, mouth, eyes) se fermer ; (shop, restaurant) fermer. ❏ shut down vt sep fermer. ❏ shut up vi inf (stop talking) la fermer.

shutter [ʃʌtəʳ] n (on window) volet m ; (on camera) obturateur m.

shuttle [ʃʌtl] n navette f.

shuttlecock [ʃʌtlkɒk] n volant m.

shy [ʃaɪ] adj timide.

sick [sɪk] adj malade ; to be ~ (vomit) vomir ; to feel ~ avoir mal au cœur ; to be ~ of (fed up with) en avoir assez de.

sick bag n sachet mis à la disposition des passagers malades dans les avions et sur les bateaux.

sickness [sɪknɪs] n maladie f.

sick pay n indemnité f de maladie.

side [saɪd] n côté m ; (of hill) versant m ; (of road, river, pitch) bord m ; (of tape, record) face f ; (team) camp m ; (TV channel) chaîne f ; (page of writing) page f. ◆ adj (door, pocket) latéral(e) ; at the ~ of à côté de ; (river, road) au bord de ; on the other ~ de l'autre côté ; ~ by ~ côte à côte.

sideboard [saɪdbɔːd] n buffet m.

side dish n garniture f.

side effect n effet m secondaire.

side order n portion f.

side salad n salade servie en garniture.

side street n petite rue f.

sidewalk [saɪdwɔːk] n Am trottoir m.

sideways [saɪdweɪz] adv de côté.

sieve [sɪv] *n* passoire *f* ; *(for flour)* tamis *m*.

sigh [saɪ] *n* soupir *m*. ◆ *vi* soupirer.

sight [saɪt] *n (eyesight)* vision *f*, vue *f* ; *(thing seen)* spectacle *m* ; **at first ~** à première vue ; **to catch ~ of** apercevoir ; **in ~** en vue ; **to lose ~ of** perdre de vue ; **out of ~** hors de vue. ❑ **sights** *npl (of city, country)* attractions *fpl* touristiques.

sightseeing ['saɪt,siːɪŋ] *n* : **to go ~** faire du tourisme.

sign [saɪn] *n (next to road, in shop, station)* panneau *m* ; *(symbol, indication)* signe *m* ; *(signal)* signal *m*. ◆ *vt & vi* signer ; **there's no ~ of her** il n'y a aucune trace d'elle. ❑ **sign in** *vi (at hotel, club)* signer le registre.

signal ['sɪgnl] *n* signal *m* ; *Am (traffic lights)* feux *mpl* de signalisation. ◆ *vi (in car)* mettre son clignotant ; *(on bike)* tendre son bras.

signature ['sɪgnətʃə] *n* signature *f*.

significant [sɪg'nɪfɪkənt] *adj* significatif(ive).

signpost ['saɪnpəʊst] *n* poteau *m* indicateur.

silence ['saɪləns] *n (quiet)* silence *m*.

silencer ['saɪlənsə] *n* Br AUT silencieux *m*.

silent ['saɪlənt] *adj* silencieux (ieuse).

Silicon Valley *n* Silicon Valley *f*.

SILICON VALLEY

C'est ainsi que l'on désigne une région située dans le nord de la Californie où sont implantées de nombreuses entreprises du secteur de l'informatique. C'est le berceau de l'industrie des ordinateurs personnels.

silk [sɪlk] *n* soie *f*.

sill [sɪl] *n* rebord *m*.

silly ['sɪlɪ] *adj* idiot(e).

silver ['sɪlvə] *n* argent *m* ; *(coins)* monnaie *f*. ◆ *adj* en argent.

silver foil *n* papier *m* aluminium.

silver-plated [-'pleɪtɪd] *adj* plaqué(e) argent.

similar ['sɪmɪlə] *adj* similaire ; **to be ~ to** être semblable à.

similarity [,sɪmɪ'lærətɪ] *n* similitude *f*.

simmer ['sɪmə] *vi* mijoter.

simple ['sɪmpl] *adj* simple.

simplify ['sɪmplɪfaɪ] *vt* simplifier.

simply ['sɪmplɪ] *adv* simplement.

simulate ['sɪmjʊleɪt] *vt* simuler.

simultaneous [Br ,sɪml'teɪnjəs, Am ,saɪml'teɪnjəs] *adj* simultané(e).

simultaneously [Br ,sɪml'teɪn- jəslɪ, Am ,saɪml'teɪnjəslɪ] *adv* simultanément.

sin [sɪn] *n* péché *m*. ◆ *vi* pécher.

since [sɪns] *adv & prep* depuis. ◆ *conj (in time)* depuis que ; *(as)* puisque ; **we've been here since** depuis que nous sommes ici ; **ever ~** depuis, depuis que.

sincere [sɪn'sɪə] *adj* sincère.

sincerely [sɪn'sɪəlɪ] *adv* sincèrement ; **Yours ~** veuillez agréer, Monsieur/Madame, mes sentiments les meilleurs.

sing [sɪŋ] *(pt* sang, *pp* sung) *vt & vi* chanter.

singer ['sɪŋə'] n chanteur m, -euse f.

single ['sɪŋgl] adj (just one) seul(e); (not married) célibataire. ◆ n Br (ticket) aller m simple; (record) 45 tours m inv; **every** ~ chaque. ❑ **singles** ◆ n SPORT simple m. ◆ adj (bar, club) pour célibataires.

single bed n petit lit m, lit m à une place.

single cream n Br crème f fraîche liquide.

single currency n monnaie f unique.

single parent n père m OR mère f célibataire.

single room n chambre f simple.

singular ['sɪŋgjʊlə'] n singulier m; **in the** ~ au singulier.

sinister ['sɪnɪstə'] adj sinistre.

sink [sɪŋk] (pt sank, pp sunk) n (in kitchen) évier m; (washbasin) lavabo m. ◆ vi (in water) couler; (decrease) décroître.

sink unit n bloc-évier m.

sinuses ['saɪnəsɪz] npl sinus mpl.

sip [sɪp] n petite gorgée f. ◆ vt siroter.

siphon ['saɪfn] n siphon m. ◆ vt siphonner.

sir [sɜː'] n Monsieur; **Dear Sir** Cher Monsieur.

siren ['saɪərən] n sirène f.

sirloin steak [ˌsɜːlɔɪn-] n bifteck m d'aloyau.

sister ['sɪstə'] n sœur f; Br (nurse) infirmière f en chef.

sister-in-law n belle-sœur f.

sit [sɪt] (pt & pp sat) vi s'asseoir; (be situated) être situé. ◆ vt as-

seoir; Br (exam) passer; **to be sitting** être assis. ❑ **sit down** vi s'asseoir. ❑ **sit up** vi (after lying down) se redresser; (stay up late) veiller.

site [saɪt] n site m; (building site) chantier m.

sitting room ['sɪtɪŋ-] n salon m.

situated ['sɪtjʊeɪtɪd] adj: **to be** ~ être situé(e).

situation [ˌsɪtjʊ'eɪʃn] n situation f; '~s vacant' 'offres d'emploi'.

six [sɪks] num adj & n six; **to be** ~ (years old) avoir six ans; **it's** ~ (o'clock) il est six heures; **a hundred and** ~ cent six; ~ **Hill St** 6 Hill St; **it's minus** ~ (degrees) il fait moins six.

sixteen [ˌsɪks'tiːn] num seize → six.

sixteenth [ˌsɪks'tiːnθ] num seizième → sixth.

sixth [sɪksθ] num adj & adv sixième. ◆ num pron sixième mf. ◆ num n (fraction) sixième m; **the** ~ **(of September)** le six (septembre).

sixth form n Br ≃ terminale f.

sixth-form college n Br établissement préparant aux « A levels ».

sixtieth ['sɪkstɪəθ] num soixantième → sixth.

sixty ['sɪkstɪ] num soixante → six.

size [saɪz] n taille f; (of shoes) pointure f; **what** ~ **do you take?** quelle taille/pointure faites-vous?; **what** ~ **is this?** c'est quelle taille?

sizeable ['saɪzəbl] adj assez important(e).

skate [skeɪt] n patin m; (fish) raie f. ◆ vi patiner.

skateboard ['skeɪtbɔːd] n skate-board m.

skater ['skeɪtər] n patineur m, -euse f.

skating ['skeɪtɪŋ] n : to go ~ (ice-skating) faire du patin (à glace) ; (roller-skating) faire du patin (à roulettes).

skeleton ['skelɪtn] n squelette m.

skeptical ['skeptɪkl] Am = sceptical.

sketch [sketʃ] n (drawing) croquis m ; (humorous) sketch m. ◆ vt dessiner.

skewer ['skjuər] n brochette f.

ski [skiː] (pt & pp **skied**, cont **skiing**) n ski m. ◆ vi skier.

ski boots npl chaussures fpl de ski.

skid [skɪd] n dérapage m. ◆ vi déraper.

skier ['skiːər] n skieur m, -ieuse f.

skiing ['skiːɪŋ] n ski m ; to go ~ faire du ski ; to go on a ~ holiday partir aux sports d'hiver.

skilful ['skɪlfʊl] adj Br adroit(e).

ski lift n remonte-pente f.

skill [skɪl] n (ability) adresse f ; (technique) technique f.

skilled [skɪld] adj (worker, job) qualifié(e) ; (driver, chef) expérimenté(e).

skillful ['skɪlfʊl] Am = skilful.

skimmed milk ['skɪmd-] n lait m écrémé.

skin [skɪn] n peau f.

skin freshener [-ˌfreʃnər] n lotion f rafraîchissante.

skinny ['skɪnɪ] adj maigre.

skip [skɪp] vi (with rope) sauter à la corde ; (jump) sauter. ◆ vt (omit) sauter. ◆ n (container) benne f.

ski pants npl fuseau m.

ski pass n forfait m.

ski pole n bâton m de ski.

skipping rope ['skɪpɪŋ-] n corde f à sauter.

skirt [skɜːt] n jupe f.

ski slope n piste f de ski.

ski tow n téléski m.

skittles ['skɪtlz] n quilles fpl.

skull [skʌl] n crâne m.

sky [skaɪ] n ciel m.

skylight ['skaɪlaɪt] n lucarne f.

skyscraper ['skaɪˌskreɪpər] n gratte-ciel m inv.

slab [slæb] n dalle f.

slack [slæk] adj (rope) lâche ; (careless) négligent(e) ; (not busy) calme.

slacks [slæks] npl pantalon m.

slam [slæm] vt & vi claquer.

slander ['slɑːndər] n calomnie f.

slang [slæŋ] n argot m.

slant [slɑːnt] n inclinaison f. ◆ vi pencher.

slap [slæp] n (smack) claque f. ◆ vt (person on face) gifler.

slash [slæʃ] vt (cut) entailler ; fig (prices) casser. ◆ n (written symbol) barre f oblique.

slate [sleɪt] n ardoise f.

slaughter ['slɔːtər] vt (animal) abattre ; (people) massacrer ; fig (defeat) battre à plates coutures.

slave [sleɪv] n esclave mf.

sled [sled] = **sledge**.

sledge [sledʒ] n (for fun, sport) luge f ; (for transport) traîneau m.

sleep [sliːp] (pt & pp **slept**) n sommeil m ; (nap) somme m. ◆ vi dormir. ◆ vt : the house ~s six la maison permet de coucher six personnes ; did you ~ well? as-tu bien dormi? ; **I couldn't get to ~** je n'arrivais pas à m'endormir ; **to go to ~** s'endormir ; **to ~ with sb** coucher avec qqn.

sleeper ['sliːpə'] n (train) train-couchettes m ; (sleeping car) wagon-lit m ; Br (on railway track) traverse f ; Br (earring) clou m.

sleeping bag ['sliːpɪŋ-] n sac m de couchage.

sleeping car ['sliːpɪŋ-] n wagon-lit m.

sleeping pill ['sliːpɪŋ-] n somnifère m.

sleepy ['sliːpɪ] adj : **to be ~** avoir sommeil.

sleet [sliːt] n neige f fondue. ◆ v impers : **it's ~ing** il tombe de la neige fondue.

sleeve [sliːv] n manche f ; (of record) pochette f.

sleeveless ['sliːvlɪs] adj sans manches.

slept [slept] pt & pp → **sleep**.

slice [slaɪs] n (of bread, meat) tranche f ; (of cake, pizza) part f. ◆ vt (bread, meat) couper en tranches ; (cake) découper ; (vegetables) couper en rondelles.

sliced bread [ˌslaɪst-] n pain m en tranches.

slide [slaɪd] (pt & pp slid [slɪd]) n (in playground) toboggan m ; (of photograph) diapositive f ; (for hair slide) barrette f. ◆ vi (slip) glisser.

sliding door [ˌslaɪdɪŋ-] n porte f coulissante.

slight [slaɪt] adj léger(ère) ; **the ~est** le moindre ; **not in the ~est** pas le moins du monde.

slightly ['slaɪtlɪ] adv légèrement.

slim [slɪm] adj mince. ◆ vi maigrir.

slimming ['slɪmɪŋ] n amaigrissement m.

sling [slɪŋ] (pt) n écharpe f. ◆ vt inf (throw) balancer.

slip [slɪp] vi glisser. ◆ n (mistake) erreur f ; (form) coupon m ; (petticoat) jupon m ; (from shoulders) combinaison f. □ **slip up** vi (make a mistake) faire une erreur.

slipper ['slɪpə'] n chausson m.

slippery ['slɪpərɪ] adj glissant(e).

slit [slɪt] n fente f.

slob [slɒb] n inf (dirty) crado mf ; (lazy) flemmard m, -e f.

slogan ['sləʊgən] n slogan m.

slope [sləʊp] n (incline) pente f ; (hill) côte f ; (for skiing) piste f. ◆ vi être en pente.

sloping ['sləʊpɪŋ] adj en pente.

slot [slɒt] n (for coin) fente f ; (groove) rainure f.

slot machine n (vending machine) distributeur m ; (for gambling) machine f à sous.

slow [sləʊ] adv lentement. ◆ adj lent(e) ; (business) calme ; (clock, watch) : **to be ~** retarder ; **a ~ train** un omnibus. □ **slow down** vt sep & vi ralentir.

slowly ['sləʊlɪ] adv lentement.

slug [slʌg] n (animal) limace f.

slum [slʌm] n (building) taudis m. □ **slums** npl (district) quartiers mpl défavorisés.

slung [slʌŋ] pt & pp → **sling**.

slush [slʌʃ] n neige f fondue.

sly [slaɪ] adj (cunning) malin (maligne) ; (deceitful) sournois(e).

smack [smæk] n (slap) claque f. ◆ vt donner une claque à.

small [smɔːl] adj petit(e).

small change n petite monnaie f.

smallpox ['smɔ:lpɒks] n variole f.

smart [sma:t] adj (elegant) élégant(e) ; (clever) intelligent(e) ; (posh) chic.

smart card n carte f à puce.

smash [smæʃ] n SPORT smash m ; inf (car crash) accident m. ◆ vt (plate, window) fracasser. ◆ vi (plate, vase etc) se fracasser.

smashing ['smæʃɪŋ] adj Br inf génial(e).

smear test ['smɪə-] n frottis m.

smell [smel] (pt & pp -ed OR smelt) n odeur f. ◆ vt sentir. ◆ vi (have odour) sentir ; (have bad odour) puer ; it ~s of lavender/burning ça sent la lavande/le brûlé.

smelly ['smelɪ] adj qui pue.

smelt [smelt] pt & pp → smell.

smile [smaɪl] n sourire m. ◆ vi sourire.

smiley ['smaɪlɪ] n smiley m.

smoke [sməʊk] n fumée f. ◆ vt & vi fumer ; to have a ~ fumer une cigarette.

smoked [sməʊkt] adj fumé(e).

smoked salmon n saumon m fumé.

smoker ['sməʊkə-] n fumeur m, -euse f.

smoking ['sməʊkɪŋ] n : 'no ~' 'défense de fumer'.

smoking area n zone f fumeurs.

smoking compartment n compartiment m fumeurs.

smoky ['sməʊkɪ] adj (room) enfumé(e).

smooth [smu:ð] adj (surface, skin, road) lisse ; (takeoff, landing) en douceur ; (life) calme ; (journey) sans incidents ; (mixture, liquid) onctueux(euse) ; (wine, beer) moelleux(euse) ; pej (suave) doucereux(euse). ❑ **smooth down** vt sep lisser.

smother ['smʌðə-] vt (cover) couvrir.

smudge [smʌdʒ] n tache f.

smuggle ['smʌgl] vt passer clandestinement.

snack [snæk] n casse-croûte m inv.

snack bar n snack-bar m.

snail [sneɪl] n escargot m.

snake [sneɪk] n (animal) serpent m.

snap [snæp] vt (break) casser net. ◆ vi (break) se casser net. ◆ n inf (photo) photo f ; Br (card game) ≃ bataille f.

snatch [snætʃ] vt (grab) saisir ; (steal) voler.

sneakers ['sni:kəz] npl Am tennis mpl.

sneeze [sni:z] n éternuement m. ◆ vi éternuer.

sniff [snɪf] vt & vi renifler.

snip [snɪp] vt couper.

snob [snɒb] n snob mf.

snog [snɒg] vi Br inf s'embrasser.

snooker ['snu:kə-] n sorte de billard joué avec 22 boules.

snooze [snu:z] n petit somme m.

snore [snɔ:-] vi ronfler.

snorkel ['snɔ:kl] n tuba m.

snout [snaʊt] n museau m.

snow [snəʊ] n neige f. ◆ v impers : it's ~ing il neige.

snowball ['snəʊbɔ:l] n boule f de neige.

snowdrift ['snəʊdrıft] n congère f.

snowflake ['snəʊfleık] n flocon m de neige.

snowman ['snəʊmæn] (pl -men [-men]) n bonhomme m de neige.

snowplough ['snəʊplaʊ] n chasse-neige m inv.

snowstorm ['snəʊstɔːm] n tempête f de neige.

snug [snʌg] adj (person) au chaud ; (place) douillet(ette).

---

so [səʊ] adv - 1. (emphasizing degree) si, tellement ; it's ~ difficult (that ...) c'est si difficile (que) ...

- 2. (referring back) I don't think ~ je ne crois pas ; I'm afraid ~ j'en ai bien peur ; if ~ si c'est le cas.

- 3. (also) : ~ do I moi aussi.

- 4. (in this way) comme ça, ainsi.

- 5. (expressing agreement) : ~ there is en effet.

- 6. (in phrases) : or ~ environ ; ~ as afin de, pour ; ~ that afin OR pour que (+ subjunctive).

◆ conj - 1. (therefore) donc, alors ; it might rain ~ take an umbrella il se pourrait qu'il pleuve, alors prends un parapluie.

- 2. (summarizing) alors ; ~ what have you been up to? alors, qu'est-ce que tu deviens?

- 3. (in phrases) : ~ what? inf et alors?, et après? ; ~ there! inf na!

---

soak [səʊk] vt (leave in water) faire tremper ; (make very wet) tremper.
◆ vi : to ~ through sthg s'infiltrer dans qqch. ❑ **soak up** vt sep absorber.

soaked [səʊkt] adj trempé(e).

soaking ['səʊkıŋ] adj (very wet) trempé(e).

soap [səʊp] n savon m.

soap opera n soap opera m.

soap powder n lessive f en poudre.

sob [sɒb] n sanglot m. ◆ vi sangloter.

sober ['səʊbə'] adj (not drunk) à jeun.

soccer ['sɒkə'] n football m.

sociable ['səʊʃəbl] adj sociable.

social ['səʊʃl] adj social(e).

social club n club m.

socialist ['səʊʃəlıst] adj socialiste. ◆ n socialiste mf.

social life n vie f sociale.

social security n aide f sociale.

social worker n assistant m social, assistante sociale f.

society [sə'saıətı] n société f.

sociology [ˌsəʊsı'ɒlədʒı] n sociologie f.

sock [sɒk] n chaussette f.

socket ['sɒkıt] n (for plug) prise f ; (for light bulb) douille f.

sod [sɒd] n Br vulg con m, conne f.

soda ['səʊdə] n (soda water) eau f de Seltz ; Am (fizzy drink) soda m.

soda water n eau f de Seltz.

sofa ['səʊfə] n canapé m, sofa m.

sofa bed n canapé-lit m.

soft [sɒft] adj (bed, food) mou (molle) ; (skin, fabric, voice) doux (douce) ; (touch, sound) léger(ère).

soft cheese n fromage m à pâte molle.

soft drink n boisson f non alcoolisée.

software ['sɒftweə'] n logiciel m.

soil [sɔıl] n (earth) sol m.

solarium [sə'leəriəm] n solarium m.

solar panel ['səulə-] n panneau m solaire.

sold [səuld] pt & pp = sell.

soldier ['səuldʒə'] n soldat m.

sold out adj (product) épuisé(e) ; (concert, play) complet(ète).

sole [səul] adj (only) unique ; (exclusive) exclusif(ive). ◆ n (of shoe) semelle f ; (of foot) plante f ; (fish : pl inv) sole f.

solemn ['sɒləm] adj solennel(elle).

solicitor [sə'lɪsɪtə'] n Br notaire m.

solid ['sɒlɪd] adj solide ; (not hollow) plein(e) ; (gold, silver, oak) massif(ive).

solo ['səuləu] (pl -s) n solo m.

soluble ['sɒljubl] adj soluble.

solution [sə'lu:ʃn] n solution f.

solve [sɒlv] vt résoudre.

☞

some [sʌm] adj - 1. (certain amount of) : ~ meat de la viande ; ~ milk du lait ; ~ money de l'argent ; I had ~ difficulty getting here j'ai eu quelque mal à arriver jusqu'ici.
- 2. (certain number of) des ; ~ sweets des bonbons ; I've known him for ~ years je le connais depuis pas mal d'années.
- 3. (not all) certains (certaines) ; ~ jobs are better paid than others certains emplois sont mieux payés que d'autres.
- 4. (in imprecise statements) quelconque ; she married ~ Italian elle a épousé un Italien quelconque.
◆ pron - 1. (certain amount) : can I

have ~? je peux en prendre? ; ~ of the money une partie de l'argent.
- 2. (certain number) certains (certaines) ; can I have ~? je peux en prendre? ; ~ (of them) left early quelques-uns (d'entre eux) sont partis tôt.
◆ adv (approximately) environ ; there were ~ 7 000 people there il y avait environ 7 000 personnes.

somebody ['sʌmbədɪ] = someone.

somehow ['sʌmhau] adv (some way or other) d'une manière ou d'une autre ; (for some reason) pour une raison ou pour une autre.

someone ['sʌmwʌn] pron quelqu'un.

someplace ['sʌmpleɪs] Am = somewhere.

somersault ['sʌməsɔ:lt] n saut m périlleux.

something ['sʌmθɪŋ] pron quelque chose ; it's really ~ c'est vraiment quelque chose! ; or ~ inf ou quelque chose comme ça ; ~ like (approximately) quelque chose comme.

sometime ['sʌmtaɪm] adv : ~ in May en mai.

sometimes ['sʌmtaɪmz] adv quelquefois, parfois.

somewhere ['sʌmweə'] adv quelque part ; (approximately) environ.

son [sʌn] n fils m.

song [sɒŋ] n chanson f.

son-in-law n gendre m.

soon [su:n] adv bientôt ; (early) tôt ; how ~ can you do it? pour quand pouvez-vous le faire? ; as ~ as I know dès que je le saurai ; as ~ as possible dès que possible ;

~ after peu après ; **~er or later** tôt ou tard.

soot [sʊt] n suie f.

soothe [suːð] vt calmer.

sophisticated [sə'fɪstɪkeɪtɪd] adj sophistiqué(e).

sorbet ['sɔːbeɪ] n sorbet m.

sore [sɔːʳ] adj (painful) douloureux(euse) ; Am inf (angry) fâché(e). ◆ n plaie f ; **to have a ~ throat** avoir mal à la gorge.

sorry ['sɒrɪ] adj désolé(e) ; **I'm ~!** désolé! ; **I'm ~ I'm late** je suis désolé d'être en retard ; **~?** (asking for repetition) pardon? ; **to feel ~ for sb** plaindre qqn ; **to be ~ about sthg** être désolé de qqch.

sort [sɔːt] n sorte f. ◆ vt trier ; **~ of** plutôt. ❑ **sort out** vt sep (classify) trier ; (resolve) résoudre.

so-so adj inf quelconque. ◆ adv inf couci-couça.

soufflé ['suːfleɪ] n soufflé m.

sought [sɔːt] pt & pp → **seek**.

soul [səʊl] n (spirit) âme f ; (music) soul f.

sound [saʊnd] n bruit m ; (volume) son m. ◆ vi (alarm, bell) retentir ; (seem to be) avoir l'air, sembler. ◆ adj (in good condition) solide ; (reliable) valable. ◆ vt : **to ~ one's horn** klaxonner ; **the engine ~s odd** le moteur fait un drôle de bruit ; **you ~ cheerful** tu as l'air content ; **to ~ like** (make a noise like) ressembler à ; (seem to be) sembler être.

soundproof ['saʊndpruːf] adj insonorisé(e).

soup [suːp] n soupe f.

soup spoon n cuillère f à soupe.

sour [saʊəʳ] adj aigre ; **to go ~** tourner.

source [sɔːs] n source f.

sour cream n crème f aigre.

south [saʊθ] n sud m. ◆ adj du sud. ◆ adv (fly, walk) vers le sud ; (be situated) au sud ; **in the ~ of England** dans le sud de l'Angleterre.

southbound ['saʊθbaʊnd] adj en direction du sud.

southeast [ˌsaʊθ'iːst] n sud-est m.

southern ['sʌðən] adj méridional(e), du sud.

South Pole n pôle m Sud.

southwards ['saʊθwədz] adv vers le sud.

southwest [ˌsaʊθ'west] n sud-ouest m.

souvenir [ˌsuːvə'nɪəʳ] n souvenir m (objet).

sow¹ [səʊ] (pp **sown** [səʊn]) vt (seeds) semer.

sow² [saʊ] n (pig) truie f.

soya ['sɔɪə] n soja m.

soya bean n graine f de soja.

soy sauce [ˌsɔɪ-] n sauce f au soja.

spa [spaː] n station f thermale.

space [speɪs] n (room, empty place) place f ; (gap, in astronomy etc) espace m ; (period) intervalle m. ◆ vt : espacer.

spaceship ['speɪsʃɪp] n vaisseau m spatial.

space shuttle n navette f spatiale.

spacious ['speɪʃəs] adj spacieux(ieuse).

spade [speɪd] n (tool) pelle f. ❑ **spades** npl (in cards) pique m.

spaghetti [spə'getɪ] n spaghetti(s) mpl.

Spain [speɪn] n l'Espagne f.

span [spæn] pt → **spin**. ◆ n (of time) durée f.

Spaniard ['spænjəd] n Espagnol m, -e f.

spaniel ['spænjəl] n épagneul m.

Spanish ['spænɪʃ] adj espagnol(e). ◆ n (language) espagnol m.

spank [spæŋk] vt donner une fessée à.

spanner ['spænər] n clef f.

spare [speər] adj (kept in reserve) de réserve ; (clothes) de rechange ; (not in use) disponible. ◆ n (spare part) pièce f de rechange. ◆ vt : to ~ sb sthg (time) consacrer qqch à qqn ; with ten minutes to ~ avec dix minutes d'avance.

spare part n pièce f de rechange.

spare ribs npl travers m de porc.

spare room n chambre f d'amis.

spare time n temps m libre.

spark [spɑːk] n étincelle f.

sparkling ['spɑːklɪŋ] adj (mineral water, soft drink) pétillant(e).

sparkling wine n mousseux m.

sparrow ['spærəʊ] n moineau m.

spat [spæt] pt & pp → **spit**.

speak [spiːk] (pt spoke, pp spoken) vt (language) parler ; (say) dire. ◆ vi parler ; who's ~ing? (on phone) qui est à l'appareil? ; can I ~ to Sarah? (on phone) pourrais-je parler à Sarah? - c'est elle-même! ; to ~ to sb about sthg parler à qqn de qqch. ❑ **speak up** vi (more loudly) parler plus fort.

speaker ['spiːkər] n (in public) orateur m, -trice f ; (loudspeaker)

haut-parleur m ; (of stereo) enceinte f ; an English ~ un anglophone.

spear [spɪər] n lance f.

special ['speʃl] adj spécial(e). ◆ n (dish) spécialité f ; 'today's ~' 'plat du jour'.

special delivery n service postal britannique garantissant la distribution du courrier sous 24 heures.

special effects npl effets mpl spéciaux.

specialist ['speʃəlɪst] n (doctor) spécialiste mf.

speciality [ˌspeʃɪ'ælətɪ] n spécialité f.

specialize ['speʃəlaɪz] vi : to ~ (in) se spécialiser (en).

specially ['speʃəlɪ] adv spécialement.

special offer n offre f spéciale.

special school n Br établissement m scolaire spécialisé.

specialty ['speʃltɪ] Am = **speciality**.

species ['spiːʃiːz] n espèce f.

specific [spə'sɪfɪk] adj (particular) spécifique ; (exact) précis(e).

specification [ˌspesɪfɪ'keɪʃn] n (of machine, building etc) cahier m des charges.

specimen ['spesɪmən] n MED échantillon m ; (example) spécimen m.

specs [speks] npl inf lunettes fpl.

spectacle ['spektəkl] n spectacle m.

spectacles ['spektəklz] npl lunettes fpl.

spectacular [spek'tækjʊlər] adj spectaculaire.

spectator [spek'teɪtər] n spectateur m, -trice f.

sped [sped] *pt* & *pp* → **speed**.

speech [spiːtʃ] *n* (ability to speak) parole *f* ; (manner of speaking) élocution *f* ; (talk) discours *m*.

speech impediment [-ɪm.pedɪmənt] *n* défaut *m* d'élocution.

speed [spiːd] (*pt* & *pp* -ed OR sped) *n* vitesse *f*. ◆ *vi* (move quickly) aller à toute vitesse ; (drive too fast) faire un excès de vitesse. ❑ **speed up** *vi* accélérer.

speedboat ['spiːdbəʊt] *n* horsbord *m inv*.

speed bump *n* dos-d'âne *m inv*.

speeding ['spiːdɪŋ] *n* excès *m* de vitesse.

speed limit *n* limite *f* de vitesse.

speedometer [spɪ'dɒmɪtə'] *n* compteur *m* (de vitesse).

spell [spel] (*Br pt* & *pp* -ed OR spelt, *Am pt* & *pp* -ed) *vt* (word, name) orthographier ; (out loud) épeler ; (subj: letters) donner. ◆ *n* (period) période *f* ; (magic) sort *m* ; how do you ~ that? comment ça s'écrit? ; sunny ~ éclaircies *fpl*.

spell-checker [-tʃekə'] *n* correcteur *m* OR vérificateur *m* orthographique.

spelling ['spelɪŋ] *n* orthographe *f*.

spelt [spelt] *pt* & *pp Br* → spell.

spend [spend] (*pt* & *pp* spent [spent]) *vt* (money) dépenser ; (time) passer.

sphere [sfɪə'] *n* sphère *f*.

spice [spaɪs] *n* épice *f*. ◆ *vt* épicer.

spicy ['spaɪsɪ] *adj* épicé(e).

spider ['spaɪdə'] *n* araignée *f*.

spider's web *n* toile *f* d'araignée.

spike [spaɪk] *n* pointe *f*.

spill [spɪl] (*Br pt* & *pp* -ed OR spilt, *Am pt* & *pp* -ed) *vt* renverser. ◆ *vi* se renverser.

spin [spɪn] (*pt* span OR spun, *pp* spun) *vt* (wheel) faire tourner ; (washing) essorer. ◆ *n* (on ball) effet *m* ; to go for a ~ *inf* (in car) faire un tour.

spinach ['spɪnɪdʒ] *n* épinards *mpl*.

spine [spaɪn] *n* colonne *f* vertébrale ; (of book) dos *m*.

spinster ['spɪnstə'] *n* célibataire *f*.

spiral ['spaɪərəl] *n* spirale *f*.

spiral staircase *n* escalier *m* en colimaçon.

spire [spaɪə'] *n* flèche *f*.

spirit ['spɪrɪt] *n* (soul, mood) esprit *m* ; (energy) entrain *m* ; (courage) courage *m*. ❑ **spirits** *npl Br* (alcohol) spiritueux *mpl*.

spit [spɪt] (*Br pt* & *pp* spat, *Am pt* & *pp* spit) *vi* (person) cracher ; (fire, food) grésiller. ◆ *n* (saliva) crachat *m* ; (for cooking) broche *f*. ◆ *v impers* : it's spitting il pleuvine.

spite [spaɪt] : in spite of *prep* en dépit de, malgré.

spiteful ['spaɪtfʊl] *adj* malveillant(e).

splash [splæʃ] *n* (sound) plouf *m*. ◆ *vt* éclabousser.

splendid ['splendɪd] *adj* (beautiful) splendide ; (very good) excellent(e).

splint [splɪnt] *n* attelle *f*.

splinter ['splɪntə'] *n* (of wood) écharde *f* ; (of glass) éclat *m*.

split [splɪt] (*pt* & *pp* **split**) *n* (*tear*) déchirure f ; (*crack, in skirt*) fente f. ◆ *vt* (*wood, stone*) fendre ; (*tear*) déchirer ; (*bill, cost, profits, work*) partager. ◆ *vi* (*wood, stone*) se fendre ; (*tear*) se déchirer. ❏ **split up** *vi* (*group, couple*) se séparer.

spoil [spɔɪl] (*pt* & *pp* **-ed** OR **spoilt**) *vt* (*ruin*) gâcher ; (*child*) gâter.

spoke [spəʊk] *pt* → **speak**. ◆ *n* (*of wheel*) rayon m.

spoken ['spəʊkn] *pp* → **speak**.

spokesman ['spəʊksmən] (*pl* -**men** [-mən]) *n* porte-parole m inv.

spokeswoman ['spəʊks,wʊmən] (*pl* -**women** [-,wɪmɪn]) *n* porte-parole m inv.

sponge [spʌndʒ] *n* (*for cleaning, washing*) éponge f.

sponge bag *n* Br trousse f de toilette.

sponge cake *n* génoise f.

sponsor ['spɒnsə'] *n* (*of event, TV programme*) sponsor m.

sponsored walk [,spɒnsəd-] *n* marche destinée à rassembler des fonds.

spontaneous [spɒn'teɪnjəs] *adj* spontané(e).

spoon [spuːn] *n* cuillère f.

spoonful ['spuːnfʊl] *n* cuillerée f.

sport [spɔːt] *n* sport m.

sports car [spɔːts-] *n* voiture f de sport.

sports centre [spɔːts-] *n* centre m sportif.

sports jacket [spɔːts-] *n* veste f sport.

sportsman ['spɔːtsmən] (*pl* -**men** [-mən]) *n* sportif m.

sports shop [spɔːts-] *n* magasin m de sport.

sportswoman ['spɔːts,wʊmən] (*pl* -**women** [-,wɪmɪn]) *n* sportive f.

spot [spɒt] *n* (*dot*) tache f ; (*on skin*) bouton m ; (*place*) endroit m. ◆ *vt* repérer ; **on the ~** (*at once*) immédiatement ; (*at the scene*) sur place.

spotless ['spɒtlɪs] *adj* impeccable.

spotlight ['spɒtlaɪt] *n* spot m.

spotty ['spɒtɪ] *adj* boutonneux(euse).

spouse [spaʊs] *n fml* époux m, épouse f.

spout [spaʊt] *n* bec m (verseur).

sprain [spreɪn] *vt* fouler.

sprang [spræŋ] *pt* → **spring**.

spray [spreɪ] *n* (*for aerosol, perfume*) vaporisateur m ; (*droplets*) gouttelettes fpl. ◆ *vt* (*surface*) asperger ; (*car*) peindre à la bombe ; (*crops*) pulvériser ; (*paint, water etc*) vaporiser.

spread [spred] (*pt* & *pp* **spread**) *vt* étaler ; (*legs, fingers, arms*) écarter ; (*news, disease*) propager. ◆ *vi* se propager. ◆ *n* (*food*) pâte f à tartiner. ❏ **spread out** *vi* (*disperse*) se disperser.

spring [sprɪŋ] (*pt* **sprang**, *pp* **sprung**) *n* (*season*) printemps m ; (*coil*) ressort m ; (*in ground*) source f. ◆ *vi* (*leap*) sauter ; **in (the) ~** au printemps.

springboard ['sprɪŋbɔːd] *n* tremplin m.

spring-cleaning [-'kliːnɪŋ] *n* nettoyage m de printemps.

spring onion *n* oignon m blanc.

spring roll *n* rouleau m de printemps.

sprinkle ['sprɪŋkl] *vt* : **to ~ sthg**

with sugar saupoudrer qqch de sucre ; to ~ sthg with water asperger qqch d'eau.

sprinkler ['sprɪŋklə'] n (for fire) sprinkler m ; (for grass) arroseur m.

sprint [sprɪnt] n (race) sprint m. ◆ vi (run fast) sprinter.

sprout [spraʊt] n (vegetable) chou m de Bruxelles.

spruce [spruːs] n épicéa m.

sprung [sprʌŋ] pp → **spring**. ◆ adj (mattress) à ressorts.

spud [spʌd] n inf patate f.

spun [spʌn] pt & pp → **spin**.

spur [spɜː'] n (for horse rider) éperon m ; on the ~ of the moment sur un coup de tête.

spurt [spɜːt] vi jaillir.

spy [spaɪ] n espion m, -ionne f.

squalor ['skwɒlə'] n conditions fpl sordides.

square [skweə'] adj (in shape) carré(e). ◆ n (shape) carré m ; (in town) place f ; (on chessboard) case f ; it's 2 metres ~ ça fait 2 mètres sur 2 ; we're (all) ~ now (not owing money) nous sommes quittes maintenant.

squash [skwɒʃ] n (game) squash m ; Br (orange drink) orangeade f ; Br (lemon drink) citronnade f ; Am (vegetable) courge f. ◆ vt écraser.

squat [skwɒt] adj trapu(e). ◆ vi (crouch) s'accroupir.

squeak [skwiːk] vi couiner.

squeeze [skwiːz] vt presser. ❑ **squeeze in** vi se caser.

squid [skwɪd] n calamar m.

squint [skwɪnt] vi plisser les yeux. ◆ n : to have a ~ loucher.

squirrel [Br 'skwɪrəl, Am 'skwɜːrəl] n écureuil m.

squirt [skwɜːt] vi gicler.

St (abbr of Street) r ; (abbr of Saint) St (Ste).

stab [stæb] vt poignarder.

stable ['steɪbl] adj stable. ◆ n écurie f.

stack [stæk] n (pile) tas m ; ~s of inf (lots) des tas de.

stadium ['steɪdjəm] n stade m.

staff [staːf] n (workers) personnel m.

stage [steɪdʒ] n (phase) stade m ; (in theatre) scène f.

stagger ['stægə'] vt (arrange in stages) échelonner. ◆ vi tituber.

stagnant ['stægnənt] adj stagnant(e).

stain [steɪn] n tache f. ◆ vt tacher.

stained glass [steɪnd-] n vitrail m.

stainless steel ['steɪnlɪs-] n acier m inoxydable.

staircase ['steəkeɪs] n escalier m.

stairs [steəz] npl escaliers mpl, escalier m.

stairwell ['steəwel] n cage f d'escalier.

stake [steɪk] n (share) intérêt m ; (in gambling) mise f, enjeu m ; (post) poteau m ; at ~ en jeu.

stale [steɪl] adj rassis(e).

stalk [stɔːk] n (of flower, plant) tige f ; (of fruit, leaf) queue f.

stall [stɔːl] n (in market) étal m ; (at exhibition) stand m. ◆ vi (car, engine) caler. ❑ **stalls** npl Br (in theatre) orchestre m.

stamina ['stæmɪnə] n résistance f.

stammer ['stæmə'] vi bégayer.

stamp [stæmp] *n (for letter)* timbre *m ; (in passport, on document)* cachet *m.* ◆ *vt (passport, document)* tamponner. ◆ *vi :* **to ~ on sthg** marcher sur qqch.

stamp-collecting [-kəˌlektɪŋ] *n* philatélie *f.*

stamp machine *n* distributeur *m* de timbres.

stand [stænd] *(pt & pp* **stood**) *vi (be on feet)* se tenir debout ; *(be situated)* se trouver ; *(get to one's feet)* se lever. ◆ *vt (place)* poser ; *(bear)* supporter. ◆ *n (stall)* stand *m ; (for umbrellas)* porte-parapluies *m inv ; (for coats)* portemanteau *m ; (at sports stadium)* tribune *f ; (for bike, motorbike)* béquille *f ;* **to be -ing** être debout ; **to ~ sb a drink** offrir un verre à qqn. ❑ **stand back** *vi* reculer. ❑ **stand for** *vt fus (mean)* représenter ; *(tolerate)* supporter. ❑ **stand in** *vi :* **to ~ in for sb** remplacer qqn. ❑ **stand out** *vi* se détacher. ❑ **stand up** ◆ *vi (be on feet)* être debout ; *(get to one's feet)* se lever. ◆ *vt sep inf (boyfriend, girlfriend etc)* poser un lapin à. ❑ **stand up for** *vt fus* défendre.

standard ['stændəd] *adj (normal)* standard, normal(e). ◆ *n (level)* niveau *m ; (point of comparison)* norme *f ;* **up to ~** de bonne qualité. ❑ **standards** *npl (principles)* principes *mpl.*

standard-class *adj Br (on train)* au tarif normal.

standby ['stændbaɪ] *adj (ticket)* stand-by *(inv).*

stank [stæŋk] *pt →* **stink**.

staple ['steɪpl] *n (for paper)* agrafe *f.*

stapler ['steɪplə'] *n* agrafeuse *f.*

star [staː'] *n* étoile *f ; (famous person)* star *f.* ◆ *vt (subj : film, play etc) :* **'starring ...'** 'avec ...'. ❑ **stars** *npl (horoscope)* horoscope *m.*

starch [staːtʃ] *n* amidon *m.*

stare [steə'] *vi :* **to ~ (at)** regarder fixement.

starfish ['staːfɪʃ] *(pl inv) n* étoile *f* de mer.

starling ['staːlɪŋ] *n* étourneau *m.*

Stars and Stripes *n.*

STARS & STRIPES

C'est une des nombreuses appellations que reçoit le drapeau américain. On l'appelle aussi *Old Glory, Star-Spangled Banner* ou *Stars and Bars*. Les 50 étoiles représentent les 50 États d'aujourd'hui, et les 13 bandes rouges et blanches, les 13 États fondateurs de l'Union. Les Américains sont très fiers de leur drapeau et beaucoup l'arborent devant leur maison. Le fait de détruire le drapeau est considéré comme un crime fédéral.

start [staːt] *n* début *m ; (starting place)* départ *m.* ◆ *vt* commencer ; *(car, engine)* faire démarrer ; *(business, club)* monter. ◆ *vi* commencer ; *(car, engine)* démarrer ; *(begin journey)* partir ;* **prices ~ at** OR **from £5** les premiers prix sont à 5 livres ; **to ~ doing sthg** OR **to do sthg** commencer à faire qqch ; **to ~ with** *(in the first place)* d'abord ; *(when ordering meal)* en entrée. ❑ **start out** *vi (on journey)* partir ; **to ~ out as** débuter comme. ❑ **start up** *vt sep (car, engine)* mettre en marche ; *(business, shop)* monter.

starter ['staːtə'] *n Br (of meal)* entrée f ; (of car) démarreur m ; for ~s (in meal) en entrée.

starter motor n démarreur m.

starting point ['sta:tɪŋ-] n point m de départ.

startle ['sta:tl] vt faire sursauter.

start-up n - 1. (launch) création f (d'entreprise) ; ~ costs frais mpl de création d'une entreprise. - 2. (new company) start-up f.

starvation [sta:'veɪʃn] n faim f.

starve [sta:v] vi (have no food) être affamé ; I'm starving! je meurs de faim!

state [steɪt] n état m. ◆ vt (declare) déclarer ; (specify) indiquer ; the State l'État ; the States les États-Unis mpl.

statement ['steɪtmənt] n (declaration) déclaration f ; (from bank) relevé m (de compte).

state school n école f publique.

statesman ['steɪtsmən] (pl -men [-mən]) n homme m d'État.

static ['stætɪk] n (on radio, TV) parasites mpl.

station ['steɪʃn] n (for trains) gare f ; (for underground, on radio) station f ; (for buses) gare f routière.

stationary ['steɪʃnərɪ] adj à l'arrêt.

stationer's ['steɪʃnəz] n (shop) papeterie f.

stationery ['steɪʃnərɪ] n papeterie f.

station wagon n Am break m.

statistics [stə'tɪstɪks] npl statistiques fpl.

statue ['stætʃu:] n statue f.

Statue of Liberty n : the ~ la Statue de la Liberté.

status ['steɪtəs] n statut m ; (prestige) prestige m.

stay [steɪ] n (time spent) séjour m. ◆ vi (remain) rester ; (as guest, in hotel) séjourner ; Scot (reside) habiter ; to ~ the night passer la nuit. ▫ **stay away** vi (not attend) ne pas aller ; (not go near) ne pas s'approcher. ▫ **stay in** vi ne pas sortir. ▫ **stay out** vi (from home) rester dehors. ▫ **stay up** vi veiller.

STD code n indicatif m.

steady ['stedɪ] adj stable ; (gradual) régulier(ière). ◆ vt stabiliser.

steak [steɪk] n steak m ; (of fish) darne f.

steak and kidney pie n tourte à la viande de bœuf et aux rognons.

steakhouse ['steɪkhaʊs, pl -haʊzɪz] n grill m.

steal [sti:l] (pt stole, pp stolen) vt voler ; to ~ sthg from sb voler qqch à qqn.

steam [sti:m] n vapeur f. ◆ vt (food) faire cuire à la vapeur.

steam engine n locomotive f à vapeur.

steam iron n fer m à vapeur.

steel [stiːl] n acier m. ◆ adj en acier.

steep [stiːp] adj (hill, path) raide ; (increase, drop) fort(e).

steeple [ˈstiːpl] n clocher m.

steer [stɪər] vt (car, boat) manœuvrer.

steering [ˈstɪərɪŋ] n direction f.

steering wheel n volant m.

stem [stem] n (of plant) tige f ; (of glass) pied m.

step [step] n (of stairs, of stepladder) marche f ; (of train) marchepied m ; (pace) pas m ; (measure) mesure f ; (stage) étape f. ◆ vi : to ~ on sthg marcher sur qqch ; 'mind the ~' 'attention à la marche'. ❑ **steps** npl (stairs) escalier m, escaliers mpl. ❑ **step aside** vi (move aside) s'écarter. ❑ **step back** vi (move back) reculer.

step aerobics n step m.

stepbrother [ˈstepˌbrʌðər] n demi-frère m.

stepdaughter [ˈstepˌdɔːtər] n belle-fille f.

stepfather [ˈstepˌfaːðər] n beau-père m.

stepladder [ˈstepˌlædər] n escabeau m.

stepmother [ˈstepˌmʌðər] n belle-mère f.

stepsister [ˈstepˌsɪstər] n demi-sœur f.

stepson [ˈstepsʌn] n beau-fils m.

stereo [ˈsterɪəʊ] (pl -s) adj stéréo (inv). ◆ n (hi-fi) chaîne f stéréo (stereo sound) stéréo f.

sterile [ˈsteraɪl] adj stérile.

sterilize [ˈsteraɪlaɪz] vt stériliser.

sterling [ˈstɜːlɪŋ] adj (pound)

sterling (inv). ◆ n livres fpl sterling.

sterling silver n argent m fin.

stern [stɜːn] adj (strict) sévère. ◆ n (of boat) poupe f.

stew [stjuː] n ragoût m.

steward [ˈstjʊəd] n (on plane, ship) steward m ; (at public event) membre m du service d'ordre.

stewardess [ˈstjʊədɪs] n hôtesse f de l'air.

stewed [stjuːd] adj (fruit) cuit(e).

stick [stɪk] (pt & pp stuck) n bâton m ; (for sport) crosse f ; (of celery) branche f ; (walking stick) canne f. ◆ vt (glue) coller ; (push, insert) mettre ; (put) mettre. ◆ vi coller ; (jam) se coincer. ❑ **stick out** vi ressortir. ❑ **stick to** vt fus (decision) s'en tenir à ; (promise) tenir. ❑ **stick up** ◆ vt sep (poster, notice) afficher. ◆ vi dépasser. ❑ **stick up for** vt fus défendre.

sticker [ˈstɪkər] n autocollant m.

stick shift n Am (car) voiture f à vitesses manuelles.

sticky [ˈstɪkɪ] adj (substance, hands, sweets) poisseux(euse) ; (label, tape) adhésif(ive) ; (weather) humide.

stiff [stɪf] adj (cardboard, material) rigide ; (brush, door, lock) dur(e) ; (back, neck) raide. ◆ adv : to be bored ~ inf s'ennuyer à mourir ; to feel ~ avoir des courbatures.

stiletto heels [stɪˈletəʊ-] npl talons mpl aiguilles.

still [stɪl] adv (up to now, then) toujours, encore ; (possibly, with comparisons) encore ; (despite that) pourtant. ◆ adj (motionless) immobile ; (quiet, calm) calme ; (not fizzy) non gazeux(euse) ; (water) plat(e) ; we've ~ got ten minutes il nous reste encore dix minutes ; ~ **more** encore plus ; **to stand** ~ ne pas bouger.

stimulate ['stɪmjʊleɪt] vt stimuler.

sting [stɪŋ] (pt & pp **stung**) vt & vi piquer.

stingy ['stɪndʒɪ] adj inf radin(e).

stink [stɪŋk] (pt **stank** OR **stunk**, pp **stunk**) vi puer.

stipulate ['stɪpjʊleɪt] vt stipuler.

stir [stɜːʳ] vt remuer.

stir-fry n sauté m. ◆ vt faire sauter.

stirrup ['stɪrəp] n étrier m.

stitch [stɪtʃ] n (in sewing) point m ; (in knitting) maille f ; **to have a ~** (stomach pain) avoir un point de côté. ❑ **stitches** npl (for wound) points mpl de suture.

stock [stɒk] n (of shop, supply) stock m ; FIN valeurs fpl ; (in cooking) bouillon m. ◆ vt (have in stock) avoir en stock ; **in ~** en stock ; **out of ~** épuisé.

stock cube n bouillon m cube.

Stock Exchange n Bourse f.

stocking ['stɒkɪŋ] n bas m.

stock market n Bourse f.

stodgy ['stɒdʒɪ] adj (food) lourd(e).

stole [stəʊl] pt → **steal**.

stolen ['stəʊln] pp → **steal**.

stomach ['stʌmək] n (organ) estomac m ; (belly) ventre m.

stomachache ['stʌməkeɪk] n mal m au ventre.

stomach upset [-'ʌpset] n embarras m gastrique.

stone [stəʊn] n pierre f ; (in fruit)

noyau m ; (measurement : pl inv) = 6,350 kg. ◆ adj de OR en pierre.

stonewashed ['stəʊnwɒʃt] adj délavé(e).

stood [stʊd] pt & pp → **stand**.

stool [stuːl] n (for sitting on) tabouret m.

stop [stɒp] n arrêt m. ◆ vt arrêter. ◆ vi s'arrêter ; (stay) rester ; **to ~ sb/sthg from doing sthg** empêcher qqn/qqch de faire qqch ; **to ~ doing sthg** arrêter de faire qqch ; **to put a ~ to sthg** mettre un terme à qqch. ❑ **stop off** vi s'arrêter.

stopover ['stɒp,əʊvəʳ] n halte f.

stopper ['stɒpəʳ] n bouchon m.

stopwatch ['stɒpwɒtʃ] n chronomètre m.

storage ['stɔːrɪdʒ] n rangement m.

store [stɔːʳ] n (shop) magasin m ; (supply) réserve f. ◆ vt entreposer.

storehouse [stɔːhaʊs, pl -haʊzɪz] n entrepôt m.

storeroom ['stɔːrʊm] n (in house) débarras m ; (in shop) réserve f.

storey ['stɔːrɪ] (pl -s) n Br étage m.

stork [stɔːk] n cigogne f.

storm [stɔːm] n orage m.

stormy ['stɔːmɪ] adj (weather) orageux(euse).

story ['stɔːrɪ] n histoire f ; (news item) article m ; Am = **storey**.

stout [staʊt] adj (fat) corpulent(e). ◆ n (drink) stout m (bière brune).

stove [stəʊv] n cuisinière f.

straight [streɪt] adj droit(e) ; (hair) raide ; (consecutive) consécutif(ive) ; (drink) sec (sèche). ◆ adv droit ; (without delay) tout de suite ; ~ **ahead** droit devant ; ~ **away** immédiatement.

straightforward ['streɪt'fɔːwəd] *adj (easy)* facile.

strain [streɪn] *n (force)* force *f* ; *(nervous stress)* stress *m* ; *(tension)* tension *f* ; *(injury)* foulure *f*. ◆ *vt (eyes)* fatiguer ; *(food, tea)* passer ; **to ~ one's back** se faire un tour de reins.

strainer ['streɪnə'] *n* passoire *f*.

strait [streɪt] *n* détroit *m*.

strange [streɪndʒ] *adj (unusual)* étrange ; *(unfamiliar)* inconnu(e).

stranger ['streɪndʒə'] *n (unfamiliar person)* inconnu *m*, -e *f* ; *(person from different place)* étranger *m*, -ère *f*.

strangle ['stræŋgl] *vt* étrangler.

strap [stræp] *n (of bag)* bandoulière *f* ; *(of watch)* bracelet *m* ; *(of dress)* bretelle *f* ; *(of camera)* courroie *f*.

strapless ['stræplɪs] *adj* sans bretelles.

strategy ['strætɪdʒɪ] *n* stratégie *f*.

Stratford-upon-Avon [stræt-fədəpɒn'eɪvn] *n*.

straw [strɔː] *n* paille *f*.

strawberry ['strɔːbərɪ] *n* fraise *f*.

stray [streɪ] *adj (animal)* errant(e). ◆ *vi* errer.

streak [striːk] *n (of paint, mud)* traînée *f* ; *(period)* période *f*.

stream [striːm] *n (river)* ruisseau *m* ; *(of traffic, people, blood)* flot *m*.

street [striːt] *n* rue *f*.

streetcar ['striːtkɑː'] *n Am* tramway *m*.

street light *n* réverbère *m*.

street plan *n* plan *m* de ville.

strength [streŋθ] *n* force *f* ; *(of*

structure) solidité *f* ; *(influence)* puissance *f* ; *(strong point)* point *m* fort.

strengthen ['streŋθn] *vt* renforcer.

stress [stres] *n (tension)* stress *m* ; *(on word, syllable)* accent *m*. ◆ *vt (emphasize)* souligner ; *(word, syllable)* accentuer.

stretch [stretʃ] *n (of land, water)* étendue *f* ; *(of time)* période *f*. ◆ *vt* étirer. ◆ *vi (land, sea)* s'étendre ; **to ~ one's legs** *fig* se dégourdir les jambes. ❑ **stretch out** ◆ *vt sep (hand)* tendre. ◆ *vi (lie down)* s'étendre.

stretcher ['stretʃə'] *n* civière *f*.

strict [strɪkt] *adj* strict(e).

strictly ['strɪktlɪ] *adv* strictement ; ~ **speaking** à proprement parler.

stride [straɪd] *n* enjambée *f*.

strike [straɪk] *(pt & pp struck)* *n (of employees)* grève *f*. ◆ *vt fml (hit)* frapper ; *fml (collide with)* percuter ; *(a match)* gratter. ◆ *vi (refuse to work)* faire grève ; *(happen suddenly)* frapper ; **the clock struck eight** la pendule sonna huit heures.

striking ['straɪkɪŋ] *adj (noticeable)* frappant(e) ; *(attractive)* d'une beauté frappante.

string [strɪŋ] *n* ficelle *f* ; *(of pearls, beads)* collier *m* ; *(of musical instrument, tennis racket)* corde *f* ; *(series)* suite *f* ; **a piece of ~** un bout de ficelle.

strip [strɪp] *n* bande *f*. ◆ *vt (paint)* décaper ; *(wallpaper)* décoller. ◆ *vi (undress)* se déshabiller.

stripe [straɪp] *n* rayure *f*.

striped [straɪpt] *adj* rayé(e).

strip-search *vt* fouiller (*en déshabillant*).

stroke [strəʊk] *n* MED attaque *f* ; (*in tennis, golf*) coup *m* ; (*swimming style*) nage *f*. ◆ *vt* caresser ; a ~ of luck un coup de chance.

stroll [strəʊl] *n* petite promenade *f*.

stroller ['strəʊlər] *n* Am (*pushchair*) poussette *f*.

strong [strɒŋ] *adj* fort(e) ; (*structure, bridge, chair*) solide ; (*influential*) puissant(e) ; (*effect, incentive*) puissant(e).

struck [strʌk] *pt & pp* → strike.

structure ['strʌktʃər] *n* structure *f* ; (*building*) construction *f*.

struggle ['strʌgl] *vi* (*fight*) lutter ; (*in order to get free*) se débattre. ◆ *n* : to have a ~ to do sthg avoir du mal à faire qqch ; to ~ to do sthg s'efforcer de faire qqch.

stub [stʌb] *n* (*of cigarette*) mégot *m* ; (*of cheque, ticket*) talon *m*.

stubble ['stʌbl] *n* (*on face*) barbe *f* de plusieurs jours.

stubborn ['stʌbən] *adj* (*person*) têtu(e).

stuck [stʌk] *pt & pp* → stick. ◆ *adj* bloqué(e).

stud [stʌd] *n* (*on boots*) crampon *m* ; (*fastener*) bouton-pression *m* ; (*earring*) clou *m*.

student ['stju:dnt] *n* (*at university, college*) étudiant *m*, -e *f* ; (*at school*) élève *mf*.

student card *n* carte *f* d'étudiant.

students' union [ˌstju:dnts-] *n* (*place*) bureau *m* des étudiants.

studio ['stju:dɪəʊ] (*pl* -s) *n* studio *m*.

studio apartment *Am* = studio flat.

studio flat *Br* studio *m*.

study ['stʌdɪ] *n* étude *f* ; (*room*) bureau *m*. ◆ *vt & vi* étudier.

stuff [stʌf] *n inf* (*substance*) truc *m* ; (*things, possessions*) affaires *fpl*. ◆ *vt* (*put roughly*) fourrer ; (*fill*) bourrer.

stuffed [stʌft] *adj* (*food*) farci(e) ; *inf* (*full up*) gavé(e) ; (*dead animal*) empaillé(e).

stuffing ['stʌfɪŋ] *n* (*food*) farce *f* ; (*of pillow, cushion*) rembourrage *m*.

stuffy ['stʌfɪ] *adj* (*room, atmosphere*) étouffant(e).

stumble ['stʌmbl] *vi* trébucher.

stump [stʌmp] *n* (*of tree*) souche *f*.

stun [stʌn] *vt* stupéfier.

stung [stʌŋ] *pt & pp* → sting.

stunk [stʌŋk] *pt & pp* → stink.

stunning ['stʌnɪŋ] *adj* (*very beautiful*) superbe ; (*very surprising*) stupéfiant(e).

stupid ['stju:pɪd] *adj* (*foolish*) stupide ; *inf* (*annoying*) fichu(e).

sturdy ['stɜ:dɪ] *adj* solide.

stutter ['stʌtər] *vi* bégayer.

sty [staɪ] *n* porcherie *f*.

style [staɪl] *n* style *m* ; (*design*) modèle *m*. ◆ *vt* (*hair*) coiffer.

stylish ['staɪlɪʃ] *adj* élégant(e).

stylist ['staɪlɪst] *n* (*hairdresser*) coiffeur *m*, -euse *f*.

sub [sʌb] *n inf* (*substitute*) remplaçant *m*, -e *f* ; *Br* (*subscription*) cotisation *f*.

subdued [səb'dju:d] *adj* (*person*) abattu(e) ; (*lighting, colour*) doux (douce).

subject [n 'sʌbdʒekt, vb səb-'dʒekt] n sujet m ; (at school, university) matière f. ◆ vt : to ~ sb to sthg soumettre qqn à qqch ; '~ to availability' 'dans la limite des stocks disponibles' ; they are ~ to an additional charge un supplément sera exigé.

subjunctive [səb'dʒʌŋktɪv] n subjonctif m.

submarine [ˌsʌbmə'riːn] n sous-marin m.

submit [səb'mɪt] vt soumettre. ◆ vi (give in) se soumettre.

subordinate [sə'bɔːdɪnət] adj subordonné(e).

subscribe [səb'skraɪb] vi s'abonner.

subscription [səb'skrɪpʃn] n (to magazine) abonnement m ; (to club) cotisation f.

subsequent [ˈsʌbsɪkwənt] adj ultérieur(e).

subside [səb'saɪd] vi (ground) s'affaisser ; (noise, feeling) disparaître.

substance [ˈsʌbstəns] n substance f.

substantial [səb'stænʃl] adj substantiel(ielle).

substitute [ˈsʌbstɪtjuːt] n (replacement) substitut m ; SPORT remplaçant m, -e f.

subtitles [ˈsʌbˌtaɪtlz] npl sous-titres mpl.

subtle [ˈsʌtl] adj subtil(e).

subtract [səb'trækt] vt soustraire.

subtraction [səb'trækʃn] n soustraction f.

suburb [ˈsʌbɜːb] n banlieue f ; the ~s la banlieue.

subway [ˈsʌbweɪ] n Br (for pedestrians) souterrain m ; Am (underground railway) métro m.

succeed [sək'siːd] vi (be successful) réussir. ◆ vt fml (follow) succéder à ; to ~ in doing sthg réussir à faire qqch.

success [sək'ses] n succès m, réussite f.

successful [sək'sesful] adj (plan, attempt) réussi(e) ; (film, book etc) à succès ; (businessman, politician) qui a réussi ; (actor) qui a du succès ; to be ~ (person) réussir.

succulent [ˈsʌkjulənt] adj succulent(e).

such [sʌtʃ] adj tel (telle). ◆ adv : ~ a lot tellement ; it's ~ a lovely day! c'est une si belle journée! ; ~ good luck une telle chance, une chance pareille ; ~ a thing should never have happened une telle chose n'aurait jamais dû se produire ; ~ as tel que.

suck [sʌk] vt sucer ; (nipple) téter.

sudden [ˈsʌdn] adj soudain(e) ; all of a ~ tout à coup.

suddenly [ˈsʌdnlɪ] adv soudain, tout à coup.

sue [suː] vt poursuivre en justice.

suede [sweɪd] n daim m.

suffer [ˈsʌfər] vt (defeat, injury) subir. ◆ vi : to ~ (from) souffrir (de).

suffering [ˈsʌfrɪŋ] n souffrance f.

sufficient [sə'fɪʃnt] adj fml suffisant(e).

sufficiently [sə'fɪʃntlɪ] adv fml suffisamment.

suffix [ˈsʌfɪks] n suffixe m.

suffocate [ˈsʌfəkeɪt] vi suffoquer.

sugar [ˈʃugər] n sucre m.

suggest [sə'dʒest] vt suggérer ; to ~ doing sthg proposer de faire qqch.

suggestion [sə'dʒestʃn] n suggestion f ; (hint) trace f.

suicide ['suːɪsaɪd] n suicide m ; to commit ~ se suicider.

suit [suːt] n (man's clothes) costume m ; (woman's clothes) tailleur m ; (in cards) couleur f ; JUR procès m. ◆ vt (subj: clothes, colour, shoes) aller bien à ; (be convenient, appropriate for) convenir à ; to be ~ed to être adapté à ; pink doesn't ~ me le rose ne me va pas.

suitable ['suːtəbl] adj adapté(e) ; to be ~ for être adapté à.

suitcase ['suːtkeɪs] n valise f.

suite [swiːt] n (set of rooms) suite f ; (furniture) ensemble m canapé-fauteuils.

sulk [sʌlk] vi bouder.

sultana [səl'taːnə] n Br raisin m de Smyrne.

sum [sʌm] n (in maths) opération f ; (of money) somme f. ❑ **sum up** vt sep résumer.

summarize ['sʌməraɪz] vt résumer.

summary ['sʌmərɪ] n résumé m.

summer ['sʌmər] n été m ; in (the) ~ en été, l'été ; ~ holidays vacances fpl d'été, grandes vacances.

summertime ['sʌmətaɪm] n été m.

summit ['sʌmɪt] n sommet m.

summon ['sʌmən] vt convoquer.

sun [sʌn] n soleil m. ◆ vt : to ~ o.s. prendre un bain de soleil ; to catch the ~ prendre un coup de soleil ; in the ~ au soleil ; out of the ~ à l'abri du soleil.

Sun. (abbr of Sunday) dim.

sunbathe ['sʌnbeɪð] vi prendre un bain de soleil.

sunbed ['sʌnbed] n lit m à ultra-violets.

sun block n écran m total.

sunburn ['sʌnbɜːn] n coup m de soleil.

sunburnt ['sʌnbɜːnt] adj brûlé(e) par le soleil.

Sunday ['sʌndɪ] n dimanche m → Saturday.

Sunday school n catéchisme m.

sundress ['sʌndres] n robe f bain de soleil.

sundries ['sʌndrɪz] npl (on bill) divers mpl.

sunflower ['sʌn,flauər] n tournesol m.

sunflower oil n huile f de tournesol.

sung [sʌŋ] pt → sing.

sunglasses ['sʌn,glaːsɪz] npl lunettes fpl de soleil.

sunhat ['sʌnhæt] n chapeau m de soleil.

sunk [sʌŋk] pp → sink.

sunlight ['sʌnlaɪt] n lumière f du soleil.

sun lounger [-,laundʒər] n chaise f longue.

sunny ['sʌnɪ] adj ensoleillé(e) ; it's ~ il y a du soleil.

sunrise ['sʌnraɪz] n lever m de soleil.

sunroof ['sʌnruːf] n toit m ouvrant.

sunscreen ['sʌnskriːn] n écran m OR filtre m solaire.

sunset ['sʌnset] n coucher m de soleil.

sunshine ['sʌnʃaɪn] *n* soleil *m* ; in the ~ au soleil.

sunstroke ['sʌnstrəʊk] *n* insolation *f*.

suntan ['sʌntæn] *n* bronzage *m*.

suntan cream *n* crème *f* solaire.

suntan lotion *n* lait *m* solaire.

super ['su:pə'] *adj* super (inv). ◆ *n* (petrol) super *m*.

superb [su:'pɜ:b] *adj* superbe.

Super Bowl *n* *Am* : the ~ le Super Bowl.

ⓘ **SUPER BOWL**

Le Super Bowl est une partie de football américain où s'affrontent les champions des deux ligues, ou *conferences* de football professionnel les plus importantes des États-Unis. Cette finale a lieu à la fin de la saison des jeux, fin janvier, et nombreux sont ceux qui, aux États-Unis comme ailleurs, suivent l'événement à la télévision.

---

superbug ['su:pəbʌg] *n* germe résistant aux traitements antibiotiques.

superficial [ˌsu:pə'fɪʃl] *adj* superficiel(ielle).

superfluous [su:'pɜ:fluəs] *adj* superflu(e).

Superglue® ['su:pəglu:] *n* colle *f* forte.

superhighway ['su:pə,haɪweɪ] *n* *Am* autoroute *f*.

superior [su:'pɪərɪə'] *adj* supérieur(e). ◆ *n* supérieur *m*, -e *f*.

supermarket ['su:pə,mɑ:kɪt] *n* supermarché *m*.

superstitious [ˌsu:pə'stɪʃəs] *adj* superstitieux(ieuse).

superstore ['su:pəstɔ:'] *n* hypermarché *m*.

supervise ['su:pəvaɪz] *vt* surveiller.

supervisor ['su:pəvaɪzə'] *n* (of workers) chef *m* d'équipe.

supper ['sʌpə'] *n* (evening meal) dîner *m* ; (late-night meal) souper *m* ; to have ~ dîner.

supple ['sʌpl] *adj* souple.

supplement [*n* 'sʌplɪmənt, *vb* 'sʌplɪment] *n* supplément *m* ; (of diet) complément *m*. ◆ *vt* compléter.

supplementary [ˌsʌplɪ'mentərɪ] *adj* supplémentaire.

supply [sə'plaɪ] *n* (store) réserve *f* ; (providing) fourniture *f* ; (of gas, electricity) alimentation *f*. ◆ *vt* fournir ; to ~ sb with sthg fournir qqch à qqn ; (with gas, electricity) alimenter qqn en qqch. ❑ **supplies** *npl* provisions *fpl*.

support [sə'pɔ:t] *n* (aid, encouragement) soutien *m* ; (object) support *m*. ◆ *vt* (aid, encourage) soutenir ; (team, object) supporter ; (financially) subvenir aux besoins de.

supporter [sə'pɔ:tə'] *n* SPORT supporter *m* ; (of cause, political party) partisan *m*.

suppose [sə'pəʊz] *vt* (assume) supposer ; (think) penser. ◆ *conj* = **supposing** ; I ~ so je suppose que oui ; to be ~d to do sthg être censé faire qqch.

supposing [sə'pəʊzɪŋ] *conj* à supposer que.

surcharge ['sɜ:tʃɑ:dʒ] *n* surcharge *f*.

sure [ʃʊə'] *adv* inf (yes) bien sûr ; *Am* inf (certainly) vraiment. ◆ *adj*

sûr(e), certain(e) ; **they are ~ to win**
il est certain qu'ils vont gagner ; **to
be ~ of o.s.** être sûr de soi ; **to make
~ (that)** ... s'assurer que ...

surely ['ʃʊəlɪ] *adv* sûrement.

surf [sɜːf] *n* écume *f*. ◆ *vi* surfer.

surface ['sɜːfɪs] *n* surface *f*.

surface mail *n* courrier *m* par
voie de terre.

surfboard ['sɜːfbɔːd] *n* surf *m*.

surfing ['sɜːfɪŋ] *n* surf *m* ; **to go ~**
faire du surf.

surgeon ['sɜːdʒən] *n* chirurgien
m, -ienne *f*.

surgery ['sɜːdʒərɪ] *n* (treatment)
chirurgie *f* ; *Br* (building) cabinet
m médical ; *Br* (period) consultations *fpl*.

surname ['sɜːneɪm] *n* nom *m* (de
famille).

surprise [sə'praɪz] *n* surprise *f*.
◆ *vt* surprendre.

surprised [sə'praɪzd] *adj* sur-
pris(e).

surprising [sə'praɪzɪŋ] *adj* sur-
prenant(e).

surrender [sə'rendə'] *vi* se rendre. ◆ *vt* fml (hand over) remettre.

surround [sə'raund] *vt* entourer ;
(encircle) encercler.

surrounding [sə'raundɪŋ] *adj*
environnant(e). ❑ **surroundings**
npl environs *mpl*.

survey ['sɜːveɪ] *n* (investigation)
enquête *f* ; (poll) sondage *m* ; (of
land) levé *m* ; *Br* (of house) expertise *f*.

surveyor [sə'veɪə'] *n* *Br* (of houses)
expert *m* ; (of land) géomètre *m*.

survival [sə'vaɪvl] *n* survie *f*.

survive [sə'vaɪv] *vi* survivre. ◆ *vt*
survivre à.

survivor [sə'vaɪvə'] *n* survivant
m, -e *f*.

suspect [*vb* sə'spekt, *n & adj*
'sʌspekt] *vt* (believe) soupçonner ;
(mistrust) douter de. ◆ *n* suspect
m, -e *f*. ◆ *adj* suspect(e) ; **to ~** *sb* of
sthg soupçonner qqn de qqch.

suspend [sə'spend] *vt* suspendre ; (from school) exclure.

suspender belt [sə'spendə-] *n*
porte-jarretelles *m inv*.

suspenders [sə'spendəz] *npl* *Br*
(for stockings) jarretelles *fpl* ; *Am*
(for trousers) bretelles *fpl*.

suspense [sə'spens] *n* suspense
m.

suspension [sə'spenʃn] *n* suspension *f* ; (from school) renvoi *m*
temporaire.

suspicion [sə'spɪʃn] *n* soupçon *m*.

suspicious [sə'spɪʃəs] *adj* (behaviour, situation) suspect(e) ; **to be
~ (of)** (distrustful) se méfier (de).

swallow ['swɒləʊ] *n* (bird) hirondelle *f*. ◆ *vt & vi* avaler.

swam [swæm] *pt* → **swim**.

swamp [swɒmp] *n* marécage *m*.

swan [swɒn] *n* cygne *m*.

swap [swɒp] *vt* échanger ; **to
~ sthg for sthg** échanger qqch contre qqch.

swarm [swɔːm] *n* (of bees) essaim
m.

swear [sweə'] (*pt* **swore**, *pp*
sworn) *vt & vi* jurer ; **to ~ to do sthg**
jurer de faire qqch.

swearword ['sweəwɜːd] *n* gros
mot *m*.

sweat [swet] n transpiration f, sueur. ◆ vi transpirer, suer.

sweater ['swetə'] n pull m.

sweatshirt ['swetʃɜːt] n sweat-shirt m.

swede [swiːd] n Br rutabaga m.

sweep [swiːp] (pt & pp swept) vt (with broom) balayer.

sweet [swiːt] adj (food, drink) sucré(e) ; (smell) doux (douce) ; (person, nature) gentil(ille). ◆ n (candy) bonbon m ; (dessert) dessert m.

sweet-and-sour adj aigre-doux (aigre-douce).

sweet corn n maïs m doux.

sweetener ['swiːtnə'] n (for drink) édulcorant m.

sweet potato n patate f douce.

sweet shop n Br confiserie f.

swell [swel] (pp swollen) vi enfler.

swelling ['swelɪŋ] n enflure f.

swept [swept] pt & pp → sweep.

swerve [swɜːv] vi (vehicle) faire une embardée.

swig [swɪg] n inf lampée f.

swim [swɪm] (pt swam, pp swum) vi nager. ◆ n : to go for a ~ aller nager.

swimmer ['swɪmə'] n nageur m, -euse f.

swimming ['swɪmɪŋ] n natation f ; to go ~ nager, faire de la natation.

swimming baths npl Br piscine f.

swimming cap n bonnet m de bain.

swimming costume n Br maillot m de bain.

swimming pool n piscine f.

swimming trunks npl slip m de bain.

swimsuit ['swɪmsuːt] n maillot m de bain.

swindle ['swɪndl] n escroquerie f.

swing [swɪŋ] (pt & pp swung) n (for children) balançoire f. ◆ vt (from side to side) balancer. ◆ vi (from side to side) se balancer.

swipe [swaɪp] vt (credit card etc) passer dans un lecteur de cartes.

Swiss [swɪs] adj suisse. ◆ n (person) Suisse mf. ◆ npl : the ~ les Suisses mpl.

swiss roll n gâteau m roulé.

switch [swɪtʃ] n (for light, power) interrupteur m ; (for television, radio) bouton m. ◆ vi changer. ◆ vt (exchange) échanger ; to ~ places changer de place. ❑ **switch off** vt sep (light, radio) éteindre ; (engine) couper. ❑ **switch on** vt sep (light, radio) allumer ; (engine) mettre en marche.

Switch® n système de paiement non différé par carte bancaire.

switchboard ['swɪtʃbɔːd] n standard m.

Switzerland ['swɪtsələnd] n la Suisse.

swivel ['swɪvl] vi pivoter.

swollen ['swəʊln] pp → swell. ◆ adj (ankle, arm etc) enflé(e).

swop [swɒp] = swap.

sword [sɔːd] n épée f.

swordfish ['sɔːdfɪʃ] (pl inv) n espadon m.

swore [swɔː'] pt → swear.

sworn [swɔːn] pp → swear.

swum [swʌm] pp → swim.

swung [swʌŋ] pt & pp → swing.

syllable ['sɪləbl] *n* syllabe *f*.

syllabus ['sɪləbəs] *n* programme *m*.

symbol ['sɪmbl] *n* symbole *m*.

sympathetic [ˌsɪmpə'θetɪk] *adj* (understanding) compréhensif (ive).

sympathize ['sɪmpəθaɪz] *vi* (feel sorry) compatir ; (understand) comprendre ; **to ~ with sb** (feel sorry for) plaindre qqn ; (understand) comprendre qqn.

sympathy ['sɪmpəθɪ] *n* (understanding) compréhension *f*.

symphony ['sɪmfənɪ] *n* symphonie *f*.

symptom ['sɪmptəm] *n* symptôme *m*.

synagogue ['sɪnəɡɒɡ] *n* synagogue *f*.

synthesizer ['sɪnθəsaɪzə'] *n* synthétiseur *m*.

synthetic [sɪn'θetɪk] *adj* synthétique.

syringe [sɪ'rɪndʒ] *n* seringue *f*.

syrup ['sɪrəp] *n* sirop *m*.

system ['sɪstəm] *n* système *m* ; (for gas, heating etc) installation *f* ; (hi-fi) chaîne *f*.

T

ta [taː] *excl Br inf* merci!

tab [tæb] *n* (of cloth, paper etc) étiquette *f* ; (bill) addition *f*, note *f* ; **put it on my ~** mettez-le sur ma note.

table ['teɪbl] *n* table *f* ; (of figures etc) tableau *m*.

tablecloth ['teɪblklɒθ] *n* nappe *f*.

tablemat ['teɪblmæt] *n* dessous-de-plat *m inv*.

tablespoon ['teɪblspuːn] *n* cuillère *f* à soupe.

tablet ['tæblɪt] *n* (pill) cachet *m* ; (of chocolate) tablette *f* ; **a ~ of soap** une savonnette.

table tennis *n* ping-pong *m*.

table wine *n* vin *m* de table.

tabloid ['tæblɔɪd] *n* tabloïd(e) *m*.

 TABLOID

Les tabloïdes, de format réduit par rapport aux autres journaux, constituent la presse à sensation anglo-saxonne. Les articles, écrits dans un style simple, cherchent souvent à susciter la pitié ou l'indignation des lecteurs et sont toujours accompagnés de photographies. Les tabloïdes les plus populaires, qui traitent notamment de sexe et de célébrité, sont souvent tournés en dérision par les milieux intellectuels. Le terme de « presse tabloïde » désigne un type de journalisme qui ne recule devant aucun moyen, même abject, pour obtenir un « bon papier ». Il s'ensuit parfois un procès en diffamation, lorsque la victime estime sa réputation outragée.

tack [tæk] *n* (nail) clou *m*.

tackle ['tækl] *n* (in football) tacle *m* ; (in rugby) plaquage *m* ; (for fishing) matériel *m*. ◆ *vt* (in football) tacler ; (in rugby) plaquer ; (deal with) s'attaquer à.

tacky ['tækɪ] *adj inf* ringard(e).

taco ['tækəʊ] *n* crêpe de maïs farcie,

très fine et croustillante (spécialité mexicaine).

tact [tækt] *n* tact *m*.

tactful ['tæktful] *adj* plein(e) de tact.

tactics ['tæktɪks] *npl* tactique *f*.

tag [tæg] *n (label)* étiquette *f*.

tagliatelle [‚tæglɪə'telɪ] *n* tagliatelles *fpl*.

tail [teɪl] *n* queue *f*. ◆ **tails** *n (of coin)* pile *f*. ◆ *npl (formal dress)* queue-de-pie *f*.

tailgate ['teɪlgeɪt] *n (of car)* hayon *m*.

tailor ['teɪlə'] *n* tailleur *m*.

take [teɪk] *(pt* took, *pp* taken) *vt*
- **1.** *(gen)* prendre ; **to ~ a bath/ shower** prendre un bain/une douche ; **to ~ an exam** passer un examen ; **to ~ a walk** faire une promenade.
- **2.** *(carry)* emporter.
- **3.** *(drive)* emmener.
- **4.** *(time)* prendre ; *(patience, work)* demander ; **how long will it ~?** combien de temps ça va prendre ?
- **5.** *(size in clothes, shoes)* faire ; **what size do you ~?** *(clothes)* quelle taille faites-vous ? *(shoes)* quelle pointure faites-vous ?
- **6.** *(subtract)* ôter.
- **7.** *(accept)* accepter ; **to ~ sb's advice** suivre les conseils de qqn.
- **8.** *(contain)* contenir.
- **9.** *(tolerate)* supporter.
- **10.** *(assume)* : **I ~ it that ...** je suppose que ...
- **11.** *(rent)* louer.

❑ **take apart** *vt sep (dismantle)* démonter.

❑ **take away** *vt sep (remove)* enlever ; *(subtract)* ôter.

❑ **take back** *vt sep (something borrowed)* rapporter ; *(person)* ramener ; *(statement)* retirer.

❑ **take down** *vt sep (picture, decorations)* enlever.

❑ **take in** *vt sep (include)* englober ; *(understand)* comprendre ; *(deceive)* tromper ; *(clothes)* reprendre.

❑ **take off** *vi (plane)* décoller.
◆ *vt sep (remove)* enlever, ôter ; *(as holiday)* : **to ~ a week off** prendre une semaine de congé.

❑ **take out** *vt sep* sortir ; *(loan, insurance policy)* souscrire ; *(go out with)* emmener.

❑ **take over** *vi* prendre le relais.

❑ **take up** *vt sep (begin)* se mettre à ; *(use up)* prendre ; *(trousers, dress)* raccourcir.

takeaway ['teɪkə‚weɪ] *n [Br] (shop)* magasin qui vend des plats à emporter ; *(food)* plat *m* à emporter.

taken ['teɪkn] *pp* → **take**.

takeoff ['teɪkɒf] *n (of plane)* décollage *m*.

takeout ['teɪkaʊt] *Am* = **takeaway**.

takings ['teɪkɪŋz] *npl* recette *f*.

talcum powder ['tælkəm-] *n* talc *m*.

tale [teɪl] *n (story)* conte *m* ; *(account)* récit *m*.

talent ['tælənt] *n* talent *m*.

talk [tɔːk] *n (conversation)* conversation *f* ; *(speech)* exposé *m*. ◆ *vi* parler ; **to ~ to sb (about sthg)** parler à qqn (de qqch) ; **to ~ with sb** parler avec qqn. ◆ **talks** *npl* négociations *fpl*.

talkative ['tɔːkətɪv] *adj* bavard(e).

tall [tɔ:l] *adj* grand(e) ; **how ~ are you?** combien mesures-tu? ; **I'm five and a half feet ~** je fais 1,65 mètres, je mesure 1,65 mètres.

tame [teɪm] *adj (animal)* apprivoisé(e).

tampon ['tæmpɒn] *n* tampon *m*.

tan [tæn] *n (suntan)* bronzage *m*. ◆ *vi* bronzer. ◆ *adj (colour)* brun clair.

tangerine [ˌtændʒəˈriːn] *n* mandarine *f*.

tank [tæŋk] *n (container)* réservoir *m* ; *(vehicle)* tank *m*.

tanker ['tæŋkə'] *n (truck)* camion-citerne *m*.

tanned [tænd] *adj* bronzé(e).

tap [tæp] *n (for water)* robinet *m*. ◆ *vt (hit)* tapoter.

tape [teɪp] *n (cassette, video)* cassette *f* ; *(in cassette)* bande *f* ; *(adhesive material)* ruban *m* adhésif ; *(strip of material)* ruban *m*. ◆ *vt (record)* enregistrer ; *(stick)* scotcher.

tape measure *n* mètre *m* (ruban).

tape recorder *n* magnétophone *m*.

tapestry ['tæpɪstrɪ] *n* tapisserie *f*.

tap water *n* eau *f* du robinet.

tar [ta:'] *n (for roads)* goudron *m* ; *(in cigarettes)* goudrons *mpl*.

target ['ta:gɪt] *n* cible *f*.

tariff ['tærɪf] *n (price list)* tarif *m* ; *Br (menu)* menu *m* ; *(at customs)* tarif *m* douanier.

tarmac ['ta:mæk] *n (at airport)* piste *f*. ❑ **Tarmac®** *n (on road)* macadam *m*.

tarpaulin [ta:'pɔ:lɪn] *n* bâche *f*.

tart [ta:t] *n* tarte *f*.

tartan ['ta:tn] *n* tartan *m*.

tartare sauce [ˌta:tə-] *n* sauce *f* tartare.

task [ta:sk] *n* tâche *f*.

taste [teɪst] *n* goût *m*. ◆ *vt (sample)* goûter ; *(detect)* sentir. ◆ *vi* : **to ~ of sthg** avoir un goût de qqch ; **it ~s bad** ça a mauvais goût ; **it ~s good** ça a bon goût ; **to have a ~ of sthg** *(food, drink)* goûter (à) qqch ; *fig (experience)* avoir un aperçu de qqch.

tasteful ['teɪstful] *adj* de bon goût.

tasteless ['teɪstlɪs] *adj (food)* insipide ; *(comment, decoration)* de mauvais goût.

tasty ['teɪstɪ] *adj* délicieux(ieuse).

tattoo [tə'tu:] *n (pl -s) (on skin)* tatouage *m* ; *(military display)* défilé *m* (militaire).

taught [tɔ:t] *pt & pp* → **teach**.

taut [tɔ:t] *adj* tendu(e).

tax [tæks] *n (on income)* impôts *mpl* ; *(on import, goods)* taxe *f*. ◆ *vt (goods)* taxer ; *(person)* imposer.

tax disc *n Br* vignette *f* automobile.

tax-free *adj* exonéré(e) d'impôts.

taxi ['tæksɪ] *n* taxi *m*. ◆ *vi (plane)* rouler.

taxi driver *n* chauffeur *m* de taxi.

taxi rank *n Br* station *f* de taxis.

taxi stand *Am* = **taxi rank**.

T-bone steak *n* steak *m* dans l'aloyau.

tea [ti:] *n* thé *m* ; *(herbal)* tisane *f* ; *(evening meal)* dîner *m*.

tea bag *n* sachet *m* de thé.

teacake ['ti:keɪk] *n* petit pain brioché aux raisins secs.

teach [tiːtʃ] (pt & pp **taught**) vt (subject) enseigner ; (person) enseigner à. ◆ vi enseigner ; **to ~ sb sthg, to ~ sthg to sb** enseigner qqch à qqn ; **to ~ sb (how) to do sthg** apprendre à qqn à faire qqch.

teacher [tiːtʃə^r] n professeur m, enseignant m, -e f.

teaching [tiːtʃɪŋ] n enseignement m.

tea cloth = tea towel

teacup [tiːkʌp] n tasse f à thé.

team [tiːm] n équipe f.

teapot [tiːpɒt] n théière f.

tear[1] [teə^r] (pt **tore**, pp **torn**) vt (rip) déchirer. ◆ vi se déchirer. ◆ n déchirure f. ❑ **tear up** vt sep déchirer.

tear[2] [tɪə^r] n larme f.

tearoom [tiːrum] n salon m de thé.

tease [tiːz] vt taquiner.

tea set n service m à thé.

teaspoon [tiːspuːn] n cuillère f à café ; (amount) = teaspoonful.

teaspoonful [tiːspuːnfʊl] n cuillerée f à café.

teat [tiːt] n (animal) tétine f.

teatime [tiːtaɪm] n heure f du thé.

tea towel n torchon m.

technical [teknɪkl] adj technique.

technician [teknɪʃn] n technicien m, -ienne f.

technique [tekniːk] n technique f.

techno [teknəʊ] n MUS techno f.

technological [teknəlɒdʒɪkl] adj technologique.

technology [teknɒlədʒɪ] n technologie f.

teddy (bear) [tedɪ-] n ours m en peluche.

tedious [tiːdjəs] adj ennuyeux (euse).

teenager [tiːneɪdʒə^r] n adolescent m, -e f.

teeth [tiːθ] pl → tooth.

teethe [tiːð] vi : **to be teething** faire ses dents.

teetotal [tiːtəʊtl] adj qui ne boit jamais.

telegram [telɪgræm] n télégramme m.

telegraph pole n poteau m télégraphique.

telephone [telɪfəʊn] n téléphone m. ◆ vt (person, place) téléphoner à. ◆ vi téléphoner ; **to be on the ~** (talking) être au téléphone ; (connected) avoir le téléphone.

telephone booth, **-box** n cabine f téléphonique.

telephone call n appel m téléphonique.

telephone directory n annuaire m (téléphonique).

telephone number n numéro m de téléphone.

telephonist [tɪlefənɪst] n Br téléphoniste mf.

telephoto lens [telɪfəʊtəʊ-] n téléobjectif m.

telescope [telɪskəʊp] n télescope m.

television [telɪˌvɪʒn] n télévision f ; **on (the) ~** (broadcast) à la télévision.

teleworking [teliwɜːkɪŋ] n télétravail m.

telex [teleks] n télex m.

tell [tel] (pt & pp **told**) vt (inform) dire à ; (story, joke) raconter ;

(truth, lie) dire ; *(distinguish)* voir. ◆ *vi* : I can ~ ça se voit ; can you ~ me the time? pouvez-vous me dire l'heure? ; to ~ sb sthg dire qqch à qqn ; to ~ sb about sthg raconter qqch à qqn ; to ~ sb how to do sthg dire à qqn comment faire qqch ; to ~ sb to do sthg dire à qqn de faire qqch. ❑ **tell off** *vt sep* gronder.

teller ['telə'] *n (in bank)* caissier *m*, -ière *f*.

telly ['telɪ] *n Br inf* télé *f*.

temp [temp] *n* intérimaire *mf*. ◆ *vi* faire de l'intérim.

temper ['tempə'] *n* : to be in a ~ être de mauvaise humeur ; to lose one's ~ se mettre en colère.

temperature ['temprətʃə'] *n* température *f* ; to have a ~ avoir de la température.

temple ['templ] *n (building)* temple *m* ; *(of forehead)* tempe *f*.

temporary ['tempərərɪ] *adj* temporaire.

tempt [tempt] *vt* tenter ; to be ~ed to do sthg être tenté de faire qqch.

temptation [temp'teɪʃn] *n* tentation *f*.

tempting ['temptɪŋ] *adj* tentant(e).

ten [ten] *num* dix → **six**.

tenant ['tenənt] *n* locataire *mf*.

tend [tend] *vi* : to ~ to do sthg avoir tendance à faire qqch.

tendency ['tendənsɪ] *n* tendance *f*.

tender ['tendə'] *adj* tendre ; *(sore)* douloureux(euse). ◆ *vt fml (pay)* présenter.

tendon ['tendən] *n* tendon *m*.

tenement ['tenəmənt] *n* immeuble *m*.

tennis ['tenɪs] *n* tennis *m*.

tennis ball *n* balle *f* de tennis.

tennis court *n* court *m* de tennis.

tennis racket *n* raquette *f* de tennis.

tenpin bowling ['tenpɪn-] *n Br* bowling *m*.

tenpins ['tenpɪnz] *Am* = **tenpin bowling**.

tense [tens] *adj* tendu(e). ◆ *GRAMM* temps *m*.

tension ['tenʃn] *n* tension *f*.

tent [tent] *n* tente *f*.

tenth [tenθ] *num* dixième → **sixth**.

tent peg *n* piquet *m* de tente.

tepid ['tepɪd] *adj* tiède.

tequila [tɪ'kiːlə] *n* tequila *f*.

term [tɜːm] *n (word, expression)* terme *m* ; *(at school, university)* trimestre *m* ; in the long ~ à long terme ; in the short ~ à court terme ; in ~s of du point de vue de ; in business ~s d'un point de vue commercial. ❑ **terms** *npl (of contract)* termes *mpl* ; *(price)* conditions *fpl*.

terminal ['tɜːmɪnl] *adj (illness)* mortel(elle). ◆ *n (for buses)* terminus *m* ; *(at airport)* terminal *m*, aérogare *f* ; *COMPUT* terminal.

terminate ['tɜːmɪneɪt] *vi (train, bus)* arriver à son terminus.

terminus ['tɜːmɪnəs] *n* terminus *m*.

terrace ['terəs] *n (patio)* terrasse *f* ; the ~s *(at football ground)* les gradins *mpl*.

terraced house ['terəst-] *n Br* maison attenante aux maisons voisines.

terrible ['terǝbl] *adj* terrible ; *(very ill)* très mal.

terribly ['terǝblɪ] *adv* terriblement ; *(very badly)* terriblement mal.

terrific [tǝ'rɪfɪk] *adj inf (very good)* super *(inv)* ; *(very great)* terrible.

terrified ['terɪfaɪd] *adj* terrifié(e).

territory ['terɪtrɪ] *n* territoire *m*.

terror ['terǝ] *n* terreur *f*.

terrorism ['terǝrɪzm] *n* terrorisme *m*.

terrorist ['terǝrɪst] *n* terroriste *mf*.

terrorize ['terǝraɪz] *vt* terroriser.

test [test] *n (exam, medical)* examen *m* ; *(at school, on machine, car)* contrôle *m* ; *(of intelligence, personality)* test *m* ; *(of blood)* analyse *f*. ◆ *vt (check)* tester ; *(give exam to)* interroger ; *(dish, drink)* goûter (à).

testicles ['testɪklz] *npl* testicules *mpl*.

tetanus ['tetǝnǝs] *n* tétanos *m*.

text [tekst] *n* texte *m*.

textbook ['tekstbʊk] *n* manuel *m*.

textile ['tekstaɪl] *n* textile *m*.

texture ['tekstʃǝ'] *n* texture *f*.

Thames [temz] *n* : the ~ la Tamise.

than [*weak form* ðǝn, *strong form* ðæn] *prep & conj* que ; **you're better ~** me tu es meilleur que moi ; **I'd rather stay in ~ go out** je préférerais rester à la maison (plutôt) que sortir ; **more ~ ten** plus de dix.

thank [θæŋk] *vt* : **to ~ sb (for sthg)** remercier qqn (de OR pour qqch). ❑ **thanks** *npl* remerciements *mpl*.

◆ *excl* merci! ; **~s to** grâce à ; **many ~s** mille mercis.

Thanksgiving ['θæŋks,gɪvɪŋ] *n* fête nationale américaine.

THANKSGIVING

Jour d'action de grâce, célébré aux États-Unis le quatrième jeudi du mois de novembre pour remercier Dieu de la récolte et de toutes les bonnes choses qui ont pu arriver dans l'année. L'origine de cette fête fédérale remonte à 1621, alors que les *Pilgrims* (colons britanniques) récoltaient leur première moisson. Le repas traditionnel est à base de dinde rôtie et de gâteau au potiron.

thank you *excl* merci! ; **~ very much!** merci beaucoup! ; **no ~!** non merci!

that [ðæt, *weak form of pron senses 3, 4, 5 & conj* ðǝt] *(pl* those) *adj* - **1.** *(referring to thing mentioned)* ce (cette), cet *(before vowel or mute 'h'),* ces *(pl)* ; **~ film was very good** ce film était très bien ; **those chocolates are delicious** ces chocolats sont délicieux.
- **2.** *(referring to thing, person further away)* ce ...-là (cette ...-là), cet ...-là *(before vowel or mute 'h'),* ces ...-là *(pl)* ; **I prefer ~ book** je préfère ce livre-là ; **I'll have ~ one** je prends celui-là.

◆ *pron* - **1.** *(referring to thing mentioned)* ce, cela, ça ; **what's ~?** qu'est-ce que c'est que ça? ; **~'s interesting** c'est intéressant ; **who's**

~? qui est-ce? ; **is ~** Lucy? c'est Lucy?

- 2. *(referring to thing, person further away)* celui-là (celle-là), ceux-là (celles-là) *(pl)*.

- 3. *(introducing relative clause : subject)* qui ; **a shop ~ sells antiques** un magasin qui vend des antiquités.

- 4. *(introducing relative clause : object)* que ; **the film ~ I saw** le film que j'ai vu.

- 5. *(introducing relative clause : after prep)* que ; **the place ~ I'm looking for** l'endroit que je cherche.

◆ *adv* : **it wasn't ~ bad/good** ce n'était pas si mauvais/bon (que ça).

◆ *conj* que ; **tell him ~ I'm going to be late** dis-lui que je vais être en retard.

thatched [θætʃt] *adj (roof)* de chaume ; *(cottage)* au toit de chaume.

that's [ðæts] = **that is.**

thaw [θɔː] *vi (snow, ice)* fondre.
◆ *vt (frozen food)* décongeler.

☞ **the** [*weak form* ðə, *before vowel* ðɪ, *strong form* ðiː] *definite article* **- 1.** *(gen)* le (la), les *(pl)* ; **~ book** le livre ; **~ man** l'homme ; **~ woman** la femme ; **~ girls** les filles ; **~ Wilsons** les Wilson.

- 2. *(with an adjective to form a noun)* : **~ British** les Britanniques ; **~ young** les jeunes.

- 3. *(in dates)* : **~ twelfth** le douze ; **~ forties** les années quarante.

- 4. *(in titles)* : **Elizabeth ~ Second** Élisabeth II.

theater [ˈθɪətər] *n [Am] (for plays,*

drama) = theatre ; *(for films)* cinéma *m*.

theatre [ˈθɪətər] *n Br* théâtre *m*.

theft [θeft] *n* vol *m*.

their [ðeər] *adj* leur, leurs *(pl)*.

theirs [ðeəz] *pron* le leur (la leur), les leurs *(pl)* ; **a friend of ~** un de leurs amis.

them [*weak form* ðəm, *strong form* ðem] *pron (direct)* les ; *(indirect)* leur ; *(after prep)* eux (elles) ; **I know ~** je les connais ; **it's ~** ce sont OR c'est eux ; **send it to ~** envoyez-le-leur ; **tell ~** dites-leur ; **he's worse than ~** il est pire qu'eux.

theme [θiːm] *n* thème *m*.

theme park *n* parc *m* à thème.

themselves [ðəmˈselvz] *pron (reflexive)* se ; *(after prep)* eux, eux-mêmes ; **they did it ~** ils l'ont fait eux-mêmes.

then [ðen] *adv (at time in past, in that case)* alors ; *(at time in future)* à ce moment-là ; *(next)* puis, ensuite ; **from ~ on** depuis ce moment-là ; **until ~** jusque-là.

theory [ˈθɪərɪ] *n* théorie *f* ; **in ~** en théorie.

therapist [ˈθerəpɪst] *n* thérapeute *mf*.

therapy [ˈθerəpɪ] *n* thérapie *f*.

there [ðeər] *adv* là, là-bas.
◆ *pron* : **~ is** il y a ; **~ are** il y a ; **is anyone ~?** il y a quelqu'un? ; **is Bob ~, please?** *(on phone)* est-ce que Bob est là, s'il vous plaît? ; **we're going ~ tomorrow** nous y allons demain ; **over ~** là-bas ; **you are** *(when giving sthg)* voilà.

thereabouts [ˌðeərəˈbaʊts] *adv* : **or ~** environ.

therefore [ˈðeəfɔːr] *adv* donc, par conséquent.

there's [ðeəz] = there is.

thermal underwear [ˌθɜːml-] n sous-vêtements mpl en thermolactyl.

thermometer [θəˈmɒmɪtəʳ] n thermomètre m.

Thermos (flask)® [ˈθɜːməs-] n Thermos® f.

thermostat [ˈθɜːməstæt] n thermostat m.

these [ðiːz] pl → this.

they [ðeɪ] pron ils (elles).

thick [θɪk] adj épais(aisse) ; inf (stupid) bouché(e) ; it's 1 metre ~ ça fait 1 mètre d'épaisseur.

thicken [ˈθɪkn] vt épaissir.

thickness [ˈθɪknɪs] n épaisseur f.

thief [θiːf] (pl thieves [θiːvz]) n voleur m, -euse f.

thigh [θaɪ] n cuisse f.

thimble [ˈθɪmbl] n dé m à coudre.

thin [θɪn] adj (in size) fin(e) ; (person) mince ; (soup, sauce) peu épais(aisse).

thing [θɪŋ] n chose f ; the ~ is le problème, c'est que. ❑ **things** npl (clothes, possessions) affaires fpl ; how are ~s? inf comment ça va?

thingummyjig [ˈθɪŋəmɪdʒɪg] n inf truc m.

think [θɪŋk] (pt & pp thought) vt penser. ◆ vi réfléchir ; what do you ~ of this jacket? qu'est-ce que tu penses de cette veste? ; to ~ that penser que ; to ~ about penser à ; to ~ of penser à ; (remember) se souvenir de ; to ~ of doing sthg songer à faire qqch ; I ~ so je pense (que oui) ; I don't ~ so je ne pense pas ; do you ~ you could ...? pourrais-tu ...? ; to ~ highly of sb penser beaucoup de bien de qqn.

❑ **think over** vt sep réfléchir à.
❑ **think up** vt sep imaginer.

third [θɜːd] num troisième → sixth.

third party insurance n assurance f au tiers.

Third World n : the ~ le tiers-monde.

thirst [θɜːst] n soif f.

thirsty [ˈθɜːstɪ] adj : to be ~ avoir soif.

thirteen [ˌθɜːˈtiːn] num treize → six.

thirteenth [ˌθɜːˈtiːnθ] num treizième → sixth.

thirtieth [ˈθɜːtɪəθ] num trentième → sixth.

thirty [ˈθɜːtɪ] num trente → six.

☞

this [ðɪs] (pl these) adj - 1. (referring to thing, person mentioned) ce (cette), cet (before vowel or mute 'h'), ces (pl) ; these chocolates are delicious ces chocolats sont délicieux ; ~ morning ce matin ; ~ week cette semaine.
- 2. (referring to thing, person nearer) ce ...-ci (cette ...-ci), cet ...-ci (before vowel or mute 'h'), ces ...-ci (pl) ; I prefer ~ book je préfère ce livre-ci ; I'll have ~ one je prends celui-ci.
- 3. inf (used when telling a story) : there was ~ man ... il y avait un bonhomme ...
◆ pron - 1. (referring to thing mentioned) this, ceci ; ~ is for you c'est pour vous ; what are these? qu'est-ce que c'est? ; ~ is David Gregory (introducing someone) je vous présente David Gregory ; (on telephone) David Gregory à l'appareil.
- 2. (referring to thing, person nearer)

celui-ci (celle-ci), ceux-ci (celles-ci) (pl).
◆ adv : it was ~ big c'était grand comme ça.

thistle ['θɪsl] n chardon m.

thorn [θɔːn] n épine f.

thorough ['θʌrə] adj minutieux(ieuse).

thoroughly ['θʌrəlɪ] adv (check, clean) à fond.

those [ðəʊz] pl → that.

though [ðəʊ] conj bien que (+ subjunctive). ◆ adv pourtant ; even ~ bien que (+ subjunctive).

thought [θɔːt] pt & pp → think.
◆ n (idea) idée f ; (thinking) pensées fpl ; (careful) réflexion f.
❏ thoughts npl (opinion) avis m, opinion f.

thoughtful ['θɔːtfʊl] adj (serious) pensif(ive) ; (considerate) prévenant(e).

thoughtless ['θɔːtlɪs] adj indélicat(e).

thousand ['θaʊznd] num mille ; a OR one ~ mille ; ~s of des milliers de, six.

thrash [θræʃ] vt inf (defeat) battre à plate(s) couture(s).

thread [θred] n (of cotton etc) fil m. ◆ vt (needle) enfiler.

threadbare ['θredbeə] adj usé(e) jusqu'à la corde.

threat [θret] n menace f.

threaten ['θretn] vt menacer ; to do sthg menacer de faire qqch.

threatening ['θretnɪŋ] adj menaçant(e).

three [θriː] num trois → six.

three-D n : in ~ en relief.

three-piece suite n ensemble m canapé-deux fauteuils.

three-quarters ['ˌkwɔːtəz] n trois quarts mpl ; ~ of an hour trois quarts d'heure.

threshold ['θreʃhəʊld] n fml seuil m.

threw [θruː] pt → throw.

thrifty ['θrɪftɪ] adj économe.

thrilled [θrɪld] adj ravi(e).

thriller ['θrɪlə'] n thriller m.

thrive [θraɪv] vi (plant, animal, person) s'épanouir ; (business, tourism) être florissant(e).

throat [θrəʊt] n gorge f.

throb [θrɒb] vi (noise, engine) vibrer ; my head is throbbing j'ai un mal de tête lancinant.

throne [θrəʊn] n trône m.

through [θruː] prep (to other side of) à travers ; (hole, window) par ; (by means of) par ; (because of) grâce à ; (during) pendant. ◆ adv (to other side) à travers. ◆ adj : to be ~ (with sthg) (finished) avoir fini (qqch) ; you're ~ (on phone) vous êtes en ligne ; Monday ~ Thursday Am de lundi à jeudi ; to let sb ~ laisser passer qqn ; I slept ~ until nine j'ai dormi d'une traite jusqu'à neuf heures ; ~ traffic circulation se dirigeant vers un autre endroit sans s'arrêter ; a ~ train un train direct.

throughout [θruːˈaʊt] prep (day, morning, year) tout au long de ; (place, country, building) partout dans. ◆ adv (all the time) tout le temps ; (everywhere) partout.

throw [θrəʊ] (pt threw, pp thrown [θrəʊn]) vt jeter, lancer ; (ball, javelin, dice) lancer ; (person) projeter ; (a switch) actionner ; ~ sthg in the bin jeter qqch à la poubelle.
❏ throw away vt sep (get rid of) jeter.
❏ throw out vt sep (get rid of)

thru

276

jeter ; *(person)* jeter dehors. ❏ **throw up** *vi & inf (vomit)* vomir.

thru [θru:] *Am* = through.

thrush [θrʌʃ] *n (bird)* grive *f*.

thud [θʌd] *n* bruit *m* sourd.

thug [θʌg] *n* voyou *m*.

thumb [θʌm] *n* pouce *m*. ◆ *vt* : to ~ a lift faire de l'auto-stop.

thumbtack ['θʌmtæk] *n Am* punaise *f*.

thump [θʌmp] *n (punch)* coup *m* ; *(sound)* bruit *m* sourd. ◆ *vt* cogner.

thunder ['θʌndə] *n* tonnerre *m*.

thunderstorm ['θʌndəstɔ:m] *n* orage *m*.

Thurs. *(abbr of Thursday)* jeu.

Thursday ['θɜ:zdɪ] *n* jeudi *m* → Saturday.

thyme [taɪm] *n* thym *m*.

tick [tɪk] *n (written mark)* coche *f* ; *(insect)* tique *f*. ◆ *vt* cocher. ❏ *vi (clock, watch)* faire tic-tac. ❏ **tick off** *vt sep (mark off)* cocher.

ticket ['tɪkɪt] *n (for bus, underground)* ticket *m* ; *(label)* étiquette *f* ; *(for speeding, parking)* contravention *f*.

ticket collector *n (at barrier)* contrôleur *m*, -euse *f*.

ticket inspector *n (on train)* contrôleur *m*, -euse *f*.

ticket machine *n* billetterie *f* automatique.

ticket office *n* guichet *m*.

tickle ['tɪkl] *vt & vi* chatouiller.

ticklish ['tɪklɪʃ] *adj* chatouilleux(euse).

tick-tack-toe *n Am* morpion *m*.

tide [taɪd] *n* marée *f*.

tidy ['taɪdɪ] *adj (room, desk)* ran-

gé(e) ; *(person, hair)* soigné(e). ❏ **tidy up** *vt sep* ranger.

tie [taɪ] *(pt & pp* tied, *cont* tying) *n (around neck)* cravate *f* ; *(draw)* match *m* nul ; *Am (on railway track)* traverse *f*. ◆ *vt* attacher ; *(knot)* faire. ◆ *vi (at end of competition)* terminer à égalité ; *(at end of match)* faire match nul. ❏ **tie up** *vt sep* attacher ; *(delay)* retenir.

tier [tɪə] *n (of seats)* gradin *m*.

tiger ['taɪgə] *n* tigre *m*.

tight [taɪt] *adj* serré(e) ; *(drawer, tap)* dur(e) ; *(rope, material)* tendu(e) ; *(chest)* oppressé(e) ; *inf (drunk)* soûl(e). ◆ *adv* (hold) bien.

tighten ['taɪtn] *vt* serrer, resserrer.

tightrope ['taɪtrəʊp] *n* corde *f* raide.

tights [taɪts] *npl* collant(s) *m(pl)* ; a pair of ~ un collant, des collants.

tile [taɪl] *n (for roof)* tuile *f* ; *(for floor, wall)* carreau *m*.

till [tɪl] *n (for money)* caisse *f*. ◆ *prep* jusqu'à. ◆ *conj* jusqu'à ce que.

tilt [tɪlt] *vt* pencher. ◆ *vi* se pencher.

timber ['tɪmbə] *n (wood)* bois *m* ; *(of roof)* poutre *f*.

time [taɪm] *n* temps *m* ; *(measured by clock)* heure *f* ; *(moment)* moment *m* ; *(occasion)* fois *f* ; *(in history)* époque *f*. ◆ *vt (measure)* chronométrer ; *(arrange)* prévoir ; I haven't got the ~ je n'ai pas le temps ; it's ~ to go il est temps OR l'heure de partir ; what's the ~? quelle heure est-il? ; two ~s two deux fois deux ; five ~s as much cinq fois plus ; in a month's ~ dans un mois ; to have a good ~ bien s'amuser ; **all the ~** tout le temps ; **every ~** chaque fois ; **from ~ to ~** de temps en temps ; **for the ~ being** pour l'instant ; **in ~** *(arrive)* à l'heure ; **in good ~** en temps voulu ; **last ~** la dernière fois ; **most of the ~** la plupart du temps ; **on ~** à l'heure ; **some of the ~** parfois ; **this ~** cette fois.

time difference *n* décalage *m* horaire.

time limit *n* délai *m*.

timer ['taɪmə'] *n (machine)* minuteur *m*.

time share *n* logement *m* en multipropriété.

timetable ['taɪmˌteɪbl] *n* horaire *m* ; *SCH* emploi *m* du temps ; *(of events)* calendrier *m*.

time zone *n* fuseau *m* horaire.

timid ['tɪmɪd] *adj* timide.

tin [tɪn] *n (metal)* étain *m* ; *(container)* boîte *f*. ◆ *adj* en étain.

tinfoil ['tɪnfɔɪl] *n* papier *m* aluminium.

tinned food [tɪnd-] *n Br* conserves *fpl*.

tin opener [-ˌəʊpnə'] *n Br* ouvre-boîtes *m inv*.

tinsel ['tɪnsl] *n* guirlandes *fpl* de Noël.

tint [tɪnt] *n* teinte *f*.

tinted glass [ˌtɪntɪd-] *n* verre *m* teinté.

tiny ['taɪnɪ] *adj* minuscule.

tip [tɪp] *n (of pen, needle)* pointe *f* ; *(of finger, cigarette)* bout *m* ; *(to waiter, taxi driver etc)* pourboire *m* ; *(piece of advice)* tuyau *m* ; *(rubbish dump)* décharge *f*. ◆ *vt (waiter, taxi driver etc)* donner un pourboire à ; *(tilt)* incliner ; *(pour)*

verser. ❑ **tip over** ◆ *vt sep* renverser. ◆ *vi* se renverser.

Aux États-Unis comme en Grande-Bretagne, il est normal de donner un pourboire à toute personne qui s'est mise à votre service. On laisse l'équivalent de 12 à 20% de la note dans les restaurants, de 10 à 15% à un chauffeur de taxi, deux livres (GB) ou un dollar (EU) par bagage à un groom, de 10 à 20% à un coiffeur, sauf s'il est le patron, auquel cas on ne laisse rien. On peut payer un pourboire par carte bancaire, en l'ajoutant à la facture une fois celle-ci enregistrée.

tire ['taɪə'] *vi* se fatiguer. ◆ *n Am* = **tyre**.

tired ['taɪəd] *adj* fatigué(e) ; **to be ~ of** *(fed up with)* en avoir assez de.

tired out *adj* épuisé(e).

tiring ['taɪərɪŋ] *adj* fatigant(e).

tissue ['tɪʃuː] *n (handkerchief)* mouchoir *m* en papier.

tissue paper *n* papier *m* de soie.

tit [tɪt] *n vulg (breast)* nichon *m*.

title ['taɪtl] *n* titre *m*.

T-junction *n* intersection *f* en T.

to [unstressed before consonant tə, unstressed before vowel tu, stressed tuː] *prep* - **1.** *(indicating direction)* à ; **to go ~ the States** aller aux États-Unis ; **to go ~ France** aller en France ; **to go ~ school** aller à l'école.
- **2.** *(indicating position)* : **~ one side**

sur le côté ; ~ **the left/right** à gauche/droite.
- **3.** (expressing indirect object) à ; **to give sthg ~ sb** donner qqch à qqn ; **to listen ~ the radio** écouter la radio.
- **4.** (indicating reaction, effect) à ; ~ **my surprise** à ma grande surprise.
- **5.** (until) jusqu'à ; **to count ~ ten** compter jusqu'à dix ; **we work from nine ~ five** nous travaillons de neuf heures à dix-sept heures.
- **6.** (indicating change of state) : **to turn ~ sthg** se transformer en qqch ; **it could lead ~ trouble** ça pourrait causer des ennuis.
- **7.** Br (in expressions of time) : **it's ten ~ three** il est trois heures moins dix ; **at quarter ~ seven** à sept heures moins le quart.
- **8.** (in ratios, rates) : **40 miles ~ the gallon** ≃ 7 litres au cent ; **there are eight francs ~ the pound** la livre vaut huit francs.
- **9.** (of, for) : **the key ~ the car** la clef de la voiture ; **a letter ~ my daughter** une lettre à ma fille.
- **10.** (indicating attitude) avec, envers ; **to be rude ~ sb** se montrer impoli envers qqn.
◆ with infinitive - **1.** (forming simple infinitive) : ~ **walk** marcher ; ~ **laugh** rire.
- **2.** (following another verb) : **to begin ~ do sthg** commencer à faire qqch ; **to try ~ do sthg** essayer de faire qqch.
- **3.** (following an adjective) : **difficult ~ do** difficile à faire ; **pleased ~ meet you** enchanté de faire votre connaissance ; **ready ~ go** prêt à partir.
- **4.** (indicating purpose) pour ; **we came here ~ look at the castle** nous

sommes venus (pour) voir le château.

toad [təʊd] n crapaud m.

toadstool ['təʊdstuːl] n champignon m vénéneux.

toast [təʊst] n (bread) pain m grillé ; (when drinking) toast m. ◆ vt faire griller ; **a piece** OR **slice of** ~ un toast, une tranche de pain grillé.

toasted sandwich ['təʊstɪd-] n sandwich m grillé.

toaster ['təʊstə'] n grille-pain m inv.

tobacco [tə'bækəʊ] n tabac m.

tobacconist's [tə'bækənɪsts] n bureau m de tabac.

toboggan [tə'bɒgən] n luge f.

today [tə'deɪ] n & adv aujourd'hui.

toddler ['tɒdlə'] n tout-petit m.

toe [təʊ] n doigt m de pied, orteil m.

TOEFL [tɒfl] (abbr of Test of English as a Foreign Language) n test d'anglais passé par les étudiants étrangers désirant faire des études dans une université américaine.

toenail ['təʊneɪl] n ongle m du pied.

toffee ['tɒfɪ] n caramel m.

together [tə'geðə'] adv ensemble ; ~ **with** ainsi que.

toilet ['tɔɪlɪt] n (room) toilettes fpl ; (bowl) W-C mpl ; **to go to the** ~ aller aux toilettes ; **where's the** ~? où sont les toilettes ?

toilet bag n trousse f de toilette.

toilet paper n papier m toilette OR hygiénique.

toiletries ['tɔɪlɪtrɪz] npl articles mpl de toilette.

toilet roll n rouleau m de papier toilette.

toilet water n eau f de toilette.

token ['təʊkən] n (metal disc) jeton m.

told [təʊld] pt & pp → tell.

tolerable ['tɒlərəbl] adj tolérable.

tolerant ['tɒlərənt] adj tolérant(e).

tolerate ['tɒləreɪt] vt tolérer.

toll [təʊl] n (for road, bridge) péage m.

toll-free adj Am : ~ number ≃ numéro m vert.

tomato [Br təˈmɑːtəʊ, Am təˈmeɪtəʊ] (pl -es) n tomate f.

tomato juice n jus m de tomate.

tomato ketchup n ketchup m.

tomato puree n purée f de tomate.

tomato sauce n sauce f tomate.

tomb [tuːm] n tombe f.

tomorrow [təˈmɒrəʊ] n & adv demain m ; **the day after ~** après-demain ; **~ afternoon** demain après-midi ; **~ morning** demain matin ; **~ night** demain soir.

ton [tʌn] n (in UK) = 1016 kg ; (in US) = 90/,2 kg ; (metric tonne) tonne f ; **~s of** inf des tonnes de.

tone [təʊn] n ton m ; (on phone) tonalité f.

tongs [tɒŋz] npl (for hair) fer m à friser ; (for sugar) pince f.

tongue [tʌŋ] n langue f.

tonic ['tɒnɪk] n (tonic water) ≃ Schweppes® m ; (medicine) tonique m.

tonic water n ≃ Schweppes® m.

tonight [təˈnaɪt] n & adv ce soir ; (later) cette nuit.

tonne [tʌn] n tonne f.

tonsillitis [ˌtɒnsɪˈlaɪtɪs] n amygdalite f.

too [tuː] adv trop ; (also) aussi ; **it's not ~ good** ce n'est pas extraordinaire ; **it's ~ late to go out** il est trop tard pour sortir ; **~ many** trop de ; **~ much** trop de.

took [tʊk] pt → take.

tool [tuːl] n outil m.

tool kit n trousse f à outils.

tooth [tuːθ] (pl teeth) n dent f.

toothache ['tuːθeɪk] n rage f de dents.

toothbrush ['tuːθbrʌʃ] n brosse f à dents.

toothpaste ['tuːθpeɪst] n dentifrice m.

toothpick ['tuːθpɪk] n cure-dents m inv.

top [tɒp] adj (highest) du haut ; (best, most important) meilleur(e). ◆ n (garment, of stairs, page, road) haut m ; (of mountain, tree) cime f ; (of table, head) dessus m ; (of class, league) premier m, -ière f ; (of bottle, tube, pen) bouchon m ; (of box, jar) couvercle m ; **at the ~** (of hill) en haut ; **on ~ of** sur ; (in addition to) en plus de ; **at ~ speed** à toute vitesse ; **~ gear** ≃ cinquième f. ❑ **top up** ◆ vt sep (glass) remplir. ◆ vi (with petrol) faire le plein.

top floor n dernier étage m.

topic ['tɒpɪk] n sujet m.

topical ['tɒpɪkl] adj d'actualité.

topless ['tɒplɪs] adj : **to go ~** faire du monokini.

topped [tɒpt] adj : ~ with *(food)* garni(e) de.

topping ['tɒpɪŋ] n garniture f.

torch [tɔːtʃ] n Br *(electric light)* lampe f de poche OR électrique.

tore [tɔːʳ] pt → **tear**[1].

torn [tɔːn] pp → **tear**[1]. ◆ adj *(ripped)* déchiré(e).

tortoise ['tɔːtəs] n tortue f.

tortoiseshell ['tɔːtəʃel] n écaille f *(de tortue)*.

torture ['tɔːtʃəʳ] n torture f. ◆ vt torturer.

Tory ['tɔːrɪ] n membre du parti conservateur britannique.

toss [tɒs] vt *(throw)* jeter ; *(salad, vegetables)* remuer ; **to ~ a coin** jouer à pile ou face.

total ['təʊtl] adj total(e). ◆ n total m ; **in ~** au total.

touch [tʌtʃ] n *(sense)* toucher m ; *(detail)* détail m. ◆ vt toucher. ◆ vi se toucher ; **(just) a ~** *(of milk, wine)* (juste) une goutte ; *(of sauce, salt)* (juste) un soupçon ; **to get in ~ (with sb)** entrer en contact (avec qqn) ; **to keep in ~ (with sb)** rester en contact (avec qqn). ❑ **touch down** vi *(plane)* atterrir.

touching ['tʌtʃɪŋ] adj touchant(e).

tough [tʌf] adj dur(e) ; *(resilient)* résistant(e).

tour [tʊəʳ] n *(journey)* voyage m ; *(of city, castle etc)* visite f ; *(of pop group, theatre company)* tournée f. ◆ vt visiter ; **cycling ~** randonnée f à vélo ; **walking ~** randonnée à pied ; **on ~** en tournée.

tourism ['tʊərɪzm] n tourisme m.

tourist ['tʊərɪst] n touriste mf.

tourist class n classe f touriste.

tourist information office n office m de tourisme.

tournament ['tɔːnəmənt] n tournoi m.

tour operator n tour-opérateur m.

tout [taʊt] n revendeur m, -euse f de billets *(au marché noir)*.

tow [təʊ] vt remorquer.

toward [tə'wɔːd] Am = **towards**.

towards [tə'wɔːdz] prep Br vers ; *(with regard to)* envers ; *(to help pay for)* pour.

towel ['taʊəl] n serviette f *(de toilette)*.

toweling ['taʊəlɪŋ] Am = **towelling**.

towelling ['taʊəlɪŋ] n Br tissuéponge m.

towel rail n porte-serviettes m inv.

tower ['taʊəʳ] n tour f.

tower block n Br tour f.

Tower Bridge n Tower Bridge m.

town [taʊn] n ville f.

town centre n centre-ville m.

town hall n mairie f.

towpath ['təʊpɑːθ, pl -pɑːðz] n chemin m de halage.

towrope ['təʊrəʊp] n câble m de remorque.

tow truck n Am dépanneuse f.

toxic ['tɒksɪk] adj toxique.

toy [tɔɪ] n jouet m.

toy shop n magasin m de jouets.

trace [treɪs] n trace f. ◆ vt *(find)* retrouver.

tracing paper ['treɪsɪŋ-] n papier-calque m.

track [træk] n *(path)* chemin m ; *(of railway)* voie f ; SPORT piste f ;

(song) plage f. ❏ **track down** vt sep retrouver.

tracksuit ['trӕksuːt] n survêtement m.

tractor ['trӕktə'] n tracteur m.

trade [treɪd] n COMM commerce m ; *(job)* métier m. ◆ vt échanger. ◆ vi faire du commerce.

trademark ['treɪdmɑːk] n marque f déposée.

trader ['treɪdə'] n commerçant m, -e f.

tradesman ['treɪdzmən] (pl -men [-mən]) n *(deliveryman)* livreur m ; *(shopkeeper)* marchand m.

trade union n syndicat m.

tradition [trə'dɪʃn] n tradition f.

traditional [trə'dɪʃənl] adj traditionnel(elle).

traffic ['trӕfɪk] (pt & pp -ked) n trafic m, circulation f. ◆ vi : to ~ in faire le trafic de.

traffic circle n Am rond-point m.

traffic island n refuge m.

traffic jam n embouteillage m.

traffic lights npl feux mpl (de signalisation).

traffic warden n Br contractuel m, -elle f.

tragedy ['trӕdʒədɪ] n tragédie f.

tragic ['trӕdʒɪk] adj tragique.

trail [treɪl] n *(path)* sentier m ; *(marks)* piste f. ◆ vi *(be losing)* être mené.

trailer ['treɪlə'] n *(for boat, luggage)* remorque f ; Am *(caravan)* caravane f ; *(for film, programme)* bande-annonce f.

train [treɪn] n train m. ◆ vt *(teach)* former ; *(animal)* dresser. ◆ vi SPORT s'entraîner ; **by ~** en train.

train driver n conducteur m, -trice f de train.

trainee [treɪ'niː] n stagiaire mf.

trainer ['treɪnə'] n *(of athlete)* entraîneur m. ❏ **trainers** npl Br *(shoes)* tennis mpl.

training ['treɪnɪŋ] n *(instruction)* formation f ; *(exercises)* entraînement m.

training shoes npl Br tennis mpl.

tram [trӕm] n Br tramway m.

tramp [trӕmp] n clochard m, -e f.

trampoline ['trӕmpəliːn] n trampoline m.

trance [trɑːns] n transe f.

tranquilizer ['trӕŋkwɪlaɪzə'] Am = tranquillizer.

tranquillizer ['trӕŋkwɪlaɪzə'] n Br tranquillisant m.

transaction [trӕn'zӕkʃn] n transaction f.

transatlantic [ˌtrӕnzət'lӕntɪk] adj transatlantique.

transfer [n 'trӕnsfɜː', vb trӕns-'fɜː'] n transfert m ; *(picture)* décalcomanie f ; Am *(ticket)* billet donnant droit à la correspondance. ◆ vt transférer. ◆ vi *(change bus, plane etc)* changer.

transform [trӕns'fɔːm] vt transformer.

transfusion [trӕns'fjuːʒn] n transfusion f.

transit ['trӕnzɪt] : **in transit** adv en transit.

transitive ['trӕnzɪtɪv] adj transitif(ive).

transit lounge n salle f de transit.

translate [trӕns'leɪt] vt traduire.

translation [trænsˈleɪʃn] *n* traduction *f*.

translator [trænsˈleɪtə] *n* traducteur *m*, -trice *f*.

transmission [trænzˈmɪʃn] *n* (broadcast) émission *f*.

transmit [trænzˈmɪt] *vt* transmettre.

transparent [trænsˈpærənt] *adj* transparent(e).

transplant [ˈtrænsplɑːnt] *n* greffe *f*.

transport [*n* ˈtrænspɔːt, *vb* trænsˈpɔːt] *n* transport *m*. ◆ *vt* transporter.

transportation [ˌtrænspɔːˈteɪʃn] *n* [*Am*] transport *m*.

trap [træp] *n* piège *m*. ◆ *vt* : to be trapped (stuck) être coincé.

trash [træʃ] *n* Am (waste material) ordures *fpl*.

trashcan [ˈtræʃkæn] *n* Am poubelle *f*.

trauma [ˈtrɔːmə] *n* traumatisme *m*.

traumatic [trɔːˈmætɪk] *adj* traumatisant(e).

travel [ˈtrævl] *n* voyages *mpl*. ◆ *vt* (distance) parcourir. ◆ *vi* voyager.

travel agency *n* agence *f* de voyages.

travel agent *n* employé *m*, -e *f* d'une agence de voyages ; ~'s (shop) agence *f* de voyages.

travel centre *n* (in railway, bus station) bureau d'information et de vente de billets.

traveler [ˈtrævlər] Am = traveller.

travel insurance *n* assurance-voyage *f*.

traveller [ˈtrævlə] *n* Br voyageur *m*, -euse *f*.

traveller's cheque *n* traveller's cheque *m*.

travelsick [ˈtrævlsɪk] *adj* : to be ~ avoir le mal des transports.

tray [treɪ] *n* plateau *m*.

treacherous [ˈtretʃərəs] *adj* traître.

treacle [ˈtriːkl] *n* Br mélasse *f*.

tread [tred] (*pt* trod, *pp* trodden) *n* (of tyre) bande *f* de roulement. ◆ *vi* : to ~ on sthg marcher sur qqch.

treasure [ˈtreʒə] *n* trésor *m*.

treat [triːt] *vt* traiter. ◆ *n* gâterie *f* ; to ~ sb to sthg offrir qqch à qqn.

treatment [ˈtriːtmənt] *n* traitement *m*.

treble [ˈtrebl] *adj* triple.

tree [triː] *n* arbre *m*.

trek [trek] *n* randonnée *f*.

tremble [ˈtrembl] *vi* trembler.

tremendous [trɪˈmendəs] *adj* (very large) énorme ; inf (very good) formidable.

trench [trentʃ] *n* tranchée *f*.

trend [trend] *n* tendance *f*.

trendy [ˈtrendɪ] *adj* inf branché(e).

trespasser [ˈtrespəsə] *n* intrus *m*, -e *f*.

trial [ˈtraɪəl] *n* JUR procès *m* ; (test) essai *m* ; a ~ period une période d'essai.

triangle [ˈtraɪæŋgl] *n* triangle *m*.

triangular [traɪˈæŋgjʊlə] *adj* triangulaire.

tribe [traɪb] *n* tribu *f*.

trick [trɪk] *n* tour *m*. ◆ *vt* jouer un tour à.

trickle [ˈtrɪkl] *vi* (liquid) couler.

tricky ['trɪkɪ] adj difficile.

tricycle ['traɪsɪkl] n tricycle m.

trifle ['traɪfl] n (dessert) ≃ diplomate m.

trigger ['trɪgə] n gâchette f.

trim [trɪm] n (haircut) coupe f (de cheveux). ◆ vt (hair) couper ; (beard, hedge) tailler.

trio ['triːəʊ] (pl -s) n trio m.

trip [trɪp] n (journey) voyage m ; (short) excursion f. ◆ vi trébucher. ❑ **trip up** vi trébucher.

triple ['trɪpl] adj triple.

tripod ['traɪpɒd] n trépied m.

triumph ['traɪəmf] n triomphe m.

trivial ['trɪvɪəl] adj pej insignifiant(e).

trod [trɒd] pt → tread.

trodden ['trɒdn] pp → tread.

trolley ['trɒlɪ] (pl -s) n Br (in supermarket, at airport) chariot m ; Br (for food, drinks) table f roulante ; Am (tram) tramway m.

trombone [trɒm'bəʊn] n trombone m.

troops [truːps] npl troupes fpl.

trophy ['trəʊfɪ] n trophée m.

tropical ['trɒpɪkl] adj tropical(e).

trot [trɒt] vi (horse) trotter. ◆ n : **on the ~** inf d'affilée.

trouble ['trʌbl] n problèmes mpl, ennuis mpl. ◆ vt (worry) inquiéter ; (bother) déranger ; **to be in ~** avoir des problèmes OR des ennuis ; **to get into ~** s'attirer des ennuis ; **to take the ~ to do sthg** prendre la peine de faire qqch ; **it's no ~** ça ne me dérange pas ; (in reply to thanks) je vous en prie.

trousers ['traʊzəz] npl pantalon m ; **a pair of ~** un pantalon.

trout [traʊt] (pl inv) n truite f.

trowel ['traʊəl] n (for gardening) déplantoir m.

truant ['truːənt] n : **to play ~** faire l'école buissonnière.

truce [truːs] n trêve f.

truck [trʌk] n camion m.

true [truː] adj vrai(e) ; (genuine, actual) véritable.

truly ['truːlɪ] adv : **yours ~** veuillez agréer l'expression de mes sentiments respectueux.

trumpet ['trʌmpɪt] n trompette f.

trumps [trʌmps] npl atout m.

truncheon ['trʌntʃən] n matraque f.

trunk [trʌŋk] n (of tree) tronc m ; Am (of car) coffre m ; (case, box) malle f ; (of elephant) trompe f.

trunk call n Br communication f interurbaine.

trunk road n Br route f nationale.

trunks [trʌŋks] npl (for swimming) slip m de bain.

trust [trʌst] n (confidence) confiance f. ◆ vt (have confidence in) avoir confiance en ; fml (hope) espérer.

trustworthy ['trʌst‚wɜːðɪ] adj digne de confiance.

truth [truːθ] n vérité f.

truthful ['truːθfʊl] adj (statement, account) fidèle à la réalité ; (person) honnête.

try [traɪ] n essai m. ◆ vt essayer ; (food) goûter (à) ; JUR juger. ◆ vi essayer ; **to have a ~** essayer ; **to ~ to do sthg** essayer de faire qqch. ❑ **try on** vt sep (clothes) essayer. ❑ **try out** vt sep essayer.

T-shirt n T-shirt m.

tub [tʌb] n (of margarine etc) barquette f ; (small) pot m ; inf (bath) baignoire f.

tube [tjuːb] n tube m ; Br inf (underground) métro m ; **by ~** en métro.

tube station n Br inf station f de métro.

tuck [tʌk] : **tuck in** vt sep (shirt) rentrer ; (child, person) border. ◆ vi inf (start eating) attaquer.

tuck shop n Br petite boutique qui vend bonbons, gâteaux, etc.

Tues. (abbr of Tuesday) mar.

Tuesday ['tjuːzdɪ] n mardi m → Saturday.

tuft [tʌft] n touffe f.

tug [tʌg] vt tirer. ◆ n (boat) remorqueur m.

tuition [tjuː'ɪʃn] n cours mpl.

tulip ['tjuːlɪp] n tulipe f.

tumble-dryer ['tʌmbldraɪə] n sèche-linge m inv.

tumbler ['tʌmblə] n (glass) verre m haut.

tummy ['tʌmɪ] n inf ventre m.

tummy upset n inf embarras m gastrique.

tumor ['tuːmər] Am = **tumour**.

tumour ['tjuːmə] n Br tumeur f.

tuna (fish) [Br 'tjuːnə-, Am 'tuːnə-] n thon m.

tune [tjuːn] n air m. ◆ vt (radio, TV, engine) régler ; (instrument) accorder ; **in ~** juste ; **out of ~** faux.

tunic ['tjuːnɪk] n tunique f.

tunnel ['tʌnl] n tunnel m.

turban ['tɜːbən] n turban m.

turbulence ['tɜːbjʊləns] n turbulence f.

turf [tɜːf] n (grass) gazon m.

turkey ['tɜːkɪ] (pl -s) n dinde f.

turn [tɜːn] n (in road) tournant m ; (of knob, key, in game) tour m. ◆ vi tourner ; (person) se tourner. ◆ vt tourner ; (corner, bend) prendre ; (become) devenir ; **to ~ sthg black** noircir qqch ; **to ~ into sthg** (become) devenir qqch ; **to ~ sthg into sthg** transformer qqch en qqch ; **to ~ left/right** tourner à gauche/à droite ; **it's your ~** c'est à toi de jouer ; **at the ~ of the century** au début du siècle ; **to take it in ~s** to do sthg faire qqch à tour de rôle ; **to ~ sthg inside out** retourner qqch. ❏ **turn back** ◆ vt sep (person, car) refouler. ◆ vi faire demi-tour. ❏ **turn down** vt sep (radio, volume, heating) baisser ; (offer, request) refuser. ❏ **turn off** ◆ vt sep (light, TV) éteindre ; (engine) couper ; (water, gas, tap) fermer. ◆ vi (leave road) tourner. ❏ **turn on** ◆ vt sep (light, TV) allumer ; (engine) mettre en marche ; (water, gas, tap) ouvrir. ❏ **turn out** ◆ vt sep (light, fire) éteindre. ◆ vi (come) venir. ◆ vt fus : **to ~ out to be sthg** se révéler être qqch. ❏ **turn over** ◆ vt sep retourner. ◆ vi (in bed) se retourner ; Br (change channels) changer de chaîne. ❏ **turn round** ◆ vt sep (table etc) tourner. ◆ vi (person) se retourner. ❏ **turn up** ◆ vt sep (radio, volume, heating) monter. ◆ vi (come) venir.

turning ['tɜːnɪŋ] n (off road) embranchement m.

turnip ['tɜːnɪp] n navet m.

turn-up n Br (on trousers) revers m.

turquoise ['tɜːkwɔɪz] adj turquoise (inv).

turtle ['tɜːtl] n tortue f (de mer).

turtleneck ['tɜ:tlnek] *n* pull *m* à col montant.

tutor ['tju:tə'] *n* (teacher) professeur *m* particulier.

tuxedo [tʌk'si:dəʊ] *n* (pl -s) *n* Am smoking *m*.

TV *n* télé *f* ; on ~ à la télé.

tweed [twi:d] *n* tweed *m*.

tweezers ['twi:zəz] *npl* pince *f* à épiler.

twelfth [twelfθ] *num* douzième → sixth.

twelve [twelv] *num* douze → six.

twentieth ['twentiəθ] *num* vingtième ; the ~ century le vingtième siècle ; → sixth.

twenty ['twenti] *num* vingt → six.

twice [twaɪs] *adv* deux fois ; it's ~ as good c'est deux fois meilleur.

twig [twɪg] *n* brindille *f*.

twilight ['twaɪlaɪt] *n* crépuscule *m*.

twin [twɪn] *n* jumeau *m*, -elle *f*.

twin beds *npl* lits *mpl* jumeaux.

twist [twɪst] *vt* tordre ; (bottle top, lid, knob) tourner ; to ~ one's ankle se tordre la cheville.

twisting ['twɪstɪŋ] *adj* (road, river) en lacets.

two [tu:] *num* deux → six.

two-piece *adj* (swimsuit, suit) deux-pièces.

tying ['taɪɪŋ] *cont* → tie.

type [taɪp] *n* (kind) type *m*, sorte *f*. ✦ *vt & vi* taper.

typewriter ['taɪp,raɪtə'] *n* machine *f* à écrire.

typhoid ['taɪfɔɪd] *n* typhoïde *f*.

typical ['tɪpɪkl] *adj* typique.

typist ['taɪpɪst] *n* dactylo *mf*.

tyre [taɪə'] *n* Br pneu *m*.

U

U *adj* Br (film) pour tous.

UFO *n* (abbr of unidentified flying object) OVNI *m*.

ugly ['ʌglɪ] *adj* laid(e).

UHT *adj* (abbr of ultra heat treated) UHT.

UK *n* : the ~ le Royaume-Uni.

ulcer ['ʌlsə'] *n* ulcère *m*.

ultimate ['ʌltɪmət] *adj* (final) dernier(ière) ; (best, greatest) idéal(e).

ultraviolet [,ʌltrə'vaɪələt] *adj* ultra-violet(ette).

umbrella [ʌm'brelə] *n* parapluie *m*.

umpire ['ʌmpaɪə'] *n* arbitre *m*.

UN *n* (abbr of United Nations) : the ~ l'ONU *f*.

unable [ʌn'eɪbl] *adj* : to be ~ to do sthg ne pas pouvoir faire qqch.

unacceptable [,ʌnək'septəbl] *adj* inacceptable.

unaccustomed [,ʌnə'kʌstəmd] *adj* : to be ~ to sthg ne pas être habitué(e) à qqch.

unanimous [ju:'nænɪməs] *adj* unanime.

unattended [,ʌnə'tendɪd] *adj* (baggage) sans surveillance.

unattractive [,ʌnə'træktɪv] *adj* (person, place) sans charme ; (idea) peu attrayant(e).

unauthorized [,ʌn'ɔ:θəraɪzd] *adj* non autorisé(e).

unavailable [,ʌnə'veɪləbl] *adj* non disponible.

unavoidable [,ʌnə'vɔɪdəbl] *adj* inévitable.

unaware [ˌʌnə'weə'] *adj* : to be ~ of sthg être inconscient de qqch ; *(facts)* ignorer qqch.

unbearable [ʌn'beərəbl] *adj* insupportable.

unbelievable [ˌʌnbɪ'liːvəbl] *adj* incroyable.

unbutton [ʌn'bʌtn] *vt* déboutonner.

uncertain [ʌn'sɜːtn] *adj* incertain(e).

uncertainty [ʌn'sɜːtntɪ] *n* incertitude *f*.

uncle [ˈʌŋkl] *n* oncle *m*.

unclean [ˌʌn'kliːn] *adj* sale.

unclear [ˌʌn'klɪə'] *adj* pas clair(e); *(not sure)* pas sûr(e).

uncomfortable [ʌn'kʌmftəbl] *adj (chair, bed)* inconfortable ; **to feel ~** *(person)* se sentir mal à l'aise.

uncommon [ʌn'kɒmən] *adj (rare)* rare.

unconscious [ʌn'kɒnʃəs] *adj* inconscient(e).

unconvincing [ˌʌnkən'vɪnsɪŋ] *adj* peu convaincant(e).

uncooperative [ˌʌnkəʊ'ɒpərətɪv] *adj* peu coopératif(ive).

uncork [ʌn'kɔːk] *vt* déboucher.

uncouth [ʌn'kuːθ] *adj* grossier(ière).

uncover [ʌn'kʌvə'] *vt* découvrir.

under [ˈʌndə'] *prep (beneath)* sous ; *(less than)* moins de ; *(according to)* selon ; *(in classification)* dans ; **children ~ ten** les enfants de moins de dix ans ; **~ the circumstances** dans ces circonstances ; **~ construction** en construction ; **to be ~ pressure** être sous pression.

underage [ˌʌndər'eɪdʒ] *adj* mineur(e).

undercarriage [ˈʌndəˌkærɪdʒ] *n* train *m* d'atterrissage.

underdone [ˌʌndə'dʌn] *adj (accidentally)* pas assez cuit(e) ; *(steak)* saignant(e).

underestimate [ˌʌndər'estɪmeɪt] *vt* sous-estimer.

underexposed [ˌʌndərɪk'spəʊzd] *adj* sous-exposé(e).

undergo [ˌʌndə'gəʊ] *(pt* -went, *pp* -gone) *vt* subir.

undergraduate [ˌʌndə'grædjuət] *n* étudiant *m*, -e *f (en licence)*.

underground [ˈʌndəgraʊnd] *adj* souterrain(e) ; *(secret)* clandestin(e). ◆ *n Br (railway)* métro *m*.

undergrowth [ˈʌndəgrəʊθ] *n* sous-bois *m*.

underline [ˌʌndə'laɪn] *vt* souligner.

underneath [ˌʌndə'niːθ] *prep* au-dessous de. ◆ *adv* au-dessous. ◆ *n* dessous *m*.

underpants [ˈʌndəpænts] *npl* slip *m*.

underpass [ˈʌndəpɑːs] *n* route *f* en contrebas.

undershirt [ˈʌndəʃɜːt] *n Am* maillot *m* de corps.

underskirt [ˈʌndəskɜːt] *n* jupon *m*.

understand [ˌʌndə'stænd] *(pt & pp* -stood) *vt* comprendre ; *(believe)* croire. ◆ *vi* comprendre ; **I don't ~** je ne comprends pas ; **to make o.s. understood** se faire comprendre.

understanding [ˌʌndə'stændɪŋ] *adj* compréhensif(ive). ◆ *n (agreement)* entente *f*. ◆ *(knowledge, sym-*

pathy) compréhension f ; *(interpretation)* interprétation f.

understatement [ˌʌndə'steɪtmənt] *n* : that's an ~ c'est peu dire.

understood [ˌʌndə'stud] *pt & pp* → understand.

undertake [ˌʌndə'teɪk] *(pt* -took, *pp* -taken) *vt* entreprendre ; to ~ to do sthg s'engager à faire qqch.

undertaker ['ʌndəˌteɪkə'] *n* ordonnateur *m* des pompes funèbres.

undertaking [ˌʌndə'teɪkɪŋ] *n (promise)* promesse f ; *(task)* entreprise f.

undertook [ˌʌndə'tuk] *pt* → undertake.

underwater [ˌʌndə'wɔːtə'] *adj* sous-marin(e). ◆ *adv* sous l'eau.

underwear ['ʌndəweə'] *n* sous-vêtements *mpl*.

underwent [ˌʌndə'went] *pt* → undergo.

undo [ʌn'duː] *(pt* -did, *pp* -done) *vt* défaire.

undone [ʌn'dʌn] *adj* défait(e).

undress [ʌn'dres] *vi* se déshabiller. ◆ *vt* déshabiller.

undressed [ʌn'drest] *adj* déshabillé(e) ; to get ~ se déshabiller.

uneasy [ʌn'iːzi] *adj* mal à l'aise.

uneducated [ʌn'edjukeɪtɪd] *adj* sans éducation.

unemployed [ˌʌnɪm'plɔɪd] *adj* au chômage. ◆ *npl* : the ~ les chômeurs *mpl*.

unemployment [ˌʌnɪm'plɔɪmənt] *n* chômage *m*.

unemployment benefit *n* allocation f de chômage.

unequal [ʌn'iːkwəl] *adj* inégal(e).

uneven [ʌn'iːvn] *adj* inégal(e) ; *(speed, beat, share)* irrégulier(ière).

uneventful [ˌʌnɪ'ventful] *adj* sans histoires.

unexpected [ˌʌnɪk'spektɪd] *adj* inattendu(e).

unexpectedly [ˌʌnɪk'spektɪdlɪ] *adv* inopinément.

unfair [ˌʌn'feə'] *adj* injuste.

unfairly [ˌʌn'feəlɪ] *adv* injustement.

unfaithful [ˌʌn'feɪθful] *adj* infidèle.

unfamiliar [ˌʌnfə'mɪljə'] *adj* peu familier(ière) ; to be ~ with mal connaître.

unfashionable [ˌʌn'fæʃnəbl] *adj* démodé(e).

unfasten [ˌʌn'faːsn] *vt (seatbelt)* détacher ; *(knot, laces, belt)* défaire.

unfavourable [ˌʌn'feɪvrəbl] *adj* défavorable.

unfinished [ˌʌn'fɪnɪʃt] *adj* inachevé(e).

unfit [ˌʌn'fɪt] *adj (not healthy)* pas en forme ; to be ~ for sthg *(not suitable)* ne pas être adapté à qqch.

unfold [ˌʌn'fəuld] *vt* déplier.

unforgettable [ˌʌnfə'getəbl] *adj* inoubliable.

unforgivable [ˌʌnfə'gɪvəbl] *adj* impardonnable.

unfortunate [ʌn'fɔːtʃnət] *adj (unlucky)* malchanceux(euse) ; *(regrettable)* regrettable.

unfortunately [ʌn'fɔːtʃnətlɪ] *adv* malheureusement.

unfurnished [ˌʌn'fɜːnɪʃt] *adj* non meublé(e).

ungrateful [ʌn'greɪtful] *adj* ingrat(e).

unhappy [ʌn'hæpɪ] *adj (sad)* malheureux(euse), triste ; *(not pleased)* mécontent(e) ; **to be ~ about sthg** être mécontent de qqch.

unharmed [ˌʌn'hɑːmd] *adj* indemne.

unhealthy [ʌn'helθɪ] *adj (person)* en mauvaise santé ; *(food, smoking)* mauvais(e) pour la santé.

unhelpful [ʌn'helpful] *adj (person)* peu serviable ; *(advice, instructions)* peu utile.

unhurt [ʌn'hɜːt] *adj* indemne.

unhygienic [ʌnhaɪ'dʒiːnɪk] *adj* antihygiénique.

unification [ˌjuːnɪfɪ'keɪʃn] *n* unification *f*.

uniform ['juːnɪfɔːm] *n* uniforme *m*.

unimportant [ˌʌnɪm'pɔːtənt] *adj* sans importance.

unintelligent [ˌʌnɪn'telɪdʒənt] *adj* inintelligent(e).

unintentional [ˌʌnɪn'tenʃənl] *adj* involontaire.

uninterested [ʌn'ɪntrəstɪd] *adj* indifférent(e).

uninteresting [ʌn'ɪntrəstɪŋ] *adj* inintéressant(e).

union ['juːnjən] *n (of workers)* syndicat *m*.

Union Jack *n* : **the ~** le drapeau britannique.

unique [juː'niːk] *adj* unique ; **to be ~ to** être propre à.

unisex ['juːnɪseks] *adj* unisexe.

unit ['juːnɪt] *n (measurement, group)* unité *f* ; *(department)* service *m* ; *(of furniture)* élément *m* ; *(machine)* appareil *m*.

unite [juː'naɪt] *vt* unir. ◆ *vi* s'unir.

United Kingdom [juː'naɪtɪd-] *n* : **the ~** le Royaume-Uni.

United Nations [juː'naɪtɪd-] *npl* : **the ~** les Nations *fpl* Unies.

United States (of America) [juː'naɪtɪd-] *npl* : **the ~** les États-Unis *mpl* (d'Amérique).

unity ['juːnətɪ] *n* unité *f*.

universal [ˌjuːnɪ'vɜːsl] *adj* universel(elle).

universe ['juːnɪvɜːs] *n* univers *m*.

university [ˌjuːnɪ'vɜːsətɪ] *n* université *f*.

unjust [ˌʌn'dʒʌst] *adj* injuste.

unkind [ʌn'kaɪnd] *adj* méchant(e).

unknown [ʌn'nəʊn] *adj* inconnu(e).

unleaded [ˌʌn'ledɪd] *n* essence *f* sans plomb.

unless [ən'les] *conj* à moins que (+ *subjunctive*) ; **~ it rains** à moins qu'il (ne) pleuve.

unlike [ʌn'laɪk] *prep* à la différence de ; **that's ~ him** cela ne lui ressemble pas.

unlikely [ʌn'laɪklɪ] *adj* peu probable ; **we're ~ to arrive before six** il est peu probable que nous arrivions avant six heures.

unlimited [ʌn'lɪmɪtɪd] *adj* illimité(e).

unlisted [ʌn'lɪstɪd] *adj Am (phone number)* sur la liste rouge.

unload [ˌʌn'ləʊd] *vt (goods, vehicle)* décharger.

unlock [ˌʌn'lɒk] *vt* déverrouiller.

unlucky [ʌn'lʌkɪ] *adj (unfortunate)* malchanceux(euse) ; *(bringing bad luck)* qui porte malheur.

unmarried [ˌʌnˈmærɪd] *adj* célibataire.

unnatural [ʌnˈnætʃrəl] *adj (unusual)* anormal(e) ; *(behaviour, person)* peu naturel(elle).

unnecessary [ʌnˈnesəsərɪ] *adj* inutile.

unobtainable [ˌʌnəbˈteɪnəbl] *adj (product)* non disponible ; *(phone number)* pas en service.

unoccupied [ʌnˈɒkjʊpaɪd] *adj (place, seat)* libre.

unofficial [ˌʌnəˈfɪʃl] *adj* non officiel(ielle).

unpack [ʌnˈpæk] *vt* défaire. ◆ *vi* défaire ses valises.

unpleasant [ʌnˈpleznt] *adj* désagréable.

unplug [ʌnˈplʌg] *vt* débrancher.

unpopular [ʌnˈpɒpjʊlə] *adj* impopulaire.

unpredictable [ˌʌnprɪˈdɪktəbl] *adj* imprévisible.

unprepared [ˌʌnprɪˈpeəd] *adj* mal préparé(e).

unprotected [ˌʌnprəˈtektɪd] *adj* sans protection.

unqualified [ʌnˈkwɒlɪfaɪd] *adj (person)* non qualifié(e).

unreal [ʌnˈrɪəl] *adj* irréel(elle).

unreasonable [ʌnˈriːznəbl] *adj* déraisonnable.

unrecognizable [ˌʌnrekəgˈnaɪzəbl] *adj* méconnaissable.

unreliable [ˌʌnrɪˈlaɪəbl] *adj* peu fiable.

unrest [ʌnˈrest] *n* troubles *mpl*.

unroll [ʌnˈrəʊl] *vt* dérouler.

unsafe [ʌnˈseɪf] *adj (dangerous)* dangereux(euse) ; *(in danger)* en danger.

unsatisfactory [ˌʌnsætɪsˈfæktərɪ] *adj* peu satisfaisant(e).

unscrew [ʌnˈskruː] *vt (lid, top)* dévisser.

unsightly [ʌnˈsaɪtlɪ] *adj* laid(e).

unskilled [ʌnˈskɪld] *adj (worker)* non qualifié(e).

unsociable [ʌnˈsəʊʃəbl] *adj* sauvage.

unsound [ʌnˈsaʊnd] *adj (building, structure)* peu solide ; *(argument)* peu pertinent(e).

unspoiled [ʌnˈspɔɪlt] *adj (place, beach)* qui n'est pas défiguré(e).

unsteady [ʌnˈstedɪ] *adj* instable ; *(hand)* tremblant(e).

unstuck [ʌnˈstʌk] *adj* : **to come ~** *(label, poster etc)* se décoller.

unsuccessful [ˌʌnsəkˈsesfʊl] *adj (person)* malchanceux(euse) ; *(attempt)* infructueux(euse).

unsuitable [ʌnˈsuːtəbl] *adj* inadéquat(e).

unsure [ʌnˈʃɔː] *adj* : **to be ~ (about)** ne pas être sûr(e) (de).

unsweetened [ʌnˈswiːtnd] *adj* sans sucre.

untidy [ʌnˈtaɪdɪ] *adj (person)* désordonné(e) ; *(room, desk)* en désordre.

untie [ʌnˈtaɪ] *(cont* **untying** [ʌnˈtaɪɪŋ]*) vt (person)* détacher ; *(knot)* défaire.

until [ənˈtɪl] *prep* jusqu'à. ◆ *conj* jusqu'à ce que (+ *subjunctive*) ; **it won't be ready ~ Thursday** ce ne sera pas prêt avant jeudi.

untrue [ʌnˈtruː] *adj* faux (fausse).

untrustworthy [ʌnˈtrʌstˌwɜːðɪ] *adj* pas digne de confiance.

unusual [ʌn'juːʒl] *adj* inhabituel(elle).

unusually [ʌn'juːʒəlɪ] *adv* (more than usual) exceptionnellement.

unwell [ʌn'wel] *adj* : to be ~ ne pas aller très bien ; **to feel** ~ ne pas se sentir bien.

unwilling [ʌn'wɪlɪŋ] *adj* : to be ~ to do sthg ne pas vouloir faire qqch.

unwind [ʌn'waɪnd] (*pt & pp* unwound [ˌʌnwaʊnd]) *vt* dérouler. ◆ *vi* (relax) se détendre.

unwrap [ʌn'ræp] *vt* déballer.

unzip [ʌn'zɪp] *vt* défaire la fermeture de.

☞

up [ʌp] *adv* - **1.** (towards higher position) vers le haut ; **to go** ~ monter ; **we walked** ~ **to the top** nous sommes montés jusqu'en haut ; **to pick sthg** ~ ramasser qqch. - **2.** (in higher position) en haut ; **she's** ~ **in her bedroom** elle est en haut dans sa chambre ; **there is** ~ là-haut. - **3.** (into upright position) : **to stand** ~ se lever ; **to sit** ~ (from lying position) s'asseoir ; (sit straight) se redresser. - **4.** (to increased level) : **prices are going** ~ les prix augmentent. - **5.** (northwards) : ~ **in Scotland** en Écosse. - **6.** (in phrases) : **to walk** ~ **and down** faire les cent pas ; **to jump** ~ **and down** sauter ; ~ **to ten people** jusqu'à dix personnes ; **are you** ~ **to travelling?** tu te sens en état de voyager? ; **what are you** ~ **to?** qu'est-ce que tu mijotes? ; **it's** ~ **to you** (c'est) à vous de voir ; ~ **until ten o'clock** jusqu'à dix heures.

◆ *prep* - **1.** (towards higher position) : **to walk** ~ **a hill** grimper une colline ; **I went** ~ **the stairs** j'ai monté l'escalier. - **2.** (in higher position) en haut de ; ~ **a hill** en haut d'une colline ; ~ **a ladder** sur une échelle. - **3.** (at end of) : **they live** ~ **the road from us** ils habitent un peu plus haut que nous.

◆ *adj* - **1.** (out of bed) levé(e). - **2.** (at an end) : **time's** ~ c'est l'heure. - **3.** (rising) : **the** ~ **escalator** l'Escalator® pour monter.

◆ *n* : ~ **and downs** des hauts et des bas *mpl*.

update [ˌʌp'deɪt] *vt* mettre à jour.

uphill [ˌʌp'hɪl] *adv* : **to go** ~ monter.

upholstery [ʌp'həʊlstərɪ] *n* rembourrage *m*.

upkeep ['ʌpkiːp] *n* entretien *m*.

up-market *adj* haut de gamme (inv).

upon [ə'pɒn] *prep fml* (on) sur.

upper ['ʌpə'] *adj* supérieur(e). ◆ *n* (of shoe) empeigne *f*.

upper class *n* haute société *f*.

uppermost ['ʌpəməʊst] *adj* (highest) le plus haut (la plus haute).

upper sixth *n Br* ≃ terminale *f*.

upright ['ʌpraɪt] *adj* droit(e). ◆ *adv* droit.

upset [ʌp'set] (*pt & pp* upset) *adj* (distressed) peiné(e). ◆ *vt* (distress) peiner ; (plans) déranger ; (knock over) renverser ; **to have an** ~ **stomach** avoir un embarras gastrique.

upside down [ˌʌpsaɪd-] *adj & adv* à l'envers.

upstairs [ʌp'steəz] *adj* du haut. ◆ *adv (on a higher floor)* en haut, à l'étage ; to go ~ monter.

up-to-date *adj (modern)* moderne ; *(well-informed)* au courant.

upwards ['ʌpwədz] *adv* vers le haut ; ~ of 100 people plus de 100 personnes.

urban ['ɜ:bən] *adj* urbain(e).

urge [ɜ:dʒ] *vt* : to ~ sb to do sthg presser qqn de faire qqch.

urgent ['ɜ:dʒənt] *adj* urgent(e).

urgently ['ɜ:dʒəntlɪ] *adv (immediately)* d'urgence.

urinal ['jʊərɪnl] *n* fml urinoir m.

urinate ['jʊərɪneɪt] *vi* fml uriner.

urine ['jʊərɪn] *n* urine f.

URL *n (abbr of uniform resource locator) n COMPUT* URL m *(adresse électronique).*

us [ʌs] *pron* nous ; they know ~ ils nous connaissent ; it's ~ c'est nous ; send it to ~ envoyez-le-nous ; tell ~ dites-nous ; they're worse than ~ ils sont pires que nous.

US *n (abbr of United States)* : the ~ les USA mpl.

USA *n (abbr of United States of America)* : the ~ les USA mpl.

usable ['ju:zəbl] *adj* utilisable.

use [*n* ju:s, *vb* ju:z] *n* utilisation f, emploi m. ◆ *vt* utiliser, se servir de ; to be of ~ être utile ; to have the ~ of sthg avoir l'usage de qqch ; to make ~ of sthg utiliser qqch ; *(time, opportunity)* mettre qqch à profit ; to be in ~ être en usage ; it's no ~ ça ne sert à rien ; what's the ~ ? à quoi bon ? ; to ~ sthg as sthg utiliser qqch comme qqch ; '~ before ...', *(food, drink)* 'à consommer avant ...'. ❑ **use up** *vt sep* épuiser.

used [*adj* ju:zd, *aux vb* ju:st] *adj (towel, glass etc)* sale ; *(car)* d'occasion. ◆ *aux vb* : I ~ to live near here j'habitais près d'ici avant ; to go there every day j'y allais tous les jours ; to be ~ to sthg avoir l'habitude de qqch ; to get ~ to sthg s'habituer à qqch.

useful ['ju:sfʊl] *adj* utile.

useless ['ju:slɪs] *adj* inutile ; *inf (very bad)* nul (nulle).

Usenet® ['u:znet] *n* Usenet m, forum m électronique.

user ['ju:zə'] *n* utilisateur m, -trice f.

usher ['ʌʃə'] *n (at cinema, theatre)* ouvreur m.

usherette [ʌʃə'ret] *n* ouvreuse f.

usual ['ju:ʒəl] *adj* habituel(elle) ; as ~ comme d'habitude.

usually ['ju:ʒəlɪ] *adv* d'habitude.

utensil [ju:'tensl] *n* ustensile m.

utilize ['ju:tɪlaɪz] *vt* utiliser.

utmost ['ʌtməʊst] *adj* le plus grand (la plus grande). ◆ *n* : to do one's ~ faire tout son possible.

utter ['ʌtə'] *adj* total(e). ◆ *vt* prononcer ; *(cry)* pousser.

utterly ['ʌtəlɪ] *adv* complètement.

U-turn *n (in vehicle)* demi-tour m.

V

vacancy ['veɪkənsɪ] *n (job)* offre f d'emploi ; 'vacancies' 'chambres à louer' ; 'no vacancies' 'complet'.

vacant ['veɪkənt] *adj* libre.

vacation [və'keɪʃn] *n Am* vacances *fpl.* ◆ *vi Am* passer les vacances ; **to go on ~** partir en vacances.

vaccination [ˌvæksɪˈneɪʃn] *n* vaccination *f.*

vaccine [*Br* ˈvæksiːn, *Am* vækˈsiːn] *n* vaccin *m.*

vacuum [ˈvækjʊəm] *vt* passer l'aspirateur dans.

vacuum cleaner *n* aspirateur *m.*

vain [veɪn] *adj pej (conceited)* vaniteux(euse) ; **in ~** en vain.

Valentine card [ˈvæləntaɪn-] *n* carte *f* de la Saint-Valentin.

Valentine's Day [ˈvæləntaɪnz-] *n* la Saint-Valentin.

valid [ˈvælɪd] *adj (ticket, passport)* valide.

validate [ˈvælɪdeɪt] *vt (ticket)* valider.

valley [ˈvælɪ] *n* vallée *f.*

valuable [ˈvæljʊəbl] *adj (jewellery, object)* de valeur ; *(advice, help)* précieux(ieuse). ❑ **valuables** *npl* objets *mpl* de valeur.

value [ˈvæljuː] *n* valeur *f* ; *(usefulness)* intérêt *m* ; **a ~ pack** un paquet économique ; **to be good ~ (for money)** être d'un bon rapport qualité-prix.

valve [vælv] *n* soupape *f* ; *(of tyre)* valve *f.*

van [væn] *n* camionnette *f.*

vandal [ˈvændl] *n* vandale *m.*

vandalize [ˈvændəlaɪz] *vt* saccager.

vanilla [vəˈnɪlə] *n* vanille *f.*

vanish [ˈvænɪʃ] *vi* disparaître.

vapor [ˈveɪpər] *Am* = **vapour.**

vapour [ˈveɪpə] *n* vapeur *f.*

variable [ˈveərɪəbl] *adj* variable.

varicose veins [ˈværɪkəʊs-] *npl* varices *fpl.*

varied [ˈveərɪd] *adj* varié(e).

variety [vəˈraɪətɪ] *n* variété *f.*

various [ˈveərɪəs] *adj* divers(es).

varnish [ˈvɑːnɪʃ] *n* vernis *m.* ◆ *vt* vernir.

vary [ˈveərɪ] *vi* varier. ◆ *vt* (faire) varier ; **to ~ from sthg to sthg** varier de qqch à qqch.

vase [*Br* vɑːz, *Am* veɪz] *n* vase *m.*

vast [vɑːst] *adj* vaste.

VAT [væt, viːeɪˈtiː] *n (abbr of value added tax)* TVA *f.*

VAT

Aux États-Unis, où il n'existe pas de TVA, il faut ajouter une taxe au prix indiqué sur les étiquettes des produits. Celle-ci varie d'un État à l'autre de 0 % à 8,5 %. Il y a en plus de taxes locales qui n'apparaissent pas toujours en clair. En Grande-Bretagne, la *VAT*, équivalente à la TVA, s'élève à 17,5 %. Dans les deux pays, l'alimentation ne fait pas l'objet de taxes (sauf dans les restaurants) et, dans certains États américains, les vêtements et les chaussures ne sont pas non plus taxés. Enfin, dans certains États et en Grande-Bretagne, il est possible pour un étranger de demander à se faire rembourser des taxes avancées sur ses achats.

vault [vɔːlt] *n (in bank)* salle *f* des coffres ; *(in church)* caveau *m.*

VCR *n (abbr of video cassette recorder)* magnétoscope *m.*

VDU *n (abbr of visual display unit)* moniteur *m.*

veal [viːl] n veau m.

veg [vedʒ] abbr = vegetable.

vegan ['viːgən] adj végétalien(ienne). ◆ n végétalien m, -ienne f.

vegetable ['vedʒtəbl] n légume m.

vegetable oil n huile f végétale.

vegetarian [,vedʒɪ'teərɪən] adj végétarien(ienne). ◆ n végétarien m, -ienne f.

vegetation [,vedʒɪ'teɪʃn] n végétation f.

vehicle ['viːəkl] n véhicule m.

veil [veɪl] n voile m.

vein [veɪn] n veine f.

velvet ['velvɪt] n velours m.

vending machine ['vendɪŋ-] n distributeur m (automatique).

venetian blind [vɪ,niːʃn-] n store m vénitien.

venison ['venɪzn] n chevreuil m.

vent [vent] n (for air, smoke etc) grille f d'aération.

ventilation [,ventɪ'leɪʃn] n ventilation f.

ventilator ['ventɪleɪtə'] n ventilateur m.

venture ['ventʃə'] n entreprise f. ◆ vi (go) s'aventurer.

venue ['venjuː] n (for show) salle f (de spectacle) ; (for sport) stade m.

verb [vɜːb] n verbe m.

verdict ['vɜːdɪkt] n verdict m.

verge [vɜːdʒ] n (of road, lawn) bord m.

verify ['verɪfaɪ] vt vérifier.

vermin ['vɜːmɪn] n vermine f.

vermouth ['vɜːməθ] n vermouth m.

versa → vice versa.

versatile ['vɜːsətaɪl] adj polyvalent(e).

verse [vɜːs] n (of poem) strophe f ; (of song) couplet m ; (poetry) vers mpl.

version ['vɜːʃn] n version f.

versus ['vɜːsəs] prep contre.

vertical ['vɜːtɪkl] adj vertical(e).

vertigo ['vɜːtɪgəʊ] n vertige m.

very ['verɪ] adv très. ◆ adj : at the ~ bottom tout au fond ; ~ much beaucoup ; not ~ pas très ; my ~ own room ma propre chambre ; it's the ~ thing I need c'est juste ce dont j'ai besoin.

vessel ['vesl] n fml (ship) vaisseau m.

vest [vest] n Br (underwear) maillot m de corps ; Am (waistcoat) gilet m (sans manches).

vet [vet] n Br vétérinaire mf.

veteran ['vetrən] n (of war) ancien combattant m.

veterinarian [,vetərɪ'neərɪən] Am = vet.

veterinary surgeon ['vetərɪnrɪ-] Br fml = vet.

VHS n (abbr of video home system) VHS m.

via ['vaɪə] prep (place) en passant par ; (by means of) par.

viaduct ['vaɪədʌkt] n viaduc m.

vibrate [vaɪ'breɪt] vi vibrer.

vibration [vaɪ'breɪʃn] n vibration f.

vicar ['vɪkə'] n pasteur m.

vicarage ['vɪkərɪdʒ] n ≃ presbytère m.

vice [vaɪs] n (fault) vice m.

vice-president n vice-président m, -e f.

vice versa [ˌvaɪsɪ'vɜːsə] adv vice versa.

vicinity [vɪ'sɪnɪtɪ] n : in the ~ dans les environs.

vicious ['vɪʃəs] adj (attack) violent(e) ; (animal, comment) méchant(e).

victim ['vɪktɪm] n victime f.

Victorian [vɪk'tɔːrɪən] adj victorien(ienne) (deuxième moitié du XIXᵉ siècle).

victory ['vɪktərɪ] n victoire f.

video ['vɪdɪəʊ] (pl -s) n vidéo f ; (video recorder) magnétoscope m. ◆ vt (using video recorder) enregistrer sur magnétoscope ; (using camera) filmer ; on ~ en vidéo.

video camera n caméra f vidéo.

video game n jeu m vidéo.

video recorder n magnétoscope m.

video shop n vidéoclub m.

videotape ['vɪdɪəʊteɪp] n cassette f vidéo.

view [vjuː] n vue f ; (opinion) opinion f ; (attitude) vision f. ◆ vt (look at) visionner ; in my ~ à mon avis ; in ~ of (considering) étant donné.

viewer ['vjuːə] n (of TV) téléspectateur m, -trice f.

viewfinder ['vjuːˌfaɪndə] n viseur m.

viewpoint ['vjuːpɔɪnt] n point de vue m.

vigilant ['vɪdʒɪlənt] adj fml vigilant(e).

villa ['vɪlə] n (in countryside, by sea) villa f ; Br (in town) pavillon m.

village ['vɪlɪdʒ] n village m.

villager ['vɪlɪdʒə] n villageois m, -e f.

villain ['vɪlən] n (of book, film) méchant m, -e f ; (criminal) bandit m.

vinaigrette [ˌvɪnɪ'gret] n vinaigrette f.

vine [vaɪn] n vigne f.

vinegar ['vɪnɪgə] n vinaigre m.

vineyard ['vɪnjəd] n vignoble m.

vintage ['vɪntɪdʒ] adj (wine) de grand cru. ◆ n (year) millésime m.

vinyl ['vaɪnɪl] n vinyle m.

viola [vɪ'əʊlə] n alto m.

violence ['vaɪələns] n violence f.

violent ['vaɪələnt] adj violent(e).

violet ['vaɪələt] adj violet(ette). ◆ n (flower) violette f.

violin [ˌvaɪə'lɪn] n violon m.

VIP n (abbr of very important person) personnalité f.

virgin ['vɜːdʒɪn] n : to be a ~ être vierge.

virtually ['vɜːtʃʊəlɪ] adv pratiquement.

virtual reality ['vɜːtʃʊəl-] n réalité f virtuelle.

virus ['vaɪrəs] n virus m.

visa ['viːzə] n visa m.

viscose ['vɪskəʊs] n viscose f.

visibility [ˌvɪzɪ'bɪlətɪ] n visibilité f.

visible ['vɪzəbl] adj visible.

visit ['vɪzɪt] vt (person) rendre visite à ; (place) visiter. ◆ n visite f.

visiting hours ['vɪzɪtɪŋ-] npl heures fpl de visite.

visitor ['vɪzɪtə'] n visiteur m, -euse f.

visitors' book n livre m d'or.

visor ['vaɪzə'] n visière f.

vital ['vaɪtl] adj vital(e).

vitamin [Br 'vɪtəmɪn, Am 'vaɪtəmɪn] n vitamine f.

vivid ['vɪvɪd] adj (colour) vif (vive) ; (description) vivant(e) ; (memory) précis(e).

V-neck n (design) col m en V.

vocabulary [və'kæbjʊlərɪ] n vocabulaire m.

vodka ['vɒdkə] n vodka f.

voice [vɔɪs] n voix f.

volcano [vɒl'keɪnəʊ] (pl -es OR -s) n volcan m.

volleyball ['vɒlɪbɔːl] n volley (-ball) m.

volt [vəʊlt] n volt m.

voltage ['vəʊltɪdʒ] n voltage m.

volume ['vɒljuːm] n volume m.

voluntary ['vɒləntrɪ] adj volontaire ; (work) bénévole.

volunteer [ˌvɒlən'tɪə'] n volontaire mf. ◆ vt : to ~ to do sthg se porter volontaire pour faire qqch.

vomit ['vɒmɪt] n vomi m. ◆ vi vomir.

vote [vəʊt] n (choice) voix f ; (process) vote m. ◆ vi : to ~ (for) voter (pour).

voter ['vəʊtə'] n électeur m, -trice f.

voucher ['vaʊtʃə'] n bon m.

vowel ['vaʊəl] n voyelle f.

voyage ['vɔɪɪdʒ] n voyage m.

vulgar ['vʌlgə'] adj vulgaire.

vulture ['vʌltʃə'] n vautour m.

W

W (abbr of west) O.

wad [wɒd] n (of paper, bank notes) liasse f ; (of cotton) tampon m.

wade [weɪd] vi patauger.

wading pool ['weɪdɪŋ-] n Am pataugeoire f.

wafer ['weɪfə'] n gaufrette f.

waffle ['wɒfl] n (to eat) gaufre f. ◆ vi inf parler pour ne rien dire.

wag [wæg] vt remuer.

wage [weɪdʒ] n salaire m. ❑ wages npl salaire m.

wagon ['wægən] n (vehicle) chariot m ; Br (of train) wagon m.

waist [weɪst] n taille f.

waistcoat ['weɪskəʊt] n gilet m (sans manches).

wait [weɪt] n attente f. ◆ vi attendre ; to ~ for sb to do sthg attendre que qqn fasse qqch ; I can't ~ to get there! il me tarde d'arriver! ❑ wait for vt fus attendre.

waiter ['weɪtə'] n serveur m, garçon m.

waiting room ['weɪtɪŋ-] n salle f d'attente.

waitress ['weɪtrɪs] n serveuse f.

wake [weɪk] (pt woke, pp woken) vt réveiller. ◆ vi se réveiller. ❑ wake up vt sep réveiller. ◆ vi (wake) se réveiller.

Wales [weɪlz] n le pays de Galles.

walk [wɔːk] n (hike) marche f ; (stroll) promenade f ; (path) chemin m. ◆ vi marcher ; (stroll) se promener ; (as hobby) faire de la marche. ◆ vt (distance) faire à pied ; (dog) promener ; **to go for a ~** aller se promener ; (hike) faire de la marche ; **it's a short ~** ça n'est pas loin à pied ; **to take the dog for a ~** sortir le chien ; '**walk**' Am message lumineux indiquant aux piétons qu'ils peuvent traverser ; '**don't ~**' Am message lumineux indiquant aux piétons qu'ils ne doivent pas traverser. □ **walk away** vi partir. □ **walk in** vi entrer. □ **walk out** vi partir.

walker ['wɔːkə'] n promeneur m, -euse f ; (hiker) marcheur m, -euse f.

walking boots ['wɔːkɪŋ-] npl chaussures fpl de marche.

walking stick ['wɔːkɪŋ-] n canne f.

Walkman® ['wɔːkmən] n baladeur m, Walkman® m.

wall [wɔːl] n mur m ; (of tunnel, cave) paroi f.

wallet ['wɒlɪt] n portefeuille m.

wallpaper ['wɔːl,peɪpə'] n papier m peint.

Wall Street n Wall Street m.

 WALL STREET

Cette rue de New York symbolise le centre financier des États-Unis. Elle est située près de la pointe sud de Manhattan. On y trouve la Bourse new-yorkaise ainsi que le siège de nombreuses banques. On utilise souvent son nom pour faire référence, de manière plus générale, au monde américain des finances.

wally ['wɒlɪ] n Br inf andouille f.

walnut ['wɔːlnʌt] n noix f.

waltz [wɔːls] n valse f.

wander ['wɒndə'] vi errer.

want [wɒnt] vt vouloir ; (need)

avoir besoin de ; **to ~ to do sthg** vouloir faire qqch ; **to ~ sb to do sthg** vouloir que qqn fasse qqch.

war [wɔː'] n guerre f.

ward [wɔːd] n (in hospital) salle f.

warden ['wɔːdn] n (of park) gardien m, -ienne f ; (of youth hostel) directeur m, -trice f.

wardrobe ['wɔːdrəʊb] n penderie f.

warehouse ['weəhaʊs, pl -haʊzɪz] n entrepôt m.

warm [wɔːm] adj chaud(e) ; (friendly) chaleureux(euse). ◆ vt chauffer ; **to be ~** avoir chaud ; **it's ~** il fait chaud. □ **warm up** ◆ vt sep réchauffer. ◆ vi se réchauffer ; (do exercises) s'échauffer ; (machine, engine) chauffer.

warmth [wɔːmθ] n chaleur f.

warn [wɔːn] vt avertir ; **to ~ sb about sthg** avertir qqn de qqch ; **to ~ sb not to do sthg** déconseiller à qqn de faire qqch.

warning ['wɔːnɪŋ] n (of danger) avertissement m ; **to give sb ~** prévenir qqn.

warranty ['wɒrəntɪ] n fml garantie f.

warship ['wɔːʃɪp] n navire m de guerre.

wart [wɔːt] n verrue f.

was [wɒz] pt → **be**.

wash [wɒʃ] vt laver. ◆ vi se laver. ◆ n : **to give sthg a ~** laver qqch ; **to have a ~** se laver ; **to ~ one's hands** se laver les mains. □ **wash up** vi Br (do washing-up) faire la vaisselle ; Am (clean o.s.) se laver.

washable ['wɒʃəbl] adj lavable.

washbasin ['wɒʃbeɪsn] n lavabo m.

washbowl ['wɒʃbəʊl] n Am lavabo m.

washer ['wɒʃə'] n (for bolt, screw) rondelle f ; (of tap) joint m.

washing ['wɒʃɪŋ] n lessive f.

washing line n corde f à linge.

washing machine n machine f à laver.

washing powder n lessive f.

washing-up n Br : to do the ~ faire la vaisselle.

washing-up bowl n Br bassine dans laquelle on fait la vaisselle.

washing-up liquid n Br liquide m vaisselle.

washroom ['wɒʃrum] n Am toilettes fpl.

wasn't [wɒznt] = was not.

wasp [wɒsp] n guêpe f.

waste [weɪst] n (rubbish) déchets mpl. ◆ vt (money, energy) gaspiller ; (time) perdre ; a ~ of money de l'argent gaspillé ; a ~ of time une perte de temps.

wastebin ['weɪstbɪn] n poubelle f.

wastepaper basket [,weɪst-'peɪpə-] n corbeille f à papier.

watch [wɒtʃ] n (wristwatch) montre f. ◆ vt regarder ; (spy on) observer ; (be careful with) faire attention à. ❑ **watch out** vi (be careful) faire attention ; to ~ out for (look for) guetter.

watchstrap ['wɒtʃstræp] n bracelet m de montre.

water ['wɔːtə'] n eau f. ◆ vt (plants, garden) arroser. ◆ vi (eyes) pleurer ; to make sb's mouth ~ mettre l'eau à la bouche de qqn.

water bottle n gourde f.

watercolour ['wɔːtə,kʌlə'] n aquarelle f.

watercress ['wɔːtəkres] n cresson m.

waterfall ['wɔːtəfɔːl] n chutes fpl d'eau, cascade f.

watering can ['wɔːtərɪŋ-] n arrosoir m.

watermelon ['wɔːtə,melən] n pastèque f.

waterproof ['wɔːtəpruːf] adj (clothes) imperméable ; (watch) étanche.

water purification tablets [-pjʊərɪfɪ'keɪʃn-] npl pastilles fpl pour la clarification de l'eau.

water skiing n ski m nautique.

watersports ['wɔːtəspɔːts] npl sports mpl nautiques.

water tank n citerne f d'eau.

watertight ['wɔːtətaɪt] adj étanche.

watt [wɒt] n watt m ; a 60-~ bulb une ampoule 60 watts.

wave [weɪv] n vague f ; (in hair) ondulation f ; (of light, sound etc) onde f. ◆ vt agiter. ◆ vi (with hand) faire signe (de la main).

wavelength ['weɪvleŋθ] n longueur f d'onde.

wavy ['weɪvɪ] adj (hair) ondulé(e).

wax [wæks] n cire f ; (in ears) cérumen m.

way [weɪ] n (manner) façon f, manière f ; (means) moyen m ; (route) route f, chemin m ; (distance) trajet m ; which ~ is the station? dans quelle direction est la gare? ; the town is out of our ~ la ville n'est pas sur notre chemin ; to be in the ~ gêner ; to be on the ~ (coming) être en route ; to get out of the ~ s'écarter ; to get under ~ démarrer ; a long ~ (away) loin ; to lose one's ~ se perdre ; **on the ~ back** sur le chemin du retour ; **on the ~ there** pendant le trajet ; **that ~** (like that) comme ça ; (in that direction) par là ; **this ~** (like this) comme ceci ; (in this direction) par ici ; **'~ in'** 'entrée' ; **'~ out'** 'sortie' ; **no ~!** inf pas question!

WC n (abbr of water closet) W-C mpl.

we [wiː] pron nous.

weak [wiːk] adj faible ; (structure) fragile ; (drink, soup) léger(ère).

weaken ['wiːkn] vt affaiblir.

weakness ['wiːknɪs] n faiblesse f.

wealth [welθ] n richesse f.

wealthy ['welθɪ] adj riche.

weapon ['wepən] n arme f.

wear [weəʳ] (pt wore, pp worn) vt porter. ◆ n (clothes) vêtements mpl ; ~ **and tear** usure f. ❑ **wear off** vi disparaître. ❑ **wear out** vi s'user.

weary ['wɪərɪ] adj fatigué(e).

weather ['weðəʳ] n temps m ; **what's the ~ like?** quel temps fait-il? ; **to be under the ~** inf être patraque.

weather forecast n prévisions fpl météo.

weather forecaster [-fɔːkɑːstəʳ] n météorologiste mf.

weather report n bulletin m météo.

weather vane [-veɪn] n girouette f.

weave [wiːv] (pt wove, pp woven) vt tisser.

web [web] n (of spider) toile f (d'araignée) ; COMPUT: **the ~** le Web.

webmaster ['webmɑːstəʳ] n webmaster m, webmestre m.

Wed. (abbr of Wednesday) mer.

wedding ['wedɪŋ] n mariage m.

wedding anniversary n anniversaire m de mariage.

wedding dress n robe f de mariée.

wedding ring n alliance f.

wedge [wedʒ] n (of cake) part f ; (of wood etc) coin m.

Wednesday ['wenzdɪ] n mercredi m → **Saturday**.

wee [wiː] adj Scot petit(e). ◆ n inf pipi m.

weed [wiːd] n mauvaise herbe f.

week [wiːk] n semaine f ; **a ~ today** dans une semaine ; **in a ~'s time** dans une semaine.

weekday ['wiːkdeɪ] n jour m de (la) semaine.

weekend [ˌwiːk'end] n week-end m.

weekly ['wiːklɪ] adj hebdomadaire. ◆ adv chaque semaine. ◆ n hebdomadaire m.

weep [wiːp] (pt & pp wept) vi pleurer.

weigh [weɪ] vt peser ; **how much does it ~?** combien ça pèse?

weight [weɪt] n poids m ; **to lose ~** maigrir ; **to put on ~** grossir.

weightlifting ['weɪtˌlɪftɪŋ] n haltérophilie f.

weight training n musculation f.

weird [wɪəd] adj bizarre.

welcome ['welkəm] n accueil m. ◆ vt accueillir ; (opportunity) se réjouir de. ◆ excl bienvenue! ◆ adj bienvenu(e) ; **you're ~ to help yourself** n'hésitez pas à vous servir ; **to**

make sb feel ~ mettre qqn à l'aise ; **you're ~!** il n'y a pas de quoi!

weld [weld] *vt* souder.

welfare ['welfeə] *n* bien-être *m* ; *Am (money)* aide *f* sociale.

well [wel] *(compar* better, *superl* best) *adj (healthy)* en forme *(inv)*. ◆ *adv* bien. ◆ *n (for water)* puits *m* ; **to get ~** se remettre ; **to go ~** aller bien ; **done!** bien joué! **it may ~ happen** ça pourrait très bien arriver ; **it's ~ worth it** ça en vaut bien la peine ; **as ~** *(in addition)* aussi ; **as ~ as** *(in addition to)* ainsi que.

we'll [wiːl] = we shall, we will.

well-behaved [-bɪ'heɪvd] *adj* bien élevé(e).

well-built *adj* bien bâti(e).

well-done *adj (meat)* bien cuit(e).

well-dressed [-'drest] *adj* bien habillé(e).

wellington (boot) ['welɪŋtən-] *n* botte *f* en caoutchouc.

well-known *adj* célèbre.

well-off *adj (rich)* aisé(e).

well-paid *adj* bien payé(e).

welly ['welɪ] *n Br inf* botte *f* en caoutchouc.

Welsh [welʃ] *adj* gallois(e). ◆ *n (language)* gallois *m*. ◆ *npl* : **the ~** les Gallois *mpl*.

Welshman ['welʃmən] *(pl* -men [-mən]) *n* Gallois *m*.

Welshwoman ['welʃ͵wʊmən] *(pl* -women ['͵wɪmɪn]) *n* Galloise *f*.

went [went] *pt* → go.

wept [wept] *pt* & *pp* → weep.

were [wɜːʳ] *pt* → be.

we're [wɪəʳ] = we are.

weren't [wɜːnt] = were not.

west [west] *n* ouest *m*. ◆ *adj* occidental(e), ouest *(inv)*. ◆ *adv (fly, walk)* vers l'ouest ; *(be situated)* à l'ouest ; **the ~ of England** à OR dans l'ouest de l'Angleterre.

westbound ['westbaʊnd] *adj* en direction de l'ouest.

West Country *n* : **the ~** le sud-ouest de l'Angleterre, comprenant les comtés de Cornouailles, Devon et Somerset.

western ['westən] *adj* occidental(e). ◆ *n (film)* western *m*.

Westminster ['westmɪnstəʳ] *n* quartier du centre de Londres.

westwards ['westwədz] *adv* vers l'ouest.

wet [wet] *(pt* & *pp* wet OR -ted) *adj* mouillé(e) ; *(rainy)* pluvieux(ieuse). ◆ *vt* mouiller ; **to get ~** se mouiller ; **'~ paint'** 'peinture fraîche'.

wet suit *n* combinaison *f* de plongée.

we've [wiːv] = we have.

whale [weɪl] *n* baleine *f*.

wharf [wɔːf] *(pl* -s OR wharves [wɔːvz]) *n* quai *m*.

☞

what [wɒt] *adj* - 1. *(in questions)* quel (quelle) ; **~ colour is it?** c'est de quelle couleur? ; **he asked me ~ colour it was** il m'a demandé de quelle couleur c'était.
- 2. *(in exclamations)* : **~ a surprise!** quelle surprise! ; **~ a beautiful day!** quelle belle journée!
◆ *pron* - 1. *(in direct questions : subject)* qu'est-ce qui ; **~ is going on?** qu'est-ce qui se passe?
- 2. *(in direct questions : object)* qu'est-ce que, que ; **~ are they doing?** qu'est-ce qu'ils font?, que font-ils? ; **~ is that?** qu'est-ce que

c'est? ; ~ is it called? comment ça s'appelle? - **3.** *(in direct questions : after prep)* quoi ; ~ are they talking about? de quoi parlent-ils? ; ~ is it for? à quoi ça sert? - **4.** *(in indirect questions, relative clauses : subject)* ce qui ; she asked me ~ had happened elle m'a demandé ce qui s'était passé ; I don't know ~'s wrong je ne sais pas ce qui ne va pas. - **5.** *(in indirect questions, relative clauses : object)* ce que ; she asked me ~ I had seen elle m'a demandé ce que j'avais vu ; I didn't hear ~ she said je n'ai pas entendu ce qu'elle a dit. - **6.** *(in indirect questions, after prep)* quoi ; she asked me ~ I was thinking about elle m'a demandé à quoi je pensais. - **7.** *(in phrases)* : ~ for? pour quoi faire? ; ~ about going out for a meal? si on allait manger au restaurant? ◆ **excl** quoi!

whatever [wɒt'evəʳ] *pron* : take ~ you want prends ce que tu veux ; ~ I do, I'll lose quoi que je fasse, je perdrai.

wheat [wiːt] *n* blé *m*.

wheel [wiːl] *n* roue *f* ; *(steering wheel)* volant *m*.

wheelbarrow ['wiːlˌbærəʊ] *n* brouette *f*.

wheelchair ['wiːlˌtʃeəʳ] *n* fauteuil *m* roulant.

wheelclamp [ˌwiːl'klæmp] *n* sabot *m* de Denver.

wheezy ['wiːzɪ] *adj* : to be ~ avoir la respiration sifflante.

when [wen] *adv* quand. ◆ *conj* quand, lorsque ; *(although, seeing as)* alors que ; ~ it's ready quand ce sera prêt ; ~ I've finished quand j'aurai terminé.

whenever [wen'evəʳ] *conj* quand.

where [weəʳ] *adv & conj* où ; this is ~ you will be sleeping c'est ici que vous dormirez.

whereabouts ['weərəbaʊts] *adv* où. ◆ *npl* : his ~ are unknown personne ne sait où il se trouve.

whereas [weər'æz] *conj* alors que.

wherever [weər'evəʳ] *conj* où que (+ *subjunctive*) ; go ~ you like va où tu veux.

whether ['weðəʳ] *conj* si ; ~ you like it or not que ça te plaise ou non.

☞

which [wɪtʃ] *adj* *(in questions)* quel (quelle) ; ~ room do you want? quelle chambre voulez-vous? ; ~ one? lequel (laquelle)? ; she asked me ~ room I wanted elle m'a demandé quelle chambre je voulais. ◆ *pron* - **1.** *(in direct, indirect questions)* lequel (laquelle) ; ~ is the cheapest? lequel est le moins cher? ; ~ do you prefer? lequel préférez-vous? ; he asked me ~ was the best il m'a demandé lequel était le meilleur ; he asked me ~ I was talking about il m'a demandé duquel je parlais. - **2.** *(introducing relative clause : subject)* qui ; the house ~ is on the corner la maison qui est au coin de la rue. - **3.** *(introducing relative clause : object)* que ; the television ~ I bought le téléviseur que j'ai acheté. - **4.** *(introducing relative clause : after prep)* lequel (laquelle) ; the settee on ~ I'm sitting le canapé sur lequel je suis assis ; **the book about – we were talking** le livre dont nous parlions. **- 5.** *(referring back, subject)* ce qui ; **he's late, ~ annoys me** il est en retard, ce qui m'ennuie. **- 6.** *(referring back, object)* que ; **he's always late, – I don't like it** il est toujours en retard, ce que je n'aime pas.

whichever [wɪtʃ'evə'] *pron* celui que (celle que). ◆ *adj* : **~ seat you prefer** la place que tu préfères ; **~ way you do it** quelle que soit la façon dont tu t'y prennes.

while [waɪl] *conj* pendant que ; *(although)* bien que (+ *subjunctive*) ; *(whereas)* alors que. ◆ *n* : **a ~** un moment ; **for a ~** pendant un moment ; **in a ~** dans un moment.

whim [wɪm] *n* caprice *m*.

whine [waɪn] *vi* gémir ; *(complain)* pleurnicher.

whip [wɪp] *n* fouet *m*. ◆ *vt* fouetter.

whipped cream [wɪpt-] *n* crème *f* fouettée.

whisk [wɪsk] *n* *(utensil)* fouet *m*. ◆ *vt (eggs, cream)* battre.

whiskers ['wɪskəz] *npl (of person)* favoris *mpl* ; *(of animal)* moustaches *fpl*.

whiskey ['wɪskɪ] *(pl -s)* *n* whisky *m*.

whisky ['wɪskɪ] *n* whisky *m*.

whisper ['wɪspə'] *vt & vi* chuchoter.

whistle ['wɪsl] *n (instrument)* sifflet *m* ; *(sound)* sifflement *m*. ◆ *vi* siffler.

white [waɪt] *adj* blanc (blanche) ;

(coffee, tea) au lait. ◆ *n* blanc *m* ; *(person)* Blanc *m*, Blanche *f*.

white bread *n* pain *m* blanc.

White House *n* : **the ~** la Maison-Blanche.

white sauce *n* sauce *f* béchamel.

white spirit *n* white-spirit *m*.

whitewash ['waɪtwɒʃ] *vt* blanchir à la chaux.

white wine *n* vin *m* blanc.

whiting ['waɪtɪŋ] *(pl inv)* *n* merlan *m*.

Whitsun ['wɪtsn] *n* la Pentecôte.

who [huː] *pron* qui.

whoever [huː'evə'] *pron (whichever person)* quiconque ; **~ it is** qui que ce soit.

whole [həʊl] *adj* entier(ière) ; *(undamaged)* intact(e). ◆ *n* : **the ~ of the journey** tout le trajet ; **on the ~** dans l'ensemble ; **the ~ day** toute la journée ; **the ~ time** tout le temps.

wholefoods ['həʊlfuːdz] *npl* aliments *mpl* complets.

wholemeal bread ['həʊlmiːl-] *n Br* pain *m* complet.

wholesale ['həʊlseɪl] *adv COMM* en gros.

wholewheat bread ['həul-wi:t-] *Am* = **wholemeal bread**.

whom [hu:m] *pron fml (in questions)* qui ; *(in relative clauses)* que ; to ~ à qui.

whooping cough ['hu:pɪŋ] *n* coqueluche *f*.

whose [hu:z] *adj & pron* : ~ jumper is this? à qui est ce pull? ; she asked ~ bag it was elle a demandé à qui était le sac ; the woman ~ daughter I know la femme dont je connais la fille ; ~ is this? à qui est-ce?

why [waɪ] *adv & conj* pourquoi ; ~ don't we go swimming? si on allait nager? ; ~ not? pourquoi pas? ; ~ not have a rest? pourquoi ne pas te reposer?

wick [wɪk] *n (of candle, lighter)* mèche *f*.

wicked ['wɪkɪd] *adj (evil)* mauvais(e) ; *(mischievous)* malicieux (ieuse).

wicker ['wɪkə] *adj* en osier.

wide [waɪd] *adj* large ◆ *adv* : to open sthg ~ ouvrir qqch en grand ; how ~ is the road? quelle est la largeur de la route? ; it's 12 metres ~ ça fait 12 mètres de large ; ~ open grand ouvert.

widely ['waɪdlɪ] *adv (known, found)* généralement ; *(travel)* beaucoup.

widen ['waɪdn] *vt* élargir. ◆ *vi* s'élargir.

wide screen *n (television)* écran *m* 16/9 ; *(cinema)* écran *m* panoramique.

widespread ['waɪdspred] *adj* répandu(e).

widow ['wɪdəu] *n* veuve *f*.

widower ['wɪdəuə] *n* veuf *m*.

width [wɪdθ] *n* largeur *f*.

wife [waɪf] *(pl* wives) *n* femme *f*.

wig [wɪg] *n* perruque *f*.

wild [waɪld] *adj* sauvage ; *(crazy)* fou (folle) ; to be ~ about *inf* être dingue de.

wild flower *n* fleur *f* des champs.

wildlife ['waɪldlaɪf] *n* la faune et la flore.

will[1] [wɪl] *aux vb* - **1.** *(expressing future tense)* : I ~ go next week j'irai la semaine prochaine ; we ~ be here next Friday? est-ce que tu seras là vendredi prochain? ; yes I ~ oui ; no I won't non.

- **2.** *(expressing willingness)* : I won't do it je refuse de le faire.

- **3.** *(expressing polite question)* : ~ you have some more tea? prendrez-vous un peu plus de thé?

- **4.** *(in commands, requests)* : ~ you please be quiet! veux-tu te taire! ; close that window, ~ you? ferme cette fenêtre, veux-tu?

will[2] [wɪl] *n (document)* testament *m* ; against my ~ contre ma volonté.

willing ['wɪlɪŋ] *adj* : to be ~ to do sthg être disposé(e) à faire qqch.

willingly ['wɪlɪŋlɪ] *adv* volontiers.

willow ['wɪləu] *n* saule *m*.

win [wɪn] *(pt & pp* won) *n* victoire *f*. ◆ *vt* gagner. ◆ *vi* gagner ; *(be ahead)* être en tête.

wind[1] [waɪnd] *n* vent *m* ; *(in stomach)* gaz *mpl*.

wind[2] [waɪnd] *(pt & pp* wound) *vi (road, river)* serpenter. ◆ *vt* : to ~ sthg round sthg enrouler qqch autour de qqch. ◆ **wind up** *vt sep*

Br inf (annoy) faire marcher ; *(car window, clock, watch)* remonter.

windbreak ['wɪndbreɪk] *n* écran *m* coupe-vent.

windmill ['wɪndmɪl] *n* moulin *m* à vent.

window ['wɪndəʊ] *n* fenêtre *f* ; *(of car)* vitre *f* ; *(of shop)* vitrine *f*.

window box *n* jardinière *f*.

window cleaner *n* laveur *m*, -euse *f* de carreaux.

windowpane ['wɪndəʊˌpeɪn] *n* vitre *f*.

window seat *n* siège *m* côté fenêtre.

window-shopping *n* lèche-vitrines *m*.

windowsill ['wɪndəʊsɪl] *n* appui *m* de (la) fenêtre.

windscreen ['wɪndskriːn] *n Br* pare-brise *m inv*.

windscreen wipers *npl Br* essuie-glaces *mpl*.

windshield ['wɪndʃiːld] *n Am* pare-brise *m inv*.

Windsor Castle ['wɪnzə-] *n* le château de Windsor.

windsurfing ['wɪndˌsɜːfɪŋ] *n* planche *f* à voile ; **to go ~** faire de la planche à voile.

windy ['wɪndɪ] *adj* venteux(euse) ; **it's ~** il y a du vent.

wine [waɪn] *n* vin *m*.

wine bar *n Br* bar *m* à vin.

wineglass ['waɪnglɑːs] *n* verre *m* à vin.

wine list *n* carte *f* des vins.

wine tasting [-ˈteɪstɪŋ] *n* dégustation *f* de vins.

wine waiter *n* sommelier *m*.

wing [wɪŋ] *n* aile *f* ; ◆ **wings** *npl* : **the ~s** *(in theatre)* les coulisses *fpl*.

wink [wɪŋk] *vi* faire un clin d'œil.

winner ['wɪnə] *n* gagnant *m*, -e *f*.

winning ['wɪnɪŋ] *adj* gagnant(e).

winter ['wɪntə] *n* hiver *m* ; **in (the) ~** en hiver.

wintertime ['wɪntətaɪm] *n* hiver *m*.

wipe [waɪp] *n (cloth)* lingette *f*. ◆ *vt* essuyer ; **to ~ one's hands/feet** s'essuyer les mains/pieds. ❑ **wipe up** ◆ *vt sep (liquid, dirt)* essuyer. ◆ *vi (dry the dishes)* essuyer la vaisselle.

wiper ['waɪpə] *n AUT* essuie-glace *m*.

wire ['waɪə] *n* fil *m* de fer ; *(electrical wire)* fil *m* électrique. ◆ *vt (plug)* connecter les fils de.

wireless ['waɪəlɪs] *n* TSF *f*.

wiring ['waɪərɪŋ] *n* installation *f* électrique.

wisdom tooth ['wɪzdəm-] *n* dent *f* de sagesse.

wise [waɪz] *adj* sage.

wish [wɪʃ] *n* souhait *m*. ◆ *vt* souhaiter ; **best ~es** meilleurs vœux ; **I ~ it was sunny!** si seulement il faisait beau! ; **I ~ I hadn't done that** je regrette d'avoir fait ça ; **I ~ he would hurry up** j'aimerais bien qu'il se dépêche ; **to ~ to do sthg** *fml* souhaiter faire qqch ; **to ~ sb luck/happy birthday** souhaiter bonne chance/bon anniversaire à qqn ; **if you ~** *fml* si vous le désirez.

witch [wɪtʃ] *n* sorcière *f*.

☞ ─────────────

with [wɪð] *prep* - **1.** *(gen)* avec ; **come ~ me** venez avec moi ; **a man ~ a beard** un barbu ; **to argue ~ sb** se disputer avec qqn.

- **2.** *(at house of)* chez ; **we stayed**

~ **friends** nous avons séjourné chez des amis.
- **3.** *(indicating emotion)* de ; **to tremble ~ fear** trembler de peur.
- **4.** *(indicating covering, contents)* de ; **to fill sthg ~ sthg** remplir qqch de qqch ; **topped ~ cream** nappé de crème.

withdraw [wɪð'drɔː] *(pt* -drew, *pp* -drawn) *vt* retirer. ◆ *vi* se retirer.

withdrawal [wɪð'drɔːəl] *n* retrait *m.*

withdrawn [wɪð'drɔːn] *pp* → withdraw.

withdrew [wɪð'druː] *pt* → withdraw.

wither ['wɪðər] *vi* se faner.

within [wɪ'ðɪn] *prep (inside)* à l'intérieur de ; *(not exceeding)* dans les limites de. ◆ *adv* à l'intérieur ; **~ 10 miles of ...** à moins de 15 kilomètres de ... ; **the beach is ~ walking distance** on peut aller à la plage à pied ; **it arrived ~ a week** c'est arrivé en l'espace d'une semaine ; **~ the next week** au cours de la semaine prochaine.

without [wɪð'aut] *prep* sans ; **~ doing sthg** sans faire qqch.

withstand [wɪð'stænd] *(pt & pp* -stood) *vt* résister à.

witness ['wɪtnɪs] *n* témoin *m.* ◆ *vt (see)* être témoin de.

witty ['wɪtɪ] *adj* spirituel(elle).

wives [waɪvz] *pl* → wife.

wobbly ['wɒblɪ] *adj (table, chair)* branlant(e).

wok [wɒk] *n* poêle à bords hauts utilisée dans la cuisine chinoise.

woke [wəuk] *pt* → wake.

woken ['wəukn] *pp* → wake.

wolf [wulf] *(pl* wolves ['wulvz]) *n* loup *m.*

woman ['wumən] *(pl* women ['wɪmɪn]) *n* femme *f.*

womb [wuːm] *n* utérus *m.*

women ['wɪmɪn] *pl* → woman.

won [wʌn] *pt & pp* → win.

wonder ['wʌndər] *vi (ask o.s.)* se demander. ◆ *n (amazement)* émerveillement *m* ; **I ~ if I could ask you a favour?** cela vous ennuierait-il de me rendre un service?

wonderful ['wʌndəful] *adj* merveilleux(euse).

won't [wəunt] = will not.

wood [wud] *n* bois *m.*

wooden ['wudn] *adj* en bois.

woodland ['wudlənd] *n* forêt *f.*

woodpecker ['wud,pekər] *n* pic-vert *m.*

woodwork ['wudwɜːk] *n* SCH travail *m* du bois.

wool [wul] *n* laine *f.*

woollen ['wulən] *Am* = woollen.

woollen ['wulən] *adj Br* en laine.

woolly ['wulɪ] *adj* en laine.

wooly ['wulɪ] *Am* = woolly.

word [wɜːd] *n* mot *m* ; *(promise)* parole *f* ; **in other ~s** en d'autres termes ; **to have a ~ with sb** parler à qqn.

wording ['wɜːdɪŋ] *n* termes *mpl.*

word processing [-'prəusesɪŋ] *n* traitement *m* de texte.

word processor [-'prəusesər] *n* machine *f* à traitement de texte.

wore [wɔːr] *pt* → wear.

work [wɜːk] *n* travail *m* ; *(painting, novel etc)* œuvre *f.* ◆ *vi* travailler ; *(operate, have desired effect)* marcher ; *(take effect)* faire effet. ◆ *vt (machine, controls)* faire marcher ; **out of ~** sans emploi ; **to be at ~** être au travail ; **to be off ~** *(on holiday)* être en congé ; *(ill)* être en congé-maladie ; **the ~s** *inf (everything)* tout le tralala ; **how does it ~?** comment ça marche ? ; **it's not ~ing** ça ne marche pas. ❑ **work out** ◆ *vt sep (price, total)* calculer ; *(solution, plan)* trouver ; *(understand)* comprendre. ◆ *vi (result, be successful)* marcher ; *(do exercise)* faire de l'exercice ; **it ~s out at £20 each** *(bill, total)* ça revient à 20 livres chacun.

worker ['wɜːkər] *n* travailleur *m*, -euse *f*.

working class ['wɜːkɪŋ-] *n* : **the ~** la classe ouvrière.

working hours ['wɜːkɪŋ-] *npl* heures *fpl* de travail.

workman ['wɜːkmən] *(pl* -men [-mən]) *n* ouvrier *m*.

work of art *n* œuvre *f* d'art.

workout ['wɜːkaʊt] *n* série *f* d'exercices.

work permit *n* permis *m* de travail.

workplace ['wɜːkpleɪs] *n* lieu *m* de travail.

workshop ['wɜːkʃɒp] *n* *(for repairs)* atelier *m*.

work surface *n* plan *m* de travail.

world [wɜːld] *n* monde *m*. ◆ *adj* mondial(e) ; **the best in the ~** le meilleur du monde.

World Series *n Am* : **the ~** le championnat américain de base-ball.

WORLD SERIES

Les *World Series* sont des séries de parties de base-ball (pouvant aller jusqu'à sept) au cours des-

quelles s'affrontent, à la fin de la saison, les champions des deux ligues les plus importantes des États-Unis : la *National League* et l'*American League*. Le premier qui obtient quatre victoires est déclaré champion. C'est l'un des événements sportifs annuels les plus importants des États-Unis. La tradition veut que ce soit le président de la nation qui lance la première balle de la rencontre.

worldwide [wɜːld'waɪd] *adv* dans le monde entier.

worm [wɜːm] *n* ver *m*.

worn [wɔːn] *pp* → **wear**. ◆ *adj (clothes, carpet)* usé(e).

worn-out *adj (clothes, shoes etc)* usé(e) ; *(tired)* épuisé(e).

worried ['wʌrɪd] *adj* inquiet(iète).

worry ['wʌrɪ] *n* souci *m*. ◆ *vt* inquiéter. ◆ *vi* : **to ~ (about)** s'inquiéter (pour).

worrying ['wʌrɪŋ] *adj* inquiétant(e).

worse [wɜːs] *adj* pire ; *(more ill)* plus mal. ◆ *adv* pire ; **to get ~** empirer ; *(more ill)* aller plus mal ; **~ off** *(in worse position)* en plus mauvaise posture ; *(poorer)* plus pauvre.

worsen ['wɜːsn] *vi* empirer.

worship ['wɜːʃɪp] *n* *(church service)* office *m*. ◆ *vt* adorer.

worst [wɜːst] *adj* pire. ◆ *adv* le plus mal. ◆ *n* : **the ~** le pire (la pire).

worth [wɜːθ] *prep* : **how much is it ~?** combien ça vaut ? ; **it's ~ £50** ça vaut 50 livres ; **it's ~ seeing** ça vaut la peine d'être vu ; **it's not**

worthless

ne vaut pas la peine ; £50 ~ of traveller's cheques des chèques de voyage pour une valeur de 50 livres.

worthless ['wɜːθlɪs] *adj* sans valeur.

worthwhile [ˌwɜːθ'waɪl] *adj* qui vaut la peine.

worthy ['wɜːðɪ] *adj* (cause) juste ; **to be a ~ winner** mériter de gagner ; **to be ~ of sthg** être digne de qqch.

☞ **would** [wʊd] *aux vb* - 1. (in reported speech) : **she said she ~ come** elle a dit qu'elle viendrait.
- 2. (indicating condition) : **what ~ you do?** qu'est-ce que tu ferais? ; **what ~ you have done?** qu'est-ce que tu aurais fait? ; **I ~ be most grateful** je vous en serais très reconnaissant.
- 3. (indicating willingness) : **she ~n't go** elle refusait d'y aller ; **he ~ do anything for her** il ferait n'importe quoi pour elle.
- 4. (in polite questions) : **~ you like a drink?** voulez-vous boire quelque chose? ; **~ you mind closing the window?** cela vous ennuierait de fermer la fenêtre?.
- 5. (indicating inevitability) : **he ~ say that** ça ne m'étonne pas qu'il ait dit ça.
- 6. (giving advice) : **I ~ report it if I were you** si j'étais vous, je le signalerais.
- 7. (expressing opinions) : **I ~ prefer** je préférerais ; **I ~ have thought (that)** ... j'aurais pensé que ...

wound[1] [wuːnd] *n* blessure *f*.
◆ *vt* blesser.

wound[2] [waʊnd] *pt & pp* → **wind**[2].

wove [wəʊv] *pt* → **weave**.

woven ['wəʊvn] *pp* → **weave**.

wrap [ræp] *vt* (package) emballer ; **to ~ sthg round sthg** enrouler qqch autour de qqch. ❏ **wrap up** *vt sep* (package) emballer. ◆ *vi* (dress warmly) s'emmitoufler.

wrapper ['ræpə] *n* (for sweet) papier *m*.

wrapping ['ræpɪŋ] *n* (material) emballage *m*.

wrapping paper *n* papier *m* d'emballage.

wreath [riːθ] *n* couronne *f*.

wreck [rek] *n* épave *f* ; Am (crash) accident *m*. ◆ *vt* (destroy) détruire ; (spoil) gâcher ; **to be ~ed** (ship) faire naufrage.

wreckage ['rekɪdʒ] *n* (of plane, car) débris *mpl* ; (of building) décombres *mpl*.

wrench [rentʃ] *n* Br (monkey wrench) clé *f* anglaise ; Am (spanner) clé *f*.

wrestler ['reslə] *n* lutteur *m*, -euse *f*.

wrestling ['reslɪŋ] *n* lutte *f*.

wretched ['retʃɪd] *adj* (miserable) misérable ; (very bad) affreux(euse).

wring [rɪŋ] (*pt & pp* wrung) *vt* (clothes, cloth) essorer.

wrinkle ['rɪŋkl] *n* ride *f*.

wrist [rɪst] *n* poignet *m*.

wristwatch ['rɪstwɒtʃ] *n* montre-bracelet *f*.

write [raɪt] (*pt* wrote, *pp* written) *vt* écrire ; (cheque, prescription) faire ; Am (send letter to) écrire à. ◆ *vi* écrire ; **to ~ to sb** Br écrire à qqn. ❏ **write back** *vi* répondre. ❏ **write down** *vt sep* noter. ❏ **write off** *vt sep Br inf* (car) bousiller. ◆ *vi* : **to**

~ **off for sthg** écrire pour demander qqch. ❑ **write out** vt sep (list, essay) rédiger ; (cheque, receipt) faire.

write-off n (vehicle) épave f.

writer ['raɪtə] n (author) écrivain m.

writing ['raɪtɪŋ] n écriture f ; (written words) écrit m.

writing desk n secrétaire m.

writing pad n bloc-notes m.

writing paper n papier m à lettres.

written ['rɪtn] pp → write.

wrong [rɒŋ] adj mauvais(e) ; (bad, immoral) mal (inv). ◆ adv mal ; **to be ~** (person) avoir tort ; **what's ~?** qu'est-ce qui ne va pas ? ; **something's ~ with the car** la voiture a un problème ; **to be in the ~** être dans son tort ; **to get sthg ~** se tromper sur qqch ; **to go ~** (machine) se détraquer ; **'~ way'** Am panneau indiquant un sens unique.

wrongly ['rɒŋlɪ] adv mal.

wrong number n faux numéro m.

wrote [rəʊt] pt → write.

wrought iron [rɔːt-] n fer m forgé.

wrung [rʌŋ] pt & pp → wring.

www n COMPUT www.

X

XL (abbr of extra-large) XL.

Xmas ['eksməs] n inf Noël m.

X-ray n (picture) radio(graphie) f. ◆ vt radiographier ; **to have an ~** passer une radio.

Y

yacht [jɒt] n (for pleasure) yacht m ; (for racing) voilier m.

Yankee ['jæŋkɪ] n Am (citizen) Yankee mf.

 YANKEE

À l'origine, le terme anglais de Yankee, diminutif de Jan, faisait référence aux immigrants hollandais qui s'étaient établis majoritairement au nord-est des États-Unis. Par la suite, il a été utilisé pour parler de toute personne venant du nord-est, puis du nord en général, en particulier par les Anglais évoquant les colons révoltés. C'est ainsi que, pendant la guerre de Sécession, on appelait yankees les soldats de l'Alliance du Nord qui se battaient contre les sudistes. De nos jours, certains Américains du Sud utilisent encore ce terme de manière péjorative pour parler de leurs concitoyens du Nord.

yard [jɑːd] n (unit of measurement) = 91,44 cm, yard m ; (enclosed area) cour f ; Am (behind house) jardin m.

yard sale n Am vente d'objets d'occasion par un particulier devant sa maison.

yarn [jɑːn] n (thread) fil m.

yawn [jɔːn] vi (person) bâiller.

yd abbr = yard.

yeah [jeə] adv inf ouais.

year [jɪə] n an m, année f ; année f ; **next ~** l'année prochaine ; **this ~** cette année ; **I'm 15 ~s old** j'ai

15 ans ; **I haven't seen her for ~s** *inf* ça fait des années que je ne l'ai pas vue.

yearly ['jɪəlɪ] *adj* annuel(elle).

yeast [ji:st] *n* levure *f*.

yell [jel] *vi* hurler.

yellow ['jeləʊ] *adj* jaune. ◆ *n* jaune *m*.

yes [jes] *adv* oui.

yesterday ['jestədɪ] *n* & *adv* hier ; **the day before ~** avant-hier ; **~ afternoon** hier après-midi ; **~ morning** hier matin.

yet [jet] *adv* encore. ◆ *conj* pourtant ; **have they arrived ~?** est-ce qu'ils sont déjà arrivés? ; **not ~** pas encore ; **I've ~ to do it** je ne l'ai pas encore fait ; **~ again** encore une fois ; **~ another drink** encore un autre verre.

yew [ju:] *n* if *m*.

yield [ji:ld] *vt* (profit, interest) rapporter. ◆ *vi* (break, give way) céder.

YMCA *n* association chrétienne de jeunes gens (proposant notamment des services d'hébergement).

yob [jɒb] *n* Br inf loubard *m*.

yoga ['jəʊgə] *n* yoga *m*.

yoghurt ['jɒgət] *n* yaourt *m*.

yolk [jəʊk] *n* jaune *m* d'œuf.

York Minster [jɔːk'mɪnstə] *n* la cathédrale de York.

☞

you [ju:] *pron* - 1. (subject, singular) tu ; (subject, polite form, plural) vous ; **~ French** vous autres Français.
- 2. (object, singular) te ; (object, polite form, plural) vous.
- 3. (after prep, singular) toi ; (after prep, polite form, plural) vous ; **I'm shorter than ~** je suis plus petit que toi/vous.
- 4. (indefinite use, subject) on ; (indefinite use, object) te, vous ; **~ never know** on ne sait jamais.

young [jʌŋ] *adj* jeune. ◆ *npl* : **the ~** les jeunes *mpl*.

younger ['jʌŋgər] *adj* plus jeune.

youngest ['jʌŋgəst] *adj* le plus jeune (la plus jeune).

youngster ['jʌŋstər] *n* jeune *mf*.

your [jɔːr] *adj* - 1. (singular subject) ton (ta), tes (pl) ; (singular subject, polite form) votre, vos (pl) ; (plural subject) votre, vos (pl) ; **~ dog** ton/votre chien ; **~ house** ta/votre maison ; **~ children** tes/vos enfants.
- 2. (indefinite subject) **it's good for ~ health** c'est bon pour la santé.

yours [jɔːz] *pron* (singular subject) le tien (la tienne) ; (plural subject, polite form) le vôtre (la vôtre) ; **a friend of ~** un ami à toi, un de tes amis ; **are these ~?** ils sont à toi/vous?

☞

yourself [jɔːˈself] (pl -selves) *pron* - 1. (reflexive : singular) te ; (reflexive : plural, polite form) vous.
- 2. (after prep : singular) toi ; (after prep : polite form, plural) vous ; **did you do it ~?** (singular) tu l'as fait toi-même? ; (polite form) vous l'avez fait vous-même? ; **did you do it yourselves?** vous l'avez fait vous-mêmes?

youth [juːθ] *n* jeunesse *f* ; (young man) jeune *m*.

youth club *n* ≃ maison *f* des jeunes.

youth hostel n auberge f de jeunesse.

yuppie ['jʌpɪ] n yuppie mf.

YWCA n association chrétienne de jeunes filles (proposant notamment des services d'hébergement).

Z

zebra [Br 'zebrə, Am 'ziːbrə] n zè-bre m.

zebra crossing n Br passage m pour piétons.

zero ['zɪərəʊ] (pl -es) n zéro m ; **five degrees below ~** cinq degrés au-dessous de zéro.

zest [zest] n (of lemon, orange) zes-te m.

zigzag ['zɪgzæg] vi zigzaguer.

zinc [zɪŋk] n zinc m.

zip [zɪp] n Br fermeture f Éclair®. ◆ vt fermer. □ **zip up** vt sep fermer.

zip code n Am code m postal.

zipper ['zɪpər] n Am fermeture f Éclair®.

zit [zɪt] n inf bouton m.

zodiac ['zəʊdɪæk] n zodiaque m.

zone [zəʊn] n zone f.

zoo [zuː] (pl -s) n zoo m.

zoom (lens) [zuːm-] n zoom m.

zucchini [zuːˈkiːnɪ] (pl inv) n Am courgette f.

GUIDE
DE
CONVERSATION

CONVERSATION
GUIDE

SOMMAIRE	CONTENTS	P

SOMMAIRE	CONTENTS	P

SALUER QUELQU'UN

GREETING SOMEONE

- Bonjour.
- Bonjour.

- Good morning. [le matin]
- Good afternoon. [l'après-midi]

- Bonsoir.
- Salut !
- Salut !
- Comment vas-tu ? [to a friend] /Comment allez-vous ? [polite form]

- Good evening.
- Hello!
- Hi!
- How are you?

- Très bien, merci.
- Bien, merci.
- Et toi ?/Et vous ?

- Very well, thank you.
- Fine, thank you.
- And you?

SE PRÉSENTER

INTRODUCING YOURSELF

- Je m'appelle Pierre.
- Je suis français.
- Je viens de Paris.

- My name is Pierre.
- I am French.
- I come from Paris.

PRÉSENTER QUELQU'UN

MAKING INTRODUCTIONS

- Voici M. Durand.
- Je vous présente M. Durand.
- Enchanté./Enchantée.
- Comment allez-vous ?
- Bienvenue.

- This is Mr. Durand.
- I'd like to introduce Mr. Durand.
- Pleased to meet you.
- How are you?
- Welcome.

PRENDRE CONGÉ

- Au revoir.
- À tout à l'heure.
- À bientôt.
- Bonsoir.
- Je vous souhaite un bon voyage.
- Heureux d'avoir fait votre connaissance.

SAYING GOODBYE

- Goodbye, bye.
- See you later.
- See you soon.
- Good night.
- Enjoy your trip.
- It was nice to meet you.

REMERCIER

- Merci (beaucoup).
- Merci.
- Vous de même.
- Merci de votre aide.

SAYING THANK YOU

- Thank you (very much).
- Thank you.
- The same to you.
- Thank you for your help.

RÉPONDRE À DES REMERCIEMENTS

- Il n'y a pas de quoi.
- De rien.
- Je vous en prie. [polite form]
- Je t'en prie. [to a friend]

REPLYING TO THANKS

- Don't mention it.
- Not at all.
- You're welcome.
- You're welcome.

PRÉSENTER SES EXCUSES

- Excusez-moi.
- Je suis désolé.
- Désolé.
- Pardon.
- Je suis désolé d'être en retard/de vous déranger.

APOLOGIZING

- Excuse me.
- I'm sorry.
- Sorry.
- Excuse me.
- I'm sorry I'm late/ to bother you.

ACCEPTER DES EXCUSES

- Ce n'est pas grave.
- Ça ne fait rien.
- Il n'y a pas de mal.

ACCEPTING AN APOLOGY

- It doesn't matter.
- That's all right.
- No harm done.

EXPRIMER DES VŒUX

- Bonne chance !
- Amuse-toi bien ! [to a friend]
- Bon appétit !
- Bon anniversaire !
- Joyeuses Pâques !
- Joyeux Noël !
- Bonne année !
- Bon week-end !
- Bonnes vacances !

- Passe une bonne journée !

WISHES AND GREETINGS

- Good luck!
- Have fun!/Enjoy yourself!

- Enjoy your meal!
- Happy Birthday!
- Happy Easter!
- Merry Christmas!
- Happy New Year!
- Have a good weekend!
- Enjoy your holiday (Br) ou vacation (Am)!
- Have a nice day!

LE TEMPS

WHAT'S THE WEATHER LIKE

- Il fait très beau aujourd'hui.
- It's a beautiful day.

- Il fait beau.
- It's nice.

- Il y a du soleil.
- It's sunny.

- Il pleut.
- It's raining.

- Le ciel est couvert.
- It's cloudy.

- On annonce de la pluie pour demain.
- It's supposed to rain tomorrow.

- Quel temps épouvantable !
- What horrible *ou* awful weather!

- Il fait (très) chaud/froid.
- It's (very) hot/cold.

EXPRIMER UNE OPINION

EXPRESSING LIKES AND DISLIKES

- Ça me plaît.
- I like it.

- Ça ne me plaît pas.
- I don't like it.

- Voulez-vous quelque chose à boire / à manger ?
- Would you like something to drink/eat?

- Oui, volontiers.
- Yes, please.

- Non merci.
- No, thanks/thank you.

- Cela vous dirait-il de venir au parc avec nous ?
- Would you like to come to the park with us?

- Oui, avec grand plaisir.
- Yes, I'd love to.

guide de conversation

AU TÉLÉPHONE

- Allô !
- Anne Martin à l'appareil.
- Je voudrais parler à M. Gladstone.
- Je rappellerai dans dix minutes.
- Puis-je lui laisser un message ?
- Excusez-moi, j'ai dû faire un mauvais numéro.
- Qui est à l'appareil ?

PHONING

- Hello.
- Anne Martin speaking.
- I'd like to speak to Mr. Gladstone.
- I'll call back in ten minutes.
- Can I leave him a message?
- Sorry, I must have dialed the wrong number.
- Who's calling?

RELATIONS PROFESSIONNELLES

- Bonjour. Je fais partie de Biotech Ltd.
- J'ai rendez-vous avec M. Martin à 14 h 30.
- Voici ma carte de visite.
- Je voudrais voir le directeur
- Mon adresse e-mail est paul@easyconnect.com.

BUSINESS

- Hello. I'm from Biotech Ltd.
- I have an appointment with Mr. Martin at 2.30 pm.
- Here's my business card.
- I'd like to see the managing director.
- My e-mail address is paul@easyconnect.com.

LOUER UNE VOITURE

- Je voudrais louer une voiture climatisée.

- Quel est le tarif pour une journée ?

- Le kilométrage est-il illimité ?

- Combien coûte l'assurance tous risques ?

- Pourrais-je rendre la voiture à l'aéroport ?

HIRING (Br) ou RENTING (Am) A CAR

- I'd like to hire (Br) ou rent (Am) a car with air-conditioning.

- What's the cost for one day?

- Is the mileage unlimited?

- How much does it cost for comprehensive insurance?

- Can I leave the car at the airport?

CIRCULER EN VOITURE

- Comment rejoint-on le centre-ville/l'autoroute ?

- Y a-t-il un parking près d'ici ?

- Est-ce que je peux stationner ici ?

- Je cherche une station-service.

- Où se trouve le garage le plus proche ?

IN THE CAR

- How do we get to the city centre/motorway?

- Is there a car park nearby?

- Can I park here?

- I'm looking for a petrol (Br)/gas (Am) station.

- Where's the nearest garage?

À LA STATION-SERVICE

AT THE PETROL (Br) ou GAS (Am) STATION

- Je suis en panne d'essence.
- I've run out of petrol (Br) ou gas (Am)?

- Le plein, s'il vous plaît.
- Fill it up, please.

- Je voudrais vérifier la pression des pneus.
- I'd like to check the tyre pressure.

- Pompe (numéro 3).
- Pump number three.

CHEZ LE GARAGISTE

AT THE GARAGE

- Je suis en panne.
- I've broken down.

- J'ai perdu le pot d'échappement.
- The exhaust pipe has fallen off.

- Ma voiture perd de l'huile.
- My car has an oil leak.

- Le moteur chauffe
- The engine is overheating.

- Pourriez-vous vérifier les freins ?
- Could you check the breaks?

- La batterie est à plat.
- The battery is flat (Br) ou dead (Am).

- L'air conditionné ne marche pas.
- The air-conditioning doesn't work.

- J'ai crevé. Il faut réparer le pneu.
- I've got a puncture (Br) ou a flat tire (Am). The tyre needs to be repaired.

- Combien vont coûter les réparations ?
- How much will the repairs cost?

PRENDRE UN TAXI

TAKING A TAXI (Br) ou CAB (Am)

- Pourriez-vous m'appeler un taxi ?
- Could you call me a taxi (Br) ou cab (Am)?

- À la gare routière/ à la gare/à l'aéroport, s'il vous plaît.
- To the bus station/train station/airport, please.

- Veuillez vous arrêtez ici/ au feu/au coin de la rue.
- Stop here/at the lights/at the corner, please.

- Pourriez-vous m'attendre ?
- Can you wait for me?

- Je vous dois combien ?
- How much is it?

- Pourrais-je avoir une fiche ?
- Can I have a receipt, please?

- Gardez la monnaie.
- Keep the change.

PRENDRE LE CAR

TAKING THE BUS

- Quand part le prochain car pour Oxford ?
- What time is the next bus to Oxford?

- D'où part-il ?
- Which platform does the bus leave?

- Combien coûte un aller-retour pour Chicago ?
- How much is a return (Br) ou round-trip (Am) ticket to Chicago?

- Excusez-moi, cette place est-elle occupée ?
- Excuse me, is this seat taken?

PRENDRE LE TRAIN	TAKING THE TRAIN
▸ Où se trouvent les guichets ?	▸ Where is the ticket office?
▸ À quelle heure part le prochain train pour Paris ?	▸ When does the next train for Paris leave?
▸ De quel quai part-il ?	▸ Which platform does it leave from?
▸ Combien coûte un aller-retour pour Boston ?	▸ How much is a return ticket to Boston?
▸ Y a-t-il une consigne ?	▸ Is there a left-luggage office?
▸ Une place côté fenêtre dans un wagon non-fumeurs, s'il vous plaît.	▸ A window seat in a non-smoking coach please.
▸ Je voudrais réserver une couchette dans le train de 21h pour Paris.	▸ I'd like to reserve a sleeper on the 21:00 train to Paris.
▸ Où puis-je composter mon billet ?	▸ Where do I validate my ticket?
▸ Excusez-moi, cette place est-elle libre ?	▸ Excuse me, is this seat free?
▸ Où est la voiture restaurant ?	▸ Where is the restaurant car?

À L'AÉROPORT	AT THE AIRPORT
▸ Où se trouve la porte 2/le terminal 1 ?	▸ Where is gate number 2/terminal 1?
▸ Où dois-je enregistrer mes bagages ?	▸ Where is the check-in desk?
▸ J'aimerais une place côté couloir/hublot.	▸ I'd like an aisle/window seat.
▸ À quelle heure est l'embarquement ?	▸ What time is boarding?
▸ J'ai raté ma correspondance.	▸ I've missed my connection.
▸ Quand part le prochain vol pour Seattle ?	▸ When is the next flight to Seattle?
▸ J'ai perdu ma carte d'embarquement.	▸ I've lost my boarding card.
▸ Où récupère-t-on les bagages ?	▸ Where is the baggage reclaim?
▸ Où se trouve la navette pour se rendre au centre-ville ?	▸ Where's the shuttle bus to the city centre?
▸ Où est le comptoir d'Air France ?	▸ Where is the Air France desk?

DEMANDER SON CHEMIN	ASKING THE WAY
▸ Pourriez-vous m'indiquer où nous sommes sur le plan ?	▸ Could you show me where we are on the map?
▸ Où se trouve la gare routière/la poste ?	▸ Where is the bus station/post office?
▸ Excusez-moi, comment faire pour aller à Bond Street ?	▸ Excuse me, how do I get to Bond Street?
▸ Continuez tout droit, puis prenez la première à droite.	▸ Keep going straight then take the first street on the right.
▸ Est-ce loin ?	▸ Is it far?
▸ Peut-on y aller à pied ?	▸ Is it within walking distance?
▸ Faut-il prendre le bus/le métro ?	▸ Will I/we have to take a bus/the métro?
▸ Où est la station de métro la plus proche ?	▸ Where is the closest underground station?
▸ Y a-t-il un arrêt de bus à proximité ?	▸ Is there a bus stop nearby?

SE DÉPLACER EN VILLE

- Quel est le bus qui mène à l'aéroport ?
- Où puis-je prendre le bus pour la gare ?
- J'aimerais un aller simple/un aller-retour pour Boston.
- Pourriez-vous me prévenir quand nous serons arrivés ?
- Arrêt demandé.

GETTING AROUND TOWN

- Which bus goes to the airport?
- Where do I catch the bus for the (railway) station?
- I'd like a single *(Br)* ou one-way *(Am)*/return *(Br)* ou round-trip *(Am)* ticket to Boston.
- Could you tell me when we get there?
- Bus Stop.

AU CAFÉ

- Cette table/chaise est-elle libre ?
- S'il vous plaît !
- Deux cafés noirs, s'il vous plaît.
- Un jus d'orange/une eau minérale.
- Puis-je avoir une autre bière ?
- Où sont les toilettes ?

AT THE CAFÉ

- Is this table/seat free?
- Excuse me!
- Two cups of black coffee, please.
- An orange juice/a mineral water.
- Can I have another beer, please?
- Where is the toilet *(Br)* ou restroom *(Am)*?

AU RESTAURANT	AT THE RESTAURANT
▸ J'aimerais réserver une table pour 20 heures.	▸ I'd like to reserve a table for 8 pm.
▸ Une table pour deux personnes.	▸ A table for two, please.
▸ Peut-on avoir une table dans la zone non-fumeurs ?	▸ Can we have a table in the non-smoking section?
▸ Peut-on avoir la carte/la carte des vins ?	▸ Can we see the menu/wine list?
▸ Avez-vous un menu enfant/végétarien ?	▸ Do you have a children's/vegetarian menu?
▸ Nous aimerions prendre un apéritif.	▸ We'd like an aperitif.
▸ Une bouteille de vin blanc/rouge de la cuvée du patron, s'il vous plaît.	▸ A bottle of house white/red, please.
▸ Quelle est votre spécialité ?	▸ What is the house speciality?
▸ Qu'est-ce que vous avez comme desserts ?	▸ What desserts do you have?
▸ L'addition, s'il vous plaît.	▸ Can I have the bill (Br) ou check (Am), please?

À L'HÔTEL	AT THE HOTEL
• Nous voudrions une chambre double/deux chambres simples.	• We'd like a double room/ two single rooms.
• J'aimerais une chambre pour deux nuits.	• I'd like a room for two nights, please.
• J'ai réservé une chambre au nom de Berger.	• I have a reservation on the name of Berger.
• J'ai réservé une chambre avec douche/avec salle de bains.	• I reserved a room with a shower/bathroom.
• Y a-t-il un parking réservé aux clients de l'hôtel ?	• Is there a car park for hotel guests?
• La clé de la chambre 121, s'il vous plaît.	• Could I have the key for room 121 please?
• Est-ce qu'il y a des messages pour moi ?	• Are there any messages for me?
• À quelle heure est le petit déjeuner ?	• What time is breakfast served?
• J'aimerais prendre le petit déjeuner dans ma chambre.	• I'd like breakfast in my room.
• Pourriez-vous me réveiller à 7 heures ?	• I'd like a wake-up call at 7 am, please.
• Je voudrais régler.	• I'd like to check out now.

LES ACHATS	AT THE SHOPS
▸ Combien ça coûte ? /C'est combien ?	▸ How much is this?
▸ Je cherche des lunettes de soleil/un maillot de bain.	▸ I'd like to buy sunglasses /a swimsuit *(Br)* ou bathing suit *(Am)*.
▸ Je fais du 38.	▸ I'm a size 10. [vêtements]
▸ Je chausse du 40.	▸ I take a size 7. [chaussures]
▸ Est-ce que je peux l'essayer ?	▸ Can I try this on?
▸ Est-ce que je peux l'échanger ?	▸ Can I exchange it?
▸ Où se trouvent les cabines d'essayage ?	▸ Where are the fitting rooms?
▸ Avez-vous la taille au-dessus/en dessous ?	▸ Do you have this in a bigger/smaller size?
▸ L'avez-vous en bleu ?	▸ Do you have this in blue?
▸ Vendez-vous des enveloppes/des plans de la ville ?	▸ Do you sell envelopes/street maps?
▸ Une pellicule photo, s'il vous plaît.	▸ I'd like to buy a film for my camera please.
▸ À quelle heure fermez-vous ?	▸ What time do you close?

À L'OFFICE DE TOURISME	OUT AND ABOUT
▶ À quelle heure le musée ferme-t-il ?	▶ What time does the museum close?
▶ Où se trouve la piscine la plus proche ?	▶ Where is the nearest public swimming pool?
▶ Pourriez-vous m'indiquer une église (catholique/ baptiste) à proximité ?	▶ Could you tell me where the nearest (Catholic/ Baptist) church is?
▶ Savez-vous quand a lieu la messe/le prochain office religieux ?	▶ Do you know what time mass/the next service is?
▶ Y a-t-il un cinéma près d'ici ?	▶ Is there a cinema *(Br)* ou movie theater *(Am)* nearby?
▶ À quelle distance se trouve la plage ?	▶ How far is it to the beach?
▶ Avez-vous un plan de la ville ?	▶ Have you got a city map?
▶ Je cherche un hôtel pas trop cher.	▶ I'm looking for an hotel that's not too expensive
▶ Avez-vous un guide des restaurants de la ville ?	▶ Have you got a town restaurant guide?

LE SPORT | SPORTS

- Nous aimerions voir un match de football. Y en a-t-il un ce soir ?
- We'd like to see a football match *(Br)* ou game *(Am)*. Is there one on tonight?

- Où se trouve le stade ?
- Where's the stadium?

- Où peut-on louer des vélos ?
- Where can we hire *(Br)* ou rent *(Am)* bicycles?

- Je voudrais réserver un court (de tennis) pour 19 heures.
- I'd like to book a tennis court for 7.00 pm.

- Où peut-on se changer ?
- Where can we change?

- Peut-on louer du matériel ?
- Can we hire *(Br)* ou rent *(Am)* equipment?

À LA BANQUE | AT THE BANK

- Je voudrais changer 100 euros en dollars.
- I'd like to change 100 euros into dollars please.

- En petites coupures, s'il vous plaît.
- In small denominations, please.

- Quel est le taux de change pour le dollar ?
- What is the exchange rate for dollars?

- Je voudrais encaisser des chèques de voyage.
- I'd like to cash some traveler's checks.

- Où se trouve le distributeur de billets ?
- Where's the cash point *(Br)* ou ATM *(Am)*?

AU BUREAU DE POSTE	AT THE POST OFFICE
• Combien ça coûte pour envoyer une lettre/une carte postale à Paris ?	• How much is it to send a letter/postcard to Paris?
• Je voudrais dix timbres pour la France.	• I'd like ten stamps for France.
• Je voudrais envoyer ce paquet en recommandé.	• I'd like to send this parcel by registered post *(Br)* ou mail *(Am)*.
• Quel est le tarif pour un courrier urgent ?	• How much is it to send an urgent letter?
• Combien de temps mettra-t-il pour arriver ?	• How long will it take to get there?
• J'aurais voulu une télécarte à 50 unités.	• I'd like a 50 unit phone card.
• Puis-je envoyer un fax ?	• Can I send a fax?
• Je voudrais envoyer un e-mail. Pouvez-vous m'indiquer un cybercafé ?	• I'd like to send an e-mail. Can you tell me where I can find an Internet cafe?
• Je voudrais consulter l'annuaire de Brighton.	• I'd like to have the directory of Brighton.

CHEZ LE MÉDECIN	AT THE DOCTOR'S
▸ J'ai vomi et j'ai la diarrhée.	▸ I've been vomiting and I have diarrhoea.
▸ J'ai mal à la gorge.	▸ I have a sore throat.
▸ J'ai mal au ventre.	▸ My stomach hurts.
▸ Mon fils tousse et a de la fièvre.	▸ My son has a cough and a fever.
▸ Je suis allergique à la pénicilline.	▸ I'm allergic to penicillin.
▸ Je souffre d'hypertension.	▸ I've got high blood pressure.
▸ Je suis diabétique.	▸ I'm diabetic.
▸ Jusqu'à quand dois-je suivre le traitement ?	▸ How long should I follow the treatment for?

CHEZ LE DENTISTE	AT THE DENTIST'S
▸ J'ai une rage de dents.	▸ I have a toothache.
▸ C'est une molaire qui me fait mal.	▸ One of my molars hurts.
▸ J'ai perdu un plombage.	▸ I've lost a filling.
▸ Pourriez-vous me faire une anesthésie locale ?	▸ Could you give me a local anaesthetic?

À LA PHARMACIE | ## AT THE CHEMIST'S (Br) *ou* DRUGSTORE (Am)

- Je voudrais un médicament contre les maux de tête/le mal de gorge/la diarrhée.
- Il me faudrait de l'aspirine/des pansements.
- J'aurais voulu une crème solaire haute protection.
- Auriez-vous une lotion contre les piqûres d'insectes ?
- Pourriez-vous me recommander un médecin ?

- Can you give me something for a headache/sore throat/diarrhoea?
- Can I have some aspirin/Band-Aids®, please?
- I need some high protection suntan lotion.
- Do you have any insect repellent?
- Could you recommend a doctor?

URGENCES | ## EMERGENCIES

- Appelez un médecin/les pompiers/la police !
- Où est l'hôpital le plus proche ?
- Le groupe sanguin de mon fils est O+.

- J'ai été victime d'un vol.
- Il y a eu un accident.
- On m'a volé ma voiture.

- Call a doctor/the fire brigade/the police!
- Where's the nearest hospital?
- My son's blood group *(Br)* ou blood type *(Am)* is O positive.
- I've been robbed.
- There's been an accident.
- My car's been stolen.

Achevé d'imprimer en Janvier 2002
sur les presses de «La Tipografica Varese S.p.A.» à Varese (Italie)